Manque de temps ?
Envie de réussir ?
Besoin d'aide ?

La solution

Le *Compagnon Web* :
www.erpi.com/woodhetu.cw

Il contient des exercices qui vous permettront de tester et d'approfondir vos connaissances.

- ✓ **Des questions de révision avec autocorrection**
- ✓ **Des réseaux de concepts à compléter**

ENSEIGNANTS, profitez d'une panoplie d'outils pédagogiques pour construire et animer vos cours.

- ✓ Des présentations PowerPoint
- ✓ Une liste de sites Internet pertinents
- ✓ Une banques de questions et d'exercices supplémentaires
- ✓ Des questions de révision et d'examen en format Word et Exam Studio

Comment accéder
au Compagnon Web de votre manuel ?

Étudiants

Étape 1 : Allez à l'adresse **www.erpi.com/woodhetu.cw**
Étape 2 : Lorsqu'ils seront demandés, entrez le nom d'usager et le mot de passe ci-dessous :

Nom d'usager

Mot de passe

Ce livre **ne peut être retourné** si les cases ci-contre sont découvertes.

► SOULEVEZ ICI

Étape 3 : Suivez les instructions à l'écran
Assistance technique : tech@erpi.com

Enseignants

Veuillez communiquer avec votre représentant pour obtenir un mot de passe.

20458W

L'UNIVERS DE LA
PSYCHOLOGIE

L'UNIVERS DE LA
PSYCHOLOGIE

Samuel E. **Wood**   Ellen **Green Wood**   Denise **Boyd**   Francine **Hétu**

Avec la collaboration de Natalie **Cormier**
Cégep du Vieux-Montréal

 Josée **Déziel**
Collège Ahuntsic

 **E RPi**
ÉDITIONS DU RENOUVEAU PÉDAGOGIQUE INC.

5757, RUE CYPIHOT, SAINT-LAURENT (QUÉBEC) H4S 1R3
TÉLÉPHONE : 514 334-2690   TÉLÉCOPIEUR : 514 334-4720
erpidlm@erpi.com   w w w . e r p i . c o m

Développement de produits
Pierre Desautels

Supervision éditoriale
Sylvie Dupont

Révision
Sylvie Dupont

Traduction
Sylvie Dupont, Monique Gillet (chapitre 6), Nicolas Calvé (chapitre 7)

Correction d'épreuves
Marie-Claude Rochon (Scribe Atout)

Recherche iconographique
Yasmine Mazani

Direction artistique
Hélene Cousineau

Supervision de la production
Muriel Normand

Conception graphique de l'intérieur et de la couverture
Martin Tremblay

Photographie de la couverture
Œuvre de Jean-Daniel Rohrer, *Les êtres* – détail (2003)

Édition électronique
Infographie DN

Dans cet ouvrage, le générique masculin est utilisé sans aucune discrimination et uniquement pour alléger le texte.

Cet ouvrage est la version française de la sixième édition de *The World of Psychology* de Samuel E. Wood, Ellen Green Wood et Denise Boyd, publié et vendu à travers le monde avec l'autorisation de Pearson Education, Inc.

Authorized translation from the English language edition, entitled WORLD OF PSYCHOLOGY, THE, 6th Edition by WOOD, SAMUEL E.; WOOD, ELLEN GREEN; BOYD, DENISE, published by Pearson Education, Inc., publishing as Allyn & Bacon. Copyright © 2008 Pearson Education, Inc., publishing as Allyn & Bacon.

French language edition published by ERPI. Copyright © 2009

© ÉDITIONS DU RENOUVEAU PÉDAGOGIQUE INC., 2009.

Dépôt légal – Bibliothèque et Archives nationales du Québec, 2009
Dépôt légal – Bibliothèque et Archives nationales Canada, 2009

Imprimé au Canada   234567890   II   12 11 10
ISBN 978-2-7613-2422-9   20458 ABCD   SM9

PRÉSENTATION DE L'OUVRAGE par Francine Hétu

Il arrive qu'adapter un manuel américain n'ait rien de bien sorcier, qu'on s'en tienne à quelques coupures, à quelques ajouts et à quelques encadrés québécois pour la couleur locale. Ce n'est pas ce type d'adaptation que vous trouverez dans *L'Univers de la psychologie*. Pour que les étudiants puissent profiter de la rigueur scientifique et de la convivialité qui font le succès du très populaire *World of Psychology* de Wood, Wood et Boyd, il fallait refondre et remanier ses 17 chapitres et quelque 600 pages jusqu'à ce que son format soit parfaitement adapté à la réalité de nos collèges et que son contenu n'ait plus d'américain que son origine. Tel était mon mandat. Mais j'avais aussi d'autres ambitions…

Intéresser les étudiants à la biologie de leur cerveau La psychologie a beaucoup changé ces dernières années. Sans avoir rien de révolutionnaire, ce manuel en témoigne en rompant en douceur avec la division du corps et de l'esprit. Loin de moi l'idée de faire de nos étudiants des spécialistes des ondes cérébrales et des neurotransmetteurs. Simplement, plutôt que d'aborder ces sujets comme un mal nécessaire, j'ai cherché à les rendre plus accessibles et à mieux les exploiter. Ainsi, au lieu de plonger directement les étudiants dans la complexité du fonctionnement du neurone, ce qui a le don de les rebuter, le traditionnel chapitre 2 s'ouvre ici sur une vue d'ensemble du système nerveux, des techniques d'exploration du cerveau et de l'anatomie du cerveau. Des explications claires et précises sur le fonctionnement neuronal, la transmission de l'influx nerveux et le rôle des neurotransmetteurs les attendent en fin de chapitre. Surtout, j'ai veillé à ce qu'ils aient plusieurs occasions d'assimiler et d'approfondir ces connaissances dans les chapitres qui suivent, avec l'aide de ma collègue Natalie Cormier, du Cégep du Vieux-Montréal, qui a rédigé dans le même esprit les excellents chapitres 9 sur la personnalité, et 10 sur les troubles mentaux et leur traitement.

Mieux exploiter les découvertes des neurosciences L'augmentation fulgurante de la consommation d'anxiolytiques, d'antidépresseurs et de Ritalin serait déjà une raison suffisante de profiter du cours d'initiation à la psychologie pour intéresser les étudiants à ce qui se passe dans leur cerveau en exploitant mieux les découvertes des neurosciences. Mais ce n'est pas la seule. Contrairement à ce qu'on a pu craindre, loin de réduire tous les comportements humains à des processus prédéterminés par la biologie, les neurosciences ont révélé au contraire que le cerveau subit l'influence du milieu dès le stade embryonnaire, qu'il garde toute la vie durant la capacité de se remodeler en fonction de l'expérience, et que c'est ainsi qu'il évolue depuis l'aube des temps. Nous sommes déjà nombreux à parler à nos étudiants de la plasticité cérébrale et d'autres apports des neurosciences qui jettent un nouvel éclairage sur des questions fondamentales – de l'éternel débat de l'inné ou de l'acquis à la différence entre psychologie et pop-psycho en passant par l'évolution des grands courants de la psychologie. Je tenais à ce que nous ayons enfin un manuel à jour pour soutenir cet enseignement.

Remonter aux sources de la psychologie scientifique Adopter une approche historique m'a toujours semblé la façon la plus naturelle d'initier les étudiants à la psychologie, car cela permet à la fois d'aller du plus simple au plus complexe et d'aborder la psychologie comme une science vivante et incarnée. Les manuels présentent souvent les grandes théories qui jalonnent son histoire de façon si concise et si sèche qu'elles semblent être tombées du ciel. Autant que possible, j'ai voulu montrer qu'elles sont au contraire intimement liées aux connaissances et à la technologie dont disposaient les théoriciens qui les ont formulées chacun à leur époque. À ce titre, l'histoire de la recherche sur les émotions et le stress racontée au chapitre 8 est exemplaire. Pourquoi Darwin s'est-il intéressé à l'expression des émotions plutôt qu'aux émotions elles-mêmes, et comment la relecture de son œuvre a-t-elle inspiré l'approche des émotions de base ? Pourquoi la théorie de James-Lange discréditée par Cannon ressuscite-t-elle aujourd'hui avec l'hypothèse des marqueurs somatiques d'Antonio Damasio ? Et pourquoi la première théorie de l'évaluation, formulée en 1960 par Magda Arnold, refait-elle surface après avoir été si longtemps éclipsée par la théorie de Lazarus ? Moins glorieuse, l'histoire des premiers tests de QI et des ravages qu'ils ont faits n'en est pas moins importante à enseigner pour que nos étudiants comprennent les débats actuels sur la nature et la mesure de l'intelligence.

Fouiller dans l'histoire permet aussi de remettre les pendules à l'heure. Nos manuels ne manquent jamais de souligner les travaux pionniers de Penfield et de Selye, mais, curieusement, ils oublient souvent ceux, non moins importants, des neuropsychologues montréalais Donald Hebb et Brenda Milner. Le chapitre 6 sur la mémoire corrige cette omission, tandis que le chapitre 4 met en valeur le dynamisme de la recherche québécoise sur le sommeil et les rythmes circadiens.

Peut-on raconter tout cela sans se laisser tenter par tous les petits sentiers intéressants qui se présentent sur la route, sans se perdre dans des exemples qui tiennent lieu d'explication, en gardant à la fois le cap et l'attention des étudiants ? J'ai fait le pari que oui. À vous de juger du résultat.

REMERCIEMENTS

Tout d'abord, je remercie messieurs Jean-Pierre Albert et Pierre Desautels de la maison ERPI pour la confiance qu'ils m'ont accordée en me confiant ce projet. Je remercie également toute l'excellente équipe de ERPI, et plus particulièrement Sylvie Dupont, dont l'expérience et la compétence m'ont aidée à surmonter les difficultés inhérentes à ce projet. En plus de la révision et d'une bonne partie de la traduction, je lui dois de nombreux ajouts et remaniements qui ont enrichi le texte et l'ont rendu intéressant et agréable à lire. Au-delà de son travail de réécriture, elle a transformé en une vraie petite nouvelle mon histoire de Lucy et Lucie, qui ouvre le chapitre 8, et m'a offert l'histoire de Laurent et de sa grand-mère en guise d'introduction au chapitre 4. Sa complicité et sa générosité ont fait de cet aspect du travail un véritable plaisir.

Enfin, je remercie cordialement nos lectrices et lecteurs, mes collègues Viviane Aubé du Collège de Rosemont, Marie Bolduc du Cégep de l'Outaouais et Denis Trottier du Collège de Drummondville pour leurs remarques, suggestions et commentaires abondants, utiles et pertinents.

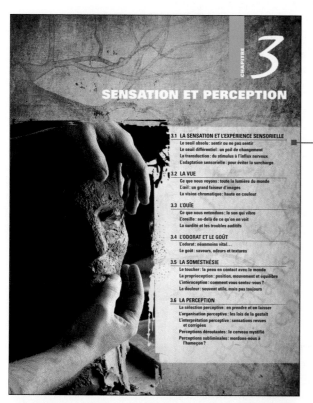

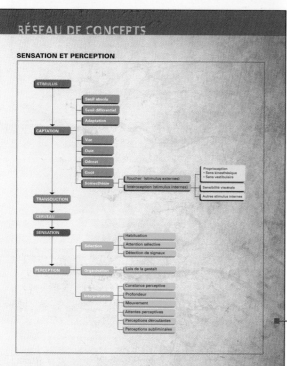

UN APPRENTISSAGE ACTIF ET STRUCTURÉ

Dans chaque chapitre :

■ Un **sommaire détaillé** pour bien cerner la matière et donner une idée d'ensemble de tous les sujets abordés.

■ Des **objectifs d'apprentissage sous forme de questions**, qui attirent l'attention sur l'essentiel de la matière avant la lecture et favorisent une révision dynamique par la suite.

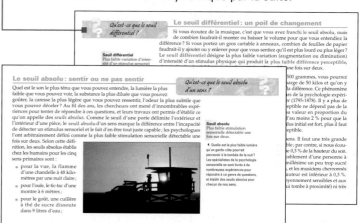

■ Des **pauses RETENEZ-LE** qui aident à consolider l'apprentissage au fur et à mesure en vérifiant si on a retenu l'essentiel, puis à réviser activement le contenu du chapitre.

■ Un **réseau de concepts** qui schématise les relations entre les éléments clés du chapitre et mise sur la mémoire visuelle.

UNE PSYCHOLOGIE ANCRÉE DANS LE RÉEL

Des **ouvertures de chapitre axées sur le vécu**, qu'il s'agisse de l'histoire classique de Helen Keller, du discours intérieur d'un jeune homme qui s'interroge sur les divers états de la conscience ou de la vie incroyable du mathématicien et Prix Nobel schizophrène John Nash.

▲ Russell Crowe incarnant John Nash dans le film *Un homme d'exception* (2001).

▲ John Forbes Nash (1928-), Prix Nobel d'économie en 1994.

Avez-vous vu *Un homme d'exception*, le film que Ron Howard (2001) a tiré de la biographie de John Forbes Nash[1]. Russell Crowe y incarne ce brillant mathématicien américain, récipiendaire d'un prix Nobel, qui a passé la majeure partie de sa vie adulte à lutter contre cette terrible maladie mentale qu'est la schizophrénie. Une histoire vraiment exceptionnelle...

En 1950, à 21 ans, John F. Nash dépose sa thèse de doctorat sur la théorie des jeux; il y esquisse un modèle mathématique aujourd'hui connu comme *l'équilibre de Nash*, qui trouvera des applications très importantes en économie. Le jeune Nash décroche ensuite un poste de chercheur et de professeur à la prestigieuse Princeton University et enseigne au MIT à Cambridge. Durant sa vingtaine, il démontre des postulats mathématiques complexes; non seulement il a une façon originale d'envisager les problèmes, mais il est doté d'une mémoire et d'une capacité de concentration tout à fait phénoménales. Sur le plan personnel, Nash est un singulier personnage. Dès sa tendre enfance, pourtant passée dans une famille à l'aise et aimante, il se montre très peu sociable, préférant de loin la compagnie des livres à celle des humains. Durant ses études, ses condisciples le trouvent bizarre et hautain; il manifeste peu d'émotions et semble insensible à celles d'autrui. Plus tard, ses collègues le jugent excentrique, et ses étudiants n'apprécient guère ses curieuses façons d'agir. Néanmoins, il est doté d'un physique avantageux, sait faire preuve d'humour et exerce un certain charme, ce qui lui vaut d'être remarqué par une étudiante en physique du MIT, la brillante et jolie Alicia López-Harrison de Larde, qu'il épouse en 1957.

Deux ans plus tard, la vie de John Nash bascule. En 1959, ses collègues et ses proches remarquent d'importants changements dans sa façon de raisonner et de se comporter. Soudain obsédé de numérologie, il se met à écrire des chiffres partout: le sort de l'humanité dépend de la résolution de ces énigmes, dit-il. Il parle d'une mission que lui a confiée le gouvernement planétaire: seuls ses savants pourront sauver la Terre des menaces que des extraterrestres font planer sur notre planète. Il envoie des lettres truffées de chiffres à plusieurs gouvernements et ouvre des comptes bancaires partout dans le monde pour organiser la défense contre une invasion d'extraterrestres qui communiquent avec lui. Jadis capable des raisonnements mathématiques les plus spectaculaires, il tient des propos d'une incohérence déroutante. Lors d'une conférence universitaire, il brandit la photo du pape Jean XXIII à la une d'un numéro récent du *Life Magazine* et déclare qu'on l'a retouchée pour qu'elle lui ressemble et qu'elle contient un message codé qui lui est adressé: à preuve, il porte le même prénom que le pape, et 23 est justement le chiffre premier qu'il préfère... Tantôt il est pris de violents accès de colère; tantôt il se replie complètement sur lui-même. Il a l'impression d'être le pied gauche de Dieu, dit-il, et que Dieu marche sur la Terre...

Après des mois de tension et d'inquiétude, sa femme Alicia, enceinte depuis peu, se résout à le faire interner. Le diagnostic tombe: John Nash souffre de schizophrénie. Comme il a grandi dans une famille aimante, instruite et à l'aise, sa maladie contredit les croyances des psychiatres de l'époque, pour qui la schizophrénie résultait du rejet et de la dureté de la famille. On sait aujourd'hui que la schizophrénie a de multiples causes, et que l'hérédité y est pour beaucoup.

Durant ce premier d'une longue série de séjours en institution psychiatrique, John Nash est traité à l'insuline, dont on lui administre de fortes doses pour provoquer des comas diabétiques. Imaginé par le médecin viennois Manfred Sackel dans les années 1930, ce traitement reposait sur l'idée que priver le cerveau de sucre, son seul carburant, entraînait la mort des neurones inutiles et « nettoyait » le cerveau trop encombré des schizophrènes. Si les patients sortaient de ce traitement plus calmes, un certain nombre y ont laissé la vie, et on a fini par l'abandonner au début des années 1960.

Dans les années qui suivent son premier internement, John Nash subit aussi des électrochocs, un traitement très controversé utilisé encore aujourd'hui, mais avec plus de parcimonie et seulement si le patient ne répond pas aux médicaments. Nash fera aussi l'expérience des premiers neuroleptiques, qui sont apparus dans les années 1950. Conçus pour enrayer les hallucinations, ces médicaments sont moins efficaces que les antipsychotiques d'aujourd'hui, et s'accompagnent d'effets secondaires beaucoup plus pénibles: raideurs musculaires, tremblements, appauvrissement des émotions, perte d'énergie, etc.

Craignant que tous ces traitements ne lui fassent perdre définitivement sa mémoire et ses capacités intellectuelles, Nash prend rarement ses médicaments lorsqu'il n'est pas interné.

Bien qu'elle ne date pas d'hier, l'histoire d'Helen Keller (1880-1968) reste l'exemple le plus parfait de la différence entre sensation et perception. Née en 1880 dans une petite ville de l'Alabama, Helen contracte à 19 mois une maladie infantile qui la laisse sourde et aveugle: dorénavant, son univers sensoriel se réduit au goût, à l'odorat et au toucher. Plongée avant de savoir parler dans un abîme de noirceur et de silence – un « non-monde » comme elle dira plus tard de sa petite enfance –, Helen grandit en communiquant avec ses parents de façon extrêmement sommaire (quand elle n'aime pas un aliment, elle le crache...), à croit aussi mentalement handicapée. De fa donner et à recevoir de l'information est très d'un animal domestique, et plus elle vieillit, pl sa frustration par des explosions de rage au fréquentes. À six ans, « l'enfant sauvage » rés pline, et sa famille, dépassée, a désespérém

Sur les conseils d'Alexander Graham B téléphone et expert de l'enseignement aux en Keller contactent le directeur de la Perkins Insti une école où l'on instruit des aveugles en demander de leur envoyer un professeur po ainsi la connaissance d'Ann Mansfield Sul enseignante talentueuse qui, en 1887, accep chez eux et d'essayer d'éduquer leur fille.

Pour apprendre à l'enfant que tout a un misse fondamentale de la communication –, alphabet manuel: avant de lui présenter une c elle en épelle lentement le nom avec ses doig d'Helen. Pendant un certain temps, le procédé résultat. Puis, un jour, pendant qu'elle verse des mains de son élève en épelant le mot E- Ann voit le visage de l'enfant s'éclairer de sur Helen a enfin compris! Dès lors, l'enfant ap utiliser ses doigts pour nommer les choses, ma maman, papa, Ann et, bien sûr, Helen.

Les progrès d'Helen Keller ne s'arrêtent Ann l'amène à la Perkins Institution. Deux ans a appris à lire et à écrire en braille, et comp partie de ce que disent ses locuteurs en uti pour sentir les vibrations de leurs cordes vo pour interpréter les mouvements de leurs lè autres doigts pour « voir » leurs expressions fa le préciser, Helen peut identifier tous les gen en palpant leur visage.

À 20 ans, la jeune femme s'inscrit au pre Collège, où, grâce à l'aide de sa tutrice, interp Sullivan, elle obtient son diplôme universitaire avec mention. En 1903, elle publie son autobiographie, qui sera suivie de nombreux autres ouvrages et articles, dont plusieurs portent sur la cécité et la surdité. Écrivaine renommée, conférencière recherchée et socialiste convaincue, Helen Keller plaidera toute sa vie la cause des handicapés visuels et auditifs, mais aussi celle des femmes, des défavorisés et des opprimés.

Des **rubriques APPLIQUEZ-LE** qui traduisent les fruits de la recherche scientifique en trucs et conseils applicables dans la vie quotidienne.

APPLIQUEZ-LE

Stimuler votre créativité

La créativité n'est pas l'apanage des artistes. Tout le monde a un potentiel de créativité. Que pouvez-vous faire pour stimuler votre créativité? Voici quelques pistes:

- **Branchez-vous sur votre créativité et ayez confiance en elle.** Plus vous prendrez l'habitude de penser à vous comme à une personne créative, plus vous valoriserez la créativité comme objectif personnel, plus vous aurez de chances d'avoir des idées et des solutions nova- ... mabile, 1988). ... la cuisine ou la ... donnez-vous de ... cuisiner un bon

ni vos pensées ni vos efforts durant les premières phases du processus de création. S'inquiéter du résultat inhibe le processus de création (Amabile, 1983).

- **N'ayez pas peur de faire des erreurs.** Pour les créateurs, les erreurs sont des expériences d'apprentissage précieuses, et non quelque chose à craindre et à éviter à tout prix. En fait, les gens créatifs tendent à faire plus d'erreurs que les autres. Pourquoi? Parce qu'ils font plus d'essais, expérimentent davantage et trouvent plus d'idées à tester (Goleman et autres, 1992).
- **Capturez vos bonnes idées.** Prêtez plus d'attention à vos pensées créatrices et soyez prêt à les préserver où que vous soyez (Epstein, 1996). Utilisez un carnet de notes, un magnétophone ou un gadget électronique,

APPLIQUEZ-LE

Gagner la bataille contre la procrastination

Vous dites-vous souvent que vos notes seraient meilleures si vous aviez plus de temps pour étudier? Êtes-vous souvent à la dernière minute pour étudier un examen ou remettre un travail? Si oui, vous devriez peut-être vous attaquer à la plus grande perte de temps qui soit: la procrastination. Chez les étudiants, indique la recherche, la procrastination résulte en partie d'un manque de confiance en sa capacité de réussir (Wolters, 2003). Une fois qu'on en prend l'habitude, la procrastination persiste souvent pendant des années (Lee,

- *Mettez-vous au tra* ... mencer. Accordez- ... commencez à l'heu ... vous commencez
- *Évitez de traîner les* ... tinateurs ont tenda ... à une tâche au li ... passeront l'après- ... pour retarder le m
- *Utilisez la visualisa* ... crastination vient ... quences. Tenter d ... efficace de combatt ... en train de passer ... préparé, par exem
- *Évitez de passer à u* ... *partie plus difficile d* ... crastination vous ... d'avancer, mais ce ... d'évitement.
- *Notez dans un cahie* ... *retarder le moment d* ... dites souvent « Je v ... comptez le nombre ... envie d'étudier da ... vient en étudiant,
- *N'attendez plus: co* ... *quelques conseils et* ... procrastination.

APPLIQUEZ-LE

Quelques trucs pour mieux dormir

Que pouvez-vous faire pour combattre l'insomnie et améliorer la qualité de votre sommeil? Voici quelques suggestions qui ont fait leurs preuves:

- Utiliser son lit pour dormir. Éviter de lire, d'étudier, d'écrire, de regarder la télé, de manger ou de parler au téléphone au lit.
- Établir un rituel relaxant avant le coucher apaise le corps et l'esprit, et conditionne au sommeil.
- Dix minutes après le coucher, si le sommeil n'est pas venu, quitter le lit. Aller dans une autre pièce pour lire ou écouter de la musique (éviter la télé et l'ordinateur). Ne retourner au lit que lorsqu'on s'endort. Recommencer autant de fois qu'il le faut, jusqu'à ce que le sommeil vienne en moins de 10 minutes.
- Régler le réveil-matin et se lever à la même heure tous les jours, même la fin de semaine. Peu importe le nombre d'heures de sommeil de la nuit précédente, ne faites pas la sieste; il faut aider l'horloge biologique à se reprogrammer correctement.
- Faire régulièrement de l'exercice, mais pas dans les heures qui précèdent le coucher. (L'exercice élève la température du corps et nuit à l'endormissement.)
- Manger à des heures régulières. Éviter les aliments lourds ou épicés à l'approche du coucher. Si on a vraiment faim, prendre un verre de lait et des biscuits.
- Éviter la caféine dans les six heures qui précèdent le coucher et arrêter la cigarette une heure ou deux avant.
- Ne pas penser à ses problèmes quand on se met au lit.
- Ne pas attribuer tous ses problèmes au manque de sommeil. Un, cela ne correspond pas à la réalité. Deux, se focaliser sur l'insomnie augmente le stress qui y est associé.

APPLIQUEZ-LE

Étudier plus efficacement

Vous en doutez, aucune pilule magique ne peut améliorer votre mémoire. Comme toute autre compétence, l'art de la mémorisation s'acquiert par le savoir et la pratique. Mettons donc à profit ce que vous venez d'apprendre sur la mémoire.

Quand vous étudiez, vous utilisez votre mémoire à court terme dont la capacité est limitée à sept éléments ou blocs d'information. Il y a plusieurs manières de favoriser le transfert de l'information dans la mémoire à long terme.

Concentrer son attention

La première chose à faire est d'éliminer toutes les sources de distraction pour éviter que des informations inutiles occupent l'espace limité et précieux disponible dans votre mémoire à court terme. Il est plus profitable d'étudier de 30 à 45 minutes bien concentré que toute une soirée devant la télé.

Classer et regrouper l'information pour en réduire la quantité

Classer l'information permet d'avoir une vue d'ensemble de la matière à étudier, de repérer l'essentiel et de trier ce qu'on maîtrise déjà de ce sur quoi il faudra travailler davantage pour répartir son temps en conséquence. Organiser l'information permet aussi de la retrouver plus facilement, comme faire de l'ordre dans une pièce aide à localiser ce qu'on cherche plus rapidement. Le type d'organisation a également son importance. Presque tout le monde peut réciter les mois de l'année en 10 secondes, mais combien de temps vous faudrait-il pour apprendre à les retenir dans un autre ordre? Il vous serait bien plus difficile de retenir ces 12 éléments pourtant totalement assimilés en ordre alphabétique, parce qu'ils ne sont pas classés ainsi dans votre mémoire. De même, vous compliquez beaucoup la tâche de votre mémoire si vous essayez de retenir de grandes quantités d'informations désordonnées. Mieux vous organiserez l'information, mieux vous la retiendrez. Lorsque vous étudiez un chapitre, écrivez chaque titre et sous-titre sur une fiche; puis prenez des notes sur chaque section et sous-section en utilisant des fiches distinctes. Conservez ces fiches par ordre de chapitre et utilisez-les pour vos révisions.

La mémoire privilégie le sens, la signification. Donc, mieux vous comprenez la matière, mieux vous la retiendrez. Mais vous pouvez aussi donner du sens à ce qui n'en a pas pour le retenir plus facilement: un vieux truc mnémotechnique. Ainsi, la phrase « Mon vieux, tu me jettes sur une nouvelle planète » aide à mémoriser la position des planètes dans le système solaire, et la phrase « Mais où est donc Carnior? », à retenir les sept conjonctions de coordination les plus courantes en français.

Répartir le travail sur plusieurs séances d'étude pour éviter la surcharge

Nous avons tous et toutes essayé la technique du bourrage de crâne: étudier frénétiquement la veille d'un examen. Plusieurs séances d'étude espacées sont généralement plus efficaces qu'une séance d'étude concentrée, sans temps de repos. Ce principe s'applique autant à l'apprentissage d'habiletés motrices qu'à celui de faits et d'informations. Les musiciens vous le diront tous, il vaut beaucoup mieux pratiquer une heure par jour que sept heures d'affilée une fois par semaine. Les séances de mémorisation entraînent fatigue et baisse de concentration, et rendent plus vulnérable à l'interférence. L'efficacité des séances d'étude espacées sera encore plus grande si vous commencez chacune en révisant rapidement la matière des séances précédentes; vous réactivez ainsi les circuits neuronaux créés lors de cet apprentissage, ce qui favorise la consolidation et accélère le réapprentissage!

■ Des **capsules ESSAYEZ-LE** qui proposent des expériences amusantes, frappent l'imagination, personnalisent la matière et en facilitent la rétention.

ESSAYEZ-LE

Le test des processus antagonistes

Fixez l'œil de l'oiseau pendant une minute, puis fixez la cage.
La silhouette de l'oiseau y apparaîtra en rouge.

En résumé, les cônes de la rétine traitent la lumière de manière trichromatique, et le thalamus, de manière antagoniste. Les chercheurs croient que le traitement des couleurs débute sur la rétine, se poursuit dans les cellules bip... lamus, et se termine dans les détecteurs chromatiq... Masland, 1996).

Le daltonisme L'anomalie ou l'absence des gènes res... entraîne le daltonisme, c'est-à-dire l'incapacité de dis... rarement – une personne sur 100 000 (Nathans et autres... chromatique (achromatopsie). On sait à quoi le monde r... à des études menées auprès de gens qui ont une vis... forme de daltonisme dans l'autre. La plupart des anom... des faiblesses ou des confusions plutôt qu'une véri... couleurs. La plupart des daltoniens ont des difficulté... autres, 1996). Certaines formes de daltonisme rouge-... 5 % des hommes et moins de 1 % des femmes (Neitz et... l'opinion répandue voulant que certains mammifères... les couleurs : en fait, toutes les espèces de mammifères... de vision chromatique (Jacobs, 1993).

Daltonisme
Inaptitude à distinguer une ou plusieurs couleurs, parfois toutes ; résulte d'une anomalie des cônes.

ESSAYEZ-LE

Une tâche d'équilibre… hémisphérique

Prenez une règle. Essayez de la tenir en équilibre (vertical) sur votre index gauche, puis sur votre index droit. La plupart des gens réussissent mieux avec leur main dominante. Est-ce vrai pour vous ?

Maintenant, essayez de réciter l'alphabet à haute voix et aussi vite que possible tout en tenant la règle en équilibre avec votre main gauche. Est-ce plus facile ainsi ?

L'hémisphère droit contrôle le geste de la main gauche, mais l'hémisphère gauche, bien que peu apte à commander la main gauche, essaie tout de même de coordonner vos efforts d'équilibrage (il est dominant pour les tâches motrices). Quand vous distrayez l'hémisphère gauche par un flot continu de paroles, l'hémisphère droit peut orchestrer sans interférence et donc plus efficacement le geste de votre main gauche.

Une grande partie des lobes frontaux est constituée d'aires associatives qui reçoivent et analysent des informations provenant de diverses régions du cortex et d'autres structures cérébrales. Ces aires associatives interviennent dans la pensée, la motivation, la planification et la maîtrise des impulsions et des réactions émotionnelles (Stuss, Gow et Hetherington, 1992). L'un des cas les plus célèbres de l'histoire de la médecine, celui de l'Américain Phineas Gage, illustre bien ce qui peut arriver lorsque les aires associatives frontales sont endommagées. À l'âge de 25 ans, Gage, qui supervisait la construction d'une voie ferrée en Nouvelle-Angleterre, fut victime d'un grave accident : lors d'une explosion, une tige de fer de plus d'un mètre de long transperça sa joue gauche pour ressortir au sommet du crâne, emportant une bonne partie de son lobe frontal. Quelques mois plus tard, Gage revint au travail, un œil en moins, mais sinon tout à fait rétabli en apparence. Cependant, remarquèrent ses collègues, Phineas n'était plus lui-même. Autrefois fiable, sociable, respectueux et agréable de caractère, il était devenu grossier, impulsif et capricieux. Ce changement de caractère lui coûta son emploi, et jusqu'à sa mort, il ne parvint jamais à en conserver un autre très longtemps. À l'aide du crâne de Gage (conservé à la Harvard University) et de techniques modernes d'imagerie cérébrale, Hanna et Antonio Damasio et leurs collègues (1994) ont pu localiser les lésions cérébrales subies par Gage – essentiellement au lobe frontal (photo ci-contre). Siège de l'analyse et du traitement plus complexe de l'information, le cortex du lobe frontal est un véritable modulateur de réactions émotionnelles (Damasio et autres, 1994). Sa lésion entraîne une série de modifications comportementales telles que l'impulsivité, l'irresponsabilité, l'absence de conscience sociale, le manque d'empathie, etc., ainsi que des manifestations émotionnelles hors contexte comme l'euphorie, l'irritabilité, l'exubérance, une sensibilité excessive (Damasio et autres, 1996 ; Zald et Kim, 1996).

Les lobes temporaux : pour comprendre ce qu'on entend Situés au-dessus des oreilles, les lobes temporaux interviennent dans la réception et la perception des informations auditives. Ils incluent le cortex auditif primaire, où s'enregistrent les sons, l'aire de Wernicke et les aires associatives temporales. Le cortex auditif primaire de chaque [...] oreilles. Une lésion à [...] auditif primaire, [...] let. [...] u de l'hémisphère [...] préhension de la [...] nd vous écoutez

▼ Cette image informatisée montre la trajectoire probable de la tige de fer qui a traversé le crâne de Phineas Gage, derrière son œil gauche.

Lobes temporaux
Lobes cérébraux situés au-dessus des oreilles ; contiennent le cortex auditif primaire, l'aire de Wernicke et les aires associatives temporales.

Cortex auditif primaire
Zone des lobes temporaux où s'enregistre l'information auditive provenant des deux oreilles.

Aire de Wernicke
Zone corticale du lobe temporal, généralement située dans l'hémisphère gauche ; qui intervient dans la compréhension de la parole et la formulation d'un langage parlé et écrit cohérent.

Pourquoi oublions-nous ?
Les théories de l'oubli

Pourquoi notre mémoire nous trahit-elle parfois, et ce, même quand nous nous efforçons de retenir quelque chose ?

Quelles sont les causes de l'oubli ?

Le déclin naturel Selon la théorie du déclin naturel, sans doute la plus ancienne des théories sur l'oubli, les souvenirs qui ne sont pas utilisés s'estompent avec le temps et finissent par s'effacer complètement. Le « déclin » évoque ici une modification physiologique des neurones qui ont enregistré l'expérience, et la trace que laisse un apprentissage peut s'estomper en quelques secondes, en quelques jours ou sur une période beaucoup plus longue. Aujourd'hui, la plupart des psychologues considèrent que la dégradation des souvenirs peut être une cause de l'oubli dans la mémoire sensorielle et dans la mémoire à court terme. Par contre, il ne semble pas y avoir de dégradation graduelle ou inévitable des souvenirs dans la mémoire à long terme. Des chercheurs ont constaté qu'avec de bons indices de récupération, même des souvenirs très anciens peuvent resurgir. Après 35 ans, leurs sujets pouvaient encore reconnaître 90 % des photos et des noms de leurs camarades du secondaire – soit le même pourcentage que des étudiants fraîchement diplômés (Harry Bahrick et autres, 1975).

Théorie du déclin naturel
Théorie de l'oubli selon laquelle les souvenirs inutilisés s'estompent avec le temps et finissent par disparaître.

ESSAYEZ-LE

Reconnaître une pièce de 25 cents

Prenez une feuille de papier et dessinez de mémoire le côté pile d'une pièce de 25 cents. Votre dessin n'a pas à être esthétique. Il doit simplement montrer dans quelle direction est orienté le museau du caribou, ainsi que la place des inscriptions qui y figurent. Cette tâche de rappel vous semble trop difficile ? D'accord, essayons une tâche de reconnaissance. Lequel de ces dessins montre la pièce telle qu'elle est réellement ?

A B C D E

■ Des **sujets de RÉFLEXION CRITIQUE** qui invitent à relier la matière à l'expérience personnelle avec un esprit critique.

RÉFLEXION CRITIQUE

1. Comment votre vie changerait-elle si vous subissiez une lésion cérébrale très grave à l'hémisphère gauche ? Comment changerait-elle si cette même lésion touchait votre hémisphère droit ? Dans quel hémisphère une lésion serait-elle la plus tragique pour vous ? Pourquoi ?

2. La plupart des recherches sur le cerveau dont parlait ce chapitre portent sur l'utilisation des animaux. Dans bien des cas, il a fallu euthanasier l'animal pour observer directement son cerveau. Beaucoup de gens s'opposent à une telle pratique, mais beaucoup d'autres la défendent parce qu'elle fait avancer nos connaissances sur le cerveau. Préparez des arguments à l'appui de chacune des positions suivantes :

a) L'utilisation d'animaux dans la recherche sur le cerveau est conforme à l'éthique et justifiable en raison de ses bénéfices éventuels pour l'humanité.

b) L'utilisation d'animaux dans la recherche sur le cerveau est contraire à l'éthique et ses bénéfices éventuels pour l'humanité ne la justifient pas.

3. « Les enfants conçus par un parent aux yeux bruns et un parent aux yeux bleus a toujours les yeux bruns, parce que le gène des yeux bruns est dominant », a entendu dire une de vos amies. Cette affirmation est-elle exacte ? Pourquoi ? Comment expliqueriez-vous sa fausseté ou sa véracité à votre amie qui ne connaît rien à la génétique ?

À LA FINE POINTE
DES CONNAISSANCES

■ Des **mots clés en couleur** définis dans la marge, regroupés dans un **glossaire** et en gras dans l'**index**, pour qu'à tout moment, on puisse facilement en vérifier le sens.

■ Un **texte limpide, direct et vivant**, sans fioriture ni charabia, avec des **explications claires et précises** soutenues par des exemples familiers, des **figures abondantes** et des **tableaux récapitulatifs**.

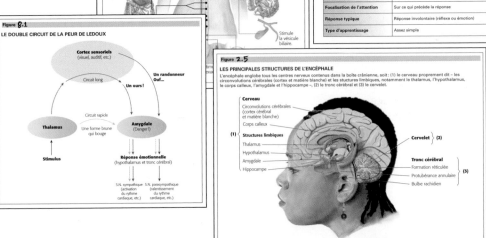

4.4 LA MÉDITATION ET L'HYPNOSE

Existe-t-il d'autres états de conscience que ceux produits naturellement par les rythmes circadiens, le sommeil et le rêve, ou artificiellement par les psychotropes ? Des pratiques comme la méditation et l'hypnose peuvent-elles engendrer des états de conscience distincts ? Si oui, comment et quels sont leurs effets ? À l'heure de l'imagerie cérébrale fonctionnelle, de nombreux neuroscientifiques se passionnent pour ces questions.

La méditation : de l'entraînement de l'esprit à la plasticité du cerveau

Que nous apprend la recherche sur les effets neurologiques de la méditation ?

Méditation
Ensemble de techniques exigeant de fixer son attention sur un objet, un mot, sa respiration ou un mouvement du corps pour bloquer toutes les distractions et atteindre un état de conscience modifié.

La méditation englobe un ensemble de techniques qui consistent à focaliser son attention sur un objet, un mot, sa respiration ou ses mouvements pour écarter les distractions et parvenir à un état de conscience modifié. Certaines formes de méditation concentrée, comme le yoga, la méditation transcendantale, le zazen (méditation zen) et la méditation bouddhiste tibétaine nous viennent de religions orientales ; leurs adeptes les pratiquent depuis des millénaires pour atteindre un état d'élévation spirituelle. En Occident, on les utilise souvent pour réduire l'excitation, favoriser la détente ou élargir la conscience (Wolsko et autres, 2004).

Les études d'imagerie cérébrale démontrent qu'en plus d'être relaxante, la méditation permet de modifier volontairement et naturellement l'état de conscience (Cahn et Polich, 2006 ; Newberg et autres, 2001). À l'University of Wisconsin, des neuroscientifiques étudient le fonctionnement du cerveau de moines bouddhistes tibétains qui pratiquent la méditation profonde depuis de nombreuses années. Leurs études d'imagerie cérébrale suggèrent que la méditation peut modifier de manière permanente plusieurs parties du cerveau, notamment celles qui intègrent les fonctions des lobes frontaux et pariétaux, et celles qui régissent les émotions (Lutz et autres, 2008 ; Lutz et autres, 2008, 2004 ; Davidson, 2003). Ces résultats sont préliminaires, et il faudra encore beaucoup de recherche pour que les neuroscientifiques comprennent comment de tels changements neurologiques influent sur le fonctionnement cognitif et émotionnel des méditants, ainsi que sur leur santé physique et mentale. On sait déjà que les effets bénéfiques de la méditation vont bien au-delà de la détente et de la réduction du stress. De nombreux chercheurs ont observé que la pratique régulière de la méditation aide les gens, et même ceux qui souffrent de troubles dépressifs graves, à apprendre à réguler leurs émotions (par exemple, Lutz et autres, 2008 ; Segal et autres, 2001). La recherche indique également que la méditation peut améliorer la santé cardiovasculaire (Seeman et autres, 2003, 2002). Elle pourrait également influer sur le système immunitaire (Carlson et autres, 2007 ; Davidson et autres, 2003).

▲ Les études d'imagerie cérébrale démontrent qu'en plus d'être relaxante, la méditation permet de modifier volontairement et naturellement l'état de conscience.

◀ La mémoire déclarative retient tout ce qui peut s'énoncer en mots : les souvenirs autobiographiques stockés dans la mémoire épisodique – « En janvier dernier, je me faisais dorer sur une plage de Miami » – ainsi que les connaissances générales et les informations factuelles stockées dans la mémoire sémantique – Miami est une grande ville des États-Unis, située sur la côte Atlantique de la Floride, etc.

...ux types de mémoire déclarative – ...pendamment l'un de l'autre. Ainsi, ...e Miami l'hiver dernier (mémoire ...du mot « plage » (mémoire séman... oire épisodique) contribuent sans ...États-Unis (mémoire sémantique). ...oire déclarative n'est pas absolue. ... seule la mémoire sémantique est ...des choses grâce à leur mémoire ...obtiennent de piètres résultats pour ... mots sur des images, donner des ...es, etc.) ou classer des mots ou des ...(par exemple). Cependant, l'essen... ...odges et autres, 1995 ; Snowden et ...ons sans aide directe de la mémoire ...utres, 2000).

...ile (ou mémoire implicite) est un ...ve les souvenirs liés aux habiletés ...ses par conditionnement classique ...r avec une fourchette, aller à bicy... ...a pratique répétitive et sont donc ...s acquises, ces habiletés deviennent ...eler et les exécuter sans effort con... ...clavier de votre ordinateur, mais ...uches de chaque rangée de gauche ...s sous-systèmes de la mémoire à

Mémoire procédurale (ou mémoire implicite)
Sous-système de la mémoire à long terme qui entrepose les souvenirs liés aux habiletés motrices, aux habitudes et aux réponses simples apprises par conditionnement classique.

◀ Avez-vous déjà entendu dire qu'on n'oublie jamais comment faire de la bicyclette ? C'est exact : les habiletés motrices sont longues à acquérir, mais une fois stockées dans la mémoire procédurale, elles s'oublient rarement.

Des **figures aussi belles qu'abondantes** pour expliquer visuellement ce que les mots ne suffiraient à bien faire voir et des **tableaux récapitulatifs** pour synthétiser la matière et en faciliter la révision.

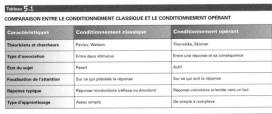

Figure 2.2
LE SYSTÈME NERVEUX VÉGÉTATIF
Le système nerveux végétatif est constitué du système nerveux sympathique, qui mobilise les ressources du corps en situation d'urgence ou de stress, et du système nerveux parasympathique, qui ramène les réactions physiologiques à la normale une fois l'urgence passée. Ce schéma résume les effets opposés des divisions sympathique et parasympathique du système nerveux végétatif sur les diverses parties du corps.

SYMPATHIQUE — Dilate les pupilles. / Inhibe les glandes salivaires. / Relâche les bronches (accélère la respiration). / Accélère la fréquence cardiaque. / Inhibe l'activité digestive.

PARASYMPATHIQUE — Contracte les pupilles. / Stimule les glandes salivaires. / Contracte les bronches (ralentit la respiration). / Ralentit la fréquence cardiaque. / Stimule l'activité digestive. / Stimule la vésicule biliaire.

Figure 8.1
LE DOUBLE CIRCUIT DE LA PEUR DE LEDOUX

Cortex sensoriels (visuel, auditif, etc.)
Un randonneur
Ouf...
Circuit long
Un ours !
Circuit rapide
Une forme brune qui bouge
Thalamus
Amygdale (Danger !)
Stimulus
Réponse émotionnelle (hypothalamus et tronc cérébral)
S.N. sympathique (activation du rythme cardiaque, etc.)
S.N. parasympathique (ralentissement du rythme cardiaque, etc.)

Figure 2.5
LES PRINCIPALES STRUCTURES DE L'ENCÉPHALE
L'encéphale englobe tous les centres nerveux contenus dans la boîte crânienne, soit : (1) le cerveau proprement dit – les circonvolutions cérébrales (cortex et matière blanche) et les stuctures limbiques, notamment le thalamus, l'hypothalamus, le corps calleux, l'amygdale et l'hippocampe –, (2) le tronc cérébral et (3) le cervelet.

Cerveau : Circonvolutions cérébrales (cortex cérébral et matière blanche) / Corps calleux
(1) Structures limbiques : Thalamus / Hypothalamus / Amygdale / Hippocampe
Cervelet (2)
Tronc cérébral (3) : Formation réticulée / Protubérance annulaire / Bulbe rachidien

Tableau 5.1
COMPARAISON ENTRE LE CONDITIONNEMENT CLASSIQUE ET LE CONDITIONNEMENT OPÉRANT

Caractéristiques	Conditionnement classique	Conditionnement opérant
Théoriciens et chercheurs	Pavlov, Watson	Thorndike, Skinner
Type d'association	Entre deux stimulus	Entre une réponse et sa conséquence
État du sujet	Passif	Actif
Focalisation de l'attention	Sur ce qui précède la réponse	Sur ce qui suit la réponse
Réponse typique	Réponse involontaire (réflexe ou émotion)	Réponse volontaire orientée vers un but
Type d'apprentissage	Assez simple	De simple à complexe

■ Des **encadrés passionnants** pour compléter et enrichir les explications du texte courant.

L'intelligence chez les animaux

Si définir l'intelligence est déjà problématique pour les humains, la définir de manière à pouvoir la comparer à celle des autres espèces animales, et à comparer celle des animaux entre eux est encore moins évident. On sait que même les escargots sont capables d'apprentissage ; doit-on en conclure qu'ils sont intelligents ? On sait aussi qu'il existe de nombreux systèmes de communication chez les animaux : on peut apprendre à des chimpanzés à comprendre et à utiliser plusieurs centaines de mots dans une langue des signes ou avec des symboles en plastique, et aux chiens à réagir à des mots. Les éléphants, les dauphins, les gorilles,

utilise le bout pointu pour dénicher un insecte. De plus, même les jeunes corbeaux qui n'ont jamais vu leurs parents le faire ont recours à cette stratégie, ce qui dénote que ce comportement ne résulte pas d'un apprentissage, mais plutôt d'une capacité cognitive héréditaire. Enfin, un animal donné démontre des capacités cognitives supérieures s'il manifeste un comportement novateur par rapport à ses congénères. Ainsi, une mésange du sud de l'Angleterre a découvert qu'elle pouvait percer à coups de bec les capsules des bouteilles de lait livrées aux maisons tôt le matin pour en aspirer la crème à la surface. Elle fut vite imitée par la plupart des mésanges de la région, un comportement innovateur qu'on ne retrouve nulle part ailleurs chez les mésanges.

Louis Lefebvre évoque le cas assez spectaculaire d'une corneille, en Israël, qui pêchait au leurre : perchée au bout d'un quai, elle tentait d'attirer de petits poissons à sa portée en laissant tomber dans l'eau un morceau d'un petit pain qu'elle avait apporté et tenait sous sa patte. Si rien ne se passait, elle récupérait le morceau et le mangeait. Après quelques essais, un poisson s'est finalement présenté, que la corneille a aussitôt attrapé pour s'envoler avec sa prise, abandonnant le reste du pain !

Avec son équipe, Lefebvre a répertorié dans la littérature scientifique 2 332 cas d'observations bien documentées faisant état de comportements d'utilisation d'outils et d'innovations parmi 808 espèces d'oiseaux du monde entier. Il a ensuite comparé les espèces entre elles sur ces deux critères. Il a ainsi pu constater qu'au chapitre de l'innovation les corvidés (corbeaux, corneilles, etc.) arrivent en tête, suivis des buses et des aigles, des pies, des faucons, tandis que les autruches arrivent en queue de [...] qu'il s'agisse des mammifères, des [...] reptiles ou même des insectes : [...]. Ainsi, chez les primates, les [...]-outans et les capucins sont plus [...] chez les cétacés, les dauphins et les [...] que les baleines à fanons comme [...]

[...] et d'utilisation d'outils permettent [...] volution de l'intelligence. Les résul- [...] amené les spécialistes comme [...] e avec une vision de l'intelligence [...] de uniforme le long d'une échelle [...] ux les plus simples aux plus com- [...] 'intérieur des différentes caté- [...] capacités cognitives spécifiques en [...] et de son environnement.

Au cœur des sciences donnée par Louis [...] iversité du Québec à Montréal (UQAM).

---

l'âge de trente ans, nous commençons à nous réveiller plus souvent la nuit, nous dormons moins longtemps, les périodes de sommeil léger sont plus longues, et nous nous levons et nous couchons de plus en plus tôt. » De manière générale, les aînés passent plus de temps au lit, mais éveillés plutôt qu'endormis ; ils ont plus de mal à s'endormir, dorment d'un sommeil plus léger, et se réveillent plus souvent et plus longtemps que les gens plus jeunes (Foley et autres, 1995). En moyenne, ils ne dorment que 6,5 heures par nuit (Prinz et autres, 1990). Notons que si leur quantité de sommeil lent profond (stades 3 et 4) diminue, la proportion de sommeil paradoxal reste sensiblement la même (Moran et Stoudemire, 1992).

L'air endormi des ados : on ne peut plus naturel !

Psychologue et chercheur au Laboratoire du sommeil de l'Hôpital Rivière-des-Prairies, Roger Godbout a beaucoup d'indulgence pour l'air léthargique des ados qui exaspère tant de parents et d'éducateurs. L'adolescence est une période de croissance et de changements accélérés, explique-t-il, mais ces changements ne se produisent pas tous exactement en même temps ; ainsi, le squelette se développe avant la musculature. Il en va de même du sommeil. Alors que le besoin de sommeil des ados reste celui

des enfants (9,5 heures), la fenêtre chronobiologique – délimitée par les heures d'endormissement et de réveil de l'horloge biologique – où ce sommeil est poss[...] pour prendre la dimension qu'elle aura à l'[...] Cependant, ce rétrécissement ne se fait que du [...] dormissement, qui vient de moins en moins tô[...] qui s'endorment de plus en plus tard, mais qui [...] besoin de 9,5 heures de sommeil, devraient de[...] dormir plus tard le matin. Malheureusement, l'a[...] laire, lui, ne change pas d'horaire. L'air endorm[...] des ados s'explique donc souvent par ce « s[...] retard de phase », comme l'appellent les spécia[...] l'éviter, certaines écoles secondaires tiennen[...] compte du déphasage normal du sommeil à l'[...] et font commencer les cours un peu plus tar[...] soulagement de bien des ados. Quand leur bes[...] meil diminuera, ils se plieront plus à un horaire [...] Chez les personnes âgées, on observe un phéno[...] laire, mais cette fois la fenêtre se rétrécit du cô[...] elles se réveillent de plus en plus tôt. Comme [...] pensent généralement leur manque de som[...] couchant de plus en plus tôt, elles se déphasent [...] sens.

Source : F. Hétu (octobre 2007), entrevue téléphonique.

Petits et gros dormeurs, hiboux et alouettes Bien des adultes considèrent qu'ils devraient « normalement » dormir environ 8 heures par nuit, entre 23 h et minuit pour se lever vers 7 h ou 8 h. En fait, précise le psychologue et chercheur Roger Godbout du Laboratoire du sommeil de l'Hôpital Rivière-des-Prairies, il s'agit là d'une moyenne déterminée davantage par notre horaire social que par notre horaire biologique. Avant l'invention de la lumière artificielle, les gens dormaient 9 ou 10 heures par nuit en moyenne, ce qui correspond aux observations en laboratoire sur les caractéristiques naturelles des rythmes circadiens (Dumont, 2003). S'il est vrai que les adultes d'aujourd'hui dorment en moyenne 8 heures par jour la semaine, le fait qu'ils prennent une heure de plus de sommeil la fin de semaine indique qu'il leur en faudrait probablement un peu plus. De même, lors du passage à l'heure avancée, qui nous prive d'une heure de sommeil, on observe une augmentation de 8 % à 10 % des accidents de la circulation (Munro, 1996). Est-ce à dire que tous ceux et celles qui dorment moins que 9 ou 10 heures manquent de sommeil ? Oui et non. La nuit de 8 heures est trop courte pour bien des adultes, mais pour d'autres, elle est trop longue. Environ 10 % d'entre eux sont de gros dormeurs à qui il faut plus de 9 heures de sommeil pour se sentir reposés et alertes, et 20 % de petits dormeurs à qui moins de 6 heures de sommeil peuvent suffire pour être en pleine forme.

Le cortex préfrontal et l'évolution des espèces

Par rapport au reste de l'encéphale, le poids du cervelet, qui participe à la coordination des mouvements, est remarquablement constant chez tous les mammifères. Par contre, le poids du cortex cérébral, dont les poissons et les amphibiens sont pratiquement dépourvus, varie grandement chez les différentes espèces de mammifères : ainsi, il représente 20 % du poids de l'encéphale chez la musaraigne et... 80 % chez l'humain ! L'importance croissante du cortex au fil de l'évolution des espèces s'est traduite par une augmentation des circonvolutions cérébrales, mais aussi par l'importance croissante des aires associatives. Comme on le voit à figure a, de toutes les zones du cortex, c'est celle du cortex préfrontal, qui a connu la plus forte expansion chez l'humain ; alors qu'il représente à peine 3 % de la masse de l'encéphale du chat, le cortex préfrontal compte pour le tiers de cette masse chez l'humain (figure b). Nos facultés supérieures d'anticipation, de planification et de contrôle de l'impulsivité et des émotions viendraient de la plus grande abondance des connexions entre le cortex préfrontal et le reste du cerveau. La figure c montre les étapes de l'évolution du cerveau humain de l'*australopithecus robustus* à l'*homo sapiens sapiens*.

▶ **Figure a.** Du rat à l'humain en passant par le chat : importance croissante des aires associatives par rapport aux aires sensorielles et motrices (en vert), visuelle (en rouge) et auditive (en bleu).

Rat — Chat — Humain

▶ **Figure b.** Importance du cortex préfrontal chez divers mammifères.

Chat — Chien — Singe rhésus — Humain

▶ **Figure c.** (1) *Australopithecus robustus*, (2) *Homo habilis*, (3) *Homo erectus*, (4) *Homo sapiens neanderthalensis*, (5) *Homo sapiens sapiens*.

1 — 2 — 3 — 4 — 5

Source : Le cerveau Mc Gill (copyleft). « Un cerveau où le nouveau se bâtit sur l'ancien ». Disponible en ligne : <http://lecerveau.mcgill.ca/flash/i/i_05_cr/i_05_cr_her/i_05_cr_her.html>. (Site Web consulté le 18 juillet 2008.)

Aire de Broca
Zone corticale du lobe frontal, généralement située dans l'hémisphère gauche, qui intervient dans la production du langage parlé.

Aphasie
Perte ou réduction de la capacité de produire le langage ou de le comprendre causée par une lésion cérébrale.

En 1861, le physiologiste Pierre Paul Broca (1824-1880) fit l'autopsie d'un homme qu'on surnommait Tan parce que, depuis plus de 20 ans, il ne pouvait prononcer que la syllabe « tan ». À l'autopsie, Broca (1861) constata que l'homme avait subi une lésion à l'hémisphère gauche, légèrement en avant de la partie du cortex moteur qui commande les mouvements de la mâchoire, des lèvres et de la langue. Il conclut que le site endommagé, aujourd'hui appelé *aire de Broca*, était la zone du cerveau responsable de la production du langage (figure 2.7, p. 55), et devint ainsi l'un des premiers chercheurs à localiser une fonction dans le cortex cérébral (Schiller, 1993). Une lésion à l'aire de Broca peut produire ce qu'on appelle une *aphasie* de Broca. L'aphasie est une perte totale ou

---

 Le Compagnon Web de *L'univers de la psychologie* propose **des activités stimulantes et formatrices**.

Le professeur y trouvera **une banque de 350 questions** bien conçues, qui font le tour de chacun des chapitres. Une série de **10 présentations PowerPoint** avec figures et tableaux et **des liens vers des sites Web instructifs** pour en dynamiser l'utilisation.

Pour l'étudiant, **des tests interactifs** permettant de vérifier sa compréhension de chacun des chapitres et de consolider ses apprentissages.

SOMMAIRE

TABLE DES MATIÈRES

CHAPITRE 3

Sensation et perception 81

CHAPITRE 4

Les états de conscience 119

CHAPITRE 1

INTRODUCTION À LA PSYCHOLOGIE

*A*imez-vous la téléréalité ou la fuyez-vous comme la peste ? Ou alors êtes-vous de ceux et celles qui la méprisent ouvertement, mais ne peuvent s'empêcher de la regarder en catimini et d'y prendre un plaisir coupable ? Semaine après semaine, *Star Académie*, *Loft Story* et *Occupation Double* se sont retrouvées ou se retrouvent encore au sommet du palmarès des émissions les plus regardées au Québec. Comment expliquer une telle popularité ? Bien sûr, ces émissions sont conçues pour attirer et fidéliser un vaste public. Leurs protagonistes, sélectionnés avec un soin minutieux selon des critères bien précis (apparence, traits de personnalité, attitude, etc.), sont filmés dans des situations à caractère privé, voire intime, qui semblent étonnamment proches de la vie réelle. On nous les fait fréquenter régulièrement, voire quotidiennement, de sorte que nous finissons par attendre de leurs nouvelles comme nous en attendons de nos proches. De temps à autre, ils « craquent » et nous font des confidences. On nous permet même d'influer sur le cours de leur vie en votant pour ou contre eux.

Avec des techniques similaires, même un jeu aussi répétitif que *Le Banquier* peut prendre la tête des indices d'écoute. Là encore, les téléspectateurs se voient offrir sur un plateau, littéralement, des concurrents triés sur le volet, très typés, généralement extrovertis et toujours animés par l'ardent désir d'améliorer leur sort. Motivation assez puissante pour qu'ils acceptent de « jouer le jeu », quitte à laisser filmer des débordements émotionnels et des comportements excessifs normalement réservés aux intimes (mais ô combien télégéniques). Quitte aussi à livrer des pans entiers de leur vie, d'abord en révélant les besoins ou les envies que l'argent en jeu leur permettrait d'assouvir, puis en consultant leurs proches, dont nous pourrons ensuite guetter les moindres réactions. Ajoutons à cela un jeu très peu exigeant sur le plan intellectuel, un méchant banquier à déjouer, deux dizaines de « beautés » pour ouvrir les valises le plus lentement possible et une mise en scène minutée au quart de seconde pour maximiser le suspense et nous convaincre d'être là « après la pause publicitaire ».

D'un point de vue psychologique, ces émissions ont toutes en commun de miser sur notre insatiable curiosité pour nos semblables en nous permettant de les observer sans vergogne. Que ce soit dans les émissions de téléréalité, sur MySpace et Facebook ou dans la vie, nous aimons regarder vivre les autres, observer comment ils agissent et réagissent dans des situa-

tions inhabituelles. Les « histoires humaines » et les « situations vécues » nous attirent parce qu'elles nous permettent de nous comparer aux autres, de nous conforter dans notre normalité ou de nous rassurer sur notre originalité. Notre fascination pour la vie des autres n'est pas nouvelle ; ce qui est nouveau avec la téléréalité, c'est que les dirigeants et producteurs de la télé s'en servent de manière aussi crue pour nous captiver et augmenter ainsi leurs revenus publicitaires. Car, comme disait le PDG de la chaîne française TF1, Patrick Le Lay (Les associés d'EIM, 2004), la vocation des émissions de télé est de nous divertir et de nous détendre pour nous rendre réceptifs entre deux messages publicitaires : « Ce que nous vendons à Coca-Cola, c'est du temps de cerveau humain disponible. »

Évidemment – et fort heureusement –, notre intérêt pour l'observation et l'explication des comportements humains trouve à s'exercer ailleurs que dans les émissions de téléréalité ou sur MySpace. Vieux comme le monde, le besoin de se comprendre et de comprendre ses semblables est à l'origine même de la psychologie. Mais, au fait, qu'est-ce que la psychologie ?

Psychologie
Étude scientifique des comportements et des processus mentaux.

Comportement
Action ou réaction observable chez les humains ou les animaux.

Processus mental
Processus lié aux fonctions mentales (perception, pensée, mémoire, apprentissage, émotions, etc.).

*C*omment percevons-nous notre environnement ? À quoi servent le sommeil et les rêves ? D'où viennent les souvenirs et les émotions ? Qu'est-ce qui détermine la personnalité des gens ? Quel est l'effet du stress sur la santé physique et mentale ? Pourquoi certaines personnes font-elles une dépression lorsqu'elles sont en butte aux difficultés de la vie, alors que d'autres y trouvent une motivation supplémentaire et semblent invulnérables ? Les humains peuvent-ils changer leur façon de penser et d'agir ? Peut-on vraiment soigner les troubles psychologiques ? La **psychologie** s'intéresse à toutes ces questions et à une multitude d'autres puisqu'elle se définit comme l'étude scientifique des comportements et des processus mentaux. Par **comportement**, on entend ici toute action ou réaction observable chez les humains ou les animaux, et par **processus mentaux**, tous les processus liés aux fonctions mentales (perception, pensée, mémoire, apprentissage, émotions, etc.).

En plus d'avoir entendu d'innombrables « experts » parler de sujets à teneur psychologique dans les médias, vous avez sûrement déjà eu maintes occasions de lire et de réfléchir sur ces sujets. Peut-être avez-vous l'impression d'en savoir déjà assez long sur la psychologie. Mais est-ce vraiment le cas ? Testez vos connaissances sur le sujet en répondant aux questions suivantes, puis poursuivez votre lecture.

Tester vos connaissances en psychologie

VRAI OU FAUX ?

1. La mémoire est plus précise sous hypnose.
2. Tout le monde rêve durant une nuit de sommeil normal.
3. Notre mémoire enregistre fidèlement les scènes que nous vivons.
4. Les réprimandes peuvent renforcer le mauvais comportement d'un enfant.
5. Les neurones ne se régénèrent pas.
6. Les comptes rendus des témoins oculaires sont rarement fiables.
7. L'anorexie est en croissance dans les pays industrialisés, ce qui n'est pas le cas de la boulimie.
8. Nos émotions nous aident à prendre des décisions éclairées.
9. Toutes les expressions faciales sont universelles.
10. Nos pensées nous causent souvent plus de stress que les événements que nous vivons.

Pour connaître les réponses à ces questions, passez à la section suivante.

1.1 LA PSYCHOLOGIE : UNE SCIENCE À PART ENTIÈRE

Les étudiants abordent souvent la psychologie en pensant qu'il s'agit plutôt d'une affaire de gros bon sens que d'une véritable science. Apprendre que tous les énoncés impairs du petit test que vous venez de passer sont faux et que tous les autres sont vrais vous convaincra peut-être qu'il faut bien plus que du gros bon sens pour répondre correctement au genre de questions qu'étudie la psychologie.

Au-delà du gros bon sens : la méthode scientifique

Qu'est-ce que la méthode scientifique ?

Bien des gens ont l'impression que c'est la nature des connaissances d'une discipline qui détermine si celle-ci est ou non une science. Or, si la chimie et la physique sont des sciences, ce n'est pas parce que les connaissances dans ces domaines sont « scientifiques » en elles-mêmes, mais parce qu'elles ont été acquises grâce à la *méthode scientifique*. La psychologie est une science à part entière exactement pour la même raison. On appelle **méthode scientifique** l'ensemble de procédures systématiques que suivent les chercheurs pour :

- cerner une question de recherche – par exemple, « L'habileté à lire une carte routière varie-t-elle selon le sexe ? » ;

- formuler une **hypothèse de recherche**, c'est-à-dire une prédiction sur la relation entre deux ou plusieurs **variables** – par exemple, « Les hommes sont plus habiles que les femmes dans la lecture de cartes routières » (le terme **variable** désigne tout phénomène ou facteur d'intérêt qu'on peut mesurer, contrôler ou manipuler : ici, le sexe est une variable, et l'habileté à lire une carte routière en est une autre) ;

- concevoir une étude qui permettra de tester cette hypothèse – par exemple, une étude où 100 femmes et 100 hommes seront soumis aux mêmes épreuves de lecture de cartes routières ;

Méthode scientifique
Ensemble des protocoles que suivent les chercheurs pour cerner un problème de recherche, formuler une hypothèse de recherche vérifiable, concevoir une étude pour la vérifier, recueillir et analyser les données, en tirer des conclusions et publier leurs résultats de recherche.

Hypothèse de recherche
Prédiction sur la relation entre deux ou plusieurs variables.

Variable
Tout phénomène ou facteur d'intérêt qui peut être mesuré, contrôlé ou manipulé.

Reproduction d'une étude
Dans la méthode scientifique, répétition d'une étude scientifique avec d'autres sujets et, de préférence, d'autres chercheurs pour vérifier ses résultats.

Théorie
Principe général ou ensemble de principes proposés pour expliquer comment des faits distincts sont reliés entre eux.

▶ Selon vous, comment s'expliquent les différences entre les hommes et les femmes dans l'habileté à lire une carte routière ? Par des différences hormonales ? Par des différences d'apprentissage ? Avez-vous une autre théorie ?

- recueillir les données, compiler et analyser les résultats et en tirer des conclusions – par exemple, consigner et analyser les résultats des 200 participants à des épreuves de lecture de cartes routières, et, à la lumière de ces données, constater que, lors de cette étude, les hommes ont manifesté une plus grande habileté que les femmes dans la lecture de cartes routières ;

- communiquer leurs découvertes au reste de la communauté scientifique – par exemple, publier dans une revue scientifique un article décrivant cette étude et ses résultats, de manière assez détaillée pour que n'importe quel chercheur puisse la *reproduire* (la **reproduction d'une étude** est le processus par lequel on répète une étude scientifique avec d'autres sujets pour vérifier ses résultats).

Les connaissances produites par la méthode scientifique sont considérées comme les plus fiables qui soient, cette méthode étant la plus objective trouvée à ce jour pour faire progresser les connaissances. La figure 1.1 résume les principales étapes de la méthode scientifique. Comme on le voit dans ce schéma, la méthode scientifique ne repose pas strictement sur l'observation ; elle suppose aussi une part de *théorie*. Une **théorie** est un principe général ou un ensemble de principes proposés pour expliquer comment des faits distincts sont reliés entre eux. Reprenons l'exemple de l'étude sur les différences entre les sexes dans la lecture de cartes routières. Tant que le chercheur qui a mené cette étude affirme que les sujets masculins ont obtenu de meilleurs résultats que les sujets féminins lors des épreuves de lecture de cartes routières, il rapporte des faits. Par contre, il sort du domaine des faits pour entrer dans celui de la théorie s'il affirme par exemple que cette différence entre les sexes est innée et s'explique par l'effet des différences hormonales.

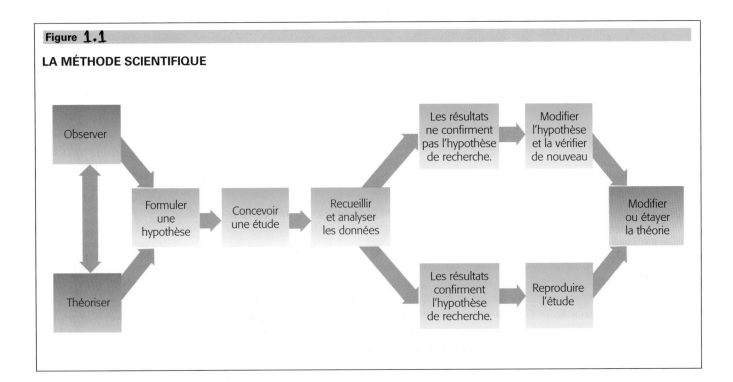

Figure 1.1

LA MÉTHODE SCIENTIFIQUE

D'autres chercheurs peuvent être en désaccord avec une théorie comme l'explication hormonale qu'avance ce chercheur. Cependant, toute autre théorie sur la question devra tenir compte des faits : lors des épreuves de lecture de cartes routières, les hommes obtiennent de meilleurs résultats que les femmes. Ainsi, d'autres psychologues peuvent soutenir que les meilleurs résultats des sujets masculins aux épreuves de lecture de cartes routières s'expliquent plutôt par l'influence d'une société et d'une culture qui incite davantage les garçons que les filles à développer leurs habiletés spatiales et à apprendre à lire des cartes routières. Par contre, ces psychologues ne peuvent pas se contenter de nier le fait qu'en moyenne les hommes obtiennent de meilleurs résultats que les femmes aux épreuves de lecture de cartes routières, surtout si l'étude a été reproduite par d'autres scientifiques.

Vous vous demandez peut-être à quoi servent les théories. Pourquoi les chercheurs ne se contentent-ils pas de rapporter leurs résultats de recherche en laissant les gens en tirer leurs propres conclusions ? Eh bien, les théories permettent aux scientifiques de relier et d'organiser en ensembles significatifs des données factuelles qui autrement ne seraient qu'un fouillis. Ainsi, la théorie hormonale des différences entre les sexes dans la lecture de cartes routières établit une relation entre deux faits : (1) les hommes et les femmes sont soumis à des influences hormonales différentes, et (2) leurs résultats aux épreuves de lecture de cartes routières diffèrent. Lorsqu'on établit une relation entre ces deux faits, on produit une théorie sur les différences entre les sexes à partir de laquelle les chercheurs pourront faire des prédictions – des hypothèses de recherche –, qui pourront être testées lors d'autres études.

Les théories stimulent des débats qui font avancer les connaissances. Ainsi, le chercheur qui croit que les différences entre les sexes dans la lecture de cartes routières dépendent de différences dans les pressions sociales et l'apprentissage plutôt que dans les hormones peut concevoir une étude où l'on entraîne des sujets des deux sexes à lire des cartes routières avant de tester leurs habiletés en la matière. Si cet entraînement a pour effet de réduire ou d'éliminer les écarts entre les résultats des femmes et des hommes, ce chercheur aura étayé sa théorie et ajouté un fait nouveau à notre base de connaissances. Une fois qu'ils auront modifié leur théorie pour tenir compte de ce fait, les partisans de la théorie hormonale mèneront probablement d'autres études pour la revérifier, et les connaissances sur les différences entre les sexes progresseront encore.

Les buts de la psychologie : décrire, expliquer, prédire et influencer

Quels sont les quatre buts de la psychologie ?

Quand ils planifient ou réalisent leurs études, les chercheurs en psychologie visent toujours un ou plusieurs des quatre buts de la psychologie : (1) décrire les comportements et les processus mentaux, (2) les expliquer, (3) les prédire et (4) influer sur eux.

Décrire un comportement ou un processus mental est habituellement la première étape vers sa compréhension. La description est un but particulièrement important dans un nouveau domaine de recherche ou aux premiers stades de la recherche sur un phénomène. Pour atteindre ce but, les chercheurs doivent décrire aussi complètement, précisément et objectivement que possible le comportement ou le processus mental auquel ils s'intéressent. La description rend compte de ce qui se produit.

Le deuxième but de la psychologie, l'explication, consiste à comprendre les conditions dans lesquelles tel ou tel comportement ou processus mental se produit. Cette compréhension permet souvent aux chercheurs d'exposer les causes du comportement ou du processus mental qu'ils étudient. Cependant, ce but d'explication n'est atteint qu'une fois qu'ils ont testé et retesté leurs résultats de recherche, et qu'ils ont confirmé leur explication du phénomène en éliminant toutes les explications concurrentes. L'explication rend compte du « pourquoi » d'un comportement, d'un processus mental ou d'un événement.

Le troisième but, la prédiction, vise à spécifier les conditions dans lesquelles un comportement ou un événement est susceptible de se produire. Une fois qu'ils ont déterminé toutes les conditions préalables requises pour qu'un phénomène se produise, les chercheurs peuvent le prédire.

Le dernier but, l'influence, est atteint lorsque les chercheurs savent comment appliquer un principe ou modifier une condition préalable afin d'éviter des résultats indésirables ou de parvenir à des résultats désirés.

Pour illustrer ces quatre buts, revenons à notre exemple. Le chercheur qui a mené l'étude où les sujets masculins ont obtenu de meilleurs résultats que les sujets féminins lors d'épreuves de lecture de cartes routières poursuivait un but de description. Les psychologues qui ont proposé la théorie hormonale ou la théorie de l'apprentissage poursuivaient un but d'explication. Les chercheurs qui ont formulé une hypothèse de recherche en se basant sur l'une ou l'autre de ces théories poursuivaient un but de prédiction. Enfin, les chercheurs qui ont conçu et testé un programme d'apprentissage pour aider les sujets féminins à devenir d'aussi bonnes lectrices de cartes routières que les sujets masculins poursuivaient un but d'influence.

Recherche fondamentale
Recherche menée en vue de faire évoluer les connaissances plutôt que pour une application pratique.

Recherche appliquée
Recherche réalisée en vue de résoudre des problèmes pratiques.

Recherche fondamentale et recherche appliquée   Deux types de recherche aident les psychologues à atteindre les buts que nous venons d'énumérer : la *recherche fondamentale* et la *recherche appliquée*. La recherche fondamentale vise l'acquisition de nouvelles connaissances, ainsi que l'exploration et l'élargissement du savoir scientifique en général. La recherche fondamentale en psychologie porte par exemple sur des sujets comme la nature de la mémoire, des fonctions cérébrales, de la motivation, des émotions ou de troubles comme la schizophrénie, la dépression, les troubles du sommeil et de l'alimentation, etc. Ce type de recherche concerne principalement les trois premiers buts de la psychologie : décrire, expliquer et prédire. La recherche appliquée, elle, sert essentiellement à résoudre des problèmes pratiques et à améliorer la qualité de vie. Elle se concentre par exemple sur des méthodes pour améliorer la mémoire ou la motivation, des thérapies pour traiter des troubles psychologiques, des moyens de maîtriser le stress, etc. Les psychologues qui font de la recherche appliquée visent surtout le quatrième but, l'influence, puisqu'ils s'intéressent à des moyens de changer le comportement ou de modifier des processus mentaux.

Comment la pensée critique peut-elle nous aider à évaluer les résultats de recherche dont nous entendons parler ?

Évaluer la recherche : un exercice de pensée critique

L'un des objectifs du cours d'introduction à la psychologie est de doter les étudiants des outils intellectuels nécessaires pour évaluer les affirmations basées sur la recherche scientifique. Jour après jour, nous sommes bombardés de résultats et de conclusions de recherche, sans parler des statistiques. Comment juger du sérieux des affirmations basées sur des études scientifiques si l'on n'est pas un expert de la question ? Prenons un exemple.

Depuis quelques années, une mise en garde aux parents circule dans les médias traditionnels et sur une multitude de sites Internet américains et canadiens : les très jeunes enfants qui regardent la télévision, nous prévient-on, risquent de souffrir de déficit d'attention plus tard. « Avant trois ans, fermez la télévision ! », titre *PetitMonde.com*, le magazine électronique pour les parents du réseau Canoë de Quebecor Média. Cette mise en garde, précise le journaliste (Brodeur, 2004), s'appuie sur une étude scientifique publiée dans la prestigieuse revue scientifique *Pediatrics* (Christakis et autres, 2004) :

Le professeur Christakis, chercheur à l'Université de Washington, a découvert que l'exposition d'enfants de moins de trois ans à la télévision accroît leurs risques de développer des problèmes de l'attention à sept ans. […] En d'autres mots, un enfant de trois ans qui regarde la télévision huit heures par jour présente 80 % plus de risques de développer des troubles de l'attention que celui qui ne la regarde pas.

Les stratégies de réflexion qu'utilisent les psychologues et autres scientifiques peuvent nous aider à faire la part des choses. La méthode scientifique est basée sur la **pensée critique**, un processus qui consiste à évaluer des affirmations, des propositions et des conclusions pour déterminer si elles découlent logiquement des preuves qu'on nous présente. La personne qui exerce la pensée critique répond à ces trois exigences :

- *garder son indépendance d'esprit*, c'est-à-dire ne pas accepter et croire automatiquement ce qu'on entend ou ce qu'on lit ;
- *suspendre son jugement*, c'est-à-dire réunir et soupeser toutes les informations pertinentes et à jour sur un sujet avant de prendre position ;
- *accepter de nuancer son opinion ou d'y renoncer*, c'est-à-dire tenir compte des nouveaux faits même s'ils contredisent ce qu'on en pensait jusque-là.

Dans le cas de l'étude sur la télé et le trouble déficitaire de l'attention – le TDA comme l'appellent les spécialistes –, appliquer la première de ces exigences, garder son indépendance d'esprit, signifie admettre que la validité des résultats d'une étude ne dépend pas seulement de sa source, si prestigieuse soit-elle. On aurait tort de prendre les revues scientifiques comme *Pediatrics* ou les manuels de psychologie pour des sources de vérités immuables. En effet, les connaissances scientifiques que produit la recherche évoluent constamment, et questionner ce qui est considéré comme une vérité scientifique est une exigence inhérente de la méthode scientifique. Ainsi, comme vous l'apprendrez au chapitre 2, les scientifiques ont longtemps cru qu'après la naissance, le cerveau ne produisait plus de nouveaux neurones (cellules nerveuses). Cependant, lorsque les progrès de la technologie ont permis d'étudier directement le développement des neurones, les chercheurs qui étaient prêts à questionner cette « vérité » ont découvert qu'en réalité, le cerveau produit de nouveaux neurones tout au long de la vie (Gould et autres, 1999).

Pensée critique
Processus qui consiste à évaluer des affirmations, des propositions et des conclusions pour déterminer si elles découlent logiquement des preuves dont on dispose.

◀ Vous lisez sur Internet que, selon une étude scientifique, regarder la télé avant l'âge de trois ans augmente le risque de souffrir d'un trouble déficitaire de l'attention plus tard dans l'enfance. Comment savoir si cette affirmation est fondée ?

Les deux autres exigences de la pensée critique, suspendre son jugement et accepter de changer d'opinion, peuvent exiger qu'on renonce à de vieilles habitudes. Ainsi, la plupart des gens ont l'habitude de réagir aux conclusions de recherche diffusées par les médias en s'appuyant sur leur vécu, c'est-à-dire sur ce que les scientifiques appellent des données anecdotiques. Dans le cas de l'étude sur la télé avant trois ans et le trouble déficitaire de l'attention (TDA), par exemple, l'un dira « Je suis d'accord avec cette étude ; mon cousin qui souffre de ce trouble était toujours devant la télé quand il était petit », et l'autre « Je ne suis pas d'accord avec cette étude ; j'étais toujours devant la télé quand j'étais petit, et je n'ai jamais eu de problème d'attention ». Suspendre son jugement exigerait plutôt qu'on attende de disposer de plus de données – de vérifier s'il existe d'autres études sur un lien éventuel entre l'écoute de la télé et le TDA, par exemple – pour accepter ou rejeter les conclusions de cette étude. L'analyse des autres études sur le sujet permet de se faire une idée plus juste de ce que révèle l'ensemble de la recherche. Cela fait, il faudra aussi être prêt à renoncer à des opinions ou à des idées préconçues qui sont contredites par la recherche.

La qualité de la recherche est aussi importante que la quantité. Exercer sa pensée critique suppose donc qu'on évalue les résultats des études dont on entend parler à la lumière des méthodes de recherche utilisées pour les obtenir. Cette évaluation exige évidemment que l'on connaisse les caractéristiques et les limites de ces méthodes. La prochaine section, qui porte sur les méthodes de recherche des psychologues, vous aidera à mieux évaluer les études dont vous entendez parler. Elle vous permettra aussi de comprendre pourquoi, contrairement à ce qu'ont rapporté les médias, l'étude de Christakis et ses collègues ne prouve pas que l'écoute de la télé en bas âge soit la cause – ni même une des causes – du TDA.

Croissance personnelle, psychopop et pseudosciences

Vous est-il déjà arrivé de vous laisser tenter par l'un ou l'autre des innombrables livres de croissance personnelle qu'on trouve dans les rayons « Psychologie » des librairies ? *Les hommes viennent de Mars, les femmes viennent de Vénus, Ces femmes qui aiment trop, Le complexe de Peter Pan, Je suis comme je suis* et *Le secret*, pour ne nommer que ceux-là, ont été de formidables succès de librairie. On parle ici de psychopop parce que la plupart de ces livres sont basés sur des réflexions, des témoignages et des anecdotes personnelles, et non sur des études scientifiques. Pour Rose-Marie Charest (2006), présidente de l'Ordre des psychologues du Québec, ces livres doivent leur popularité au fait qu'ils mettent des mots sur ce qu'on ressent et aident ainsi à comprendre sa propre histoire ; en ce sens, ils peuvent être utiles. Par contre, ils se présentent souvent comme des livres de recettes qu'il suffirait d'appliquer pour vivre sans souffrance ou pour trouver le bonheur. Malheureusement, c'est très rarement le cas...

L'astrologie : un exemple de pseudoscience L'astrologie est un bon exemple de ce qu'on appelle les pseudosciences – voyance, cartomancie, lecture des feuilles de thé, etc. La

position relative des étoiles et des planètes à l'heure de naissance d'une personne influe-t-elle sur sa personnalité, son comportement et son destin ? Les chercheurs n'ont trouvé aucun lien entre les signes du zodiaque et les traits de personnalité individuels (Gauguelin, 1982). Comment expliquer alors que la description de notre personnalité selon notre signe et notre ascendant nous semble souvent si juste ?

En général, dans ce genre de descriptions, la plupart des traits associés à chacun des 12 signes sont désirables. Deux biais sont à l'œuvre ici : le *biais de complaisance*, qui nous porte à mieux accepter une description positive de nous qu'une description négative, et la *perception sélective*, qui nous porte à remarquer et à retenir davantage les informations conformes à nos attentes, et à ignorer ou à oublier davantage celles qui les contredisent. Les profils de personnalité et les horoscopes capitalisent sur ces tendances en présentant des descriptions si flatteuses ou optimistes que n'importe qui a envie de les croire exactes... et tellement vagues et générales qu'elles s'appliquent à presque tout le monde (French et autres, 1991). Or, le cerveau humain est ainsi fait qu'il a tendance à compléter les informations partielles pour leur donner plus de sens et de cohérence. Ainsi, nous aurons tendance à étoffer une description de nous très vague et générale en y ajoutant inconsciemment ce qui y manque, la rendant ainsi beaucoup plus personnelle.

Enfin, les astrologues habiles savent tirer profit de toutes les bribes d'informations que lui fournissent nos réactions plus ou moins conscientes à leurs « révélations ». À l'entrée « Cold reading » du *Dictionnaire sceptique* de Robert Todd Carroll – en traduction française sur le site Web des Sceptiques du Québec (<www.sceptiques.qc.ca>), vous trouverez une description fort intéressante de la façon dont un astrologue expérimenté s'y prend pour aller à la pêche aux détails.

La psychologie : une science à part entière

1. On appelle _____ l'ensemble de procédures systématiques et ordonnées que suivent les chercheurs pour cerner une question de recherche, formuler une hypothèse, concevoir une étude pour tester cette hypothèse, et recueillir les données, les analyser et en tirer des conclusions.

   a) psychologie
   b) recherche fondamentale
   c) recherche appliquée
   d) méthode scientifique
   e) théorie

2. Une _____ est un principe général ou un ensemble de principes proposés pour expliquer comment des faits distincts sont reliés entre eux.

3. La psychologie vise quatre buts : _____ les comportements et les processus mentaux, les _____ , les _____ et _____ .

4. La recherche _____ se focalise sur les trois premiers buts de la psychologie, et la recherche _____ , sur le quatrième.

5. Vrai ou faux ? La recherche fondamentale a pour but de résoudre des problèmes pratiques.

6. Laquelle des conditions suivantes n'est pas essentielle pour évaluer des résultats de recherche rapportés dans les médias en exerçant sa pensée critique ?

   a) Pouvoir suspendre son jugement jusqu'à ce que l'on dispose de données suffisantes
   b) Garder son indépendance d'esprit
   c) Accepter de nuancer son opinion ou d'y renoncer
   d) Connaître les grandes écoles de pensée et les principales théories en psychologie
   e) Connaître les méthodes de recherche en psychologie

Réponses : 1. d. 2. théorie. 3. décrire ; expliquer ; prédire ; influer sur eux. 4. fondamentale ; appliquée. 5. Faux. 6. d.

1.2 LES MÉTHODES DE RECHERCHE EN PSYCHOLOGIE

Comment les chercheurs en psychologie s'y prennent-ils pour mener leurs recherches scientifiques ? On l'a dit, décrire un phénomène psychologique est habituellement la première étape vers sa compréhension. Les **méthodes descriptives** de recherche comme *l'observation en milieu naturel* ou *en laboratoire*, *l'étude de cas*, *l'enquête* et la *méthode corrélationnelle* visent à décrire les phénomènes aussi complètement, précisément et objectivement que possible. Comme nous allons le voir, seule la *méthode expérimentale* permet de déterminer la ou les causes d'un phénomène.

Méthode descriptive
Méthode de recherche qui vise à décrire les phénomènes aussi complètement, précisément et objectivement que possible ; inclut l'observation (en milieu naturel ou en laboratoire), l'étude de cas, l'enquête et la méthode corrélationnelle.

L'observation : un regard systématique

Vous êtes-vous déjà assis à la terrasse d'un restaurant, dans un centre commercial ou dans une gare simplement pour regarder ce que faisaient les gens ? Cette activité ressemble beaucoup à **l'observation en milieu naturel**, une méthode de recherche descriptive qui consiste à observer et à enregistrer un comportement en milieu naturel sans tenter d'influer sur lui. Le principal avantage de l'observation en milieu naturel est qu'elle permet d'étudier le comportement dans des conditions où il se produit plus naturellement et plus spontanément que dans les conditions artificielles d'un laboratoire. De plus, l'observation en milieu naturel est parfois le seul moyen d'étudier certains phénomènes – la réaction typique des gens lors de tremblements de terre ou d'incendies, par exemple.

Quels sont les avantages et les limites de l'observation en milieu naturel et de l'observation en laboratoire ?

Observation en milieu naturel
Méthode de recherche descriptive qui consiste à observer et à enregistrer un comportement dans ses conditions naturelles sans tenter d'influer sur lui.

Observation en laboratoire
Méthode de recherche descriptive qui consiste à étudier le comportement dans un laboratoire, où les chercheurs peuvent mieux contrôler les conditions de l'observation et disposent d'un équipement plus précis pour mesurer les réponses.

L'observation peut se faire en laboratoire plutôt qu'en milieu naturel. Les chercheurs qui utilisent l'**observation en laboratoire** peuvent mieux contrôler les conditions de l'observation (la faire derrière une glace sans tain, par exemple) et utiliser un équipement plus précis pour mesurer les réponses. Une bonne partie des connaissances sur le sommeil humain proviennent de l'observation en laboratoire. Par contre, le comportement en laboratoire risque de ne pas être le reflet exact du comportement naturel ; ainsi, les nuits de sommeil des sujets qui dorment dans un laboratoire peuvent différer à certains égards de leurs nuits de sommeil à la maison. Les conclusions basées sur des données de laboratoire ne sont donc pas toujours généralisables à ce qui se passe hors du laboratoire.

▲ Pour éviter de perturber leurs sujets – ici, des élèves de la maternelle –, les psychologues qui font de l'observation en laboratoire travaillent souvent derrière une glace sans tain.

Qu'elle se fasse en milieu naturel ou en laboratoire, l'observation a ses limites. D'abord, comme toutes les méthodes descriptives, elle ne permet pas de tirer des conclusions sur les causes et les effets des phénomènes observés. De plus, les chercheurs doivent attendre que les événements ou les comportements qui les intéressent se produisent ; ils ne peuvent ni accélérer ni ralentir le cours des choses. L'observation présente un autre risque : le biais de l'observateur, qui peut survenir quand les attentes des chercheurs les amènent à voir ce qu'ils s'attendent à voir ou à interpréter erronément le comportement observé.

Supposons que vous meniez une recherche sur l'agressivité physique chez les enfants à la maternelle, et que vous décidiez de considérer comme « acte agressif » le fait de pousser ou de frapper un autre enfant. Dès lors, vous risquez de remarquer davantage ce type de contacts physiques et de les considérer plus souvent comme des actes agressifs que vous l'auriez normalement fait en regardant des enfants qui jouent. Les effets du biais de l'observateur peuvent être considérablement réduits si ce dernier n'est pas seul. Si deux ou plusieurs observateurs arrivent chacun de leur côté à un même total, disons 23 actes agressifs en une heure, les résultats peuvent être considérés comme non biaisés. Par contre, si un observateur a vu 30 actes agressifs, et l'autre 15, il y a un biais quelque part. Dans un tel cas, habituellement, les chercheurs clarifient leurs critères de classification et recommencent leurs observations. L'utilisation de bandes vidéo peut également contrer le biais de l'observateur en permettant aux chercheurs de revoir un comportement à plusieurs reprises avant de décider de sa classification.

L'étude de cas : un examen en profondeur

Quels sont les avantages et les limites de l'étude de cas ?

Étude de cas
Méthode de recherche descriptive qui consiste à étudier en profondeur le cas d'un sujet ou d'un petit nombre de sujets, souvent sur une longue période ; repose sur des observations, des entrevues et parfois des tests psychologiques.

Enquête
Méthode de recherche descriptive qui consiste à recueillir des informations sur les attitudes, croyances, expériences ou comportements d'un groupe ou d'un échantillon de gens par la technique de l'entrevue ou du questionnaire (ou les deux).

Dans l'étude de cas, un sujet ou un nombre restreint de sujets fait l'objet d'une étude approfondie, souvent sur une longue période. Cette méthode descriptive repose sur des observations, des entrevues et parfois des tests psychologiques. Essentiellement exploratoire, elle vise à fournir une description détaillée d'un comportement ou d'un trouble donné. Les études de cas sont particulièrement utiles pour étudier des sujets qui présentent des troubles psychologiques ou physiologiques peu courants ou des lésions cérébrales rares. Les résultats détaillés d'études de cas ont parfois servi de base à l'élaboration d'une théorie psychologique. Ainsi, la théorie de Freud est entièrement fondée sur les études de cas de ses patients.

Bien qu'elle ait prouvé son utilité dans plusieurs domaines de la psychologie, l'étude de cas a ses limites. Outre le fait que cette méthode descriptive ne permet pas de déterminer la cause des comportements étudiés, elle pose le problème du biais de l'observateur. De plus, comme elle porte sur un nombre restreint de cas, voire un seul, les chercheurs ignorent si leurs résultats sont généralisables à des groupes plus importants ou à des personnes dont les caractéristiques diffèrent de celles du ou des sujets étudiés (âge, sexe, classe sociale, culture, religion, etc.).

L'enquête : des interrogatoires en règle

Quels sont les avantages et les limites de l'enquête, et comment les chercheurs s'assurent-ils que leurs enquêtes sont rigoureuses ?

Vous a-t-on déjà contacté pour vous interroger sur vos intentions de vote ou votre marque de dentifrice préférée ? Si oui, vous participiez probablement à une enquête, une méthode de recherche descriptive où les chercheurs recueillent des informations sur les attitudes, croyances, expériences ou comportements d'un groupe ou d'un échantillon de personnes par la technique de l'entrevue ou celle du questionnaire (ou les deux). Les enquêtes rigoureuses peuvent fournir des informations valables sur des phénomènes qu'il serait impossible ou trop fastidieux d'observer systématiquement : consommation de médicaments ou de drogues, pratiques sexuelles, incidence de divers troubles mentaux, etc.

La sélection d'un échantillon représentatif   Pour des raisons évidentes, les chercheurs qui mènent une enquête, disons sur les pratiques sexuelles des Québécois de 15 à 45 ans, ne peuvent pas interroger tous les membres de cette **population** (terme par lequel les chercheurs désignent l'ensemble des membres du groupe à l'étude). En fait, les chercheurs en psychologie questionnent rarement toute leur population ; la plupart du temps, ils sélectionnent un certain nombre de ses membres pour se constituer un **échantillon**. Ils doivent cependant s'assurer de la représentativité de cet échantillon. Un **échantillon représentatif** reflète la composition de la population à l'étude : il est constitué de membres de chacun des sous-groupes importants de cette population, que l'on y retrouve dans les mêmes proportions. Un *échantillon biaisé* ne représente pas adéquatement la population à l'étude. La meilleure méthode pour obtenir un échantillon représentatif consiste à sélectionner un *échantillon aléatoire* à partir de la liste de tous les membres de la population à l'étude. Les sujets sont alors sélectionnés au hasard, de sorte que tous les membres de la population ont les mêmes chances d'être choisis.

On aurait tort que croire que plus l'échantillon est vaste, plus l'enquête est précise ; au-delà d'un certain seuil critique, le nombre n'est plus déterminant. Que l'enquête soit réalisée par la technique de l'entrevue ou celle du questionnaire, l'important est qu'un soin minutieux soit apporté à la sélection d'un échantillon représentatif, mais aussi à tout ce qui risquerait d'influer sur les réponses des sujets : la formulation des questions, leur ordre, leur nombre, etc. Dans le cas des entrevues, certaines caractéristiques des intervieweurs – sexe, âge, couleur de peau, origine ethnoculturelle, religion, classe sociale, etc. – peuvent influer sur la sincérité des réponses. En général, les gens sont plus inhibés lorsqu'ils doivent donner des informations personnelles à des intervieweurs de leur âge et du sexe opposé. Les chercheurs doivent donc en tenir compte dans le choix des intervieweurs.

Les questionnaires se remplissent plus rapidement et sont moins coûteux que les entrevues, en particulier si les répondants les remplissent à domicile ou en ligne. Internet offre aux psychologues un moyen rapide, économique et efficace de solliciter des participants et de recueillir un grand nombre de réponses à des questionnaires (Azar, 2000). Cependant, ce genre d'enquête pose un certain nombre de problèmes d'ordre technique – des pépins informatiques qui empêchent des répondants de remplir leur questionnaire, par exemple – et surtout d'ordre méthodologique. Leurs échantillons sont souvent biaisés, parce qu'ils ne représentent que la population des internautes qui prennent l'initiative de participer à des recherches en ligne, *et non* toute la population ni même tous les internautes. Ce point est crucial, car les enquêtes auxquelles les répondants décident eux-mêmes de participer plutôt que d'être sélectionnés par un processus aléatoire *ne sont pas scientifiques*. Voilà pourquoi les questions que les journaux et les quotidiens publient dans leurs pages ou leurs sites Web en invitant leurs lecteurs à donner leur opinion, ou celles que les animateurs de radio ou de télé lancent au public durant leurs émissions ne donnent pas des résultats scientifiques.

Population
Ensemble du groupe qui intéresse des chercheurs et auquel ils veulent généraliser leurs résultats ; groupe à partir duquel ils sélectionnent un échantillon.

Échantillon
Portion d'une population à l'étude que les chercheurs sélectionnent et étudient pour tirer des conclusions sur l'ensemble de cette population.

Échantillon représentatif
Échantillon constitué de membres de chaque sous-groupe important que l'on trouve dans la population à l'étude, et dans des proportions similaires.

◀ Selon vous, la petite famille que forment Céline Dion, René Angelil et René-Charles est-elle représentative de la famille type au Québec ?

▶ Les enquêtes par Internet permettent aux psychologues de réunir en très peu de temps des sommes de données considérables provenant d'une multitude de répondants. Mais les gens qui prennent l'initiative de répondre aux enquêtes par Internet sont-ils représentatifs de la population générale ou même de la totalité des internautes ? Jusqu'à preuve du contraire, il semble bien que non.

Avantages et limites de l'enquête Lorsqu'elles sont bien menées, les enquêtes peuvent fournir des informations précises. Elles permettent également de suivre l'évolution des croyances, attitudes et comportements sur une longue période de temps. Par contre, les enquêtes à grande échelle peuvent être longues et coûteuses. Outre le fait que, comme toutes les méthodes descriptives, l'enquête ne permet pas de déterminer les causes du phénomène étudié, sa principale limite est que les répondants risquent de donner des réponses inexactes, à cause d'une mémoire défaillante ou d'un désir de plaire à l'intervieweur, par exemple. Ils peuvent lui dire ce qu'ils croient qu'il veut entendre ou tenter de se présenter sous leur meilleur jour – phénomène que les chercheurs appellent une *réponse de désirabilité sociale* – ou même chercher délibérément à tromper le chercheur. Enfin, quand les questions portent sur des sujets délicats, comme le comportement sexuel ou les drogues illégales, les répondants sont souvent moins sincères lors des entrevues en face à face que lors des questionnaires autoadministrés (Tourangeau et autres, 1997).

La méthode corrélationnelle : variations simultanées

Quels sont les avantages et les limites de la méthode corrélationnelle ?

Méthode corrélationnelle
Méthode de recherche utilisée pour établir le degré de relation (corrélation) entre deux variables.

Corrélation
Relation entre deux phénomènes qui varient simultanément.

La plus puissante de toutes les méthodes descriptives dont disposent les psychologues est probablement la méthode corrélationnelle, qui sert à établir jusqu'à quel point deux variables sont en corrélation, c'est-à-dire varient simultanément. Pour ce faire, les chercheurs sélectionnent le groupe qui les intéresse, et mesurent les variables à l'étude. Par exemple, un chercheur peut examiner la relation entre l'écoute de la télévision dans les trois premières années de vie (variable 1) et le fait de souffrir d'un déficit de l'attention à sept ans (variable 2), ou encore entre le temps que les étudiants du collégial consacrent à l'étude (variable 1) et leur note moyenne (variable 2).

Les corrélations n'intéressent pas que les scientifiques, elles sont intimement liées à notre façon de penser dans la vie de tous les jours. Par exemple, quelle est la relation entre le prix d'une nouvelle voiture et le prestige social qu'elle procure ? N'est-il pas vrai que plus son prix monte, plus ce prestige augmente ? Et cette corrélation n'est-elle pas l'une des variables que bien des gens prennent en considération quand ils achètent une nouvelle voiture ? Comme l'illustre cet exemple, nous utilisons très souvent les corrélations pour prendre des décisions dans la vie courante.

Coefficient de corrélation
Valeur numérique qui indique la force et la direction de la relation entre deux variables ; va de −1,00 (corrélation négative parfaite) à +1,00 (corrélation positive parfaite) en passant par 0 (aucune corrélation).

Le coefficient de corrélation Lorsqu'ils mènent une étude corrélationnelle, les scientifiques appliquent une formule statistique aux données relatives aux deux variables à l'étude pour obtenir leur *coefficient de corrélation*. Le coefficient de corrélation est une valeur numérique qui indique la force et le sens de la corrélation entre deux variables. Ce coefficient va de −1,00 (corrélation négative parfaite) à +1,00 (corrélation positive parfaite), en passant par 0 (aucune corrélation). Le chiffre du coefficient de corrélation indique la force relative de la relation entre deux variables : plus il est élevé, plus cette relation est forte. Ainsi, une corrélation de −0,85 est plus forte qu'une corrélation de +0,64. Le signe (+ ou −) du coefficient de corrélation indique si les deux variables varient dans le même sens ou en sens contraire.

Une corrélation positive indique que les deux variables varient dans le même sens, comme le prix d'une voiture et le prestige social qui y est associé. Autre exemple : il y a une corrélation positive, quoique faible, entre le stress et la maladie. Si le stress augmente, la probabilité de maladie augmente aussi ; quand le stress diminue, elle diminue aussi (voir la figure 1.2). Une corrélation négative signifie qu'une augmentation de la valeur d'une variable est associée à une diminution de la valeur de l'autre variable. Par exemple, il y a une corrélation négative entre le nombre de cigarettes que les gens fument et le nombre d'années qu'ils peuvent s'attendre à vivre : plus ils fument, plus courte est leur espérance de vie.

Figure 1.2

CORRÉLATION POSITIVE ET CORRÉLATION NÉGATIVE

Ces graphiques illustrent des corrélations positive (à gauche) et négative (à droite). (a) Lorsqu'on représente graphiquement les données d'une corrélation positive entre deux variables, les points correspondants suivent une ligne qui monte de gauche à droite. Ici, les deux variables pourraient être le temps d'étude et les notes à un examen : plus le temps d'étude augmente, plus les notes montent. (b) Lorsqu'on représente les données d'une corrélation négative entre deux variables, les points correspondants forment une ligne qui descend de gauche à droite. Ce graphique pourrait représenter deux variables comme le temps consacré aux loisirs et les notes à un examen. Plus le temps de loisirs augmente, plus les notes diminuent.

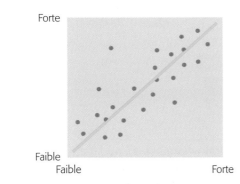

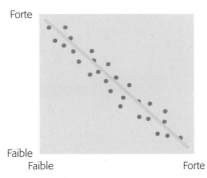

(a) Corrélation positive, +0,50   (b) Corrélation négative, −0,94

Les limites de la méthode corrélationnelle

L'existence d'une corrélation entre deux variables indique-t-elle que l'une est la cause de l'autre ? Non. Malgré sa puissance, la méthode corrélationnelle est une méthode descriptive et ne permet pas d'établir l'existence d'un lien de cause à effet entre les variables étudiées. Même si deux variables sont corrélées – le stress et la maladie, par exemple –, on ne peut pas en conclure que le stress rend les gens malades. Il se peut que la maladie cause le stress, mais il est aussi possible qu'un troisième facteur, comme la pauvreté ou un mauvais état de santé, rende les gens plus vulnérables à la fois à la maladie et au stress (voir la figure 1.3, p. 14). L'étude publiée dans la revue *Pediatrics* sur le lien entre le nombre d'heures de télé regardées avant l'âge de trois ans et les symp-

◀ Il y a une corrélation entre les ventes de cornets de crème glacée et la température : plus il fait chaud, plus on vend de cornets. Cette relation est-elle positive ou négative ? Selon vous, quelle est la corrélation correspondante entre la température et les ventes de café ? Est-elle positive ou négative ?

tômes de déficit de l'attention avait été réalisée par la méthode corrélationnelle (Christakis et autres, 2004). Par conséquent, comme le reconnaissaient les chercheurs dans la conclusion de leur étude, le fait qu'ils aient trouvé une corrélation entre ces variables ne prouve pas que l'écoute de la télé en bas âge soit la cause des symptômes de déficit d'attention des enfants :

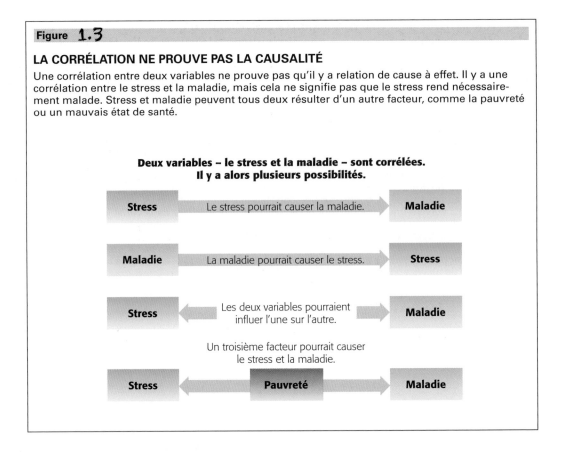

Figure 1.3

LA CORRÉLATION NE PROUVE PAS LA CAUSALITÉ

Une corrélation entre deux variables ne prouve pas qu'il y a relation de cause à effet. Il y a une corrélation entre le stress et la maladie, mais cela ne signifie pas que le stress rend nécessairement malade. Stress et maladie peuvent tous deux résulter d'un autre facteur, comme la pauvreté ou un mauvais état de santé.

**Deux variables – le stress et la maladie – sont corrélées.
Il y a alors plusieurs possibilités.**

| Stress | Le stress pourrait causer la maladie. | Maladie |

| Maladie | La maladie pourrait causer le stress. | Stress |

| Stress | Les deux variables pourraient influer l'une sur l'autre. | Maladie |

Un troisième facteur pourrait causer le stress et la maladie.

| Stress | Pauvreté | Maladie |

Il se pourrait que des problèmes d'attention aient entraîné l'augmentation des heures de télévision plutôt que le contraire […]. Il est aussi possible que certaines caractéristiques des parents qui laissent leurs enfants regarder trop de télévision expliquent la relation entre les heures de télé regardées et les problèmes d'attention. Par exemple, en plus d'avoir laissé leur enfant regarder trop de télé, des parents très occupés, négligents ou préoccupés par autre chose pourraient avoir créé un environnement familial qui favorise le développement de problèmes d'attention.

Les avantages de la méthode corrélationnelle   Si la méthode corrélationnelle ne permet pas d'établir de relation de cause à effet entre deux variables, pourquoi les chercheurs l'utilisent-ils plutôt que de recourir à la méthode expérimentale, qui, elle, le permet ? Il y a trois raisons à cela.

Premièrement, pour des raisons éthiques, il est parfois impossible d'étudier directement les variables qui nous intéressent. Ainsi, on ne peut pas demander à des parents de mettre leurs enfants de moins de trois ans devant la télé pour savoir s'ils souffriront d'un déficit d'attention plus tard dans l'enfance… La solution de rechange est alors la méthode corrélationnelle : interroger des parents sur la consommation de télé de leurs enfants et vérifier par la suite s'il y a une corrélation entre le nombre d'heures de télé regardées avant trois ans et les symptômes de trouble de l'attention plus tard dans l'enfance.

Deuxièmement, de nombreuses variables qui intéressent les psychologues ne peuvent être manipulées. Tout le monde voudrait savoir si le sexe biologique est la cause des différences que l'on observe entre les hommes et les femmes. Mais on ne peut pas décider d'assigner tel ou tel sexe à des individus comme on leur demande de prendre un médicament ou un placebo. Là encore, la seule possibilité est d'étudier les corrélations entre le sexe biologique et des variables comme le fonctionnement cognitif ou la personnalité.

Troisièmement, les études corrélationnelles peuvent souvent se faire assez rapidement, alors que les expérimentations peuvent être longues et complexes, comme nous allons le voir.

RETENEZ-LE — Les méthodes descriptives

1. Vrai ou faux ? Les chercheurs qui recourent à l'observation en milieu naturel tentent de manipuler le comportement observé.

2. Beaucoup de connaissances sur le sommeil ont été acquises par l'observation en (milieu naturel/ laboratoire).

3. La méthode de l'étude de cas serait inutile pour étudier _____ .
   a) un trouble psychologique très rare
   b) les effets d'une malformation physique très rare sur deux ados, une fille et un garçon
   c) la fréquence d'une pratique sexuelle très rare chez des adolescents québécois

4. Une enquête serait particulièrement utile pour étudier _____ .
   a) un trouble psychologique rare
   b) la fréquence d'une croyance chez une vaste population
   c) les réactions de la population d'une île durant un tsunami

5. Vrai ou faux ? Plus il y a de répondants, plus les résultats d'une enquête sont exacts.

6. Vrai ou faux ? Un coefficient de corrélation élevé indique une relation de cause à effet.

7. Lequel des énoncés suivants décrit une corrélation négative ?
   a) Quand la valeur d'une variable monte, la valeur de l'autre variable descend.
   b) Quand la valeur d'une variable descend, la valeur de l'autre variable descend.
   c) Quand la valeur d'une variable monte, la valeur de l'autre variable monte.
   d) Quand la valeur d'une variable monte ou descend, la valeur de l'autre variable reste inchangée.

8. Lequel des coefficients de corrélation suivants indique la relation la plus forte entre deux variables ?
   a) +0,65
   b) −0,78
   c) 0,00
   d) +0,25

Réponses : 1. Faux. **2.** laboratoire. **3.** c. **4.** b. **5.** Faux. **6.** Faux. **7.** a. **8.** b.

La méthode expérimentale : relations de cause à effet

Quels sont les avantages et les limites de la méthode expérimentale ?

La **méthode expérimentale** (ou l'**expérimentation**) est la seule méthode de recherche qui permet d'établir une relation de cause à effet entre des variables. Par exemple, ces deux variables que sont la consommation d'alcool et le comportement agressif surviennent souvent en même temps – elles sont corrélées. Mais la consommation d'alcool est-elle la *cause* du comportement agressif ? Le psychologue Alan Lang et ses collègues (1975) ont réalisé une expérience désormais classique pour déterminer si l'agressivité accrue liée à la consommation d'alcool était causée par l'alcool lui-même ou par des attentes quant aux effets de l'alcool. Les sujets de l'expérience étaient 96 collégiens classés comme de grands buveurs sociaux. Les chercheurs ont donné à boire du tonic sans alcool à la moitié des sujets, et à l'autre moitié, assez de vodka-tonic pour faire grimper leur taux d'alcool à 0,10, ce qui dépasse la limite légale pour conduire une voiture au Québec (0,08). Les sujets étaient assignés au hasard à l'un ou l'autre de ces quatre groupes :

- groupe 1 – pensaient boire de l'alcool, ne buvaient que du tonic ;
- groupe 2 – pensaient boire de l'alcool, buvaient de la vodka-tonic ;
- groupe 3 – pensaient boire du tonic, buvaient de la vodka-tonic ;
- groupe 4 – pensaient boire du tonic, buvaient du tonic.

De gros buveurs comme ces sujets pouvaient sûrement détecter la différence entre du tonic sans alcool et un mélange de quatre parts de tonic pour une part de vodka, vous dites-vous peut-être. Or, ce n'est pas le cas : une étude préliminaire avait établi qu'ils n'y arrivent pas plus d'une fois sur deux (Marlatt et Rohsenow, 1981).

Chaque sujet a bu la quantité qui lui était assignée. Cela fait, l'un d'entre eux, qui était de connivence avec les chercheurs, provoquait délibérément la moitié des étudiants en les insultant. Puis, tous les étudiants devaient participer à une expérience d'apprentissage où ce même complice jouait le rôle de l'apprenant. Chaque fois qu'il commettait une erreur, le sujet devait lui administrer une décharge électrique dont il déterminait lui-même l'intensité et la durée. (En réalité, le complice ne recevait aucune décharge, et sa réaction était simulée.) Les chercheurs ont mesuré l'agressivité des étudiants selon la durée et l'intensité des décharges qu'ils décidaient de donner.

Méthode expérimentale (ou expérimentation) Méthode de recherche où, dans des conditions rigoureusement contrôlées, on manipule une ou plusieurs variables indépendantes pour en déterminer l'effet sur la ou les variables dépendantes ; seule méthode qui permet d'établir l'existence d'une relation de cause à effet.

▲ Dans quelles conditions l'humeur joyeuse de ces jeunes pourrait-elle devenir agressive ?

Variable indépendante
Dans une expérience scientifique, variable que le chercheur manipule délibérément pour vérifier si cela entraîne ou non une variation d'une autre variable.

Variable dépendante
Variable mesurée à la fin d'une expérience scientifique, et que les manipulations de la variable indépendante sont censées avoir fait varier (à la hausse ou à la baisse).

Groupe expérimental
Dans la méthode expérimentale, groupe de sujets qui est exposé à une variable indépendante.

Groupe témoin
Dans la méthode expérimentale, groupe de sujets similaire au groupe expérimental et exposé au même environnement expérimental, mais qui ne reçoit pas le traitement ; utilisé dans un but de comparaison.

Quels ont été les résultats de cette expérience ? On s'en doute, les étudiants qui avaient été provoqués par l'étudiant complice lui ont administré des décharges plus intenses que les autres étudiants. Cependant, les étudiants qui avaient bu de l'alcool n'étaient pas nécessairement les plus agressifs. Quoiqu'ils aient bu, et qu'ils aient été provoqués ou non, les sujets qui *pensaient avoir bu de l'alcool* ont administré des décharges nettement plus longues et intenses que ceux qui pensaient n'avoir bu que du tonic. Les chercheurs en ont conclu que ce n'était donc pas l'alcool lui-même, mais les attentes liées à l'alcool qui avaient causé cette agressivité accrue des étudiants.

Variable indépendante et variable dépendante   On s'en souvient, la méthode expérimentale vise à vérifier une hypothèse sur une relation de cause à effet – par exemple, « L'étude est la cause des bonnes notes » ou « L'aspirine est la cause du soulagement du mal de tête ». Notez que toute hypothèse, et donc toute expérience, comporte au moins deux variables : l'une dont on pense qu'elle est la cause (l'étude, l'aspirine), l'autre dont on pense qu'elle dépend de la cause (les bonnes notes, le soulagement du mal de tête).

Toute expérience comporte donc au moins une **variable indépendante**, que le chercheur croit être la cause d'un changement dans une autre variable, et qu'il manipule délibérément pour vérifier si cette autre variable varie ou non. On appelle parfois *traitement* la variable indépendante. L'expérience de Lang et de ses collègues (1975) comportait deux variables indépendantes : la teneur en alcool des consommations et le fait de penser avoir bu de l'alcool.

Le deuxième type de variable présente dans toute expérience est la **variable dépendante**, celle dont l'hypothèse prédit qu'elle subira l'effet de la variable indépendante. La variable dépendante est mesurée à la fin de l'expérience pour vérifier si la manipulation de la variable indépendante l'a fait varier (à la hausse ou à la baisse). Les chercheurs doivent fournir une définition opérationnelle de chacune des variables d'une expérience, ce qui signifie qu'ils doivent spécifier avec précision comment les variables seront observées et mesurées. Dans l'étude de Lang, la définition opérationnelle de la variable dépendante – l'agressivité – était l'intensité et la durée des décharges que les sujets choisissaient d'administrer à l'un des leurs (qui était en fait de connivence avec les chercheurs).

Groupe expérimental et groupe témoin   La plupart des expériences sont réalisées au moyen de deux ou plusieurs groupes de sujets. Une expérience comporte toujours au moins un **groupe expérimental**, c'est-à-dire un groupe de participants exposés à la variable indépendante (au traitement). Dans de nombreuses expériences, il y a plusieurs groupes expérimentaux. Dans l'expérience de Lang, les chercheurs en avaient trois :

- le groupe 1 : pensaient boire de l'alcool, ne buvaient que du tonic ;
- le groupe 2 : pensaient boire de l'alcool, buvaient de la vodka-tonic ;
- le groupe 3 : pensaient boire du tonic, buvaient de la vodka-tonic.

Dans la majorité des expériences, on recourt également à un **groupe témoin**, c'est-à-dire un groupe analogue au groupe expérimental et chez qui les chercheurs mesurent aussi la variable dépendante à la fin de l'expérience, dans un but de comparaison. Le groupe témoin est exposé au même environnement expérimental que le groupe expérimental, mais il ne reçoit pas le traitement. Ainsi, dans l'expérience de Lang, le groupe 4 (pensaient boire du tonic, buvaient du tonic) n'a été soumis à aucune des deux variables dépendantes : ils n'ont pas bu d'alcool et ne s'attendaient pas à en boire. Ce groupe étant similaire au groupe expérimental et ayant été exposé au même environnement, il a pu servir de groupe témoin.

À quoi sert un groupe témoin ? Ne suffit-il pas que le chercheur expose un groupe à la manipulation de la variable indépendante et constate s'il y a ou non un changement ? Il arrive que l'on procède ainsi, mais il est généralement préférable d'avoir un groupe témoin parce que les gens et leurs comportements changent souvent d'eux-mêmes, sans intervention. La présence d'un groupe témoin révèle quels types de changements se produisent « naturellement » et permet de les distinguer des variations qui résultent de la variable indépendante. Par exemple, si vous vouliez savoir si un médicament donné soulage les maux de tête, vous pourriez trouver des gens qui ont mal à la tête, leur donner ce médicament et vérifier combien d'entre eux ont encore mal à la tête une heure plus tard. Cependant, comme le mal de tête disparaît parfois de lui-même, sans traitement, certains sujets qui ont reçu le médicament n'auraient peut-être plus mal à la tête même s'ils n'avaient pas pris le médicament. La présence d'un groupe témoin vous permettrait alors de savoir si la prise du médicament (groupe expérimental) soulage d'autres maux de tête que ceux qui auraient disparu d'eux-mêmes.

Les biais dans la recherche expérimentale Les chercheurs peuvent-ils toujours avoir la certitude que la manipulation de la variable indépendante est vraiment la cause de tout changement dans la variable dépendante ? Non, pas nécessairement. Une expérience peut être biaisée par des variables confondantes. Les variables confondantes sont des facteurs ou des conditions (autres que la variable indépendante) qui ne sont pas équivalentes d'un groupe à l'autre et qui pourraient expliquer des différences de résultats entre les groupes sur la variable dépendante. En menant leur expérience dans un laboratoire, Lang et ses collègues ont pu contrôler la chaleur, le bruit et d'autres facteurs liés à l'environnement qui auraient pu agir comme variables confondantes en augmentant les réponses agressives. Mais cela ne suffit pas, car trois autres variables confondantes doivent être contrôlées dans toute expérience : le *biais de sélection*, l'*effet placebo* et le *biais de l'expérimentateur*.

Pourquoi les chercheurs ne peuvent-ils pas laisser les sujets de l'expérience choisir s'ils feront partie du groupe expérimental ou du groupe témoin ? Parce que cette façon de faire introduirait un *biais de sélection* dans leur étude. Le biais de sélection se produit lorsque la façon dont les sujets sont assignés à chacun des groupes se fait de telle manière qu'il y a des différences systématiques entre les groupes dès le début de l'expérience. S'il y a un biais de sélection, les différences mesurées à la fin de l'expérience risquent de refléter des différences préexistantes entre les groupes plutôt que les effets de la manipulation de la variable indépendante. Pour prévenir le biais de sélection, les chercheurs doivent recourir à l'assignation aléatoire : ils doivent choisir les sujets au hasard (en tirant les noms d'un chapeau, par exemple) pour que la probabilité d'être assigné à l'un ou l'autre des groupes soit la même pour chacun. L'assignation aléatoire optimise la probabilité que les groupes soient aussi semblables que possible au début de l'expérience. Par exemple, s'il y avait des différences dans le degré d'agressivité des sujets sélectionnés pour l'expérience de Lang, l'assignation aléatoire les aurait réparties entre les groupes.

Les attentes des participants peuvent-elles influer sur les résultats d'une expérience ? Oui, elles le peuvent. Si on donne un médicament à un patient, et que celui-ci déclare ensuite qu'il se sent mieux, cette amélioration peut résulter de l'effet direct du médicament ou du seul fait que le patient s'attendait à ce que le médicament agisse. Des études ont montré qu'une nette amélioration de l'état d'un patient pouvait parfois s'expliquer par la seule force de la suggestion, un phénomène appelé l'effet placebo. Dans les expériences sur les effets des médicaments et autres substances psychotropes, habituellement, le groupe témoin reçoit un placebo, c'est-à-dire une substance inerte comme une pilule de sucre ou une injection de solution saline. Pour éviter l'effet placebo, les chercheurs ne disent pas aux participants s'ils font partie du groupe expérimental (qui reçoit le traitement) ou du groupe témoin (qui reçoit le placebo). Si les sujets qui reçoivent le traitement rapportent une amélioration nettement supérieure à celle que rapportent les sujets qui reçoivent le placebo, cette amélioration pourra alors être attribuée au médicament plutôt qu'à l'effet placebo. Dans l'expérience de Lang, certains étudiants qui pensaient boire de l'alcool dans du tonic ne buvaient que du tonic. Le tonic sans alcool jouait le rôle du placebo.

Variable confondante
Facteur ou condition (autre que la variable indépendante) qui n'est pas équivalente d'un groupe de sujets à l'autre et qui pourrait fausser les résultats d'une expérience.

Biais de sélection
Dans la méthode expérimentale, phénomène qui se produit lorsque le mode d'assignation des sujets à un groupe expérimental ou à un groupe témoin entraîne des différences systématiques entre les groupes dès le début de l'expérience.

Assignation aléatoire
Dans la méthode expérimentale, mode de sélection des sujets où ceux-ci sont assignés au hasard à un groupe expérimental ou à un groupe témoin, de sorte que la probabilité d'être assigné à tel ou tel groupe est la même pour chaque sujet ; vise à éliminer le biais de sélection.

Effet placebo
Phénomène qui se produit lorsque la réaction d'un sujet à un traitement (ou à la variable dépendante d'une expérience) résulte des attentes de ce sujet sur l'effet du traitement plutôt que du traitement lui-même.

Placebo
Substance inerte administrée afin de contrôler l'effet placebo.

Les attentes des chercheurs peuvent aussi biaiser les études expérimentales. Le **biais de l'expérimentateur** se produit lorsque les idées préconçues ou les attentes des chercheurs les amènent à trouver ce qu'ils s'attendent à trouver. Parfois, sans le vouloir, un chercheur peut communiquer ses attentes aux sujets par son ton de voix, ses gestes et ses expressions faciales, ce qui peut influer sur leur comportement. Même si elles n'ont eu aucune influence pendant l'expérience, les attentes du chercheur peuvent avoir une incidence sur son interprétation des résultats. Pour prévenir le biais de l'expérimentateur, le chercheur doit ignorer quels sujets font partie de tel ou tel groupe. L'identité des sujets est donc codée et ne lui est révélée qu'une fois la collecte et l'enregistrement des données terminées (évidemment, un assistant de recherche doit connaître ces informations). Lorsque ni les sujets ni le chercheur ne savent qui reçoit le traitement et qui fait partie du groupe témoin, on parle d'**étude à double insu**.

Les limites de la méthode expérimentale   On l'a dit, le grand avantage de la méthode expérimentale est d'être la seule à permettre de déterminer s'il y a relation de cause à effet. Mais quelles sont ses limites ? D'abord, plus l'expérimentateur exerce un contrôle rigoureux, plus les conditions de la recherche deviennent artificielles et contraignantes, et moins les résultats seront généralisables au monde réel. Une autre limite majeure de la méthode expérimentale est que, dans bien des domaines qui intéressent les psychologues, y recourir est souvent impossible ou contraire à l'éthique. On ne peut soumettre des sujets humains à certains traitements sans violer leurs droits ou mettre en danger leur santé physique ou mentale.

Compte tenu de ce que nous savons des avantages et des limites de la méthode expérimentale, peut-on conclure des résultats de l'expérience de Lang que les gens sont plus agressifs lorsqu'ils croient être sous l'effet de l'alcool ? Non, et pour plusieurs raisons :

- Les sujets de cette expérience étaient tous des collégiens de sexe masculin. On ne peut donc pas avoir la certitude que les résultats auraient été les mêmes si l'échantillon avait inclus des femmes ou des hommes d'âge différent.

- Les sujets de cette expérience étaient tous de gros buveurs sociaux. Les résultats de l'étude auraient-ils été les mêmes si l'échantillon avait inclus des non-buveurs, des buveurs sociaux modérés ou des alcooliques ? Pour pouvoir généraliser les résultats de cette étude à d'autres groupes, les chercheurs devront la reproduire avec des échantillons représentatifs d'autres populations.

- La quantité d'alcool administrée aux sujets était tout juste suffisante pour amener leur taux d'alcool sanguin à 0,10. On ne peut donc pas avoir la certitude que les résultats de l'étude auraient été les mêmes si les sujets avaient consommé une quantité d'alcool moindre ou plus importante.

RETENEZ-LE   **La méthode expérimentale**

1. Vrai ou faux ? La méthode expérimentale est la seule méthode de recherche qui permet de déterminer s'il y a relation de cause à effet entre des variables.

2. Le _____ reçoit parfois un placebo.

3. Qui suis-je ?
   a) Prédiction sur une relation entre deux variables
   b) Variable mesurée à la fin de l'expérience
   c) Variable manipulée par le chercheur
   d) Étude où ni les sujets ni le chercheur ne savent qui reçoit le traitement et qui fait partie du groupe témoin

4. _____ se produit lorsque la réponse à un traitement résulte des attentes du sujet par rapport à ce traitement plutôt que du traitement lui-même.

5. Les résultats d'une expérience peuvent être biaisés par les attentes du chercheur, ce qui correspond au biais de _____ .

6. L'assignation aléatoire permet de prévenir le biais de _____ .

Réponses : 1. Vrai. **2.** le groupe témoin. **3.** (a) Une hypothèse (b) Une variable dépendante (c) Une variable indépendante (d) Une étude à double insu. **4.** L'effet placebo. **5.** l'expérimentateur. **6.** sélection.

Le tableau 1.1 résume les caractéristiques des méthodes de recherche que nous venons d'étudier.

Tableau 1.1

LES MÉTHODES DE RECHERCHE EN PSYCHOLOGIE

Méthode	Description	Avantages	Limites
Observation en milieu naturel ou en laboratoire	Observation et enregistrement d'un comportement – soit en milieu naturel soit en laboratoire – sur lequel le chercheur n'influe pas.	Plus grande spontanéité du comportement étudié en milieu naturel. Mesure plus précise des variables en laboratoire.	Ne permet pas de déterminer la cause des phénomènes étudiés. Risque de biais de l'observateur. En milieu naturel, peu ou pas de contrôle sur les conditions de l'étude.
Étude de cas	Étude approfondie d'un ou plusieurs individus au moyen d'observations, d'entrevues et parfois de tests psychologiques.	Bonne source d'informations dans le cas de phénomènes rares ou mal connus. Peut fournir la base d'hypothèses à vérifier ultérieurement.	Ne permet pas de déterminer la cause des phénomènes étudiés. Risque que les résultats ne soient pas généralisables. Risque d'interprétations erronées de la part du chercheur.
Enquête	Entrevues ou questionnaires (ou les deux) visant à recueillir des informations sur les attitudes, croyances, expériences ou comportements d'un groupe donné.	Bonne source d'informations précises sur un grand nombre de gens. Permet de suivre l'évolution à long terme de croyances, d'attitudes ou de comportements.	Ne permet pas de déterminer la cause des phénomènes étudiés. Risque de réponses inexactes. Risque d'échantillon biaisé. Risque que les caractéristiques de l'intervieweur influent sur les réponses.
Méthode corrélationnelle	Méthode utilisée pour déterminer l'existence, la force et le sens de la relation (corrélation) entre deux variables.	Permet d'évaluer la force de la relation entre les variables lorsque l'expérimentation est impossible. Fournit une base de prédiction.	Ne permet pas d'établir une relation de cause à effet entre les variables étudiées.
Méthode expérimentale	Assignation aléatoire des sujets dans les groupes étudiés. Manipulation d'une ou plusieurs variables indépendantes et mesure des effets sur la variable dépendante.	Permet d'établir des relations de cause à effet.	Risque que les conditions de laboratoire inhibent ou modifient le comportement naturel des sujets. Risque que les résultats ne soient pas applicables dans des conditions autres que celles du laboratoire. Dans certains cas, expérience impossible ou contraire à l'éthique.

La recherche sur des sujets humains : genre, race et âge

Comment le sexisme, le racisme ou l'âgisme peuvent-ils biaiser des résultats de recherche ?

Lorsque nous avons étudié la méthode de l'enquête, nous avons insisté sur l'importance de constituer un échantillon représentatif pour éviter que les résultats de l'enquête soient biaisés. Avec les autres méthodes de recherche, le problème de la représentativité des sujets se pose lorsque les psychologues veulent généraliser les résultats de leurs études à d'autres personnes que les sujets qui y ont participé.

Au début des années 1990 aux États-Unis, une étude qui a fait grand bruit (Graham, 1992) révélait que les Blancs étaient souvent surreprésentés dans les études en psychologie, et ce, pour une raison très simple. Dans la majorité des études menées sur des sujets humains au cours des trois décennies précédentes, les sujets avaient été choisis parmi la population collégiale et universitaire, où les minorités ethniques étaient sous-représentées. Cette surreprésentation des étudiants dans la recherche en psychologie soulevait d'autres problèmes méthodologiques. En effet, la population étudiante forme un groupe relativement sélect (âge, situation socioéconomique, niveau d'instruction, etc.), qui n'est pas représentatif de la population générale. Un tel manque de représentativité dans un échantillon de recherche est un exemple de biais liés à la sélection des sujets.

Le biais de genre en est un autre exemple. Ainsi, Ader et Johnson (1994) ont constaté que lorsque tous les sujets d'une étude étaient du même sexe, typiquement, les chercheurs ne le spécifiaient que s'il s'agissait de sujets féminins ; quand l'échantillon était exclusivement masculin, ils ne le mentionnaient pas. Cette pratique, soulignaient les chercheurs, dénotait une tendance à considérer les sujets masculins comme étant la « norme », les résultats obtenus avec eux pouvant s'appliquer de manière générale, contrairement aux résultats obtenus avec les sujets féminins. Cependant, précisait l'étude, ces biais de genre dans l'échantillonnage et la sélection des sujets de recherche diminuaient au fil des décennies.

Un autre type de biais se produit lorsque les chercheurs ou les utilisateurs des recherches généralisent abusivement les résultats d'une étude à tous les membres d'un groupe donné. Ainsi, la chercheure Sandra Graham (1992) a constaté qu'une bonne partie de la recherche comparant les Américains blancs et les Afro-Américains ne tient pas compte de la situation socioéconomique des sujets. Or, les Afro-Américains sont surreprésentés au sein des classes les plus défavorisées. Selon Graham, les recherches qui comparent les Américains blancs et les Afro-Américains devraient donc tenir compte de la situation socioéconomique des sujets pour dissocier les effets de la classe sociale de ceux de l'origine ethnique.

▲ Les étudiants sont une population pratique à étudier, et les chercheurs en psychologie font souvent appel à eux pour constituer les échantillons de leurs études. Ils doivent alors s'assurer que ces échantillons sont aussi représentatifs que possible de la population générale (âge, sexe, origine ethnoculturelle, situation socioéconomique, etc.).

L'âgisme est une autre source continuelle de biais (Birren et Schaie, 2006 ; Schaie, 1993), et se manifeste de manière particulièrement évidente dans le vocabulaire de la recherche en psychologie. Par exemple, les titres des études sur le vieillissement contiennent très souvent des mots comme *perte*, *détérioration*, *déclin* et *dépendance*. Les chercheurs devraient éviter de faire des descriptions ou de tirer des conclusions associant ainsi tous les membres d'un même groupe d'âge à des caractéristiques négatives, car ils risquent ainsi de sous-estimer la diversité de la population qu'ils étudient. Selon Schaie, l'essentiel de la recherche sur les adultes révèle que les différences entre les sexagénaires et les octogénaires sont beaucoup plus importantes que les différences entre des adultes de 20 ans et des adultes de 60 ans.

L'éthique de la recherche sur les humains et les animaux

Quels principes éthiques guident la recherche sur des sujets humains ?

Le travail des chercheurs d'ici est encadré par les codes de déontologie de l'Ordre des psychologues du Québec et de la Société canadienne de psychologie, et plus globalement par les trois agences responsables du financement de la majeure partie de la recherche au Canada : l'Institut de recherche en santé du Canada, le Conseil de recherches en sciences naturelles et en génie et le Conseil de recherches en sciences humaines. Voici un résumé des principales dispositions de l'*Énoncé de politique des trois Conseils : Éthique de la recherche avec des êtres humains* (IRSC, CRSNG et CRSH, 1998, révisé en 2005).

- *La moralité des buts et des moyens* La recherche avec des sujets humains repose sur l'engagement moral fondamental d'améliorer le bien-être, la connaissance et la compréhension des êtres humains et d'étudier la dynamique culturelle.

- *Le respect de la dignité humaine* Le respect de la dignité humaine est la clé de voûte de l'éthique de la recherche. Ce principe, qui vise à protéger les intérêts de la personne (de son intégrité corporelle à son intégrité psychologique ou culturelle) est le fondement des obligations éthiques qui suivent. Le chercheur doit être particulièrement prudent et rigoureux à l'égard des personnes vulnérables ou sans défense (enfants, personnes institutionnalisées, etc.).

- *Le consentement libre et éclairé* Les sujets doivent être parfaitement informés des buts de l'étude et de tout risque potentiel auquel elle expose. Le chercheur peut échapper à cette règle s'il a une bonne raison de le faire, et que celle-ci a été approuvée par le comité d'éthique de son institution. En aucune circonstance le chercheur ne doit inciter des sujets pressentis à participer en leur faisant miroiter de faux bénéfices.

- *La confidentialité des renseignements privés* Les renseignements privés dévoilés dans le contexte d'une recherche doivent rester confidentiels. Les chercheurs ne doivent en aucun cas les révéler sans le consentement libre et éclairé des sujets à cet effet.

- *Clients, patients, étudiants et subordonnés* Si le sujet pressenti est sous l'autorité d'autrui (client d'un thérapeute, patient d'un hôpital, étudiant d'un cours de psychologie, employé, etc.), le chercheur doit s'assurer que sa participation à l'étude est totalement libre, qu'il n'en espère aucun avantage indu et que l'information ainsi obtenue ne lui nuira d'aucune façon. Ainsi, un professeur ne peut mettre une note plus basse à un étudiant parce qu'il refuse de participer à une étude.

- *La tromperie* Le chercheur peut tromper les sujets – y compris en utilisant un placebo – s'il n'y a aucun autre moyen de vérifier son hypothèse. S'il a utilisé la tromperie, le chercheur doit en informer les sujets et rétablir les faits dès que possible une fois l'étude terminée.

- *La rémunération des sujets* Le chercheur peut offrir un paiement aux sujets pour leur participation, si ce paiement ne dépasse pas les avantages habituels liés à une recherche. Un paiement indu pourrait être considéré comme une incitation abusive à participer à une recherche ou à poser des gestes que le sujet ne poserait pas en temps normal.

- *La publication* Le chercheur est tenu de rendre compte des découvertes qui résultent de ses études – en les publiant dans une revue scientifique, par exemple – et de rendre leurs données disponibles à tout chercheur qui veut les vérifier. Si une étude ne débouche sur aucune découverte, le chercheur doit tout de même en rendre compte à l'institution qui l'a financée et à celle où elle a été menée, ainsi qu'aux sujets qui y ont participé.

Les sujets animaux dans la recherche La recherche sur les animaux a toujours été et reste toujours très controversée, et de nombreux militants des droits des animaux s'y opposent énergiquement. Cette controverse a eu des effets positifs. Si les chercheurs pouvaient faire à peu près n'importe quoi dans leurs laboratoires il y a une trentaine d'années, les choses sont aujourd'hui bien différentes.

Au Québec, les chercheurs qui font de la recherche avec des sujets animaux sont liés par le *Code de déontologie des psychologues* (Ordre des psychologues du Québec, 2009) et par les principes d'éthique du Conseil canadien de protection des animaux (CCPA, 2009). Ces documents prônent un traitement humain des animaux. Autrement dit, les chercheurs doivent tout faire pour minimiser l'inconfort, la douleur et la maladie chez les sujets animaux. Le CCPA est aussi responsable de surveiller les activités des laboratoires. De plus, la recherche avec des animaux n'est soutenue que si elle est justifiée par la possibilité d'acquérir des connaissances précieuses.

▲ L'utilisation de sujets animaux dans la recherche a presque toujours soulevé la controverse, et de nombreux défenseurs des droits des animaux militent pour son interdiction. Qu'en pensez-vous ?

Pourquoi se sert-on d'animaux dans la recherche en psychologie ? Au moins six raisons l'expliquent : (1) les animaux fournissent un modèle plus simple pour l'étude de processus comparables chez l'humain ; (2) avec des sujets animaux, les chercheurs peuvent contrôler beaucoup mieux les conditions expérimentales et, donc, être plus sûrs de leurs conclusions ; (3) la gamme des manipulations possibles sur les animaux est beaucoup plus vaste ; (4) il est plus facile d'étudier le cycle de vie complet de certaines espèces animales, et même de les suivre sur plusieurs générations ; (5) les animaux coûtent moins cher à utiliser et sont disponibles en tout temps ; et, bien sûr, (6) la recherche sur des sujets animaux est essentielle pour étudier le comportement animal.

La recherche sur les animaux est-elle vraiment nécessaire ? Presque toutes les découvertes de la médecine moderne ainsi qu'une bonne partie de nos connaissances sur le cerveau, sur le fonctionnement des sens et sur les effets sur les enfants à naître des médicaments et des drogues consommés durant la grossesse (Domjan et Purdy, 1995) en résultent.

Elle a également accru nos connaissances dans les domaines de l'apprentissage, de la motivation, du stress, des émotions et de la mémoire, et nous a aidés à mieux comprendre les effets secondaires des médicaments utilisés pour soulager les symptômes de diverses maladies mentales (Ortega-Alvaro et autres, 2006).

RETENEZ-LE

La recherche sur des sujets humains et animaux

1. Vrai ou faux ? Traditionnellement, les étudiants du secondaire ont été surreprésentés parmi les sujets des recherches en psychologie.

2. Dans la recherche sur les sujets humains, des biais liés à la _____, au _____ et à l'_____ peuvent limiter la généralisation des résultats à l'ensemble de la population.

3. Le respect de la _____ est la clé de voûte de l'éthique de la recherche sur des sujets humains.

4. Vrai ou faux ? La Société canadienne de psychologie a des règles pour le traitement éthique des sujets humains, mais pas pour celui des sujets animaux.

Réponses : 1. Faux. **2.** race ; genre ; âge. **3.** dignité humaine. **4.** Faux.

1.3 LES PREMIERS PAS DE LA PSYCHOLOGIE SCIENTIFIQUE

La psychologie a déjà été une branche de la philosophie, mais il faudrait remonter bien avant les philosophes de l'Antiquité et même bien avant l'écriture pour retracer les premières théories sur les comportements humains. Ainsi, les mythes et croyances religieuses de nos lointains ancêtres fournissaient des explications aux phénomènes naturels et aux comportements qu'on ne pouvait expliquer autrement. Ce n'est qu'à partir du moment où l'on a commencé à appliquer les méthodes expérimentales des sciences naturelles à l'étude des processus psychologiques que la psychologie a été officiellement reconnue comme une discipline universitaire autonome.

Le structuralisme : Wilhelm Wundt et Edward Bradford Titchener

Quel a été le rôle de Wundt et de Titchener dans la naissance de la psychologie ?

Qui a « fondé » la psychologie ? Les historiens reconnaissent aux scientifiques allemands Ernst Weber, Gustav Fechner et Hermann von Helmholtz le mérite d'avoir été les premiers à se livrer à l'étude systématique du comportement et des processus mentaux. Cependant, on considère généralement Wilhelm Wundt (1832-1920) comme le « père » de la psychologie. C'est en effet à Wundt qu'on doit la création du premier laboratoire de psychologie scientifique, à Leipzig, en Allemagne, en 1879 – date qui marque la naissance de la psychologie en tant que discipline universitaire.

Inspiré par le prodigieux essor que connaissaient alors les sciences naturelles, Wundt croyait qu'il était possible de décomposer la structure de la conscience en ses éléments constitutifs, exactement comme on pouvait décomposer l'eau (H_2O) en hydrogène (H) et en oxygène (O). Pour Wundt, les sensations pures – comme le sucré, le froid ou la couleur – étaient les éléments constitutifs de la conscience, et leurs diverses combinaisons don-

▲ Considéré comme le « père » de la psychologie, Wilhelm Wundt a créé le premier laboratoire de psychologie en 1879, à Leipzig, en Allemagne.

naient lieu à diverses perceptions. Lui et ses collègues ont donc étudié la perception de différents stimulus visuels, tactiles ou sonores en recourant à l'*introspection*, méthode qui consiste à examiner systématiquement ses propres expériences conscientes, puis à en rendre compte. Le plus célèbre élève de Wundt, l'Anglais Edward Bradford Titchener (1867-1927), a exporté la nouvelle discipline aux États-Unis, où il a fondé un laboratoire de psychologie à la Cornell University et propagé les idées de Wundt. C'est lui qui a baptisé structuralisme ce premier courant théorique en psychologie.

Le structuralisme a été très critiqué pour des raisons de méthode. En effet, bien que reposant sur l'observation, la mesure et l'expérimentation, l'introspection n'est pas une méthode de recherche objective. Exposés au même stimulus (le son d'un métronome, par exemple), les sujets qui s'y livrent décrivent souvent des expériences différentes. La vogue du structuralisme en psychologie a donc été d'assez courte durée. Les courants théoriques qui ont suivi sont nés en partie en réaction au structuralisme, qui n'a pas survécu à la mort de Titchener. Néanmoins, par leur insistance à mesurer et à étudier les processus psychologiques avec des méthodes similaires à celles qu'utilisaient les scientifiques dans d'autres domaines, les structuralistes ont eu le mérite d'établir la psychologie en tant que science.

Structuralisme
Première école de pensée officielle en psychologie ; se proposait d'étudier la structure de l'expérience mentale consciente en la ramenant à ses éléments constitutifs et en explorant ces derniers par l'introspection.

Le fonctionnalisme : William James

Quel a été l'apport du fonctionnalisme dans les débuts de la psychologie ?

Au début du xxe siècle, à mesure que le structuralisme perdait son influence en Amérique du Nord, un nouveau courant théorique émergeait en psychologie. Comme son nom l'indique, le fonctionnalisme s'intéressait non pas à la structure de la conscience, mais au fonctionnement des processus mentaux, et plus précisément à la façon dont les humains et les animaux les utilisaient pour s'adapter à leur environnement. Les travaux du naturaliste britannique Charles Darwin (1809-1882) sur l'évolution et la continuité des espèces exerçaient alors une influence considérable sur la psychologie, entraînant notamment un recours de plus en plus fréquent à l'expérimentation sur les animaux. Malgré son caractère essentiellement américain, ce courant théorique naissant qu'était le fonctionnalisme s'est inspiré de plusieurs idées de Darwin.

Fonctionnalisme
École de pensée qui s'est développée en réaction au structuralisme ; tentait de comprendre comment les humains et les animaux utilisent les processus mentaux pour s'adapter à leur environnement.

Philosophe de formation et très marqué par Darwin, l'Américain William James (1842-1910) est considéré comme le père de la psychologie américaine. Même s'il a écrit une bonne partie de son œuvre avant l'apparition du fonctionnalisme, James fut son plus célèbre défenseur. Ainsi, dans *Principes de psychologie* (1890/2008) – son ouvrage le plus connu, encore hautement considéré et fréquemment cité –, il soutenait que, loin d'avoir une structure rigide ou fixe comme le voulait le structuralisme, les processus mentaux étaient fluides et continus. Il parlait du « flux de la conscience », qui, disait-il, permettait aux humains de s'adapter à leur environnement.

Le fonctionnalisme a élargi le champ de la psychologie en y incluant l'étude du comportement, ce qui a permis son application aux enfants, aux handicapés mentaux et aux animaux – des groupes ignorés par les structuralistes parce qu'on ne pouvait les entraîner à l'introspection. Le fonctionnalisme a également ouvert la voie à la psychologie appliquée en favorisant l'étude des pratiques éducatives, des différences individuelles et de l'adaptation en milieu de travail (psychologie industrielle) ; on lui doit les premiers tests psychologiques. Cependant, faute de moyens objectifs pour étudier les processus mentaux, le fonctionnalisme a été éclipsé à son tour par d'autres courants théoriques.

◀ Défenseur du fonctionnalisme, le philosophe William James a été le premier psychologue américain.

RETENEZ-LE

Les premiers pas de la psychologie

1. On considère généralement (William James/Wilhelm Wundt) comme le père de la psychologie scientifique, et (William James/Wilhelm Wundt) comme le premier psychologue en Amérique du Nord.

2. Le nom de Wilhelm Wundt est associé au (structuralisme/fonctionnalisme) et celui de William James au (structuralisme/fonctionnalisme).

3. Première école de pensée officielle en psychologie, le (structuralisme/fonctionnalisme) se proposait d'analyser l'expérience mentale consciente en étudiant ses éléments constitutifs par la méthode de l'introspection.

4. Profondément influencé par la théorie de l'évolution de Charles Darwin, le (structuralisme/fonctionnalisme) a tenté de comprendre comment les processus mentaux contribuaient à l'adaptation des humains et des animaux à leur milieu.

Réponses : 1. Wilhelm Wundt ; William James ; **2.** structuralisme ; fonctionnalisme. **3.** structuralisme. **4.** fonctionnalisme.

1.4 LES ÉCOLES DE PENSÉE CLASSIQUES

Les deux premières écoles de pensée en psychologie, le structuralisme et le fonctionnalisme, n'ont pas tardé à tomber en désuétude. Le débat qui les a opposés au début du XXe siècle a donné lieu à une véritable explosion de discussions théoriques et de recherches sur les processus psychologiques. De nouvelles théories, qui expliquaient mieux les comportements et les processus mentaux, ont détrôné les anciennes, jetant les fondements des quatre grandes écoles de pensée qui ont modelé l'évolution de la psychologie : la *psychanalyse*, le *béhaviorisme*, l'*humanisme* et le *cognitivisme*.

Psychanalyse
Terme utilisé par Freud pour désigner sa méthode thérapeutique et sa théorie de la personnalité, selon laquelle les pensées, les sentiments et les comportements humains sont essentiellement gouvernés par des forces inconscientes.

La psychanalyse : l'essentiel réside dans l'inconscient

Quel est le rôle de l'inconscient dans la théorie psychanalytique ?

Le médecin et neurologue autrichien Sigmund Freud (1856-1939) est le père de la **psychanalyse**, terme par lequel il désignait à la fois sa théorie de la personnalité – que nous approfondirons au chapitre 9 – et son approche thérapeutique des troubles psychologiques. Constatant que certains de ses patients se mettaient à aller mieux quand certaines expériences traumatisantes enfouies dans leur psychisme remontaient à la surface et étaient verbalisées, Freud a développé diverses techniques (associations libres, analyse des rêves, hypnose) pour aider ses patients à ramener leurs souvenirs à la conscience.

▼ Sigmund Freud, le père de la psychanalyse.

Selon la théorie freudienne, essentiellement basée sur l'étude de cas de ses patients, l'expérience mentale consciente n'est que la pointe visible d'un « iceberg » dont la majeure partie, immergée et invisible, est constituée de pulsions et de désirs inconscients. Ces forces inconscientes déterminent l'essentiel des pensées, des sentiments et des comportements humains, qui échappe à la volonté consciente. Pour Freud, l'inconscient sert en quelque sorte d'entrepôt pour tout ce qui pourrait menacer ou perturber la vie consciente de l'individu : pulsions sexuelles et agressives, mais aussi expériences traumatisantes réprimées ou refoulées. Une fois dans l'inconscient, ces traumatismes, loin de rester inertes (« ce qu'on ne sait pas ne fait pas de mal »), s'enveniment, bouillonnent et se manifestent de diverses façons dans les pensées, les sentiments et les comportements.

L'importance qu'accordait Freud aux pulsions sexuelles et agressives a soulevé une énorme polémique à l'extérieur comme à l'intérieur du champ de la psychologie. Ses disciples les plus célèbres – Carl Jung (1875-1961), Alfred Adler (1870-1937) et Karen Horney (1885-1952) – ont rompu avec leur mentor et proposé leurs propres théories de la personnalité. Jung, Adler, Horney et leurs successeurs sont souvent qualifiés de « néofreudiens ».

La théorie freudienne a laissé une profonde empreinte sur la psychologie, mais aussi sur la culture populaire. Aujourd'hui encore, les notions d'inconscient, de refoulement, de rationalisation, de complexe d'Œdipe et de lapsus freudien sont connues du grand public, et loin d'être tombé dans l'oubli, le nom Sigmund Freud évoque un personnage plus grand que nature. Chez les psychologues, l'approche psychanalytique reste influente, mais sous une forme que les néofreudiens ont considérablement modifiée ces dernières décennies. Fortement influencées par la psychanalyse et faisant appel à la notion d'inconscient, diverses approches psychanalytiques/psychodynamiques établissent un lien entre les difficultés actuelles et les conflits refoulés et non résolus de l'histoire personnelle (Ordre des psychologues du Québec, 2009).

Le béhaviorisme : l'essentiel réside dans le comportement observable

Après avoir étudié la psychologie telle que définie par le structuralisme et le fonctionnalisme, le psychologue John B. Watson (1878-1958) a récusé la presque totalité de ce qu'il y a trouvé. Sans nier l'existence de l'esprit, de la conscience ou des processus mentaux, Watson considérait que, comme on ne pouvait ni les observer, ni les vérifier expérimentalement, ces concepts et ceux de la psychanalyse devaient être exclus du champ d'étude de la psychologie. Pour les mêmes raisons, il rejetait la méthode de l'introspection. Dans son article « Psychology as the Behaviorist Views It » (1913), Watson proposait une approche radicalement différente : pour lui, la psychologie ne devait s'intéresser qu'au comportement, qui est observable et mesurable, et qui se prête donc à une étude objective et scientifique. Baptisé **béhaviorisme** (de l'anglais *behavior*, comportement) par son fondateur, le nouveau courant théorique redéfinissait la psychologie comme la science du comportement et soutenait que ce dernier était essentiellement déterminé par des facteurs environnementaux.

Persuadé comme Watson que, faute d'être des phénomènes objectifs et mesurables, la conscience, les processus mentaux et les sentiments n'étaient pas des sujets d'étude pertinents pour la psychologie, le théoricien et chercheur Burrhus Frederic Skinner (1904-1990) est allé plus loin. Pour lui, savoir ce qui se passait dans « la boîte noire » comme il appelait l'esprit était inutile pour comprendre

Comment les béhavioristes Watson et Skinner envisageaient-ils le comportement et les processus mentaux ?

Béhaviorisme
École de pensée fondée par John B. Watson selon lequel la psychologie doit n'avoir pour objet d'étude que le comportement observable et mesurable ; insiste sur le rôle déterminant de l'environnement sur le comportement.

▲ Fondé par John B. Watson, le béhaviorisme doit en bonne partie l'influence qu'il a exercée sur la psychologie moderne aux travaux de B. F. Skinner sur l'apprentissage par conditionnement.

Une nouvelle science... d'hommes blancs

Durant des siècles, l'éducation supérieure a été exclusivement réservée aux hommes blancs, sous prétexte que les femmes étaient « naturellement » vouées aux soins des enfants et aux tâches domestiques, et les hommes des minorités, au travail manuel. De ses débuts jusqu'au milieu des années 1920, en Europe comme en Amérique du Nord, la psychologie a donc été une science essentiellement dominée et façonnée par des hommes blancs. Malgré tout, à partir de la fin du XIXe siècle, quelques femmes et quelques hommes issus des minorités ont réussi à apporter leur contribution à la psychologie, non sans peine. Dans les années 1880, Christine Ladd-Franklin devenait l'une des premières femmes en Amérique du Nord à terminer un doctorat en psychologie, mais elle dut attendre jusqu'au milieu des années 1920 pour que la Johns Hopkins University accepte enfin de lui décerner officiellement son diplôme...

le comportement. Tout comportement peut être expliqué par l'analyse des conditions qui le précèdent, puis de ses conséquences – autrement dit, par des facteurs environnementaux. Comme nous le verrons au chapitre 5, les recherches de Skinner sur le conditionnement opérant ont mis en lumière l'importance du renforcement dans l'apprentissage comme dans le façonnement et le maintien du comportement. Tout comportement renforcé (c'est-à-dire suivi de conséquences agréables ou satisfaisantes) est plus susceptible de se reproduire, affirmait Skinner.

L'école béhavioriste a dominé la psychologie nord-américaine jusqu'aux années 1960 et, beaucoup grâce à la portée des travaux de Skinner, exerce encore une influence majeure. Cependant, les idées de Watson et de Skinner sur l'inutilité d'étudier les processus mentaux comme la conscience et des phénomènes internes comme les émotions pour expliquer le comportement humain ne trouvent plus guère de défenseurs chez les « néobéhavioristes ». Et pour cause : de nos jours, des techniques d'imagerie cérébrale assistée par ordinateur permettent bel et bien aux chercheurs d'observer l'activité cérébrale déclenchée par les processus mentaux d'un sujet qui pense, se souvient, résout un problème, écoute de la musique, parle, regarde des images, etc.

L'humanisme : l'essentiel réside dans le potentiel humain

Qu'est-ce qui détermine les comportements et les processus mentaux selon Maslow et Rogers ?

Les psychologues humanistes ont rejeté avec une égale vigueur le point de vue pessimiste de la psychanalyse, voulant que le comportement humain soit principalement gouverné par des forces inconscientes, et le point de vue du béhaviorisme voulant qu'il soit déterminé par des facteurs environnementaux. En psychologie, l'**humanisme** insiste sur l'unicité des êtres humains, leur libre arbitre et leur potentiel de croissance et de santé psychologique.

Humanisme
En psychologie, école de pensée qui affirme l'unicité des êtres humains et leur libre arbitre, et mise sur leur potentiel pour assurer leur croissance et leur santé psychologique.

L'Américain Abraham Maslow (1908-1970) et d'autres humanistes de la première heure comme Carl Rogers (1902-1987) ont souligné que Freud a élaboré sa théorie de la personnalité en se basant essentiellement sur des données provenant de sujets atteints de troubles psychologiques. La psychologie humaniste véhicule une conception nettement plus positive de la nature humaine : fondamentalement bons, les humains exercent leur libre arbitre, et peuvent poser les choix conscients et rationnels qui mènent à la croissance et à la santé psychologique. Comme on le verra au chapitre 5, Maslow a proposé une théorie de la motivation qui regroupe toute la gamme des motivations humaines en une hiérarchie de besoins – allant des besoins de base (boire, manger, etc.) aux besoins supérieurs –, au sommet de laquelle il plaçait le besoin d'accomplissement de soi, c'est-à-dire le besoin de développer son plein potentiel. Quant à Carl Rogers, il a mis au point ce qu'il a appelé la *thérapie centrée sur le client*, où ce dernier dirige une discussion axée sur la façon dont il envisage son propre problème plutôt

▲ Abraham Maslow est, avec Carl Rogers, le pionnier de la psychologie humaniste.

que sur l'analyse que le thérapeute en fait. Avec d'autres psychologues humanistes, Rogers a également contribué à populariser la thérapie de groupe en tant qu'outil de développement du potentiel humain. À l'heure actuelle, la perspective humaniste garde une influence importante dans la recherche sur la motivation humaine et dans la pratique de la psychothérapie.

1942 : Le premier département de psychologie francophone en Amérique du Nord

Le plus vieux département de psychologie francophone d'Amérique du Nord a été créé en 1942 au sein de la Faculté de philosophie de l'Université de Montréal par le père dominicain Noël Mailloux (1909-1997). Baptisé Institut de psychologie, le nouvel établissement a contribué à faire connaître la psychanalyse et la pensée des grands noms de la psychologie expérimentale, et a formé les premières générations de psychologues et de psychoéducateurs francophones au Québec. Il deviendra un département autonome au sein de la Faculté des arts et des sciences en 1972. Toutes les universités québécoises ont maintenant un département de psychologie. Les sites Internet de ces départements donnent un aperçu détaillé des programmes offerts, des conditions d'admission et des diplômes qu'on y décerne.

Le cognitivisme : l'essentiel réside dans les processus mentaux

De quelles grandes théories est issu le cognitivisme en psychologie ?

Le terme **cognitivisme** vient du mot **cognition**, qui désigne l'ensemble des processus mentaux par lesquels s'acquiert la connaissance. En psychologie, le cognitivisme s'est développé en bonne partie en réaction au béhaviorisme radical, selon lequel l'étude des processus mentaux n'avait aucun intérêt pour la psychologie scientifique (Robins et autres, 1999). Loin de concevoir les humains comme des récepteurs passifs soumis aux forces de l'environnement, les cognitivistes les voient comme des sujets actifs dans leur environnement, qui recherchent et façonnent leurs expériences, utilisant divers processus mentaux pour traiter et stocker l'information. Les psychologues cognitivistes privilégient l'étude de ces processus mentaux – la perception, la mémoire, la conceptualisation, le raisonnement, la prise de décision, la résolution de problèmes, le langage et d'autres formes de cognition – et de leur influence sur le comportement.

Cognitivisme
En psychologie, école de pensée qui affirme que le sujet est actif dans son environnement, et qui privilégie l'étude des processus mentaux et de leur influence sur le comportement.

Cognition
Ensemble des opérations mentales par lesquelles s'acquiert la connaissance.

Historiquement, le cognitivisme est issu de plusieurs courants théoriques : (1) le *gestaltisme*, créé par un petit groupe de scientifiques allemands qui ont étudié la perception humaine au début du XXe siècle ; (2) les théories développementales des Européens Jean Piaget et Lev Vygotski ; et (3) la *théorie du traitement de l'information*, qui s'est développée aux États-Unis dans la deuxième moitié du XXe siècle.

Le gestaltisme   Apparu dans les années 1910 en Allemagne, le **gestaltisme** (ou **théorie de la gestalt**) s'opposait au structuralisme, selon lequel on pouvait comprendre les phénomènes de la conscience et de la perception en isolant leurs éléments constitutifs. Les premiers psychologues gestaltistes, notamment Max Wertheimer (1880-1943), Kurt Koffka (1886-1941) et Wolfgang Köhler (1887-1967), soutenaient au contraire que les individus sont prédisposés à organiser leurs perceptions et leurs expériences comme des touts, des formes complètes, et que ces touts perçus sont supérieurs à la somme de leurs parties. Bien qu'il n'ait pas d'équivalent exact en français, le mot allemand *gestalt* peut se traduire par « forme ».

Gestaltisme (ou **théorie de la gestalt**)
Théorie cognitive selon laquelle les individus perçoivent les choses et les motifs comme des touts, des formes complètes, et que ces touts perçus sont supérieurs à la somme de leurs parties.

À l'appui de la théorie de la gestalt, le leader du mouvement gestaltiste, Max Wertheimer, a réalisé la célèbre expérience démontrant « le phénomène *phi* » (le mouvement apparent). Dans cette expérience, on place deux ampoules électriques l'une à côté de l'autre dans une pièce obscure. Puis, rapidement et à plusieurs reprises, on allume la première et on l'éteint en même temps qu'on allume la deuxième ; l'observateur voit alors ce qui lui semble être une lumière qui se déplace d'un point à l'autre. Voilà bien la preuve, disaient les gestaltistes, que les gens perçoivent un tout et une forme – l'illusion de la lumière qui se déplace – plutôt que des sensations distinctes qui s'additionnent – des ampoules qui s'allument et s'éteignent tour à tour. (Nous y reviendrons en détail au chapitre 3.)

Le tout est supérieur à la somme de ses parties… ou le creaveu hmauin

Sleon une édtue de l'uvinertisé de Cmabrigde, l'odrre des ltteers dans un mot n'a pas d'ipmrotncae, la suele coshe ipmrotnate est que la pmeirère et la drenèire soit à la bnnoe pclae, est-il écrit dans ce texte. Le rsete peut êrte dnas un dsérorde ttoal et vuos puoevz tujoruos lrie snas porlbème. C'est prace que le creaveu hmauin ne lit pas chuaqe ltetre elle-mmêe, mias le mot cmome un tuot.

Ce petit texte qui circule depuis 2003 sur Internet dans plusieurs langues illustre parfaitement le principe gestaltiste selon lequel la forme générale prime sur les éléments qui la composent. Cependant, si amusant soit-il, il ne s'appuie sur aucune « étude de l'université de Cambridge », affirme Matt Davis[1], psychologue et chercheur à la Cognition and Brain Sciences Unit, une unité de recherche du Medical Research Council de Cambridge. Intrigués par cette étude dont ils n'avaient jamais entendu parler, lui et ses collègues ont tenté de la retracer. En vain : ce texte est un canular, et les affirmations qu'il contient sont fausses. Il est vrai qu'en général, le cerveau ne lit pas une à une les lettres des mots, cependant il se fie tout de même à leur ordre pour les décoder, apprend-on sur la page Web que Davis[2] a consacrée au sujet (<www.mrc-cbu.cam.ac.uk/~mattd/Cmabridge/>). En fait, ce texte a été manipulé pour faciliter sa lecture : il contient un grand nombre de mots très courts qui ne changent pas ou très peu et servent de repères, l'ordre des lettres des mots plus longs reste relativement près de l'ordre initial, la sonorité globale du mot reste semblable, etc.

Fait intéressant, si le journal français *Le Monde* a éventé le canular dès 2003[3], des médias aussi sérieux que la revue *Sciences humaines* et de nombreux sites universitaires d'ici et d'ailleurs continuent à publier ce texte apparemment sans se poser de questions sur cette prétendue étude. De qoui cocravinne poussfreres et éttanidus d'ausiegir eronce dgnaatvae luer pitres ciquitre…

---

1. Pour en savoir plus long sur Matt Davis <www.mrc-cbu.cam.ac.uk/people/matt.davis/>.
2. Dortier, J. F. (juin-juillet-août 2007). « Trois théories psychologiques de la perception », *Sciences humaines, Grands Dossiers n° 7 : Psychologie, l'esprit dévoilé.*
3. Bornner, L. (1er octobre 2003). « Le creaveu hmauin lit le mot cmome un tuot », *Le Monde.*

◄ La vie quotidienne fournit d'innombrables exemples des principes de la perception décrits par les psychologues gestaltistes au début du XXᵉ siècle. Ainsi, nous avons tendance à réunir des incidents frustrants, comme se lever en retard et faire une crevaison, pour former un tout : « Dure journée ! »

Lorsque les nazis sont arrivés au pouvoir en Allemagne dans les années 1930, le mouvement gestaltiste allemand s'est démantelé, et ses membres les plus éminents ont émigré aux États-Unis. Encore aujourd'hui, le principe fondamental du gestaltisme – l'esprit ne se contente pas de réagir aux expériences, il les *interprète* selon des principes prévisibles – reste au cœur des idées cognitivistes sur l'apprentissage, la mémoire, la résolution de problèmes et même la psychothérapie.

Les théories développementales de Piaget et de Vygotski   Le Suisse Jean Piaget (1896-1980) a été le premier psychologue à étudier les mécanismes de la cognition humaine, et ce, en observant son développement chez l'enfant. Sa théorie postule notamment l'existence de quatre stades de développement cognitif résultant de l'interaction entre la maturation biologique des structures mentales et l'exploration active de l'environnement.

Lecteur assidu de Piaget, le Biélorusse Lev Vygotski (1896-1934) s'est également intéressé au développement cognitif des enfants, mais il y voit un processus social plutôt qu'individuel. Sa théorie historico-culturelle insiste sur le rôle des interactions sociales dans la transmission de la culture et de ses outils (notamment le langage) ; pour lui, ces interactions sont le moteur du développement cognitif. Vygotski a développé sa théorie à la même époque que Piaget, mais n'a été traduit qu'à partir des années 1960. Le développement de meilleures méthodes expérimentales et l'avènement de l'ordinateur vont alors permettre l'essor du cognitivisme en psychologie.

La théorie du traitement de l'information   Au début des années 1960, les premiers ordinateurs fournissent aux cognitivistes une nouvelle façon de conceptualiser les structures et les processus mentaux. La theorie du traitement de l'information tente d'expliquer les processus mentaux en prenant le fonctionnement de l'ordinateur comme modèle de la pensée humaine. Cependant, ses tenants doivent modifier leurs modèles à mesure que les progrès de la technologie modifient les ordinateurs et les logiciels. Ainsi, au départ, cette théorie voulait que le cerveau traite l'information de façon séquentielle, une étape à la fois, comme les ordinateurs de l'époque ; aujourd'hui, elle intègre de plus en plus de modèles de « traitement parallèle », où plusieurs tâches s'effectuent simultanément (Haberandt, 1997).

> **Théorie du traitement de l'information**
> Théorie cognitive qui tente d'expliquer les processus mentaux en prenant l'ordinateur comme modèle de la pensée humaine.

Au cœur de la théorie du traitement de l'information, on retrouve le principe fondamental du gestaltisme : le cerveau ne fait pas que réagir aux informations qu'il reçoit, il les interprète. Ainsi, la majorité des gens qui ont lu cette phrase : « La vieille femme balayait l'escalier » et à qui on a demandé de se souvenir si le mot « balai » s'y trouvait répondront par l'affirmative. Selon la théorie du traitement de l'information, les règles de la manipulation de l'information nous incitent à établir des associations entre les nouvelles données (la vieille femme balayait l'escalier), et les connaissances acquises précédemment (on balaie un escalier avec un balai). La majorité d'entre nous construisons donc un souvenir de cette phrase qui nous fait croire à tort qu'elle contenait ce mot.

Les recherches menées depuis plus d'un siècle par les psychologues cognitivistes ont considérablement accru notre compréhension du fonctionnement de la mémoire humaine et des processus mentaux. De plus, les principes découverts au fil de ces expériences ont permis d'étudier et d'expliquer une foule de phénomènes psychologiques, comme le développement des rôles sexués ou les différences individuelles dans l'intelligence, pour ne mentionner que ceux-là. L'école cognitive est donc à l'heure actuelle l'une des plus influentes en psychologie (Robins et autres, 1999).

Évaluer les théories : une question d'utilité

Qu'est-ce qui rend certaines théories plus utiles que d'autres ?

Comme la plupart des étudiants qui ont suivi ce cours avant vous, vous vous demandez peut-être lesquelles des théories que nous venons de survoler sont « vraies » et lesquelles sont « fausses ». Cependant, ce n'est pas ainsi que les scientifiques évaluent les théories, mais plutôt en fonction de leur utilité dans la méthode scientifique. On l'a dit, la description des faits est le premier but de la méthode scientifique, mais ce n'est pas le seul. En tant que scientifiques, les psychologues ne peuvent s'en tenir à la description des faits, ils doivent s'efforcer de les expliquer s'ils veulent éventuellement pouvoir les prédire et influer sur eux. Dans la mesure où elles proposent des explications aux faits, les théories sont indissociables de la méthode scientifique. De toute évidence, certaines théories parviennent mieux que d'autres à expliquer les faits. Mais qu'est-ce qui rend une théorie plus utile qu'une autre ?

La capacité d'une théorie à générer des hypothèses vérifiables est probablement le critère le plus important pour juger de son utilité. Si on applique ce critère aux grandes théories dont nous avons parlé jusqu'ici, les théories proposées par les psychologues béhavioristes et cognitivistes semblent plus utiles que celles des psychanalystes et des humanistes. Ainsi, il est beaucoup plus facile de vérifier si B. F. Skinner a raison de prédire qu'un comportement qui a été renforcé (suivi d'une conséquence agréable ou satisfaisante) est plus susceptible de se reproduire que de vérifier si Maslow a raison quand il affirme que le besoin d'accomplissement de soi se situe au sommet de la hiérarchie des besoins humains.

L'utilité d'une théorie s'évalue également en fonction de sa capacité à déboucher sur des applications pratiques. Ainsi, pour ne citer que ces exemples, les recherches basées sur la théorie du conditionnement opérant de Skinner ont trouvé des applications dans le domaine de l'éducation des enfants et du dressage des animaux, et les recherches basées sur la théorie du traitement de l'information ont permis de développer des stratégies et des exercices pour améliorer la mémoire. Et même si on a pu leur reprocher d'être difficilement vérifiables, les théories psychanalytiques et humanistes ont trouvé des applications bénéfiques en psychothérapie.

Générer des hypothèses vérifiables et des applications pratiques est important, mais même une théorie qui ne répond à aucun de ces critères peut être utile si elle a une valeur « heuristique ». L'**heuristique** est une partie de la science qui a pour objet la découverte des faits. Une théorie qui a une valeur heuristique suscite des débats et intensifie les efforts de recherche de ses partisans comme de ses adversaires. En d'autres mots, elle incite les gens à réfléchir et stimule leur curiosité et leur créativité. Toutes les théories dont nous avons parlé jusqu'ici ont une grande valeur heuristique.

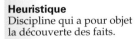

Heuristique
Discipline qui a pour objet la découverte des faits.

Même si elle n'a pas été validée par la recherche scientifique, une théorie peut mériter de figurer dans un cours d'introduction à la psychologie simplement parce qu'elle a eu ou qu'elle a encore une grande valeur heuristique pour la discipline. Voilà pourquoi nous continuons à mentionner les théories des structuralistes et des fonctionnalistes, et pourquoi nous considérons encore la théorie freudienne comme l'une des plus importantes en psychologie. D'ailleurs, ces théories ont habituellement le même effet sur les étudiants que sur les psychologues : les étudier et en discuter stimule leur réflexion sur le comportement et sur les processus mentaux. Enseigner ces théories aide donc les professeurs à atteindre le plus important de leurs objectifs pédagogiques : motiver leurs élèves à développer leur esprit critique.

RETENEZ-LE 1 — Les écoles de pensée classiques en psychologie

1. Qui suis-je ?

a) École de pensée qui a redéfini la psychologie comme l'étude scientifique du comportement et qui en a exclu l'étude des processus mentaux.

b) École de pensée pour qui l'important est l'unicité de l'être humain, son libre arbitre et son potentiel de croissance.

c) École de pensée qui a affirmé que le comportement était déterminé par les forces de l'environnement.

d) École de pensée selon laquelle les êtres humains recherchent, modifient et façonnent activement leurs expériences, recourant à des processus mentaux pour transformer l'information.

e) École de pensée selon laquelle l'expérience consciente n'est que la pointe visible d'un « iceberg » dont la majeure partie est constituée de forces inconscientes qui gouvernent les pensées, les sentiments et le comportement des humains.

2. À quelle école de pensée mon nom est-il associé ?

a) Freud   c) Rogers   e) Skinner
b) Watson   e) Maslow

3. La capacité d'une théorie à générer des hypothèses ____ est probablement le critère le plus important pour juger de son utilité.

4. Vrai ou faux ?

a) Une théorie qui a une valeur heuristique stimule les débats théoriques et les efforts de recherche.

b) Pour être utile, une théorie doit avoir été confirmée par la recherche.

Réponses : 1. (a) Béhaviorisme (b) Humanisme (c) Béhaviorisme (d) Cognitivisme (e) Psychanalyse. **2.** (a) Psychanalyse (b) Béhaviorisme (c) Humanisme (d) Humanisme (e) Béhaviorisme. **3.** vérifiables. **4.** (a) Vrai (b) Faux.

1.5 LES TENDANCES ACTUELLES EN PSYCHOLOGIE

Comme la médecine, la psychologie est une science en perpétuelle évolution : chaque jour, des chercheurs testent de nouvelles théories, mènent de nouvelles études et produisent de nouvelles connaissances, qui à leur tour ouvrent de nouvelles avenues théoriques. Si les courants psychanalytique, béhavioriste, humaniste et cognitiviste gardent leur influence, de nouvelles tendances ont émergé ces dernières années. Cependant, les vues des psychologues contemporains sont souvent plus difficiles qu'autrefois à catégoriser en « écoles de pensée ». De nos jours, on trouve généralement plus juste et plus utile de parler de *perspectives* théoriques.

En psychologie et dans les sciences en général, le terme **perspective** désigne un point de vue théorique large, défini par « le plus petit commun dénominateur d'un ensemble de théories » (Goulet, 2003). Par exemple, bien que les diverses théories psychanalytiques divergent à plusieurs égards, elles se rejoignent toutes sur la nécessité d'explorer l'inconscient pour comprendre l'être humain. Ainsi, un psychologue peut adopter une perspective béhavioriste (comportementale) sans nécessairement endosser les idées de Watson ou de Skinner ; l'important est que ce psychologue tente d'expliquer le comportement en insistant sur les facteurs environnementaux. À l'heure actuelle, on peut résumer ainsi les grandes perspectives en psychologie et les types de variables que privilégie chacune :

- la **perspective psychanalytique/psychodynamique** met l'accent sur l'inconscient et les expériences de la petite enfance ;
- la **perspective béhavioriste** (ou **perspective comportementale**) met l'accent sur les forces de l'environnement qui façonnent le comportement ;
- la **perspective humaniste** met l'accent sur les expériences subjectives et la motivation intrinsèque de l'être humain à réaliser son plein potentiel ;
- la **perspective cognitiviste** met l'accent sur les processus mentaux.

À ces quatre perspectives issues des écoles de pensée classiques s'ajoutent deux courants théoriques qui ont pris énormément d'importance dans les dernières décennies :

- la *perspective biologique* ;
- la *perspective socioculturelle*.

Voyons ce dont il s'agit.

Perspective
Point de vue théorique large, défini par le plus petit commun dénominateur d'un ensemble de théories.

Perspective psychanalytique/psychodynamique
En psychologie, perspective qui met l'accent sur l'inconscient et les expériences de la petite enfance.

Perspective béhavioriste (ou perspective comportementale)
En psychologie, perspective qui met l'accent sur les forces de l'environnement qui façonnent le comportement.

Perspective humaniste
En psychologie, perspective qui met l'accent sur les expériences subjectives et la motivation intrinsèque de l'être humain à réaliser son plein potentiel.

Perspective cognitiviste
En psychologie, perspective qui met l'accent sur les processus mentaux.

La perspective biologique : biopsychologie et neurosciences

Sur quoi sont axées la biopsychologie et les neurosciences ?

Les psychologues qui adoptent la **perspective biologique** étudient les processus psychologiques en mettant l'accent sur les structures et les processus biologiques normaux et anormaux qui les sous-tendent – plus précisément les structures et le fonctionnement du cerveau et du système nerveux, le délicat équilibre des neurotransmetteurs et des hormones, et la génétique.

La collaboration entre la biologie et la psychologie a donné naissance à plusieurs domaines de recherche et d'application plus spécialisés comme la neuropsychologie et la psychopharmacologie, pour ne nommer que ceux-là. Nous savons, par exemple, que les déséquilibres de certaines substances appelées neurotransmetteurs dans le cerveau sont liés à certains troubles mentaux comme la schizophrénie, le trouble bipolaire ou certaines formes de dépression ; les médicaments utilisés pour traiter certains de ces troubles ont pour but de rétablir l'équilibre biochimique du cerveau. Des traits de personnalité comme l'introversion ou l'extraversion seraient également liés à des facteurs neurochimiques (Lissek et Power, 2003), et des études suggèrent que la timidité, entre autres, pourrait avoir une base génétique (Kagan, 1998), ce qui n'empêche nullement que ces traits de personnalité soient aussi façonnés par l'environnement (McCrae, 2004). De nos jours, de

Perspective biologique
En psychologie, perspective qui met l'accent sur les structures et processus du cerveau et du système nerveux, l'équilibre des neurotransmetteurs et des hormones, et la génétique.

▶ Plusieurs physiologistes et psychologues sont à l'origine de la biopsychologie. Mentionnons notamment Johannes Müller (1801-1858), qui découvrit le fonctionnement électrique de la cellule ; Pierre-Paul Broca (1824-1880), qui trouva le centre de la parole dans le cerveau et qu'on voit sur cette photo ; et Donald Hebb (1904-1985), qui établit les premiers liens entre le fonctionnement des neurones (cellules spécialisées des centres nerveux) et certains processus mentaux.

Neurosciences
Champ d'étude interdisciplinaire qui regroupe l'ensemble des connaissances sur la structure et le fonctionnement du système nerveux.

Plasticité cérébrale
Capacité du cerveau à se remodeler en fonction de l'expérience ; souplesse adaptative.

Sur quoi est axée la perspective socioculturelle ?

Perspective socioculturelle
En psychologie, perspective qui met l'accent sur les variables sociales et culturelles.

nombreux neuropsychologues travaillent sous le parapluie des **neurosciences**. Ce champ scientifique interdisciplinaire en pleine effervescence combine les travaux et les découvertes d'un ensemble de disciplines qui étudient la structure et le fonctionnement du système nerveux (neurologie, biologie, physiologie, neuropsychologie, biochimie, pharmacologie, immunologie, génétique, psychiatrie, etc.). Contrairement à ce que certains ont pu craindre, les neurosciences n'ont pas réduit tous les comportements humains à des processus prédéterminés par la biologie. Elles ont au contraire révélé que le cerveau subit l'influence de l'environnement dès le stade embryonnaire et qu'il conserve toute la vie durant une souplesse adaptative et une capacité à se remodeler en fonction de l'expérience – phénomène qu'on appelle la **plasticité cérébrale** (Lambert, 2006).

La perspective socioculturelle : variables négligées

Comment vos antécédents et vos expériences socioculturelles influent-ils sur votre comportement et vos processus mentaux ? Tout aussi important que la tendance actuelle à chercher des explications biologiques, il y a le constat de plus en plus répandu chez les psychologues que les facteurs sociaux et culturels peuvent être aussi puissants que les facteurs physiologiques. La **perspective socioculturelle** met l'accent sur l'influence des facteurs sociaux et culturels sur le comportement humain et insiste sur l'importance de les comprendre et d'en tenir compte dans l'interprétation du comportement d'autrui.

On étudie souvent l'influence des facteurs sociaux et culturels sur le comportement dans une approche systémique plus large, l'idée étant que de multiples facteurs agissent en interaction, et que leurs effets combinés sont plus importants que la somme des effets de chacun. La théorie du psychologue Gerald Patterson et de ses collègues sur la façon dont l'interaction de plusieurs variables peut prédisposer certains adolescents au comportement antisocial (Granic et Patterson, 2006) illustre bien cette approche. Selon la théorie de Patterson, la pauvreté (un facteur socioculturel) est l'une des variables prédictives de la délinquance juvénile, mais ne suffit pas à elle seule pour produire le comportement. Par conséquent, la plupart des adolescents dont la famille est pauvre ne manifestent pas un comportement antisocial. Cependant, combinée à d'autres variables comme le désengagement scolaire, la fréquentation de pairs qui valorisent le comportement antisocial, le manque de supervision parentale, etc., la pauvreté peut être l'un des éléments d'un système de variables qui accroît le risque de comportement antisocial chez certains adolescents. De plus, l'interaction de ces variables produit un cercle vicieux qui, dans certains cas, peut se maintenir sur plusieurs générations. Ainsi, le désengagement scolaire accroît la probabilité que les ados vivent dans la pauvreté une fois adultes. À son tour, la pauvreté accroît la probabilité que ces adultes doivent travailler de longues heures et aient moins de temps pour superviser leurs propres enfants, qui à leur tour présenteront un risque accru de comportement antisocial.

L'éclectisme : s'ouvrir à diverses perspectives

Qu'est-ce que l'éclectisme ?

Rien n'oblige les psychologues à s'en tenir à une seule perspective. Nombre d'entre eux adoptent une position éclectique (ou intégrative), combinant deux ou plusieurs approches théoriques pour expliquer tel ou tel comportement (Norcross et autres, 2005). Ainsi, le comportement indiscipliné d'un enfant à l'école peut s'expliquer par le besoin d'attirer l'attention du professeur (explication béhavioriste), besoin qui peut avoir été causé initialement par un traumatisme de sa petite enfance (explication psychanalytique). En adoptant deux ou plusieurs perspectives plutôt qu'une seule, les psychologues peuvent concevoir des théories et des recherches plus complexes, qui reflètent donc mieux la complexité du comportement humain, et dont certaines pourront déboucher sur des interventions plus adéquates. Le tableau 1.2 résume les diverses perspectives que nous venons de décrire.

Tableau 1.2

LES PRINCIPALES PERSPECTIVES EN PSYCHOLOGIE

Perspective	Explication du comportement et des phénomènes psychologiques
Perspective psychanalytique (ou psychodynamique)	Axée sur le rôle de l'inconscient et des expériences de la petite enfance
Perspective béhavioriste (ou comportementale)	Axée sur les forces de l'environnement
Perspective humaniste	Axée sur les expériences subjectives et la motivation intrinsèque de l'être humain à réaliser son plein potentiel
Perspective cognitiviste	Axée sur les processus mentaux
Perspective biologique (biopsychologie/neurosciences)	Axée sur les structures et processus biologiques et sur la génétique
Perspective socioculturelle	Axée sur les variables sociales et culturelles

RETENEZ-LE

Les tendances actuelles en psychologie

1. À quelle perspective théorique (psychanalytique/béhavioriste/humaniste/cognitiviste/biologique/socioculturelle) peut-on associer le psychologue qui étudie chacun des phénomènes suivants?

   a) La relation entre les variations hormonales et le comportement agressif chez les adolescents

   b) La relation entre la phobie des araignées d'un homme adulte et le souvenir d'un traumatisme d'enfance refoulé dans son inconscient

   c) La relation entre le comportement indiscipliné d'un enfant et la façon dont ses parents l'ont élevé

   d) La relation entre le statut socioéconomique des élèves du secondaire et leurs résultats aux tests d'intelligence

2. Laquelle des affirmations suivantes illustre une position éclectique?

   a) Les différences individuelles dans le comportement agressif ont une composante génétique, mais les parents et les professeurs peuvent apprendre aux enfants agressifs à se maîtriser.

   b) Les enfants très agressifs n'ont pas été assez punis de leurs comportements inappropriés.

   c) Les enfants très agressifs utilisent l'agressivité pour soulager leurs frustrations.

   d) Les traumatismes de la petite enfance peuvent expliquer l'agressivité plus tard dans la vie.

Réponses : 1. (a) Biologique (b) Psychanalytique (c) Béhavioriste (d) Socioculturelle. **2.** a.

1.6 LES PSYCHOLOGUES À L'ŒUVRE

La psychologie est un domaine fascinant. Si fascinant que beaucoup de gens choisissent des carrières qui exigent d'approfondir leur connaissance du comportement et des processus mentaux humains, ou qui reposent sur l'application des principes de la psychologie. Avant d'explorer les diverses avenues qui s'ouvrent aux psychologues, voyons ce qui distingue les divers types de « psys » : psychologues, psychiatres, psychoéducateurs et psychothérapeutes.

Les psychologues sont des spécialistes du comportement humain, normal ou pathologique. Au Québec, seuls les membres en règle de l'Ordre des psychologues du Québec peuvent porter le titre de psychologue. Depuis le mois de juillet 2007, les nouveaux membres de l'Ordre doivent détenir un doctorat. Si on étudie au Québec, cela signifie des études de premier cycle en psychologie (3 ans), suivies d'un doctorat de 4 ans, plus 700 heures de stage et 1 600 heures d'internat si on se destine à la pratique clinique, ou d'un doctorat de 5 ans si on se destine à la recherche.

Les psychiatres sont des médecins qui, après des études en médecine générale (de quatre ou cinq ans selon l'université choisie), ont suivi une formation de cinq ans en psychiatrie. Membres du Collège des médecins du Québec, ils sont spécialisés dans le diagnostic et le traitement médical des troubles mentaux. Contrairement aux psychologues, les psychiatres peuvent prescrire des médicaments d'ordonnance pour traiter leurs patients ; certains utilisent également la psychothérapie. Le psychiatre pratique en cabinet privé et à l'hôpital, où il peut travailler en collaboration avec des psychologues et des psychoéducateurs.

La psychoéducation est une discipline connexe à la psychologie. Les psychoéducateurs et psychoéducatrices se spécialisent dans la rééducation et la réadaptation de personnes – principalement des enfants et des adolescents –, qui ont des difficultés d'adaptation ou d'intégration à leur milieu social : délinquance, troubles de comportement, agressivité, perte d'autonomie, etc. Ces spécialistes travaillent dans les milieux de l'éducation, de la santé et des services sociaux, dans le système carcéral et dans les organismes communautaires. Le titre de psychoéducateur est réservé aux membres de l'Ordre des conseillers et conseillères en orientation et des psychoéducateurs et psychoéducatrices du Québec. Les personnes qui le portent doivent être titulaires d'un diplôme universitaire de deuxième cycle en psychoéducation ; leur formation inclut 810 heures de stage.

Les titres « psychologue », « psychiatre » et « psychoéducateur/psychoéducatrice » sont donc tous des titres protégés par la loi, c'est-à-dire réservés aux membres des ordres professionnels qui régissent ces professions. Ces ordres professionnels, dont la mission est d'assurer la protection du public, sont tenus par la loi de veiller à la compétence de leurs membres et de s'assurer qu'ils dispensent les services les meilleurs possible. Pour ce faire, en plus d'être dotés d'un code de déontologie et de voir à ce que leurs membres le respectent, ils vérifient si ces derniers ont la formation ou les diplômes requis, s'assurent du maintien de leur compétence en organisant des activités de perfectionnement et surveillent la qualité des services au moyen d'un comité d'inspection professionnelle et d'un comité de discipline qui reçoit les plaintes du public. Au moment d'écrire ces lignes, au Québec, le titre « psychothérapeute » ou « thérapeute » n'est pas protégé par la loi. N'importe qui, avec ou sans formation reconnue, et que sa pratique clinique s'appuie ou non sur des connaissances scientifiques, peut donc se dire psychothérapeute. Cependant, le projet de loi 50 déposé à l'Assemblée nationale en novembre 2007 prévoit un encadrement beaucoup plus strict de la pratique de la psychothérapie.

Les spécialités en psychologie : pour tous les goûts

Quelles sont les principales spécialités en psychologie ?

Les psychologues cliniciens utilisent leurs connaissances pour aider, diagnostiquer ou traiter les gens aux prises avec des difficultés ou des troubles d'ordre psychologique (deuil, divorce, anxiété, phobies, dépression, dépendances, stress, etc.) lors de consultations ponctuelles ou de thérapies individuelles ou de groupe. Certains font aussi de la recherche. La plupart des psychologues cliniciens travaillent en cabinet privé ou dans des hôpitaux, cliniques, services sociaux et organismes communautaires, mais plusieurs enseignent dans les collèges et universités.

Les psychologues scolaires ont reçu une formation spécialisée pour intervenir auprès des enfants dans plusieurs domaines : le développement de l'enfant et de l'adolescent, l'apprentissage, la motivation, l'évaluation intellectuelle et de la personnalité, la modification des comportements et la psychothérapie. Souvent à l'emploi d'une commission scolaire, ils travaillent dans les écoles pour aider les élèves qui vivent des problèmes personnels ou de fonctionnement en groupe.

Les neuropsychologues étudient le fonctionnement du système nerveux central ainsi que ses liens avec le comportement et les processus psychologiques. Lorsque ce fonctionnement s'avère anormal ou problématique, ils peuvent pratiquer ou suggérer des interventions appropriées. La plupart des neuropsychologues enseignent ou font de la recherche dans les universités ou agissent comme consultants.

Les chercheurs en psychologie mènent des études dans la plupart des domaines de la psychologie. La plupart travaillent dans les universités, où ils enseignent parallèlement à leurs activités de recherche. D'autres psychologues enseignent au collégial.

Les psychologues industriels ou organisationnels aident les entreprises et autres organisations sur divers plans : développement et changement organisationnel, sélection des ressources humaines, formation et orientation, évaluation du rendement et des compétences, santé et sécurité au travail et programme d'aide aux employés. Certains travaillent avec des agences de publicité et de marketing et collaborent à la mise au point d'images de marque et de stratégies de vente.

Selon leur domaine d'expertise, les psychologues travaillent dans des secteurs très variés, comme en témoigne la figure 1.4.

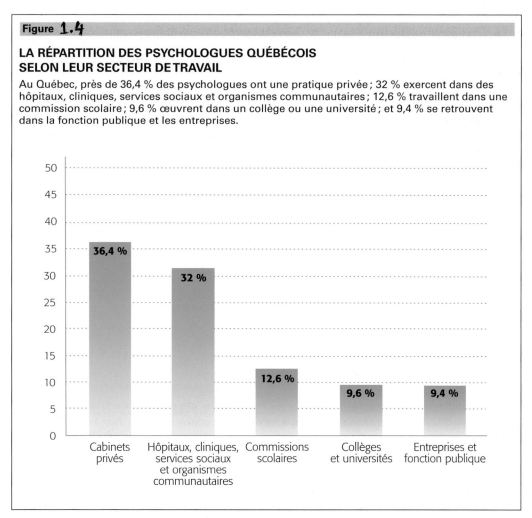

Figure 1.4

LA RÉPARTITION DES PSYCHOLOGUES QUÉBÉCOIS SELON LEUR SECTEUR DE TRAVAIL

Au Québec, près de 36,4 % des psychologues ont une pratique privée ; 32 % exercent dans des hôpitaux, cliniques, services sociaux et organismes communautaires ; 12,6 % travaillent dans une commission scolaire ; 9,6 % œuvrent dans un collège ou une université ; et 9,4 % se retrouvent dans la fonction publique et les entreprises.

Source : Rapport annuel de l'Ordre des psychologues du Québec, mars 2007.

RETENEZ-LE — Les psychologues à l'œuvre

1. Vrai ou faux ? Les titres « psychologue », « psychiatre » et « psychoéducateur/psychoéducatrice » sont protégés par la loi.

2. Les (psychologues/psychiatres) peuvent prescrire des médicaments pour soulager les symptômes des troubles psychologiques.

3. Vrai ou faux ? Tous les psychologues pratiquent la psychothérapie.

Réponses : 1. Vrai. **2.** psychiatres. **3.** Faux.

APPLIQUEZ-LE

Exercer votre esprit critique

Les médias traditionnels et électroniques rapportent régulièrement des résultats de recherche en psychologie. Trouvez une recherche en psychologie dont les médias ont rapporté les résultats et servez-vous-en pour exercer votre esprit critique en vous appuyant sur la section « Évaluer la recherche : un exercice de pensée critique » (p. 6), et sur ce que vous avez appris des méthodes de recherche en psychologie. Voici, pour vous aider, quelques questions qui vous serviront de points de repère :

- Évaluez le média qui a rapporté ces résultats : est-il crédible ?
- Dans quelle revue scientifique l'étude dont il est question a-t-elle été publiée à l'origine ?
- Quelle méthode de recherche les chercheurs ont-ils utilisée pour réaliser cette étude ? Cette méthode permet-elle d'établir une corrélation ? Une relation de cause à effet ?
- Que savez-vous des sujets (nombre, âge, sexe et autres caractéristiques) ? L'échantillon est-il représentatif ? Y a-t-il un groupe témoin ? Les résultats sont-ils généralisables ?
- Y a-t-il des biais possibles (biais de sélection, biais de l'expérimentateur, effet placebo) ?
- Y a-t-il d'autres explications possibles aux résultats ?
- Cette étude suffit-elle pour tirer cette conclusion ?
- Cette étude a-t-elle été reproduite par d'autres chercheurs ?
- D'autres études ont-elles été publiées sur le sujet ? Que vous apprennent-elles ?

RÉFLEXION CRITIQUE

1. Laquelle des perspectives actuelles en psychologie étudiées dans ce chapitre préférez-vous ? Laquelle aimez-vous le moins ? Pourquoi ?

2. Comment ce que vous venez d'apprendre sur la psychologie a-t-il modifié ce que vous pensiez de cette discipline ?

3. Si vous étiez psychologue, dans quel domaine aimeriez-vous travailler (pratique clinique, recherche, enseignement, psychologie scolaire, psychologie du travail, etc.) ? Pourquoi ?

RÉSEAU DE CONCEPTS

INTRODUCTION À LA PSYCHOLOGIE

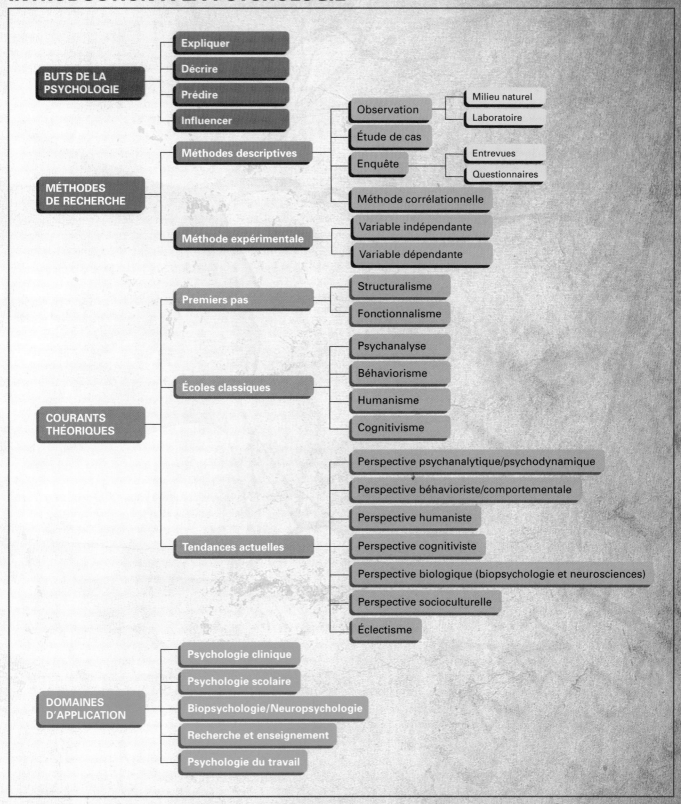

BUTS DE LA PSYCHOLOGIE
- Expliquer
- Décrire
- Prédire
- Influencer

MÉTHODES DE RECHERCHE
- Méthodes descriptives
  - Observation
    - Milieu naturel
    - Laboratoire
  - Étude de cas
  - Enquête
    - Entrevues
    - Questionnaires
  - Méthode corrélationnelle
- Méthode expérimentale
  - Variable indépendante
  - Variable dépendante

COURANTS THÉORIQUES
- Premiers pas
  - Structuralisme
  - Fonctionnalisme
- Écoles classiques
  - Psychanalyse
  - Béhaviorisme
  - Humanisme
  - Cognitivisme
- Tendances actuelles
  - Perspective psychanalytique/psychodynamique
  - Perspective béhavioriste/comportementale
  - Perspective humaniste
  - Perspective cognitiviste
  - Perspective biologique (biopsychologie et neurosciences)
  - Perspective socioculturelle
  - Éclectisme

DOMAINES D'APPLICATION
- Psychologie clinique
- Psychologie scolaire
- Biopsychologie/Neuropsychologie
- Recherche et enseignement
- Psychologie du travail

CHAPITRE 2

BIOLOGIE ET PSYCHOLOGIE

*A*imez-vous les films d'horreur ou de suspense ? Bien des gens adorent éprouver des sensations fortes quand ils se savent en sécurité dans leur salon ou dans une salle de cinéma. Si vous êtes comme eux, vous aimez vous laisser entraîner dans un scénario palpitant où toute la perversité d'un mort-vivant ou d'un meurtrier en série vous sera révélée goutte à goutte.

Au début du film, tout semble normal. Trop normal : vous sentez que quelque chose ne va pas, que cette jeune femme en nuisette qui éteint les lumières du rez-de-chaussée et monte tranquillement à l'étage court un grand danger. Peu à peu, la sensation se précise, et une légère tension s'installe. Que va-t-il arriver ? Vous portez attention à tous les détails, vous êtes aux aguets, à l'affût du moindre indice : le bruit de la pluie, le tonnerre au loin, ce craquement que vous avez cru entendre, cette silhouette que vous avez cru voir près de la maison... Naturellement, dehors, c'est la nuit noire, et bien sûr un orage se déchaîne. Vous avez beau tendre l'oreille, essayer de percer les ténèbres, vous ne pouvez que deviner la présence de l'être immonde qui s'apprête à commettre son crime. À l'intérieur, la jeune femme se déshabille et entre dans la douche en fredonnant avec insouciance. La tension monte d'un cran. Dans la pièce adjacente, le vent s'engouffre dans les longs rideaux des portes-fenêtres, et vous vous attendez à ce que le meurtrier arrive par là d'une seconde à l'autre. Mais soudain tout s'éteint, et un éclair vous laisse entrevoir juste là, tout près, la main gantée de cuir qui ouvre le rideau de douche, et... vous vous entendez pousser un cri en même temps qu'elle.

Vous ressentez alors l'urgent besoin de revenir à la réalité : vous êtes au cinéma, pas dans la douche ; ça sent le maïs soufflé, pas la savonnette ; ce n'est qu'un film, tout va bien. En un instant, vous avez recentré votre attention sur le réel, vous avez même le fou rire en voyant la tête ahurie du très sérieux cinéphile qui vous accompagne. Puis, vous revenez au film et, peu à peu, vous vous laissez reprendre par l'intrigue.

Votre cerveau a cette fascinante aptitude de passer ainsi du réel à l'imaginaire et de traiter les deux exactement de la même façon, déclenchant en vous la même émotion et la même réaction physiologique, que le danger soit parfaitement réel ou purement fictif. Voilà pourquoi vous aviez des palpitations, les mains moites et la bouche sèche : vous avez réellement reçu une décharge d'adrénaline pour préparer votre organisme à fuir ou à se battre pour défendre votre vie.

Si vous avez eu presque aussi peur que si on s'en prenait réellement à vous, c'est que pendant quelques minutes vous vous imaginiez à la place de la victime ou très près d'elle. Si vous vous étiez plutôt mis dans la peau du meurtrier, vos émotions auraient été très différentes. Et si vous aviez regardé cette scène du même œil que votre ami qui étudie en cinéma, vous auriez plutôt admiré l'efficacité de la caméra, du montage ou des effets spéciaux. Notre cerveau traite en priorité ce sur quoi nous portons notre attention. C'est là-dessus que misent les comédiens quand ils ont à jouer une scène d'émotion qui ne les inspire pas particulièrement. En se concentrant sur quelque chose qui les rend malheureux, furieux ou hilares, par la simple puissance de leur mémoire, de leur pensée et de leur imagination, ils peuvent faire monter en eux les larmes, la colère ou le fou rire...

Comme nous le verrons dans ce chapitre, nous devons à l'évolution particulière du cerveau humain ces étonnantes facultés qui, avec le langage, sont le propre de notre espèce – ce qui nous distingue de la manière la plus frappante de tous les autres animaux – y compris des bonobos, ces petits singes dont 97 % des gènes sont pourtant identiques aux nôtres.

*C*hacun des battements de votre cœur, chacune de vos respirations, chacun de vos mouvements volontaires ou non, chaque sensation que vous éprouvez, chaque émotion que vous ressentez, chaque pensée qui traverse votre esprit naît dans votre système nerveux, dont la pièce maîtresse est votre fabuleux cerveau. En ce sens, accorder une place centrale au cerveau dans notre exploration des bases biologiques de la psychologie humaine n'est que justice.

Dans ce chapitre, après un bref rappel du fonctionnement global du système nerveux, nous verrons comment les scientifiques contemporains étudient le cerveau humain, et ce que leurs découvertes et celles de leurs prédécesseurs nous ont appris sur les fonctions psychologiques de ce prodigieux organe. Nous verrons ensuite comment le cerveau communique avec le reste du corps grâce à ces messagers neurochimiques que sont les neurotransmetteurs et les hormones. En conclusion, nous nous poserons cette question aussi fondamentale qu'incontournable : « Et les gènes, dans tout ça ? »

Loin de faire le tour des bases biologiques de la psychologie humaine, ce chapitre ne vise qu'à vous familiariser avec ce sujet inépuisable sur lequel nous reviendrons à maintes reprises dans cet ouvrage : les relations entre le corps et tous ces phénomènes que sont les sensations et la perception, la conscience, l'apprentissage, la motivation, la mémoire, la cognition, la pensée et le langage, les émotions, le stress, la personnalité, et, bien sûr, les troubles psychologiques et leur traitement.

2.1 L'A B C DU SYSTÈME NERVEUX

Avant de plonger dans les mystères du cerveau, rappelons quelques notions de base relatives au système nerveux et à ses deux grandes divisions : le *système nerveux central* et le *système nerveux périphérique* (figure 2.1, p. 42).

Le système nerveux central ou le cerveau câblé

Système nerveux central (SNC)
Partie du système nerveux qui englobe l'ensemble du tissu nerveux formant l'encéphale et la moelle épinière ; composé de matière grise et de matière blanche.

Encéphale
Ensemble constitué par les centres nerveux contenus dans la boîte crânienne ; inclut le cerveau proprement dit, le cervelet et le tronc cérébral.

Qu'appelle-t-on le système nerveux central ?

Le **système nerveux central (SNC)** est constitué de l'*encéphale* et de la *moelle épinière*. Le terme **encéphale** désigne ce qu'on appelle communément le cerveau, c'est-à-dire l'ensemble des centres nerveux que contient notre crâne : le cerveau proprement dit, le *cervelet* et le *tronc cérébral.*

La **moelle épinière** est un cordon de tissu nerveux d'environ 1 cm de diamètre et 45 cm de long qui prolonge le tronc cérébral, reliant littéralement le corps et le cerveau. Sorte de câble principal du système nerveux, elle assure la circulation de l'information entre l'encéphale et le *système nerveux périphérique*. Plus précisément, la moelle épinière transmet les influx nerveux de l'encéphale au système nerveux périphérique – ce qui permet au cerveau, au cervelet et au tronc cérébral d'envoyer des messages aux muscles, glandes et autres parties du corps –, et du système nerveux périphérique à l'encéphale – ce qui permet aux messages sensoriels de parvenir au tronc cérébral, au cervelet et au cerveau. Bien que le cerveau et la moelle épinière fonctionnent habituellement ensemble, cette dernière peut agir seule pour commander un mouvement réflexe. Ainsi, le réflexe spinal (ou arc réflexe), qui vous fait retirer immédiatement votre main d'un objet brûlant, est commandé par la moelle épinière sans l'aide du cerveau. Ce dernier s'activera dès que le signal de douleur lui parviendra (c'est là que vous plongerez votre main dans l'eau froide pour calmer la douleur).

Moelle épinière
Extension du cerveau qui part du tronc cérébral et s'étend tout le long de la colonne vertébrale ; transmet l'influx nerveux de l'encéphale au système nerveux périphérique et du système nerveux périphérique à l'encéphale.

Système nerveux périphérique (SNP)
Réseau de nerfs qui relie le système nerveux central au reste du corps ; inclut le système nerveux végétatif et le système nerveux somatique.

Le système nerveux périphérique : un immense réseau de nerfs

Quel est le rôle de chacune des divisions du système nerveux périphérique ?

Formé par l'immense réseau de nerfs attachés à la moelle épinière, le **système nerveux périphérique (SNP)** relie le système nerveux central au reste du corps. Le SNP comporte deux subdivisions : le *système nerveux somatique* (de *soma*, corps), qui permet tous les mouvements volontaires et interagit avec l'environnement, et le *système nerveux végétatif*, qui régule le milieu interne du corps et régit les fonctions physiologiques végétatives (involontaires).

Système nerveux somatique
Division du système nerveux périphérique constituée des nerfs sensoriels, qui transmettent l'information sensorielle au système nerveux central, et des nerfs moteurs, qui transmettent les messages du système nerveux central aux muscles squelettiques.

Le système nerveux somatique   Le **système nerveux somatique** est constitué (1) de tous les nerfs sensoriels, qui transmettent au système nerveux central l'information captée par les récepteurs des sens (yeux, oreilles, nez, langue, peau et tissus internes), et (2) de tous les nerfs moteurs qui transmettent aux muscles squelettiques les messages

Figure **2.1**

LE SYSTÈME NERVEUX HUMAIN

Le système nerveux se divise en deux parties : le système nerveux central et le système nerveux périphérique. Ce diagramme schématise les relations entre les diverses constituantes du système nerveux.

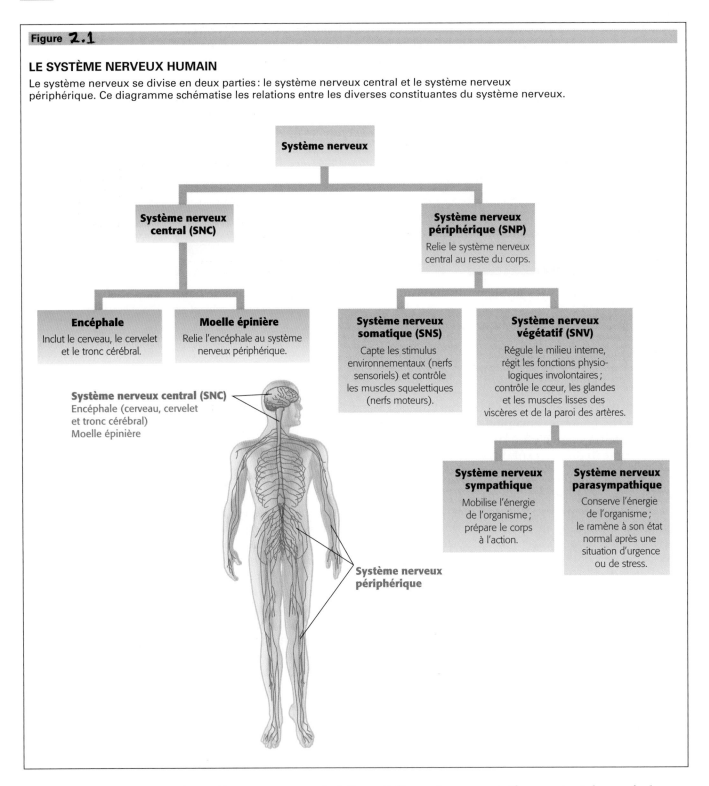

Système nerveux

Système nerveux central (SNC)

Système nerveux périphérique (SNP)

Relie le système nerveux central au reste du corps.

Encéphale

Inclut le cerveau, le cervelet et le tronc cérébral.

Moelle épinière

Relie l'encéphale au système nerveux périphérique.

Système nerveux somatique (SNS)

Capte les stimulus environnementaux (nerfs sensoriels) et contrôle les muscles squelettiques (nerfs moteurs).

Système nerveux végétatif (SNV)

Régule le milieu interne, régit les fonctions physiologiques involontaires ; contrôle le cœur, les glandes et les muscles lisses des viscères et de la paroi des artères.

Système nerveux central (SNC)
Encéphale (cerveau, cervelet et tronc cérébral)
Moelle épinière

Système nerveux périphérique

Système nerveux sympathique

Mobilise l'énergie de l'organisme ; prépare le corps à l'action.

Système nerveux parasympathique

Conserve l'énergie de l'organisme ; le ramène à son état normal après une situation d'urgence ou de stress.

Système nerveux végétatif (ou **système neuro-végétatif**)
Division du système nerveux périphérique qui régule l'environnement interne et régit les fonctions physiologiques végétatives ; comprend le système nerveux sympathique et le système nerveux parasympathique.

du système nerveux central. Essentiellement sous contrôle conscient, les nerfs du système nerveux somatique permettent au système nerveux central de savoir ce qui se passe dans l'environnement et d'y réagir. Les fibres nerveuses sensorielles et motrices se croisent dans le système nerveux central, de sorte que l'hémisphère gauche du cerveau est relié au côté droit du corps, et l'hémisphère droit, au côté gauche du corps.

Le système nerveux végétatif : sympathique et parasympathique Autrefois appelé système nerveux autonome, le **système nerveux végétatif** ou **système neurovégétatif** régule le milieu interne et contrôle toutes nos fonctions physiologiques végétatives (involontaires) : battements cardiaques, pression artérielle, respiration, digestion, etc.

Il assume ces fonctions en transmettant des messages entre d'une part le système nerveux central et d'autre part le muscle cardiaque (cœur), les glandes et les muscles lisses qu'on trouve dans la paroi des artères et dans les viscères (poumons, œsophage, estomac, intestins, etc.).

Qu'est-ce qui fait battre votre cœur plus vite, vous donne le souffle court, les mains moites, la bouche sèche quand vous êtes en situation d'urgence ou de stress ? Et qu'est-ce qui ramène votre corps à son état normal par la suite une fois l'urgence passée ? La réponse à ces deux questions réside dans l'action opposée et complémentaire des deux divisions du système nerveux végétatif : le *système nerveux sympathique* et le *système nerveux parasympathique* (voir la figure 2.2).

Chaque fois que vous vous retrouvez dans une situation d'urgence ou de stress, votre **système nerveux sympathique** réagit automatiquement en mobilisant les ressources de votre corps pour le préparer à l'action. Par exemple, si l'inconnu à l'allure louche qui

Système nerveux sympathique
Division du système nerveux végétatif qui mobilise les ressources physiologiques en cas de stress, d'urgence ou d'effort soutenu, afin de préparer le corps à agir.

Figure 2.2

LE SYSTÈME NERVEUX VÉGÉTATIF

Le système nerveux végétatif est constitué du système nerveux sympathique, qui mobilise les ressources du corps en situation d'urgence ou de stress, et du système nerveux parasympathique, qui ramène les réactions physiologiques à la normale une fois l'urgence passée. Ce schéma résume les effets opposés des divisions sympathique et parasympathique du système nerveux végétatif sur les diverses parties du corps.

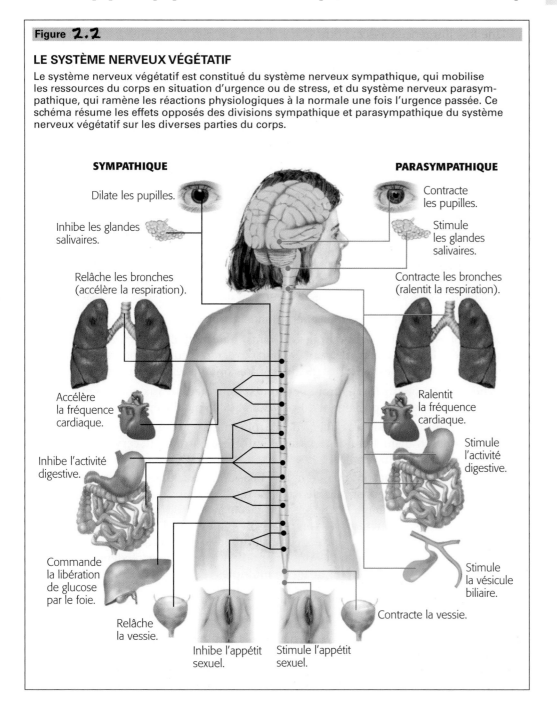

vous suit accélère le pas quand vous tournez le coin d'une rue sombre et déserte, votre système nerveux sympathique déclenchera immédiatement la libération d'adrénaline dans votre sang. Votre cœur se mettra à battre plus vite, votre respiration s'accélérera, vos pupilles se dilateront et tous vos sens s'aiguiseront pour capter un maximum d'informations. Vous transpirerez. Vous aurez l'appétit coupé et la bouche sèche, parce que votre système digestif entier – y compris vos glandes salivaires – s'arrêtera presque complètement. Le flux sanguin qui irriguait votre système digestif sera redirigé vers d'autres zones de votre corps pour leur fournir un surcroît d'énergie – vers les muscles de vos jambes et de vos pieds pour les préparer à la fuite, vers les muscles de vos bras et de vos mains pour les préparer au combat, et vers la tête, sans doute pour vous aider à trouver la meilleure solution (Ekman, 1999). Décrite par le physiologiste Walter Cannon (1927, 1915), cette activation physiologique appelée *réaction de fuite ou de combat* prépare l'organisme à réagir rapidement lorsque la situation l'exige – danger à fuir ou à combattre, occasion à saisir, défi à relever, etc. (Frijda, 1986). Comme nous le verrons au chapitre 8, elle joue un rôle déterminant dans les réactions de stress, mais aussi dans les réactions émotionnelles.

Une fois l'urgence passée, votre système nerveux parasympathique ramène votre organisme à son état normal et lui permet de récupérer. Grâce à son action, les réactions physiologiques d'urgence déclenchées par votre système nerveux sympathique s'inversent : les battements de votre cœur ralentissent, votre respiration reprend son rythme habituel, et votre système digestif recommence à fonctionner normalement. Comme le montre la figure 2.2, les divisions sympathique et parasympathique du système nerveux végétatif agissent comme des forces opposées, mais complémentaires, en alternance. Leur fonctionnement équilibré est essentiel à votre santé et à votre survie.

Les neurones : des milliards de cellules très nerveuses

Qu'est-ce qu'un neurone, et quelles sont ses principales composantes ?

Les tissus du système nerveux sont constitués de cellules spécialisées appelées neurones, qui ont pour fonctions de recevoir, de transmettre et d'intégrer les influx nerveux dans tout le système nerveux. La plupart des experts estiment que le cerveau en contient quelque 100 milliards (Swanson, 1995). Autrement dit, vous avez 17 fois plus de neurones qu'il y a de gens vivant sur terre.

On distingue trois types de neurones selon leur fonction :

- les neurones sensoriels (ou neurones afférents) transmettent au cerveau et à la moelle épinière des informations provenant des organes et récepteurs sensoriels (yeux, oreilles, nez, bouche) et somesthésiques (peau et autres organes et tissus corporels) ;

- les neurones moteurs (ou neurones efférents) transmettent aux glandes et aux muscles des informations provenant du cerveau et de la moelle épinière ;

- les interneurones, plusieurs milliers de fois plus nombreux que les neurones moteurs ou sensoriels, transmettent des messages entre les neurones du cerveau ou entre les neurones de la moelle épinière.

L'anatomie d'un neurone Même s'il n'y en a pas deux exactement identiques, les neurones sont presque tous constitués de trois parties : un corps cellulaire, des dendrites réceptrices et un axone émetteur (figure 2.3). Le corps cellulaire contient le noyau du neurone et assure ses fonctions vitales ; il reçoit également des messages provenant d'autres neurones. Les dendrites, prolongements arborescents du corps cellulaire, sont les principaux récepteurs des messages provenant d'autres neurones. Extension filiforme du corps cellulaire, l'axone se ramifie en de multiples terminaisons axonales, chacune finissant par un bouton synaptique, lequel transmet les signaux aux dendrites ou au corps cellulaire d'autres neurones ainsi qu'aux cellules réceptrices des muscles, glandes et autres tissus du corps. Notons que les neurones ne sont pas reliés physiquement : les terminaisons axonales sont séparées des neurones récepteurs par les fentes synaptiques, des espaces microscopiques remplis de liquide où se fait la transmission de l'influx nerveux. Chez les humains, certains axones font à peine quelques millimètres ; d'autres peuvent mesurer jusqu'à un mètre, allant du cerveau à la base de la moelle épinière ou de

Système nerveux parasympathique
Division du système nerveux végétatif associée à la détente et à la conservation de l'énergie ; ramène les réactions physiologiques à la normale après une urgence.

Neurone
Cellule spécialisée qui reçoit, transmet et intègre des informations sous forme d'influx nerveux ; composée d'un corps cellulaire, de dendrites et d'un axone.

Corps cellulaire
Partie du neurone qui contient le noyau, assure les fonctions métaboliques du neurone et peut recevoir des influx neveux provenant d'autres neurones.

Dendrite
Prolongement arborescent du corps cellulaire d'un neurone ; reçoit des signaux d'autres neurones.

Axone
Extension filiforme du neurone qui transmet des signaux aux dendrites ou au corps cellulaire d'autres neurones, ou encore aux cellules réceptrices des muscles, glandes et autres organes du corps.

Terminaison axonale
Ramification de l'axone d'un neurone finissant par un bouton synaptique.

Bouton synaptique
Extrémité de la terminaison axonale d'un neurone.

Fente synaptique
Espace microscopique rempli de liquide qui sépare le bouton synaptique d'un neurone émetteur du neurone récepteur ; lieu de la transmission de l'influx nerveux.

la moelle épinière aux autres parties du corps. Les axones forment l'essentiel de la moelle épinière et des nerfs du système nerveux périphérique. Ils sont souvent gainés de **myéline**, une substance blanchâtre constituée de lipides et de protéines qui agit à la fois comme isolant des fibres nerveuses et comme accélérateur de la transmission de l'influx nerveux. La myéline est formée par l'enroulement de la membrane d'une *cellule gliale*.

Myéline
Substance blanchâtre composée de lipides et de protéines qui gaine souvent les axones de certains neurones.

Figure 2.3

LA STRUCTURE D'UN NEURONE TYPIQUE

Le neurone type se compose d'un corps cellulaire et de dendrites, qui reçoivent des influx provenant d'autres neurones, ainsi que d'un axone émetteur gainé de myéline qui se ramifie en de multiples terminaisons axonales, chacune finissant par un bouton synaptique.

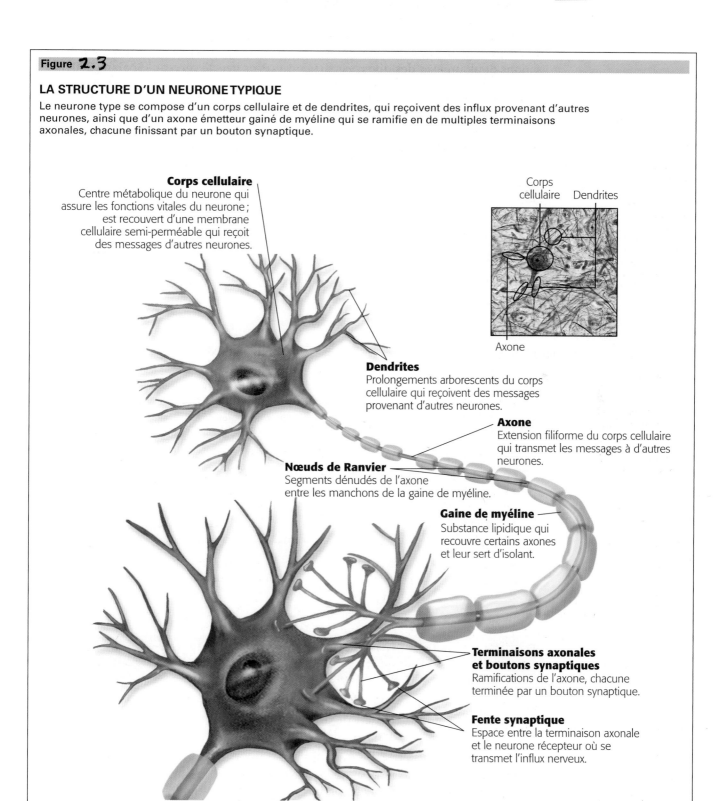

Corps cellulaire
Centre métabolique du neurone qui assure les fonctions vitales du neurone ; est recouvert d'une membrane cellulaire semi-perméable qui reçoit des messages d'autres neurones.

Corps cellulaire   Dendrites

Axone

Dendrites
Prolongements arborescents du corps cellulaire qui reçoivent des messages provenant d'autres neurones.

Axone
Extension filiforme du corps cellulaire qui transmet les messages à d'autres neurones.

Nœuds de Ranvier
Segments dénudés de l'axone entre les manchons de la gaine de myéline.

Gaine de myéline
Substance lipidique qui recouvre certains axones et leur sert d'isolant.

Terminaisons axonales et boutons synaptiques
Ramifications de l'axone, chacune terminée par un bouton synaptique.

Fente synaptique
Espace entre la terminaison axonale et le neurone récepteur où se transmet l'influx nerveux.

Cellules gliales
Cellules qui maintiennent la cohésion des neurones en éliminant les déchets, en formant la couche de myéline des axones et en exécutant d'autres tâches de fabrication, de nutrition et de nettoyage.

Les cellules gliales   Outre les neurones, on retrouve dans le cerveau et la moelle épinière des **cellules gliales**. Plus petites que les neurones, elles forment plus de la moitié du volume du cerveau humain. Les cellules gliales fournissent nourriture et soutien aux neurones, éliminent les déchets (neurones morts, par exemple) en les ingérant et les digérant, et accélèrent la conduction nerveuse en agissant comme gaine isolante de certains axones. On a longtemps cru que c'était là leurs seules fonctions, mais des recherches récentes nous apprennent que les cellules gliales communiquent entre elles et avec les neurones, participant ainsi au traitement de l'information et à la mémoire (Fields, 2004). Les cellules gliales de la moelle épinière participent également à la transmission des sensations douloureuses des diverses parties du corps vers le cerveau (Spataro, 2004).

Les traces de l'activité cérébrale   Nous verrons plus loin dans ce chapitre (p. 65) comment l'influx nerveux se transmet d'un neurone à un autre neurone ou à une autre cellule du corps. Pour le moment, retenez simplement ceci : chaque fois que vous bougez ou que vous avez une sensation, une pensée ou une émotion, c'est qu'il y a eu un influx électrique minime, mais mesurable. Notez aussi que le cerveau et la moelle épinière sont très richement vascularisés. Une bonne irrigation sanguine est essentielle au fonctionnement des neurones, lequel exige en permanence une oxygénation abondante et un apport considérable en glucose. En effet, bien qu'il représente à peine 2 % du poids du corps chez un adulte de poids normal, le cerveau consomme environ 20 % de l'oxygène du corps et 70 % de son glucose. Comme nous allons le voir, les scientifiques utilisent ces caractéristiques pour étudier le fonctionnement du cerveau.

RETENEZ-LE

L'A B C du système nerveux

1. Vrai ou faux ? Le système nerveux central est formé de l'encéphale et de la moelle épinière.

2. _____ désigne l'ensemble des centres nerveux contenus dans la boîte crânienne, soit _____ , le cervelet et le tronc cérébral.

3. La moelle épinière relie l'encéphale au système nerveux _____ .
   a) central
   b) périphérique
   c) somatique
   d) végétatif

4. Le système nerveux périphérique comporte deux sous-divisions : le système nerveux _____ et le système nerveux _____ .

5. La division _____ du système nerveux végétatif mobilise les ressources du corps et le prépare à l'action en cas de stress ; une fois l'urgence passée, sa branche _____ ramène les réactions physiologiques à la normale.
   a) somatique ; végétatif
   b) végétatif ; somatique
   c) sympathique ; parasympathique
   d) parasympathique ; sympathique

6. Les _____ et le corps cellulaire du neurone reçoivent des influx nerveux provenant d'autres neurones, et _____ les transmet.

Réponses : 1. Vrai. **2.** L'encéphale ; le cerveau. **3.** b. **4.** somatique ; végétatif (ou neurovégétatif). **5.** c. **6.** dendrites ; l'axone.

2.2 LES TECHNIQUES D'ESPIONNAGE DU CERVEAU

Les premières études sur le cerveau ont été réalisées sur des cadavres ou à partir de l'observation clinique des effets de diverses lésions cérébrales chez les gens qui avaient subi des traumatismes ou des maladies. La destruction sélective de certaines régions cérébrales chez l'animal a aussi permis de confirmer le rôle de certaines structures.

Au milieu du XXᵉ siècle, la stimulation électrique directe des diverses zones du cerveau lors d'interventions chirurgicales a permis à des chercheurs comme le neurologue montréalais Wilder Penfield (1891-1976) d'établir les premières cartes cérébrales fonctionnelles chez l'humain.

De nos jours, les chercheurs disposent d'un formidable arsenal technologique pour espionner le cerveau et percer ses secrets. Les principales techniques auxquelles ils recourent sont bien connues en médecine : l'*électroencéphalographie (EEG)*, la *microélectrode*, la *scanographie (tomographie axiale assistée par ordinateur)*, l'*imagerie par résonance magnétique (IRM)*, la *tomographie par émission de positons (TEP)*, l'*imagerie par résonance magnétique fonctionnelle (IRMf)* et la *magnétoencéphalographie (MEG)*. Nous vous invitons à vous familiariser un peu avec ces techniques. En plus de vous éclairer sur l'origine d'une bonne partie de nos connaissances actuelles sur le cerveau, cela vous rassurera le jour où vous ou un de vos proches aurez à passer un de ces examens au nom rébarbatif…

◀ Fondateur de l'Institut neurologique de Montréal et spécialiste de l'épilepsie, le neurologue Wilder Penfield (1891-1976) a été parmi les premiers à pratiquer l'ablation de certaines parties du cerveau responsables des crises sous anesthésie locale ; il pouvait ainsi parler aux patients pendant qu'il stimulait électriquement la région du cerveau à opérer afin de localiser avec précision ses fonctions.

L'EEG et la microélectrode

Comment fonctionnent l'électroencéphalogramme et la microélectrode ?

En 1924, le psychiatre autrichien Hans Berger inventait l'électroencéphalographe, un appareil qui amplifiait considérablement l'activité électrique du cerveau. Détectée par des électrodes placées à divers endroits sur le cuir chevelu et considérablement amplifiée, cette activité cérébrale fournissait assez d'électricité pour faire bouger un crayon sur un papier et produire un **électroencéphalogramme (EEG)**, c'est-à-dire un tracé des ondes du cerveau. Comme son ancêtre, l'EEG moderne enregistre divers types d'ondes cérébrales, notamment : les ondes bêta (13 cycles par seconde ou plus), associées à l'activité mentale ou physique ; les ondes alpha (8-12 cycles par seconde), associées à un état de détente complète ; et les ondes delta (1-3 cycles par seconde), associées au sommeil profond (voir la figure 2.4). Vous en apprendrez davantage sur ces ondes cérébrales et les divers états de conscience au chapitre 4.

L'EEG assisté par ordinateur peut enregistrer l'activité électrique à la surface du cerveau milliseconde par milliseconde et pratiquement sans distorsion (Gevins et autres, 1995). Il permet notamment de suivre l'évolution d'une crise d'épilepsie et d'étudier l'activité neuronale chez des sujets qui souffrent de commotion cérébrale ou autre traumatisme crânien, de troubles de l'apprentissage, de schizophrénie, de maladie d'Alzheimer, de troubles du sommeil et autres problèmes neurologiques.

Électroencéphalogramme (EEG)
Enregistrement de l'activité électrique du cerveau réalisé par un électroencéphalographe.

Onde bêta
Onde cérébrale de 13 cycles par seconde ou plus associée à l'activité physique ou mentale.

Onde alpha
Onde cérébrale de 8 à 12 cycles par seconde associée à la détente profonde.

Onde delta
Onde cérébrale la plus lente, d'une fréquence de 1 à 3 cycles par seconde et associée au sommeil profond.

Figure 2.4

TRACÉS D'EEG ASSOCIÉS À DIVERS ÉTATS DE VEILLE ET DE SOMMEIL

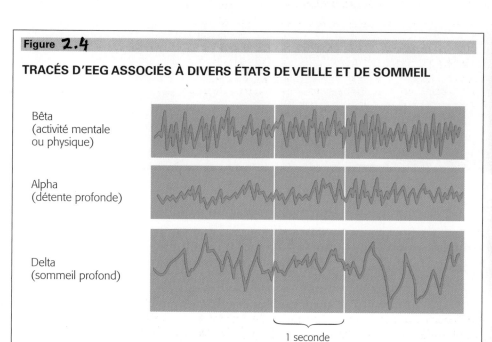

Bêta
(activité mentale ou physique)

Alpha
(détente profonde)

Delta
(sommeil profond)

1 seconde

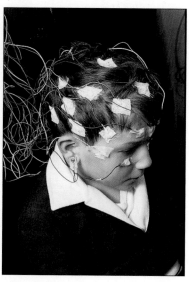

▲ L'électroencéphalographe utilise des électrodes placées sur le cuir chevelu pour amplifier et enregistrer l'activité électrique dans le cerveau.

Bien qu'il puisse détecter l'activité électrique dans différentes régions du cerveau, l'EEG ne peut pas révéler ce qui se passe dans un seul neurone. Pour ce faire, on utilise une **microélectrode**, un fil conducteur si petit qu'il peut être inséré dans le neurone ou près de lui sans l'endommager ; on peut ainsi surveiller son activité électrique ou la stimuler. Les microélectrodes ont notamment permis de découvrir les fonctions précises de certains neurones des aires visuelles et auditives du cerveau (que nous allons étudier dans la prochaine section).

Microélectrode
Électrode microscopique utilisée notamment pour surveiller ou stimuler l'activité électrique d'un neurone.

Quel est le principal avantage de la scanographie et de l'IRM par rapport à l'EEG ?

La scanographie et l'IRM

Depuis les années 1970, de nombreuses techniques fournissent aux chercheurs et aux cliniciens des images de plus en plus précises du cerveau. Par exemple, le sujet qui passe une **scanographie** (ou **tomographie axiale assistée par ordinateur**) est couché à l'intérieur d'une grande structure cylindrique ; un tube à rayons X tourne autour de sa tête et projette des rayons X qui traversent son cerveau (ou une autre partie de son corps). Analysée par ordinateur, la série d'images de coupe transversale qui en résulte révèle les structures internes et détecte les anomalies et les lésions – y compris les tumeurs et les accidents vasculaires cérébraux récents ou anciens.

Scanographie (ou **tomographie axiale assistée par ordinateur**)
Technique d'imagerie médicale assistée par ordinateur qui utilise un tube à rayons X rotatif pour produire des images de coupe transversale de la structure du cerveau ou d'autres parties du corps.

Imagerie par résonance magnétique (IRM)
Technique d'imagerie médicale qui produit des images de haute résolution des structures du cerveau ou d'autres parties du corps.

Dans les années 1980, une nouvelle technique, l'**imagerie par résonance magnétique (IRM)**, est devenue largement disponible. L'IRM produit des images à haute résolution, donc plus claires et plus détaillées que celles de la scanographie sans exposer les sujets aux rayons X (Pottset autres, 1993). Puissant outil de diagnostic, l'IRM est particulièrement utile pour déceler des anomalies dans le système nerveux central.

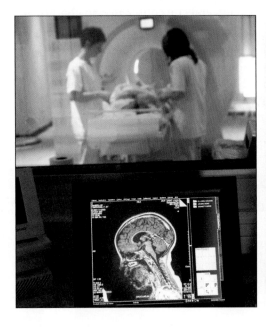
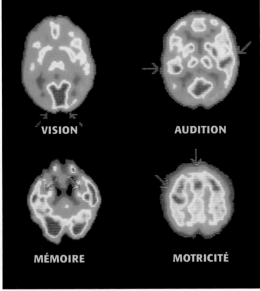

▶ L'IRM (à gauche) est un outil puissant pour révéler l'anatomie du cerveau, mais contrairement à la TEP, elle ne peut pas montrer ce qu'il fait. La TEP (à droite) montre l'activité dans diverses régions cérébrales.

VISION   AUDITION

MÉMOIRE   MOTRICITÉ

Pourquoi la TEP, l'IRMf et les autres techniques d'imagerie fonctionnelle sont-elles particulièrement utiles pour étudier le cerveau ?

La TEP, l'IRMf et autres techniques d'imagerie fonctionnelle

Si utiles soient-elles, les images que produisent la scanographie et l'IRM ne montrent que des structures anatomiques. Plusieurs autres techniques captent des images qui montrent à la fois les structures du cerveau et leur fonctionnement ; on parle alors de techniques d'imagerie *fonctionnelle*.

La plus ancienne, la **tomographie par émission de positons (TEP)**, est utilisée depuis le milieu des années 1970 pour diagnostiquer des dysfonctionnements cérébraux, mais aussi pour étudier l'activité cérébrale normale (Volkow et Tancredi, 1991). La TEP peut cartographier les schémas de débit sanguin, d'utilisation d'oxygène et de consommation de glucose qui révèlent l'activité cérébrale. Elle peut aussi montrer l'action des psychotropes et d'autres substances biochimiques dans le cerveau et d'autres organes (Farde, 1996).

Disponible depuis les années 1990, l'**IRM fonctionnelle (IRMf)**, qui peut également fournir des images à la fois de la structure du cerveau et de son activité, a plusieurs avantages sur la TEP : elle n'exige aucune injection de produit (radioactif ou autre) aux sujets, sa précision est nettement supérieure, et elle peut détecter les changements qui surviennent en moins d'une seconde, comparativement à près d'une minute pour la TEP.

Plus récemment, d'autres techniques d'imagerie ont fait leur apparition. Le SQUID (pour *Superconducting Quantum Interference Device*) révèle l'activité cérébrale en mesurant les champs magnétiques produits par le courant électrique que les neurones émettent quand ils transmettent un influx nerveux. La magnétoencéphalographie (MEG), qui mesure également ces champs magnétiques, montre l'activité cérébrale pratiquement en temps réel, donc infiniment plus vite que la TEP ou l'IMRf. De plus, comparée au confinement du tunnel des appareils de résonance magnétique, la position assise que permettent certains MEG est moins désagréable pour le sujet et procure des conditions d'expérimentation nettement plus naturelles.

De plus en plus performantes, ces techniques d'imagerie cérébrale ont permis aux scientifiques d'en apprendre plus long sur les anomalies du cerveau associées à certains troubles psychologiques que nous étudierons au chapitre 10. Elles ont également révélé où et comment diverses substances psychotropes agissent sur le cerveau (Juengling et autres, 2003 ; Tamminga et Conley, 1997). Enfin, et ce n'est pas leur moindre contribution à la science, elles leur ont permis d'accumuler une somme impressionnante de connaissances sur le fonctionnement normal du cerveau humain (Zhang et autres, 2003).

> **Tomographie par émission de positons (TEP)**
> Technique de neuro-imagerie qui révèle l'activité dans diverses parties du cerveau à partir des schémas de débit sanguin, d'utilisation d'oxygène et de consommation de glucose.

> **IRM fonctionnelle (IRMf)**
> IRM qui peut fournir des images à la fois de la structure du cerveau et de son activité.

RETENEZ-LE

Les techniques d'espionnage du cerveau

1. _____ révèle l'activité électrique du cerveau en produisant un tracé de l'enregistrement des ondes cérébrales.
   a) L'électroencéphalogramme (EEG)
   b) La scanographie (tomographie axiale assistée par ordinateur)
   c) La tomographie par émission de positons (TEP)
   d) L'imagerie par résonance magnétique (IRM)

2. Les ondes (alpha/bêta/delta) sont associées à l'activité mentale ou physique ; les ondes (alpha/bêta/delta), à un état de détente profonde ; et les ondes (alpha/bêta/delta), au sommeil profond.

3. Les techniques d'imagerie fonctionnelle captent des images qui montrent à la fois les structures du cerveau et _____ .

Réponses : 1. a. 2. bêta ; alpha ; delta. 3. son fonctionnement.

2.3 L'ENCÉPHALE, ALIAS « LE CERVEAU »

Combien de fois vous a-t-on demandé : « Qu'est-ce que tu as dans le crâne ? » La prochaine fois, vous saurez quoi répondre : « Un encéphale, naturellement ! » Vous pourrez même préciser que l'encéphale correspond à ce que les anglophones appellent *brain*, et que nous avons pris l'habitude d'appeler « cerveau », mais qui englobe, en plus du cerveau proprement dit, le cervelet et le tronc cérébral. La figure 2.5 (p. 50) montre les principales structures de l'encéphale.

Figure 2.5

LES PRINCIPALES STRUCTURES DE L'ENCÉPHALE

L'encéphale englobe tous les centres nerveux contenus dans la boîte crânienne, soit : (1) le cerveau proprement dit – les circonvolutions cérébrales (cortex et matière blanche) et les stuctures limbiques, notamment le thalamus, l'hypothalamus, le corps calleux, l'amygdale et l'hippocampe –, (2) le tronc cérébral et (3) le cervelet.

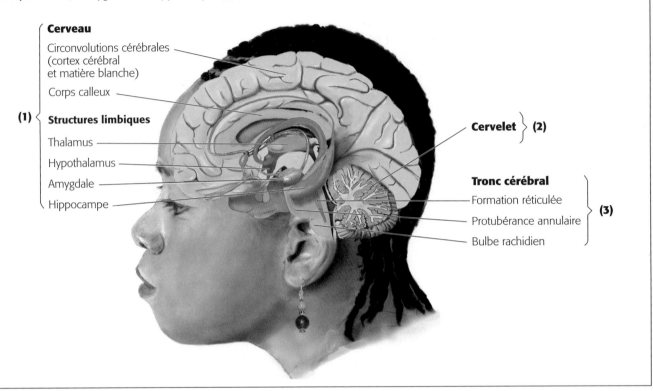

Cerveau

Circonvolutions cérébrales (cortex cérébral et matière blanche)

Corps calleux

(1)

Structures limbiques

Thalamus

Hypothalamus

Amygdale

Hippocampe

Cervelet **(2)**

Tronc cérébral

Formation réticulée

Protubérance annulaire

Bulbe rachidien

(3)

Qu'entend-on par les termes « hémisphères cérébraux » et « cortex cérébral » ?

Hémisphères cérébraux
Moitiés droite et gauche du cerveau, reliées par le corps calleux.

Corps calleux
Bande épaisse de fibres nerveuses qui relie les deux hémisphères cérébraux ; assure le transfert d'information de l'un à l'autre et coordonne leur activité.

Cortex cérébral
Fine couche de substance grise en circonvolutions qui recouvre la surface des hémisphères cérébraux ; joue un rôle clé dans les processus mentaux supérieurs de la mémoire, de la pensée, du langage et du contrôle des émotions, traite des informations visuelles, auditives et somatiques, et coordonne les mouvements volontaires.

Les hémisphères cérébraux et le cortex cérébral

Si vous pouviez soulever le dessus de votre crâne pour regarder votre cerveau, vous verriez, comme sur la photo ci-contre, une double structure grisâtre dont la forme rappelle l'intérieur d'une pacane géante. Les hémisphères cérébraux, c'est-à-dire les moitiés gauche et droite du cerveau, sont séparés par un profond sillon et reliés à leur base par le corps calleux, une épaisse bande de fibres nerveuses qui assure le transfert d'information de l'un à l'autre et coordonne leur activité (figure 2.6). En gros, l'hémisphère droit régit les sensations et les mouvements du côté gauche du corps, et l'hémisphère gauche, les sensations et les mouvements du côté droit du corps.

Les hémisphères cérébraux sont recouverts d'une mince couche de substance grise, le cortex cérébral, principalement responsable des processus mentaux supérieurs (langage, mémoire et pensée). Si on dépliait complètement le cortex humain pour le mettre à plat, on obtiendrait une surface extrêmement mince (de un à quatre millimètres) d'environ deux mètres carrés ! Cette surface tient dans un crâne trois fois plus petit parce qu'elle est maintes fois pliée et repliée, ses replis les plus profonds formant les circonvolutions du cerveau. Beaucoup moins important par rapport à la taille totale du cerveau, le cortex des mammifères moins intelligents compte beaucoup moins de circonvolutions. L'aspect grisâtre du cortex, qui lui a valu d'être qualifié de « matière grise », lui vient de la couleur des corps cellulaires des milliards de neurones dont il est constitué. Immédiatement sous le cortex, les axones gainés de myéline de ces neurones forment la substance blanche et relient les neurones du cortex à ceux des autres régions du cerveau. On trouve trois types de zones – ou *aires* – dans le cortex cérébral :

Figure 2.6

DEUX PLANS DES HÉMISPHÈRES CÉRÉBRAUX

(a) Les hémisphères gauche et droit du cerveau sont séparés par un profond sillon et reliés à leur base par le corps calleux.

(b) Vue intérieure de l'hémisphère cérébral droit.

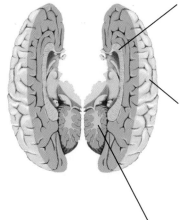
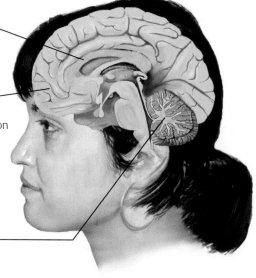

Corps calleux
Relie les deux hémisphères à leur base et permet le transfert de l'information de l'un à l'autre ainsi que la coordination de leur activité.

Cerveau
Assure le traitement de l'information sensorielle et somatique, les mouvements volontaires et les processus mentaux supérieurs (conscience, mémoire, apprentissage, pensée, langage, etc.).

Cervelet

(a)   (b)

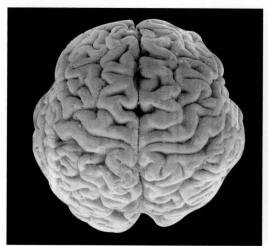
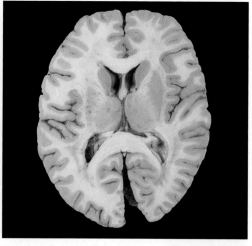

◀ Photos d'un vrai cerveau vu d'en haut. La photo de gauche montre bien les deux hémisphères et le cortex qui les recouvre. À droite, une coupe transversale du cerveau permet de voir la répartition de la substance blanche ainsi que les plis et replis du cortex (substance grise). On retrouve également des noyaux de substance grise au centre du cerveau.

- les aires sensorielles primaires, où s'enregistrent les informations relatives à la vue (cortex visuel primaire), à l'ouïe (cortex auditif primaire), ainsi qu'au toucher, à la pression, à la température et à la douleur (cortex somesthésique primaire);

- les aires motrices, qui commandent les mouvements volontaires (cortex moteur);

- les **aires associatives**, qui relient diverses informations et interviennent dans les processus mentaux complexes comme la perception, la mémoire, l'apprentissage, le langage et la pensée (chez l'humain, les aires associatives constituent la majeure partie du cortex cérébral).

Aires associatives
Aires du cerveau qui relient diverses informations et interviennent dans les processus mentaux complexes comme la perception, la mémoire, l'apprentissage, le langage et la pensée.

Vous avez peut-être déjà lu ou entendu que les personnes créatrices fonctionnent avec leur «cerveau droit», et les personnes rationnelles, avec leur «cerveau gauche». Cette affirmation est un parfait exemple de la tendance de certains médias à simplifier abusivement les résultats de recherche. Elle n'a aucun fondement scientifique: nous ne fonctionnons pas avec l'un ou l'autre de nos hémisphères, mais avec les deux, qui sont constamment en contact grâce au corps calleux (Coren, 1993). Cependant, si fausse soit-elle, l'idée des « deux cerveaux » a eu le mérite d'attirer l'attention du public sur les neurosciences en général et sur le phénomène de la spécialisation hémisphérique en particulier (Hellige, 1993). En effet, la recherche a démontré l'existence d'une certaine **latéralisation hémisphérique** – chacun étant plus spécialisé que l'autre pour certaines fonctions.

Latéralisation hémisphérique
Spécialisation de chacun des hémisphères cérébraux pour certaines fonctions particulières.

L'hémisphère gauche   Chez environ 95 % des droitiers et 62 % des gauchers, l'hémisphère gauche (figure 2.7) gère la plupart des fonctions du langage : la parole, l'écriture, la lecture, la compréhension du langage et de la logique de l'information écrite (Hellige, 1990 ; Long et Baynes, 2002). Par contre, relier l'information langagière à son contexte exige la collaboration des deux hémisphères. De même, les langues des signes qu'utilisent les sourds exigent la collaboration des hémisphères, car l'orientation spatiale des gestes est traitée dans l'hémisphère droit (Neville et autres, 1998). Également spécialisé dans les tâches mathématiques, en particulier le calcul, l'hémisphère gauche semble traiter l'information de manière analytique et séquentielle, étape par étape (Corballis, 1989), d'où sa réputation de « cerveau rationnel ». L'hémisphère gauche coordonne les mouvements complexes en commandant directement le côté droit du corps, et indirectement les mouvements du côté gauche : il transmet des ordres à l'hémisphère droit par l'intermédiaire du corps calleux de façon à ce que les bons mouvements soient coordonnés et bien exécutés (Gazzaniga et Hutsler, 1999). (Comme on le verra plus loin, le cervelet joue aussi un rôle important dans la coordination des mouvements complexes.)

L'hémisphère droit   On considère généralement que l'hémisphère droit est le plus compétent en ce qui concerne les tâches visuelles et spatiales. De plus, le cortex auditif de l'hémisphère droit semble de loin le plus habile pour traiter la musique (Zatorre et autres, 2002). De manière générale, l'hémisphère droit semble traiter l'information de manière holistique, globale (Corballis, 1989). Ainsi, il semble spécialisé dans les tâches perceptives complexes qui exigent la reconnaissance de schémas globaux, qu'il s'agisse de formes visuelles, de voix familières (Van Lancker et autres, 1988) ou de mélodies et de musique (Zatorre et autres, 2002 ; Springer et Deutsch, 1985). Ainsi, pour dessiner, faire de la géométrie, monter un meuble IKEA ou reconnaître une chanson qui passe à la radio, vous feriez davantage appel à votre hémisphère droit.

▼ L'hémisphère droit est de loin le plus compétent en matière de musique, ce qui, selon certains spécialistes, pourrait expliquer que les personnes qui bégaient quand elles parlent (hémisphère gauche) ne bégaient plus quand elles chantent (hémisphère droit).

De plus, généralement, l'hémisphère droit complète le traitement du langage que fait l'hémisphère gauche. Il produit les associations verbales inusitées caractéristiques de la pensée créatrice et de la résolution de problèmes (Seger et autres, 2000). C'est lui qui nous permet de comprendre les expressions idiomatiques comme « Il s'est mis le doigt dans l'œil » ou « Les murs ont des oreilles », que le cerveau gauche prendrait à la lettre.

Enfin, l'hémisphère droit est plus actif dans la reconnaissance et l'expression des émotions. C'est lui qui réagit aux messages émotionnels véhiculés par le ton de voix d'autrui (LeDoux, 2000 ; Bryden et MacRae, 1988). Comme l'a souligné la spécialiste du langage Diana Van Lancker (1987), « si l'hémisphère gauche sait mieux ce qui a été dit, l'hémisphère droit comprend comment cela a été dit et qui l'a dit » (p. 13). Autrement dit, l'hémisphère droit remet le langage dans son contexte et priorise l'intonation. Lire et interpréter les comportements non verbaux, comme la gestuelle et les expressions faciales, est une autre de ses tâches (Kucharska-Pietura et Klimkowski, 2002 ; Hauser, 1993). Par exemple, les indices subtils qui nous indiquent que quelqu'un ment (clignements des yeux excessifs ou évitement du contact visuel) sont traités dans l'hémisphère droit (Etcoff et autres, 2000). L'hémisphère droit intervient également dans l'expression émotionnelle par notre propre ton de voix et nos expressions faciales. Lawrence Miller (1988) décrit la physionomie et les intonations de gens qui ont subi une lésion à l'hémisphère droit comme « souvent étrangement vides, un peu comme celles d'un robot » (p. 39). Régi par l'hémisphère droit, le côté gauche du visage exprime habituellement plus d'émotion que le côté droit (Sackeim et autres, 1978).

Trouver leur côté émotionnel

Est-il vrai que le côté gauche du visage exprime habituellement plus d'émotion que le côté droit ? Prenez un magazine ou un journal et masquez à tour de rôle chaque moitié des visages photographiés. Étonnant, non ? Si vous observez bien l'expression des visages des gens autour de vous, vous pourrez constater à quel point cela est évident...

Émotions positives, émotions négatives   De nombreux résultats de recherche semblent indiquer que les mécanismes cérébraux responsables des émotions négatives résident dans l'hémisphère droit, et ceux responsables des émotions positives, dans l'hémisphère gauche (Hellige, 1993). Par exemple, des études d'imagerie cérébrale révèlent que chez les enfants, le fait de regarder des émissions télévisées violentes active des zones de l'hémisphère droit qui ne s'activent pas quand ils regardent des émissions non violentes (Murray et autres, 2006). La recherche indique aussi une activité réduite dans le cortex préfrontal gauche, là où les émotions positives seraient produites, chez les patients souffrant de dépression grave (Drevets et autres, 1997). De plus, les patients qui ont une tumeur dans l'hémisphère droit ont une perception moins négative de leur situation que ceux qui ont une tumeur dans l'hémisphère gauche (Salo et autres, 2002), alors que l'évaluation que font les médecins de leur qualité de vie ne varie pas en fonction de l'hémisphère où se situe la tumeur.

L'héminégligence   Plus généralement, les patients atteints de lésions à l'hémisphère droit peuvent avoir du mal à s'orienter ou à retrouver leur chemin dans un endroit pourtant connu. Ils peuvent souffrir de déficits de l'attention qui les amènent à ignorer les objets situés dans leur champ visuel gauche, un état appelé « héminégligence » (Deovell et autres, 2000 ; Halligan et Marshall, 1994). Les héminégligents peuvent, par exemple, manger seulement les aliments à droite dans leur assiette, ne lire que les mots sur la moitié droite d'une page ou, même, ne laver que la partie droite de leur corps. Fait à noter, certains peuvent même nier que le bras situé du côté opposé à la lésion cérébrale leur appartient (Chen-Sea, 2000 ; Than et autres, 2000 ; Bisiach, 1996 ; Posner, 1996). Un traitement combinant l'entraînement visuel et les mouvements forcés des membres du côté négligé peut aider certains patients (Brunila et autres, 2002). Le tableau 2.1 résume les fonctions spécialisées de chacun des hémisphères.

Tableau 2.1

LA SPÉCIALISATION HÉMISPHÉRIQUE

Hémisphère gauche	Hémisphère droit
Gouverne le côté droit du corps	Gouverne le côté gauche du corps
Traitement analytique et séquentiel	Traitement global
Langage	Mise en contexte du langage, métaphores
Pense en mots	Pense en formes (sonores ou visuelles)
Raisonnement logique, calcul, algèbre	Pensée créatrice Interprétation et expression des émotions (ton de voix, expressions faciales, etc.) Habiletés visuospatiales Arts visuels Musique et chant
Tâches motrices complexes	Tâches perceptives complexes

Sources : Gazzaniga, 1998, 1983 ; Gazzaniga et Hutsler, 1999 ; Purves et autres, 2007.

Les gauchers et la spécialisation hémisphérique

Êtes-vous gaucher ou droitier ? Dans toutes les cultures, à peu près une personne sur dix est gauchère (Coren et Porac, 1977), et cette proportion semble stable depuis des millénaires (Steele et Mays, 1995). Pour une raison inconnue, plus d'hommes que de femmes sont gauchers.

Le corps calleux des gauchers est en moyenne 11 % plus gros et contient jusqu'à 2,5 millions de fibres nerveuses de plus (Witelson, 1985), ce qui est aussi le cas des femmes, qu'elles soient gauchères ou non. Cette caractéristique favorise une meilleure coopération des deux hémisphères.

En général, les gauchers privilégient aussi leur pied gauche et, à un degré moindre, leur oreille et leur œil gauches ; cette latéralisation est cependant moins nette que chez les droitiers, bien qu'elle ne soit pas absolue chez ceux-ci non plus (Hellige et autres, 1994). Ainsi, chez environ 60 % des gauchers, la plupart des fonctions langagières sont assumées par l'hémisphère gauche (comme pour 95 % des droitiers d'ailleurs) ; chez 25 %, elles le sont par l'hémis-phère droit, et chez 15 %, par les deux hémisphères – ce qui explique que les gauchers tendent à subir moins de déficits langagiers lorsqu'ils subissent des lésions à l'un ou l'autre des hémisphères (Geschwind, 1979), et à mieux compenser ceux qu'ils subissent, l'hémisphère sain pouvant plus facilement prendre la relève. En revanche, on observe un taux plus élevé de troubles du langage (bégaiement) et de l'apprentissage (dyslexie) chez les gauchers (Grouios et autres, 1999 ; Hernandez et autres, 1997 ; Tanner, 1990).

On pourrait penser que les droitiers sont plus favorisés par leur hémisphère gauche et les gauchers par leur droit : les mots, l'analyse, la logique pour les droitiers, les images, les arts et les habiletés spatiales pour les gauchers. Les choses sont loin d'être aussi simples, mais les gauchers sont effectivement surreprésentés dans les arts, l'architecture et les sports d'élite, où l'on trouve plus de 20 % de gauchers, alors qu'ils ne représentent que 10 % de la population générale).

Les lobes cérébraux et leurs fonctions

Quelles sont les principales fonctions associées aux lobes frontaux, temporaux, pariétaux, occipitaux ?

Chaque hémisphère cérébral se subdivise en quatre lobes – un lobe frontal, un lobe temporal, un lobe pariétal et un lobe occipital – aux fonctions spécialisées. La figure 2.7 montre la localisation de ces quatre lobes.

Les lobes frontaux : pour bouger, penser et parler   Les lobes frontaux, qui partent de l'avant du cerveau et s'étendent presque jusqu'au milieu du crâne, sont de loin les plus gros. Ils englobent le cortex moteur (vers l'arrière), l'aire de Broca (à gauche) et les aires associatives frontales (complètement à l'avant). Souvent appelée cortex préfrontal, la partie antérieure des lobes frontaux est la partie du cerveau dont la taille a le plus augmenté au cours de l'évolution des espèces (voir l'encadré à la page suivante). Les aires associatives du cortex préfrontal sont responsables des fonctions les plus évoluées des humains, celles qui nous distinguent des autres espèces animales : le langage, la planification à long terme, l'imagination et la maîtrise des pulsions et des émotions.

Découvert en 1870, le cortex moteur est une bande de tissu cérébral qui commande les mouvements volontaires. Les mouvements du côté gauche du corps relèvent du cortex moteur de l'hémisphère droit, et ceux du côté droit, du cortex moteur de l'hémisphère gauche, lequel assure également la coordination des mouvements des deux côtés du corps (Gazzaniga et Hutsler, 1999 ; Kim et autres, 1993).

La figure 2.7 montre une coupe transversale du cortex moteur, le long de laquelle les parties du corps d'un *homonculus* (ou « petit homme ») sont dessinées proportionnellement à l'étendue de la zone du cortex moteur qui les commande. Les parties capables des mouvements les plus fins, comme les doigts, les lèvres et la langue sont celles qui accaparent la plus grande surface. Les parties inférieures du corps sont essentiellement commandées par des neurones situés au sommet du cortex moteur, et les parties supérieures (visage, lèvres et langue), par les neurones situés à sa base.

Selon sa gravité, une lésion du cortex moteur peut entraîner une paralysie, une perte de coordination ou, parfois, des crises épileptiques. Par contre, en cas d'amputation d'un bras ou d'une jambe, la zone correspondante du cortex moteur finira par se spécialiser dans une autre fonction (Murray, 1995).

Lobes frontaux
Lobes situés à l'avant du cerveau ; contiennent le cortex moteur, l'aire de Broca (lobe gauche) et les aires associatives frontales (ou cortex préfrontal).

Cortex préfrontal
Partie antérieure des lobes frontaux correspondant aux aires associatives responsables du langage, du raisonnement, de la planification à long terme ainsi que de la maîtrise des pulsions et de la régulation des émotions.

Cortex moteur
Bande de tissu cérébral, située dans le lobe frontal de chaque hémisphère, qui commande les mouvements volontaires.

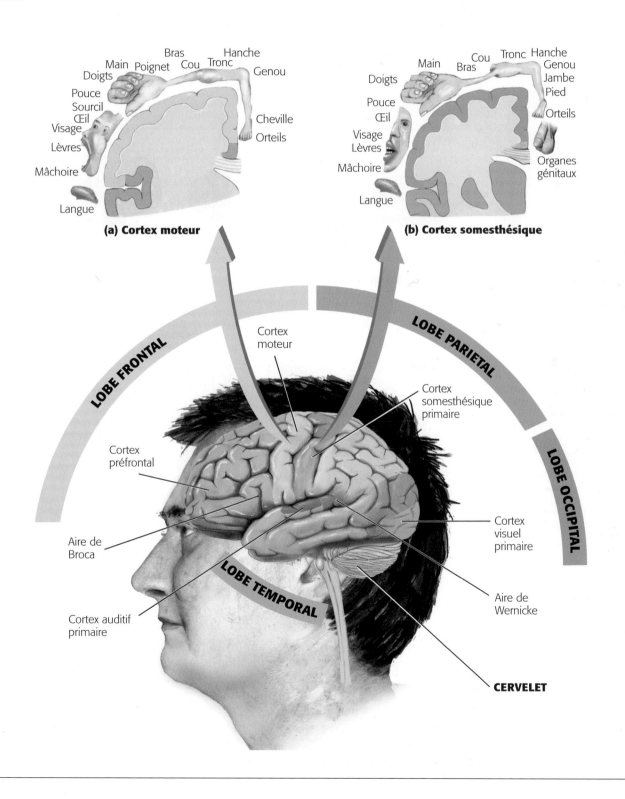

Figure 2.7

L'HÉMISPHÈRE GAUCHE, SES QUATRE LOBES, ET LES CORTEX MOTEUR ET SOMESTHÉSIQUE

Cette illustration de l'hémisphère gauche montre ses quatre lobes : (1) son lobe frontal, avec le cortex moteur, le cortex préfrontal et l'aire de Broca ; (2) son lobe pariétal, avec le cortex somesthésique primaire ; (3) son lobe occipital, avec le cortex visuel primaire ; et (4) son lobe temporal, avec le cortex auditif primaire et l'aire de Wernicke. Le cortex moteur gauche commande les mouvements du côté droit du corps, et le cortex moteur droit, ceux du côté gauche. Le cortex somesthésique primaire gauche enregistre les sensations tactiles et somesthésiques provenant du côté droit du corps, et le cortex somesthésique primaire droit, celles du côté gauche.

(a) **Cortex moteur**

(b) **Cortex somesthésique**

Le cortex préfrontal et l'évolution des espèces

Par rapport au reste de l'encéphale, le poids du cervelet, qui participe à la coordination des mouvements, est remarquablement constant chez tous les mammifères. Par contre, le poids du cortex cérébral, dont les poissons et les amphibiens sont pratiquement dépourvus, varie grandement chez les différentes espèces de mammifères : ainsi, il représente 20 % du poids de l'encéphale chez la musaraigne et... 80 % chez l'humain ! L'importance croissante du cortex au fil de l'évolution des espèces s'est traduite par une augmentation des circonvolutions cérébrales, mais aussi par l'importance croissante des aires associatives. Comme on le voit à figure a, de toutes les zones du cortex, c'est celle du cortex préfrontal, qui a connu la plus forte expansion chez l'humain ; alors qu'il représente à peine 3 % de la masse de l'encéphale du chat, le cortex préfrontal compte pour le tiers de cette masse chez l'humain (figure b). Nos facultés supérieures d'anticipation, de planification et de contrôle de l'impulsivité et des émotions viendraient de la plus grande abondance des connexions entre le cortex préfrontal et le reste du cerveau. La figure c montre les étapes de l'évolution du cerveau humain de l'*australopithecus robustus* à l'*homo sapiens sapiens*.

▶ **Figure a.** Du rat à l'humain en passant par le chat : importance croissante des aires associatives par rapport aux aires sensorielles et motrices (en vert), visuelle (en rouge) et auditive (en bleu).

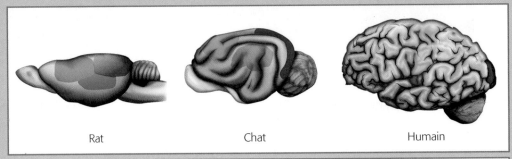

Rat   Chat   Humain

▶ **Figure b.** Importance du cortex préfrontal chez divers mammifères.

Chat   Chien   Singe rhésus   Humain

▶ **Figure c.** (1) *Australopithecus robustus,* (2) *Homo habilis,* (3) *Homo erectus,* (4) *Homo sapiens neanderthalensis,* (5) *Homo sapiens sapiens.*

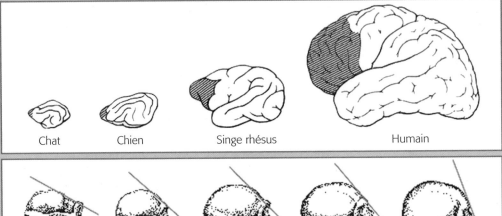

1   2   3   4   5

Source : Le cerveau Mc Gill (copyleft). « Un cerveau où le nouveau se bâtit sur l'ancien ». Disponible en ligne : <http://lecerveau.mcgill.ca/flash/i/i_05/i_05_cr/i_05_cr_her/i_05_cr_her.html>. (Site Web consulté le 18 juillet 2008.)

Aire de Broca
Zone corticale du lobe frontal, généralement située dans l'hémisphère gauche, qui intervient dans la production du langage parlé.

Aphasie
Perte ou réduction de la capacité de produire le langage ou de le comprendre causée par une lésion cérébrale.

En 1861, le physiologiste Pierre Paul Broca (1824-1880) fit l'autopsie d'un homme qu'on surnommait Tan parce que, depuis plus de 20 ans, il ne pouvait prononcer que la syllabe « tan ». À l'autopsie, Broca (1861) constata que l'homme avait subi une lésion à l'hémisphère gauche, légèrement en avant de la partie du cortex moteur qui commande les mouvements de la mâchoire, des lèvres et de la langue. Il conclut que le site endommagé, aujourd'hui appelé **aire de Broca**, était la zone du cerveau responsable de la production du langage (figure 2.7, p. 55), et devint ainsi l'un des premiers chercheurs à localiser une fonction dans le cortex cérébral (Schiller, 1993). Une lésion à l'aire de Broca peut produire ce qu'on appelle une *aphasie* de Broca. L'**aphasie** est une perte totale ou partielle de la capacité d'utiliser le langage (aphasie de Broca) ou de le comprendre (aphasie de Wernicke) consécutive à une lésion cérébrale (Goodglass, 1993). Les victimes de l'aphasie de Broca savent ce qu'elles veulent dire, mais peuvent à peine parler, voire pas du tout. Si elles parlent, elles prononcent les mots très lentement et difficilement, et leur articulation est déficiente.

Une tâche d'équilibre… hémisphérique

Prenez une règle. Essayez de la tenir en équilibre (vertical) sur votre index gauche, puis sur votre index droit. La plupart des gens réussissent mieux avec leur main dominante. Est-ce vrai pour vous ?

Maintenant, essayez de réciter l'alphabet à haute voix et aussi vite que possible tout en tenant la règle en équilibre avec votre main gauche. Est-ce plus facile ainsi ?

L'hémisphère droit contrôle le geste de la main gauche, mais l'hémisphère gauche, bien que peu apte à commander la main gauche, essaie tout de même de coordonner vos efforts d'équilibrage (il est dominant pour les tâches motrices). Quand vous distrayez l'hémisphère gauche par un flot continu de paroles, l'hémisphère droit peut orchestrer sans interférence et donc plus efficacement le geste de votre main gauche.

Une grande partie des lobes frontaux est constituée d'aires associatives qui reçoivent et analysent des informations provenant de diverses régions du cortex et d'autres structures cérébrales. Ces aires associatives interviennent dans la pensée, la motivation, la planification et la maîtrise des impulsions et des réactions émotionnelles (Stuss et autres, 1992). L'un des cas les plus célèbres de l'histoire de la médecine, celui de l'Américain Phineas Gage, illustre bien ce qui peut arriver lorsque les aires associatives frontales sont endommagées. À l'âge de 25 ans, Gage, qui supervisait la construction d'une voie ferrée en Nouvelle-Angleterre, fut victime d'un grave accident : lors d'une explosion, une tige de fer de plus d'un mètre de long transperça sa joue gauche pour ressortir au sommet du crâne, emportant une bonne partie de son lobe frontal. Quelques mois plus tard, Gage revint au travail, un œil en moins, mais sinon tout à fait rétabli en apparence. Cependant, remarquèrent ses collègues, Phineas n'était plus lui-même. Autrefois fiable, sociable, respectueux et agréable de caractère, il était devenu grossier, impulsif et capricieux. Ce changement de caractère lui coûta son emploi, et jusqu'à sa mort, il ne parvint jamais à en conserver un autre très longtemps. À l'aide du crâne de Gage (conservé à la Harvard University) et des techniques modernes d'imagerie cérébrale, Hanna et Antonio Damasio et leurs collègues (1994) ont pu localiser les lésions cérébrales subies par Gage – essentiellement au lobe frontal (photo ci-contre). Siège de l'analyse et du traitement plus complexe de l'information, le cortex du lobe frontal est un véritable modulateur de réactions émotionnelles (Damasio et autres, 1994). Sa lésion entraîne une série de modifications comportementales telles que l'impulsivité, l'irresponsabilité, l'absence de conscience sociale, le manque d'empathie, etc., ainsi que des manifestations émotionnelles hors contexte comme l'euphorie, l'irritabilité, l'exubérance, une sensibilité excessive (Damasio et autres, 1996 ; Zald et Kim, 1996).

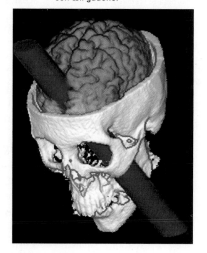

▼ Cette image informatisée montre la trajectoire probable de la tige de fer qui a traversé le crâne de Phineas Gage, derrière son œil gauche.

Les lobes temporaux : pour comprendre ce qu'on entend Situés au-dessus des oreilles, les lobes temporaux interviennent dans la réception et la perception des informations auditives. Ils incluent le cortex auditif primaire, où s'enregistrent les sons, l'aire de Wernicke et les aires associatives temporales. Le cortex auditif primaire de chaque lobe temporal reçoit des informations sonores captées par les deux oreilles. Une lésion à l'une de ces aires entraîne un déficit auditif des deux oreilles, et la destruction des deux aires, la surdité complète. Si on stimulait électriquement votre cortex auditif primaire, vous entendriez des rafales de sons même dans le silence le plus complet.

Située juste à côté du cortex auditif primaire du lobe temporal (celui de l'hémisphère gauche chez 95 % des gens), l'aire de Wernicke intervient dans la compréhension de la parole et la formulation d'un langage écrit et parlé cohérent. Quand vous écoutez

Lobes temporaux
Lobes cérébraux situés au-dessus des oreilles ; contiennent le cortex auditif primaire, l'aire de Wernicke et les aires associatives temporales.

Cortex auditif primaire
Zone des lobes temporaux où s'enregistre l'information auditive provenant des deux oreilles.

Aire de Wernicke
Zone corticale du lobe temporal, généralement située dans l'hémisphère gauche ; intervient dans la compréhension de la parole et la formulation d'un langage parlé et écrit cohérent.

▲ Comme les bébés entendants qui s'exercent au langage en babillant, les bébés élevés par des parents sourds qui communiquent dans une langue des signes s'y exercent en babillant avec leurs mains (Petitto et Marentette, 1991).

quelqu'un parler, le son s'enregistre d'abord dans le cortex auditif primaire, puis est transmis à l'aire de Wernicke, où les sons parlés sont décodés pour produire des ensembles de mots qui ont un sens. Les zones corticales activées quand vous écoutez quelqu'un parler s'activent également chez les sourds qui regardent quelqu'un qui utilise la langue des signes (Söderfeld et autres, 1994). L'aire de Wernicke intervient aussi quand vous choisissez les mots que vous allez dire ou écrire (Nishimura et autres, 1999).

L'aphasie de Wernicke résulte d'une lésion à l'aire de Wernicke. Même si le discours est fluide et que les mots sont clairement articulés, le message n'a aucun sens pour les autres (Maratsos et Matheny, 1994). Le contenu peut être vague ou bizarre, ou contenir des mots et des parties de mots inadéquats ou inexistants. L'aphasie de Wernicke est d'autant plus difficile à traiter que ses victimes ne sont pas conscientes que quelque chose cloche dans leur discours. L'aphasie auditive ou surdité verbale est une autre forme d'aphasie qui résulte d'une lésion aux nerfs qui relient le cortex auditif primaire à l'aire de Wernicke. La victime entend normalement, mais ne comprend pas le langage parlé : les sons lui parviennent comme ceux d'une langue étrangère. Notez qu'une lésion de la région correspondante de l'hémisphère droit entraîne une difficulté, voire une impossibilité, à reconnaître les visages ou les objets, trouble qu'on appelle la prosopagnosie (Purves et autres, 2007). Des lésions aux aires de Broca ou de Wernicke produisent les mêmes effets chez les adultes sourds qui utilisent une langue des signes, ce qui indique que les aires du langage sont spécialisées dans le langage, qu'il soit verbal ou gestuel (Purves et autres, 2007 ; Bellugi et autres, 1989).

Les autres zones des lobes temporaux sont des aires associatives disponibles pour la mémorisation et l'interprétation des stimulus auditifs. Ainsi, vous avez une aire associative où sont stockés les souvenirs de différents sons, ce qui vous permet de reconnaître instantanément les sons de l'eau qui coule, des sirènes de camions de pompier, d'un chien qui aboie, etc. De même, vous avez une aire associative spécialisée dans le stockage des mélodies.

Les lobes pariétaux : pour le toucher et les sensations internes Situés derrière les lobes frontaux dans la portion supérieure du cerveau, les lobes pariétaux enregistrent et traitent les stimulus *somesthésiques* (de *somesthésie*, sensibilité générale du corps), c'est-à-dire tous les stimulus captés directement par la peau ou par d'autres organes ou tissus corporels. Ainsi, les informations relatives au toucher, à la pression, à la température, à la douleur et aux sensations viscérales s'enregistrent dans le cortex somesthésique primaire, une bande de tissu cérébral située à l'avant des lobes pariétaux (figure 2.7, p. 55), qui nous informe également en tout temps de la position relative des diverses parties de notre corps ainsi que de leurs mouvements.

Lobes pariétaux
Lobes cérébraux situés derrière les lobes frontaux qui contiennent le cortex somesthésique primaire et d'autres aires responsables de la conscience du corps et de l'orientation spatiale.

Cortex somesthésique primaire
Bande de tissu cérébral située à l'avant des lobes pariétaux où s'enregistrent les informations relatives aux stimulus captés directement par la peau et les tissus corporels internes (toucher, pression, température, douleur, etc.).

Chaque moitié du cortex somesthésique primaire est reliée au côté opposé du corps. De plus, des cellules au sommet du cortex somesthésique primaire gouvernent les sensations dans les membres inférieurs. Si on stimulait électriquement divers points de votre cortex somesthésique primaire gauche, vous ressentiriez des picotements ou

▲ Parce que la main gauche des musiciens professionnels qui jouent des instruments à cordes doit exécuter avec rapidité et précision des mouvements fins et de légères variations de pression, la zone de leur cortex somesthésique primaire correspondant aux doigts de cette main est plus grande. De même, chez les aveugles qui lisent souvent et depuis longtemps en braille, les doigts qui servent à lire occupent une plus grande zone du cortex somesthésique que les autres doigts.

des engourdissements dans la partie droite correspondante du corps, et inversement. Une lésion au cortex somesthésique primaire d'un des hémisphères entraîne la perte d'une certaine sensibilité du côté opposé du corps. Si la lésion est grave, l'individu peut être incapable de sentir la différence entre du papier abrasif et de la soie. Si vous échappez une brique sur votre pied droit, ce sont les neurones du sommet du cortex somesthésique primaire gauche qui enregistreront la douleur.

Certaines aires du lobe pariétal droit interviennent dans la conscience de son propre corps, les habiletés spatiales et le sens de l'orientation. Les lobes pariétaux comportent également des aires associatives pour la mémoire de la forme et de la texture des objets, ce qui nous permet de reconnaître des objets au toucher, et de trouver nos clés dans notre poche ou notre sac à main. En cas de lésion à ces zones, vous pourriez tenir un crayon, des ciseaux ou une balle dans votre main et être incapable de les distinguer au seul toucher.

Les lobes occipitaux : pour la vision   Situés derrière les lobes pariétaux, à l'arrière de la boîte crânienne (figure 2.7, p. 55), les lobes occipitaux interviennent dans la réception et l'interprétation de l'information visuelle. Complètement à l'arrière des lobes occipitaux, on trouve le cortex visuel primaire, site où l'information visuelle est enregistrée dans le cortex cérébral.

Chaque œil est relié au cortex visuel primaire des deux hémisphères. Regardez droit devant vous et tracez une ligne imaginaire verticale au milieu de ce que vous voyez. Tout ce qui est à gauche de la ligne est le champ visuel gauche, capté par la moitié gauche de chaque œil et enregistré dans le cortex visuel droit. Tout ce qui est à droite de la ligne est le champ visuel droit, capté par la moitié droite des deux yeux et enregistré dans le cortex visuel gauche (voir la figure 2.8, p. 60). Une personne qui subit une lésion à l'une des aires visuelles primaires aura encore une vision partielle des deux yeux.

Les aires associatives occipitales jouent un rôle dans l'interprétation des stimulus visuels. Elles conservent les souvenirs des expériences visuelles passées, ce qui nous permet de reconnaître visuellement ce que nous avons déjà vu. Les gens qui subissent une lésion des aires associatives occipitales peuvent perdre cette importante capacité ; le cas échéant, ils devront recourir à leurs autres sens (comme l'ouïe et le toucher) pour reconnaître les personnes et les choses familières.

L'indépendance hémisphérique et le cerveau divisé

Jusqu'à quel point les hémisphères cérébraux sont-ils indépendants ?

Une bonne partie de nos connaissances sur la spécialisation hémisphérique provient de recherches auprès de sujets au « cerveau divisé », chez qui la communication entre les deux hémisphères est devenue impossible à la suite d'une callosotomie. Cette intervention chirurgicale qui consiste en une section du corps calleux vise à aider les épileptiques qui souffrent de crises graves et fréquentes et chez qui les médicaments restent sans effet. En confinant le foyer épileptique à un seul hémisphère, la callosotomie diminue l'intensité et la fréquence des crises sans entraîner de changements majeurs de la personnalité ou du fonctionnement cognitif (Bogen et Vogel, 1963).

Les recherches menées par Roger Sperry (1966, 1964) et ses collègues Michael Gazzaniga (1989, 1970, 1967) et Jerre Levy (1985) sur des patients au cerveau divisé ont mis en évidence les extraordinaires capacités de chacun des hémisphères cérébraux. Ainsi, quand les deux hémisphères sont séparés, chacun continue à avoir ses expériences, ses sensations, ses pensées et ses perceptions individuelles (Sperry, 1968). Cependant, la plupart des expériences sensorielles sont vécues presque simultanément, puisque chaque œil et chaque oreille a des connexions directes aux deux hémisphères.

Les recherches de Sperry, qui lui ont valu le prix Nobel de médecine en 1981, ont révélé des choses fascinantes. Ainsi, à la figure 2.8 (p. 60), un patient au cerveau divisé est assis devant un écran. Si une orange apparaît très brièvement dans son champ visuel

Lobes occipitaux
Lobes cérébraux qui contiennent l'aire visuelle primaire et les aires associatives impliquées dans l'interprétation de l'information visuelle.

Cortex visuel primaire
Aire cérébrale située à l'arrière des lobes occipitaux où s'enregistre l'information visuelle.

droit, pendant qu'il fixe un point droit devant lui, cette image s'enregistre dans l'hémisphère gauche (verbal), et quand on lui demande ce qu'il a vu, le patient répond immédiatement : « J'ai vu une orange. » Par contre, si une pomme apparaît très brièvement dans son champ visuel gauche, l'image s'enregistre dans l'hémisphère droit (non verbal), et le patient dit qu'il n'a rien vu. Comment le patient peut-il affirmer qu'il a vu l'orange, et pas la pomme ? Chez les sujets au cerveau divisé, explique Sperry, seul l'hémisphère gauche verbal peut *dire* ce qu'il voit. Dans ces expériences, l'hémisphère gauche ne voit pas ce qui est présenté à l'hémisphère droit, et ce dernier est incapable de dire ce qu'il a vu.

Mais l'hémisphère droit « voit-il » vraiment la pomme qui apparaît dans le champ visuel gauche ? Pour le vérifier, Gazzaniga a imaginé de camoufler plusieurs fruits sur une tablette sous la table et de demander aux sujets de trouver en tâtonnant avec leur main gauche (régie par l'hémisphère droit) la pomme ou tout autre objet montré à leur hémisphère droit – ce que les patients firent sans difficulté. L'hémisphère droit sait donc ce qu'il « voit » et s'en souvient aussi bien que l'hémisphère gauche ; mais contrairement à l'hémisphère gauche, il ne peut pas *nommer* ce qu'il a vu. (Dans ce type d'expériences, les images ne doivent pas apparaître plus d'un ou deux dixièmes de seconde, pour que le sujet n'ait pas le temps de bouger les yeux et d'envoyer l'information à l'hémisphère opposé.)

Figure 2.8

TESTER UNE PERSONNE AU CERVEAU DIVISÉ

Grâce à cet ingénieux dispositif, des chercheurs ont pu étudier le fonctionnement indépendant des hémisphères de patients au cerveau divisé. Dans l'expérience illustrée ici, une orange apparaît brièvement dans le champ visuel droit du sujet, l'image est transmise à son hémisphère gauche (verbal), et quand on lui demande ce qu'il a vu, le sujet répond : « Une orange. » Par contre, si une pomme apparaît brièvement dans le champ visuel gauche, l'image est transmise à l'hémisphère droit (non verbal), et le sujet dit qu'il n'a rien vu parce que son hémisphère gauche (verbal) n'a pas vu la pomme. Pourtant, si on demande au sujet de trouver en tâtonnant avec sa main gauche (commandée par l'hémisphère droit) l'objet qu'il a vu parmi d'autres objets cachés sous la table, il y arrive facilement, ce qui prouve que l'hémisphère droit a bel et bien « vu » la pomme qu'il n'arrive pas à nommer.

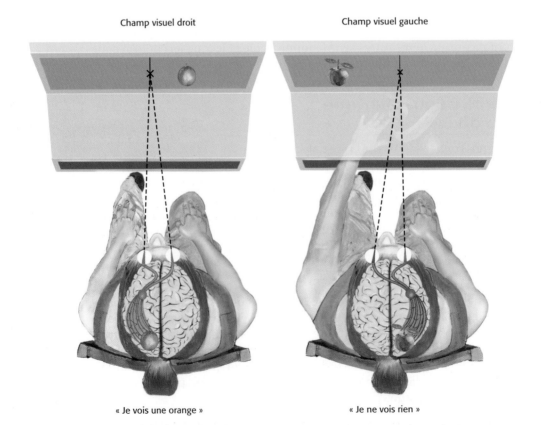

Champ visuel droit   Champ visuel gauche

« Je vois une orange »   « Je ne vois rien »

Source : D'après Gazzaniga, 1983.

Les hémisphères et les lobes du cerveau

1. Les deux hémisphères cérébraux sont reliés par une épaisse bande de fibres nerveuses appelée _____ .

a) cortex
b) cerveau
c) corps calleux
d) cortex moteur

2. À quels lobes cérébraux (frontaux/temporaux/pariétaux/ occipitaux) sont associées les aires corticales suivantes ?

a) aire auditive primaire
b) aire visuelle primaire
c) cortex moteur
d) cortex somesthésique primaire

3. Associez chacune des fonctions cérébrales à l'une des aires corticales suivantes : aire associative frontale, aire de Broca, aire de Wernicke, cortex auditif primaire, cortex somesthésique primaire, cortex visuel primaire, cortex moteur.

a) Enregistrement de l'information auditive
b) Enregistrement de l'information visuelle
c) Enregistrement de l'information tactile
d) Production du langage
e) Commande des mouvements volontaires
f) Compréhension du langage
g) Pensée, planification, motivation, maîtrise des impulsions et modulation des émotions

4. Associez chacune de ces fonctions à l'hémisphère du cerveau qui en fait généralement une spécialité.

a) habiletés visuospatiales
b) parole
c) reconnaissance et expression des émotions
d) musique
e) mathématiques

5. Lequel de ces énoncés sur la callosotomie est faux ?

a) On l'utilise pour les gens souffrant d'une forme grave d'épilepsie.
b) Elle permet d'étudier les fonctions de chacun des hémisphères.
c) Elle entraîne des changements majeurs dans l'intelligence, la personnalité et le comportement.
d) Elle rend impossible l'échange d'information entre les hémisphères.

Réponses : 1. c. **2.** (a) temporaux (b) occipitaux (c) frontaux (d) pariétaux. **3.** (a) cortex auditif primaire (b) cortex visuel primaire (c) cortex somesthésique primaire (d) aire de Broca (e) cortex moteur (f) aire de Wernicke (g) aire associative frontale. **4.** (a) droit (b) gauche (c) droit (d) droit (e) gauche. **5.** c.

Les structures limbiques : discrètes, mais cruciales

Quelles sont les principales structures limbiques, et quel rôle jouent-elles ?

Les **structures limbiques** sont un ensemble de structures nichées au centre du cerveau ; elles incluent notamment le *thalamus*, l'*hypothalamus*, l'*amygdale* et l'*hippocampe* (voir la figure 2.5, p. 50). Les structures limbiques, et en particulier l'amygdale, entretiennent des liens étroits tant avec le cortex préfrontal qu'avec les structures plus primitives du cervelet et du tronc cérébral ; elles interviennent notamment dans la mémoire, la cognition, les émotions et la motivation, et remplissent plusieurs autres fonctions importantes.

Le thalamus : un relais sensoriel Formé de deux gros noyaux reliés, le **thalamus** sert de poste de relais pour presque toute l'information qui entre et sort des centres supérieurs du cerveau, y compris toutes les informations sensorielles, sauf l'odorat (nous y reviendrons au chapitre 3). L'information provenant des yeux, des oreilles, des papilles gustatives, de la peau et des autres tissus corporels voyage d'abord vers des parties du thalamus, puis vers le cortex visuel, le cortex auditif ou le cortex somesthésique selon le cas. Avec la protubérance annulaire et la formation réticulée, le thalamus participe également à la régulation des cycles de sommeil (Saper et autres, 2005).

L'hypothalamus : un maître régulateur Situé directement sous le thalamus, l'**hypothalamus**, qui pèse à peine 55 grammes, gère le système nerveux végétatif, ce qui en fait le grand responsable de l'**homéostasie**, le maintien d'un état physiologique stable. Ainsi, l'hypothalamus régule :

- les sensations de faim, de soif et de satiété ;
- la température interne du corps (en amorçant le processus qui nous fait transpirer pour nous rafraîchir quand nous avons trop chaud et frissonner pour maintenir la chaleur du corps quand nous avons froid) ;

Structures limbiques
Ensemble de structures cérébrales ; incluent notamment le thalamus, l'hypothalamus, l'amygdale et l'hippocampe.

Thalamus
Structure cérébrale sous-corticale qui sert de poste de relais pour l'information qui entre et sort des centres supérieurs du cerveau.

Hypothalamus
Structure cérébrale qui contrôle toutes les glandes par l'intermédiaire de l'hypophyse ; régule la faim, la soif, la température corporelle, l'appétit sexuel ; joue un rôle dans la composante physiologique des émotions.

Homéostasie
Maintien d'un état physiologique stable.

- l'horloge biologique qui synchronise notre cycle éveil/sommeil selon la lumière et la région du globe où nous nous trouvons, et qui régule les fluctuations quotidiennes de plus d'une centaine de fonctions corporelles (vigilance, énergie, température, sécrétions hormonales, etc. (Saper et autres, 2005) ;
- la libido et les aspects physiologiques de la sexualité.

De plus, les chercheurs Olds et Milner (1954 ; Olds, 1969) ont découvert dans l'hypothalamus l'un des centres de ce qu'ils ont appelé le circuit plaisir-récompense. Ce circuit complexe qui favorise les comportements reliés à la satisfaction des besoins comporte un maillon central constitué des connexions nerveuses reliant deux petits groupes de neurones, l'un dans l'hypothalamus et l'autre dans une structure voisine, le noyau accumbens. Notons que le messager chimique de ces neurones est la dopamine, qui joue un rôle clé dans les sensations de bien-être et de plaisir. La stimulation directe de ce circuit à l'aide de microélectrodes que les rats de Olds pouvaient contrôler est tellement puissante qu'ils en oubliaient de boire et de manger, et finissaient par mourir… de plaisir ! C'est sur ce circuit que la plupart des drogues, médicaments et autres psychotropes qui créent une dépendance agissent (nous y reviendrons au chapitre 4).

Enfin, en gérant par l'intermédiaire de l'hypophyse l'alternance entre l'activité des deux branches du système nerveux végétatif – le système sympathique et le système parasympathique –, l'hypothalamus joue un rôle crucial dans la réaction physiologique de fuite ou de combat, et donc dans les réactions liées au stress et aux émotions.

Amygdale
Structure limbique qui joue un rôle majeur dans les émotions, notamment en réaction à des stimulus aversifs.

L'amygdale : un détecteur de situations émotionnelles L'amygdale joue un rôle très important dans les émotions fortes comme la peur, la colère et la joie, et en particulier dans les situations menaçantes et en réaction à des stimulus désagréables (Drevets et autres, 2004 ; LeDoux, 2003, 2000, 1994 ; Berridge, 2003). L'amygdale scrute l'information sensorielle reçue du thalamus ou des différents cortex sensoriels (visuel, auditif, etc.) en fonction de sa valeur émotionnelle, et dirige l'attention vers les stimulus à teneur émotionnelle pertinents (Whalen et autres, 1998). Elle est responsable de la première réaction d'approche ou d'évitement d'une situation (Adolph, 2001 ; LeDoux, 1996). Extrêmement rapide, l'évaluation de l'amygdale est communiquée immédiatement à l'hypothalamus, ce qui explique que les réactions physiologiques d'une émotion forte (cœur qui s'emballe, mains moites, etc.) se déclenchent souvent avant même que nous prenions conscience de l'émotion elle-même. Cependant, cette évaluation est plutôt sommaire ; le cortex préfrontal viendra la préciser quelques fractions de seconde plus tard, ce qui, selon le cas, augmentera ou diminuera la réaction émotionnelle enclenchée.

De plus, l'amygdale contribue à la formation des souvenirs très vifs que laissent les émotions fortes comme la peur, ce qui permet aux humains et aux animaux d'éviter des situations dangereuses par la suite (Cahill et autres, 1995 ; LeDoux, 1995). La simple vue d'un visage effrayé active les neurones de l'amygdale (Morris et autres, 1996). Une lésion à l'amygdale peut empêcher le sujet de reconnaître les expressions faciales et les tons de voix correspondant à des émotions comme la peur et la colère (LeDoux, 2000 ; Scott et autres, 1997).

Hippocampe
Structure du système limbique qui joue un rôle majeur dans la formation des souvenirs à long terme.

L'hippocampe : une mémoire vivante Autre structure limbique importante, l'hippocampe est situé à l'intérieur des lobes temporaux (voir la figure 2.5, p. 50). Si une lésion détruisait votre hippocampe et les zones corticales sous-jacentes, vous seriez incapable de stocker ou de retrouver toute nouvelle information personnelle ou cognitive (Eichenbaum, 1997 ; Gluck et Myers, 1997 ; Varga-Khadem et autres, 1997). Par contre, les souvenirs antérieurs à la lésion resteraient intacts. La recherche indique que les neurones de l'hippocampe des adultes humains peuvent se régénérer (Robertson et Murre, 1999). Comme la plupart des structures cérébrales, l'hippocampe fonctionne différemment selon le côté du cerveau dans lequel il opère. Ainsi, chez la plupart des gens, sa partie située dans l'hémisphère gauche (langage) enregistre plutôt les informations verbales, et sa partie située dans l'hémisphère droit, les informations visuelles. Nous reviendrons sur le rôle central de l'hippocampe dans la formation des souvenirs au chapitre 6.

Outre son rôle dans la mémoire, l'hippocampe est une constituante essentielle du circuit neurologique qui détecte et répond aux stimulus nouveaux ou inattendus (Knight, 1996). Ainsi, c'est l'hippocampe qui attire votre attention sur la fenêtre intempestive qui surgit sur l'écran de votre ordinateur.

L'hippocampe a aussi un rôle dans la représentation cérébrale de l'espace en formant des « cartes mentales » qui nous aident à nous souvenir des lieux où nous sommes allés et à nous retrouver dans de nouveaux environnements (Wilson et McNaughton, 1993). Une étude intéressante menée auprès des chauffeurs de taxi de Londres a révélé que la zone postérieure de leur hippocampe était beaucoup plus grosse que celle des sujets du groupe contrôle qui n'avaient pas leur expérience de navigation dans les rues de la ville (Maguire et autres, 2000). Et plus les chauffeurs de taxi avaient d'expérience en la matière, plus cette partie de l'hippocampe était développée, ce qui confirme son rôle dans les habiletés de navigation. Plus largement, cette étude est une preuve de plus de la *plasticité* du cerveau humain – c'est à dire de sa capacité à s'adapter à de nouvelles exigences (voir p. 71) (Maguire et autres, 2000, 2003).

RETENEZ-LE Les structures limbiques

1. L'hypothalamus régule tout ce qui suit sauf _____ .

   a) la température corporelle

   b) les sensations de faim, de soif et de satiété

   c) les mouvements coordonnés

   d) certains aspects du comportement sexuel

   e) les sensations de plaisir

   f) les réactions physiologiques liées au stress et aux émotions

2. _____ joue un rôle important dans la détection des stimulus à teneur émotionnelle.

3. _____ sert de poste de relais pour l'information sensorielle.

4. _____ joue un rôle crucial dans la formation des souvenirs.

Réponses : 1. c. **2.** L'amygdale. **3.** Le thalamus. **4.** L'hippocampe.

Le tronc cérébral : essentiel pour la survie

Quelles sont les trois principales structures du tronc cérébral ?

Situé à la base du crâne, le **tronc cérébral** (figure 2.5, p. 50) occupe la partie inférieure centrale de l'encéphale. Situé entre le cerveau (en haut), le cervelet (en arrière) et la moelle épinière (en bas), il assure les fonctions automatiques essentielles à la survie. Il se compose de la protubérance annulaire (ou *pont*, ou *pont de Varole*), de la formation réticulée et du bulbe rachidien, dont le prolongement devient la moelle épinière.

La protubérance annulaire   Au sommet du tronc cérébral se trouve la **protubérance annulaire** (ou **pont**) qui traverse le tronc cérébral et se connecte aux moitiés gauche et droite du cervelet, leur permettant de coordonner le mouvement. La protubérance annulaire participe aussi aux expressions faciales (involontaires) et influe sur le sommeil et les rêves.

La formation réticulée   Nichée au cœur du tronc cérébral, qu'elle traverse dans toute sa longueur, la **formation réticulée** est l'une des plus anciennes structures nerveuses. Parfois appelée **système d'activation réticulaire**, elle joue un rôle crucial dans l'activation et l'attention (Kinomura et autres, 1996 ; Steriade, 1996). Nos organes sensoriels sont constamment bombardés de stimulus, et il nous serait impossible de porter attention à tout ce que nous voyons et entendons. La formation réticulée filtre donc les messages ; elle en bloque certains et en transmet d'autres au cerveau, ce qui permet la vigilance et la concentration. Par exemple, si vous écoutez attentivement une émission de radio en conduisant et qu'une voiture surgit devant vous, la formation réticulée bloque l'information sensorielle provenant de la radio et fixe votre attention sur ce danger potentiel. Lorsque tout rentre dans l'ordre, elle la laisse revenir à la radio et continue de surveiller les messages concernant la route.

Tronc cérébral
Structure qui raccorde le cerveau à la moelle épinière ; comprend la protubérance annulaire, la formation réticulée et le bulbe rachidien.

Protubérance annulaire (ou pont)
Structure du tronc cérébral de forme pontée ; se connecte aux deux moitiés du cervelet.

Formation réticulée (ou système d'activation réticulaire)
Structure du tronc cérébral qui joue un rôle crucial dans l'éveil et l'attention et qui filtre les messages sensoriels.

La formation réticulée détermine également notre degré d'éveil. Lorsqu'elle s'active, nous nous réveillons, et lorsqu'elle ralentit, nous nous assoupissons ou nous nous endormons. Grâce à la formation réticulée, certains messages importants passent même durant notre sommeil, ce qui explique que des parents qui dorment à poings fermés se réveilleront au moindre cri de leur bébé.

Bulbe rachidien
Structure du tronc cérébral qui régule un grand nombre de fonctions vitales (fréquence cardiaque et respiratoire, tension artérielle, déglutition, etc.).

Le bulbe rachidien   Le bulbe rachidien commande un grand nombre de fonctions vitales, notamment la fréquence cardiaque, la tension artérielle et la respiration. Toute atteinte au bulbe rachidien entraîne la mort.

Le cervelet : coordination et apprentissage du mouvement

Quelles sont les principales fonctions du cervelet ?

Dix fois plus petit que le « grand cerveau » qui le surplombe, le cervelet ou « petit cerveau » lui ressemble avec ses deux hémisphères ; il joue un rôle essentiel dans la coordination des mouvements, et la régulation du tonus musculaire et de la posture (Lalonde et Botez, 1990), l'apprentissage moteur et la mémorisation des informations qui s'y rapportent (Nyberg et autres, 2006). Le cervelet permet l'exécution rapide et automatique (sans effort conscient) des mouvements nécessaires à d'innombrables activités, allant de la pratique des sports aux jeux vidéo en passant par le fait de porter vos aliments de votre assiette à votre bouche (ou de manger du maïs soufflé sans y prêter attention quand un film vous captive), de marcher en ligne droite ou de toucher le bout de votre nez. En cas de lésion au cervelet ou d'insuffisance temporaire (causée par une consommation excessive d'alcool, par exemple), de tels gestes peuvent devenir difficiles, voire impossibles.

Cervelet
Structure cérébrale située à la base du cerveau ; joue un rôle important dans l'exécution de mouvements souples et coordonnés ainsi que dans la régulation du tonus musculaire et de la posture.

◀ Le cervelet a pour principales fonctions l'exécution et la coordination des mouvements spécialisés et leur apprentissage, et la régulation du tonus musculaire et de la posture. C'est grâce à lui que des athlètes comme Alexandre Despatie accomplissent leurs exploits.

RETENEZ-LE

Le tronc cérébral et le cervelet

1. _____ est formé du bulbe rachidien, du pont et de la formation réticulée.

2. _____ gère la fréquence cardiaque, la respiration et la pression sanguine.

3. _____ joue un rôle crucial dans l'activation, l'attention et l'éveil.

4. Laquelle de ces affirmations sur le cervelet est fausse ?
   a) Il est deux fois plus petit que le cerveau.
   b) Il a deux hémisphères.

c) Il coordonne les mouvements complexes et régule le tonus musculaire et la posture.

d) Il intervient dans l'apprentissage moteur et la mémorisation des informations qui s'y rapportent.

e) Il permet l'exécution rapide et automatique de certains mouvements.

Réponses : 1. Le tronc cérébral. **2.** Le bulbe rachidien. **3.** La formation réticulée. **4.** a.

2.4 L'INFLUX NERVEUX ET LES NEUROTRANSMETTEURS

Les chercheurs savent depuis plus de 200 ans que les cellules du cerveau, de la moelle épinière et des muscles génèrent des potentiels électriques, et que si légères soient-elles, ces charges jouent un rôle dans toutes les fonctions physiologiques. Mais comment fonctionne cette énergie biologique ? On l'a dit, les millions de neurones qui envoient et reçoivent des signaux ne sont pas connectés physiquement – ils ne se touchent pas. Alors comment communiquent-ils entre eux et avec les autres cellules du corps ? Comment émettent-ils et reçoivent-ils leurs signaux ? Comment établissent-ils leurs circuits de communication ? Bref, comment se transmet l'influx nerveux ?

La transmission de l'influx nerveux : électrique et chimique

Comment l'influx nerveux se propage-t-il d'un endroit à l'autre du système nerveux ?

Les neurones, qui baignent dans le liquide, reçoivent l'influx nerveux d'autres neurones par leurs dendrites ou par leur corps cellulaire, et le transmettent par leur axone. Cependant, à l'extrémité des terminaisons axonales, les boutons synaptiques sont séparés des neurones récepteurs par les fentes synaptiques. Ces espaces microscopiques remplis de liquide sont ainsi nommés parce qu'ils sont le lieu de la **synapse**, c'est-à-dire de la connexion entre le neurone émetteur (présynaptique) et le neurone récepteur (postsynaptique). Comme chaque neurone a la possibilité de se connecter à des milliers d'autres, il peut y avoir jusqu'à 100 billions de synapses dans le système nerveux (Kelner, 1997 ; Swanson, 1995).

Synapse
Connexion entre un neurone émetteur et un neurone récepteur.

Bien que l'influx qui se propage le long de l'axone soit électrique, l'axone du neurone émetteur ne peut pas le transmettre comme un fil électrique conduit le courant puisque ses boutons synaptiques ne sont pas reliés physiquement au neurone récepteur. Une fois arrivé à un bouton synaptique, l'influx nerveux doit donc emprunter un autre véhicule – chimique celui-là – pour se rendre au neurone suivant. Autrement dit, la communication entre les neurones est assurée par deux modes de transmission complémentaires :

- la conduction électrique, qui permet à l'influx capté par les dendrites ou le corps cellulaire d'un neurone de voyager rapidement le long de l'axone de ce neurone jusqu'à ses boutons synaptiques sous forme de potentiel électrique ;

- la transmission chimique, qui permet à l'influx de franchir les fentes synaptiques qui le séparent des autres neurones et de leur parvenir sous forme de signal chimique véhiculé par des substances appelées *neurotransmetteurs*.

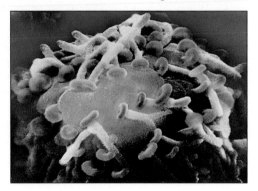

◀ Cette micrographie électronique qu'on a colorée montre de nombreuses terminaisons axonales (en jaune) avec leur bouton synaptique (en orange) qui pourraient établir des synapses avec le corps cellulaire d'un autre neurone (en vert).

La conduction électrique de l'influx dans un même neurone Quand un neurone est inactif, la membrane de son axone possède un léger potentiel électrique négatif (–) par rapport au liquide environnant (+) ; on appelle **potentiel de repos** cette légère charge négative du neurone inactif. Par contre, quand le neurone est activé par un influx, sa membrane devient soudainement plus perméable au début de l'axone, tout près du corps cellulaire : des canaux s'ouvrent à cet endroit, ce qui permet à des molécules positives (+) du liquide environnant d'entrer dans l'axone. Cet afflux de molécules positives modifie brusquement le potentiel de la membrane axonale, qui devient positif. Cette inversion soudaine du potentiel de repos (–) d'une durée d'un millième de seconde est ce qu'on appelle un **potentiel d'action** (+). Puis les canaux qui laissaient entrer les molécules positives à cet endroit se referment, et d'autres canaux s'ouvrent pour expulser de l'axone des molécules

Potentiel de repos
Légère charge négative de la membrane axonale d'un neurone au repos.

Potentiel d'action
Inversion soudaine du potentiel de repos de la membrane d'un neurone qui a été suffisamment activé ; permet à l'influx nerveux de voyager tout le long de l'axone.

positives (+), ce qui ramène sa membrane à son potentiel de repos initial (–). L'ouverture et la fermeture des canaux de la membrane se poursuivent ainsi segment par segment sur toute la longueur de l'axone, et ces variations électriques permettent au potentiel d'action de se rendre jusqu'aux terminaisons axonales (Cardoso et autres, 2000).

Le potentiel d'action obéit à la loi du « tout ou rien » : il se déclenche complètement ou pas du tout. Dès qu'il a déclenché un potentiel d'action, le neurone entre dans une période réfractaire d'une ou deux millisecondes, après quoi il peut de nouveau en déclencher un autre. Les neurones peuvent donc déclencher jusqu'à des centaines de potentiels d'action par seconde.

Si le neurone ne peut déclencher un potentiel d'action que complètement ou pas du tout, comment pouvons-nous savoir si le stimulus déclencheur est très fort ou très faible – s'il s'agit d'une lumière éblouissante ou d'une lueur à peine visible, d'un coup de poing ou d'un chatouillement, etc. ? La réponse à cette question réside à la fois dans le nombre de neurones qui déclenchent simultanément un potentiel d'action, et dans leur taux de déclenchement (nombre de potentiels d'action par seconde). Si le stimulus est faible, seuls quelques neurones déclencheront un potentiel d'action, et leur taux de déclenchement sera faible. Si le stimulus est fort, des milliers de neurones déclencheront simultanément des potentiels d'action, et chacun en déclenchera des centaines par seconde.

La vitesse de l'influx à l'intérieur du neurone varie considérablement – de 1 mètre à la seconde à quelque 100 mètres à la seconde (360 kilomètres à l'heure !). Le facteur déterminant dans la vitesse de l'influx est la myéline qui gaine certains axones et agit comme isolant. Si vous revenez à la figure 2.3 (p. 45), vous verrez que cette gaine est formée de plusieurs manchons séparés par des nœuds de Ranvier (segments dénudés de l'axone). L'influx électrique (le potentiel d'action) est redéclenché à chaque nœud de Ranvier, ce qui lui permet de se propager 100 fois plus vite le long des axones gainés de myéline.

Une fois qu'il s'est propagé le long de l'axone jusqu'aux boutons synaptiques, l'influx ne peut plus se transmettre par conduction électrique puisqu'il est physiquement séparé des autres neurones. C'est là qu'il change de véhicule. D'un mode de conduction électrique, on passe à un mode de transmission chimique.

La transmission chimique de l'influx d'un neurone à l'autre   Que sont les neurotransmetteurs et quel rôle jouent-ils dans la transmission de l'influx nerveux ? La transmission de l'influx nerveux d'un neurone à l'autre ou d'un neurone à une autre cellule du corps se fait grâce à des véhicules chimiques appelés **neurotransmetteurs**. Les neurotransmetteurs sont contenus dans les vésicules synaptiques, de minuscules sacs ronds à la membrane très fine stockés dans les boutons synaptiques. Quand un potentiel d'action parvient au bouton synaptique, les vésicules synaptiques se déplacent vers sa membrane et fusionnent avec elle, libérant les molécules de neurotransmetteur dans la fente synaptique. La figure 2.9 illustre ce processus.

Neurotransmetteur
Substance libérée par le bouton synaptique d'un neurone, qui assure la transmission chimique de l'influx nerveux.

On aurait tort de croire qu'une fois libérés, les neurotransmetteurs stimulent tous les neurones voisins. Chaque neurotransmetteur a une forme moléculaire distincte, et il en va de même des récepteurs – de grosses molécules protéiniques situées sur la membrane des dendrites ou du corps cellulaire des neurones récepteurs. Un peu comme des clés qui n'ouvrent que certaines serrures, les neurotransmetteurs ne peuvent agir que sur les neurones dont les récepteurs ont une forme moléculaire assortie à la leur (Cardoso et autres, 2000). Cependant, contrairement à des serrures, les récepteurs peuvent se dilater ou se contracter pour s'ajuster à la forme moléculaire des neurotransmetteurs disponibles. Comme différents neurotransmetteurs peuvent avoir une forme similaire, deux neurotransmetteurs peuvent se disputer le même récepteur. Le récepteur n'en acceptera qu'un, celui qui s'ajuste le mieux à sa forme. Un récepteur peut accepter un neurotransmetteur à un moment donné et le refuser à un autre moment à cause de la présence d'un neurotransmetteur mieux assorti (Restak, 1993). Comme on le verra au chapitre 4, plusieurs psychotropes agissent sur le cerveau en imitant la forme moléculaire des neurotransmetteurs.

Figure 2.9

LA TRANSMISSION SYNAPTIQUE

Quand il parvient au bouton synaptique, le potentiel d'action qui véhicule l'influx déclenche la libération des neurotransmetteurs contenus dans les vésicules synaptiques. Ces neurotransmetteurs s'écoulent dans la fente synaptique et se dirigent vers le neurone postsynaptique, dont la membrane est dotée de récepteurs. Ceux-ci n'acceptent que les neurotransmetteurs dont la forme moléculaire est assortie à la leur. Le neurotransmetteur active le neurone récepteur ou l'inhibe selon le cas.

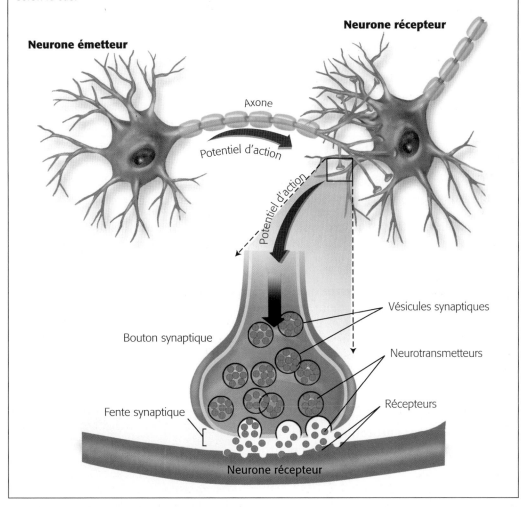

L'action activatrice ou inhibitrice des neurotransmetteurs L'action des neurotransmetteurs qui se lient aux récepteurs sur les dendrites ou aux corps cellulaires de neurones récepteurs est soit activatrice – elle favorise le déclenchement d'un potentiel d'action –, soit inhibitrice – elle réduit la probabilité de déclenchement d'un potentiel d'action. Comme il peut établir des synapses avec des milliers d'autres simultanément, le neurone récepteur est constamment soumis aux influences activatrices et inhibitrices des neurotransmetteurs qui se lient à lui. Pour qu'il y ait déclenchement d'un potentiel d'action dans ce neurone, et que le processus que nous venons de décrire recommence, les influences activatrices doivent dépasser des influences inhibitrices suffisamment pour atteindre le seuil de déclenchement.

Comment les boutons synaptiques peuvent-ils déverser des neurotransmetteurs chaque fois qu'un potentiel d'action les atteint et en avoir toujours suffisamment en réserve pour permettre au neurone de répondre à une stimulation continue ? D'abord, l'un des rôles du corps cellulaire des neurones est de fabriquer constamment davantage de neurotransmetteurs. Deuxièmement, les neurotransmetteurs inutilisés dans la fente synaptique peuvent être décomposés et récupérés par le bouton synaptique pour être

Recapture
Processus par lequel le neurotransmetteur est ramené intact et prêt à servir de la fente synaptique au bouton synaptique, ce qui met fin à son effet activateur ou inhibiteur sur le neurone récepteur.

recyclés et réutilisés. Troisièmement, grâce à un important processus de **recapture**, le neurotransmetteur peut être ramené intact et prêt à servir dans le bouton synaptique, ce qui met fin à son effet activateur ou inhibiteur sur le neurone récepteur.

L'exception à la règle : les synapses électriques La nature de la transmission synaptique (est-elle principalement chimique ou électrique ?) a fait l'objet d'une controverse durant la première moitié du XXᵉ siècle. Dans les années 1950, il semblait clair que la communication entre les neurones se faisait par des synapses chimiques. Toutefois, certaines synapses se font par transmission électrique entre les neurones. Des recherches récentes ont démontré que cette transmission électrique est plus fréquente que les scientifiques le croyaient (Bennett, 2000). La transmission synaptique est donc essentiellement chimique, mais une conduction électrique peut se produire à certaines synapses, notamment dans la rétine, dans le bulbe olfactif (sens de l'odorat) et dans le cortex cérébral.

Les principaux neurotransmetteurs

Quelles sont les fonctions des principaux neurotransmetteurs ?

La recherche nous apprend que plus de 75 substances chimiques fabriquées dans le cerveau, la moelle épinière, les glandes et d'autres parties du corps peuvent agir comme neurotransmetteurs (Greden, 1994), mais certaines sont plus importantes que d'autres.

Acétylcholine (ACh)
Neurotransmetteur qui joue un rôle dans l'apprentissage de nouvelles informations, provoque la contraction des fibres des muscles squelettiques et empêche le cœur de battre trop rapidement.

L'acétylcholine (ACh) L'**acétylcholine (ACh)**, l'un des neurotransmetteurs les plus importants, a des effets activateurs sur les fibres des muscles squelettiques, qu'elle fait contracter pour que le corps puisse bouger. Par contre, elle a un effet inhibiteur sur les fibres du muscle cardiaque, ce qui empêche le cœur de battre trop vite. Ainsi, quand vous courez pour arriver à temps quelque part, l'acétylcholine aide les muscles de vos jambes à se contracter rapidement, mais empêche votre cœur de battre tellement vite que vous vous évanouiriez. Ces effets contraires s'expliquent par des différences de nature entre les récepteurs nerveux des muscles squelettiques et ceux du muscle cardiaque. L'acétylcholine joue aussi un rôle activateur sur les neurones qui interviennent dans l'apprentissage de nouvelles informations. Pendant que vous lisez ce texte, l'acétylcholine vous aide à comprendre et à retenir l'information qu'il contient.

Dopamine
Neurotransmetteur qui joue un rôle dans l'apprentissage, l'attention, le mouvement et la capacité d'éprouver du plaisir.

Noradrénaline
Neurotransmetteur qui influe sur les habitudes alimentaires (stimule la consommation d'hydrates de carbone) et joue un rôle majeur dans l'éveil, l'attention et la vigilance.

Adrénaline
Hormone qui agit aussi comme neurotransmetteur ; complète la noradrénaline en modifiant le métabolisme du glucose et en entraînant la libération du glucose stocké dans les muscles lors d'un effort physique important.

Les monoamines : dopamine, noradrénaline, adrénaline et sérotonine Le groupe des monoamines comprend quatre neurotransmetteurs très importants : la *dopamine*, la *noradrénaline*, l'*adrénaline* et la *sérotonine*. La **dopamine**, qui a des effets activateurs et inhibiteurs, intervient dans plusieurs fonctions, notamment l'apprentissage, l'attention, le mouvement et la capacité à ressentir le plaisir (Schultz, 2006). À cause de cette dernière propriété, elle joue un rôle central dans le *renforcement positif*, que nous étudierons au chapitre 5, et dans la dépendance aux psychotropes, dont nous traiterons au chapitre 4. La **noradrénaline** influe sur les habitudes alimentaires (elle stimule la consommation d'hydrates de carbone) et joue un rôle majeur dans l'éveil, l'attention et la vigilance. Sécrétée par la glande médullosurrénale, l'**adrénaline**, une hormone qui agit aussi comme neurotransmetteur, complète la noradrénaline en modifiant le métabolisme du glucose et en entraînant la libération de l'énergie (glucose) stockée dans les muscles lors d'un effort

▲ L'acétylcholine vous aide à traiter les nouvelles informations en facilitant les transmissions neuronales qui sous-tendent l'apprentissage.

physique important. Enfin, la sérotonine, qui a des effets inhibiteurs sur la plupart des récepteurs avec lesquels elle se lie, joue un rôle important dans la régulation de l'humeur, du sommeil, de l'impulsivité, de l'agressivité et de l'appétit (Greden, 1994) ; elle est aussi liée à la dépression et aux troubles anxieux (Leonardo et Hen, 2006). Comme on le verra au chapitre 10, plusieurs antidépresseurs agissent sur une ou plusieurs monoamines.

Les acides aminés : le glutamate et le GABA   Deux acides aminés qui agissent comme neurotransmetteurs se retrouvent en plus grande quantité que tout autre neurotransmetteur dans le système nerveux central : le glutamate et le GABA. Le **glutamate (acide glutamique)** est le principal neurotransmetteur activateur dans le cerveau (Riedel, 1996). Il est libéré par près de 40 % des neurones, et joue un rôle actif dans les parties du cerveau qui interviennent dans l'apprentissage, la mémoire, la pensée et les émotions (Coyle et Draper, 1996). Il serait aussi associé à la maladie d'Alzheimer dont les premiers symptômes se font sentir au niveau de la mémoire. Largement distribué dans le cerveau et la moelle épinière, le **GABA (acide gamma-aminobutyrique)** est le principal neurotransmetteur inhibiteur dans le cerveau (Miles, 1999). Il facilite le contrôle de l'anxiété chez les humains. Les effets tranquillisants et relaxants des anxiolytiques, des barbituriques et de l'alcool tiennent à ce qu'ils excitent un type de récepteur GABA, augmentant ainsi ses propriétés anxiolytiques et relaxantes.

Les endorphines   En 1974, Candace Pert et ses collègues démontraient qu'une région localisée du cerveau contenait des neurones dotés de récepteurs réagissant aux opiacés comme l'opium, la morphine et l'héroïne. On sait aujourd'hui que le cerveau génère ses propres substances opiacées, les **endorphines**, des neurotransmetteurs qui soulagent la douleur et la tension causée par un effort physique vigoureux, et produisent des sensations de bien-être et de plaisir. Ainsi, l'euphorie du coureur peut être attribuée aux effets des endorphines. Le tableau 2.2 énumère les principaux neurotransmetteurs et les fonctions auxquelles ils semblent le plus fortement associés.

Sérotonine
Neurotransmetteur qui joue un rôle important dans la régulation de l'humeur, du sommeil, de l'impulsivité, de l'agressivité et de l'appétit.

Glutamate (acide glutamique)
Sel aminé qui est le principal neurotransmetteur activateur dans le cerveau (libéré par près de 40 % des neurones) ; joue un rôle actif dans les parties du cerveau qui interviennent dans l'apprentissage, la mémoire, la pensée et les émotions.

GABA (acide gamma-aminobutyrique)
Sel aminé qui est le principal neurotransmetteur inhibiteur dans le cerveau ; joue un rôle crucial dans le contrôle de l'anxiété et la relaxation.

Endorphine
Type de substances chimiques qui agissent aussi comme neurotransmetteurs ; soulagent la douleur et la tension causées par un effort physique vigoureux, et produisent des sensations de bien-être et de plaisir.

Tableau 2.2

LES PRINCIPAUX NEUROTRANSMETTEURS

Neurotransmetteur	Principales fonctions
Acétylcholine	Mouvement, apprentissage et mémoire
Dopamine	Apprentissage, attention, mouvement et capacité d'éprouver du plaisir
Noradrénaline	Alimentation, éveil, attention et vigilance
Adrénaline	Métabolisme du glucose, libération d'énergie lors d'un effort physique important
Sérotonine	Régulation de l'humeur, des impulsions, de l'agressivité et du sommeil
Glutamate	Apprentissage et mémoire ; pensée, émotion
GABA	Inhibition du système nerveux central (effet anxiolytique et relaxant)
Endorphines	Soulagement de la douleur ; sensations de plaisir et de bien-être

▲ L'euphorie du coureur est un effet des endorphines.

Un cerveau en perpétuel changement

La plupart des gens croient qu'une fois l'enfance passée, le cerveau a atteint sa pleine maturité et ne changera plus beaucoup. Or, il en est tout autrement, et ce, pour plusieurs raisons liées au développement neurologique et à un phénomène qu'on appelle la plasticité cérébrale.

Le développement neurologique   Bien que nous naissions avec nos quelques milliards de neurones, la plupart ne deviendront fonctionnels que progressivement, au fur et à mesure de la maturation du système nerveux. Au départ, les neurones ont très peu de terminaisons nerveuses. Durant les deux premières années de vie, la taille du corps cellulaire de ces neurones augmente, leur axone et leurs dendrites s'allongent et se ramifient considérablement, ce qui multiplie presque à l'infini les possibilités de synapses.

D'abord instables, les connexions synaptiques se stabilisent d'autant plus qu'elles sont sollicitées ; si elles ne le sont pas pendant une longue période, elles redeviennent instables, puis dégénèrent. Chaque individu, par ses expériences et ses activités, construit et sélectionne ainsi un certain nombre de connexions qui lui sont propres. Ce processus de synaptogenèse se fait par poussées tout au long de la vie, et chacune de ces poussées est suivie d'une période d'élagage durant laquelle le cerveau élimine les synapses inutiles ou redondantes et réorganise les circuits neuronaux. L'âge influe également sur l'activité des neurotransmetteurs dans les synapses. Ainsi, l'acétylcholine est moins abondante dans le cerveau des enfants que dans celui des adolescents et des adultes, ce qui peut expliquer des différences dans la mémoire et les autres fonctions qui dépendent entre autres de l'action de ce neurotransmetteur activateur.

Le développement de la gaine de myéline autour des axones est un autre facteur déterminant dans la maturation du système nerveux. La myélinisation commence avant la naissance et se poursuit jusque dans l'âge adulte. Ainsi, les aires associatives du cerveau ne sont pleinement myélinisées que vers l'âge de 12 ans (Tanner, 1990), et la formation réticulée n'est pas complètement myélinisée avant la mi-vingtaine (Spreen et autres, 1995) – ce qui explique en partie que la vitesse de traitement de l'information, la mémoire, l'attention et d'autres fonctions supérieures du cerveau s'améliorent jusqu'à cet âge.

Enfin, si on observe déjà une spécialisation hémisphérique de certaines fonctions chez les fœtus et les nouveau-nés – notamment la spécialisation de l'hémisphère gauche dans le traitement du langage (Chilosi et autres, 2001 ; de Lacoste et autres, 1991) –,

▲ Notre cerveau n'atteint sa pleine maturité que vers la mi-vingtaine et continue à changer tout au long de notre vie.

d'autres fonctions, comme la perception spatiale, ne sont pas latéralisées avant l'âge de huit ans. Cette latéralisation plus tardive explique qu'avant cet âge, les enfants éprouvent de la difficulté à lire un plan même très simple et à comprendre ce que les adultes veulent dire par « ce qui est à ta gauche est à ma droite » (Roberts et Bell, 2000).

Durant l'enfance et l'adolescence, plusieurs poussées de croissance cérébrale sont donc associées à des progrès majeurs dans les aptitudes physiques et intellectuelles – l'acquisition de la fluidité langagière vers l'âge de quatre ans, par exemple. Chacune de ces poussées semble concerner une zone différente du cerveau. Ainsi, celle qui commence vers l'âge de 17 ans et se poursuit jusqu'au début de la vingtaine touche les lobes frontaux, qui régissent la planification à long terme et le contrôle des impulsions et des émotions – ce qui peut expliquer pourquoi les adolescents et les adultes diffèrent à cet égard.

Si le cerveau acquiert et perd des synapses tout au long de la vie, à partir d'un certain moment, les pertes commencent à dépasser les gains (Huttenlocher, 1994) ; presque toutes les zones du cerveau perdent du volume à mesure que nous avançons dans l'âge adulte (Raz et autres, 2006). Une étude d'imagerie cérébrale a montré que le vieillissement normal s'accompagne de perte de substance grise (mais pas de substance blanche) dans les deux hémisphères du cervelet (Sullivan et autres, 2000). Les problèmes d'équilibre et de stabilité qui rendent la démarche des personnes âgées plus hésitante sont un exemple des déficits qui résultent de la perte de substance grise associée au vieillissement. Notons toutefois que l'entraînement moteur et intellectuel peut avoir une influence très bénéfique sur les fonctions cérébrales, et ce, à tout âge, en raison de la grande plasticité du cerveau.

La plasticité cérébrale   On appelle plasticité cérébrale la capacité du cerveau à se refaçonner et à se réorganiser en réaction à des facteurs internes (pour compenser les dommages causés par une lésion, par exemple) ou environnementaux (expériences de vie) (Clifford, 2000).

Plasticité cérébrale
Capacité du cerveau à se réorganiser en réaction à des facteurs internes (lésions, etc.) et environnementaux (expériences de vie).

La recherche a clairement établi que les expériences de vie, y compris les expériences prénatales, se traduisent par des changements neuronaux. Ainsi, pour ne citer que cet exemple, des chercheurs en neuropsychologie (Kolb et autres, 2003) qui ont manipulé l'environnement de femelles animales qui portaient des embryons ont démontré que les petits des femelles hébergées dans un environnement plus stimulant présentaient une croissance dendritique plus importante, qui ne se manifestait qu'une fois les petits devenus adultes. Ces chercheurs ont aussi exposé des groupes d'animaux de divers âges à des environnements complexes, et ont ainsi pu constater qu'ils présentaient tous une croissance dendritique plus importante que les animaux qui continuaient à vivre dans des environnements plus pauvres. Cette croissance accrue se traduisait dans la longueur des dendrites chez les animaux les plus jeunes, et dans leur densité chez les plus vieux.

La plasticité du cerveau est beaucoup plus importante chez les jeunes enfants dont les hémisphères ne sont pas complètement latéralisés. Ainsi, en tentant d'expliquer une légère crise de convulsion chez un enfant de trois ans dont le développement physique et mental semblait parfaitement normal, des chercheurs ont découvert qu'une hémorragie prénatale avait complètement empêché le développement de l'hémisphère gauche de son cervelet (Mancini et autres, 2001). On s'en doute, un adulte qui perdrait la moitié de son cervelet présenterait des handicaps fonctionnels beaucoup plus importants.

Cela dit, le cerveau garde une certaine plasticité durant toute la vie. Ainsi, des chercheurs ont découvert que la correction de déficits auditifs au milieu de l'âge adulte entraîne des changements dans toutes les régions du cerveau associées à la perception des sons (Giraud et autres, 2001). De plus, chez ces sujets, les sons semblent déclencher des réponses dans des aires cérébrales qui ne sont pas associées aux sons chez les gens qui ont toujours eu une audition normale. Ce type d'expérience montre que le cerveau ne laisse rien d'inutilisé et récupère les zones « inutiles » pour maximiser le rendement des autres (voir l'encadré à la page suivante).

Maryse Lassonde : neuropsychologie et plasticité cérébrale

Responsable du programme de neuro-psychologie clinique à l'Université de Montréal, la neuropsychologue Maryse Lassonde jouit d'une renommée internationale dans le domaine de la plasticité cérébrale.

Après de brillantes études en psychologie à l'Université de Montréal, Maryse Lassonde a obtenu un doctorat en neuropsychologie à la Stanford University en Californie à 23 ans. Non seulement elle n'a jamais cessé de se perfectionner dans ce domaine, mais elle a mis sur pied le programme de formation doctorale en neuropsychologie clinique à l'Université de Montréal – le premier à être accrédité par la Société canadienne de psychologie. Triés sur le volet, des étudiants du monde entier viennent s'y perfectionner en recherche et en intervention neuropsychologique. En plus d'être professeure titulaire à l'Université de Montréal, Lassonde détient la chaire de recherche du Canada en neuropsychologie développementale et poursuit ses recherches au Centre de recherche du Centre hospitalier universitaire Sainte-Justine.

Lassonde a acquis une renommée internationale dans le domaine de la recherche sur la plasticité cérébrale. Elle a commencé à s'intéresser à cette faculté qu'a le cerveau de se réorganiser à la suite de traumatismes ou de déficits en effectuant des recherches auprès d'enfants nés sans corps calleux, cette grosse structure de fibres nerveuses (environ 800 millions d'axones) qui relie les hémisphères cérébraux. Appelée agénésie du corps calleux, cette anomalie congénitale empêche les deux hémisphères de communiquer, mais ne semble pas avoir d'impact majeur à long terme sur le comportement : les enfants atteints ne manifestent qu'un simple ralentissement psychomoteur !

Parallèlement à ces recherches, la chercheure a assuré au Centre hospitalier universitaire Sainte-Justine le suivi du premier groupe d'enfants épileptiques au monde chez qui on a pratiqué une callosotomie. La plasticité cérébrale des enfants est telle, a constaté la chercheure, que si elle est pratiquée avant l'adolescence, la chirurgie n'entraîne pratiquement aucun trouble du développement ou du comportement.

Ses travaux sur les aveugles-nés ont démontré que la plasticité cérébrale pouvait pallier en partie les déficits de personnes totalement privées d'un sens à la naissance. Ainsi, les aveugles-nés possèdent une acuité et des habiletés auditives nettement supérieures à celles des voyants, car une partie de leurs aires visuelles est recrutée pour les fonctions auditives d'analyse des sons environnants. L'excellente réputation des accordeurs de piano aveugles n'est pas surfaite : ils sont réellement meilleurs ! Le cerveau n'aime pas le gaspillage : il récupère les zones « inutiles » pour maximiser le rendement des autres fonctions.

Cependant, le cerveau ne se réorganise pas toujours aussi facilement. Les travaux de Lassonde sur les effets cognitifs de divers types d'épilepsie chez l'enfant ont permis de constater que les déficits diffèrent selon le foyer épileptique : par exemple, l'épilepsie frontale entraîne généralement des problèmes de comportement, et l'épilepsie temporale, des perturbations sur le plan de la lecture.

En collaboration avec les neurochirurgiens de l'hôpital Sainte-Justine de Montréal, la chercheure travaille actuellement à cartographier l'activité cognitive des enfants épileptiques qui subissent une callosotomie sous anesthésie locale. Maryse Lassonde travaille également en collaboration avec d'autres neuropsychologues réputés tant aux États-Unis qu'en Europe. L'excellence de ses travaux lui a valu de nombreux prix et distinctions.

Sources : Laporte, R., Dagault, G., Frenoy, R. (mai 2008). « Accueil du professeur Maryse Lassonde par Axel Kahn ». *Di@logue de Descartes*, nº 1, Médiathèque de l'Université Paris Descartes. Disponible en ligne : <http://dialogues.univ-paris5.fr/spip.php?rubrique4>. Laporte, R., Dagault, G., Frenoy, R. (mai 2008). « Interview du professeur Maryse Lassonde » *Di@logue de Descartes*, nº 1, Médiathèque de l'Université Paris Descartes. Disponible en ligne : <http://dialogues.univ-paris5.fr/spip.php?rubrique4>.

RETENEZ-LE

Neurones et neurotransmetteurs

1. La (fente synaptique/synapse) est l'espace rempli de liquide qui sépare le bouton synaptique d'un neurone émetteur du neurone récepteur; la (fente synaptique/synapse) est leur connexion.

2. Les neurotransmetteurs sont contenus dans les (fentes/boutons/vésicules) synaptiques, à l'intérieur des (fentes/boutons/vésicules) synaptiques.

3. La légère charge négative de la membrane axonale d'un neurone inactif s'appelle le potentiel _____. Lorsque le neurone est activé, ce potentiel s'inverse, ce qui crée le potentiel _____ .

4. Lorsqu'il y a décharge neuronale, les récepteurs du neurone postsynaptique ne reçoivent que le neurotransmetteur dont la _____ moléculaire est assortie à la leur.

5. Associer chacun des énoncés qui suit à l'un de ces neurotransmetteurs : adrénaline, acétylcholine, GABA, dopamine et sérotonine.

a) Joue un rôle dans l'apprentissage de nouvelles informations, provoque la contraction des fibres des muscles squelettiques et empêche le cœur de battre trop rapidement.

b) Joue un rôle crucial dans la capacité d'éprouver du plaisir.

c) Complète la noradrénaline en modifiant le métabolisme du glucose et en entraînant la libération de l'énergie stockée dans les muscles lors d'un effort physique important.

d) Joue un rôle important dans la régulation de l'humeur, du sommeil, de l'impulsivité, de l'agressivité et de l'appétit.

e) Sel aminé qui joue un rôle crucial dans le contrôle de l'anxiété et la relaxation ; l'alcool et les tranquillisants agissent sur ses récepteurs.

6. Les _____ sont des neurotransmetteurs qui agissent comme des substances opiacées : elles soulagent la douleur.

Réponses : 1. fente synaptique ; synapse. **2.** vésicules ; boutons. **3.** de repos ; d'action. **4.** forme. **5.** (a) acétylcholine (b) dopamine (c) adrénaline (d) sérotonine (e) GABA. **6.** endorphines.

2.5 LE SYSTÈME ENDOCRINIEN

Système endocrinien
Système constitué de glandes situées dans diverses parties du corps, qui produisent et libèrent dans la circulation sanguine des hormones.

Hormones
Substances chimiques sécrétées et libérées dans le sang par les glandes endocrines ; influent sur les tissus, organes ou parties du corps dotés de leur récepteur spécifique.

Le **système endocrinien** est constitué d'une série de glandes situées dans diverses parties du corps (voir la figure 2.10, p. 74) qui produisent et libèrent dans la circulation sanguine des **hormones** – substances chimiques qui agissent sur les organes et autres tissus du corps dotés de leur récepteur spécifique. Comme on l'a vu, certains neurotransmetteurs comme la noradrénaline et l'adrénaline agissent également comme des hormones.

Les principales glandes endocrines

Quelles sont les principales glandes endocrines et leurs fonctions ?

Située juste sous l'hypothalamus et contrôlée par lui, l'**hypophyse** est considérée comme la glande maîtresse, car elle produit des hormones qui activent ou inhibent les autres glandes du corps – un gros travail pour une structure grosse comme un pois. L'hypophyse produit également l'hormone de croissance (Howard et autres, 1996) ; trop ou trop peu de cette hormone peut transformer une personne en géante ou en naine.

Hypophyse
Glande endocrine située dans le cerveau qui produit l'hormone de croissance ainsi que diverses hormones qui commandent les autres glandes endocrines ; souvent appelée glande maîtresse.

Située juste sous le larynx, la thyroïde produit la thyroxine, hormone qui régule la vitesse du métabolisme (transformation en énergie) des aliments. Un excès de thyroxine peut entraîner l'hyperthyroïdie, un trouble dont les symptômes sont la nervosité, l'excitation, la difficulté à rester tranquille et détendu, et la maigreur. L'hypothyroïdie, une insuffisance en thyroxine, a les effets contraires chez les adultes : manque d'énergie, léthargie et, souvent, prise de poids.

Incurvé entre le petit intestin et l'estomac, le pancréas régule le taux de glucose sanguin en libérant de l'insuline et du glucagon dans la circulation sanguine. Chez les diabétiques, la production d'insuline est insuffisante. S'il n'y a pas assez d'insuline pour métaboliser les sucres ingérés, le taux de glucose sanguin peut grimper dangereusement. Inversement, s'il y a trop d'insuline, le taux de glucose sanguin est insuffisant (hypoglycémie).

Figure 2.10

LE SYSTÈME ENDOCRINIEN

Réparties dans tout l'organisme, les glandes endocrines produisent une cinquantaine d'hormones qui circulent dans le sang et agissent sur diverses fonctions corporelles.

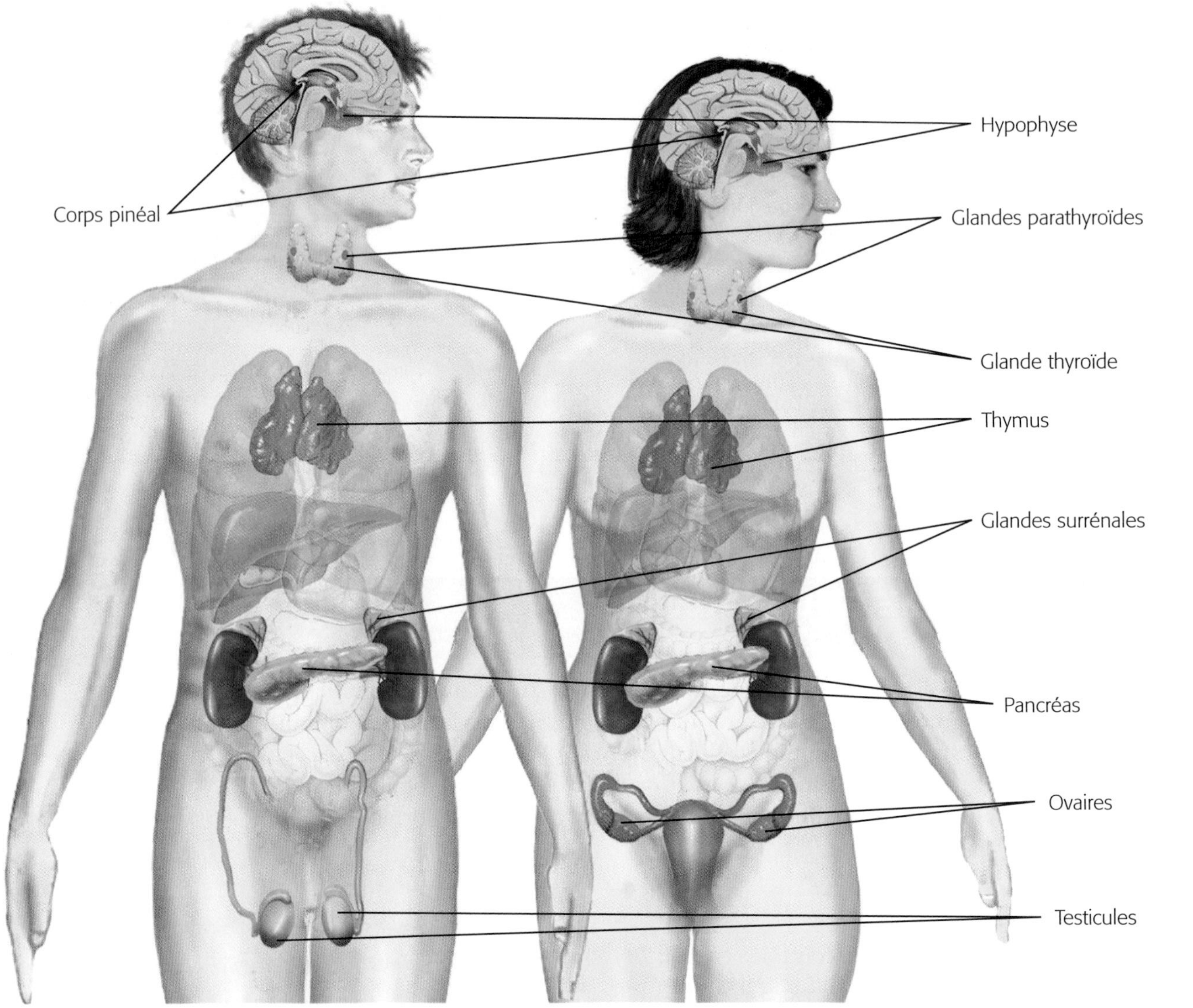

Surrénale
Chacune des glandes endocrines situées au-dessus des reins produisant des hormones qui préparent le corps à réagir aux situations d'urgence ou de stress, ainsi que des corticoïdes et de petites quantités d'hormones sexuelles.

Juste au-dessus des reins, les deux **surrénales** produisent la noradrénaline et l'adrénaline, qui jouent un rôle important dans la réaction de fuite ou de combat, et les réactions liées au stress et aux émotions. Les surrénales produisent également les corticoïdes qui régulent l'équilibre sodique (en sodium), ainsi que de petites quantités d'hormones sexuelles. Les gonades sont les glandes sexuelles – les ovaires chez la femme et les testicules chez l'homme (figure 2.10). Activées par l'hypophyse, elles produisent des hormones qui rendent la reproduction possible et qui sont responsables des caractères sexuels secondaires : les poils du pubis et des aisselles chez les deux sexes, les seins chez la femme, la barbe et la voix grave chez l'homme. Les androgènes (hormones sexuelles mâles) influent sur la motivation sexuelle. Les œstrogènes et la progestérone (hormones sexuelles femelles) aident à réguler le cycle menstruel. Même si hommes et femmes ont tous deux des androgènes et des œstrogènes, les hommes ont beaucoup plus d'androgènes et les femmes beaucoup plus d'œstrogènes. Le tableau 2.3 présente les principales glandes et hormones ainsi que leurs fonctions.

Tableau 2.3

LES PRINCIPALES GLANDES ET HORMONES

Glandes	Hormones	Fonctions
Hypophyse	Nombreuses hormones qui commandent d'autres glandes Hormones de croissance	Commande les autres glandes endocrines et stimule la croissance.
Thyroïde	Thyroxine	Régule le métabolisme.
Pancréas	Insuline Glucagon	Régule le taux de glucose.
Surrénales	Noradrénaline Adrénaline Corticoïdes Hormones sexuelles	Activent le système nerveux sympathique, libèrent de l'énergie en cas d'effort soutenu, régulent l'équilibre sodique, et jouent un rôle dans la puberté et la fonction sexuelle.
Gonades	Hormones sexuelles	Régulent la reproduction et les fonctions sexuelles, rendent la reproduction possible et sont responsables des caractères sexuels secondaires.

RETENEZ-LE   ## Le système endocrinien

1. Les glandes endocrines produisent des _____ qu'elles libèrent directement dans le _____ .

2. Située dans le cerveau, _____ est la glande maîtresse qui commande les autres.

3. _____ produit _____ et le glucagon, deux hormones qui régulent le taux de glucose sanguin.

4. Les surrénales produisent notamment _____ et _____ , deux hormones qui jouent un rôle important dans la réaction physiologique aux situations d'urgence.

Réponses : 1. hormones ; sang. **2.** l'hypophyse. **3.** Le pancréas ; l'insuline. **4.** la noradrénaline ; l'adrénaline.

2.6 LES GÈNES ET LA GÉNÉTIQUE COMPORTEMENTALE

Comme vous le savez probablement, les **chromosomes**, essentiellement constitués de molécules d'ADN (acide désoxyribonucléique) et de protéines, sont des éléments microscopiques du noyau de la cellule qui contiennent nos gènes. La nature des structures et fonctions associées à tous les mécanismes physiologiques dont nous avons parlé dans ce chapitre dépend des quelque 30 000 gènes qui constituent le code génétique humain. En avril 2003, après 13 ans de travail, les scientifiques qui participaient au « Projet génome humain » ont fini de recenser et de localiser la totalité des gènes qui contiennent l'information sur les caractères de l'espèce, ainsi que sur les caractères individuels qui font de chacun de ses membres un être unique dès sa conception.

Notre code génétique inclut également des gènes qui ne sont pas exprimés. Ainsi, on peut être porteur du gène d'une maladie sans jamais présenter le moindre des signes et symptômes qui y sont associés, ou encore être porteur du gène des yeux bleus tout en ayant des yeux bruns. Les scientifiques appellent **génotype** l'ensemble du code génétique d'un individu, et **phénotype**, l'ensemble de ses caractères physiques observables.

Chromosomes
Éléments microscopiques du noyau cellulaire contenant les gènes.

Génotype
Ensemble des gènes d'un individu, exprimés ou non.

Phénotype
Ensemble des caractères physiques observables d'un individu.

Quels modes de transmission héréditaire observe-t-on dans la transmission génétique ?

Le noyau de toutes les cellules de votre corps contient 23 paires de chromosomes, soit 46 chromosomes en tout, sauf les spermatozoïdes et les ovules, qui, eux, ne contiennent que 23 chromosomes chacun. Lorsqu'il y a conception, le spermatozoïde et l'ovule combinent leurs 23 chromosomes respectifs. Cette union forme une cellule unique, le zygote, dotée de 46 chromosomes (23 paires) portant quelque 30 000 gènes (Baltimore, 2000) contenant toute l'information génétique nécessaire pour produire un être humain.

▶ Le phénotype de cette enfant inclut des cheveux frisés. Que peut-on en déduire de son génotype ? Quelle est la probabilité qu'aucun de ses parents biologiques n'ait les cheveux frisés ? (Si vous hésitez, consultez la figure 2.11.)

Vingt-deux des 23 paires de chromosomes sont constituées de deux chromosomes dits autosomes – l'un d'origine maternelle et l'autre d'origine paternelle –, qui portent les gènes relatifs à tels ou tels traits non sexuels. La 23ᵉ paire est constituée de deux chromosomes dits sexuels parce qu'ils portent les gènes déterminant le sexe. Chez les femmes, la 23ᵉ paire est constituée de deux chromosomes X (XX) ; chez les hommes, elle est formée d'un chromosome X et d'un chromosome Y (XY). L'ovule contient toujours un chromosome X, tandis que la moitié des spermatozoïdes portent un chromosome X, et l'autre moitié, un chromosome Y. Le sexe d'une personne dépend donc du type de chromosome que porte le spermatozoïde qui féconde l'ovule. Un seul gène appelé *Sry* et qu'on ne trouve que sur le chromosome Y détermine que le zygote sera de sexe masculin et orchestre le développement des organes sexuels en conséquence (Capel, 2000).

De nombreux traits résultent de paires de gènes complémentaires, l'un provenant du spermatozoïde, l'autre de l'ovule. Dans la plupart des cas, ces paires de gènes suivent un ensemble de règles appelé « mode de transmission dominant-récessif ». Le gène des cheveux frisés, par exemple, est dominant par rapport au gène des cheveux raides. Par conséquent, les gens qui ont un gène des cheveux frisés et un gène des cheveux raides ont les cheveux frisés, et ceux qui ont les cheveux raides ont deux gènes récessifs. On dit de l'individu qui a deux copies d'un gène donné (dominant ou récessif) qu'il est homozygote pour ce trait, et de celui qui a deux gènes différents, qu'il est hétérozygote pour ce trait. La figure 2.11 montre deux exemples de la façon dont le gène récessif des cheveux raides peut se transmettre à la descendance d'un parent aux cheveux frisés et d'un parent aux cheveux raides.

Plusieurs traits neurologiques et psychologiques sont associés à des gènes dominants ou récessifs. Ainsi, la chorée de Huntington, une maladie dégénérative du système nerveux, est causée par un gène dominant, et certaines formes de schizophrénie sont liées à des gènes récessifs. Toutefois, la plupart des traits qui intéressent les psychologues ont un mode de transmission plus complexe.

Dans l'hérédité polygénique, plusieurs gènes influent sur un même trait. C'est le cas de la couleur de la peau : quand l'un des parents a la peau foncée et l'autre la peau claire, la couleur de la peau de l'enfant se situe quelque part entre les deux. De nombreux traits polygéniques dépendent à la fois des gènes et de facteurs environnementaux ; on parle alors d'**hérédité multifactorielle**. Ainsi, un individu qui souffre de malnutrition durant sa croissance n'atteindra peut-être jamais la taille de 1,80 m inscrite dans ses gènes. Comme vous l'apprendrez dans cet ouvrage, l'intelligence (chapitre 7) et la personnalité

Hérédité multifactorielle
Mode de transmission héréditaire dans lequel un trait dépend à la fois des gènes et de facteurs environnementaux.

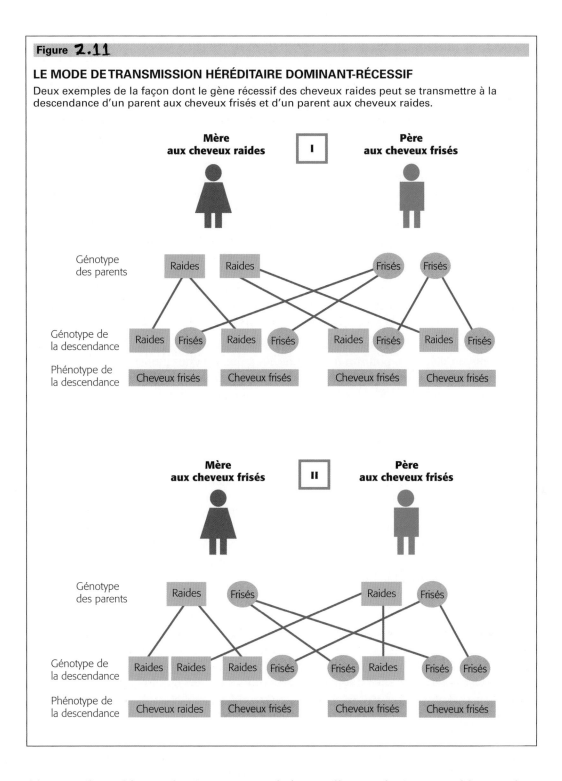

Figure 2.11

LE MODE DE TRANSMISSION HÉRÉDITAIRE DOMINANT-RÉCESSIF

Deux exemples de la façon dont le gène récessif des cheveux raides peut se transmettre à la descendance d'un parent aux cheveux frisés et d'un parent aux cheveux raides.

(chapitre 9) semblent polygéniques et multifactorielles, et plusieurs troubles psychiatriques sont multifactoriels (Leonardo et Hen, 2006).

L'hérédité liée au sexe concerne les gènes situés sur les chromosomes X et Y. Chez la femme, les deux chromosomes X fonctionnent beaucoup comme des chromosomes autosomes : si l'un des deux porte un gène dommageable, l'autre porte généralement un gène qui en compense les effets. Chez l'homme, par contre, si l'unique chromosome X porte un gène dommageable, il n'y a aucun gène pour compenser sur le chromosome Y, car celui-ci est très petit et ne porte que les gènes nécessaires pour produire un corps de sexe masculin. Les troubles causés par des gènes portés par le chromosome X sont donc beaucoup plus fréquents chez les hommes que chez les femmes. Ainsi, environ 5 % des hommes et moins de 1% des femmes souffrent de daltonisme rouge-vert, une anomalie liée au sexe relativement fréquente dont nous reparlerons au chapitre 3 (Neitz et autres, 1996). Environ 1 homme sur 1 500 et 1 femme sur 2 500 souffrent du syndrome du X fragile, un trouble lié au sexe beaucoup plus grave qui peut entraîner une déficience mentale (Adesman, 1996).

La génétique du comportement

Qu'entend-on par génétique du comportement ?

La génétique comportementale est un domaine de recherche qui étudie les effets relatifs de l'hérédité et de l'environnement – de l'inné et de l'acquis – sur le comportement (Plomin et autres, 1997). Dans les études de jumeaux, les chercheurs étudient de vrais jumeaux (jumeaux monozygotes) et des jumeaux fraternels (jumeaux dizygotes) pour déterminer jusqu'à quel point ils se ressemblent sous divers aspects. Les vrais jumeaux possèdent exactement les mêmes gènes : ils sont issus de la fécondation d'un même ovule par un même spermatozoïde, ce qui a produit une cellule qui s'est ensuite scindée en deux. Dans le cas des jumeaux fraternels, deux spermatozoïdes fécondent deux ovules libérés au cours de la même ovulation. Les jumeaux fraternels ne sont donc pas plus semblables sur le plan génétique que tous les frères et sœurs.

Monozygotes ou dizygotes, les jumeaux élevés ensemble grandissent dans des environnements similaires. Si, pour un trait donné, les paires de vrais jumeaux élevés ensemble se ressemblent davantage que les paires de jumeaux fraternels élevés ensemble, on en conclura que ce trait dépend davantage de l'hérédité que de l'environnement. Par contre, s'il n'y a aucune différence entre les paires de vrais jumeaux et les paires de jumeaux fraternels, on en déduira que ce trait dépend davantage de l'environnement que de l'hérédité.

Dans les études d'adoption, les sujets sont des enfants adoptés très peu de temps après la naissance. Les chercheurs comparent leurs habiletés et leurs traits de personnalité à ceux de leurs parents adoptifs et à ceux de leurs parents biologiques, afin de démêler les effets de l'hérédité et de l'environnement (Plomin et autres, 1988). Comme vous le verrez, ici encore, la recherche démontre clairement que les gènes contribuent aux différences individuelles en matière d'intelligence et de personnalité, mais aussi que des facteurs environnementaux, notamment des facteurs économiques et culturels, influent aussi sur l'intelligence et la personnalité.

RETENEZ-LE

Les gènes et la génétique comportementale

1. Les chromosomes X et Y sont des chromosomes _____ .

2. Un gène _____ ne s'exprime pas si son porteur n'en a qu'une copie.

3. Lorsqu'un trait dépend à la fois des gènes et de facteurs environnementaux, on parle d'hérédité _____ .

4. _____ est un champ de recherche qui étudie les effets relatifs de l'hérédité et de l'environnement sur le comportement.

5. Les jumeaux (monozygotes/dizygotes) sont issus d'un seul et même ovule.

6. Pour démêler les effets de l'hérédité et de l'environnement, les chercheurs recourent aux études _____ et aux études _____ .

Réponses : 1. sexuels. **2.** récessif. **3.** multifactorielle. **4.** La génétique comportementale. **5.** monozygotes. **6.** de jumeaux ; d'adoption.

RÉFLEXION CRITIQUE

1. Comment votre vie changerait-elle si vous subissiez une lésion cérébrale très grave à l'hémisphère gauche ? Comment changerait-elle si cette même lésion touchait votre hémisphère droit ? Dans quel hémisphère une lésion serait-elle la plus tragique pour vous ? Pourquoi ?

2. La plupart des recherches sur le cerveau dont parlait ce chapitre portent sur l'utilisation des animaux. Dans bien des cas, il a fallu euthanasier l'animal pour observer directement son cerveau. Beaucoup de gens s'opposent à une telle pratique, mais beaucoup d'autres la défendent parce qu'elle fait avancer nos connaissances sur le cerveau. Préparez des arguments à l'appui de chacune des positions suivantes :

a) L'utilisation d'animaux dans la recherche sur le cerveau est conforme à l'éthique et justifiable en raison de ses bénéfices éventuels pour l'humanité.

b) L'utilisation d'animaux dans la recherche sur le cerveau est contraire à l'éthique et ses bénéfices éventuels pour l'humanité ne la justifient pas.

3. « Les enfants conçus par un parent aux yeux bruns et un parent aux yeux bleus a toujours les yeux bruns, parce que le gène des yeux bruns est dominant », a entendu dire une de vos amies. Cette affirmation est-elle exacte ? Pourquoi ? Comment expliqueriez-vous sa fausseté ou sa véracité à votre amie qui ne connaît rien à la génétique ?

RÉSEAU DE CONCEPTS

BIOLOGIE ET PSYCHOLOGIE

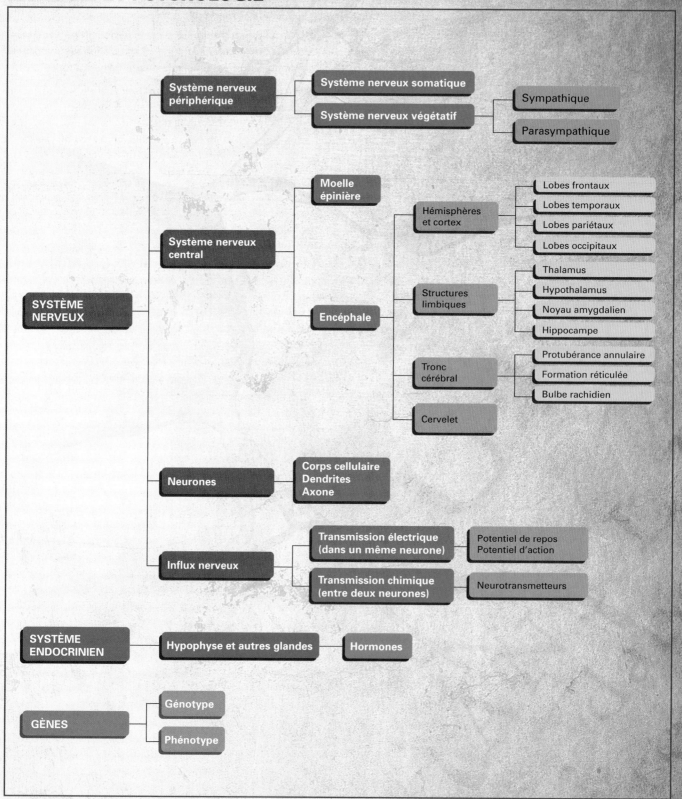

SENSATION ET PERCEPTION

elle n'aime pas un aliment, elle le crache…), à tel point qu'on la croit aussi mentalement handicapée. De fait, sa capacité à donner et à recevoir de l'information est très inférieure à celle d'un animal domestique, et plus elle vieillit, plus elle manifeste sa frustration par des explosions de rage aussi violentes que fréquentes. À six ans, « l'enfant sauvage » résiste à toute discipline, et sa famille, dépassée, a désespérément besoin d'aide.

Sur les conseils d'Alexander Graham Bell, inventeur du téléphone et expert de l'enseignement aux enfants sourds, les Keller contactent le directeur de la Perkins Institution de Boston, une école où l'on instruit des aveugles en braille, pour lui demander de leur envoyer un professeur pour Helen. Ils font ainsi la connaissance d'Ann Mansfield Sullivan, une jeune enseignante talentueuse qui, en 1887, accepte de s'installer chez eux et d'essayer d'éduquer leur fille.

Pour apprendre à l'enfant que tout a un nom – une prémisse fondamentale de la communication –, Ann recourt à un alphabet manuel : avant de lui présenter une chose ou un objet, elle en épelle lentement le nom avec ses doigts dans la paume d'Helen. Pendant un certain temps, le procédé ne donne aucun résultat. Puis, un jour, pendant qu'elle verse de l'eau sur une des mains de son élève en épelant le mot E-A-U dans l'autre, Ann voit le visage de l'enfant s'éclairer de surprise et de plaisir. Helen a enfin compris ! Dès lors, l'enfant apprend très vite à utiliser ses doigts pour nommer les choses, mais aussi les gens : maman, papa, Ann et, bien sûr, Helen.

Les progrès d'Helen Keller ne s'arrêtent pas là. En 1888, Ann l'amène à la Perkins Institution. Deux ans plus tard, l'enfant a appris à lire et à écrire en braille, et comprend une bonne partie de ce que disent ses locuteurs en utilisant son pouce pour sentir les vibrations de leurs cordes vocales, son index pour interpréter les mouvements de leurs lèvres, et ses trois autres doigts pour « voir » leurs expressions faciales. Inutile de le préciser, Helen peut identifier tous les gens qu'elle connaît en palpant leur visage.

À 20 ans, la jeune femme s'inscrit au prestigieux Radcliffe Collège, où, grâce à l'aide de sa tutrice, interprète et amie Ann Sullivan, elle obtient son diplôme universitaire avec mention. En 1903, elle publie son autobiographie, qui sera suivie de nombreux autres ouvrages et articles, dont plusieurs portent sur la cécité et la surdité. Écrivaine renommée, conférencière recherchée et socialiste convaincue, Helen Keller plaidera toute sa vie la cause des handicapés visuels et auditifs, mais aussi celle des femmes, des défavorisés et des opprimés.

Bien qu'elle ne date pas d'hier, l'histoire d'Helen Keller (1880-1968) reste l'exemple le plus parfait de la différence entre sensation et perception. Née en 1880 dans une petite ville de l'Alabama, Helen contracte à 19 mois une maladie infantile qui la laisse sourde et aveugle : dorénavant, son univers sensoriel se réduit au goût, à l'odorat et au toucher. Plongée avant de savoir parler dans un abîme de noirceur et de silence – un « non-monde » comme elle dira plus tard de sa petite enfance –, Helen grandit en communiquant avec ses parents de façon extrêmement sommaire (quand

Sensation
Processus par lequel les sens captent des stimulus sensoriels (visuels, auditifs, etc.) et les transmettent au cerveau.

Perception
Processus par lequel le cerveau sélectionne, organise et interprète l'information sensorielle.

Comme en témoigne l'histoire d'Helen Keller, bien qu'indissociables dans la vie courante, la sensation et la perception sont des phénomènes distincts. La **sensation** est le processus par lequel les sens détectent les stimulus sensoriels et les transmettent au cerveau, tandis que la **perception** est le processus par lequel le cerveau sélectionne, organise et interprète activement l'information provenant des sens. Autrement dit, la sensation fournit la matière brute de l'expérience sensorielle, et la perception donne le produit fini. Ainsi, la petite Helen *sentait* les signes que son éducatrice traçait dans sa main, mais n'en percevait pas le caractère symbolique jusqu'à ce qu'elle ait la soudaine révélation du lien entre l'eau et les lettres du mot « eau ».

Dans ce chapitre, nous nous intéresserons d'abord à la sensation et à l'expérience sensorielle de manière générale. Nous étudierons ensuite le fonctionnement de chacun de nos sens : la vue, l'ouïe, l'odorat, le goût et les sens somesthésiques, c'est-à-dire le toucher et les sens proprioceptifs. Puis nous explorerons l'univers de la perception, et nous verrons comment le cerveau sélectionne, organise et interprète l'information que lui transmettent les sens.

3.1 LA SENSATION ET L'EXPÉRIENCE SENSORIELLE

Presque toutes les expériences que nous vivons sont d'abord détectées par nos sens. Pourtant, nous ne ressentons qu'une infime partie des stimulus sensoriels. Nos oreilles captent à peine 20 % des sons qu'entendent un dauphin ou une chauve-souris. Nos yeux ne voient qu'une mince bande du spectre électromagnétique. Nous ne détectons ni les micro-ondes, ni les rayons X, ni les rayons ultraviolets, et contrairement à plusieurs espèces de serpents nous sommes incapables de déceler la silhouette d'un animal à sang chaud en pleine nuit grâce aux rayons infrarouges qu'émet la chaleur de leur corps. Pourtant, tous ces stimulus sensoriels auxquels nous sommes insensibles existent bel et bien dans le monde physique.

Si nous comparons nos sens un à un, il se trouvera toujours quelque autre animal pour nous surpasser, mais cela n'a aucune importance, car c'est la combinaison particulière de ses aptitudes sensorielles qui rend chacun bien adapté à son environnement. Les chauves-souris et les dauphins ont une ouïe supérieure à la nôtre, mais une vue nettement moins bonne. Les aigles ont une vue beaucoup plus aiguisée, mais pratiquement pas d'odorat. Les chiens ont un odorat plus fin, mais dans un registre un peu différent du nôtre : ils détectent une odeur de vinaigre à un seuil au moins 200 fois plus bas que nous, mais nous captons mieux qu'eux une odeur de viande avariée (ce qui explique que nous ayons nettement moins tendance qu'eux à avaler n'importe quoi). Somme toute, comme nous allons le voir, les humains sont dotés de capacités sensorielles remarquables et de capacités de perception exceptionnelles.

Le seuil absolu : sentir ou ne pas sentir

Qu'est-ce que le seuil absolu d'un sens ?

Quel est le son le plus ténu que vous pouvez entendre, la lumière la plus faible que vous pouvez voir, la substance la plus diluée que vous pouvez goûter, la caresse la plus légère que vous pouvez ressentir, l'odeur la plus subtile que vous pouvez déceler ? Au fil des ans, les chercheurs ont mené d'innombrables expériences pour tenter de répondre à ces questions, et leurs travaux ont permis d'établir ce qu'on appelle des *seuils absolus*. Comme le seuil d'une porte délimite l'extérieur et l'intérieur d'une pièce, le seuil absolu d'un sens marque la différence entre l'incapacité de détecter un stimulus sensoriel et le fait d'en être tout juste capable ; les psychologues l'ont arbitrairement défini comme la plus faible stimulation sensorielle détectable une fois sur deux. Selon cette définition, les seuils absolus établis chez les humains pour les cinq sens primaires sont :

Seuil absolu
Plus faible stimulation sensorielle détectable une fois sur deux.

◀ Quelle est la plus faible lumière qu'un garde-côte pourrait percevoir à la tombée de la nuit ? Les spécialistes de la psychologie sensorielle se sont livrés à de nombreuses expériences pour répondre à ce genre de questions, et établir des seuils absolus pour chacun de nos sens.

- pour la vue, la flamme d'une chandelle à 48 kilomètres par une nuit claire ;

- pour l'ouïe, le tic-tac d'une montre à 6 mètres ;

- pour le goût, une cuillère à thé de sucre dissoute dans 9 litres d'eau ;

- pour l'odorat, une goutte de parfum dans une habitation de 3 pièces ;
- pour le toucher, l'aile d'une abeille tombant de 1 centimètre de haut sur la joue.

Si important soit-il, une fois franchi, le seuil absolu ne nous apprend plus rien sur l'étendue de nos expériences sensorielles. Pouvons-nous ou non détecter tel ou tel stimulus sensoriel ? C'est la seule et unique question à laquelle il répond. Il y en a pourtant bien d'autres…

Le seuil différentiel : un poil de changement

Qu'est-ce que le seuil différentiel ?

Si vous écoutez de la musique, c'est que vous avez franchi le seuil absolu, mais de combien faudrait-il monter ou baisser le volume pour que vous entendiez la différence ? Si vous portez un gros cartable à anneaux, combien de feuilles de papier faudrait-il y ajouter ou y enlever pour que vous sentiez qu'il est plus lourd ou plus léger ? Le seuil différentiel désigne la plus faible variation (augmentation ou diminution) d'intensité d'un stimulus physique qui produit la plus faible différence perceptible, c'est-à-dire la plus faible variation de sensation détectable une fois sur deux.

Seuil différentiel
Plus faible variation d'intensité d'un stimulus sensoriel qui produit la plus petite différence perceptible.

Plus faible différence perceptible
Plus faible variation de sensation détectable une fois sur deux.

Loi de Weber
Loi selon laquelle *la plus petite différence perceptible* par nos sens dépend non pas de la valeur intrinsèque de la variation de stimulus, mais de sa valeur en proportion du stimulus initial.

Si vous portez une charge de 2 kilos et qu'on y ajoute 500 grammes, vous pourrez facilement sentir la différence, mais si vous portez une charge de 50 kilos et qu'on y ajoute le même poids de 500 grammes, vous ne sentirez pas la différence. Ce phénomène s'explique par la loi de Weber, du nom d'un des précurseurs de la psychologie expérimentale, l'anatomiste et physiologiste Ernst Heinrich Weber (1795-1878). Il y a plus de 150 ans, Weber constatait que la plus petite différence perceptible ne dépend pas de la valeur intrinsèque de la variation de stimulus, mais de sa valeur en proportion du stimulus initial. Ainsi, le poids d'une charge doit varier d'au moins 2 % pour que la différence soit perceptible. Selon la loi de Weber, plus le stimulus initial est fort, plus il faut l'augmenter ou le diminuer pour que la différence soit perceptible.

Le seuil différentiel n'est pas le même pour tous nos sens. Il faut une très grande différence (20 %) pour qu'une variation de goût soit perceptible ; par contre, si nous écoutons de la musique, nous remarquerons une variation d'à peine 0,3 % de la hauteur du son. Les seuils différentiels de chacun des sens varient considérablement d'une personne à l'autre. Les dégustateurs de vin expérimentés décèlent un millésime un peu trop sucré même si l'écart du taux de sucre se situe bien en deçà de 20 %, et les musiciens chevronnés détectent une note légèrement fausse même si l'écart de hauteur est inférieur à 0,3 %. En fait, la loi de Weber s'applique surtout aux individus moyennement sensibles et aux stimulus d'intensité moyenne, ni très intenses (le tonnerre qui tombe à proximité) ni très faibles (un léger murmure).

La transduction : du stimulus à l'influx nerveux

Comment les stimulus extérieurs se transforment-ils en sensations ?

Nos organes sensoriels ne sont que des capteurs : ils ne fournissent que le point de départ de la sensation, laquelle doit être complétée par le cerveau. On l'a vu au chapitre 2, pour que nous puissions voir, entendre, goûter, etc., des groupes de neurones précis situés dans des zones spécialisées du cerveau doivent être stimulés. Le cerveau ne réagit pas directement à la lumière, aux ondes sonores, aux odeurs et aux goûts ; il reçoit le message par l'intermédiaire des récepteurs sensoriels dont tous les organes des sens sont dotés. Ces cellules spécialisées détectent et captent tels ou tels types de stimulus (rayons lumineux, ondes sonores, etc.). Puis, par un processus qu'on appelle la transduction, elles les convertissent en influx nerveux, lequel peut alors être transmis à une zone spécialisée du cerveau (cortex visuel primaire, cortex auditif primaire, etc.). Ce n'est qu'une fois cette zone cérébrale stimulée que nous éprouvons la sensation. Ainsi, une blessure ou un accident cérébral qui détruit le cortex visuel rend aveugle, même si les yeux sont intacts et continuent de capter la lumière. Nos récepteurs sensoriels assurent les liaisons essentielles entre le monde sensoriel physique et le cerveau.

Récepteur sensoriel
Cellule spécialisée qui détecte et capte les stimulus sensoriels et les convertit en influx nerveux (transduction).

Transduction
Processus par lequel les récepteurs sensoriels convertissent une stimulation sensorielle (lumière, son, odeur, etc.) en influx nerveux.

L'adaptation sensorielle : pour éviter la surcharge

Tous nos sens sont plus réceptifs et plus sensibles aux variations des stimulus sensoriels qu'aux stimulus de nature et d'intensité constantes. Après un certain temps, les récepteurs sensoriels cessent progressivement de réagir aux stimulus constants, de sorte que nous les remarquons de moins en moins, puis plus du tout. Ce processus d'insensibilisation progressive à un stimulus constant s'appelle l'**adaptation sensorielle**.

Vous êtes-vous déjà baigné dans un lac en plein hiver ? Quand on entre dans l'eau, les récepteurs thermiques de la peau envoient d'abord un signal très fort : « eau glacée », mais après un certain temps, grâce à l'adaptation sensorielle, l'eau devient presque agréable (un peu trop froide, quand même…). De même, quand on arrive chez quelqu'un, on sent l'odeur distinctive de sa maison, odeur qu'on cesse de percevoir après quelques minutes. Une odeur persistante ne stimule les récepteurs olfactifs que pendant un certain temps ; si cette odeur ne varie pas, la réaction des récepteurs s'atténue peu à peu. Ce phénomène d'adaptation olfactive explique que les fumeurs ne sentent plus l'odeur de cigarette dans leur maison ou sur leurs vêtements. L'adaptation sensorielle à des stimulus constants et sans grande importance nous permet de porter attention à d'autres stimulus ; autrement, nos sens seraient surchargés. Par contre, si le stimulus est très intense (lumière trop vive, odeur d'ammoniaque, son strident, goût très amer, etc.), l'adaptation sensorielle ne se produit pas, ce qui nous oblige à réagir aux stimulus qui peuvent être dangereux ou qui signalent un danger. Mieux vaut ne pas s'adapter au son infernal du détecteur de fumée qui se déclenche inutilement que de brûler vif pendant qu'on dort !

Adaptation sensorielle
Processus d'insensibilisation progressive à un stimulus sensoriel constant.

◀ Grâce au phénomène de l'adaptation sensorielle, une fois le choc thermique initial passé, une baignade dans l'eau glacée peut être une expérience moins désagréable qu'on pourrait le croire. À quels autres exemples d'adaptation sensorielle pouvez-vous penser ?

La sensation et l'expérience sensorielle

1. Le processus par lequel les sens détectent l'information sensorielle et la transmettent au cerveau s'appelle la (sensation/perception).

2. Le seuil (absolu/différentiel) désigne la plus faible stimulation sensorielle détectable une fois sur deux.

3. Vrai ou faux ? Les seuils différentiels des sens sont les mêmes chez tous les humains.

4. Lequel de ces énoncés sur les récepteurs sensoriels est faux ?
   a) Ils sont spécialisés pour détecter certains stimulus sensoriels.
   b) Ils transforment les stimulus sensoriels en influx nerveux.
   c) Ils sont situés dans des zones spécialisées du cerveau.
   d) Ils assurent la liaison entre le monde sensoriel physique et le cerveau.

5. Le processus par lequel un stimulus est converti en influx nerveux s'appelle (l'adaptation sensorielle/la transduction)

6. Tous les matins, quand elle arrive chez le nettoyeur où elle travaille, Sandra est frappée par la forte odeur des produits nettoyants. Pourtant, quelques minutes plus tard, elle ne la perçoit plus, ce qui s'explique par _____ .
   a) la loi de Weber
   b) le phénomène de l'adaptation sensorielle
   c) le phénomène de la transduction
   d) le phénomène de la plus petite différence perceptible

Réponses : 1. sensation. **2.** absolu. **3.** Faux. **4.** c. **5.** la tranduction. **6.** b.

3.2 LA VUE

La plupart des gens considèrent que la plus précieuse de leurs habiletés perceptives est la **vision**, qui leur permet de percevoir le monde extérieur par l'action conjuguée de l'œil et du cerveau. Probablement pour cette raison, de tous les sens, celui qui a été le plus étudié est la **vue**, ce sens qui capte les stimulus lumineux et les transmet au cerveau.

Ce que nous voyons : toute la lumière du monde

Qu'est-ce que le spectre visible de la lumière ?

Sans lumière, les yeux ne servent à rien. Pour que nous puissions voir une chose, cette chose doit réfléchir la lumière. C'est la lumière qui rend les choses visibles, et nous permet de déceler leur forme, leur teinte et leur luminosité. Un objet touché par des ondes lumineuses en absorbe certaines et en réfléchit d'autres. L'œil voit les longueurs d'onde réfléchies, mais pas celles qui sont absorbées.

La lumière, une forme de rayons électromagnétiques, se compose de minuscules particules lumineuses (les *photons*) qui se propagent en ondes. Or, la vaste majorité de ces ondes sont soit trop longues soit trop courtes pour être vues. En effet, les yeux, ceux des humains comme ceux des animaux, ne répondent qu'à une très mince bande des ondes électromagnétiques appelée **lumière visible** (ou **spectre visible**) (figure 3.1). La longueur d'une onde lumineuse détermine la couleur que nous voyons. Les ondes les plus longues nous donnent la sensation du rouge, et les plus courtes, la sensation du violet.

Le spectre de la lumière visible détermine ce que nous pouvons voir, mais c'est l'action conjuguée de l'œil et du cerveau qui détermine comment nous le voyons.

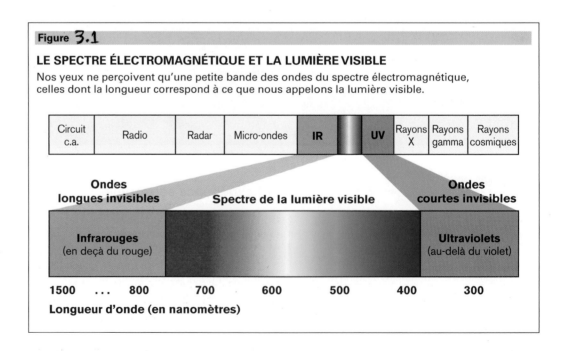

Figure 3.1

LE SPECTRE ÉLECTROMAGNÉTIQUE ET LA LUMIÈRE VISIBLE
Nos yeux ne perçoivent qu'une petite bande des ondes du spectre électromagnétique, celles dont la longueur correspond à ce que nous appelons la lumière visible.

L'œil : un grand faiseur d'images

Quel rôle joue chacune des parties de l'œil dans la vision ?

Nos yeux sont nos plus importantes connexions sensorielles avec le monde : la vision nous fournit la plupart des informations qui nourrissent notre cerveau. On a souvent dit que l'œil fonctionne comme une caméra. En réalité, c'est évidemment l'inverse : le fonctionnement de la caméra a été copié sur celui de l'œil humain, cette merveille de la nature. La figure 3.2 montre les grandes parties de l'œil humain, ce qui vous aidera à les situer et à comprendre leur rôle respectif dans la vision.

Figure **3.2**

L'ANATOMIE DE L'ŒIL HUMAIN

La cornée, l'iris et la pupille assurent le réglage de la lumière. Le cristallin fait le foyer et projette l'image (inversée) de ce que nous voyons sur la rétine. Point le plus net de la vision, la fovéa travaille sur le détail de l'image. Les cônes nous permettent de voir les couleurs et de distinguer les détails sous une lumière adéquate ; les bâtonnets ne distinguent pas les couleurs, mais leur très grande sensibilité nous permet de voir même sous une lumière très faible.

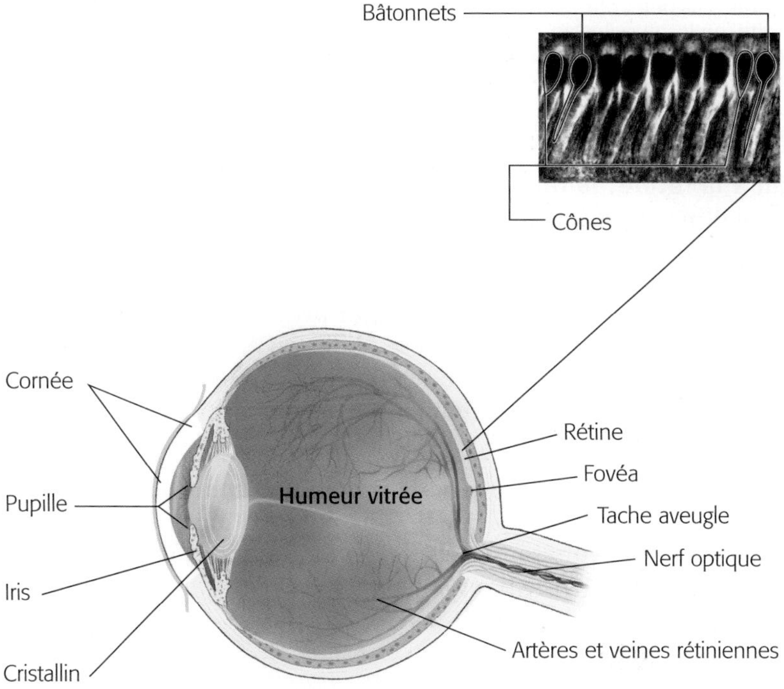

La cornée, l'iris et la pupille : le réglage de la lumière Le globe oculaire a un diamètre d'environ 2,2 centimètres. Sa partie antérieure et protubérante est recouverte par la **cornée**, une membrane protectrice solide et transparente de la taille d'un dix cents. La cornée assure la première étape de la vision : elle diffracte (dirige) les rayons lumineux vers l'intérieur de la pupille (petite ouverture foncée au centre de l'*iris*). Juste derrière la cornée, l'iris, plus unique qu'une empreinte digitale (Farah, 2000 ; Johnson, 1996), donne sa couleur à l'œil. Ses deux muscles constricteurs dilatent et contractent la pupille pour régler la quantité de lumière qui pénètre dans l'œil. Bien qu'elle ne se ferme jamais complètement, sous une lumière très vive, la pupille peut se rétrécir jusqu'à la taille d'une tête d'épingle ; dans la quasi-pénombre, elle peut s'agrandir jusqu'à la taille d'une efface de crayon (Freese, 1977). La dilatation et la constriction des pupilles sont des mouvements réflexes ; nous ne les maîtrisons pas. Les pupilles réagissent aussi aux émotions : elles se dilatent quand nous regardons quelqu'un ou quelque chose d'intéressant ou de désirable, que nous sommes excités sexuellement, que nous avons peur, que nous mentons ou que nous nous livrons à un effort intellectuel intense (Janisse et Peavler, 1974 ; Hess, 1965).

Cornée
Membrane transparente qui couvre l'iris et diffracte les rayons lumineux vers l'intérieur de l'œil à travers la pupille.

Laquelle de ces photos vous plaît le plus ?

À première vue, ces deux photos semblent identiques, mais vous avez probablement choisi celle de droite, où les pupilles sont dilatées. La dilatation de la pupille est un indice d'intérêt, et c'est à cet intérêt flatteur que nous réagissons inconsciemment en choisissant le visage de droite. Un truc très utilisé en publicité pour nous séduire à notre insu !

Cristallin
Structure transparente de l'œil qui focalise les images sur la rétine en modifiant sa courbure.

Accommodation
Modification de la courbure du cristallin de l'œil en fonction de la distance de l'objet observé ; permet la mise au point de l'image sur la rétine.

Rétine
Membrane du fond de l'œil qui contient les cônes et les bâtonnets, et sur laquelle l'image rétinienne est projetée.

Du cristallin à la rétine : la mise au point de l'image Suspendu derrière l'iris et la pupille, le **cristallin** est une lentille biconvexe transparente, constituée comme un oignon de couches superposées. Le cristallin modifie sa courbure pour faire la mise au point sur des objets situés à moins de 6,5 mètres. Il s'aplatit pour mettre au foyer un objet lointain et se bombe pour faire le foyer sur un objet proche, phénomène qu'on appelle l'**accommodation**. Avec l'âge, le cristallin perd de son élasticité, et donc de sa capacité à s'accommoder à la vision de près. Cette presbytie explique qu'après 40 ans, les gens commencent à éloigner leur livre ou leur journal de leurs yeux pour lire, et finissent par se procurer des lunettes de lecture.

Le cristallin projette l'image que nous voyons sur la **rétine**, une membrane de la taille d'un petit timbre-poste aussi fine qu'une pelure d'oignon qui couvre le fond de l'œil et contient les récepteurs sensoriels de la vue : les cônes et les bâtonnets. L'image projetée sur la rétine est inversée (voir la figure 3.3).

Figure 3.3

DE L'IMAGE RÉTINIENNE À L'INFORMATION SIGNIFICATIVE
À cause de la façon dont la rétine modifie les rayons lumineux pour produire des images claires, les images sont inversées sur la rétine. Le cerveau remet l'image à l'endroit, de haut en bas et de gauche à droite.

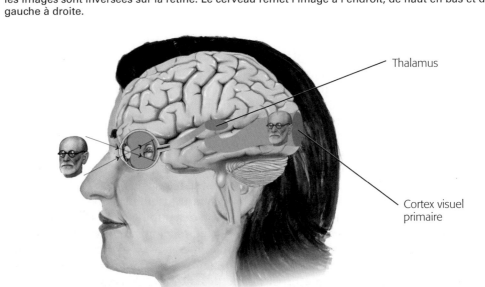

Thalamus

Cortex visuel primaire

L'image inversée projetée sur la rétine

Prenez une cuillère à café où vous pouvez voir votre reflet. Regardez le dos (surface convexe) de la cuillère : vous y verrez l'image de votre visage à l'endroit ; c'est ainsi qu'elle entre dans l'œil. Maintenant, retournez la cuillère et regardez le fond (surface concave) : vous y verrez l'image de votre visage inversée de haut en bas et de gauche à droite ; c'est ainsi qu'elle apparaît sur la rétine. Heureusement pour nous, le cerveau remet les images à l'endroit.

Chez certaines personnes, la distance entre le cristallin et la rétine est trop courte ou trop longue pour permettre une mise au point adéquate (figure 3.4). Quand le cristallin met au point les images d'objets lointains devant la rétine plutôt que sur elle, on parle de myopie ; le myope voit nettement les objets proches, mais les objets lointains lui paraissent flous. Quand l'image focale est trop longue pour l'œil et que la mise au point se fait derrière la rétine, on parle d'hypermétropie ; l'hypermétrope voit bien les objets lointains, mais les objets proches lui paraissent flous. Des lunettes ou des lentilles cornéennes peuvent corriger ces deux troubles visuels ; la myopie peut aussi être traitée par une intervention chirurgicale au laser.

Figure 3.4

VISION NORMALE, MYOPIE ET HYPERMÉTROPIE

Dans la vision normale, la mise au point d'une image se fait *sur* la rétine.

Dans la myopie, la mise au point d'une image se fait *devant* la rétine.

Dans l'hypermétropie, la mise au point d'une image se fait *derrière* la rétine.

Les cônes et les bâtonnets : des photorécepteurs spécialisés La rétine contient deux types de photorécepteurs nommés d'après leur forme : les *cônes* et les *bâtonnets*. Chaque rétine contient environ 120 millions de bâtonnets et 6 millions de cônes. Les **cônes** nous permettent de voir les couleurs et de distinguer les détails sous une lumière adéquate. Il y a trois types de cônes, chacun répondant beaucoup plus intensément aux longueurs d'onde correspondant au rouge, au vert ou au bleu (Roorda et Williams, 1999). Toute lumière excite différemment ces types de cônes selon sa longueur d'onde dans le spectre visible. La perception d'une couleur dépend de cette combinaison trichromatique. Cependant, les cônes ne fonctionnent pas si la lumière est très faible. Les

Cônes
Récepteurs photosensibles de la rétine responsables de la vision des couleurs et des détails sous une lumière adéquate ; ne fonctionnent pas sous une lumière trop faible.

Bâtonnets
Récepteurs photosensibles de la rétine, extrêmement sensibles, responsables de la vision sous un éclairage très faible.

Fovéa
Petite protubérance au centre de la rétine qui assure la vision la plus nette en raison de sa forte concentration en cônes.

bâtonnets, eux, ne distinguent pas les couleurs, qu'ils codent en divers tons de gris ; par contre, leur très grande sensibilité permet à l'œil de voir même les basses intensités lumineuses – d'où le dicton : « La nuit, tous les chats sont gris. » De plus, les bâtonnets contiennent un pigment photosensible, la rhodopsine, qui permet à nos yeux de s'adapter aussi bien à l'obscurité d'une salle de cinéma qu'à la lumière éclatante du soleil sur une plage de sable blanc.

Au centre de la rétine se trouve la **fovéa**, une petite zone à peu près de la taille du point final de cette phrase (voir la figure 3.2, p. 87). Quand vous regardez un objet directement, son image se focalise au milieu de votre fovéa. Point le plus net de la vision, la fovéa travaille sur le détail, et pour cause : dépourvue de bâtonnets, elle contient quelque 30 000 cônes bien tassés (Beatty, 1995). Ces cônes sont particulièrement denses au centre de la fovéa ; quelques degrés plus loin, leur densité décroît brusquement, puis diminue graduellement jusqu'à la périphérie de la rétine (Farah, 2000 ; Abramov et Gordon, 1994).

De la rétine au cerveau : l'image fait son chemin Si le traitement du signal visuel se fait surtout dans le cerveau, ses premières étapes se font dans les récepteurs de la rétine. Les bâtonnets et les cônes convertissent les ondes lumineuses en un influx nerveux qui stimule des cellules spécialisées – les cellules ganglionnaires –, dont les axones (environ un million) se rejoignent pour former un faisceau de la taille d'un crayon. Ce petit « câble » traverse la paroi rétinienne et quitte l'œil en direction du cerveau. Comme il n'y a ni cônes ni bâtonnets là où ce faisceau nerveux traverse la paroi rétinienne et sort de l'œil pour devenir le **nerf optique**, on appelle cet endroit précis sur la rétine la « tache aveugle ».

Nerf optique
Nerf qui transporte le signal visuel de la rétine au cerveau.

ESSAYEZ-LE

Trouver sa tache aveugle

Pour situer votre tache aveugle, tenez ce livre à bout de bras. Fermez l'œil droit, fixez le signe + et rapprochez lentement le livre de vous. Vous aurez trouvé la tache aveugle de votre œil gauche quand le rond point noir disparaîtra. Si on ne perçoit pas un « trou » dans une portion du champ visuel, c'est que le cerveau le comble avec la couleur et la texture de l'environnement. Ici, sa place était remplacée par le fond pâle de la page. Dans l'exemple qui suit et qui fonctionne exactement comme l'autre, l'effet est encore plus saisissant puisque le cerveau complète la ligne.

Le nerf optique de l'œil gauche et celui de l'œil droit se rejoignent au chiasma optique (voir la figure 3.5), point où certaines des fibres nerveuses traversent du côté opposé du cerveau. Les fibres de la moitié droite de chaque rétine, qui ont capté l'information du champ visuel gauche, vont vers l'hémisphère droit et celles de la moitié gauche de chaque rétine, qui ont capté le champ visuel droit, vont vers l'hémisphère gauche. Ce croisement permet à l'information visuelle de chacun des deux yeux d'être représentée dans le cortex visuel des deux hémisphères cérébraux ; comme nous le verrons, il joue aussi un rôle majeur dans la perception de la profondeur.

Du chiasma optique, le nerf optique se rend au thalamus, où il se joint à des fibres nerveuses qui transmettent l'influx au cortex visuel primaire, dont près du quart se consacre exclusivement à l'analyse de l'information provenant de la fovéa.

Figure **3.5**

LE CHIASMA OPTIQUE

Le nerf optique de l'œil gauche et celui de l'œil droit se rejoignent au chiasma optique. Les fibres de la moitié droite de chaque rétine, qui ont capté l'information du champ visuel gauche, vont vers l'hémisphère droit, et celles de la moitié gauche de chaque rétine, qui ont capté le champ visuel droit, vers l'hémisphère gauche. Ce croisement permet à l'information visuelle de chacun des deux yeux d'être représentée dans le cortex visuel des deux hémisphères cérébraux, et joue un rôle majeur dans la perception de la profondeur.

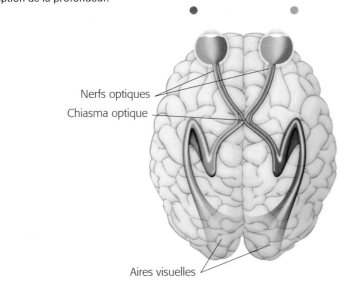

Nerfs optiques

Chiasma optique

Aires visuelles

Teinte
Propriété de la couleur essentiellement déterminée par la longueur de l'onde lumineuse dominante réfléchie par une surface et qui engendre la sensation visuelle appelée rouge, bleu, vert, etc.

La vision chromatique : haute en couleur

Comment s'expliquent la multitude et la richesse des couleurs que nous voyons ?

Nos yeux détectent des milliers de couleurs, de nuances et de tons subtils. Les chercheurs ont découvert que c'est l'interaction de trois propriétés de la couleur qui explique l'immense richesse de notre expérience chromatique. La plus importante de ces propriétés est évidemment la **teinte**, essentiellement déterminée par la longueur d'onde lumineuse dominante réfléchie par une surface, et qui engendre la sensation visuelle qu'on appelle rouge, bleu, vert, etc. Vient ensuite la **saturation** (ou **pureté**) de la couleur : la couleur est totalement saturée, pure, quand les ondes lumineuses qui la produisent sont toutes de la même longueur ; plus d'autres longueurs d'onde s'y mêlent, moins la couleur est saturée. Le troisième facteur est la **luminosité** (ou **brillance**), c'est-à-dire l'intensité de l'énergie lumineuse que nous percevons.

Les théories de la vision chromatique   Les deux grandes théories qui tentent d'expliquer la vision chromatique ont été formulées avant qu'il soit possible de les tester en laboratoire. Proposée par Thomas Young en 1801 et modifiée près de 50 ans plus tard par Hermann von Helmholtz, la **théorie trichromatique** postulait que la rétine contenait trois sortes de cônes, chacun réagissant plus fortement au bleu, au vert ou au rouge, et que les variations de l'activité de ces récepteurs pouvaient produire toutes les couleurs. Les recherches menées dans les années 1950 et 1960 par George Wald (1964 ; Wald et autres, 1954) ont confirmé que, même si tous les cônes ont essentiellement la même structure, on en distingue effectivement trois types. Des recherches subséquentes ont démontré que chaque type de cônes est particulièrement sensible soit au rouge, soit au vert, soit au bleu (Roorda et Williams, 1999).

Formulée par le physiologiste autrichien Ewald Hering en 1878 et revue en 1957 par Leon Hurvich et Dorothea Jameson, la **théorie des processus antagonistes** postulait l'existence dans le système visuel de trois types de cellules qui réagissent différemment

Saturation (ou **pureté**)
Propriété de la couleur essentiellement déterminée par la concentration d'ondes lumineuses de même longueur réfléchies par une surface.

Luminosité (ou **brillance**)
Propriété de la couleur essentiellement déterminée par l'intensité de l'énergie lumineuse réfléchie par une surface.

Théorie trichromatique
Théorie de la vision chromatique selon laquelle la rétine contient trois types de cônes, chacun particulièrement sensible soit au rouge, soit au vert, soit au bleu, et que les variations de l'activité de ces récepteurs peuvent produire toutes les couleurs.

Théorie des processus antagonistes
Théorie selon laquelle certaines cellules du système visuel sont activées par une couleur et inhibées par la couleur antagoniste ; s'applique aux paires rouge-vert, jaune-bleu, blanc-noir.

selon la couleur, tantôt en augmentant leur taux de décharge tantôt en le réduisant. Ainsi, les cellules rouge-vert l'augmentent en présence de rouge et le réduisent en présence de vert ; les cellules jaune-bleu l'augmentent en présence de jaune et le réduisent en présence de bleu ; et une troisième classe de cellules l'augmente en présence de lumière blanche et le réduit en son absence. On peut se représenter les processus antagonistes comme des paires de cellules opposées sur une balançoire à bascule : quand l'une des paires monte, l'autre descend. Les taux de décharge relatifs de ces cellules transmettent au cerveau des informations chromatiques. Des chercheurs qui ont enregistré l'activité électrique des neurones du cortex visuel ont constaté que les neurones du thalamus réagissent effectivement de manière antagoniste à la couleur (DeValois et DeValois, 1975). Après avoir fixé la couleur d'une paire antagoniste, les neurones qui réagissent à cette couleur se fatiguent, et les neurones antagonistes s'activent, ce qui produit une **image résiduelle complémentaire** de la couleur antagoniste.

Image résiduelle complémentaire
Sensation visuelle qui persiste après le retrait d'un stimulus.

ESSAYEZ-LE

Le test des processus antagonistes

Fixez l'œil de l'oiseau pendant une minute, puis fixez la cage.
La silhouette de l'oiseau y apparaîtra en rouge.

En résumé, les cônes de la rétine traitent la lumière de manière trichromatique, et le thalamus, de manière antagoniste. Les chercheurs croient que le traitement des couleurs débute sur la rétine, se poursuit dans les cellules bipolaires et ganglionnaires du thalamus, et se termine dans les détecteurs chromatiques du cortex visuel (Sokolov, 2000 ; Masland, 1996).

Le daltonisme   L'anomalie ou l'absence des gènes responsables de la vision des couleurs entraîne le **daltonisme**, c'est-à-dire l'incapacité de distinguer certaines couleurs ou, très rarement – une personne sur 100 000 (Nathans et autres, 1989) –, l'absence totale de vision chromatique (*achromatopsie*). On sait à quoi le monde ressemble pour un daltonien grâce à des études menées auprès de gens qui ont une vision normale dans un œil, et une forme de daltonisme dans l'autre. La plupart des anomalies chromatiques sont en réalité des faiblesses ou des confusions plutôt qu'une véritable inaptitude à distinguer les couleurs. La plupart des daltoniens ont des difficultés avec le rouge et le vert (Neitz et autres, 1996). Certaines formes de daltonisme rouge-vert sont courantes chez environ 5 % des hommes et moins de 1 % des femmes (Neitz et autres, 1996). La recherche dément l'opinion répandue voulant que certains mammifères (surtout les chiens) ne voient pas les couleurs : en fait, toutes les espèces de mammifères possèdent une forme ou une autre de vision chromatique (Jacobs, 1993).

Daltonisme
Inaptitude à distinguer une ou plusieurs couleurs, parfois toutes ; résulte d'une anomalie des cônes.

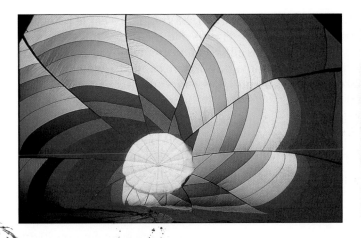
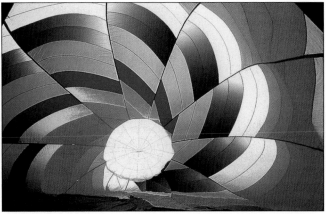

▲ À gauche, un ballon multicolore vu par une personne à la vision chromatique normale ; à droite, le même ballon vu par un daltonien atteint d'une déficience rouge-vert.

RETENEZ-LE   La vue

1. Qui suis-je ? Rétine, iris, pupille, cornée ou cristallin ?
   a) Partie colorée de l'œil
   b) Orifice de l'iris qui se dilate et se contracte
   c) Couche transparente qui couvre l'iris
   d) Structure transparente qui met au point l'image et la projette, inversée, sur la rétine
   e) Fine membrane photosensible au fond de l'œil

2. Les (cônes/bâtonnets) sont les cellules réceptrices de la rétine qui permettent de voir sous une lumière faible, et les (cônes/bâtonnets), celles qui permettent de voir les couleurs et les images détaillées.

3. Vrai ou faux ? La plupart des daltoniens ne voient aucune couleur.

Réponses : 1. (a) Iris (b) Pupille (c) Cornée (d) Cristallin (e) Rétine. **2.** bâtonnets ; cônes. **3.** Faux.

3.3 L'OUÏE

Si le film *Alien* n'est que pure fiction, son slogan publicitaire – « Dans l'espace, personne ne vous entend crier » –, lui, est rigoureusement exact : la lumière voyage dans le vide de l'espace, mais pas le son. Une bonne compréhension du son est essentielle pour comprendre le fonctionnement de l'**ouïe**, ce sens qui capte les stimulus sonores et les transmet au cerveau, ainsi que les mécanismes de l'**audition**, c'est-à-dire de la perception des sons par l'action conjuguée de l'oreille et du cerveau.

Ouïe
Sens qui capte les stimulus sonores et les transmet au cerveau.

Audition
Perception des stimulus sonores par l'action conjuguée de l'oreille et du cerveau.

Ce que nous entendons : le son qui vibre

Le son a besoin d'un médium (air, eau ou objet solide) pour se propager, un phénomène démontré la première fois en 1660 par Robert Boyle (1627-1691). Ce physicien et chimiste irlandais constata que s'il suspendait une montre qui sonnait dans un bocal fermé, puis vidait l'air du contenant, on cessait d'entendre la sonnerie.

Quand nous assistons à un concert rock, nous ne faisons pas qu'entendre les vibrations mécaniques de la musique, nous les ressentons. Les pulsations des haut-parleurs font vibrer le plancher, les sièges, les murs et l'air environnant ; on sent les molécules d'air poussées vers soi par vagues ; on les reçoit littéralement dans l'estomac. La **fréquence**, cette grande caractéristique du son, dépend du nombre de vibrations (ou cycles) d'une

Quelles sont les grandes propriétés du son ?

Fréquence
Nombre de cycles complets (vibrations) d'une onde sonore par seconde ; détermine la hauteur du son (tonie) ; se mesure en hertz (Hz).

onde sonore par seconde ; elle se mesure en hertz (Hz). La fréquence est le principal déterminant de la hauteur du son (aigu ou grave) : plus elle est élevée (plus il y a de vibrations par seconde), plus le son est aigu ; plus elle est faible (moins il y a de vibrations par seconde), plus le son est grave. L'oreille humaine normale capte des fréquences qui vont de 20 Hz (très graves) à 20 000 Hz (très aiguës). Les dauphins, eux, réagissent à des ultrasons allant jusqu'à 100 000 Hz.

La puissance d'un son dépend largement de l'amplitude de l'onde sonore, c'est-à-dire de son ampleur, qui est déterminée par l'énergie qu'émet cette onde – la pression ou la force avec laquelle elle déplace les molécules d'air. Cette pression se mesure en bels (d'après le nom d'Alexander Graham Bell), mais le bel étant une unité assez grosse, on exprime d'ordinaire la puissance sonore en décibels (dB), ou dixièmes de bel. Le seuil de l'audition humaine est de 0 dB, ce qui correspond non pas à l'absence de son, mais au son le plus faible que l'oreille humaine peut capter dans un environnement insonorisé. Chaque augmentation de 10 dB produit un son 10 fois plus fort. Un murmure émet environ 20 dB, et une conversation normale, autour de 60 dB.

Si la hauteur et la puissance étaient les seules propriétés perceptibles du son, nous serions incapables de distinguer deux instruments différents qui jouent la même note avec la même puissance. C'est la troisième propriété du son, son timbre, qui permet de le différencier des sons de même hauteur et de même puissance. Contrairement au son pur d'un diapason, qui n'a qu'une fréquence, la plupart des sons naturels en combinent plusieurs. Bien qu'elles ne soient pas vraiment entendues comme des tonalités, les *harmoniques,* c'est-à-dire les sons dont la fréquence est un multiple de la fréquence du son fondamental de l'instrument et qui se font entendre en même temps que lui, donnent à cet instrument son timbre caractéristique. Ainsi, le son riche et plein du cor d'harmonie vient du grand nombre d'harmoniques que permet cet instrument, alors que le son presque pur de la flûte tient au nombre relativement faible d'harmoniques que peut émettre cet instrument.

Amplitude
Ampleur (énergie) d'une onde sonore ; détermine la puissance du son et se mesure en décibels.

Décibel (dB)
Unité de mesure de la puissance du son égale à un dixième de bel.

Timbre
Propriété du son qui permet de distinguer un son d'autres sons de même hauteur et de même puissance.

Comment fonctionnent l'oreille externe, l'oreille moyenne et l'oreille interne ?

L'oreille : au-delà de ce qu'on en voit

La partie visible de l'oreille joue un rôle mineur dans l'audition : si on coupait ce que vous appelez vos oreilles, votre ouïe en souffrirait très peu (Warren, 1999). La figure 3.6 illustre schématiquement l'anatomie de l'oreille humaine.

L'oreille externe : l'entrée et le corridor du son L'étrange volet de cartilage et de peau que nous appelons le *pavillon* forme la partie visible de l'oreille externe. À l'intérieur, le conduit auditif, dont l'entrée est tapissée de poils, mesure environ deux centimètres et demi de long ; il aboutit au tympan, une fine membrane élastique d'environ un centimètre de diamètre, qui vibre sous l'effet des ondes sonores. Le tympan sépare l'oreille externe et l'oreille moyenne.

L'oreille moyenne : un jeu d'osselets en guise d'ampli Derrière le tympan se trouve l'oreille moyenne, une caisse de la taille d'un cachet d'aspirine qui contient les osselets, les trois plus petits os du corps, à peine plus gros qu'un grain de riz (Strome et Vernick, 1989). Nommés d'après leurs formes – le marteau, l'enclume et l'étrier –, les osselets relient le tympan à la fenêtre ovale et amplifient le son environ 22 fois (Békésy, 1957).

L'oreille interne : une chambre en colimaçon L'oreille interne débute sur la paroi intérieure de la fenêtre ovale, dans la base de la cochlée, une chambre osseuse en colimaçon remplie de liquide. Quand l'étrier pousse contre la fenêtre ovale, la pression déclenche des vibrations qui font onduler le liquide cochléaire, dont les vagues font à leur tour osciller la fine membrane basilaire qui traverse la cochlée, ainsi que les quelque 15 000 cellules ciliées qui y sont rattachées. Chacun de ces récepteurs sensoriels est doté de minuscules cils qui, poussés et tirés par le mouvement du liquide cochléaire, produisent un influx nerveux ; celui-ci est transmis au thalamus, puis au cortex auditif primaire des lobes temporaux, lesquels pourront le décoder.

Oreille externe
Partie visible de l'oreille, formée du pavillon et du conduit auditif.

Oreille moyenne
Partie intermédiaire de l'oreille contenant les osselets qui relient le tympan à la fenêtre ovale et amplifient les vibrations qui se dirigent vers l'oreille interne.

Oreille interne
Partie la plus profonde de l'oreille ; contient la cochlée, l'appareil vestibulaire et les canaux semi-circulaires.

Cochlée
Organe de l'oreille interne en colimaçon rempli de liquide, qui contient les cellules ciliées.

Cellules ciliées
Récepteurs sensoriels de l'audition situés dans la cochlée.

Figure 3.6

L'ANATOMIE DE L'OREILLE

Les ondes sonores traversent le conduit auditif et atteignent le tympan, qui, sous la pression, se met à vibrer. Ces vibrations se transmettent dans l'oreille moyenne par les osselets – du marteau à l'enclume et de l'enclume à l'étrier. En poussant contre la fenêtre ovale, l'étrier déclenche dans l'oreille interne des vibrations qui font des vagues dans le liquide cochléaire. Ce mouvement de va-et-vient stimule les cellules ciliées, lesquelles transmettent le message au cerveau par le nerf auditif.

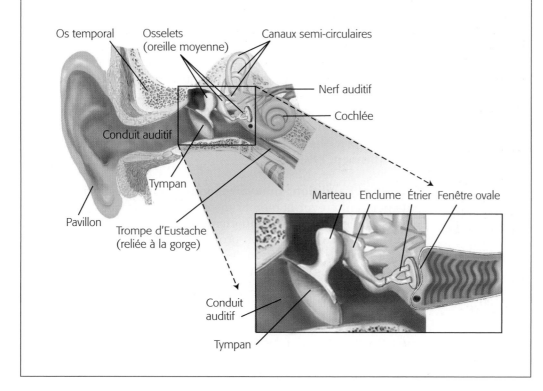

Avoir deux oreilles, une de chaque côté de la tête, nous permet de déterminer d'où viennent les sons (Konishi, 1993). Tout son qui n'arrive pas directement devant ou derrière nous, ou encore au-dessus ou en dessous de nous atteint une oreille un peu avant l'autre (Spitzer et Semple, 1991). Le cerveau détecte et interprète des divergences aussi ténues que 1/10 000ᵉ de seconde, ce qui nous indique de quel côté vient le son (Rosenzweig, 1961). La différence d'intensité du son qui atteint chaque oreille peut aussi indiquer sa provenance (Middlebrooks et Green, 1991).

La surdité et les troubles auditifs

Quelles sont les causes de la surdité et des troubles auditifs ?

Près de deux millions de Canadiens souffrent de surdité ou de troubles auditifs, et ce nombre croît rapidement. Il existe divers types de troubles auditifs, les plus répandus étant la surdité de transmission et la surdité neurosensorielle. Généralement causée par une maladie ou une lésion au tympan ou aux osselets, la surdité de transmission empêche les ondes sonores de parvenir à la cochlée. Presque toutes les surdités de transmission se traitent médicalement ou chirurgicalement. Dans de rares cas où cela se révèle impossible, on peut équiper les patients d'une prothèse auditive qui contourne l'oreille moyenne et utilise la conduction osseuse pour conduire les ondes sonores jusqu'à la cochlée.

La plupart des adultes qui souffrent de troubles auditifs sont victimes d'une surdité neurosensorielle résultant de lésions soit à la cochlée, soit au nerf auditif. Une bonne partie des délicates cellules cochléaires qui convertissent les ondes sonores en impulsions nerveuses peuvent être endommagées ou détruites. Si la lésion n'est pas trop grave, une prothèse auditive classique peut compenser ce type de surdité (Bramblett, 1997). Autrement, dans bien des cas, des implants cochléaires peuvent rétablir l'audition, même chez des individus complètement sourds. Cependant, si le nerf auditif qui relie la cochlée au cerveau est endommagé, les prothèses et les implants sont inutiles, et la surdité est généralement totale.

Des recherches transculturelles indiquent que les troubles auditifs qui viennent avec l'âge s'expliquent davantage par l'exposition prolongée au bruit excessif que par le vieillissement lui-même (Rabinowitz, 2000 ; Kalb, 1997). Ainsi, les Mabaans du sud du Soudan perdent très peu de leur acuité auditive en vieillissant. Des tests d'audition ont révélé que certains octogénaires mabaans entendent aussi bien que les jeunes de 20 ans des pays industrialisés. Très fiers de leur acuité auditive, les Mabaans ont pour coutume de ne jamais élever la voix. Les sons les plus forts qu'ils entendent au quotidien viennent de leurs coqs, moutons et autres animaux, et même leurs fêtes sont très peu bruyantes, privilégiant la danse, les chants doux et les instruments à cordes (Bennett, 1990).

Le bruit et l'audition : mauvaises vibrations Les bruits très violents peuvent crever la membrane du tympan et endommager les cellules ciliées, causant une importante perte auditive immédiate. Sans crever le tympan, l'exposition prolongée à des bruits intenses peut également endommager les cellules ciliées. Selon les experts, l'exposition à un bruit de 90 décibels pendant plus de 8 heures par jour peut endommager l'ouïe, et pour chaque 5 décibels de plus, ce temps diminue de moitié – 4 heures pour 95 décibels, 2 heures pour 100 décibels et 1 heure pour 105 décibels.

Au Québec, le bruit en milieu de travail cause environ 20 % des cas de surdité chez l'adulte, estiment le ministère de la Santé et des Services Sociaux (MSSS) et la Commission de la Santé et de la Sécurité au Travail (CSST). La surdité est la seconde maladie professionnelle en nombre de cas indemnisés par la CSST au Québec (environ 1 000 cas par année), et quelque 500 000 travailleurs exposés à des niveaux nocifs de bruit risquent d'en être victimes. Le problème est tel que la réduction du bruit est devenue une priorité nationale (MSSS, 2003).

Comment savoir si le bruit ambiant risque d'endommager votre ouïe ? La figure 3.7 donne le niveau de décibels approximatif de quelques bruits familiers et leur effet sur les humains à un mètre de distance. Il y a danger si vous avez du mal à « enterrer le bruit » quand vous voulez parler, ou si le bruit est tel que vous avez des tintements dans vos oreilles ou une perte auditive temporaire quand vous vous

▲ Probablement parce qu'ils ne sont pas exposés au bruit excessif, les Mabaans du sud du Soudan perdent très peu de leur acuité auditive en vieillissant.

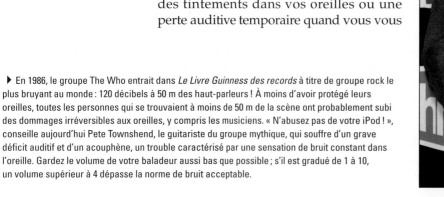

▶ En 1986, le groupe The Who entrait dans *Le Livre Guinness des records* à titre de groupe rock le plus bruyant au monde : 120 décibels à 50 m des haut-parleurs ! À moins d'avoir protégé leurs oreilles, toutes les personnes qui se trouvaient à moins de 50 m de la scène ont probablement subi des dommages irréversibles aux oreilles, y compris les musiciens. « N'abusez pas de votre iPod ! », conseille aujourd'hui Pete Townshend, le guitariste du groupe mythique, qui souffre d'un grave déficit auditif et d'un acouphène, un trouble caractérisé par une sensation de bruit constant dans l'oreille. Gardez le volume de votre baladeur aussi bas que possible ; s'il est gradué de 1 à 10, un volume supérieur à 4 dépasse la norme de bruit acceptable.

en éloignez (Dobie, 1987). Si vos oreilles sifflent, que les sons vous semblent assourdis ou que vous éprouvez une sensation de chatouillement quand vous enlevez vos écouteurs, cela peut indiquer que vous ayez déjà subi une certaine perte auditive. Si vous prévoyez être exposé à un bruit important, utilisez des bouchons d'oreille ou un casque antibruit ; cela réduira le bruit de 15 à 30 décibels. Si vous devez vous livrer à une activité très bruyante, limitez les périodes d'exposition.

Figure 3.7

QUELQUES BRUITS FAMILIERS EN DÉCIBELS

La puissance d'un son se mesure en décibels. Chaque augmentation de 10 décibels donne un son 10 fois plus fort. Une conversation normale à un mètre de distance, qui équivaut à environ 60 décibels, est donc 10 000 fois plus forte qu'un murmure de 20 décibels. Un son de 130 décibels entraîne un risque immédiat de troubles auditifs pour la personne exposée.

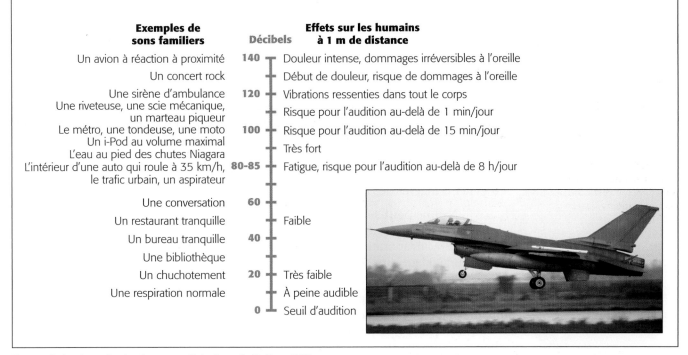

Exemples de sons familiers	Décibels	Effets sur les humains à 1 m de distance
Un avion à réaction à proximité	140	Douleur intense, dommages irréversibles à l'oreille
Un concert rock		Début de douleur, risque de dommages à l'oreille
Une sirène d'ambulance	120	Vibrations ressenties dans tout le corps
Une riveteuse, une scie mécanique, un marteau piqueur		Risque pour l'audition au-delà de 1 min/jour
Le métro, une tondeuse, une moto	100	Risque pour l'audition au-delà de 15 min/jour
Un i-Pod au volume maximal		
L'eau au pied des chutes Niagara		Très fort
L'intérieur d'une auto qui roule à 35 km/h, le trafic urbain, un aspirateur	80-85	Fatigue, risque pour l'audition au-delà de 8 h/jour
Une conversation	60	
Un restaurant tranquille		Faible
Un bureau tranquille	40	
Une bibliothèque		
Un chuchotement	20	Très faible
Une respiration normale		À peine audible
	0	Seuil d'audition

Source : Ordre des orthophonistes et audiologistes du Québec, 1995.

RETENEZ-LE   **L'ouïe**

1. _____ détermine la hauteur du son ; _____ détermine sa puissance.
   a) L'amplitude ; la fréquence
   b) La longueur d'onde ; la fréquence
   c) L'intensité ; l'amplitude
   d) La fréquence ; l'amplitude

2. La hauteur du son se mesure en (hertz/décibels) ; la puissance sonore en (décibels/hertz).

3. Ces parties de l'oreille correspondent à l'oreille (externe/moyenne/interne).
   a) les osselets
   b) le pavillon et le conduit auditif
   c) la cochlée et les cellules ciliées

4. Les récepteurs de l'audition se trouvent dans _____ .
   a) les osselets
   b) le conduit auditif
   c) la membrane auditive
   d) la cochlée

5. Vrai ou faux ? Les troubles auditifs qui viennent avec l'âge s'expliquent davantage par l'exposition prolongée au bruit excessif que par le vieillissement lui-même.

Réponses : 1. d. **2.** hertz ; décibels. **3.** (a) moyenne (b) externe (c) interne. **4.** d. **5.** Vrai.

3.4 L'ODORAT ET LE GOÛT

Odorat
Sens qui capte les stimulus odorants et les transmet au cerveau.

Goût
Sens qui capte les saveurs par l'action conjuguée de la bouche, de la langue, de la gorge et du nez et les transmet au cerveau.

On dit que l'**odorat** et le **goût** sont des sens chimiques, car leurs récepteurs détectent les substances chimiques de l'environnement. Le système olfactif détecte les molécules odorantes portées par l'air et nous renseigne sur nous-mêmes, sur les autres, sur les aliments et sur une foule d'autres aspects de l'environnement. Le sens du goût détecte les molécules solubles dans l'eau des aliments que nous portons à notre bouche et nous renseigne sur eux. Autre bonne raison pour traiter de ces sens chimiques dans une seule et même section, l'odorat, qui est 10 000 fois plus sensible que le goût, est largement responsable des saveurs détectées dans la nourriture. Quand on a le nez complètement congestionné, on se rend compte du rôle de l'odorat dans l'expérience gustative !

Comment les stimulus olfactifs parviennent-ils du nez au cerveau ?

L'odorat : néanmoins vital...

Imaginez un monde sans la moindre odeur. Pas si mal, vous dites-vous peut-être. On ne sentirait plus les fleurs, les parfums et nos plats préférés, mais on n'aurait pas non plus à supporter les mauvaises odeurs. Somme toute, ce ne serait pas une grande perte. Détrompez-vous ! L'**olfaction** – c'est-à-dire la perception des odeurs par l'action conjuguée du nez et du cerveau – contribue à vous garder en vie. Sentir la fumée d'un début d'incendie peut vous éviter de brûler vif ; votre nez signale à votre cerveau la présence d'émanations toxiques ; et votre odorat, aidé de votre goût, est votre dernier rempart contre l'empoisonnement, votre ultime chance d'éviter d'ingérer des boissons ou des aliments gâtés.

Olfaction
Perception des odeurs par l'action conjuguée du nez et du cerveau.

Nul ne peut sentir une substance à moins qu'une de ses molécules ne se vaporise – c'est-à-dire passe de l'état solide ou liquide à l'état gazeux. La chaleur accélère l'évaporation des molécules, ce qui explique que les aliments qui cuisent ont une odeur plus forte et plus distincte que les aliments crus.

Le nez : branché sur le cerveau La figure 3.8 montre un schéma du système olfactif humain. Une fois vaporisées, les particules odorantes deviennent volatiles et remontent dans chaque narine jusqu'à l'**épithélium olfactif** – membrane qui tapisse le fond de chaque cavité nasale –, où elles sont dissoutes dans le mucus. Chaque épithélium olfactif renferme près de 5 millions de récepteurs olfactifs de 1 000 types différents (Bargmann, 1996). Les récepteurs olfactifs ne sont pas des cellules réceptrices ordinaires, mais des neurones spécialisés qui entrent en contact direct avec les **bulbes olfactifs**, deux organes cérébraux de la taille d'une allumette qui surplombent les cavités nasales et qui transmettent le message olfactif à d'autres parties du cerveau. Contrairement aux autres neurones, les neurones olfactifs ont la vie courte – entre 30 et 60 jours – et sont constamment remplacés (Buck, 1996). L'intensité du stimulus olfactif semble dépendre du nombre de neurones olfactifs qui déchargent simultanément leur influx (Freeman, 1991). Cela dit, la sensibilité olfactive varie considérablement d'une personne à une autre. Les parfumeurs, par exemple, peuvent distinguer près de 100 000 composés odorants ; avec un peu d'entraînement, l'individu moyen peut en différencier de 10 000 à 40 000 (Dobb, 1989).

▲ L'odorat et le goût, nos deux sens chimiques, sont intimement liés.

Épithélium olfactif
Membrane couverte de mucus qui tapisse le fond de la cavité nasale ; contient les terminaisons des millions de neurones olfactifs.

Bulbe olfactif
Organe cérébral de la taille d'une allumette surplombant la cavité nasale, où s'enregistrent les sensations transmises par les récepteurs (neurones) olfactifs.

En plus de la perception olfactive, les molécules odorantes peuvent déclencher des réponses très variées, certaines physiques – comme la salivation déclenchée par une odeur appétissante, la nausée provoquée par une odeur répugnante ou le frisson de plaisir que donne une odeur sensuelle, etc. –, et d'autres psychologiques. Comme chacun sait, les odeurs peuvent à elles seules éveiller des souvenirs et ranimer des émotions qui remontent à très loin. Le phénomène n'a rien d'étonnant quand on sait que le système olfactif transmet des signaux directement à l'amygdale et à l'hippocampe, des structures cérébrales qui jouent un rôle important dans les émotions et les souvenirs (Horvitz, 1997).

Figure 3.8

LE SYSTÈME OLFACTIF

Une fois les molécules odorantes vaporisées, leurs particules remontent dans chaque narine jusqu'à l'épithélium olfactif, qui contient des millions de récepteurs olfactifs. Ces neurones spécialisés, dont les axones forment le nerf olfactif, transmettent les signaux d'odeurs à deux organes cérébraux – les bulbes olfactifs –, d'où ils seront retransmis à d'autres parties du cerveau.

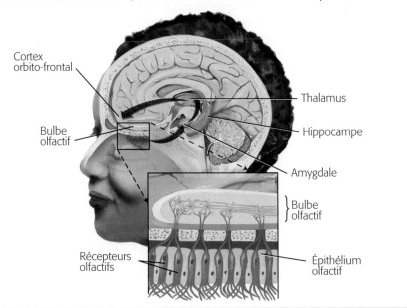

Les odeurs peuvent aussi procurer un sentiment de sécurité. Dès les premières heures qui suivent la naissance, les bébés reconnaissent l'odeur de leur mère, et les mères, celle de leur enfant. Les agents immobiliers connaissent bien l'effet d'une odeur de café, de bouillon de poulet, de biscuits ou de gâteau au four lors de la visite d'une maison à vendre ; ces odeurs évoquent le bien-être et la chaleur d'un foyer où il fait bon vivre. Notre connaissance intuitive du lien entre l'odorat et les émotions transparaît dans des expressions comme « Je ne peux pas le sentir », « Elle a le nez long », « Il dégage une odeur de soufre ».

La mémoire olfactive : une odeur n'est jamais neutre...

Pourquoi une odeur peut-elle ranimer des souvenirs enfouis ? Les sensations olfactives transitent par l'amygdale, siège des émotions, et l'hippocampe, centre de tri de la mémoire. Ce lien direct est exclusif à l'olfaction. Résultat : contrairement aux images que nous voyons ou aux sons que nous entendons, qui ne suscitent pas nécessairement de jugements qualitatifs, les odeurs que nous sentons nous paraissent soit agréables, soit désagréables, mais jamais neutres. Le fait qu'une odeur nous semble plaisante ou désagréable dépend surtout de notre état émotionnel : associée à un instant de plaisir ou de déplaisir, elle est gravée comme telle dans la mémoire. En retrouvant cette odeur, l'hippocampe, qui a décomposé les souvenirs pour les stocker, peut les reconstituer en un instant, comme un puzzle. En percevant une odeur connue, il fait le lien entre sa trace mnésique dans le cortex olfactif et celles de bruits dans le cortex auditif, d'images dans le cortex visuel, etc. Ces composantes s'ajustent alors les unes aux autres selon leur agencement original et raniment l'émotion vécue.

Les phéromones De nombreux animaux excrètent des **phéromones**. Ces substances chimiques qui ont un effet puissant sur le comportement de leurs congénères, leur servent notamment à marquer leur territoire, à signaler leur réceptivité sexuelle et à déceler la présence de prédateurs (Sullivan et autres, 2002 ; Dobb, 1989). Les humains émettent aussi des phéromones et y répondent généralement sans en avoir conscience. L'androstérone, la phéromone humaine, modifie certaines fonctions physiologiques comme la fréquence cardiaque et l'humeur (DeBortoli et autres, 2001). L'androstérone

Phéromone
Type de substances sécrétées par les humains et les animaux qui signalent et déclenchent certains schémas de comportement chez les membres de la même espèce.

est liée à un phénomène qui a longtemps intrigué les chercheurs : le synchronisme menstruel, c'est-à-dire la tendance qu'ont les cycles menstruels des femmes qui vivent ensemble à se synchroniser après un certain temps. Dans une étude portant sur des étudiantes en résidence universitaire, les chercheurs ont constaté qu'après trois mois de cohabitation, dans 38 % des cas, les cycles des co-chambreuses s'étaient synchronisés ; or, les jeunes femmes dont les cycles s'étaient synchronisés se caractérisaient par une plus grande sensibilité olfactive à l'androstérone que les autres participantes (Morofushi et autres, 2000). Dans une autre étude, le chercheur viennois Karl Grammer a analysé la salive de jeunes hommes après leur avoir fait inhaler des phéromones provenant de sécrétions vaginales. Résultat : seules les sécrétions des femmes en période ovulatoire ont fait grimpé le taux de testostérone dans la salive des participants. Sans en avoir conscience, ces derniers semblaient avoir « reconnu » les femmes les plus susceptibles d'être fertiles.

Le goût : saveurs, odeurs et textures

Quelles sont les sensations gustatives fondamentales, et comment les détecte-t-on ?

Gustation
Perception des saveurs par l'action conjuguée des organes du goût et du cerveau.

La **gustation**, c'est-à-dire la perception des saveurs par l'action conjuguée des organes du goût (bouche, langue, gorge et nez) et du cerveau, contribue également à notre survie en nous permettant de déterminer si un aliment est comestible ou non. Ses substances chimiques interagissent avec les récepteurs gustatifs de la langue, lesquels assurent la transduction et, avec l'aide du cerveau, nous renseignent sur la nature, la concentration et le caractère agréable ou désagréable d'une substance.

Traditionnellement, les scientifiques distinguaient quatre sensations gustatives de base : le sucré, le salé, l'acide et l'amer. Des recherches récentes suggèrent que les humains connaissent une cinquième sensation gustative : l'*umami* (savoureux en japonais). L'umami est une réaction au glutamate, un condiment très utilisé (sous forme de monoglutamate de sodium) dans la cuisine asiatique (Herness, 2000 ; Matsunami et autres, 2000). De nombreux aliments riches en protéines comme la viande, le lait, le fromage vieilli et les fruits de mer contiennent du glutamate.

Bourgeon gustatif
Structure située sur une papille gustative et contenant de 60 à 100 récepteurs du goût.

Les récepteurs du goût Le dessus de votre langue est recouvert d'une multitude de petites proéminences charnues visibles à l'œil nu, les papilles sensorielles, certaines tactiles, mais la plupart gustatives. Les papilles gustatives sont dotées de **bourgeons gustatifs**, constitués chacun de 60 à 100 récepteurs semblables aux pétales d'une fleur, dont la vie est aussi brève – à peine 10 jours – et qui se renouvellent constamment.

Grâce à la microphotographie, des chercheurs ont pu compter les bourgeons gustatifs et comparer leur nombre chez divers individus (Miller et Reedy, 1990). Ils ont ainsi constaté que les moins bons goûteurs sont aussi ceux qui ont le moins de bourgeons gustatifs, en moyenne 96 par centimètre carré ; les goûteurs moyens en ont presque deux fois plus (184), et les grands goûteurs, près de quatre fois plus (425). Cependant, le fait que ces derniers ne goûtent pas toutes les substances plus intensément suggère que le nombre de bourgeons gustatifs n'explique pas à lui seul la sensibilité gustative dans son ensemble. En fait, la sensibilité à certaines substances sucrées et amères diffère parmi les trois groupes (Yackinous et Guinard, 2002). Les piètres goûteurs sont incapables de goûter certains composés sucrés et amers, mais goûtent la plupart des autres substances, quoique moins bien. Par contre, les fins goûteurs goûtent beaucoup plus intensément certains composés sucrés et amers ; ainsi, ils sont très sensibles aux substances chimiques qui rendent les fruits et légumes amers, et tendent par exemple à manger moins de laitue que les goûteurs moyens et médiocres (Yackinous et Guinard, 2002).

Les cinq sensations gustatives de base peuvent être détectées partout sur la langue. Comme on trouve aussi des récepteurs gustatifs dans le palais, les muqueuses des joues et des lèvres, et certaines parties de la gorge (dont les amygdales), même une personne dépourvue de langue ne serait pas complètement privée de sensations gustatives.

La saveur : une expérience multisensorielle Si vous croyez pouvoir reconnaître des aliments familiers à leur seul goût, vous pourriez avoir une surprise.

Quand nous décrivons la saveur d'un aliment, nous évoquons beaucoup plus que son seul goût. La gustation est une expérience multisensorielle qui combine le goût et le toucher (informations transmises par les récepteurs gustatifs et tactiles de la bouche et de la gorge), mais l'essentiel de la sensation gustative vient de notre odorat, c'est-à-dire des particules d'odeur poussées dans la cavité nasale par l'action de la langue, des joues et de la gorge quand nous mastiquons et avalons.

▲ Pourquoi le piment brûle-t-il la bouche alors que la menthe la rafraîchit ? Parce qu'ils contiennent des molécules qui stimulent les récepteurs de température de la bouche. La capsaïcine dans le piment active les récepteurs qui détectent les températures supérieures à 42 °C, ce qui crée une illusion de chaud, et le menthol active les récepteurs qui détectent les températures allant de 8 °C à 28 °C, ce qui donne une impression de fraîcheur.

Goûter à l'aveugle

Fermez les yeux et pincez-vous le nez. Demandez à quelqu'un de vous donner à manger des aliments différents dont la texture est semblable – minuscules morceaux de pomme de terre crue, de pomme et d'oignon, par exemple, ou encore purées de divers fruits et légumes. Voyez si vous pouvez identifier les aliments à leur seul goût. La plupart des gens en sont incapables…

L'odorat et le goût

1. Les récepteurs olfactifs se trouvent dans _____ .
   a) les cavités nasales
   b) le nerf olfactif
   c) l'épithélium olfactif
   d) les bulbes olfactifs

2. Nommez les cinq sensations gustatives primaires.

3. Quel sens permet de reconnaître à l'aveugle la saveur de divers aliments de même texture ?

4. Chaque (papille/bourgeon gustatif) contient de 60 à 100 récepteurs.

5. Vrai ou faux ? Les récepteurs gustatifs ont une vie très courte et sont sans cesse remplacés.

6. Vrai ou faux ? Les fins goûteurs ont le même nombre de bourgeons gustatifs que les goûteurs moyens et médiocres.

Réponses : 1. c. **2.** Le sucré, le salé, l'acide, l'amer et l'umami. **3.** L'odorat. **4.** bourgeon gustatif. **5.** Vrai. **6.** Faux.

3.5 LA SOMESTHÉSIE

Traditionnellement, les psychologues qui étudiaient les fonctions sensorielles se concentraient sur celles qui assurent l'**extéroception**, c'est-à-dire celles qui captent et transmettent au cerveau les stimulus provenant de l'environnement externe. De ce point de vue, le cinquième sens est le **toucher**, qui nous permet de capter certaines propriétés du monde physique (pression, forme, texture, température, etc.) par contact direct avec la peau.

Cependant, cette nomenclature classique des sens ne tenait pas compte du fait que les sensations plaisantes ou désagréables que nous éprouvons proviennent en bonne partie de l'intérieur de notre corps : douleurs, malaises et inconforts, sensation de soif, de faim et de satiété, envie d'uriner ou de déféquer et soulagement lorsque c'est fait, « cœur qui débat », tension ou relâchement musculaire, étourdissements, sensation de perdre l'équilibre, et ainsi de suite. Toutes ces sensations provenant de l'intérieur du corps relèvent de l'**intéroception**, c'est-à-dire de modalités sensorielles qui captent et transmettent au cerveau des stimulus provenant de l'intérieur du corps.

Extéroception
Ensemble des modalités sensorielles qui captent et transmettent au cerveau des stimulus provenant de l'environnement externe ; englobe la vue, l'ouïe, l'odorat, le goût et le toucher cutané.

Toucher
Sens qui capte certaines propriétés physiques (température, forme, pression, texture, etc.) par contact direct avec la peau, et les transmet au cerveau.

Intéroception
Ensemble des modalités sensorielles qui captent et transmettent au cerveau des stimulus provenant de l'intérieur du corps.

Somesthésie
Sensibilité générale du corps; ensemble des sens qui captent des stimulus par le corps pour les transmettre au cerveau; inclut le toucher, la proprioception et l'intéroception.

De nos jours, on considère donc que le cinquième sens est la **somesthésie**, c'est-à-dire la sensibilité générale du corps. La somesthésie inclut tous les sens qui captent des stimulus directement par le corps – soit par la peau, comme le toucher, soit par des tissus corporels plus profonds (muscles, articulations, vaisseaux sanguins, organes, etc.) – et les transmettent au cerveau.

Si tous nos sens sont précieux, les sens somesthésiques, eux, sont vraiment indispensables. Sans eux, nous ne ressentirions ni la température, ni la pression physique, ni la douleur, ni la faim, ni la soif, ni le besoin d'éliminer. Nous aurions énormément de mal à saisir et à tenir les objets, car nous ne pourrions plus évaluer la pression et la force nécessaires. Nous ne pourrions plus nous déplacer parce que nous ne sentirions plus comment nos pieds touchent le sol. Nous devrions regarder constamment les diverses parties de notre corps pour savoir où elles se trouvent et ce qu'elles font parce que nous ne sentirions plus ni leurs positions ni leurs mouvements. Nous ne pourrions plus nous tenir debout ou assis sans tomber, car nous n'aurions plus d'équilibre. On pourrait allonger cette liste, mais vous l'avez compris: la somesthésie est vitale.

Le toucher: la peau en contact avec le monde

Que nous apprend le toucher ?

▼ La recherche nous a appris que les bébés perçoivent le toucher maternel comme une expérience positive, et que de très jeunes bébés (cinq mois et demi) ressentent ses plus légères variations (Stack et Arnold, 1998; Stack et Lepage, 1996).

La peau remplit de nombreuses fonctions biologiques cruciales: elle peut détecter la pression, la température, la douleur et une foule de sensations tactiles – caresses, pincements, coups, frottements, égratignures et l'impression de nombreuses textures différentes, de la soie au papier abrasif. Elle nous procure une bonne partie du plaisir sensuel et de la douleur que nous éprouvons du premier au dernier jour de notre vie. Quand quelque chose touche ou presse la surface de notre corps, les divers types de récepteurs des terminaisons nerveuses de la peau captent le signal et le transmettent à la moelle épinière. Le message remonte la moelle épinière, traverse le tronc cérébral, puis le thalamus, pour enfin atteindre le cortex somesthésique, cette bande de tissu cortical à l'avant des lobes pariétaux (voir le chapitre 2, p. 55). Ce n'est qu'à ce moment que nous prenons conscience de l'endroit où nous avons été touchés et des caractéristiques de ce toucher. Dans les années 1890, Max von Frey (1852-1932), l'un des grands pionniers de la recherche sur le toucher, découvrait le **seuil de discrimination spatiale**, c'est-à-dire la distance minimale qui doit séparer deux points de notre corps pour que leur stimulation simultanée soit perçue isolément. Ce seuil varie pour les diverses parties du corps.

Seuil de discrimination spatiale
Distance minimale qui doit séparer deux points de notre corps pour que la stimulation simultanée de chacun soit perçue isolément.

ESSAYEZ-LE

Le seuil de discrimination spatiale

Demandez à quelqu'un de toucher simultanément avec deux cure-dents deux endroits de votre dos distants d'environ quatre centimètres. Sentez-vous un point ou deux? Quelle distance doit séparer les cure-dents pour que vous les perceviez comme deux stimulus distincts? Refaites le test sur votre visage, vos mains, vos doigts, vos jambes et vos orteils. Lesquelles de ces parties de votre corps sont les plus sensibles? Les moins sensibles?

La proprioception: position, mouvement et équilibre

Quels sont les sens proprioceptifs, et à quoi nous servent-ils ?

Que se passerait-il si vous deveniez soudain incapable de situer toutes les parties de votre corps dans l'espace et de sentir leurs relations avec votre environnement physique? Qu'arriverait-il par exemple si vous ne pouviez plus sentir dans quelle position est votre tête et comment il faut soulever et déplacer un marteau pour cogner un clou? Vous pourriez tout aussi bien vous cogner la tête avec le marteau ! Et comment pourriez-vous vous empêcher de tomber si vous ne saviez pas si votre corps est droit ou penché ? Les **sens proprioceptifs** captent et transmettent au cerveau les stimulus corporels relatifs à l'équilibre du corps et à ses mouvements dans l'espace. Ils incluent le *sens kinesthésique* et le *sens vestibulaire*.

Le sens kinesthésique
Le **sens kinesthésique** nous renseigne sur la position des diverses parties de notre corps les unes par rapport aux autres et sur leurs mouvements dans l'espace (s'il n'y a pas de mouvement, on parle plutôt du sens *statesthésique*). Cette information provient des récepteurs localisés dans les articulations, les ligaments et les muscles. Le sens kinesthésique repose donc sur l'intéroception. Les autres sens, surtout la vision, fournissent aussi des informations sur la position relative des parties de notre corps et sur leurs mouvements, mais le sens kinesthésique fonctionne déjà bien seul. Il nous permet d'exécuter des mouvements fins et précis sans données visuelles ni effort conscient, et d'évaluer la forme d'un objet dans la main.

Le sens vestibulaire
Intimement lié au sens de l'équilibre, le **sens vestibulaire** détecte le mouvement et nous renseigne sur la position de notre corps dans l'espace ; ces informations proviennent de l'oreille interne, plus précisément des **canaux semi-circulaires** et de l'appareil otolithique (utricule et saccule). Les canaux semi-circulaires (figure 3.9) perçoivent la rotation de votre tête, par exemple quand vous agitez la tête ou faites des pirouettes. Ces canaux tubulaires sont remplis de liquide qui, au moindre mouvement de la tête, se déplace et plie des cellules ciliées, lesquelles agissent comme des récepteurs et envoient des influx nerveux au cerveau. Comme il y a trois canaux, chacun positionné sur un plan différent, les cellules ciliées d'un canal plieront plus que celles des autres canaux selon le sens de la rotation.

Sens proprioceptifs
Sens qui captent et transmettent au cerveau les stimulus corporels relatifs à la position et au mouvement des diverses parties du corps, ainsi qu'à son équilibre et à son orientation dans l'espace ; incluent le *sens kinesthésique* et le *sens vestibulaire*.

Sens kinesthésique
Sens proprioceptif qui, grâce à des récepteurs situés dans les articulations, les ligaments et les muscles, informe le cerveau sur la position relative des diverses parties du corps les unes par rapport aux autres, ainsi que sur leurs mouvements.

Sens vestibulaire
Sens proprioceptif qui renseigne sur nos mouvements et notre orientation spatiale grâce aux récepteurs sensoriels sis dans les canaux semi-circulaires et les organes otolithiques, qui détectent les changements dans le mouvement et l'orientation de la tête.

Canaux semi-circulaires
Trois canaux tubulaires remplis de liquide situés dans l'oreille interne, qui renseignent sur les mouvements de rotation de la tête.

Figure 3.9

L'OREILLE, L'ÉQUILIBRE ET LE MOUVEMENT

Nous sentons la rotation de la tête dans toutes les directions parce que le mouvement du liquide dans les canaux semi-circulaires de l'oreille interne stimule les récepteurs des cellules ciliées qui, à leur tour, envoient le message au cerveau.

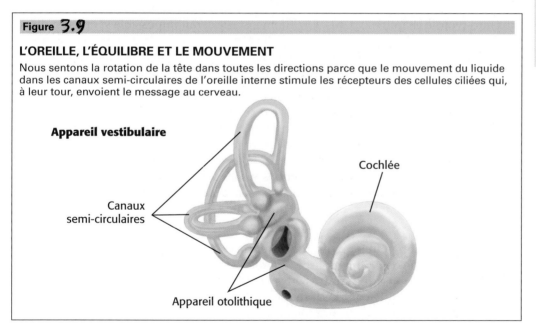

Le sens vestibulaire ne repose pas uniquement sur l'intéroception. En effet, les canaux semi-circulaires et l'appareil otolithique ne signalent que les *changements* dans le mouvement ou l'orientation. Si vous n'aviez aucun indice visuel ou autre, vous seriez incapable de sentir le mouvement une fois que votre vitesse aurait atteint un taux constant. Par exemple, dans un avion, vous sentez le décollage et l'atterrissage ou des changements soudains de vitesse. Mais dès que le pilote redresse l'appareil et maintient à peu près la même vitesse, vos organes vestibulaires ne signalent plus au cerveau que vous bougez, même si vous avancez à des centaines de kilomètres à l'heure. En voiture, ce sont les indices visuels de déplacement qui pallient l'absence de signaux vestibulaires, à vitesse constante.

Rappelez-vous le plaisir qu'on avait, enfant, à tourner sur nous-mêmes jusqu'à tomber par terre d'étourdissement. C'est la surstimulation des canaux semi-circulaires qui entraînait la perte d'équilibre : le cerveau ne sait plus comment traiter le surplus d'information sensorielle. C'est pourquoi on enseigne aux patineurs à fixer leur regard sur un point de repère. Par contre, si les hauteurs vous donnent le vertige, le problème est uniquement perceptif, c'est-à-dire qu'il tient uniquement au traitement de la sensation par le cerveau : la perception visuelle actuelle présente trop d'écart avec la perception habituelle que vous avez de l'environnement.

L'intéroception : comment vous sentez-vous ?

Pourquoi les psychologues s'intéressent-ils de plus en plus à l'intéroception et aux sensations viscérales ?

Comment vous sentez-vous pendant que vous lisez ces lignes ? Que vous alliez bien ou mal, pour le savoir vous avez dû vous fier à d'autres sensations que celles que nous avons étudiées jusqu'ici. Tout au long de notre vie et à tout moment, des récepteurs sensoriels situés dans notre cœur, nos poumons, notre tube digestif, nos viscères et d'autres tissus corporels profonds transmettent à notre cerveau une foule de renseignements sur son état interne : sensations de faim, de satiété ou de trop-plein, besoin d'uriner ou de déféquer, degré d'énergie ou de fatigue, nausée, étourdissements, cœur qui s'emballe, sensation de faiblesse, douleurs ou malaises, etc.

Il y a environ 150 ans, le grand physiologiste français Claude Bernard (1813-1878) affirmait que tout organisme cherche à maintenir son « milieu intérieur » en équilibre, et donc à ramener ses constantes physiologiques à la normale lorsqu'elles s'en écartent – principe que le physiologiste Walter Cannon a baptisé « homéostasie » un demi-siècle plus tard (voir le chapitre 2, p. 61). Or, l'homéostasie serait impossible si nous ne disposions pas de mécanismes qui renseignent à tout moment nos centres nerveux supérieurs sur les fluctuations de nos paramètres physiologiques (battements cardiaques, respiration, pression artérielle, température corporelle, hydratation, taux de glucose, élimination, etc.).

En plus de permettre au cerveau, au cervelet et au tronc cérébral de réguler des processus physiologiques comme le réflexe de respirer ou la pression artérielle, l'intéroception nous fournit des informations qui peuvent influer sur nos processus mentaux et notre comportement, que nous en soyons conscients ou non. Ainsi, les sensations internes liées à la faim (estomac vide, baisse d'énergie, etc.) peuvent déclencher toute une série d'opérations mentales et d'actions visant à satisfaire le besoin de nourriture. Les dresseurs savent qu'on obtient beaucoup plus facilement d'un animal qu'il apprenne un nouveau comportement si on attend qu'il sente sa faim et qu'on utilise la nourriture comme récompense.

Si l'intéroception peut jouer un rôle important dans des processus psychologiques comme la motivation ou l'apprentissage, son rôle est encore plus crucial dans les émotions. Comme nous le verrons au chapitre 8, des émotions comme la peur, la colère ou la surprise ont une importante composante physiologique : cœur qui s'emballe, respiration qui s'accélère, sang qui monte à la tête, etc. De manière plus générale, l'intéroception joue un rôle dans la détection des changements d'états internes provoqués par les drogues et les médicaments, et dans de nombreux processus ou troubles psychologiques dont nous traiterons dans les chapitres qui suivent. Enfin, comme le toucher, l'intéroception est évidemment liée à la douleur.

La douleur : souvent utile, mais pas toujours

À quoi sert la douleur, et quels sont ses mécanismes ?

Si elle nous donne beaucoup de plaisir, notre sensibilité somesthésique nous apporte aussi de la souffrance. La douleur a une très grande utilité : elle nous incite à soigner nos maladies et nos blessures, nous force à restreindre nos activités, nous pousse à consulter un médecin et nous apprend à éviter les situations qui la génèrent.

La douleur chronique, par contre, persiste longtemps après avoir accompli ses fonctions utiles et devient elle-même un problème médical sérieux. Les trois principaux types de douleur chronique sont la lombalgie, la céphalée et la douleur arthritique. Pour ses victimes, la douleur chronique devient un signal d'alarme impossible à éteindre.

La théorie du portillon : passage limité   La douleur reste la moins bien comprise de toutes les sensations. Pendant plus de trois siècles, la médecine occidentale s'en est tenue à l'explication purement physique proposée par René Descartes (1596-1650) : quand le corps a une lésion, le cerveau reçoit un influx nerveux et l'individu ressent une douleur. Cette conception de la douleur a été remise en question par la théorie du portillon (ou théorie du contrôle d'entrée), formulée dans les années 1960 par le psychologue Ronald Melzack, de l'Hôpital général de Montréal, et le physiologiste britannique Patrick Wall (Wall et Melzack, 1983 ; Melzack et Wall, 1965). Melzack et Wall ont avancé qu'il existait dans la moelle épinière une zone qui agit comme un portillon, qui tantôt bloque les signaux douloureux, tantôt les transmet au cerveau. Nous éprouvons de la douleur quand les signaux douloureux, qui sont transportés par de minces fibres nerveuses à transmission lente, atteignent ce portillon et le forcent à s'ouvrir. Mais comme le nombre de signaux sensoriels qui peuvent franchir en même temps le portillon est limité, de grosses fibres à transmission rapide transportant d'autres messages sensoriels (de toucher, de pression et de douleur sourde) peuvent créer un embouteillage au portillon et empêcher ainsi bon nombre de signaux de douleur de passer. Que faites-vous quand vous vous cognez un orteil ? Si vous le frottez ou vous le pressez doucement, vous stimulez les grosses fibres nerveuses à transmission rapide, lesquelles envoient leurs signaux sensoriels au portillon spinal, bloquant ainsi certains des signaux de douleur transportés par les fibres minces et lentes. De même, l'application de glace ou de chaleur sur la zone douloureuse stimule les grosses fibres nerveuses et ferme le portillon spinal.

Dans sa nouvelle formulation de la théorie du portillon, Melzack (1999a, 1999b) affirme que la douleur est une expérience multidimensionnelle produite par un réseau neuronal largement distribué. En d'autres mots, des facteurs psychologiques, cognitifs et émotionnels peuvent influer sur la perception de la douleur. Des messages du cerveau peuvent donc inhiber la transmission des signaux de douleur au portillon spinal et modifier la perception de la douleur. Cela pourrait expliquer que des personnes qui subissent une intervention chirurgicale sous hypnose puissent ressentir peu ou pas de douleur et que des sportifs très concentrés qui se blessent pendant un match mettent un certain temps à ressentir la douleur. Certaines techniques simples de maîtrise de la douleur reposent sur les principes de la théorie du portillon.

> **Théorie du portillon (ou théorie du contrôle d'entrée)**
> Théorie selon laquelle les signaux de douleur transmis par les fibres nerveuses lentes peuvent être bloqués au portillon spinal si ceux des fibres rapides parviennent à la moelle épinière en premier, ou si le cerveau lui-même inhibe la transmission des messages de douleur.

Maîtriser une douleur bénigne

Vous avez mal ? Ces quelques informations vous aideront à mieux gérer une douleur bénigne et de courte durée.

- La distraction peut être très efficace pour soulager la douleur. En général, les activités physiques ou mentales qui exigent beaucoup d'attention sont plus efficaces que les distractions passives.

- La stimulation d'une partie du corps par le froid (glace ou compresse) ou la chaleur (sac chaud, liniment ou cataplasmes de moutarde) peut masquer ou réduire la douleur dans une partie du corps.

- Les techniques de relaxation sont utiles pour réduire le stress et la tension musculaire qui accompagnent et amplifient la douleur.

- Les pensées positives aident à mieux composer avec la douleur, alors que les pensées négatives tendent à accroître l'anxiété.

- L'attention et la sympathie des proches sont des armes à double tranchant. Manifestées avec modération, elles peuvent apporter distraction et réconfort, mais un excès d'attention et de prévenance peut avoir un effet renforçateur qui ne fait que prolonger la douleur.

Les endorphines : notre morphine naturelle   Partout dans le monde, les gens consacrent plus d'efforts et d'argent à tenter d'éliminer la douleur qu'à toute autre fin médicale. Les Canadiens dépensent plus d'un milliard de dollars par année pour lutter contre leur douleur chronique, les traitements allant des médicaments avec et sans ordonnance à la chirurgie, en passant par la psychothérapie. On l'a vu au chapitre 2, notre corps produit ses propres analgésiques, les endorphines, des hormones qui bloquent la douleur et procurent un sentiment de bien-être (Hendler et Fenton, 1979). Les endorphines se libèrent quand nous nous blessons, ou que nous vivons un stress ou une douleur extrême, mais aussi quand nous rions, que nous pleurons ou que nous faisons de l'exercice (Terman et autres, 1984). L'euphorie du coureur et la bonne humeur qui suit l'exercice physique sont souvent attribuées à une hausse du taux d'endorphines (Goldberg, 1988). Quand des patients qui se remettent d'une intervention chirurgicale réclament leur médication antidouleur, il arrive qu'on leur administre plutôt un placebo – comprimés de glucose ou injection de solution saline. Or, 35 % de ceux qui reçoivent des placebos rapportent un soulagement de leur douleur (Melzack et Wall, 1983). Chez certaines personnes, le seul fait de croire qu'elles reçoivent une médication antidouleur semble déclencher la libération d'endorphines. L'acupuncture, une vieille thérapeutique chinoise souvent utilisée pour soulager la douleur, semble également stimuler la sécrétion d'endorphines.

RETENEZ-LE   La somesthésie

1. Vrai ou faux ? Les sens somesthésiques permettent toutes les sensations autres que visuelles, auditives, olfactives et gustatives.

2. Vrai ou faux ? Les récepteurs du toucher sont situés dans la peau.

3. Le sens (kinesthésique/vestibulaire) nous renseigne sur les mouvements des diverses parties de notre corps, et le sens (kinesthésique/vestibulaire), sur la position de notre corps dans l'espace.

4. Les récepteurs du sens (kinesthésique/vestibulaire) sont situés dans les canaux semi-circulaires et l'appareil otolithique de l'oreille (moyenne/interne).

5. Vrai ou faux ? L'intéroception joue un rôle crucial dans l'homéostasie et nous fournit des informations qui peuvent influer sur nos processus mentaux et notre comportement.

6. Vrai ou faux ? Les endorphines sont les récepteurs de la douleur.

Réponses : 1. Vrai. **2.** Vrai. **3.** kinesthésique ; vestibulaire. **4.** vestibulaire ; interne. **5.** Vrai. **6.** Faux.

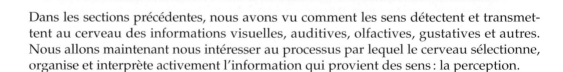

3.6   LA PERCEPTION

Dans les sections précédentes, nous avons vu comment les sens détectent et transmettent au cerveau des informations visuelles, auditives, olfactives, gustatives et autres. Nous allons maintenant nous intéresser au processus par lequel le cerveau sélectionne, organise et interprète activement l'information qui provient des sens : la perception.

On l'a vu en début de chapitre, si la sensation fournit la matière première de nos expériences, c'est la perception qui donne le produit fini. Nous *sentons* les sons en hertz et décibels, mais nous *percevons* les mélodies. Nous *sentons* la lumière réfléchie par les objets à certaines intensités et longueurs d'onde, mais nous *percevons* un monde peuplé de gens et de choses multicolores. La perception est le résultat du travail de sélection, d'organisation et d'interprétation que le cerveau fait des informations sensorielles qui lui parviennent.

La sélection perceptive : en prendre et en laisser

Nos sens captent continuellement beaucoup plus d'informations sensorielles que le cerveau ne peut en traiter, d'où la nécessité de la sélection perceptive, ensemble de processus par lesquels certaines informations sensorielles sont retenues et d'autres ignorées ou rejetées. Plusieurs mécanismes de filtrage dans le cerveau trient et sélectionnent les informations pertinentes. Par exemple, la formation réticulée, à la base du cerveau, filtre les sensations, permettant attention et vigilance. Située dans le cerveau primitif, son action échappe au contrôle volontaire et s'attache à certaines caractéristiques des stimulus, comme l'intensité, la nouveauté, le contraste ou le mouvement.

L'habituation   Le processus d'habituation produit aussi un effet de filtrage. Il joue sur le plan de la perception le même rôle que l'adaptation sensorielle sur le plan de la sensation : de la même façon que les sens cessent de réagir à un stimulus constant et de peu d'importance, le cerveau cesse de sélectionner une information sensorielle non pertinente. Par exemple, quelqu'un qui vit près d'un aéroport ne remarque plus (ne sélectionne plus) les bruits de décollage des avions qui indisposent pourtant ses visiteurs. Cette personne pourrait cependant y porter attention si elle le voulait, ce qui distingue l'habituation de l'adaptation sensorielle. En effet, dans l'adaptation sensorielle, un des sens (disons l'odorat) cesse de capter un stimulus (l'odeur de cigarette dans la maison, par exemple), de sorte que le cerveau ne peut pas le percevoir même s'il y porte attention. S'efforcer de sentir ne donne rien, il faut changer d'air pour sentir de nouveau.

L'attention sélective   L'attention sélective permet de se concentrer sur les stimulus importants en laissant les autres de côté. Grâce à elle, on peut se concentrer sur sa lecture malgré toutes les distractions ambiantes. De même, on peut soutenir une conversation dans un lieu bondé et bruyant, l'interrompre et changer d'interlocuteur parce qu'on nous interpelle, puis revenir au premier et poursuivre la conversation entamée ; c'est ce qu'on appelle l'**effet** *cocktail party*. Cependant, nos ressources cognitives sont limitées. S'il y a trop d'informations ou que nous sommes trop fatigués, le traitement de l'information s'en trouve altéré, et la sélection devient moins efficace. Des facteurs émotionnels peuvent aussi influer sur l'attention sélective. Même au milieu d'une foule très bruyante, si quelqu'un murmure votre prénom juste derrière vous, cette information sera automatiquement sélectionnée. L'expérience et les connaissances acquises dans un domaine augmentent la quantité d'informations qui peuvent être sélectionnées et traitées. Si vous conduisez une auto à transmission manuelle depuis plusieurs années, vous pouvez porter attention à la chaussée glacée dans une pente avant un panneau d'arrêt tout en parlant avec votre passager, alors que si vous êtes en train d'apprendre à conduire, vous aurez besoin de toute votre attention pour ne pas étouffer le moteur en faisant votre arrêt.

La théorie de la détection du signal   Vous l'aurez compris, les mesures traditionnelles de seuils sensoriels dont il a été question en début de chapitre ont d'importantes limites. Ainsi, elles ne portent que sur le stimulus lui-même – quelle est son intensité minimale perceptible, ou de combien son intensité initiale doit-elle varier pour que la différence soit perceptible. Or, la sensibilité de chacun des sens varie considérablement selon les individus ; elle varie également chez un même individu avec le temps et selon le contexte. L'intensité du stimulus n'est pas tout. La motivation à le capter, l'expérience antérieure qu'on en a, le fait qu'on l'attende ou non et le degré de vigilance (ou de fatigue) sont autant de facteurs qui influent sur la détection d'un signal sensoriel. Une autre approche tient compte de tous ces facteurs. Selon la théorie de la détection du signal, la détection d'un stimulus sensoriel exige à la fois qu'on le dissocie du « bruit de fond » et qu'on prenne une décision sur sa présence ou son absence. Cette décision dépend en partie de la probabilité que le stimulus se produise et en partie du gain ou de la perte qui en découlera.

Sélection perceptive
Processus par lequel certaines informations sensorielles sont retenues et d'autres ignorées ou rejetées.

Habituation
Processus par lequel le cerveau cesse de sélectionner une information sensorielle non pertinente.

Attention sélective
Mécanisme de filtrage des stimulus qui permet de se concentrer sur les plus importants.

Effet *cocktail party*
Capacité de sélectionner un stimulus parmi plusieurs autres de même type disponibles au même moment.

Théorie de la détection du signal
Théorie selon laquelle la détection d'un stimulus sensoriel exige à la fois qu'on le dissocie du « bruit de fond » et qu'on prenne une décision sur sa présence ou son absence.

Supposons qu'on vous décrive une femme que vous n'avez jamais vue et qu'on vous demande d'aller la chercher à l'aéroport. Votre tâche consiste à repérer dans la foule toutes les femmes qui correspondent à la description fournie, puis à décider laquelle est celle que vous cherchez. Dans ce cas, tous les autres visages et objets qui se trouvent dans votre champ de vision ne seront qu'un « bruit de fond », et le degré de certitude qu'il vous faudra pour oser aborder une femme dépendra de divers facteurs – par exemple, l'embarras que vous ressentiriez en cas d'erreur ou les ennuis que vous auriez si vous reveniez bredouille. La théorie de la détection du signal est particulièrement pertinente pour les gens qui exercent certains métiers : quand on est contrôleur aérien, policier, professionnel de la santé ou inspecteur en volailles, détecter ou non certains stimulus peut avoir de graves répercussions sur la santé et le bien-être commun (Swets, 1998, 1992).

L'organisation perceptive : les lois de la gestalt

Quels sont les principes gestaltistes de l'organisation perceptive ?

Le gestaltisme, l'un des premiers courants de la psychologie scientifique (voir le chapitre 1, p. 27), est à l'origine des recherches sur la façon dont le cerveau organise les sensations pour leur donner une signification. On se souvient que le mot allemand *gestalt*, qui n'a pas d'équivalent exact en français ou en anglais, désigne essentiellement la forme, le motif ou la configuration *perçue dans son ensemble*. La théorie de la gestalt postule qu'il est impossible de comprendre notre univers perceptif en décomposant nos expériences en leurs plus petits éléments sensoriels et en les analysant un à un, car une fois les éléments sensoriels assemblés, quelque chose de nouveau émerge. Le tout est supérieur à la somme de ses parties.

La relation figure-fond La relation figure-fond est le principe le plus fondamental de l'organisation perceptive. Quand vous regardez ce qui vous entoure, une partie de votre champ perceptif (la figure) semble se détacher du reste, qui passe à l'arrière-plan (le fond). De nombreux psychologues croient que la perception figure-fond est innée. Chose certaine, elle se manifeste très tôt dans la vie, et c'est la première à apparaître chez les aveugles de naissance qui recouvrent la vue une fois adultes. La perception figure-fond ne se limite pas à la vision. Lorsque nous écoutons un orchestre symphonique ou un groupe rock, la ligne mélodique tend à s'imposer comme une figure se détachant des accords et autres accompagnements (le fond). De même, une douleur attire immédiatement votre attention, prenant le dessus sur le reste des stimulus tactiles que vous percevez (le fond). Comment être certain que la relation figure-fond dépend bien de la perception, et ne tient pas à une caractéristique du stimulus sensoriel ? Le phénomène des figures réversibles – où des formes deviennent tour à tour la figure et le fond – nous en donne la meilleure preuve (figure 3.10). Parfois, une figure ou un objet se détache si peu de son arrière-plan qu'elle en devient presque imperceptible, camouflée par la faiblesse du contraste figure-fond. Le camouflage sert de protection aux humains et aux animaux.

Les principes de regroupement et de clôture Selon la théorie de la gestalt, quand nous recevons des informations sensorielles – quand nous voyons des figures ou que nous entendons des sons, par exemple –, nous les organisons le plus simplement possible, selon certains principes comme la similitude, la proximité, la continuité et la clôture (Wertheimer, 1958).

■ *Le principe de similitude* Nous avons tendance à regrouper les stimulus sensoriels selon leur similitude, à percevoir des objets semblables comme un

Figure 3.10

LA RELATION FIGURE-FOND ET LE VASE DE RUBIN

Dans cette illustration, on peut voir soit un vase noir (figure) sur un fond blanc, soit deux visages blancs de profil (figure) se détachant sur un fond noir. Le même stimulus visuel produit deux perceptions figure-fond inversées, et le passage rapide de l'une à l'autre crée une légère illusion de mouvement.

tout. Dans la figure 3.11(a), les points de même couleur sont perçus comme formant des lignes horizontales (à gauche) et verticales (à droite). De même, quand nous écoutons de la musique, nous regroupons les instruments en fonction de leur similitude sonore (cordes, cuivres, etc.), et nous percevons ces groupes comme des touts.

■ *Le principe de proximité*   Nous sommes enclins à regrouper les choses selon leur proximité relative, à percevoir comme un tout des choses qui sont proches dans l'espace ou dans le temps. Dans la figure 3.11(b), l'espacement des lignes nous porte à percevoir quatre paires de lignes plutôt que huit lignes. De même, nous percevons les notes de musique jouées à court intervalle (rapprochées dans le temps) comme allant ensemble pour produire un tout – une phrase musicale.

■ *Le principe de continuité*   Nous sommes portés à percevoir comme allant ensemble les choses qui semblent constituer des formes continues – comme à la figure 3.11(c). Si deux chanteurs ou deux instruments jouent en harmonie, nous percevons les notes de la trame mélodique comme allant ensemble, et celles de la trame harmonique comme allant ensemble.

■ *Le principe de clôture*   Nous avons tendance à compléter (à « clôturer ») ce que nous percevons comme une figure incomplète. Ainsi, le principe de clôture nous porte à fermer le triangle incomplet de la figure 3.11(d). De même, si nous entendons une chanson familière à la radio et que la transmission s'interrompt à plusieurs reprises, nous comblerons les vides pour la percevoir en entier.

Ces principes d'organisation perceptive s'appliquent également à la perception sociale, comme nous le verrons dans l'encadré « Appliquez-le » à la fin de ce chapitre (p. 117).

Figure 3.11

LES PRINCIPES GESTALTISTES DE REGROUPEMENT ET DE CLÔTURE

Outre la relation figure-fond, les théoriciens de la gestalt ont proposé plusieurs autres principes d'organisation perceptive : la similitude, la proximité, la continuité et la clôture.

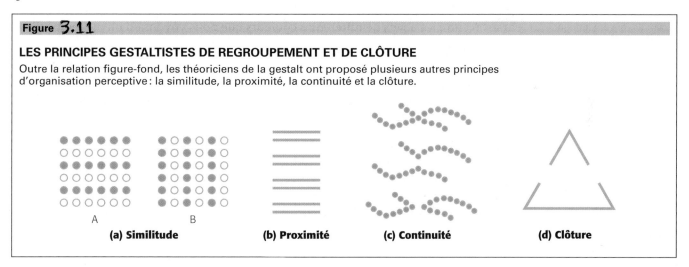

(a) Similitude   (b) Proximité   (c) Continuité   (d) Clôture

L'interprétation perceptive : sensations revues et corrigées

Comment s'expliquent la constance perceptive, la perception de la profondeur et la perception du mouvement ?

En plus de trier les informations sensorielles et de les organiser, le cerveau doit aussi procéder à certaines interprétations de ce qui n'est pas directement accessible par les récepteurs sensoriels. Comme nous allons le voir, la constance perceptive, la perception de la profondeur et la perception du mouvement résultent de déductions et d'inférences que nous faisons à partir d'indices fournis par l'environnement et en nous basant sur notre expérience.

La constance perceptive   Lorsque nous regardons des choses familières, nous avons tendance à les percevoir comme conservant des propriétés stables – même grandeur, même forme, même clarté et même coloration – indépendamment des changements d'angle de vision, de distance ou de lumière. Les scientifiques appellent ce phénomène la **constance perceptive**.

Constance perceptive
Phénomène perceptif grâce auquel nous percevons les gens et les choses comme conservant des propriétés stables (grandeur, forme, luminosité, teinte) malgré des changements de distance, d'angle de vision ou de lumière.

Lorsque vous regardez un ami s'éloigner, il devient de plus en plus petit dans l'image projetée sur votre rétine. Cependant, cette image rétinienne (sensation) ne trompe pas votre cerveau : même si les gens et les choses s'éloignent de vous, vous continuez à les percevoir restant de la même taille. Grâce à la *constance de grandeur*, nous n'interprétons pas fidèlement la taille des choses à partir de l'image rétinienne, autrement, nous croirions que les objets deviennent vraiment plus gros quand ils s'approchent et plus petits quand ils s'éloignent.

Dans l'image rétinienne, la forme des choses varie selon l'angle sous lequel on les regarde. Cependant, grâce à la *constance de forme*, nous avons tendance à percevoir les objets comme conservant une forme stable, peu importe l'angle sous lequel nous les regardons et les variations de l'image rétinienne qui en résultent. Autrement dit, un plat rond reste rond même vu de profil, et nous continuons à percevoir une porte comme un objet rectangulaire qu'elle soit ouverte ou fermée (voir la figure 3.12).

De même, quelles que soient les variations d'éclairage, nous voyons les objets comme ayant un degré constant de luminosité – un phénomène appelé *constance de luminosité*. Presque tous les objets réfléchissent une partie de la lumière qui les touche, et nous savons que les objets blancs réfléchissent davantage de lumière que les objets noirs. Une allée d'asphalte noire sous le soleil de midi réfléchit davantage de lumière qu'une chemise blanche dans la pénombre. Pourtant, l'allée d'asphalte nous semble toujours noire et la chemise toujours blanche parce que nous apprenons à apprécier la luminosité d'une chose en la comparant à celle de toutes les autres choses que nous voyons au même moment. La couleur (teinte) d'un objet peut changer beaucoup selon les conditions d'éclairage. Pourtant, les objets familiers nous semblent de la même couleur quel que soit l'éclairage. Comme la constance de luminosité, la *constance de couleur* repose sur la comparaison entre les objets de différentes couleurs que nous voyons en même temps (Brou et autres, 1986).

Imaginez combien le monde nous semblerait étrange si notre cerveau se fiait aveuglément aux images rétiniennes : tout – grandeurs, formes, teintes et luminosité – changerait sans cesse autour de nous. La constance perceptive assure la stabilité de notre univers perceptif.

La perception de la profondeur   On l'a vu, chacun de nos yeux ne peut fournir qu'une image en deux dimensions. L'image rétinienne n'a pas de profondeur : elle est aussi plate qu'une photo. Or, par définition, la **perception de la profondeur** suppose la capacité de voir le monde en trois dimensions. Comment donc est-elle possible ? La réponse tient en peu de mots : grâce à divers indices.

Certains indices de profondeur dépendent du travail conjoint de nos deux yeux. Ces **indices binoculaires de profondeur** sont la *convergence* et la *disparité binoculaire*. Placez votre index à 30 centimètres de votre nez, fixez-le, puis rapprochez-le lentement du bout de votre nez. À mesure que le doigt se rapprochera, chacun de vos yeux se tournera de plus en plus vers le coin intérieur de la paupière. Cette **convergence** est rendue possible par des muscles oculaires, dont le cerveau interprète le travail comme un indice que l'objet regardé est à proximité ; plus la convergence est grande, plus il est proche. D'autre part, nos yeux sont juste assez loin l'un de l'autre (environ six centimètres) pour que chacun ait une vue légèrement différente de ce que nous regardons. Appelée **disparité binoculaire** (ou **disparité rétinienne**),

Perception de la profondeur
Capacité de voir en trois dimensions et d'évaluer la distance.

Indices binoculaires de profondeur
Ensemble d'indices qui permettent d'évaluer la distance des objets et qui exigent le travail conjoint des deux yeux.

Convergence
Indice binoculaire de profondeur basé sur l'interprétation que fait le cerveau du travail des muscles oculaires lorsqu'ils convergent pour regarder un objet : plus la convergence est grande, plus l'objet est proche.

Disparité binoculaire (ou disparité rétinienne)
Indice de profondeur binoculaire basé sur la différence entre les images rétiniennes captées par chacun des deux yeux ; plus l'objet est proche, plus la disparité binoculaire est importante, plus la profondeur perçue est grande.

Figure 3.12

LA CONSTANCE DE FORME

Une porte fermée, entrouverte et ouverte projette des images différentes sur la rétine. Pourtant, à cause de la constance de forme, nous continuons de la percevoir rectangulaire.

cette différence entre les deux images rétiniennes nous fournit un indice important sur la distance, et donc sur la profondeur. Plus les objets que nous regardons sont loin (jusqu'à six mètres environ), moins la disparité entre les deux images rétiniennes est grande. Le cerveau intègre ces deux images légèrement différentes et nous donne la perception tridimensionnelle (Wallach, 1985). La figure 3.13 en donne un exemple.

La disparité binoculaire

Tenez un crayon à bout de bras devant vous. Fermez l'œil gauche et fixez le crayon, puis ouvrez l'œil gauche en même temps que vous fermez l'œil droit, et ainsi de suite, rapidement et à plusieurs reprises. Le crayon semble se déplacer d'un côté et de l'autre. Continuez à cligner de chaque œil tour à tour en rapprochant lentement le crayon jusqu'à ce qu'il touche presque votre nez. Plus le crayon s'approche, plus il semble se déplacer d'un côté à l'autre. Ce phénomène s'explique par le fait que plus l'objet fixé est près des yeux, plus la disparité augmente entre les deux images rétiniennes.

Figure 3.13

LA DISPARITÉ BINOCULAIRE ET LA VISION D'UN STÉRÉOGRAMME

La disparité binoculaire permet à la plupart d'entre nous de percevoir des images tridimensionnelles dans un stéréogramme. Placez cette image contre le bout de nez, puis très, très lentement, éloignez le livre de votre visage sans cligner des yeux. Soudain, vous verrez apparaître des joueurs de soccer et leurs fans en trois dimensions.

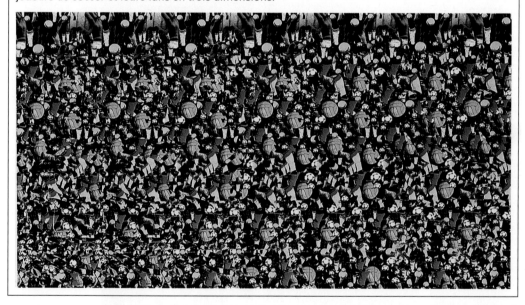

Les indices binoculaires que sont la convergence et la disparité binoculaire ne donnent des indices de profondeur que sur des objets situés à moins de six mètres de nous. Heureusement, chaque œil peut à lui seul fournir des indices sur les objets plus éloignés. Fermez un œil. Vous verrez que vous percevez encore la profondeur. La figure 3.14 (p. 112) illustre et décrit les sept **indices monoculaires de profondeur** – la superposition, la perspective linéaire, la grandeur relative, le gradient de texture, la perspective atmosphérique, l'ombre et le parallaxe du mouvement –, dont les peintres se servent depuis des siècles pour donner une illusion de profondeur à leurs œuvres.

La perception du mouvement   Vous êtes assis dans un autobus et vous regardez par la fenêtre un autre autobus garé parallèlement au vôtre. Tout-à-coup, vous avez l'impression que votre autobus avance, puis vous vous rendez compte que ce n'est pas le vôtre, mais celui d'à côté. Pendant un instant, vos habiletés perceptives ont été déjouées. Cet exemple illustre la complexité de la perception du mouvement, un processus principalement visuel, mais qui repose aussi sur des indices auditifs et kinesthésiques. Les erreurs

Indices monoculaires de profondeur
Ensemble d'indices qu'utilise le système perceptif pour parvenir à évaluer la distance des objets à partir des informations sensorielles provenant d'un seul œil.

Figure 3.14

SEPT INDICES MONOCULAIRES DE PROFONDEUR

La superposition
Une chose qui en dissimule partiellement une autre est perçue comme plus proche que celle qui est partiellement dissimulée.

La perspective linéaire
Des lignes parallèles semblent se rapprocher et converger de plus en plus à mesure que la distance augmente.

La grandeur relative
Les choses plus grosses sont perçues comme plus proches que les choses semblables plus petites.

Le gradient de texture
Les choses proches ont une texture plus nettement définie; la texture de choses similaires devient de plus en plus floue et indistincte à mesure que la distance augmente.

La perspective atmosphérique
Les choses lointaines ont une teinte plus bleutée et une forme plus floue que les choses à notre portée.

L'ombre
Quand la lumière tombe sur les objets, ceux-ci projettent des ombres, ce qui contribue à la perception de la profondeur. Nous différencions une bosse d'un renfoncement grâce aux ombres qu'ils projettent – une aptitude qui semble apprise (Hess, 1961).

La parallaxe de mouvement
Quand nous sommes dans un train et que nous regardons par la fenêtre de côté, les choses que nous voyons à l'extérieur semblent se déplacer en sens inverse et à des vitesses différentes – les choses plus proches semblent défiler plus vite que les choses plus éloignées.

de perception du mouvement sont si courantes que les psychologues ont fait énormément de recherche pour découvrir comment le cerveau perçoit le mouvement réel et le mouvement apparent. Ces chercheurs appellent mouvement réel les perceptions de mouvement liées au déplacement d'objets réels dans l'espace, et mouvement apparent les perceptions de mouvement qui semblent être des constructions psychologiques en réponse à divers types de stimulus.

Quand ils se déplacent dans le champ de vision, les objets projettent des images qui bougent devant la rétine. On le devine, la recherche indique que la détection du mouvement relève de mécanismes cérébraux liés à la rétine, dont les contours semblent particulièrement sensibles au mouvement, comme la fovéa est spécialisée dans le détail et la couleur (Bach et Hoffman, 2000). Cependant, si vous traversez une pièce les yeux fixés sur un objet, disons votre sofa, cet objet bougera aussi sur votre rétine. Le mouvement d'une image devant la rétine ne suffit donc pas à la détection du mouvement. Votre sens kinesthésique y contribue : en général, vous savez si vous bougez ou non. Mais si vous avez déjà regardé un train partir en restant immobile sur le quai, vous avez peut-être eu l'impression que votre tête bougeait pendant que les wagons défilaient devant vous. Votre sens kinesthésique est également tributaire de vos perceptions de mouvement à l'extérieur de votre corps : les études d'imagerie cérébrale révèlent que de tels stimulus activent le cortex vestibulaire, exactement comme le font les mouvements réels du corps (Nishiike et autres, 2001).

▲ Une flèche lumineuse composée de petites lumières qui clignotent l'une après l'autre sera perçue comme une flèche en mouvement, et non comme une série de lumières clignotantes.

Le psychologue américain James Gibson, qui a énormément contribué à la compréhension de la perception du mouvement, a mis en lumière le fait que nos perceptions de mouvement semblent basées sur des présomptions de stabilité fondamentales, mais souvent changeantes (Gibson, 1979). Notre cerveau semble chercher dans l'environnement un stimulus quelconque pouvant servir d'étalon de stabilité. Une fois cet étalon choisi, tous les objets qui bougent par rapport à lui sont présumés en mouvement. Ainsi, dans le scénario de l'autobus, votre cerveau présume que l'autre autobus est stable ; quand la rétine détecte un mouvement, il en conclut que votre autobus bouge. Dans le scénario du train, votre cerveau présume que le train est stable, et lorsque celui-ci part, il en conclut que votre tête doit bouger. Quand vous conduisez une voiture, vous sentez l'auto en mouvement par rapport à l'extérieur, mais votre cerveau utilise l'intérieur de la voiture comme étalon de stabilité pour vos propres mouvements ; cela fait, seuls vos mouvements par rapport au siège, au volant, etc. sont perçus comme des mouvements.

Dans certaines études sur le mouvement apparent, des lumières fixes s'allumaient et s'éteignaient l'une après l'une dans l'obscurité, ce qui donnait aux participants l'impression d'une seule lumière se déplaçant d'un endroit à l'autre. Max Wertheimer (1912), l'un des fondateurs de la psychologie de la gestalt, a été le premier à étudier ce type de mouvement apparent appelé « phénomène phi ». Vous avez souvent vu des enseignes au néon qui donnaient cette impression de mouvement.

Le fait que vos yeux ne soient jamais complètement immobiles contribue également aux perceptions de mouvement apparent. Par exemple, si vous regardez fixement une lumière immobile dans une pièce obscure, après quelques secondes, vous aurez l'impression qu'elle se met à bouger, un phénomène appelé illusion autocinétique. Cependant, si vous quittez la lumière du regard, puis que la regardez de nouveau, elle redeviendra immobile. (Ce phénomène pourrait-il expliquer certaines visions d'ovnis ?) Deux lumières proches l'une de l'autre sembleront bouger ensemble, comme si elles étaient attachées par un fil invisible. En réalité, ce sont nos yeux qui bougent. Comme la pièce est obscure, le cerveau ne trouve pas de repère visuel stable pour décider si la lumière bouge ou non (Gibson, 1994). Dès qu'on éclaire, le cerveau « répare » l'erreur.

Les attentes perceptives : tu l'as voulu, tu l'as eu ! Dans une étude désormais classique, le psychologue David Rosenhan (1973) et sept de ses collègues se sont fait admettre dans divers hôpitaux psychiatriques américains en feignant tous un seul et même symptôme : entendre une voix qui fait « boum ». Une fois hospitalisés après avoir reçu un diagnostic de schizophrénie probable, ils se sont comportés tout à fait normalement. Ils voulaient savoir combien de temps le personnel médical et infirmier mettrait à constater qu'ils n'étaient pas du tout schizophrènes. Mais les psychiatres, les médecins et les infirmières n'ont vu que ce qu'ils s'attendaient à voir, et ont interprété les faits et gestes de leurs pseudo-patients comme autant de symptômes de leur maladie. Les vrais patients, eux, n'ont pas été dupes ; ils ont découvert les premiers que ces patients n'étaient pas malades. Les attentes perceptives – ce que nous nous attendons à percevoir – déterminent en bonne partie ce que nous voyons, entendons, ressentons, goûtons et sentons. Si on vous servait un sorbet au citron rouge, goûterait-il encore le citron ou aurait-il plutôt un goût de fraise ou de framboise ? Les gens adaptent souvent la réalité à leurs attentes.

Perceptions déroutantes : le cerveau mystifié

Quels sont les trois types de perceptions déroutantes ?

Non seulement nous pouvons percevoir un mouvement alors qu'il n'y en a aucun, comme on l'a vu, mais nous pouvons aussi percevoir des choses absentes d'un stimulus visuel ou mal interpréter celles qui s'y trouvent. La façon dont nous percevons les figures ambiguës, les figures impossibles et les illusions d'optique met en évidence le travail de sélection, d'organisation et d'interprétation que fait le cerveau à partir de l'information sensorielle qui lui parvient.

Les figures ambiguës Dans la célèbre figure ambiguë « Vieille femme/Jeune femme » de E. G. Boring à la figure 3.15(a), on peut voir soit une ravissante jeune femme, soit une vieille femme au menton pointu selon l'endroit où l'on dirige son regard. Si vous regardez sur la gauche du dessin, vous verrez probablement le profil de la jeune femme, mais celle-ci disparaîtra dès l'instant où vous percevrez la vieille femme. Quand on voit ce genre de figure ambiguë pour la première fois, on ne peut pas se fier à l'expérience comme les fois suivantes. Dérouté, notre système perceptif tente de sortir du dilemme en voyant la figure d'abord d'une façon, puis d'une autre, mais pas les deux à la fois. Les figures ambiguës semblent apparaître et disparaître sans que nous ayons de prise sur elles, sans jamais laisser de sensation durable. Difficile de croire que le même dessin – les mêmes éléments sensoriels – puisse véhiculer des perceptions si spectaculairement différentes. Voilà une preuve flagrante que le tout que nous percevons est bien plus qu'une somme d'éléments sensoriels.

Figure 3.15

QUELQUES PERCEPTIONS DÉROUTANTES

(a) Voyez-vous la jeune femme ou la vieille femme ? Si vous regardez bien, vous verrez l'autre. (b) Pourriez-vous fabriquer ce trident ? (c) Laquelle des deux lignes noires est la plus longue ? (d) Laquelle des deux barres blanches est la plus longue ?

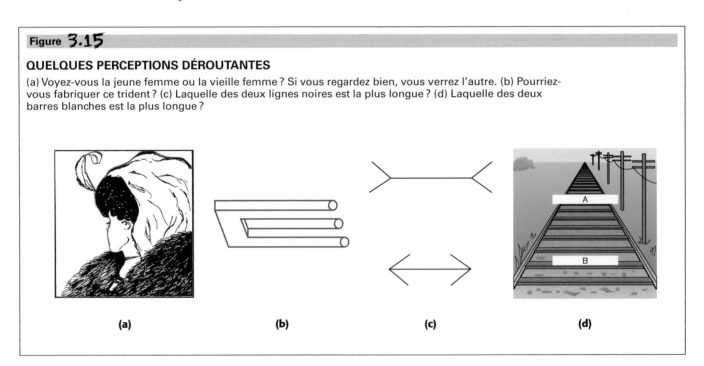

(a)   (b)   (c)   (d)

Les figures impossibles Les figures impossibles semblent normales tant qu'on ne les examine pas de plus près. Observez la figure 3.15(b), et vous ne tarderez pas à constater que personne ne pourrait fabriquer un trident comme celui-ci, avec sa dent du milieu qui semble être à deux endroits en même temps. Dans certaines cultures africaines, les gens ne représentent pas l'espace visuel tridimensionnel dans leur art et ne perçoivent pas la profondeur dans les images qui en donnent des indices picturaux. Ces gens ne voient donc rien d'insolite dans des images comme celle du trident, et peuvent les dessiner de mémoire beaucoup plus facilement que nous (Bloomer, 1976).

Les illusions   Une **illusion** est une perception faussée ou déformée d'une sensation réelle. Nous pouvons percevoir incorrectement la taille ou la forme d'un objet, ou encore sa relation avec un autre. Les illusions se produisent souvent naturellement. Ainsi, une rame dans l'eau semble courbée là où elle est immergée, et la lune nous paraît beaucoup plus grosse à l'horizon qu'au zénith. Cette dernière illusion repose probablement sur le fait que lorsque la lune est à l'horizon, nous la comparons aux arbres et aux bâtiments ; quand elle est au zénith, nous perdons ces points de comparaison, de sorte qu'elle semble plus petite. La figure 3.15(c) illustre l'illusion de Müller-Lyer. Contrairement à ce qu'il semble, les deux lignes horizontales sont exactement de la même longueur, mais les traits tournés vers l'extérieur qui prolongent celle du haut la font paraître plus longue que celle du bas, prolongée par des traits tournés vers l'intérieur. Dans la figure 3.15(d), qui montre l'illusion de Ponzo, les deux barres horizontales A et B sont aussi de la même longueur, mais celle que nous percevons comme plus éloignée nous paraît plus longue. Ici encore, nos perceptions de la grandeur et de la distance, qui nous donnent habituellement des renseignements fiables sur le monde, sont déjouées. Si nous voyions deux obstacles comme ceux que montre cette figure sur une vraie voie ferrée, celui qui semblerait le plus long le serait effectivement. L'illusion de Ponzo est artificielle. En fait, les illusions d'optique sont presque toujours dues à de mauvaises applications de principes perceptifs qui fonctionnent généralement bien dans la vraie vie…

Illusion
Perception faussée ou déformée d'une sensation réelle.

L'échiquier d'Adelson

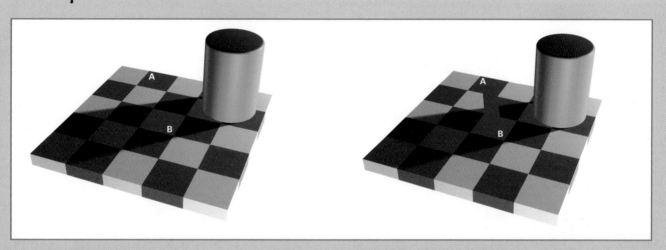

Avec ses cases A et B qu'on jurerait noire et blanche alors qu'elles sont du même gris, l'échiquier d'Adelson est un exemple classique d'illusion qui mise sur la combinaison de plusieurs phénomènes perceptifs.

Premièrement, on est victime d'un effet de contexte : la case A, entourée de cases blanches, semble plus foncée que la case B, qui, elle, est entourée de cases noires.

Deuxièmement, la zone plus sombre à gauche du cylindre est immédiatement interprétée comme de l'ombre parce qu'on voit le cylindre qui la crée et que ses variations de vert suggèrent une source d'éclairage à droite de l'image. En se basant sur l'expérience, notre système perceptif alloue à la case B une clarté supérieure – présumant que si elle semble plus claire que les cases voisines dans l'ombre, elle doit être encore plus claire en pleine lumière.

Enfin, chaque case est entourée d'une structure en « X » bien délimitée formée par quatre autres cases, ce qui indique fortement à notre système visuel que la surface entre les quatre cases doit être interprétée comme un changement de teinte de la peinture de cette surface, et non comme un changement causé par un ombrage ou un changement d'éclairage.

Loin de démontrer des failles dans notre système visuel, ces phénomènes mettent en évidence de puissants mécanismes de discernement qui permettent d'extraire et d'identifier des objets parmi la profusion de formes confondantes du monde réel.

Source : *Le cerveau à tous les niveaux* : <http://lecerveau.mcgill.ca/flash/a/a_02/a_02_p/a_02_p_vis/a_02_p_vis.html>, Copyleft.

Perceptions subliminales : mordons-nous à l'hameçon ?

Que nous apprend la recherche sur les effets des perceptions subliminales ?

Perception subliminale
Capacité de percevoir et de réagir à des stimulus sensoriels trop faibles pour franchir le seuil absolu de la conscience.

Pendant des décennies, les psychologues ont étudié le phénomène de la **perception subliminale** – la capacité de percevoir et de réagir à des stimulus présentés en deçà du seuil de la conscience. Les études de neuro-imagerie montrent que les stimulus subliminaux produisent effectivement une réaction physiologique dans le cerveau (Brown, 2004 ; Bernat et autres, 2001). De plus, la perception subliminale peut dans une certaine mesure influer sur le comportement. Par exemple, les sujets exposés à l'image subliminale d'une personne qui en frappe une autre sont plus enclins à sentir une forme d'agression dans une scène perçue consciemment comme neutre (deux personnes en conversation dans un restaurant, par exemple) (Todorov et Bargh, 2002). Mais jusqu'à quel point la perception subliminale peut-elle réellement influer sur le comportement ? La plupart des recherches sur le sujet indiquent que la publicité subliminale ne peut probablement pas produire le genre de changement comportemental qu'espèrent ceux qui la défendent (Greenwald, 1992). Les gens qui achètent et écoutent des enregistrements de messages subliminaux sur fond de vagues d'océan dans l'espoir de manger moins ou d'arrêter de fumer ne devraient pas trop s'illusionner : des études expérimentales contrôlées avec placebo indiquent que ce genre de produit n'a aucun effet sur le comportement (Greenwald, 1992 ; Greenwald et autres, 1991 ; Russell et autres, 1991).

RETENEZ-LE

La perception

1. Le camouflage brouille la distinction entre _____ .
   a) sensation et perception
   b) figure et fond
   c) continuité et clôture
   d) proximité et similitude

2. Selon le principe gestaltiste de (continuité/clôture), nous avons tendance à compléter les figures incomplètes.

3. Les constances perceptives _____ reposent sur la comparaison d'une chose avec d'autres sous le même éclairage.
   a) de luminosité et de couleur
   b) de couleur et de forme
   c) de forme et de grandeur
   d) de couleur et de grandeur

4. La disparité rétinienne et la convergence sont des indices (monoculaires/binoculaires) de profondeur.

5. Associez à chacun des exemples qui suivent un de ces indices de profondeur : grandeur relative, perspective linéaire, parallaxe de mouvement, superposition.
   a) Un édifice qui en masque partiellement un autre
   b) Des voies ferrées qui convergent au loin
   c) Des objets proches qui semblent se déplacer plus vite que les objets éloignés
   d) Des objets éloignés qui semblent plus petits que les objets proches

6. Une illusion est _____ .
   a) une sensation imaginaire
   b) une figure impossible
   c) une mauvaise perception d'un vrai stimulus
   d) une inversion figure-fond

Réponses : 1. b. **2.** clôture. **3.** a. **4.** binoculaires. **5.** (a) Superposition (b) Perspective linéaire (c) Parallaxe de mouvement (d) Grandeur relative. **6.** c.

APPLIQUEZ-LE

Perception sociale : la première impression

Un nouveau professeur entre dans la classe. Les étudiants le regardent et ont tout de suite une première impression de lui. De quoi est faite cette première impression ? Des premiers éléments d'information qu'ils ont sélectionnés, organisés et interprétés. Leurs yeux leur ont transmis une image complète du professeur, mais leur cerveau a choisi certains éléments, à partir desquels ils se sont construit en moins d'une minute une opinion relativement durable de cette personne qu'ils ne connaissent pas encore.

Ainsi, Untel pourra remarquer la taille du professeur, son polo et ses baskets (sélection), regrouper ces éléments en un tout cohérent et en tirer une conclusion : « Tiens, voilà un sportif. Il a l'air en forme et semble plutôt relax. » (interprétation). Untel n'a pas remarqué (sélectionné) le sourire un peu crispé et la petite moustache, alors que c'est justement ce qui a attiré l'attention d'Unetelle : cette petite moustache ressemble beaucoup à celle du frère de son ex, un gars coincé et prétentieux (*clôture*, c'est-à-dire ajout d'information tirée de sa propre expérience pour compléter le stimulus *nouveau prof*). Du coup, Unetelle trouve le nouveau prof antipathique (interprétation), sans qu'elle puisse dire exactement pourquoi. Les deux étudiants ont été exposés au même stimulus, mais chacun l'a interprété à sa manière.

Le processus perceptif est hautement subjectif. Chacun sélectionne les éléments d'information qui lui semblent significatifs, les organise en un tout cohérent – en y ajoutant au besoin des éléments tirés de sa propre expérience, de ses attentes, voire de ses préjugés –, puis en tire une conclusion, qui est son interprétation de la réalité. Peut-être cette interprétation correspond-elle effectivement à la réalité ou à une partie de la réalité, mais il se peut aussi qu'elle soit complètement ou en partie erronée. En fait, ce n'est qu'une hypothèse, qui reste à confirmer. Mais la traitons-nous comme telle ? Hélas, non. Comme le disait si bien le poète britannique Alexander Pope : « Il en va de nos jugements comme de nos montres : il n'y en a pas deux qui indiquent exactement la même heure et, pourtant, chacun se fie à la sienne. »

RÉFLEXION CRITIQUE

1. Nous avons vu dans ce chapitre que nos récepteurs sensoriels ne captent qu'une partie des stimulus sensoriels qui existent dans le monde physique. Comment percevrions-nous le monde si nous pouvions tous les capter, si nous pouvions voir l'infrarouge, l'ultraviolet, les rayons laser et les rayons X, entendre les ultrasons, avoir l'odorat d'un loup, etc. ? Serait-ce un avantage ou un inconvénient ?

2. La vision et l'ouïe sont généralement considérées comme nos deux sens les plus précieux. Pourquoi la vision est-elle précieuse ? Comment votre vie changerait-elle si vous perdiez la vue ? Pourquoi l'ouïe est-elle précieuse ? Qu'arriverait-il si vous perdiez l'ouïe ? Helen Keller disait que la cécité nous coupe du monde des objets, et la surdité, du monde des humains. Pourquoi selon vous ?

3. Préparez une argumentation logique à l'appui d'une des positions suivantes :

   a) La douleur est précieuse et nécessaire.

   b) La douleur est inutile.

RÉSEAU DE CONCEPTS

SENSATION ET PERCEPTION

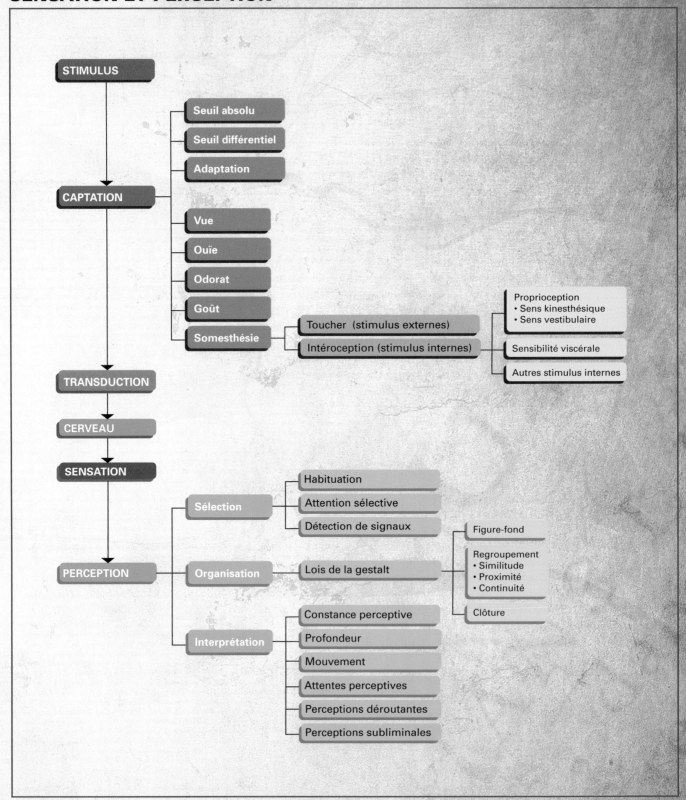

STIMULUS

CAPTATION
- Seuil absolu
- Seuil différentiel
- Adaptation

- Vue
- Ouïe
- Odorat
- Goût
- Somesthésie
  - Toucher (stimulus externes)
  - Intéroception (stimulus internes)
    - Proprioception
      • Sens kinesthésique
      • Sens vestibulaire
    - Sensibilité viscérale
    - Autres stimulus internes

TRANSDUCTION

CERVEAU

SENSATION

PERCEPTION
- Sélection
  - Habituation
  - Attention sélective
  - Détection de signaux
- Organisation
  - Lois de la gestalt
    - Figure-fond
    - Regroupement
      • Similitude
      • Proximité
      • Continuité
    - Clôture
- Interprétation
  - Constance perceptive
  - Profondeur
  - Mouvement
  - Attentes perceptives
  - Perceptions déroutantes
  - Perceptions subliminales

LES ÉTATS DE CONSCIENCE

*S*amedi soir, 22 h. Laurent T. réfléchit aux événements de la journée. Ce matin, comme il venait de s'asseoir devant son ordinateur pour prendre ses courriels, le téléphone avait sonné. Au bout du fil, sa sœur était en larmes : des policiers qui faisaient leur ronde de nuit avaient trouvé leur grand-mère adorée inconsciente sur le trottoir à quelques rues de la maison. Depuis qu'elle souffrait de la maladie d'Alzheimer, la vieille dame vivait avec la mère et la sœur de Laurent, mais dernièrement son état s'était aggravé et elle s'était mise à faire des fugues nocturnes. Que lui était-il arrivé cette nuit ? Personne ne le savait. On l'avait transportée à l'urgence. Aucune blessure apparente, mais elle était plongée dans un profond coma, et les médecins ne se prononçaient pas sur ses chances d'en sortir.

En raccrochant, Laurent avait eu le curieux réflexe de taper le mot *coma* sur son *Petit Robert* électronique.

COMA [kɔma] n. m. • 1658; gr. *kôma* « sommeil profond ».
■ †[Méd.] État pathologique caractérisé par une perte de conscience, de sensibilité et de motilité, avec conservation relative des fonctions végétatives.

Il s'était précipité à l'hôpital. En chemin, il avait essayé de se calmer en imaginant sa grand-mère en train de faire ce à quoi elle avait déjà consacré le tiers de sa vie : dormir. *À 75 ans, Mamie a déjà dormi 25 ans, plus que la durée totale de ma propre vie. Que fais-tu dans le coma, Mamie, toi qui dis toujours que dormir est une perte de temps surtout à ton âge. Allons, réveille-toi, Mamie !*

C'est la première chose qu'il lui avait dite en arrivant. Il s'était penché sur son corps inanimé pour lui chuchoter à l'oreille : « Allons Mamie, réveille-toi. C'est moi, c'est ton Laurent. » Rien. Aucune réaction. Pas le moindre tressaillement. Il était resté à son chevet une partie de la journée, à la toucher, à lui parler sans réussir à lui tirer ne serait-ce que la plus légère réaction. « Le coma est une abolition de la conscience et de la vigilance non réversible par la stimulation », dit-on sur la page de *Wikipedia* que vient de lire Laurent.

En rentrant chez lui, il s'était allongé sur son lit et avait ouvert la télé pour se changer les idées. Mais un sommeil de brute lui était tombé dessus, et il avait rêvé du chalet où il passait ses étés avec sa famille, enfant. Dans son rêve, il était allongé sur le quai, les yeux fermés sous un soleil de plomb, et sa sœur lui chatouillait le nez avec la queue de Grosminou en parlant sans cesse comme elle faisait toujours pour le réveiller. C'était un rêve très réaliste – *la chaleur, ce chatouillis si agaçant, la voix de sa sœur* –, mais quelque chose clochait. *Ce bourdonnement, son bras si lourd qu'il n'arrivait pas à le bouger pour chasser la queue du chat, cette voix trop adulte pour être celle de sa petite sœur...* Au prix d'un immense effort, Laurent avait réussi à soulever ses paupières et à reprendre ses esprits. Il était chez lui, la queue de Grosminou n'était qu'une mouche importune, la voix venait de la télé. *On est samedi, il est huit heures du soir et Mamie est à l'hôpital, inconsciente.*

Il s'était levé, fait un sandwich, ouvert une bière. Et pour la première fois de sa vie, il s'était questionné sur le sens de ce mot : *conscience*. Qu'a perdu Mamie au juste ? Comme sa grand-mère, pendant une heure et demie, il avait lui aussi « perdu connaissance » de ce qu'il vivait et de ce qui se passait autour de lui. Pourtant, ni sa conscience ni sa vigilance n'étaient

tout à fait « abolies » puisqu'il avait rêvé, puisqu'une mouche l'avait réveillé. *Fais comme moi, Mamie, réveille-toi.*

La conscience suppose l'éveil, bien sûr. Mais c'est plus que ça, plus qu'un simple état d'éveil et de vigilance, raisonne Laurent. À preuve, en arrivant chez lui tout à l'heure, il s'était rendu compte qu'il n'avait aucun souvenir du trajet qu'il venait de parcourir de l'hôpital à la maison. Il n'était pas dans le coma, il ne dormait pas, et, d'instant en instant, il était assez conscient pour éviter les obstacles et se rendre là où il allait – assez éveillé, attentif et vigilant pour faire la différence entre lui-même et le reste du monde, entre ses propres mouvements et ceux des autres. *J'étais aussi conscient que cette mouche qui échappe à mon tue-mouche depuis 10 minutes. Mais pas plus conscient que cette mouche, puisque je n'avais pas conscience d'être moi en train de vivre ce moment de ma vie*, se dit Laurent, en regardant la bière qu'il est en train de boire.

Ce moment de ma vie, je l'ai oublié aussi complètement que la fin de ma soirée de graduation. Ce soir-là, il avait beaucoup bu, beaucoup trop. Il avait perdu toute sa réserve habituelle. Au début, il avait été très drôle, puis très triste, puis juste très saoul, lui avait-on raconté. Des amis avaient dû le raccompagner, et quelqu'un l'avait mis au lit ; il n'avait jamais osé demander qui. *Ce soir-là, est-ce que j'avais conscience de ce que je vivais ? Au fur et à mesure, peut-être. Dans le temps, sûrement pas, puisque je n'en ai rien retenu.*

Curieux, s'étonne Laurent. Pendant qu'on dort, pendant qu'on rêve, pendant qu'on est dans la lune, pendant qu'on s'enivre, de grands pans de notre vie échappent à notre conscience parce que même si on les perçoit au fur et à mesure, on les oublie au fur et à mesure. *La conscience, c'est aussi une question de mémoire. Pauvre Mamie... Depuis quelques heures, elle n'a plus conscience de rien, même pas de sa propre existence.* Mais au fond, se console Laurent, avec cet Alzheimer qui effaçait sa vie au fur et à mesure, qui grignotait impitoyablement les pages de son passé, elle avait déjà commencé à perdre conscience. *Même si elle sort du coma, elle ne pourra plus jamais « revenir à elle ».*

Et moi-même, se dit Laurent, *j'ai beau être en parfaite santé, même quand je suis tout à fait éveillé et complètement sobre, est-ce que je ne vis pas la plupart du temps dans une sorte d'inconscience, un peu comme cette mouche, trop engagé dans l'action pour prendre vraiment conscience de mon existence, de celle du reste du monde, et du rapport entre les deux.* Laurent repense à ce reportage sur les moines bouddhistes tibétains qui méditent plusieurs heures par jour pour élargir leur conscience en cultivant l'attention au moment présent.

Au moment présent, toutes sortes de pensées erratiques assaillent son esprit. *Ces moines en robes orangées... les poubelles à sortir... qu'est-ce que je vais porter demain... grand-mère va-t-elle mourir... qui nourrit son chat... j'aimais tant ces étés au chalet... il fait trop chaud ici... j'ai un chapitre de psycho à lire... Alex n'a pas appelé... je me demande où est Kim... Cet intarissable discours intérieur à la fois si décousu et si plein de sens, toutes ces bribes de pensées, de sensations, d'émotions, de sentiments, de souvenirs qui se bousculent en moi, est-ce cela la conscience humaine ? Ou est-ce le fait d'en avoir conscience ? Ou autre chose d'encore plus complexe ?*

Du plus loin qu'on remonte dans l'histoire, les philosophes et les penseurs ont cherché à cerner la nature de la conscience et ont abondamment débattu de leurs opinions respectives sur la question. Ces débats passionnés et passionnants se sont poursuivis avec les débuts de la psychologie. Les structuralistes comme Wundt et Titchener croyaient qu'il était possible de décomposer la structure de la conscience en ses éléments constitutifs (les diverses perceptions nées des sensations), puis de les explorer par l'introspection. Pour William James et les fonctionnalistes, loin d'avoir une structure rigide ou fixe comme le voulait le structuralisme, le « flux de la conscience » était fluide et continu, et il permettait aux humains de s'adapter à leur environnement. Également opposés à la conception structuraliste de la conscience, les gestaltistes comme Wertheimer, Koffka et Köhler ont soutenu et démontré que les perceptions étaient des touts supérieurs à la somme de leurs parties. Pour Freud, l'expérience mentale consciente n'était que la pointe d'un iceberg dont la majeure partie était constituée par l'inconscient, où étaient refoulés les pulsions, les désirs et les pensées trop anxiogènes.

Les béhavioristes Watson et Skinner considéraient que les processus mentaux, parce qu'ils n'étaient ni observables ni mesurables, n'étaient pas du ressort de la psychologie scientifique. Ils ont donc exhorté les psychologues à se désintéresser de ce processus mental hautement subjectif qu'est la conscience. Sous leur influence, l'étude de la conscience fut donc mise en veilleuse pendant plusieurs décennies (Nelson, 1996).

À partir du milieu des années 1950, l'émergence du courant cognitiviste a remis l'étude des processus mentaux à l'ordre du jour des psychologues. L'avènement de l'électroencéphalogramme (EEG) et le perfectionnement des techniques d'imagerie cérébrale qui s'ensuivit ont permis aux scientifiques d'accumuler une impressionnante somme de connaissances sur le fonctionnement du système nerveux central. De nouveau, ils s'intéressent à la conscience, cette fois pour mieux comprendre ses bases neurologiques en examinant les divers *états de conscience* associés aux rythmes biologiques, au sommeil et aux rêves, à l'usage de psychotropes et à des pratiques comme l'hypnose ou la méditation. Dans la perspective des neurosciences, l'**état de conscience** se définit comme l'état global d'un organisme – le degré d'activation (éveil, vigilance, etc.) ou d'inactivation (sommeil profond, coma, etc.) de la représentation du soi – qui détermine l'interaction entre le soi et les contenus de la *conscience* (Parvizi et Damasio, 2001). De nos jours, les psychologues tendent à assimiler l'expérience subjective de la conscience à ce qui se passe objectivement dans le cerveau durant ces divers états de conscience.

État de conscience
État global d'un organisme qui détermine l'interaction entre le soi et les stimulus internes et externes.

4.1 LES RYTHMES CIRCADIENS

Vous arrive-t-il d'avoir à lutter contre la somnolence en début d'après-midi pour vous retrouver aussi éveillé et alerte que Laurent au milieu de la soirée ? Si oui, sachez que ce sont là des manifestations normales de vos **rythmes circadiens**, c'est-à-dire des rythmes de variation de vos constantes et fonctions physiologiques sur une période de 24 heures.

Rythme circadien
Rythme de variation d'une constante ou d'une fonction physiologique sur une période d'environ 24 heures.

Chronobiologie
Étude des rythmes biologiques et des phénomènes cycliques chez les êtres vivants.

▼ Presque tous les organismes vivants, humains, animaux et végétaux, sont régis par des cycles circadiens. Certains sont diurnes comme l'humain ; d'autres nocturnes, comme le hibou et la chauve-souris.

Le terme « circadien », du latin *circa*, « environ », et *diem*, « jour », signifie littéralement « d'environ une journée ». Les rythmes circadiens lient nos fonctions corporelles au cycle lumière-obscurité de la Terre. L'étude des rythmes biologiques et des phénomènes cycliques chez les êtres vivants, la chronobiologie, a révélé l'existence de rythmes circadiens innés chez presque tous les organismes humains, animaux et végétaux. Certains sont diurnes, c'est-à-dire génétiquement programmés pour être actifs le jour et inactifs (endormis) la nuit ; d'autres sont nocturnes, comme le hibou et la chauve-souris qui s'éveillent à la tombée de la nuit. Les rythmes circadiens jouent un rôle crucial dans la régulation des constantes physiologiques et des fonctions vitales comme la température corporelle, la tension artérielle, la fréquence cardiaque, l'appétit, la sécrétion des hormones et des enzymes digestives, l'acuité sensorielle, l'élimination et même les réactions aux médicaments (Morofushi et autres, 2001 ; Hrushesky, 1994). Des fonctions psychologiques comme l'attention, la vigilance, la capacité d'apprendre et d'exécuter des tâches et même l'humeur fluctuent selon ces rythmes quotidiens (Manly et autres, 2002 ; Boivin et autres, 1997 ; Johnson et autres, 1992). En fait, les cycles circadiens font fluctuer quotidiennement presque toutes les variables physiologiques et psychologiques que les chercheurs ont étudiées (Kunz et Herrmann, 2000).

Le cycle éveil-sommeil et les fluctuations de la température corporelle sont des rythmes circadiens particulièrement importants et intimement liés. Normalement, la température du corps humain est à son plus bas (de 36,1 °C à 36,4 °C environ) la nuit entre 3 h et 4 h, et atteint son pic (environ 37 °C) entre 18 h et 20 h. On l'aura deviné, on dort mieux lorsque la température corporelle est basse, et on est plus éveillé lorsqu'elle est haute. La vigilance suit un rythme circadien légèrement différent du cycle éveil-sommeil (Monk, 1989) : chez la plupart des gens, elle connaît un creux entre 2 h et 7 h, et entre 14 h et 17 h (Webb, 1995).

Les noyaux suprachiasmatiques ou l'horloge biologique

Quel est le rôle des noyaux suprachiasmatiques dans la régulation des rythmes biologiques ?

Noyaux suprachiasmatiques (NSC)
Paire de structures de la grosseur d'une tête d'épingle situées dans l'hypothalamus ; règlent les rythmes circadiens.

Mélatonine
Hormone sécrétée par le corps pinéal et qui intervient dans la régulation des cycles biologiques ; souvent qualifiée d'hormone du sommeil.

La recherche sur les rythmes circadiens des mammifères a permis d'établir que notre horloge biologique est essentiellement réglée par deux structures cérébrales aussi petites que des têtes d'épingle situées dans l'hypothalamus : les noyaux suprachiasmatiques. Régulées par cette horloge biologique, les fluctuations des rythmes circadiens ne sont pourtant pas strictement internes ; des variables environnementales y contribuent, la plus importante étant la lumière vive, et en particulier la lumière du Soleil. Les photorécepteurs de la rétine réagissent à la quantité de lumière qui atteint l'œil ; par le nerf optique, ils relaient cette information aux noyaux suprachiasmatiques, qui à leur tour envoient un signal au corps pinéal, une minuscule glande située au centre du cerveau qu'on appelait autrefois l'épiphyse (voir la figure 2.10, p. 74). Le corps pinéal réagit en libérant la mélatonine, « l'hormone du sommeil », de la tombée de la nuit à l'aube (pendant environ neuf heures), et en cessant de la sécréter au lever du jour (Kripke et autres, 2005).

De nombreuses recherches (par exemple, Mistlberger et Rusak, 1989) ont révélé qu'en l'absence totale d'indices sur l'heure ou le moment du jour ou de la nuit, la plupart des gens adoptent un cycle plus près de 25 heures que de 24. Toutefois, dans des conditions normales, des stimulus externes comme la succession des jours et des nuits et l'horaire social (le rythme de vie que nous imposent nos obligations) ajustent notre horloge biologique à un cycle d'environ 24 heures – 24 heures et 12 minutes en moyenne, pour être précis. Bien qu'innés, les rythmes circadiens se synchronisent graduellement dans les semaines ou les mois qui suivent la naissance, selon les conditions de lumière et d'obscurité du milieu de vie. Chez l'humain, la température corporelle et la fréquence cardiaque s'adaptent rapidement, mais normalement il faut attendre trois à neuf mois pour que bébé «fasse ses nuits», environ deux ans pour que les fonctions rénales du bambin s'y adaptent, et quatre ou cinq ans pour qu'il puisse se passer complètement de sieste. Notons que l'exposition à la lumière naturelle influe sur le développement des cycles éveil-sommeil; les bébés de 6 à 12 semaines qui font leurs siestes à la lumière du jour plutôt que dans l'obscurité s'adaptent plus vite (Mongrain et autres, 2006; Harrisson, 2004).

L'adaptation aux étés sans nuit et aux hivers sombres　Si les cycles circadiens lient nos fonctions corporelles au cycle lumière-obscurité de la Terre, comment les gens peuvent-ils s'adapter aux hivers sombres et aux étés sans nuit des régions nordiques? Encore peu nombreuses, les études sur l'adaptation à ces conditions révèlent que quand la période de lumière est trop longue ou trop courte, l'organisme tend à revenir à sa périodicité naturelle de 24 heures 12 minutes (Dumont et Beaulieu, 2007; Dumont, 2003). Il y parvient en se fiant à l'intensité *relative* de la lumière sur une période de 24 heures, c'est-à-dire au contraste subtil entre le jour et la nuit, plutôt qu'à la seule lumière. Autrement dit, il interprète la lumière la plus vive comme le jour, et la plus faible comme la nuit. Des études menées en Norvège et en Finlande ont démontré que les gens exposés à peu de lumière durant la longue nuit hivernale deviennent plus sensibles à la lumière relative; cette sensibilité s'atténue au printemps, quand la lumière se fait plus vive et se reflète sur les restes de neige (Bratlid et Wahlund, 2003; Leppäluoto, 2003). Les noyaux supra-chiasmatiques semblent tirer le maximum d'information de la lumière disponible quand elle est rare, et diminuent leur réactivité quand elle devient trop intense.

◀ Des études menées en Norvège et en Finlande révèlent que, durant la longue nuit hivernale, les gens deviennent plus sensibles à la lumière relative; cette sensibilité s'atténue au printemps, quand la lumière se fait plus vive et se reflète sur les restes de neige.

Les gens dont l'horloge biologique s'adapte plus difficilement aux variations saisonnières de la lumière peuvent souffrir de la rareté de la lumière. Les Québécois le savent par expérience, nous avons tendance à dormir davantage et à être de moins bonne humeur lorsque les jours raccourcissent; l'énergie et le sourire nous reviennent à mesure que les jours rallongent. Chez les personnes qui souffrent du **syndrome de dépression saisonnière**, ces variations d'humeur et d'énergie sont beaucoup plus marquées, et pour cause. Alors que chez la plupart des gens la sécrétion de mélatonine varie peu selon les saisons, chez elles, elle se fait sur une plus longue période en hiver, ce qui les rend somnolentes et léthargiques (Dumont et Beaulieu, 2007). L'exposition à une lampe de luminothérapie (2 500 à 3 000 lux) le matin bloque la sécrétion de mélatonine et s'avère très efficace pour traiter la dépression saisonnière.

Le travail de nuit　On s'en doute, travailler durant notre **nuit subjective**, au moment où notre horloge biologique nous dit d'aller dormir, maltraite notre horloge biologique. La vigilance et la performance des travailleurs de nuit s'en ressentent (da Silva Borges et

Syndrome de dépression saisonnière
État dépressif associé à la diminution des heures d'ensoleillement l'automne et l'hiver; disparaît lorsque les journées rallongent.

Nuit subjective
Période à l'intérieur d'un cycle de 24 heures où la température corporelle d'une personne est au plus bas et où son horloge biologique lui dit d'aller dormir.

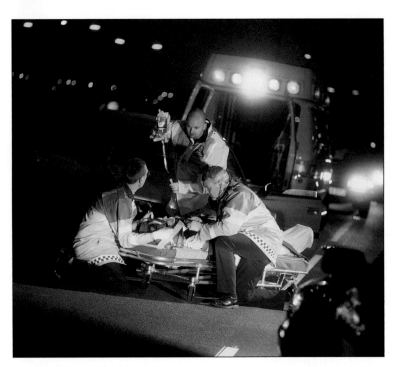

▲ Au Canada, près de 3 travailleurs sur 10 (28 %) ont un horaire
autre qu'un horaire régulier de
jour : travail de soir ou de nuit,
travail par quarts, horaire rotatif,
etc. (Statistique Canada, 2008b).

Fisher, 2003). Durant la nuit subjective, non seulement l'énergie et l'efficacité sont à leur niveau minimal, mais le temps de réaction ralentit, la productivité diminue, et les accidents industriels sont nettement plus fréquents (Garbarino et autres, 2001 ; Lauber et Kayten, 1988).

Des équipes de chercheurs comme celles de la neuropsychologue Marie Dumont, directrice du laboratoire de chronobiologie du Centre d'étude du sommeil de l'Hôpital du Sacré-Cœur, et de la psychiatre Diane Boivin, directrice du Centre d'étude et de traitement des rythmes circadiens de l'Hôpital Douglas, ont étudié les effets néfastes du travail de nuit et les moyens d'y remédier autant que possible (Dumont et Beaulieu, 2007 ; Boivin et James, 2005 ; Dumont, 2003, 1999 ; Boivin, 2000). Ces travaux sont révélateurs : les travailleurs de nuit dorment moins que les autres (cinq à six heures au lieu de huit en moyenne) et d'un sommeil plus frag-menté et moins profond, quand ils ne souffrent pas carrément d'insomnie. Ils se plaignent de somnolence durant le travail, de fatigue générale, d'irritabilité, de symptômes de stress et, à la longue, de dépression. De plus, comme ils prennent souvent leurs principaux repas la nuit, moment où le système digestif au ralenti n'est pas prêt à recevoir de la nourriture, ils souffrent de divers troubles gastro-intestinaux : indigestions, brûlures d'estomac, constipation, etc. Il n'est pas rare d'ob-server chez eux des variations de poids importantes résultant soit d'une perte d'appétit, soit d'une consommation excessive d'aliments à haute teneur énergétique pour rester éveillés. À la longue, les problèmes s'accumulent et tendent à devenir plus fréquents et plus graves. Les jeunes s'y adaptent mieux, mais indépendamment de l'âge, les symptômes d'intolérance tendent à apparaître après quatre ou cinq ans de travail de nuit ou se mani-festent soudainement vers 40 ans, même chez une personne qui travaille de nuit sans problème depuis 20 ans. Des études montrent que les effets néfastes du travail par quarts persistent pendant des mois et même des années après qu'on y ait mis fin (Rouch et autres, 2005).

L'exposition contrôlée à la lumière vive et à l'obscurité complète peut s'avérer très effi-cace pour ajuster l'horloge interne au cycle éveil-sommeil inversé (Dumont et Beaulieu, 2007 ; Dumont, 2003). Plus on augmente artificiellement le contraste entre « jour » et « nuit », plus on favorise l'adaptation au travail de nuit. Le jour, on peut simuler la nuit en portant des verres fumés très foncés au retour à la maison et dormir dans une pièce par-faitement obscure. Lorsqu'on s'éveille en fin d'après-midi, on peut simuler le jour en s'exposant à une lumière vive, en allumant le plus de lampes possible dans la maison ou en se procurant une lampe de luminothérapie. Cependant, les effets de telles stratégies mettent quelques jours à se faire sentir ; elles sont donc plus utiles aux personnes qui travaillent toujours la nuit qu'à celles qui travaillent par quarts de travail rotatifs ou selon des horaires irréguliers, et dont l'horloge biologique doit se réajuster constamment et à court terme. Pour un effet moins puissant que celui de la lumière, mais plus rapide, ces dernières peuvent prendre des comprimés de mélatonine au coucher – l'équivalent d'une « administration de noirceur », selon l'expression de Marie Dumont. Fixer des heures de sommeil en matinée les jours de congé, par exemple de 9 h à 11 h, aide à réduire la désynchronisation. Des quarts rotatifs allant des quarts de jour aux quarts de soir puis aux quarts de nuit plutôt que le contraire, et qui changent aux trois semaines plutôt qu'aux semaines améliorent la satisfaction, la santé et la productivité des travailleurs (Pilcher et autres, 2000). Enfin, les mesures d'hygiène du sommeil qui s'appliquent à tout le monde peuvent aussi aider les personnes qui travaillent de nuit, par quarts rotatifs ou selon un horaire irrégulier (voir la rubrique « Appliquez-le », p. 152). Les spécialistes s'entendent pour dire que les somnifères sont peu efficaces pour les troubles circadiens autres que ponctuels, comme ceux causés par un décalage horaire occasionnel.

Le décalage horaire   Disons que vous allez de Montréal à Paris. Votre avion part de Montréal à 20 h, et le vol dure six heures ; vous atterrissez donc à Paris à 2 h 30, heure de Montréal. Mais comme vous avez changé de fuseau horaire, à Paris, il est six heures plus tard. Les horloges, le soleil et tout le reste vous indiquent qu'il est 8 h 30 du matin et que la journée commence, mais rien n'y fait : vous vous sentez comme s'il était 2 h 30, en pleine nuit quoi ! Vous vivez un décalage horaire : votre horloge biologique est encore synchronisée au cycle lumière-obscurité de Montréal, et il lui faudra quelques jours pour se synchroniser à celui de Paris. Quand vous reviendrez, votre avion décollera de Paris à 10 h 30. Comme le vol de retour dure 7 h 30 (une heure de plus qu'à aller), et qu'il est six heures plus tôt à Montréal, vous arriverez à midi. L'adaptation sera alors plus aisée, car il est plus facile d'allonger une journée, même de plusieurs heures, que d'avoir à

▼ Même s'ils traversent régulièrement plusieurs fuseaux horaires, les pilotes et les agents de bord souffrent autant du décalage horaire qu'un passager qui le fait pour la première fois, indique la recherche.

vivre deux journées d'affilée. Mais dans les deux cas, votre horloge biologique finira par se synchroniser au cycle lumière-obscurité de l'endroit où vous êtes. Vous lui faciliterez la tâche en vous exposant à la lumière du jour tôt le matin, et en évitant la lumière vive en soirée (Zisapel, 2001 ; Edwards et autres, 2000). Les gens qui voyagent vers l'est (de Montréal à Paris, par exemple) peuvent réduire le décalage horaire en avançant graduellement leur horaire de sommeil d'environ une heure par jour pendant les quelques jours qui précèdent leur départ (Eastman et autres, 2005). Naturellement, cette stratégie ne s'applique pas aux voyageurs qui font de longs trajets aller-retour en très peu de temps, comme les pilotes et les agents de bord. Étonnamment, même s'ils traversent régulièrement plusieurs

fuseaux horaires dans les deux sens, ces derniers souffrent tout autant du décalage horaire que les passagers qui le font pour la première fois (Criglington, 1998). Le décalage horaire chronique que vivent de nombreux pilotes et agents de bord entraîne des problèmes de mémoire qui peuvent être permanents (Cho, 2001 ; Cho et autres, 2000).

RETENEZ-LE   Les rythmes circadiens

1. Les rythmes circadiens règlent de nombreuses fonctions _____ et _____ sur une période d'environ _____ heures.

2. Vrai ou faux ? Nous dormons mieux quand notre température corporelle est à son point le plus bas du cycle circadien.

3. Notre horloge biologique est essentiellement réglée par les _____ , deux minuscules structures situées dans l'hypothalamus.

4. Les fluctuations des rythmes circadiens ne sont pas strictement biologiques. Certains indices environnementaux y jouent un rôle, le plus important étant les variations de _____ .

5. Sécrétée par le corps pinéal, la _____ est une hormone qui favorise le sommeil.

Réponses : 1. physiologiques ; psychologiques ; 24. **2.** Vrai. **3.** noyaux suprachiasmatiques. **4.** lumière. **5.** mélatonine.

4.2 LE SOMMEIL ET LE RÊVE

Que se passe-t-il exactement dans notre organisme pendant que nous dormons ? On en savait encore très peu de choses jusqu'au début des années 1950. L'arrivée de l'EEG et la création des premiers laboratoires du sommeil dans les universités a permis aux chercheurs d'enregistrer durant toute une nuit de sommeil les ondes cérébrales des sujets ainsi que d'autres paramètres physiologiques : mouvements oculaires, tension mandibulaire, fréquences cardiaque et respiratoire, température, etc. Ces enregistrements appelés polysomnogrammes allaient révéler une partie des secrets du sommeil et des rêves.

Pourquoi dort-on ?
Homéostasie et rythmes circadiens

Quelles sont les deux grandes théories qui expliquent le besoin de sommeil ?

Pourquoi passons-nous le tiers de notre vie à dormir ? Maintenant bien étayées par la recherche, deux théories complémentaires peuvent expliquer le besoin de sommeil. Selon la théorie de la récupération, l'état d'éveil use l'organisme, et le sommeil a pour fonction de réparer cette détérioration physique et mentale (Gökcebay et autres, 1994). Régulé par l'hypothalamus, le processus homéostatique, qui tend toujours à rétablir l'équilibre physiologique, fait en sorte que plus on est réveillé depuis longtemps, plus on a tendance à s'endormir, et que plus on dort depuis longtemps, plus on a tendance à se réveiller. Selon la théorie circadienne (évolutionniste), le sommeil avait pour fonction d'inciter nos lointains ancêtres à se mettre à l'abri des prédateurs nocturnes et des autres dangers de la nuit, d'où notre actuel rythme circadien d'éveil diurne et de sommeil nocturne. Comme l'a fait valoir le grand spécialiste du sommeil Alexander Borbely, la synthèse de ces deux théories permet de mieux comprendre le fonctionnement du sommeil (Borbely et autres, 1989 ; Borbely, 1984). La théorie de la récupération (processus homéostatique) explique la tendance naturelle à s'endormir ou à se réveiller après un certain nombre d'heures d'éveil ou de sommeil (comme les bébés avant que leur horloge biologique soit synchronisée). La théorie circadienne, elle, explique la tendance naturelle des humains à être plus éveillés le jour et plus somnolents la nuit (processus circadien). La conjugaison de ces deux processus explique pourquoi un horaire régulier d'éveil diurne et de sommeil nocturne est celui qui convient le mieux à nos besoins. Ainsi, explique Marie Dumont (2003, 1999), durant une nuit blanche, le moment où il est le plus difficile de lutter contre le sommeil arrive à la fin de la nuit : vers 5 h du matin, la forte tendance homéostatique au sommeil après une longue période d'éveil est amplifiée par une très forte tendance circadienne au sommeil. Quelques heures plus tard, même s'il n'y a pas eu de récupération homéostatique, la tendance circadienne à l'éveil commencera à se manifester (baisse de la sécrétion de mélatonine et hausse de la température corporelle), et on s'endort de moins en moins. Plus on se couche tard dans la journée, plus on s'approche du moment où la température corporelle sera à son pic (entre 18 h et 20 h), et plus l'endormissement sera difficile et le sommeil de courte durée.

Avant d'aller plus loin sur les fonctions du sommeil, il importe de distinguer les deux grands types de sommeil et de comprendre leur séquence durant une nuit de sommeil normal.

▲ Fondé en 1977 par le psychiatre et chercheur Jacques Montplaisir, le Centre d'étude du sommeil et des rythmes biologiques de l'Hôpital du Sacré-Cœur a été le premier centre d'étude du sommeil au Québec. À la fine pointe des recherches sur le sommeil, les rêves et la chronobiologie, le Centre, qui est affilié à l'Université de Montréal, jouit aujourd'hui d'une réputation mondiale.

Les deux types de sommeil : le lent et le paradoxal

Quels sont les deux grands types de sommeil et qu'est-ce qui les distingue ?

Comme l'indique son nom, le **sommeil lent** (ou **sommeil à ondes lentes**) se caractérise par le ralentissement de l'activité cérébrale, des fréquences cardiaque et respiratoire basses et régulières, une tension artérielle plus faible et des mouvements physiques rares. Quant au **sommeil paradoxal** (ou **sommeil MOR**) qui représente 20 % à 25 % d'une nuit normale de sommeil chez l'adulte, il est tout sauf calme. Une minute ou deux après son début, le métabolisme cérébral et la température du cerveau augmentent rapidement (Krueger et Takahashi, 1997) ; la pression artérielle monte ; les battements cardiaques et la respiration deviennent plus rapides et moins réguliers. Paradoxalement, malgré cette tempête interne, vu de l'extérieur, le corps semble particulièrement tranquille, et pour cause : les muscles longs des bras, des jambes et du tronc sont littéralement paralysés (Chase et Morales, 1990). Cette paralysie a pour fonction d'empêcher les gens de réagir physiquement pendant leurs rêves, croient les chercheurs. De fait, les rares personnes atteintes du « trouble du comportement en sommeil paradoxal » et qui ne sont pas paralysées pendant leur sommeil paradoxal peuvent devenir violentes, se blesser ou blesser leur partenaire de lit, briser des objets, etc. (Broughton et Shimizu, 1995 ; Moldofsky et autres, 1995).

Si vous observez un dormeur pendant son sommeil paradoxal, vous verrez ses yeux bouger sous les paupières. Ces mouvements oculaires rapides (MOR) ont été découverts en 1952 par Eugene Azerinsky. Cinq ans plus tard, William Dement et Nathaniel Kleitman ont fait le lien entre ces mouvements oculaires rapides et le rêve. C'est durant les périodes de sommeil paradoxal que surviennent nos rêves les plus frappants. Environ 80 % des gens qui se réveillent au cours du sommeil paradoxal disent qu'ils étaient en train de rêver (Carskadon et Dement, 1989). Si vous vous réveillez pendant plusieurs minutes au cours du sommeil paradoxal, vous n'y retournerez probablement pas avant une bonne trentaine de minutes – d'où la difficulté de poursuivre un rêve agréable en se rendormant. Détail qui mérite d'être mentionné, à cause de la dilatation des vaisseaux sanguins, dès la naissance ou presque, et quel que soit le contenu des rêves, le pénis est en érection (totale ou partielle), et le vagin gonflé et lubrifié durant le sommeil paradoxal. Le réveil naturel survenant généralement à la fin d'une période de sommeil paradoxal, les hommes s'éveillent habituellement avec une érection (Campbell, 1985).

Sommeil lent (ou **sommeil à ondes lentes**)
Sommeil caractérisé par un ralentissement de l'activité cérébrale, des fréquences cardiaque et respiratoire basses et régulières, une pression artérielle plus faible et des mouvements physiques rares.

Sommeil paradoxal (ou **sommeil MOR**)
Sommeil caractérisé par des mouvements oculaires rapides (MOR), une activité cérébrale intense, une paralysie des muscles longs, des fréquences cardiaque et respiratoire rapides et irrégulières.

Les cycles du sommeil : la nuit typique d'un jeune adulte

Comment se déroule la nuit typique d'un jeune adulte ?

Saviez-vous que le sommeil suit un cours relativement prévisible d'une nuit à l'autre ? Nous dormons tous et toutes par cycles. Durant chaque **cycle de sommeil**, d'une durée d'environ 90 minutes, nous connaissons un ou plusieurs stades de sommeil lent suivis d'une période de sommeil paradoxal. La figure 4.1 (p. 128) illustre la nuit de sommeil typique d'un jeune adulte que nous appellerons Félix.

Avant de s'endormir, Félix passe par un état de détente et de somnolence, l'état hypnagogique, durant lequel il est « dans la lune » ; cet état de conscience modifié se caractérise par un tracé d'ondes alpha. Le premier cycle de sommeil de Félix commence par quelques minutes au stade 1, l'endormissement. Le stade 1 est une transition entre l'éveil et le sommeil ; il se caractérise par des ondes irrégulières où l'on observe encore des ondes alpha. Félix est encore conscient, et le moindre stimulus peut le réveiller ; si vous le réveillez, il vous dira qu'il ne dormait pas vraiment. (On peut entrer en stade 1 assis sur une chaise ou, pire, au volant.) Puis, des ondes rapides et irrégulières dites « ondes en fuseaux » apparaissent sur le tracé de l'EEG, indiquant que Félix glisse du sommeil lent de stade 1 au sommeil lent de stade 2 ; il devient moins facile à réveiller. Au total, tous les épisodes de sommeil de stade 2 représenteront près de la moitié de sa nuit de sommeil. À mesure que le sommeil de Félix s'approfondit, son activité cérébrale ralentit, et des ondes delta (ondes lentes) de plus en plus nombreuses apparaissent.

Cycle de sommeil
Période de sommeil d'environ 90 minutes incluant un ou plusieurs stades de sommeil lent suivis d'une période de sommeil paradoxal.

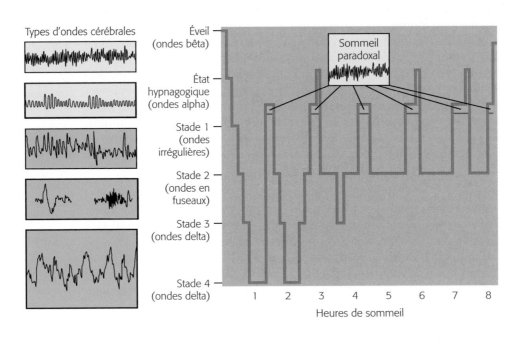

Figure **4.1**

LA NUIT DE SOMMEIL TYPIQUE D'UN JEUNE ADULTE

En surveillant l'activité cérébrale des dormeurs durant toute leur nuit de sommeil à l'aide d'un EEG, les chercheurs ont pu associer divers types d'ondes cérébrales aux divers stades du sommeil. Cette figure illustre schématiquement les cinq ou six cycles de sommeil d'environ 90 minutes de la nuit typique d'un jeune adulte. Le sommeil lent profond se concentre dans les deux ou trois premiers cycles, alors que le sommeil léger et le sommeil paradoxal dominent les deux ou trois derniers. Chaque cycle se termine par un épisode de sommeil paradoxal et, souvent, par un micro-éveil.

Sommeil lent léger
Sommeil lent des stades 1 et 2.

Sommeil lent profond
Sommeil lent des stades 3 et 4.

▶ Durant le sommeil de stade 1, les muscles se détendent. Si le dormeur était très tendu, il peut avoir des spasmes musculaires, donner un coup de pied au fond du lit, par exemple. Il pourra alors se réveiller avec l'impression d'avoir rêvé qu'il ratait une marche en descendant un escalier. En fait, il n'a pas rêvé, mais son cerveau, informé par le système nerveux périphérique qu'un coup de pied qu'il n'avait pas commandé venait d'être donné, s'est empressé de trouver une explication après coup à ce mouvement.

Lorsque l'EEG enregistre 20 % d'ondes delta, Félix entre dans le sommeil de stade 3; c'est le début du **sommeil lent profond**. Les ondes delta continuent à augmenter, et lorsqu'elles dépassent 50 %, Félix atteint le sommeil de stade 4 – le plus profond et celui pendant lequel il sera le plus difficile à réveiller (Cooper, 1994; Carskadon et Rechtschaffen, 1989). Si on y arrive, il sera désorienté et confus au point d'avoir du mal à comprendre ce qu'on lui dit. Dans le sommeil de stade 4, les ondes delta peuvent représenter près de 100 % du tracé de l'EEG.

Après une quarantaine de minutes dans ce stade, l'activité du cerveau augmente et les ondes delta disparaissent de l'EEG. Félix revient au stade 3, puis au stade 2, et entre dans sa première période de sommeil paradoxal, qui dure de 10 à 15 minutes. La fin de cette période de sommeil paradoxal marque la fin du premier cycle de sommeil. Félix se réveille quelques secondes, ouvre les yeux et balaie la pièce du regard. Si tout est normal, il referme les yeux, change de position, et son deuxième cycle de sommeil commence. Par contre, s'il y a quelque chose d'inhabituel dans l'environnement – s'il n'est pas chez lui, par exemple –, sa formation réticulée, qui filtre l'information sensorielle transmise au cerveau (voir le chapitre 2, p. 63, et la figure 2.5, p. 50), donne l'alerte, et il s'éveille complètement, le temps de se resituer : « Ah oui, je suis à la clinique de sommeil. » Si cet éveil dure plus de deux minutes, il se souviendra de s'être réveillé (c'est ce qui explique qu'on a parfois l'impression d'avoir passé la nuit à regarder les heures, alors qu'on ne s'est réveillé que quelques minutes à la fin de chaque cycle de 90 minutes). Si l'éveil a duré moins de deux minutes, Félix n'en gardera aucun souvenir. Après ce micro-éveil, son deuxième cycle commence, passant par les mêmes étapes qu'au premier cycle, traversant les stades 2, 3 et 4, et se terminant par une période de sommeil paradoxal. Notons que, dans les périodes de stress, les micro-éveils sont plus fréquents et se transforment plus souvent en vrais éveils à cause d'un taux d'adrénaline trop élevé. À la figure 4.1, on voit qu'après les deux premiers cycles de 90 minutes chacun (3 heures en tout), Félix, notre dormeur type, n'a plus de sommeil lent profond de stade 4 du reste de la nuit – et peut-être même plus de stade 3. Durant ses cycles de 90 minutes, il passe du stade 2 au sommeil paradoxal, et ses périodes de sommeil paradoxal – celles du rêve – s'allongent à chaque cycle de sommeil : vers la fin de la nuit, elles peuvent durer de 30 à 40 minutes. La plupart des gens connaissent cinq cycles de sommeil par nuit de sept à huit heures, ce qui donne en moyenne une à deux heures de sommeil lent profond et une à deux heures de sommeil paradoxal.

Les fonctions du sommeil : ce qui arrive quand on ne dort pas

Que révèle la privation de sommeil sur les fonctions du sommeil ?

Si vous avez déjà passé deux ou trois nuits blanches d'affilée, vous vous souvenez probablement d'avoir éprouvé, en plus de la fatigue et des courbatures, des difficultés de concentration, un manque d'attention et de l'irritabilité. Même la privation de sommeil relativement mineure qu'on s'impose en se couchant plus tard le week-end se traduit par une baisse du rendement cognitif et l'humeur typiquement plus sombre du lundi matin, nous apprend la recherche (Yang et Spielman, 2001). Après 60 heures de privation de sommeil, la baisse du rendement cognitif devient substantielle, et certaines personnes ont même de légères hallucinations. La plupart des gens qui tentent de rester éveillés pendant de longues périodes connaissent des épisodes de microsommeil, passant de l'état de veille à celui de sommeil pendant deux à trois secondes. S'il vous déjà arrivé de cogner des clous dans le métro, c'est ce qui s'est produit.

Microsommeil
Assoupissement de quelques secondes qui survient surtout en cas de privation de sommeil.

Lorsqu'on est privé de sommeil, la nuit suivante, l'organisme rattrape en priorité le sommeil lent profond ; le sommeil paradoxal connaîtra un léger rebond deux nuits plus tard (Borbely, 1982). Le sommeil lent profond est fondamental ; il sert essentiellement à restaurer nos fonctions physiologiques, notamment en favorisant la sécrétion d'hormone de croissance, en augmentant la synthèse des protéines et en intensifiant l'activité du système immunitaire (Van Cauter, 2000 ; Hartmann, 1973). On sait depuis un certain temps que la privation de sommeil altère certaines fonctions cognitives, notamment la récupération d'informations récemment stockées dans la mémoire (Sadeh et autres, 2003 ; Raz et autres, 2001 ; Harrison et Horne, 2000). De nombreuses expériences démontrent que le rendement de sujets qui viennent d'apprendre des tâches perceptives, verbales et motrices s'améliore après une nuit de sommeil où ils n'ont pas été privés de sommeil paradoxal, et ce, même si on perturbe leur sommeil lent (Fenn et autres, 2003 ; Nader, 2003 ; Walker et autres, 2003). Les chercheurs croient que le sommeil paradoxal contribue au traitement de l'information en nous aidant à trier les expériences de la journée pour organiser l'information pertinente et la stocker dans notre mémoire (Walker et Stickgold, 2006). Passer la nuit à étudier avant un examen important est donc une mauvaise idée ; ce faisant, vous court-circuitez ce processus de mémorisation. Le fait que le pourcentage de sommeil paradoxal passe de 50 % à la naissance à 25 % vers deux ou trois ans (Institut de la statistique du Québec, 2002 ; Marks et autres, 1995) suggère que ce type de sommeil est nécessaire à la maturation du cerveau.

RETENEZ-LE — Le sommeil

1. À quel type de sommeil (lent/paradoxal) correspond chacune des caractéristiques suivantes :

a) Paralysie des grands muscles

b) Fréquences cardiaque et respiratoire lentes et régulières

c) Mouvements oculaires rapides

d) Érection du pénis, lubrification et gonflement du vagin

2. La durée moyenne d'un cycle de sommeil chez l'adulte est de (30/60/90/120) minutes.

3. Vrai ou faux ? Après les deux premiers cycles de sommeil, la plupart des gens ont pris une quantité égale de sommeil profond et de sommeil paradoxal.

4. Régulé par (l'hippocampe/l'hypothalamus/le cervelet), le processus homéostatique tend toujours à rétablir l'équilibre physiologique.

5. La théorie (de la récupération/circadienne) explique la tendance naturelle des humains à être plus éveillés le jour et plus somnolents la nuit, et la théorie (de la récupération/circadienne) explique la tendance naturelle à s'endormir ou à se réveiller après un certain nombre d'heures d'éveil ou de sommeil.

6. Après une privation de sommeil paradoxal, on observe habituellement _____

a) une absence de sommeil paradoxal.

b) un rebond du sommeil paradoxal.

c) une diminution du sommeil paradoxal.

d) aucun changement dans le sommeil paradoxal.

7. Quel type de sommeil semble contribuer à la mémoire et à l'apprentissage ?

a) Le sommeil lent du stade 1

b) Le sommeil lent du stade 2

c) Le sommeil lent profond des stades 3 et 4

d) Le sommeil paradoxal

Réponses : 1. (a) paradoxal (b) lent (c) paradoxal (d) paradoxal. **2.** 90. **3.** Faux. **4.** l'hypothalamus. **5.** circadienne ; de la récupération. **6.** b. **7.** d.

Que nous apprend la recherche sur les rêves, leur contenu et leurs bases biologiques ?

Les rêves : une activité encore mystérieuse

Qu'on s'en souvienne ou non au réveil, tout le monde rêve plusieurs fois par nuit, et ce, durant les deux types de sommeil. Les chercheurs ont fait cette découverte et bien d'autres sur l'activité onirique (du grec *oneiros*, rêve) en réveillant des sujets à divers moments du sommeil, ce qui leur a permis de distinguer deux types de rêves : les rêves du sommeil paradoxal et les rêves du sommeil lent.

Les deux types de rêves Les rêves les plus visuels, émotionnels et bizarres, ceux qui ressemblent à de petites histoires dont on se souvient, sont généralement des rêves du sommeil paradoxal. Les rêves du sommeil paradoxal deviennent de plus en plus longs et complexes à mesure que la nuit avance (Cipolli et Poli, 1992). Bien que ce ne soit pas toujours le cas, les rêves du sommeil lent, plus rares et moins mémorables, ressemblent davantage à des pensées ou à des flashs (Foulkes, 1996 ; Hobson, 1989). Durant le sommeil paradoxal, les zones du cerveau associées à la mémoire sont inactivées, ce qui pourrait expliquer qu'il est difficile de se souvenir des rêves à moins de se réveiller pendant un rêve ou immédiatement après. L'étrangeté et le caractère émotionnel des rêves du sommeil paradoxal pourraient résulter de l'incapacité du cerveau à structurer logiquement les perceptions durant ce type de sommeil. En effet, les rêves du sommeil paradoxal activent fortement les structures limbiques, ces parties du cerveau associées aux émotions (Braun et autres, 1998), tandis que le cortex préfrontal, sa partie associée à l'attention, au raisonnement logique et au contrôle de soi, reste inactif. À l'état d'éveil, le cortex préfrontal inhibe en partie l'activité limbique, ce qui nous garde dans la réalité et plus «raisonnables», moins enclins aux pensées et aux actes impulsifs (Gottesmann, 2000). Cette inhibition dépend principalement des neurones du cortex qui répondent à la sérotonine et à la noradrénaline. Or, ces neurotransmetteurs sont beaucoup moins disponibles durant les rêves du sommeil paradoxal, tandis que la disponibilité grandement accrue de la dopamine active d'autres neurones du cortex. L'activité cérébrale désinhibée stimulée par la dopamine durant les rêves du sommeil paradoxal a été associée à l'état mental psychotique, qui est caractérisé par des hallucinations et des idées délirantes (Gottesmann, 2000).

Le contenu des rêves a-t-il un sens ? À quoi rêvez-vous ? Tore A. Nielsen et ses collègues du Laboratoire sur les rêves et les cauchemars de l'Hôpital du Sacré-Cœur ont mené une étude sur les rêves typiques de 1 348 étudiants universitaires au Québec, en Ontario et en Alberta (Nielsen et autres, 2003). Quatre thèmes s'imposaient par une prévalence de plus de 60 % chez les sujets des deux sexes : être poursuivi-e ou pourchassé-e sans être blessé-e physiquement, tomber, assister à un cours ou étudier, et vivre une expérience sexuelle. Comme il est difficile de se souvenir de ses rêves, ceux qu'on se rappelle le mieux tendent à être les plus bizarres ou les plus émotionnels.

▲ Les aveugles qui ont perdu la vue avant l'âge de cinq ans n'ont généralement pas de rêves visuels, mais n'en vivent pas moins des rêves intenses basés sur leurs autres sens.

Les rêves, en particulier les plus marquants ou les plus récurrents, ont-ils un sens caché ? La réponse à cette question fait l'objet d'une vieille polémique en psychologie. Selon la théorie freudienne, certains rêves révèlent des désirs et des pulsions refoulés qui prennent racine dans la vie infantile. Trop inacceptables et anxiogènes pour le rêveur, affirmait Freud, ces désirs se manifestent dans les rêves sous forme de symboles qui se greffent aux « restes diurnes », c'est-à-dire aux souvenirs d'événements récents. Freud différenciait donc le « contenu manifeste » du rêve, le rêve tel que se le rappelle le rêveur, de son « contenu latent », sa signification sous-jacente jugée plus significative. En tant que thérapeute, Freud accordait donc beaucoup d'importance à l'interprétation des rêves, « la voie royale menant à l'inconscient ». Dans les dernières décennies, les hypothèses des psychologues sur le sens des rêves se sont éloignées de l'interprétation freudienne des rêves. De manière générale, on s'intéresse davantage au contenu manifeste du rêve, envisagé comme l'expression des multiples préoccupations et apprentissages du rêveur (assister à des cours ou étudier, vivre des expériences sexuelles, etc.) plutôt que de désirs sexuels ou agressifs cachés (Domhoff, 2005, 1999 ; Foulkes, 1993 ; Webb, 1975). D'un point de vue évolutionniste, certains rêves très courants – comme les rêves de poursuite ou de chute – pourraient constituer un mécanisme de simulation du danger permettant au rêveur de s'exercer à y faire face et d'augmenter ainsi ses chances de survie (Revensuo, 2000).

Les hypothèses des neuroscientifiques sur le rêve abondent. Selon l'hypothèse de l'activation-synthèse avancée par les psychiatres J. Allan Hobson et Robert W. McCarley, les rêves ne seraient que des tentatives du cerveau pour donner un sens aux multiples sensations et souvenirs que suscitent les décharges aléatoires des neurones durant le sommeil paradoxal (Hobson et McCarley, 1977). Selon Hobson (1989), les rêves n'en ont pas moins une signification psychologique, car le sens qu'une personne donne à son activité mentale aléatoire reflète ses propres expériences, souvenirs oubliés, associations, désirs et peurs. Endossée par de nombreux experts du sommeil, l'hypothèse de Hobson est maintenant mise en cause, notamment par le neuropsychologue et psychanalyste britannique Mark Solms (2000). De plus en plus d'études montrent que, même si les rêves surviennent le plus souvent durant le sommeil paradoxal, rêves et sommeil paradoxal ne sont pas un seul et même phénomène, souligne Solms. Alors que l'état de sommeil paradoxal dépend de mécanismes neuronaux situés dans le tronc cérébral, ces expériences mentales complexes et souvent intenses que nous appelons les rêves relèvent d'un circuit neurologique distribué dans certaines parties du cerveau proprement dit. Ces schémas d'activité cérébrale seraient très similaires à ceux observés à l'état d'éveil chez des personnes qui souffrent de troubles psychotiques (délires, hallucinations) (Schwartz et Maquet, 2002), ce qui pourrait indiquer que l'état d'éveil n'est pas incompatible avec l'activation du circuit neuronal associé au rêve. Selon une troisième hypothèse, formulée par le neurobiologiste français Jean Pol Tassin (Tassin, 2001), on ne rêverait pas en dormant, mais en se réveillant ! L'activité du cerveau durant le sommeil paradoxal ne permet ni la conscience ni le rêve, soutient Tassin, puisque les neurones sensibles à la noradrénaline et à la sérotonine nécessaires à la conscience cessent de fonctionner (Tassin et autres, 2001). Par contre, durant les micro-éveils qui suivent le rêve paradoxal, ces neurones se remettent en action et nous permettent alors de prendre conscience des images subliminales générées durant notre sommeil. Ce serait pendant ces micro-éveils que nous pourrions « rêver », c'est-à-dire organiser en récit des images mentales souvent hétéroclites.

Les rêves lucides   Bien des gens sont troublés par des rêves désagréables récurrents. Est-ce votre cas ? Si oui, pouvez-vous y changer quelque chose ? Bien que la plupart des adultes ne croient pas qu'il soit possible de maîtriser le contenu des rêves (Woolley et Boerger, 2002), on a appris à certaines personnes à modifier délibérément le contenu de leur rêve pour mettre fin à des rêves récurrents indésirables. Dans le **rêve lucide**, le rêveur a conscience qu'il rêve et peut ainsi tenter de modifier le scénario de son rêve. Certains rêveurs lucides arrivent ainsi à transformer un rêve en cours et quelques virtuoses disent pouvoir rêver ce qu'ils veulent quand ils le veulent (Gackenbach et Bosveld, 1989 ; La Berge, 1981). La recherche suggère que les gens capables de maîtriser leurs pensées à l'état d'éveil sont les meilleurs rêveurs lucides (Blagrove et Hartnell, 2000).

Rêve lucide
Rêve au cours duquel le rêveur est conscient de rêver et peut arriver à influer sur le contenu de son rêve pendant qu'il se déroule.

RETENEZ-LE   Les rêves : une activité encore mystérieuse

1. Comparés aux rêves du sommeil paradoxal, les rêves du sommeil lent sont _____ .
   a) plus émotionnels
   b) plus visuels
   c) moins mémorables, plus près d'une pensée, d'une réflexion
   d) plus troublants

2. Selon la théorie _____ , certains rêves traduisent des désirs et des pulsions refoulés dans l'inconscient. Selon l'hypothèse de _____ , les rêves ne sont que des tentatives du cerveau pour donner un sens aux décharges aléatoires des neurones.

3. Dans le rêve _____ , le rêveur a conscience qu'il rêve et peut ainsi tenter de modifier le scénario de son rêve.

Réponses : 1. c. 2. freudienne ; l'activation-synthèse. 3. lucide.

Pourquoi certains dorment-ils plus que d'autres ? L'âge et le chronotype

Quels facteurs influent sur nos besoins de sommeil ?

Les schémas de sommeil varient considérablement d'une personne à l'autre, tant par la durée que par la proportion sommeil lent/sommeil paradoxal. Le principal facteur de ces variations est l'âge, mais des différences individuelles liées à notre *chronotype* interviennent également.

Plus on vieillit, moins on dort   Les exigences de sommeil varient considérablement selon l'âge. Les bébés et les jeunes enfants ont les périodes de sommeil les plus longues ainsi que le plus fort pourcentage de sommeil paradoxal et de sommeil profond. Cependant, ce sont aussi les dormeurs qui ont les cycles de sommeil les plus erratiques (Millman, 2005). Entre l'âge de six ans et la puberté, les enfants sont les champions du sommeil et de la vigilance : ils s'endorment facilement, dorment profondément de 10 à 11 heures par nuit, et sont éveillés et alertes le jour. Ils ont aussi tendance à s'endormir et à se réveiller toujours à peu près à la même heure. Entre la puberté et la fin de l'adolescence, les jeunes dorment en moyenne 7,2 heures, mais, comme l'explique l'encadré ci-contre, ils auraient besoin d'environ deux heures de sommeil de plus pour être aussi alertes qu'il le faudrait (Wolfson et Carskadon, 1998). Avec l'âge, la quantité et la qualité du sommeil diminuent. La plus importante diminution du sommeil à ondes lentes se produit entre la vingtaine et la fin de la quarantaine, explique Julie Carrier (2000), psychologue et chercheuse au Centre d'étude du sommeil de l'Hôpital du Sacré-Cœur : « Dès l'âge de trente ans, nous commençons à nous réveiller plus souvent la nuit, nous dormons moins longtemps, les périodes de sommeil léger sont plus longues, et nous nous levons et nous couchons de plus en plus tôt. » De manière générale, les aînés passent plus de temps au lit, mais éveillés plutôt qu'endormis ; ils ont plus de mal à s'endormir, dorment d'un sommeil plus léger, et se réveillent plus souvent et plus longtemps que les gens plus jeunes (Foley et autres, 1995). En moyenne, ils ne dorment que 6,5 heures par nuit (Prinz et autres, 1990). Notons que si leur quantité de sommeil lent profond (stades 3 et 4) diminue, la proportion de sommeil paradoxal reste sensiblement la même (Moran et Stoudemire, 1992).

L'air endormi des ados : on ne peut plus naturel !

Psychologue et chercheur au Laboratoire du sommeil de l'Hôpital Rivière-des-Prairies, Roger Godbout a beaucoup d'indulgence pour l'air léthargique des ados qui exaspère tant de parents et d'éducateurs. L'adolescence est une période de croissance et de changements accélérés, explique-t-il, mais ces changements ne se produisent pas tous exactement en même temps ; ainsi, le squelette se développe avant la musculature. Il en va de même du sommeil. Alors que le besoin de sommeil des ados reste celui des enfants (9,5 heures), la fenêtre chronobiologique – délimitée par les heures d'endormissement et de réveil de l'horloge biologique – où ce sommeil est possible rétrécit pour prendre la dimension qu'elle aura à l'âge adulte. Cependant, ce rétrécissement ne se fait que du côté de l'endormissement, qui vient de moins en moins tôt. Les ados, qui s'endorment de plus en plus tard, mais qui ont toujours besoin de 9,5 heures de sommeil, devraient donc pouvoir dormir plus tard le matin. Malheureusement, l'autobus scolaire, lui, ne change pas d'horaire. L'air endormi si typique des ados s'explique donc souvent par ce « syndrome de retard de phase », comme l'appellent les spécialistes. Pour l'éviter, certaines écoles secondaires tiennent maintenant compte du déphasage normal du sommeil à l'adolescence et font commencer les cours un peu plus tard, au grand soulagement de bien des ados. Quand leur besoin de sommeil diminuera, ils se plieront plus à un horaire « normal ». Chez les personnes âgées, on observe un phénomène similaire, mais cette fois la fenêtre se rétrécit du côté du réveil : elles se réveillent de plus en plus tôt. Comme elles compensent généralement leur manque de sommeil en se couchant de plus en plus tôt, elles se déphasent dans l'autre sens.

———————

Source : F. Hétu (octobre 2007), entrevues téléphoniques.

Petits et gros dormeurs, hiboux et alouettes   Bien des adultes considèrent qu'ils devraient « normalement » dormir environ 8 heures par nuit, entre 23 h et minuit pour se lever vers 7 h ou 8 h. En fait, précise le psychologue et chercheur Roger Godbout du Laboratoire du sommeil de l'Hôpital Rivière-des-Prairies, il s'agit là d'une moyenne déterminée davantage par notre horaire social que par notre horaire biologique. Avant l'invention de la lumière artificielle, les gens dormaient 9 ou 10 heures par nuit en moyenne, ce qui correspond aux observations en laboratoire sur les caractéristiques naturelles des rythmes circadiens (Dumont, 2003). S'il est vrai que les adultes d'aujourd'hui dorment en moyenne 8 heures par jour la semaine, le fait qu'ils prennent une heure de plus de sommeil la fin de semaine indique qu'il leur en faudrait probablement un peu plus. De même, lors du passage à l'heure avancée, qui nous prive d'une heure de sommeil, on observe une augmentation de 8 % à 10 % des accidents de la circulation (Munro, 1996). Est-ce à dire que tous ceux et celles qui dorment moins que 9 ou 10 heures manquent de sommeil ? Oui et non. La nuit de 8 heures est trop courte pour bien des adultes, mais pour d'autres, elle est trop longue. Environ 10 % d'entre eux sont de gros dormeurs à qui il faut plus de 9 heures de sommeil pour se sentir reposés et alertes, et 5 % de petits dormeurs à qui moins de 6 heures de sommeil peuvent suffire pour être en pleine forme.

▶ De combien d'heures de sommeil ont besoin les adultes ? Il n'y a pas de réponse universelle à cette question. Le besoin de sommeil ainsi que l'horaire idéal de coucher et de lever varient considérablement selon notre chronotype.

Chronotype
Caractéristique individuelle de l'horloge biologique.

De plus, l'horloge biologique ne sonne pas les heures de coucher et de lever au même moment pour tout le monde. Selon leur **chronotype**, certaines personnes se sentent plus alertes, plus concentrées et plus efficaces le matin ; d'autres le soir. Il ne s'agit pas là d'une simple impression ; ces caractéristiques sont en étroite corrélation avec les variations de la température corporelle. Ainsi, près de 25 % des gens sont des alouettes : leur température corporelle monte rapidement après leur réveil et reste élevée jusqu'à 19 h 30 environ. Ils se lèvent tôt et se couchent tôt, et ont très peu de problèmes de sommeil. Viennent ensuite les 25 % de hiboux qui se couchent et se lèvent tard ; leur température s'élève progressivement dans la journée, atteint son pic en après-midi et ne redescend que tard en soirée. Des différences dans l'un des gènes qui contrôlent l'horloge biologique sont en partie responsables des différences entre les alouettes et les hiboux (Katzenberg et autres, 1998).

Les vrais hiboux ne sont généralement pas à l'aise avec le « 9 à 5 » traditionnel, tandis que les vraies alouettes s'adaptent mal au travail de nuit (Hilliker et autres, 1992). Les 50 % de personnes qui restent sont de type intermédiaire ; on y trouve toutes les combinaisons possibles de petits, moyens et gros dormeurs plus ou moins alouettes ou hiboux. Les gros dormeurs alouettes ont besoin de beaucoup de sommeil ; matinaux, ils sont incapables de dormir le jour et n'arrivent pas à s'adapter au travail de nuit ; ils représentent néanmoins environ 20 % des personnes qui s'y essaient. Habituellement, les hiboux petits dormeurs, eux, se font assez bien au travail de nuit : naturellement enclins à se coucher tard, ils n'ont besoin que de quelque six heures de sommeil pour se sentir en forme (Dumont, 1999). Comme ils sont rares, ils ne comptent que pour 10 % des travailleurs de nuit, mais ils sont surreprésentés chez ceux qui ont plus de 20 ans d'expérience, les autres ayant abandonné depuis longtemps.

Le hibou peut-il devenir alouette avec un peu d'autodiscipline ? Même quand un hibou adapte ses horaires de sommeil à ceux d'un lève-tôt, ont observé les chercheurs, il se *sent* toujours hibou le matin. Et même au milieu d'une soirée très animée, l'alouette aura tendance à bâiller en pensant à son lit… Ajoutons que, quel que soit notre chronotype, nous avons tous et toutes besoin de plus de sommeil quand nous sommes déprimés ou soumis à un stress important : périodes de changement (nouvelle école, nouvel emploi, etc.), effort physique ou mental intense, émotions fortes, etc. (Hartmann, 1973).

RETENEZ-LE   **Pourquoi certains dorment plus que d'autres : âge et chronotype**

1. Vrai ou faux ?

  a) La plus importante diminution du sommeil à ondes lentes se produit entre l'adolescence et le début de la vingtaine.

  b) En moyenne, les personnes âgées ne dorment que 4,5 heures par nuit.

  c) Le besoin de sommeil des ados reste celui des enfants, mais la fenêtre chronobiologique où ce sommeil est possible rétrécit pour prendre la dimension qu'elle aura à l'âge adulte.

  d) Avant l'invention de la lumière artificielle, les gens dormaient 9 ou 10 heures par nuit en moyenne.

2. Associez chacun des énoncés suivants au groupe d'âge correspondant (nouveau-nés, enfants, ados, personnes âgées).

  a) _____ se réveillent plus souvent et restent éveillés plus longtemps.

  b) _____ dorment profondément la nuit et sont très alertes le jour.

  c) _____ prennent la plus grande quantité de sommeil paradoxal et profond.

  d) _____ n'arrivent plus à s'endormir tôt le soir et manquent donc de sommeil s'ils doivent se lever tôt.

3. Près de 25 % des gens sont des (alouettes/hiboux) : leur température corporelle monte rapidement après leur réveil et reste élevée jusqu'à 19 h 30 environ.

4. Vrai ou faux ? Quel que soit notre chronotype, nous avons besoin de plus de sommeil quand nous sommes déprimés ou soumis à un stress important.

5. Suis-je (hibou ou alouette, petit ou gros dormeur) ? Le travail de nuit me convient très bien. Je suis naturellement enclin à me coucher tard et je n'ai besoin que de six heures de sommeil pour me sentir en forme.

Réponses : 1. (a) Faux (b) Faux (c) Vrai (d) Vrai. **2.** (a) personnes âgées (b) enfants (c) nouveau-nés (d) ados. **3.** Vrai. **4.** Vrai. **5.** hibou petit dormeur.

Les troubles du sommeil : du somnambulisme à la narcolepsie

Jusqu'ici, nous avons décrit le sommeil normal. Mais qu'en est-il des très nombreuses personnes qui souffrent de *parasomnies* ou de troubles graves du sommeil ?

Quels sont les principales parasomnies et les principaux troubles graves du sommeil ?

Les parasomnies   Marchez-vous ou parlez-vous dans votre sommeil ? Connaissez-vous quelqu'un à qui cela arrive ? Les parasomnies sont des troubles caractérisés par l'apparition durant le sommeil de comportements et d'états physiologiques caractéristiques de l'état d'éveil (Schenck et Mahowald, 2000). Le somnambulisme et les terreurs nocturnes sont deux parasomnies du stade 4 du sommeil. Elles n'ont donc rien à voir avec les rêves ou les cauchemars du sommeil paradoxal. Dans le somnambulisme, le dormeur s'éveille partiellement et se lève sans avoir pleinement conscience de ses actes. Il peut se tenir debout un moment et se recoucher, ou déambuler dans la maison et faire des choses qui n'exigent pas une pleine attention, comme aller à la salle de bain, manger, s'habiller ou même sortir à l'extérieur (Schenck et Mahowald, 1995). Les somnambules ont les yeux ouverts et se déplacent latéralement ; leurs mouvements sont mal coordonnés et, s'ils parlent, leur discours est généralement incompréhensible. Le principal problème lié à ce trouble en est un de sécurité. Les somnambules contournent machinalement les obstacles connus, mais s'ils ne sont pas chez eux ou si les meubles ont été changés d'endroit, ils risquent de se blesser ; certains sont même tombés d'une fenêtre ou du haut d'un escalier (Sheth, 2005). Réveiller les somnambules n'est pas dangereux, mais comme tous les gens qu'on sort du stade 4, ils seront confus. Habituellement, il suffit de leur suggérer de retourner se coucher pour qu'ils le fassent. Typiquement, ils n'ont aucun souvenir de ces épisodes le lendemain matin.

  Les terreurs nocturnes surviennent également durant un éveil partiel au stade 4 du sommeil lent. Elles débutent le plus souvent par un cri perçant. Le dormeur s'assoit brusquement dans son lit, en état de panique – les yeux ouverts, en sueur, le souffle court et le cœur qui bat deux ou trois fois plus vite que d'habitude (Karacan, 1988). L'épisode dure de 5 à 15 minutes, après quoi il se rendort. Près de 5 % des enfants souffrent de terreurs nocturnes (Keefauver et Guilleminault, 1994), mais chez les adultes, ce pourcentage

Parasomnie
Trouble caractérisé par l'apparition durant le sommeil de comportements et d'états physiologiques caractéristiques de l'état d'éveil ; le somnambulisme, la somniloquie, les terreurs nocturnes et les cauchemars sont des parasomnies.

Somnambulisme
Fait de marcher et d'agir durant son sommeil ; parasomnie qui se produit durant un éveil partiel au stade 4 du sommeil profond.

Terreur nocturne
Perturbation au stade 4 du sommeil lent où une personne se réveille partiellement en criant, dans un état confus et paniqué, et le cœur battant la chamade.

tombe à environ 1 % (Partinen, 1994). Les terreurs nocturnes des enfants ne devraient pas trop inquiéter les parents. Celles des adolescents et des adultes sont plus préoccupantes (Horne, 1992), car elles indiquent souvent une anxiété extrême ou d'autres troubles psychologiques.

Les **cauchemars** sont des rêves effrayants ou terrifiants qui, contrairement aux terreurs nocturnes, surviennent durant le sommeil paradoxal. Généralement, les dormeurs s'en souviennent en détail ; le plus souvent, ils rêvent qu'ils tombent, ou qu'ils sont poursuivis, menacés ou attaqués. Les cauchemars peuvent être une réaction à des expériences traumatisantes (Krakow et Zadra, 2006), et sont plus fréquents dans les moments de forte fièvre, d'anxiété ou de bouleversements émotionnels. Alors que les terreurs nocturnes surviennent plutôt au début de la nuit, durant le stade 4 du sommeil, les cauchemars d'anxiété se produisent plutôt le matin, quand les périodes de sommeil paradoxal se font plus longues.

Parlez-vous dans votre sommeil ? La **somniloquie** peut survenir à n'importe quel stade du sommeil, et elle est plus fréquente chez les enfants que chez les adultes. Les

somniloques craignent souvent de trahir des secrets ou de révéler des choses gênantes durant leur sommeil. Qu'ils se rassurent : ils répondent rarement aux questions, et les mots ou les phrases qu'ils marmonnent sont généralement inintelligibles. Rien n'indique que ce trouble soit lié à une perturbation physique ou psychologique (Arkin, 1981).

Les troubles graves du sommeil Certains troubles du sommeil comme l'*insomnie*, l'*apnée du sommeil* et la *narcolepsie* peuvent être assez invalidants pour affecter tous les aspects de la vie d'une personne. Environ le tiers des adultes souffrent d'**insomnie**, un trouble caractérisé par la difficulté à s'endormir ou à rester endormi, des réveils trop précoces ou un sommeil trop léger, agité ou de mauvaise qualité. N'importe lequel de ces symptômes peut causer de la détresse et perturber le fonctionnement (Sateia et autres, 2000 ; Costa E Silva et autres, 1996 ; Roth, 1996). Une insomnie transitoire (trois semaines ou moins) peut résulter du décalage horaire, d'un stress émotionnel positif (comme se préparer à se marier) ou négatif (comme la perte d'un être cher ou d'un emploi), ou d'une courte maladie qui perturbe le sommeil (Reite et autres, 1995). Beaucoup plus grave, l'insomnie chronique dure des mois ou même des années et touche environ 10 % de la population adulte (Roth, 1996). L'insomnie chronique peut apparaître en réaction à un problème médical ou psychologique et persister longtemps après sa résolution. Les insomniaques chroniques vivent plus de détresse psychologique, fonctionnent moins bien le jour, ont davantage d'accidents liés à la fatigue, prennent plus de congés de maladie et ont plus souvent besoin des services de santé que les bons dormeurs (Morin et Wooten, 1996).

L'**apnée du sommeil** est un trouble du sommeil caractérisé par l'interruption de la respiration pendant plus de dix secondes plusieurs fois par nuit, ce qui oblige la personne à se réveiller brièvement chaque fois pour respirer (White, 1989). Les principaux symptômes de l'apnée du sommeil sont des ronflements très bruyants, souvent accompagnés de grognements, de soupirs et de bruits de suffocation, et une somnolence diurne excessive. Dans les cas mineurs, l'apnée peut se traiter en changeant certaines habitudes

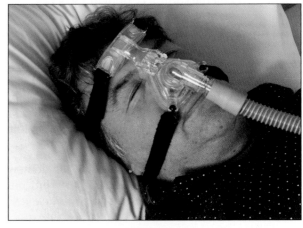

▲ À l'heure actuelle, le traitement de choix de l'apnée du sommeil grave est la ventilation spontanée en pression positive continue (CPAP).

Cauchemar
Rêve effrayant ou terrifiant survenant durant le sommeil paradoxal.

Somniloquie
Fait de parler pendant son sommeil.

▶ Dans l'épisode « Le cauchemar » des *Têtes à claques*, Monique raconte à Lucien l'épouvantable cauchemar qu'elle vient de faire sur le thème des *toasts*.

Insomnie
Trouble du sommeil caractérisé par la difficulté à s'endormir ou à rester endormi, les réveils trop précoces ou le sommeil léger, agité ou de piètre qualité.

Apnée du sommeil
Trouble du sommeil caractérisé par l'interruption de la respiration pendant plus de dix secondes, plusieurs fois par nuit, ce qui oblige la personne à se réveiller chaque fois brièvement pour respirer.

de vie : perte de poids, exercices, sommeil régulier, abandon du tabac, de l'alcool et des somnifères, etc. Dans les cas très graves, l'apnée peut se répéter des centaines de fois par nuit, entraînant jusqu'à 800 éveils partiels pour respirer. Outre la somnolence diurne, l'apnée du sommeil grave peut entraîner des lésions cérébrales mineures (Macey et autres, 2002), de l'hypertension chronique, des troubles cardiaques et même la mort (Lavie et autres, 1995). À l'heure actuelle, le traitement de choix de l'apnée du sommeil grave est la ventilation spontanée en pression positive continue (CPAP) : un appareil de CPAP relié par un tube à un masque que la personne porte lorsqu'elle dort maintient sa gorge ouverte et empêche le ronflement et l'apnée. Cependant, comme ce traitement n'est pas facile, les gens ont tendance à abandonner. Les médecins traitent parfois l'apnée du sommeil par une intervention chirurgicale qui modifie les voies respiratoires supérieures. En cas de succès du traitement, les patients dorment mieux et réussissent aussi mieux à des tests d'apprentissage verbal et de mémoire (Dahloef et autres, 2002). Ces résultats suggèrent que les interruptions de sommeil causées par l'apnée ont des conséquences à la fois cognitives et physiologiques.

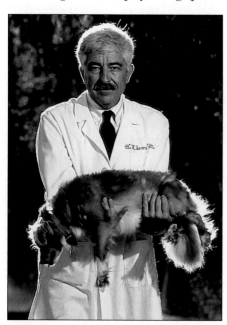

▲ Certains chiens comme celui que tient ici le chercheur William Dement sont sujets aux attaques de narcolepsie, et une bonne partie des études sur la narcolepsie ont été menées sur des sujets canins (Lamberg, 1996).

La **narcolepsie** est un trouble du sommeil incurable qui touche environ 1 personne sur 2 000. Il se caractérise par une somnolence diurne excessive et des attaques irrésistibles de sommeil paradoxal qui durent de 10 à 20 minutes [American Psychiatric Association (APA), 2000]. Tout ce qui peut entraîner de la somnolence chez une personne normale – un repas lourd, un bain de soleil ou une conférence ennuyeuse – peut déclencher une attaque de sommeil chez un narcoleptique ; il en va de même des situations excitantes (la narcolepsie survient souvent durant une relation sexuelle) ou fortement émotionnelles (colère, surprise, rire, etc.). La narcolepsie, qui apparaît généralement dans la vingtaine ou la trentaine, est un trouble physiologique causé par une anomalie cérébrale et semble avoir une composante génétique (Billiard et autres, 1994 ; Partinen et autres, 1994). Des médicaments stimulants améliorent la vigilance de la plupart des patients (Mitler et autres, 1994 ; Guilleminault, 1993), et des siestes planifiées soulagent leur somnolence (Mullington et Broughton, 1993 ; Hawkins et autres, 1992).

Narcolepsie
Trouble grave du sommeil caractérisé par une somnolence diurne excessive et des attaques subites et irrésistibles de sommeil paradoxal.

RETENEZ-LE — Les troubles du sommeil

1. Lequel de ces éléments n'est pas une caractéristique commune du somnambulisme et des terreurs nocturnes chez l'enfant ?
   a) Ils surviennent durant des éveils partiels au stade 4 du sommeil.
   b) Les épisodes sont habituellement oubliés le lendemain matin.
   c) Ces perturbations sont symptomatiques d'un problème psychologique.
   d) Ces perturbations touchent le plus souvent les enfants.

2. À quel trouble correspond chacun des symptômes suivants ?
   a) Attaques subites de sommeil _____
   b) Arrêt de la respiration durant le sommeil ; ronflement bruyant _____
   c) Difficulté à s'endormir ou à rester endormi _____
   d) Rêve du sommeil paradoxal très effrayant _____
   e) Réveil partiel au stade 4 du sommeil dans un état de panique _____

Réponses : 1. c. **2.** (a) narcolepsie (b) apnée du sommeil (c) insomnie (d) cauchemar (e) terreur nocturne.

4.3 LES PSYCHOTROPES

Saviez-vous que toutes les substances chimiques – y compris l'analgésique que vous prenez pour soulager un mal de tête ou la pénicilline qu'on vous prescrit pour traiter une otite ou une sinusite – agissent sur votre cerveau en modifiant le fonctionnement des neurotransmetteurs (Munzar et autres, 2002) ? Pour la plupart, ces substances n'ont qu'un effet imperceptible sur les états mentaux, mais certaines les modifient de façon sensible et parfois spectaculaire. On appelle **psychotrope** toute substance qui, en agissant sur la biochimie du système nerveux central et plus précisément sur l'activité des neurotransmetteurs, modifie l'état de conscience, l'humeur, la perception ou la pensée. Toutes les drogues de rue, y compris des végétaux comme le cannabis et certains champignons, un très grand nombre de produits pharmaceutiques sur ordonnance ou en vente libre, toutes les boissons alcoolisées, tous les produits du tabac sont des psychotropes. Même le chocolat peut modifier l'humeur (Dallard et autres, 2001). Avis aux serveurs et serveuses, les clients qui reçoivent un morceau de chocolat avec leur addition donnent de meilleurs pourboires (Strohmetz et autres, 2002). Comment est-ce possible ?

Psychotrope
Toute substance qui modifie l'état de conscience, l'humeur, la perception ou la pensée en agissant sur la biochimie du système nerveux central, et plus précisément sur l'activité des neurotransmetteurs.

L'effet des psychotropes sur le cerveau : le circuit plaisir-récompense

Quels sont les effets des psychotropes sur le cerveau ?

Vous serez peut-être étonné de l'apprendre, tous les plaisirs physiques ont la même base neurologique : le circuit plaisir-récompense dont nous avons parlé au chapitre 2 (p. 62) ? Qu'elle provienne d'une activité sexuelle, du jeu, de la nourriture ou de n'importe quelle autre source, la sensation subjective du plaisir physique résulte toujours d'une montée de dopamine dans le *noyau accumbens,* une structure limbique voisine de l'hypothalamus (Gerrits et autres, 2002 ; Robinson et autres, 2001). Les chercheurs n'ont donc pas été surpris de découvrir que les effets gratifiants de la plupart des psychotropes résultent d'une augmentation rapide de la dopamine dans le circuit plaisir-récompense (Carlson, 1998 ; Pich et autres, 1997 ; Tanda et autres, 1997 ; Pontieri et autres, 1996). Alors pourquoi les états modifiés associés aux divers psychotropes sont-ils si différents les uns des autres ? C'est que l'effet d'un psychotrope sur la dopamine n'est que le début de la cascade d'effets qu'il produit sur le reste des neurotransmetteurs. Selon sa composition, chaque psychotrope agit différemment sur les neurotransmetteurs et produit donc un état de conscience modifié distinctif. Voici quelques exemples des effets bénéfiques distinctifs associés à des psychotropes qui agissent différemment sur les neurotransmetteurs :

- Les opiacés comme la morphine et l'héroïne imitent les effets des endorphines, ces hormones naturelles sécrétées par le cerveau qui ont de puissantes propriétés analgésiques et procurent un sentiment de bien-être. Les opiacés peuvent donc être très utiles dans le soulagement de la douleur.

- Les dépresseurs comme l'alcool, les barbituriques et les benzodiazépines (le Valium ou le Xanax, par exemple) agissent sur les récepteurs de GABA pour produire des effets calmants et sédatifs (Harris et autres, 1992). Les dépresseurs peuvent donc contribuer à réduire l'anxiété.

- Les stimulants comme la caféine, les amphétamines et la cocaïne imitent les effets de l'adrénaline, le neurotransmetteur qui stimule le système nerveux sympathique, ce qui a pour effet de nous réveiller, mais aussi de réduire ou de supprimer la faim et la digestion. Les stimulants entrent donc dans la composition de la plupart des coupe-faim.

Évidemment, les psychotropes n'ont pas que des effets bénéfiques. Trop d'une bonne chose ou une mauvaise combinaison de bonnes choses peut mener au désastre. Ainsi, une quantité excessive de stimulant peut faire grimper en flèche la fréquence cardiaque et la tension artérielle, à tel point qu'une seule surdose peut être fatale. De même, une surdose d'alcool ou la combinaison d'alcool et d'autres dépresseurs inonde le cerveau de

GABA, ce qui peut entraîner une perte de conscience et même la mort. Enfin, outre le fait qu'une surdose d'un opiacé comme l'héroïne peut entraîner un arrêt cardiorespiratoire, à la longue, la consommation d'opiacés supprime la production d'endorphines ; le système naturel de gestion de la douleur s'effondre, et le cerveau devient dépendant des opiacés pour fonctionner normalement.

Généralement classés selon leurs effets sur le système nerveux central (SNC), les psychotropes sont soit stimulants, soit calmants (dépresseurs), soit perturbateurs (hallucinogènes). Mais avant d'étudier les effets spécifiques des divers types de psychotropes, il importe de mieux comprendre les mécanismes généraux des phénomènes d'abus et de dépendance qui y sont associés.

L'abus de psychotropes : facteurs de risque et facteurs de protection

Quels facteurs poussent les gens à abuser des psychotropes ?

Qu'est-ce qui pousse les gens à user et à abuser de psychotropes dont les effets secondaires peuvent être dévastateurs ? Il peut arriver qu'ils ignorent ou sous-estiment les dangers potentiels des substances qu'ils consomment (Johnston et autres, 1997), ou qu'ils croient que leur consommation de tel ou tel psychotrope n'est pas assez importante pour causer des dommages permanents. Cependant, d'autres facteurs, peut-être plus importants encore, expliquent l'usage abusif de psychotropes.

Les facteurs neurobiologiques L'état physiologique agréable produit par la stimulation du noyau accumbens est très certainement la raison majeure de l'usage abusif des psychotropes. Cependant, les études d'imagerie cérébrale nous apprennent que le comportement irrationnel des gens qui abusent des psychotropes y contribue également. Or, cette irrationalité résulte en partie des effets des psychotropes sur d'autres structures que le noyau accumbens (Porrino et Lyons, 2000 ; Volkow et Fowler, 2000). Ainsi, les errements dans la prise de décision, le désir impérieux que suscite le psychotrope et le fait que l'usager est prêt à tout pour en obtenir sont associés aux changements que la substance produit dans le *cortex orbitofrontal* et les structures cérébrales qui y sont reliées (London et autres, 2000). Situé complètement à l'avant du cortex frontal, à son point le plus bas, juste derrière les orbites des yeux, le **cortex orbitofrontal** est anatomiquement relié aux aires associatives du cortex sensoriel (cortex frontal), aux structures limbiques (dont l'amygdale, qui joue un rôle crucial dans les émotions) et à d'autres zones du cortex frontal qui régissent la prise de décision (Bechara et autres, 2000). Le cortex orbitofrontal est intimement lié à tout ce que vous voyez, entendez, sentez, goûtez, touchez, à vos sensations internes, aux émotions que vous éprouvez et aux décisions que vous prenez. Sachant cela, imaginez ce qui se passe quand cette partie du cerveau est activée par un ou plusieurs psychotropes, et vous comprendrez mieux pourquoi les comportements d'abus et de dépendance sont à ce point irrationnels.

Cortex orbitofrontal
Partie du cortex frontal située complètement à l'avant, juste derrière les orbites des yeux, anatomiquement reliée aux aires associatives somatosensorielles, aux structures limbiques et à d'autres zones du cortex frontal qui régissent la prise de décision.

L'hérédité Des facteurs génétiques qui influent sur la façon dont les gens réagissent aux psychotropes peuvent également contribuer à leur consommation abusive. Prenons l'exemple de l'alcool. D'abord, la recherche en génétique moléculaire nous apprend que le métabolisme de l'alcool est en partie déterminé par des mutations de certains gènes. Certaines personnes s'enivrent avec une très faible dose d'alcool, ce qui les protège jusqu'à un certain point des abus d'alcool (Duranceaux et autres, 2006) ; d'autres doivent absorber des quantités d'alcool beaucoup plus importantes pour obtenir l'effet enivrant, ce qui augmente leur risque d'alcoolisme (Schuckit et autres, 2001). De plus, des vulnérabilités biologiques héréditaires (une moindre résistance au stress ou une prédisposition à la dépression, par exemple) peuvent entrer en interaction avec des facteurs psychologiques et sociaux, et augmenter encore le risque d'alcoolisme ou de toxicomanie. (Nous étudierons en détail ce type d'interaction au chapitre 10.)

Les facteurs psychologiques et sociaux Les facteurs psychologiques et sociaux influent fortement sur la réaction d'une personne à un psychotrope. L'impulsivité, par exemple, est associée à la fois à la consommation non médicale de psychotropes et à la toxicomanie (Simons et Carey, 2002). De plus, certaines variables de stress tant durant l'enfance qu'à l'âge adulte sont des prédicteurs fiables de l'abus de psychotropes (Gordon, 2002 ; Sussman et Dent, 2000). La violence familiale en est un exemple (Easton et autres, 2000). Les filles et les femmes semblent plus susceptibles que les garçons et les hommes de recourir aux psychotropes pour composer avec les dysfonctionnements familiaux, et ce, parce qu'elles ont intériorisé diverses formes d'abus et de mauvais traitements physiques et psychologiques (Dakof, 2000). Par ailleurs, les jeunes qui consomment des psychotropes recherchent la compagnie de pairs qui en consomment également, et subissent leur influence en retour (Curran et autres, 1997). L'abus de psychotropes à l'adolescence est également lié à la propension à prendre des risques, ont découvert des chercheurs, et 15 % des usagers enclins à prendre des risques déclarent s'être blessés pendant qu'ils étaient sous l'effet d'un psychotrope (Jelasian et autres, 2000). Certains spécialistes estiment que les problèmes de santé mentale représentent un facteur de risque. Pour d'autres, les problèmes de santé mentale et l'abus de psychotropes résultent d'un même ensemble de conditions préexistantes, notamment le stress lié à la puberté et la fréquentation de l'école secondaire (Adlaf et autres, 2005). Enfin, ces vulnérabilités sont encore aggravées par des problèmes sociaux comme la pauvreté, le sexisme, le racisme, l'homophobie, l'isolement social, etc. Il y a une différence entre fumer un joint avec des amis dans une soirée et le faire en cachette pour oublier ses problèmes. L'ado qui manque d'estime de soi peut être tenté de fuir à la fois ses difficultés et l'anxiété qui en résulte en recourant aux psychotropes.

Les facteurs de protection   Plusieurs facteurs de protection tendent à réduire le risque de consommation et d'abus de psychotropes chez les jeunes. Outre les facteurs de protection biologiques, mentionnons le soutien parental, de bonnes stratégies d'adaptation, de solides compétences sociales et scolaires (Newcomb, 1997 ; Wills et Cleary, 1996 ; Wills et autres, 1996) et la fréquentation de pairs qui valorisent les compétences personnelles et scolaires (Piko, 2006).

Dépendance physique et dépendance psychologique

Quelle est la différence entre la dépendance physique et la dépendance psychologique ?

L'usage d'une substance psychotrope ne suppose pas nécessairement qu'il y ait abus ou dépendance à cette substance. Les spécialistes parlent généralement d'abus d'une substance quand son usage inadéquat et répété soit empêche la personne de remplir des obligations importantes (au travail, à l'école, à la maison ou ailleurs), soit l'expose à un danger physique, soit contribue à un problème psychologique, social ou judiciaire, et ce, sans qu'il y ait encore dépendance à cette substance (APA, 2000). Comme l'explique l'encadré ci-contre, le terme addiction désigne toute forme de *dépendance* à une substance ou à une activité (travail, jeu, sexe, alimentation, achats, Internet, etc.) au caractère irrépressible, répétitif et nuisible. Quatre facteurs influent sur le potentiel addictif d'un psychotrope (Medzerian, 1991) :

Addiction
Toute forme de dépendance au caractère irrépressible, répétitif et nuisible.

- la vitesse à laquelle ses effets se font sentir ;

- l'intensité du plaisir lié à l'euphorie qu'il procure ou à la souffrance qu'il élimine ;

- la durée de ses effets agréables ;

- l'intensité du malaise ressenti quand on cesse d'en faire usage.

Les effets plaisants des psychotropes les plus addictifs se manifestent presque immédiatement et sont de courte durée. Par exemple, les effets intensément agréables du *crack* se font sentir en sept secondes et durent à peine cinq minutes. Comme l'inconfort est tout aussi intense une fois le plaisir passé, la motivation est forte d'en prendre une autre dose, et une autre, et une autre encore. À cause de la vitesse d'action accrue, le potentiel addictif d'un psychotrope est plus fort s'il est injecté plutôt qu'ingéré, et encore un peu plus fort s'il est fumé plutôt qu'injecté. La consommation régulière d'un psychotrope peut engendrer deux types de dépendance : la *dépendance physique* et la *dépendance psychologique*.

Qu'est-ce qu'une addiction ? Un peu d'étymologie...

Dans la Rome antique, le mot *addictus* – de *ad*, « à », et *dicere*, « dire » – désignait un homme qui, ne pouvant rembourser ses dettes, devenait l'esclave de son créancier par ordre du magistrat – par *addictio*. L'*addictus* était officiellement « dit à » ou « adjugé à » son créancier. Ces mots s'utilisaient aussi à l'époque féodale pour évoquer l'état de servitude dans lequel tombait un vassal incapable d'honorer ses dettes envers son suzerain. À partir du début du XXᵉ siècle, les mots de cette famille se sont chargés d'un sens où l'asservissement n'est plus juridique, mais physiologique ou psychologique. En anglais d'abord, on commença à parler des *addicts* pour désigner les toxicomanes « esclaves » de drogues comme l'opium ou la morphine. On en vint à utiliser le terme *addiction* pour désigner leur état de dépendance, et l'adjectif dérivé *addictive*. Les psychanalystes et

psychologues anglophones ont étendu le sens de ces termes à des comportements comparables à ceux d'un toxicomane, qui ont un caractère irrépressible, répétitif et nuisible. On trouve désormais dans les dictionnaires français usuels des mots de cette série, comme *addiction* et *addictif*, qui évoquent une forme de dépendance malsaine à une substance ou à une activité – à la nourriture (boulimie), au travail, au jeu (jeu compulsif), au sexe, à la consommation (achat compulsif), au sport (surentraînement), à l'Internet (cyberdépendance), etc. L'étude scientifique de l'addiction s'appelle désormais l'*addictologie*, d'où les dérivés *addictologue* et *addictologique*.

——————

Source : Druide informatique (28 février 2007). *Points de langue*, nᵒ 37.

La dépendance physique

La dépendance physique La dépendance physique à une substance résulte de la capacité naturelle de l'organisme à se protéger d'une substance toxique en acquérant peu à peu une *tolérance* à cette substance. La **tolérance** est une réponse adaptative commandée par l'hypothalamus ; l'organisme vise à rétablir son homéostasie en maintenant la neurotransmission et la fonction cérébrale normales malgré l'activation anormale des récepteurs neuronaux par des molécules étrangères. Le cerveau s'adapte à la présence du psychotrope en y réagissant de moins en moins intensément ; le foie, en produisant davantage d'enzymes pour dégrader la substance ; et les autres processus physiologiques, en s'ajustant pour continuer à fonctionner en dépit de sa présence. Plus la tolérance à un psychotrope s'accroît, plus l'usager doit augmenter la dose pour obtenir les mêmes effets (Ramsey et Woods, 1997). Une fois la tolérance installée, l'usager ne peut plus fonctionner normalement sans le psychotrope. Lorsqu'il en est privé, il commence à ressentir des **symptômes de sevrage**, c'est-à-dire des effets à la fois physiques et psychologiques qui sont souvent exactement à l'opposé à ceux que lui procurait le psychotrope qu'il consommait. Ainsi, le sevrage des stimulants laisse les usagers épuisés et déprimés ; le sevrage des tranquillisants les rend anxieux et agités, etc. À court terme, la seule façon d'échapper à ces symptômes déplaisants étant de reprendre la substance, le sevrage risque fort d'être interrompu par un retour au psychotrope. Ce phénomène est d'autant plus fréquent que les tentatives de cesser son usage sont compromises par les effets persistants du psychotrope sur le cerveau. En effet, nous apprend la recherche, la dépendance physique est associée à des déficits de mémoire et d'attention, à une certaine perte de la notion du temps et à une diminution de la capacité de planifier et de maîtriser son comportement (Bates et autres, 2002 ; Buhusi et Meck, 2002 ; Lyvers, 2000). Les personnes dépendantes d'une substance très addictive auraient grandement besoin de toutes ces habiletés pour surmonter leur dépendance et reconstruire leur vie. Cependant, même une fois qu'ils ont cessé d'en faire usage, il leur faudra du temps et de la détermination pour les recouvrer.

La dépendance psychologique

La dépendance psychologique La dépendance physique à un psychotrope n'est malheureusement pas la seule. La **dépendance psychologique**, c'est-à-dire le désir ou le besoin irrépressible des effets agréables que procure une substance, est beaucoup plus difficile à combattre que la dépendance physique (O'Brien, 1996). Certains experts croient que les désirs ou les besoins irrépressibles suscités par les psychotropes sont régis par un circuit neuronal indépendant et concurrent du circuit de la prise de décision délibérée, et qui produit une impulsion guidée essentiellement par un désir de gratification immédiate (Bechara, 2005). Le circuit de la prise de décision, au contraire, mesure les conséquences

Dépendance physique
État qui résulte de l'usage répété ou continuel d'une substance, et où le sujet acquiert une tolérance à cette substance et éprouve des symptômes de sevrage lorsqu'il cesse de l'utiliser.

Tolérance (à une substance toxique)
Réaction de l'organisme qui s'adapte progressivement à l'action d'une substance toxique en y réagissant de moins en moins, la dose devant être de plus en plus forte pour procurer les mêmes effets.

Symptômes de sevrage
Symptômes physiques et psychologiques qui commencent à se manifester lorsque l'organisme est privé d'une substance à laquelle il a acquis une tolérance, et qui disparaissent quand il reçoit de nouveau sa dose ; souvent à l'opposé des effets produits par la substance.

Dépendance psychologique
Désir ou besoin impérieux des effets agréables que procure une substance.

des actions possibles et choisit délibérément de privilégier les comportements constructifs et d'éviter les comportements destructeurs ; il permet de retarder la gratification ou d'y renoncer. Ce modèle des réseaux neuronaux concurrents pourrait expliquer que les gens qui souffrent d'une dépendance rechutent souvent, même s'ils ont conscience des conséquences douloureuses ou néfastes qui s'ensuivront. L'usage continuel des psychotropes dont l'usager dépend physiquement s'explique probablement en partie par la composante psychologique de l'habitude. Et il existe probablement des drogues qui peuvent créer une dépendance psychologique sans entraîner de dépendance physique. Les processus d'apprentissage associatif (ou apprentissage par conditionnement), que nous étudierons au chapitre 5, jouent un rôle important dans l'acquisition et le maintien de la dépendance psychologique. Par exemple, les moments, les lieux, les objets et les gens associés à la consommation du psychotrope suffisent à déclencher un désir ou un besoin compulsif de consommer cette substance (Hillebrand, 2000). Ainsi, des chercheurs ont observé chez des sujets dépendants des opiacés un phénomène d'« attention sélective » aux stimulus liés aux psychotropes, dont la présence suffisait à éclipser pratiquement tous les autres stimulus (Lubman et autres, 2000). Cependant, le terme d'« attention sélective » n'est probablement pas le meilleur pour décrire ce qui se produit dans le cerveau des personnes dépendantes. Des tomographies par émission de positons (TEP) du cerveau de cocaïnomanes indiquent en effet que les stimulus liés à la drogue activent un circuit neuronal spécifique, ce qui pourrait expliquer que les toxicomanes aient tant de mal à en détourner leur attention (Bonson et autres, 2002). Ces découvertes soulignent l'importance de changer l'environnement physique et social pour traiter tant la dépendance physique que la dépendance psychologique. De manière plus générale, la compréhension accrue des bases neurologiques de la dépendance psychologique pourrait expliquer l'existence d'addictions autres qu'aux psychotropes (jeu compulsif, cyberdépendance, etc.). Les psychologues considèrent comme des troubles psychologiques et traitent comme tels l'abus ou la dépendance à une substance psychotrope et autres addictions. Nous reparlerons des troubles psychologiques et de leur traitement au chapitre 10. Vous trouverez de la documentation et des ressources fiables sur les dépendances sur ces sites Web :

- Ministère de la Santé et des Services sociaux du Québec <http://www.dependances.gouv.qc.ca/index.php?accueil>
- Comité canadien de lutte contre l'alcoolisme et les toxicomanies <http://www.ccsa.ca/Fra/Pages/Home.aspx>

Cela dit, revenons aux effets comportementaux spécifiques des divers types de psychotropes.

Les stimulants du SNC : caféine, nicotine, amphétamines, cocaïne

Quels sont les effets des principaux stimulants ?

Stimulant
Type de psychotrope qui accélère l'activité du système nerveux central, supprime l'appétit et accroît l'éveil, la vigilance et l'énergie.

Les stimulants accélèrent l'activité du système nerveux central (SNC), réduisent ou suppriment l'appétit et donnent l'impression d'être plus éveillé, alerte et énergique. Ils accélèrent le pouls, la pression sanguine et la fréquence respiratoire, et réduisent l'afflux de sang au cerveau (Mathew et Wilson, 1991). En doses plus fortes, ils rendent les gens nerveux, agités, à fleur de peau ; ils peuvent causer des tremblements et de l'insomnie. Les stimulants ne fournissent pas un surcroît d'énergie ; ils ne font qu'obliger l'organisme à dépenser une plus grande quantité d'énergie dans un temps plus court en puisant dans ses réserves. Quand leur effet se dissipe, les réserves de l'organisme sont appauvries, ce qui laisse la personne épuisée et déprimée.

La caféine La caféine est la drogue la plus répandue dans le monde. Le café, le thé, les colas, les boissons énergisantes, le chocolat et plus de 100 médicaments sur ordonnance ou en vente libre renferment de la caféine. (Un cola contient à peu près la moitié de la caféine d'un café ordinaire, alors que la plupart des boissons énergisantes en contiennent cinq fois plus.) La caféine rend les gens plus alertes mentalement et peut les aider à rester éveillés (Wesensten et autres, 2002). Privés de caféine, les moyens ou les gros consommateurs éprouvent des symptômes de sevrage : nervosité, instabilité, maux de tête, étourdissement et vigilance réduite. L'EEG et l'échographie révèlent une corrélation entre ces symptômes et une augmentation accrue de la pression sanguine et de la vélocité du sang dans les quatre artères cérébrales. L'EEG montre également une augmentation des ondes lentes du cerveau, en corrélation avec la vigilance réduite et la somnolence (Jones et autres, 2000).

La nicotine   Quand vous pensez aux « drogués », la première image qui vous vient n'est peut-être pas celle de gens bien habillés en train de fumer des cigarettes devant un édifice public. Pourtant, les gros fumeurs souffrent bel et bien de dépendance physique et psychologique. La nicotine inhalée passe par les poumons, entre dans la circulation sanguine et atteint le cerveau en moins de 20 secondes (Bernowitz, 1996). Elle agit sur les récepteurs d'acétylcholine de la formation réticulée (vigilance accrue) et les récepteurs de dopamine (plaisir). Une fois la tolérance établie, l'absence de la substance dans l'organisme se traduit très rapidement par des effets de sevrage – anxiété, agitation, irritabilité, difficultés de concentration, troubles du sommeil et état dépressif (Slade, 1999). Les processus de tolérance, de sevrage et de dépendance de la nicotine sont tout à fait comparables à ceux de la cocaïne, des amphétamines ou même de l'héroïne (Schmitz et autres, 1997). En 2007, 19 % de la population canadienne âgée de 15 ans et plus (environ 5,2 millions de personnes) étaient des fumeurs actifs [Enquête de surveillance de l'usage du tabac au Canada (ESUTC)].

▲ Quand vous pensez aux « drogués », la première image qui vous vient n'est peut-être pas celle d'un honorable travailleur de la santé en train de prendre une pause cigarette. Pourtant…

Les amphétamines   Les amphétamines augmentent l'éveil et la vigilance, soulagent la fatigue, suppriment l'appétit et donnent une poussée d'énergie. La recherche sur les animaux indique que les amphétamines stimulent la libération de dopamine tant dans le cortex frontal que dans le noyau accumbens, ce qui pourrait expliquer certains de leurs effets cognitifs désirables comme une durée d'attention et de concentration accrue (Frantz et autres, 2002). À fortes doses – 100 milligrammes ou plus –, les amphétamines peuvent entraîner la confusion et la désorganisation du comportement, une peur et une méfiance extrêmes, des idées délirantes, des hallucinations (sensations imaginaires), une conduite agressive et antisociale, voire un comportement paranoïaque (Thirthalli et Benegal, 2006). Une amphétamine très puissante, la méthamphétamine (*crank* ou *speed*), est également mise en marché sous une forme fumable (*crystal meth* ou *ice*), qui est hautement addictive et peut être fatale. Le sevrage des amphétamines laisse la personne physiquement épuisée ; elle peut dormir de 10 à 15 heures par jour ou plus, se réveiller très affamée, mais dans un état de stupeur et de profonde dépression. Les victimes de surdoses fatales de stimulants présentent souvent de nombreuses hémorragies cérébrales.

La cocaïne   La cocaïne est un stimulant tiré des feuilles de coca qui peut être prisé (« sniffé » sous forme de poudre blanche), fumé (*crack*) ou injecté par voie intraveineuse. Les effets de la cocaïne prisée sont rapides et durent de 30 à 45 minutes. L'état d'euphorie est suivi d'un état dépressif (*down*) accompagné d'anxiété, d'agitation et d'un fort désir de reprendre de la drogue (Gawin, 1991). La cocaïne stimule les circuits plaisir-récompense de la dopamine dans le cerveau (Landry, 1997). Si l'usage est continuel, ces circuits cessent de fonctionner normalement, et le cocaïnomane devient incapable de ressentir du plaisir autrement que par la drogue (Gawin, 1991). Les principaux symptômes de sevrage sont psychologiques : l'incapacité de ressentir du plaisir et le désir intense de cocaïne. Les animaux deviennent dépendants de la cocaïne plus facilement que de toute autre drogue (Manzardo et autres, 2002). Si on leur donne un accès illimité à cette drogue, ils perdent vite tout intérêt pour le reste (eau, nourriture, sexe, etc.) et finissent par s'administrer de la cocaïne continuellement. Ils meurent habituellement en moins de 14 jours, généralement d'un arrêt cardiorespiratoire (Gawin, 1991). Chez les humains, le *crack*, la forme la

▲ Les animaux à qui on donne un accès illimité à la cocaïne perdent intérêt pour tout le reste – eau, nourriture, sexe –, et en viennent vite à s'autoadministrer de la cocaïne continuellement, jusqu'à ce qu'ils en meurent.

moins chère et la plus dangereuse de la cocaïne, peut produire une forte dépendance en quelques semaines (Shaw et autres, 1999). La cocaïne contracte les vaisseaux sanguins, élève la pression artérielle, accélère les fréquences cardiaque et respiratoire, et peut même provoquer des crises épileptiques chez des gens qui n'en ont jamais fait (Pascual-Leone et autres, 1990). À la longue, ou même rapidement à fortes doses, la cocaïne peut causer de la tachycardie, de l'arythmie et une crise cardiaque, même chez des personnes jeunes et en santé (Lange et autres, 1989). L'usage chronique de cocaïne peut également entraîner des perforations du septum nasal (cloison qui sépare les narines) et du palais (Sastry et autres 1997 ; Armstrong et Shikani, 1996).

Les dépresseurs du SNC : alcool, barbituriques, tranquillisants mineurs, narcotiques

Quels sont les effets des principaux dépresseurs du SNC ?

Dépresseur (ou **sédatif**)
Type de psychotropes qui réduisent l'activité du système nerveux central, ralentissent les fonctions physiologiques et diminuent la sensibilité aux stimulus extérieurs.

Les **dépresseurs** (parfois appelés « **sédatifs** ») diminuent l'activité du système nerveux central, ralentissent les fonctions physiologiques et réduisent la sensibilité aux stimulus extérieurs. Cette catégorie de drogues comprend les sédatifs hypnotiques (alcool, barbituriques et tranquillisants mineurs) et les narcotiques ou opiacés. Quand plusieurs dépresseurs sont combinés, leur effet est cumulatif, et donc potentiellement dangereux.

L'alcool Même si l'alcool est un dépresseur, les premiers verres semblent à la fois détendre et animer. Mais plus l'alcoolémie augmente, plus le système nerveux central est déprimé. À mesure que la consommation augmente, les symptômes d'ivresse apparaissent : bouche pâteuse, mauvaise coordination, démarche titubante. Les hommes sont enclins à devenir plus agressifs (Pihl et autres, 1997) et plus excités sexuellement (Roehrich et Kinder, 1991), mais moins capables d'avoir et de maintenir une érection (Crowe et George, 1989). L'alcool diminue la capacité de former de nouveaux souvenirs (Ray et Bates, 2006 ; Kirchner et Sayette, 2003), ce qui explique qu'au lendemain d'une beuverie, les buveurs sont souvent incapables de se souvenir de ce qui s'est passé pendant qu'ils étaient sous l'influence de l'alcool. Fait intéressant, les placebos de l'alcool ont des effets similaires sur la mémoire ; les attentes du buveur contribuent donc dans une certaine mesure aux effets de l'alcool (Assefi et Garry, 2003). On l'a dit, une trop grande quantité d'alcool, surtout si elle est absorbée en peu de temps, peut entraîner la perte de conscience, le coma éthylique et la mort, ce qui explique que plusieurs jeunes aient laissé leur vie dans un « concours de calage ». Le premier jeune Québécois à être décédé de cette pratique, en 2001, avait ingurgité 800 ml de whisky en 20 secondes. Le tableau 4.1 résume les effets comportementaux de divers taux d'alcool (alcoolémie).

Les barbituriques Les barbituriques dépriment le système nerveux central et, selon la dose, peuvent agir comme sédatifs ou somnifères. L'abus de barbituriques provoque de la somnolence et de la confusion, et affecte la pensée, le jugement, la coordination et les réflexes (Henningfield et Ator, 1986). Une surdose de barbituriques peut tuer, et la dose létale peut être d'à peine trois fois la dose normalement prescrite.

Tableau 4.1

LES EFFETS COMPORTEMENTAUX ASSOCIÉS À L'ALCOOLÉMIE

Alcoolémie (ml d'alcool par ml de sang)	Effets sur le comportement
0,05	Baisse de la vigilance, jugement amoindri, inhibitions réduites. Le buveur se détend et se sent bien.
0,10	Réactions plus lentes, fonctions motrices amoindries. Le buveur devient moins prudent.
0,15	Temps de réaction très lent. Le buveur titube, a la bouche pâteuse et agit impulsivement.
0,20	Diminution marquée des capacités perceptives et motrices. Le buveur est manifestement intoxiqué.
0,25	Fonctions motrices et perceptions sensorielles très perturbées. Le buveur peut voir double ou s'endormir.
0,30	Le buveur est conscient, mais en état de stupeur. Il est incapable de comprendre ce qui se passe autour de lui.
0,35	Le buveur est complètement anesthésié.
0,40-0,80	Le buveur est inconscient. La respiration et les battements cardiaques s'arrêtent. Une alcoolémie de 0,40 cause le décès de 50 % des gens ; la mort survient entre 0,40 et 0,80 pour les autres.

Source : Adapté de Newcomb, 1997 ; Hawkins et autres, 1992 ; Newcomb et Felix-Ortiz, 1992.

Les tranquillisants mineurs (anxiolytiques) Apparues dans les années 1960, les benzodiazépines (Valium, Librium, Xanax, etc.) sont utilisées pour traiter l'anxiété, divers troubles mentaux et certains autres problèmes médicaux. Ce sont de loin les psychotropes les plus prescrits pour usage thérapeutique – 80 % de la consommation totale –, et un tiers de leurs consommateurs en font un usage chronique (O'Connor et autres, 2003 ; Medina et autres, 1993). On associe l'abus de tranquillisants à des déficits temporaires et permanents de la mémoire et d'autres fonctions cognitives (Paraherakis et autres, 2001). La combinaison alcool et benzodiazépines (ou autres barbituriques) peut être fatale. Nous étudierons plus en profondeur les médicaments psychotropes utilisés dans le traitement des troubles mentaux au chapitre 10.

Les narcotiques Originellement tirés de l'opium, une substance extraite du pavot asiatique, les narcotiques (du mot grec *narkè*, torpeur) incluent aujourd'hui des substances de synthèse qui imitent leurs effets calmants, analgésiques et soporifiques. L'opium agit surtout sur le cerveau, mais a aussi des effets paralysants sur les muscles intestinaux et le centre de la toux. Des dérivés naturels de l'opium comme la morphine et la codéine, ainsi que d'autres opiacés, se retrouvent donc dans plusieurs médicaments antidiarrhéiques, antitussifs, et surtout analgésiques. On trouve des opiacés dans de puissants analgésiques sous ordonnance, comme l'Oxycontin ou le Vicodin dont se bourre le délinquant Dʳ House dans la télésérie américaine du même nom. Ces médicaments se vendent par millions chaque année sur le marché noir nord-américain (Drug Enforcement Administration, 2003).

▲ Diagnosticien de génie, le Dʳ Gregory House soulage ses douleurs chroniques et son mal de vivre à grand renfort de Vicodin, un opiacé dont il abuse sans vergogne.

L'héroïne, un narcotique hautement addictif tiré de la morphine, peut être prisée ou injectée. Les héroïnomanes décrivent une bouffée d'euphorie comparable à l'orgasme, un état de grand bien-être où la faim, la douleur et les pulsions sexuelles sont absentes. La dose requise pour produire cet effet peut entraîner une certaine agitation, des nausées et des vomissements. Lorsque la drogue est absorbée par voie orale, les effets se font sentir de façon plus graduelle. Les symptômes de sevrage débutent environ 6 à 24 heures après l'usage, et l'héroïnomane devient physiquement malade (APA, 2000). Nausées, diarrhée, dépression, crampes abdominales, insomnie et douleurs empirent jusqu'à devenir intolérables à moins que la personne ne prenne une autre dose.

Les perturbateurs du SNC (hallucinogènes): cannabis, LSD, ecstasy, champignons magiques

Quels sont les effets des principaux perturbateurs du SNC ?

Hallucination
Sensation imaginaire.

Les drogues hallucinogènes peuvent modifier et déformer les perceptions du temps et de l'espace, altérer l'humeur et produire des sentiments d'irréalité et entraîner des **hallucinations** (Malik et D'Sousa, 2006 ; Thirthalli et Benegal, 2006 ; Miller et Gold, 1994 ; Andreasen et Black, 1991). Contrairement à la plupart des autres drogues dont les effets sont relativement prévisibles, habituellement, les hallucinogènes amplifient l'humeur ou l'état d'esprit dans lequel se trouve l'usager lorsqu'il prend la drogue. Notons que ces drogues semblent atténuer la pensée créative plutôt que l'augmenter (Bourassa et Vaugeois, 2001).

▲ Le cannabis est la drogue illicite la plus consommée au Canada. En 2004, 44,5 % de la population adulte (15 ans et plus) déclaraient en avoir déjà consommé, et 14 % disaient en avoir consommé dans les 12 derniers mois.

Le cannabis Consommé sous forme de marijuana, de haschich, d'huile ou de résine, le cannabis peut procurer une sensation de bien-être, favoriser la détente, abaisser les inhibitions et calmer l'anxiété. Plus sensible à ce qu'il voit, entend et touche, l'usager peut expérimenter des déformations perceptives et une sensation de ralentissement du temps. Le cannabis est sans doute la drogue illégale la plus consommée au Canada. Depuis 2001, l'accès à la marijuana à des fins médicales est autorisé pour contrôler les nausées, stimuler l'appétit et améliorer la qualité de vie de patients souffrant de sclérose en plaques, de lésions ou maladies de la moelle épinière, de cancer, de sida ou d'infection au VIH, de formes graves d'arthrite, etc. L'ingrédient psychoactif du cannabis, le THC (tétrahydrocannabinol) reste dans l'organisme durant des jours, voire des semaines (Julien, 1995). Le THC altère l'attention et la coordination, et ralentit le temps de réaction, des effets qui peuvent rendre dangereuse la conduite d'une automobile ou l'opération de machinerie, même une fois la sensation d'intoxication passée. À long terme, le THC peut altérer la concentration, la pensée logique et la capacité de former de nouveaux souvenirs. Il peut fragmenter les pensées et créer de la confusion dans le rappel d'événements récents (Fletcher et autres, 1996 ; Herkenham, 1992). De nombreux sites récepteurs du THC sont situés dans l'hippocampe, ce qui explique que le cannabis affecte la mémoire (Matsuda et autres, 1990). L'usage chronique de cannabis chez les jeunes a été associé au *syndrome amotivationnel*, caractérisé par une baisse de la motivation, une apathie générale et une baisse du rendement scolaire (Andreasen et Black, 1991). Les premières études sur le cannabis le décrivaient souvent comme une drogue inoffensive, ce qu'elle était probablement à l'époque. La sélection de plants de plus en plus concentrés en THC explique que les études plus récentes fassent état de dangers potentiels plus sérieux.

Le LSD Communément appelé LSD (ou *acide*), l'acide lysergique diéthylamide, vient du tartrate d'ergotamine, un champignon qui croît sur le seigle et d'autres céréales, et qui est un hallucinogène extrêmement puissant et actif à très faible dose. Le LSD est vendu sous forme de gouttes de couleur sur du papier buvard ou des feuilles de gélatine, ou mélangé à d'autres substances comme du sucre. Le « voyage d'acide » dure en moyenne de 10 à 12 heures et produit habituellement des modifications perceptives et émotionnelles extrêmes, et notamment des hallucinations visuelles, auditives ou tactiles ; à l'occasion, certains « mauvais voyages » se sont terminés par des accidents ou des suicides. D'anciens usagers de LSD vivent des récurrences brèves et soudaines d'un voyage ; ces *flashbacks* peuvent se produire jusqu'à cinq ans après la prise de LSD et peuvent être déclenchés par la marijuana et quelques autres drogues (Gold, 1994). Les produits vendus sur la rue contiennent rarement du vrai LSD, mais plutôt du PCP, un médicament vétérinaire hallucinogène toxique.

L'ecstasy (MDMA)   L'ecstasy (MDMA pour méthylènedioxymétamphétamine) est une drogue de synthèse, créée en laboratoire à partir d'un hallucinogène et d'une amphétamine, et qui se présente habituellement sous forme de comprimés. Cette drogue est largement utilisée par les jeunes, en particulier dans les *raves*. Les usagers décrivent un état de conscience extraordinairement plaisant, dans lequel même les gens les plus réservés et timides perdent leurs inhibitions. Cette drogue permet d'être vraiment soi-même, disent les usagers : les faux-semblants tombent, et les gens se sentent émotionnellement connectés les uns aux autres et ressentent une compréhension et une acceptation immédiates et profondes envers autrui. Ces effets s'accompagnent souvent d'hyperthermie, de déshydratation et de nausées, et parfois d'étourdissements, de contraction de la mâchoire et de tics oculaires. À plus long terme, la consommation régulière d'ecstasy affaiblit plusieurs fonctions cognitives, notamment la mémoire, l'attention, la pensée analytique et la maîtrise de soi, et peut entraîner des troubles de l'humeur (Montoya et autres, 2002). La sévérité de ces effets serait proportionnelle à la consommation (Parrott et autres, 2002). Chez l'animal, la consommation chronique de doses très élevées de MDMA entraîne la destruction sélective et irréversible des terminaisons neuronales liées à la sérotonine, un neurotransmetteur qui influe sur les fonctions cognitives, l'humeur, les cycles de sommeil et la maîtrise des impulsions (Reneman et autres, 2000 ; Volkow et Fowler, 2000). Enfin, une surdose de MDMA, ou une mauvaise combinaison avec d'autres psychotropes, peut être fatale. En principe, les comprimés vendus comme de l'ecstasy devraient contenir du MDMA, mais des études ont démontré qu'on y trouve une multitude d'autres produits, de la simple caféine à de puissants hallucinogènes en passant par des amphétamines et des opiacés (Houle, 2000).

La psilocybine (champignons magiques)   La psilocybine se retrouve dans des champignons appelés psilocybes. Les effets de la dose typique (de 4 à 10 mg) durent habituellement de trois à six heures, mais peuvent persister plusieurs jours. La psilocybine ne semble pas entraîner d'addiction (ToxQuébec.com, 2009).

RETENEZ-LE   Les psychotropes

1. Qu'elle vienne d'un psychotrope ou de n'importe quelle autre source, la sensation subjective du plaisir physique résulte toujours d'une montée de _____ dans _____ , une structure limbique voisine de l'hypothalamus.

2. L'irrationalité associée aux abus de psychotropes résulte probablement des changements que la substance produit dans _____ .

3. La dépendance physique à un psychotrope commence par l'apparition d'une _____ , suivie de symptômes de _____ lorsqu'on cesse d'en prendre.

4. Vrai ou faux ? Durant le sevrage d'un psychotrope, l'usager éprouve souvent des symptômes à l'opposé des effets produits par cette substance.

5. Pour chacun des psychotropes suivants, dites s'il s'agit d'un stimulant (S), d'un dépresseur (D) ou d'un hallucinogène (H) :

   a) Cannabis   f) LSD
   b) Caféine   g) Amphétamine
   c) Ecstasy   h) Cocaïne
   d) Tranquillisants mineurs   i) Nicotine
   e) Héroïne   j) Alcool

Réponses : 1. la dopamine ; le noyau accumbens. **2.** le cortex orbitofrontal. **3.** tolérance ; sevrage. **4.** Vrai. **5.** (a) H (b) S (c) H (d) D (e) D (f) H (g) S (h) S (i) S (j) D.

4.4 LA MÉDITATION ET L'HYPNOSE

Existe-t-il d'autres états de conscience que ceux produits naturellement par les rythmes circadiens, le sommeil et le rêve, ou artificiellement par les psychotropes ? Des pratiques comme la méditation et l'hypnose peuvent-elles engendrer des états de conscience distincts ? Si oui, comment et quels sont leurs effets ? À l'heure de l'imagerie cérébrale fonctionnelle, de nombreux neuroscientifiques se passionnent pour ces questions.

La méditation : de l'entraînement de l'esprit à la plasticité du cerveau

Que nous apprend la recherche sur les effets neurologiques de la méditation ?

Méditation
Ensemble de techniques exigeant de fixer son attention sur un objet, un mot, sa respiration ou un mouvement du corps pour bloquer toutes les distractions et atteindre un état de conscience modifié.

La **méditation** englobe un ensemble de techniques qui consistent à focaliser son attention sur un objet, un mot, sa respiration ou ses mouvements pour écarter les distractions et parvenir à un état de conscience modifié. Certaines formes de méditation concentrée, comme le yoga, la méditation transcendantale, le zazen (méditation zen) et la méditation bouddhique tibétaine nous viennent de religions orientales ; leurs adeptes les pratiquent depuis des millénaires pour atteindre un état d'élévation spirituelle. En Occident, on les utilise souvent pour réduire l'excitation, favoriser la détente ou élargir la conscience (Wolsko et autres, 2004).

Les études d'imagerie cérébrale démontrent qu'en plus d'être relaxante, la méditation permet de modifier volontairement et naturellement l'état de conscience (Cahn et Polich, 2006 ; Newberg et autres, 2001). À l'University of Wisconsin, des neuroscientifiques étudient le fonctionnement du cerveau de moines bouddhistes tibétains qui pratiquent la méditation profonde depuis de nombreuses années. Leurs études d'imagerie cérébrale suggèrent que la méditation peut modifier de manière permanente plusieurs parties du cerveau, notamment celles qui intègrent les fonctions des lobes frontaux et pariétaux, et celles qui régissent les émotions (Lutz et autres, 2008 ; Lutz et autres, 2008, 2004 ; Davidson et autres, 2003). Ces résultats sont préliminaires, et il faudra encore beaucoup de recherche pour que les neuroscientifiques comprennent comment de tels changements neurologiques influent sur le fonctionnement cognitif et émotionnel des méditants, ainsi que sur leur santé physique et mentale. On sait déjà que les effets bénéfiques de la méditation vont bien au-delà de la détente et de la réduction du stress. De nombreux chercheurs ont observé que la pratique régulière de la méditation aide les gens, et même ceux qui souffrent de troubles dépressifs graves, à apprendre à réguler leurs émotions (par exemple, Lutz et autres, 2008 ; Segal et autres, 2001). La recherche indique également que la méditation peut améliorer la santé cardiovasculaire (Seeman et autres, 2003). Elle pourrait également influer sur le système immunitaire (Carlson et autres, 2007 ; Davidson et autres, 2003).

▲ Les études d'imagerie cérébrale démontrent qu'en plus d'être relaxante, la méditation permet de modifier volontairement et naturellement l'état de conscience.

L'hypnose : simple suggestion ou état de conscience modifié ?

Qu'est-ce que l'hypnose et quand est-elle la plus utile ?

L'hypnose fascine les gens depuis des siècles. Considérons d'abord les bases scientifiques de ce phénomène. L'**hypnose** peut être définie comme une procédure par laquelle une personne, l'hypnotiseur, utilise le pouvoir de la suggestion pour modifier les pensées, les sentiments, les sensations, les perceptions ou le comportement d'une autre personne, le sujet. Sous hypnose, les sujets suspendent leurs modes de perception et de pensée logiques et rationnels et se permettent d'expérimenter des distorsions de leurs perceptions, de leurs souvenirs et de leurs pensées. Ils peuvent dire, voir, entendre, toucher, sentir ou goûter des choses absentes de leur environnement, ou cesser de percevoir des choses qui s'y trouvent pourtant. Toute comparaison est boiteuse, mais on peut comparer la suggestion hypnotique à celle que produit le cinéma – quand on se laisse absorber par un film d'horreur, on peut éprouver les symptômes physiques de la peur –, à ceci près que la suggestion hypnotique est beaucoup plus puissante.

> **Hypnose**
> Procédure par laquelle une personne, l'hypnotiseur, utilise le pouvoir de la suggestion pour modifier les pensées, les sentiments, les sensations, les perceptions ou le comportement d'une autre personne, le sujet.

De 80 % à 95 % des gens peuvent être hypnotisés à divers degrés, mais seulement 5 % d'entre eux peuvent atteindre les degrés les plus profonds de l'état hypnotique (Nash et Baker, 1984). Les sujets qui répondent le mieux à l'hypnose se caractérisent par leur capacité de s'absorber entièrement dans des activités qui reposent sur l'imagination (Nadon et autres, 1991). La propension imaginative des sujets et le fait qu'ils s'attendent à répondre aux suggestions hypnotiques sont des prédicteurs de leur sensibilité à l'hypnose (Silva et Kirsch, 1992).

Les mythes sur l'hypnose   Probablement parce que l'hypnose a été longtemps associée au monde du spectacle et à ses truquages, beaucoup de mythes l'entourent. Il importe donc de rétablir les faits.

- *Une personne sous hypnose n'est pas sous le contrôle total de l'hypnotiseur, et ce dernier ne peut rien lui faire faire contre son gré.* L'hypnose n'est pas quelque chose qu'on fait subir au sujet, c'est une suggestion que le sujet accepte ou non. Même s'il l'accepte, il reste conscient de ce qui se passe et garde le contrôle de ses actes.

- *Une personne sous hypnose n'est pas plus forte et n'a pas plus de pouvoirs qu'en temps normal* (Druckman et Bjork, 1994).

- *L'hypnose ne rend pas la mémoire plus précise.* Il est vrai que les sujets sous hypnose fournissent davantage d'information et sont plus certains de leurs souvenirs, mais les informations qu'ils donnent sont souvent inexactes (Lynn et Nash, 1994 ; Yapco, 1994). De plus, l'hypnotiseur qui cherche à « aider » le sujet à se souvenir de certains événements risque plutôt de créer de faux souvenirs (ou *pseudosouvenirs*) chez cette personne (Lynn et Nash, 1994 ; Yapko, 1994). Au Canada, les déclarations et les renseignements obtenus par hypnose ne sont d'ailleurs plus admis comme preuve depuis le 1er février 2007.

- *L'hypnose n'est pas un sérum de vérité.* Le sujet sous hypnose peut garder ses secrets et même mentir sous hypnose.

- *Une personne sous hypnose ne peut pas revivre un événement de son enfance comme il s'est passé ni fonctionner comme à l'âge qu'elle avait alors.* La revue rigoureuse des études sur le sujet révèle que rien ne permet de soutenir l'existence d'une régression hypnotique qui serait autre chose qu'une reconstruction. « Bien que les sujets qui revisitent leur enfance puissent manifester des expériences subjectives et des comportements spectaculairement différents, ces expériences et ces comportements ne correspondent pas exactement à ceux des enfants » (Nash, 1987, p. 50).

Les usages médicaux de l'hypnose   L'hypnose a fait beaucoup de chemin depuis l'époque où elle servait essentiellement au divertissement. On reconnaît aujourd'hui son utilité en médecine, en dentisterie et en psychothérapie (Lynn, et autres, 2000), notamment dans la gestion de la douleur (Liossi, 2006 ; Montgomery et autres, 2000 ; Spanos et autres, 1990 ; Hilgard, 1975). L'hypnose peut être déclenchée par différentes méthodes :

relaxation, respiration, visualisation. Une fois cet état induit, l'hypnotiseur fixe l'attention du sujet pour réduire son champ de conscience à ses seules suggestions, lesquelles doivent être raisonnables et significatives. Ainsi, l'hypnotiseur peut partir de la description qu'un grand brûlé fait de la douleur d'une brûlure par le feu et suggérer son remplacement par une sensation proche, comme la sensation de brûlure par le froid – désagréable certes, mais plus supportable. Il pourra ensuite remplacer la sensation de brûlure par une sensation d'engourdissement, etc. La douleur ne disparaît pas, mais la concentration de l'attention du sujet sur une autre interprétation de la sensation qu'il éprouve peut l'atténuer grandement. Autrement dit, l'hypnose n'est pas un remède miracle, mais un travail d'imagination qui suppose effort et motivation de la part du sujet. Ainsi, l'hypnose s'est révélée particulièrement efficace dans la gestion de la douleur chez les grands brûlés (Patterson et Ptacek, 1997). Cette efficacité pourrait s'expliquer par le fait que la douleur des grands brûlés est à la fois très vive et imparfaitement soulagée par la médication, ce qui accroît la motivation des sujets.

▶ Une personne sous hypnose est en état de suggestibilité accrue. L'hypnothérapeute peut donc plus facilement l'aider à contrôler sa douleur.

L'hypnose a aussi été utilisée avec succès pour traiter divers troubles, dont l'hypertension, les saignements, le psoriasis, les nausées de la grossesse et les effets secondaires de la chimiothérapie (Kelly et Kelly, 1985). Elle peut également être utile dans le traitement de l'asthme, de l'insomnie grave et de certaines phobies (Orne, 1983), des cauchemars récurrents (Kingsbury, 1993) et des dysfonctions sexuelles comme l'inhibition du désir et l'impuissance (Crasilneck, 1992 ; Hammond, 1992). Par contre, l'hypnose est relativement peu efficace pour aider les gens à manger moins pour vaincre un problème de surpoids, et pratiquement inutile pour lutter contre la dépendance à des psychotropes, qu'il s'agisse de tabac, d'alcool, de médicaments ou de drogues illégales (Abbot et autres, 2000 ; Green et Lynn, 2000 ; Orne, 1983).

Des études expérimentales ont démontré que les patients hypnotisés et exposés à des suggestions conçues pour favoriser la relaxation avant une intervention chirurgicale éprouvaient moins de douleur après l'intervention que les patients non hypnotisés (Montgomery et autres, 2002). Pour une petite minorité de sujets capables d'atteindre les degrés les plus profonds de l'état hypnotique, l'hypnose peut remplacer l'anesthésie générale lors d'une intervention chirurgicale. Ainsi, dans un cas remarquable, un jeune dentiste canadien a subi une ablation de la vésicule biliaire sous hypnose et sans analgésie. De la première incision jusqu'à la fin de l'intervention, le pouls et la pression artérielle du patient sont restés stables. Si incroyable que cela semble, le patient a affirmé ne ressentir que des tiraillements et rien qui ressemble à une douleur (Callaghan, 1997). Un résultat aussi exceptionnel tient-il au fait que l'hypnotiseur de cet homme était le meilleur au monde ? Non. La plupart des experts en hypnose croient que « la réponse à l'hypnose dépend davantage des aptitudes et des efforts du sujet hypnotisé que des habiletés de l'hypnotiseur » (Kirsch et Lynn, 1995, p. 846).

Les théories de l'hypnose Les chercheurs ne s'entendent pas sur l'explication du phénomène de l'hypnose, et plus particulièrement de l'analgésie hypnotique. Selon la théorie sociale cognitive de l'hypnose, le comportement de la personne sous hypnose dépend de ses attentes sur la façon dont se comportent les personnes hypnotisées. Les gens sont motivés par le désir d'être de bons sujets, de suivre les consignes de l'hypnotiseur et de remplir le rôle social du sujet hypnotisé tel qu'ils le perçoivent (Spanos, 1994, 1991, 1986). Cela signifie-t-il qu'ils ne sont pas vraiment hypnotisés ? Pas du tout. La plupart des sujets hypnotisés le sont vraiment ; ils ne font pas semblant de l'être, et ne se contentent pas de se plier à ce qu'on leur suggère (Kirsch et Lynn, 1995). En utilisant le test de laboratoire le plus efficace et le plus fiable pour détecter le mensonge ou la duperie – la conductance cutanée, qui mesure la perspiration –, des chercheurs ont constaté que 89 % des sujets présumément hypnotisés l'étaient vraiment (Kinnunen et autres, 1994).

Cependant, la théorie sociale cognitive peut difficilement expliquer le degré d'analgésie hypnotique qu'atteignent les sujets capables de subir des interventions chirurgicales sans autre anesthésie. Le psychologue américain et grand spécialiste de l'hypnose Ernest Hilgard (1992, 1986) en a proposé une explication. Selon la théorie néodissociative de l'hypnose, l'hypnose produit une dissociation entre deux fonctions de la conscience : la fonction de planification et la fonction de surveillance. Sous hypnose, la fonction de planification exécuterait les suggestions de l'hypnotiseur et resterait accessible à la conscience du sujet, tandis que la fonction de surveillance surveillerait ou observerait tout ce qui arrive au sujet sans que celui-ci en soit conscient. Hilgard parle de la fonction de surveillance dissociée de la conscience du sujet sous hypnose comme de « l'observateur caché ».

Bowers et ses collègues (Woody et Bowers, 1994 ; Bowers, 1992) ne croient pas que l'hypnose produise une dissociation entre divers aspects de la conscience. Selon leur théorie du contrôle dissocié, l'hypnose entraîne une authentique modification de l'état de conscience en affaiblissant le contrôle des fonctions exécutives de la conscience sur ses autres parties (sous-systèmes), ce qui permet aux suggestions de l'hypnotiseur d'influer directement sur ces sous-systèmes. De plus, Bowers croit que les réponses de la personne sous hypnose sont automatiques et involontaires, comme les réflexes, et échappent au contrôle qu'exercent normalement les fonctions cognitives (Kirsch et Lynn, 1995).

De nombreux psychologues continuent à défendre la théorie sociale cognitive de l'hypnose, mais la plupart des cliniciens et de nombreux neuroscientifiques sont convaincus que l'hypnose modifie réellement l'état de conscience (Kirsch et Lynn, 1995 ; Woody et Bowers, 1994 ; Nash, 1991). Parmi eux, le neuropsychologue et chercheur Pierre Rainville, de l'Université de Montréal, et ses collaborateurs ont été les premiers à utiliser l'imagerie par résonance magnétique fonctionnelle (IRMf) pour étudier la modulation de la douleur par l'hypnose (Rainville et autres, 2004, 2002). Ils ont ainsi pu établir que l'aire somesthésique (lobe pariétal), qui reçoit le message de douleur, maintient une activité constante avant et pendant l'hypnose, alors que l'activité du cortex frontal, qui interprète ce message, augmente ou diminue selon la suggestion hypnotique. Une suggestion de douleur plus intense est associée à une baisse d'activité dans le cortex frontal, et une suggestion de douleur moins intense, à une activité accrue dans le cortex frontal. Ces observations indiquent que l'hypnose atténue la perception subjective de la douleur (le degré de souffrance) : le sujet sent la douleur, mais l'interprète comme moins désagréable, plus supportable. Rainville avance que l'activité cérébrale observée pendant l'hypnose semble être un amalgame de plusieurs circuits cognitifs liés à des états de conscience différents, sans qu'aucun de ces circuits ne soit spécifique à l'hypnose. Ce qui peut être propre à l'hypnose, ajoute Rainville, c'est la combinaison particulière de facteurs neuronaux actifs dans la régulation de la conscience.

Ici encore, les neuroscientifiques auront fort à faire pour percer les mystères de l'état hypnotique.

La méditation et l'hypnose

1. Vrai ou faux ? Des études d'imagerie cérébrale suggèrent que la pratique intensive et à long terme de la méditation peut modifier de manière permanente plusieurs parties du cerveau.

2. Lequel des énoncés suivants sur les gens sous hypnose est vrai ?
   a) Ils sont totalement soumis à la volonté de l'hypnotiseur.
   b) Ils sont beaucoup plus forts qu'à l'état normal.
   c) Ils peuvent vivre des distorsions de leurs perceptions.
   d) Leur mémoire est plus précise qu'à l'état d'éveil normal.

3. Chez une personne qui répond modérément à l'hypnose, l'hypnose pourrait être utilisée avec succès pour _____ .
   a) soulager la douleur
   b) remplacer l'anesthésie générale lors d'une intervention chirurgicale
   c) traiter une toxicomanie
   d) retrouver le souvenir d'un événement de son enfance

Réponses : 1. Vrai. **2.** c. **3.** a.

Quelques trucs pour mieux dormir

Que pouvez-vous faire pour combattre l'insomnie et améliorer la qualité de votre sommeil ? Voici quelques suggestions qui ont fait leurs preuves :

- Utiliser son lit pour dormir. Éviter de lire, d'étudier, d'écrire, de regarder la télé, de manger ou de parler au téléphone au lit.

- Établir un rituel relaxant avant le coucher apaise le corps et l'esprit, et conditionne au sommeil.

- Dix minutes après le coucher, si le sommeil n'est pas venu, quitter le lit. Aller dans une autre pièce pour lire ou écouter de la musique (éviter la télé et l'ordinateur). Ne retourner au lit que lorsqu'on s'endort. Recommencer autant de fois qu'il le faut, jusqu'à ce que le sommeil vienne en moins de 10 minutes.

- Régler le réveil-matin et se lever à la même heure tous les jours, même la fin de semaine. Peu importe le nombre d'heures de sommeil de la nuit précédente, ne faites pas la sieste ; il faut aider l'horloge biologique à se reprogrammer correctement.

- Faire régulièrement de l'exercice, mais pas dans les heures qui précèdent le coucher. (L'exercice élève la température du corps et nuit à l'endormissement.)

- Manger à des heures régulières. Éviter les aliments lourds ou épicés à l'approche du coucher. Si on a vraiment faim, prendre un verre de lait et des biscuits.

- Éviter la caféine dans les six heures qui précèdent le coucher et arrêter la cigarette une heure ou deux avant.

- Ne pas penser à ses problèmes quand on se met au lit.

- Ne pas attribuer tous ses problèmes au manque de sommeil. Un, cela ne correspond pas à la réalité. Deux, se focaliser sur l'insomnie augmente le stress qui y est associé.

RÉFLEXION CRITIQUE

1. Étudiante à temps plein, Maude cherche le moyen de réussir tous ses cours tout en ayant aussi un emploi à temps plein. Elle se dit qu'elle pourrait travailler sur un quart de nuit à l'hôpital et concentrer tous ses cours l'avant-midi. Ainsi, elle travaillerait de 23 h à 7 h, puis assisterait à ses cours. Comme ils seront terminés à midi, elle pourrait dormir de 13 h à 19 h, et étudier quelques heures avant d'aller travailler. Compte-tenu de ce que vous avez appris dans ce chapitre, que pensez-vous du plan de Maude ? Quels problèmes risque-t-elle de rencontrer si elle le met à exécution ?

2. Selon votre expérience personnelle, laquelle des théories explicatives des rêves décrites dans ce chapitre (p. 131) vous semble la plus plausible ? Pourquoi ? Observez vos rêves pendant quelques jours pour valider votre première impression (cela vous donnera peut-être une idée des difficultés auxquelles se heurtent les scientifiques qui tentent de percer le mystère des rêves…).

3. Vous devez faire une présentation sur les dangers de l'usage des psychotropes à des élèves de secondaire I et II. Votre objectif est de les informer objectivement, sans leur faire la morale ni leur donner l'impression que vous ne cherchez qu'à leur faire peur. Préparez les arguments les plus convaincants pour les mettre en garde contre les méfaits potentiels :

a) des psychotropes en général ;

b) de la cigarette, de l'alcool, du cannabis et de la cocaïne ;

c) d'un autre psychotrope auquel ils et elles risquent d'être exposés.

RÉSEAU DE CONCEPTS

LES ÉTATS DE CONSCIENCE

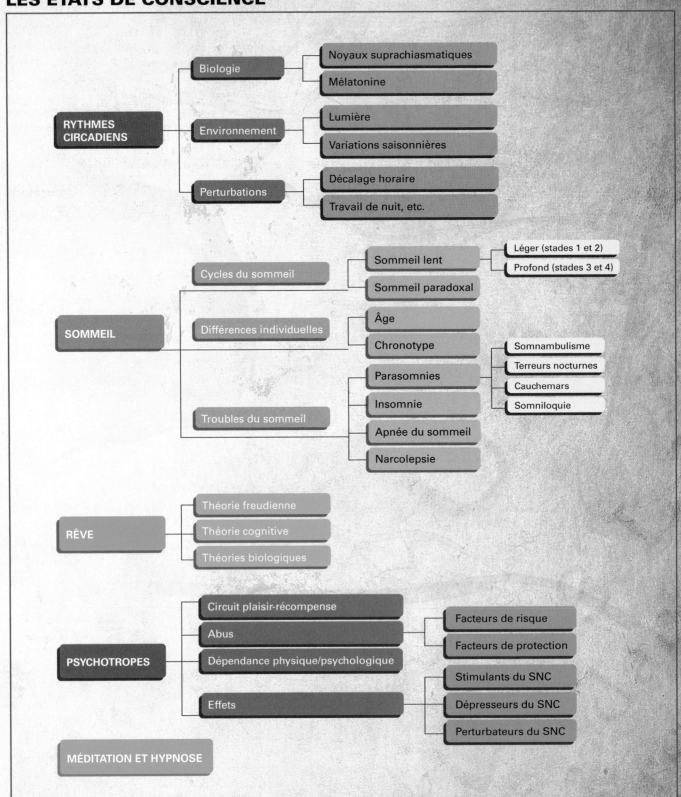

CHAPITRE 5

APPRENTISSAGE ET MOTIVATION

D'abord, le dauphin apprend à associer son entraîneur à des choses qu'il veut et qu'il aime, et qui le motiveront à agir, comme de la nourriture, des caresses ou des jeux. Entre-temps, l'entraîneur apprend à connaître son élève. Préfère-t-il la nourriture aux caresses, les caresses au jeu, les jeux aux caresses, etc. Peu à peu, ces interactions agréables avec l'entraîneur deviennent des récompenses. Quand le dauphin répond pour avoir sa récompense, l'entraînement proprement dit peut commencer. Dans un premier temps, on le familiarise avec la longue perche terminée par un flotteur qui servira à lui donner des instructions. Au début, l'entraîneur touche le dauphin avec le flotteur et lui donne une récompense. Puis, le dauphin doit nager vers le flotteur et le toucher pour obtenir sa récompense. L'entraîneur place le flotteur de plus en plus loin du dauphin jusqu'à ce que ce dernier finisse par aller là où l'entraîneur veut qu'il exécute son tour.

Dès lors, la perche à flotteur peut servir à apprendre au dauphin à sauter. Pour obtenir du dauphin qu'il saute, l'entraîneur met le flotteur au-dessus du niveau de l'eau. Le dauphin saute pour le toucher et obtenir sa récompense. Petit à petit, jour après jour, l'entraîneur monte le flotteur jusqu'à ce que le dauphin doive sauter complètement hors de l'eau pour le toucher et obtenir sa récompense. Le processus se poursuit jusqu'à ce que le dauphin saute à la hauteur désirée. La dernière étape de l'entraînement consiste à apprendre au dauphin à répondre à un signal unique qui lui indique le moment où il doit commencer son spectacle. Là encore, les entraîneurs utilisent des récompenses pour apprendre au dauphin à répondre à un geste de la main ou à un ordre verbal en produisant tel ou tel comportement.

Ce processus vous semble très long ? C'est vrai, mais les entraîneurs prennent un raccourci. Il est beaucoup plus facile d'apprendre à un dauphin à faire ce qu'on attend de lui lorsqu'un autre dauphin plus expérimenté participe à l'entraînement. Le dauphin novice observe le dauphin entraîné et apprend à faire comme lui. Certains aspects de l'entraînement peuvent exiger une attention individuelle, mais de toute évidence, comme les humains, les dauphins peuvent acquérir des comportements complexes simplement en observant d'autres membres de leur espèce.

Comme nous allons le voir, non seulement les animaux sont capables d'apprentissage, mais ils nous en ont appris beaucoup sur notre propre façon d'apprendre. Tellement qu'il est impossible de parler des grands théoriciens de l'apprentissage humain sans parler des chiens, des chats, des rats, des singes et des pigeons qui les ont rendus célèbres...

*D*ans les parcs aquatiques, les gens s'émerveillent des sauts prodigieux qu'accomplissent les dauphins, surtout quand ils sautent à plusieurs en parfaite synchronie. Vous êtes-vous déjà demandé comment les entraîneurs s'y prenaient pour obtenir d'eux qu'ils accomplissent de tels exploits ? Entraîner un dauphin à sauter très haut hors de l'eau peut sembler relativement simple, puisque les dauphins le font d'eux-mêmes dans la nature. Sauf que les dauphins en liberté sautent quand ça leur plaît, et non pas sur le signal d'un humain... Obtenir d'un dauphin en captivité qu'il saute sur commande ne va pas de soi ; c'est l'aboutissement d'un long processus.

Apprentissage
Toute modification relativement permanente du comportement, du savoir, de la compétence ou de l'attitude qui résulte de l'expérience.

*D*e nos jours, la plupart des psychologues s'entendent pour définir l'**apprentissage** comme toute modification relativement permanente du comportement, du savoir, de la compétence ou de l'attitude qui résulte de l'expérience.

L'apprentissage est un sujet central en psychologie, et, au fil des ans, la recherche a démontré que les humains et les animaux pouvaient apprendre de bien des manières. Les deux premières sections de ce chapitre seront consacrées aux deux plus simples : le *conditionnement classique*, par lequel les dauphins apprennent à associer la présence de leur dresseur à des stimulus agréables, et le *conditionnement opérant*, par lequel les dauphins apprennent à associer le fait de sauter sur son signal à l'obtention d'une récompense. D'abord mis en évidence par Pavlov, les principes du conditionnement (aussi appelé apprentissage associatif) ont été appliqués aux humains et développés par les théoriciens du béhaviorisme, notamment John Watson et B. F. Skinner.

Mais que se passe-t-il dans la tête du dauphin qui comprend que c'est lorsqu'il fait un saut qu'il obtient de la nourriture ou qui apprend simplement en observant le comportement d'un dauphin plus expérimenté? Loin de penser comme les béhavioristes radicaux que cette question n'était d'aucun intérêt pour la psychologie scientifique, les théoriciens cognitivistes se sont intéressés à d'autres types d'apprentissage qui, eux, reposent justement sur des processus mentaux. La troisième section de ce chapitre porte sur les principales formes de l'apprentissage cognitif. La dernière section traite d'un sujet connexe, mais intimement lié à l'apprentissage: la motivation.

5.1 LE CONDITIONNEMENT CLASSIQUE

Le **conditionnement classique** est une forme d'apprentissage associatif très simple où le sujet apprend en associant un stimulus à un autre à répétition, et finit par y répondre de la même façon. Aussi appelé **conditionnement répondant**, parce qu'il porte sur la *réponse* à un stimulus donné, ou **conditionnement pavlovien** parce qu'il a d'abord été décrit par Ivan Pavlov, le conditionnement classique a été appliqué pour la première fois au comportement humain par John Watson.

Conditionnement classique (ou **conditionnement répondant** ou **conditionnement pavlovien**) Forme d'apprentissage par association où un stimulus jumelé à un autre à répétition finit par provoquer la même réponse que le stimulus initial.

À la découverte du conditionnement : les chiens de Pavlov

Pourquoi le conditionnement classique est-il pavlovien ?

Le physiologiste russe Ivan Pavlov (1849-1936) a remporté le prix Nobel de médecine en 1904 pour ses recherches sur la physiologie de la digestion, mais ce sont ses travaux sur les réflexes conditionnés chez les chiens et sur le phénomène du conditionnement chez les animaux qui l'ont rendu célèbre.

L'immense contribution de Pavlov à la psychologie scientifique a une origine accidentelle. Pendant qu'il étudiait le réflexe de salivation chez des chiens, le chercheur remarqua que les animaux commençaient à saliver dès qu'ils entendaient le bruit des bols ou les pas de la personne qui venait les nourrir. D'abord contrarié par ce phénomène qui perturbait ses mesures de salive, Pavlov fut vite intrigué. Comment un **réflexe** inné, automatique et involontaire comme la salivation pouvait-il être déclenché par autre chose que la nourriture ? Il en déduisit que ce phénomène résultait d'un apprentissage et passa le reste de sa vie à l'étudier.

Réflexe Réponse involontaire, automatique et innée à un stimulus qui a activé certains récepteurs sensoriels.

Pavlov était un chercheur méticuleux. Il voulait un cadre expérimental qui lui permettrait de contrôler tous les facteurs susceptibles de modifier les réactions du chien durant les expériences : images, sons, odeurs, vibrations, courants d'air, etc. Il conçut donc un cubicule où le chien retenu par un harnais se trouvait isolé de tous les stimulus extérieurs. Installé derrière une glace sans tain dans un cubicule adjacent, l'expérimentateur pouvait observer l'animal et mesurer sa salive pendant qu'il l'exposait à divers stimulus (nourriture, son de cloche, etc.) à l'aide de commandes à distance (figure 5.1, p. 158). Grâce à ce dispositif expérimental, Pavlov et ses collègues ont réussi à démontrer l'existence de cette forme d'apprentissage très simple qu'est le conditionnement classique, à en décrire les mécanismes et à en chercher les bases biologiques dans le cortex cérébral.

LE DISPOSITIF EXPÉRIMENTAL CONÇU PAR PAVLOV POUR ÉTUDIER LE CONDITIONNEMENT CLASSIQUE

Dans les études de Pavlov sur le conditionnement classique, le chien était immobilisé par un harnais dans un cubicule conçu de manière à ce qu'aucune odeur, aucun son, aucune vibration, aucun courant d'air ne vienne le distraire. Un expérimentateur l'observait à travers une glace sans tain et, par des commandes à distance, le soumettait à divers stimulus (nourriture, son de cloche, etc.) Un tube inséré dans la gueule du chien amenait la salive à un contenant où elle était mesurée.

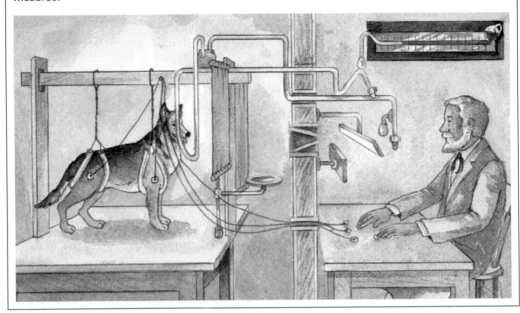

▼ Ivan Pavlov (1849-1936) est devenu célèbre en étudiant les réflexes conditionnés chez les chiens.

Réponse incondition-nelle (RI)
Réponse réflexe (non apprise) déclenchée par le stimulus inconditionnel.

Stimulus inconditionnel (SI)
Stimulus qui déclenche une réponse réflexe sans apprentissage préalable.

Stimulus neutre (SN)
Stimulus qui ne déclenche pas la réponse étudiée.

Les bases du conditionnement classique

Les chiens n'ont rien à apprendre pour saliver en réponse à de la nourriture. Ce réflexe de salivation est une **réponse inconditionnelle (RI)**, le qualificatif inconditionnel étant ici synonyme de non appris. Tout stimulus qui, comme la nourriture, déclenche une réponse inconditionnelle sans apprentissage préalable est un **stimulus inconditionnel (SI)**. Voici une liste de réflexes avec leurs deux composantes : le stimulus inconditionnel et la réponse inconditionnelle qu'il déclenche.

Stimulus inconditionnel (SI)		Réponse inconditionnelle (RI)
Nourriture	→	Salivation
Jus d'oignon cru	→	Larmoiement
Bruit fort et soudain	→	Sursaut
Lumière dans les yeux	→	Contraction des pupilles
Souffle d'air dans les yeux	→	Clignement

Le terme **stimulus neutre (SN)** désigne tout stimulus qui ne déclenche pas une réponse inconditionnelle donnée. Attention : dire qu'un stimulus est neutre ne signifie pas qu'il ne déclenche *aucune* réponse, seulement qu'il ne déclenche pas la réponse particulière à laquelle on s'intéresse. Un stimulus n'est jamais inconditionnel ou neutre en lui-même ; il se définit toujours en fonction d'une réponse donnée. Ainsi, la nourriture, un stimulus inconditionnel (SI) par rapport à la réponse de salivation (RI), devient un stimulus neutre (SN) par rapport au réflexe de sursaut (RI), puisque la nourriture ne fait pas sursauter. De même, un bruit fort et soudain – un stimulus inconditionnel (SI) par rapport à la réponse de sursaut (RI) – devient un stimulus neutre (SN) par rapport à la salivation (RI), puisqu'un bruit fort et soudain ne fait pas saliver.

Pavlov a utilisé divers types de stimulus sonores, visuels et tactiles – cloches, diapasons, sonneries, métronomes, lumières, formes géométriques, légères décharges électriques – pour démontrer qu'on pouvait apprendre à un chien à saliver en réponse à des stimulus neutres qui, jusque-là, n'étaient pas associés à la nourriture.

Dans une célèbre expérience de conditionnement classique, il exposa à plusieurs reprises un chien à un son de cloche (SN) immédiatement suivi de nourriture, le stimulus inconditionnel (SI) qui déclenchait la salivation (RI). Il put ainsi vérifier qu'après avoir été jumelé à plusieurs reprises à la nourriture (SI), le son de cloche finissait par y être associé et pouvait ensuite déclencher à lui seul la salivation. Cette salivation n'était pas une réponse inconditionnelle (RI) comme celle déclenchée par la nourriture (SI), mais une **réponse conditionnelle (RC)** : le son de cloche pouvait la déclencher *à condition d'avoir été associé au stimulus inconditionnel*. Une fois cette condition remplie, le stimulus neutre (le son de cloche) était devenu un **stimulus conditionnel (SC)**. La figure 5.2 résume le processus du conditionnement classique.

Réponse condition-nelle (RC)
Réponse apprise déclenchée par un stimulus conditionnel qui a été associé au stimulus inconditionnel après y avoir été jumelé à plusieurs reprises.

Stimulus conditionnel (SC)
Stimulus neutre qui, après avoir été jumelé à plusieurs reprises à un stimulus inconditionnel, y devient associé et déclenche la même réponse.

Figure 5.2

LE CONDITIONNEMENT CLASSIQUE D'UNE RÉPONSE DE SALIVATION

Initialement, le stimulus neutre (un son de cloche) ne déclenche pas la réponse inconditionnelle (le réflexe de salivation). Cependant, après avoir été jumelé à plusieurs reprises au stimulus inconditionnel (la nourriture), le même son de cloche finit par y être associé et peut à lui seul déclencher la salivation ; il est devenu un stimulus conditionnel.

Avant le conditionnement classique

Stimulus neutre
Son de cloche

Pas de salivation

Durant le conditionnement classique

Stimulus neutre
Son de cloche

+

Stimulus inconditionnel
Nourriture

Réponse inconditionnelle
Salivation

Après le conditionnement classique

Stimulus conditionnel
Son de cloche

Réponse conditionnelle
Salivation

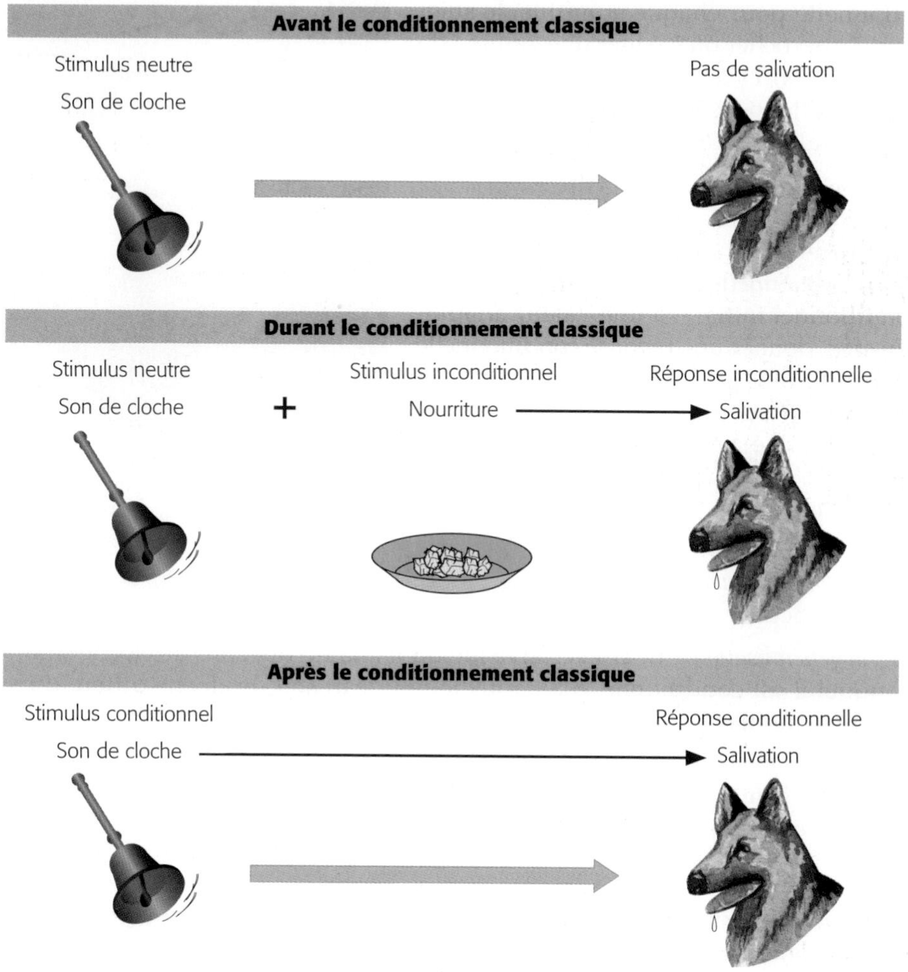

Extinction
Affaiblissement progressif et disparition éventuelle d'une réponse apprise.

Récupération spontanée
Dans le conditionnement classique, réapparition d'une réponse éteinte, sous forme amoindrie, en présence du stimulus conditionnel initial.

Généralisation
Dans le conditionnement classique, tendance à donner la réponse conditionnelle en présence de stimulus similaires au stimulus conditionnel initial.

Discrimination
Dans le conditionnement classique, capacité apprise de faire la distinction entre le stimulus conditionnel initial et des stimulus similaires pour ne donner la réponse conditionnelle qu'en présence du premier.

L'extinction et la récupération spontanée   Une fois le chien conditionné à saliver au son d'une cloche, que se passe-t-il si on continue à lui faire entendre le même son de cloche, mais sans lui apporter de la nourriture immédiatement après ? Les expériences de Pavlov lui ont permis de constater qu'en l'absence de nourriture, la réponse de salivation déclenchée par le son de la cloche devenait de plus en plus faible et finissait par disparaître complètement, un processus qu'il a appelé l'**extinction**.

Pavlov a également constaté qu'une fois la réponse éteinte, s'il laissait le chien se reposer, puis le ramenait au laboratoire, l'animal salivait de nouveau au son de la cloche, résurgence qu'il appela **récupération spontanée**. Cependant, a observé Pavlov, la réponse récupérée spontanément était plus faible et de plus courte durée que la réponse conditionnelle initiale. Des recherches relativement récentes indiquent que l'extinction est un phénomène contextuel (Bouton et Ricker, 1994 ; Bouton, 1993). Une réponse conditionnelle éteinte dans un contexte donné peut continuer à se produire dans d'autres contextes que celui où l'extinction a eu lieu, ce que Pavlov n'a pas découvert parce que toutes ses expériences ont eu lieu au même endroit.

La généralisation et la discrimination   Une fois le chien conditionné à saliver au son d'une cloche en do, que se passe-t-il si on lui fait entendre une cloche en ré ou en mi ? Une fois conditionnés à saliver en réponse à un son donné, a constaté Pavlov, ses chiens salivaient aussi en entendant des sons similaires, phénomène qu'il appela la **généralisation**. Toutefois, plus le nouveau son s'éloignait de celui du stimulus conditionnel original, plus la salivation était faible, et ce, jusqu'à ce que le son devienne si différent du son initial que les chiens ne salivaient plus du tout.

La généralisation a une valeur adaptative : plutôt que d'avoir à apprendre une réponse conditionnelle pour chaque stimulus, le sujet apprend à approcher ou à éviter une gamme de stimulus similaires à celui qui a déclenché la réponse conditionnelle initiale. Mais si utile soit-elle, la généralisation doit avoir des limites.

Comme la généralisation, la **discrimination** – la capacité apprise de faire la distinction entre des stimulus similaires pour ne donner la réponse conditionnelle qu'en présence du stimulus conditionnel initial – a une valeur adaptative. En effet, donner une réponse conditionnelle à tous les stimulus semblables serait inutile, et même nuisible. Si nous revenons à l'exemple du chien conditionné à saliver en réponse au son d'une cloche particulière, le processus qui l'amène à discriminer les stimulus comprend trois étapes :

▲ Si vous donnez de la nourriture en boîte à votre chat ou à votre chien, et qu'il accourt en salivant dès qu'il entend l'ouvre-boîte, c'est que votre animal est conditionné comme l'était le chien de Pavlov.

Étape 1 : le conditionnement   Le chien est conditionné à saliver lorsqu'il entend un son de cloche particulier.

Étape 2 : la généralisation   Le chien salive lorsqu'il entend des sons de cloche similaires à celui auquel il est conditionné, mais plus le nouveau son de cloche diffère du son de cloche initial, moins la salivation est abondante.

Étape 3 : la discrimination   Le chien entend différents sons de cloche. De manière répétée, le son de cloche initial est suivi de nourriture, tandis que les autres sons de cloche ne le sont pas. Le chien apprend à distinguer le son de cloche initial des sons de cloche semblables, et cesse peu à peu de saliver en entendant ces derniers.

Le conditionnement d'ordre supérieur   Avec ou sans conditionnement, la nourriture déclenche toujours le réflexe de salivation, une réponse inconditionnelle (RI). Est-ce que cela signifie que le conditionnement classique exige toujours la présence d'un réflexe inné, comme la salivation (RI) en présence de nourriture (SI) ? Non, a démontré Pavlov. Il est possible de conditionner le chien à saliver en réponse à un stimulus neutre (une lumière par exemple) sans *jamais* associer ce stimulus à de la nourriture. Comment ? En partant du premier stimulus conditionnel (le son de la cloche), pour en créer un deuxième : un processus appelé **conditionnement d'ordre supérieur** (ou **conditionnement de second ordre**). Une fois que le stimulus conditionnel (son de cloche) déclenche une réponse conditionnelle (salivation), si on y associe un stimulus neutre complètement différent (une lumière), celui-ci peut devenir à son tour un stimulus conditionnel et déclencher à lui seul la réponse conditionnelle (salivation), en l'absence de nourriture et sans jamais avoir été directement associé à la nourriture (SI). Notons que le conditionnement d'ordre supérieur a d'autant plus de chances de se produire que la réponse conditionnelle a été forte. Le schéma suivant résume le processus du conditionnement d'ordre supérieur.

> **Conditionnement d'ordre supérieur** (ou **conditionnement de second ordre**)
> Type de conditionnement classique dans lequel un stimulus neutre jumelé à plusieurs reprises à un stimulus conditionnel acquiert par association le pouvoir de susciter la même réponse conditionnelle et devient à son tour un stimulus conditionnel.

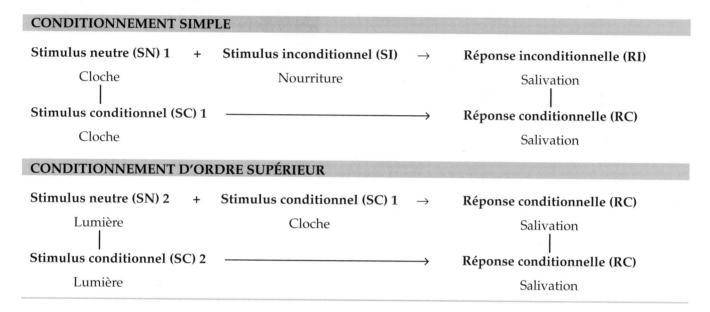

CONDITIONNEMENT SIMPLE

Stimulus neutre (SN) 1   +   **Stimulus inconditionnel (SI)**   →   **Réponse inconditionnelle (RI)**

Cloche   Nourriture   Salivation

Stimulus conditionnel (SC) 1   ⟶   **Réponse conditionnelle (RC)**

Cloche   Salivation

CONDITIONNEMENT D'ORDRE SUPÉRIEUR

Stimulus neutre (SN) 2   +   **Stimulus conditionnel (SC) 1**   →   **Réponse conditionnelle (RC)**

Lumière   Cloche   Salivation

Stimulus conditionnel (SC) 2   ⟶   **Réponse conditionnelle (RC)**

Lumière   Salivation

Le conditionnement des émotions : le petit Albert de Watson

Comment John Watson a-t-il prouvé que la peur peut s'apprendre par conditionnement classique ?

Commencés dans les années 1890, les travaux d'Ivan Pavlov sur les réflexes conditionnés chez les chiens ont été présentés pour la première fois à Madrid en 1903, mais n'ont attiré l'attention des universitaires nord-américains qu'en 1909, grâce à un article scientifique publié à Harvard (Yerkes et Morgulis, 1909). Peu de temps après, le psychologue John B. Watson (1878-1958) – père de la théorie béhavioriste et grand défenseur des méthodes scientifiques utilisées en psychologie animale – commençait à appliquer le vocabulaire du conditionnement pavlovien au comportement humain.

Dix ans plus tard, soit en 1919, Watson et son assistante, Rosalie Rayner, réalisaient à la Johns Hopkins University une expérience désormais célèbre pour démontrer qu'une réaction émotionnelle comme la peur pouvait être conditionnée chez les humains. Leur sujet, le petit Albert, était un bébé de 11 mois en santé et émotionnellement stable ; lors des premiers tests, il ne manifesta aucune peur, sauf quand Watson frappait avec un marteau sur une barre d'acier juste derrière lui, ce qui produisait un énorme bruit. Au laboratoire, Rayer présenta un rat blanc au petit Albert. Très intéressé par l'animal, l'enfant ne montra aucune crainte, mais dès qu'il voulut s'en approcher, Watson frappa sur la barre d'acier. Albert « sursauta violemment, tomba vers l'avant et se mit à pleurnicher » (Watson et Rayner, 1920, p. 4). Une semaine plus tard, Watson reprit l'expérience, et jumela cinq fois le rat blanc (SN) et le gros bruit (SI) qui suscitait la peur (RI). Finalement, Albert se mit à pleurer (RC) à la seule vue du rat blanc (SC). (Voir la figure 5.3, p. 162.)

LE PETIT ALBERT ET LA PEUR CONDITIONNÉE

En 1919, John Watson, le père du béhaviorisme, et sa collègue Rosalie Rayner conditionnèrent le petit Albert, un bébé de 11 mois, à avoir peur d'un rat blanc qu'il ne craignait nullement au départ, et ce, en associant l'animal à un bruit terrifiant. À la fin de cette expérience cruelle désormais célèbre, la peur que le rat blanc avait suscitée chez le petit Albert s'était généralisée à un lapin blanc, et, dans une moindre mesure, à un masque de père Noël.

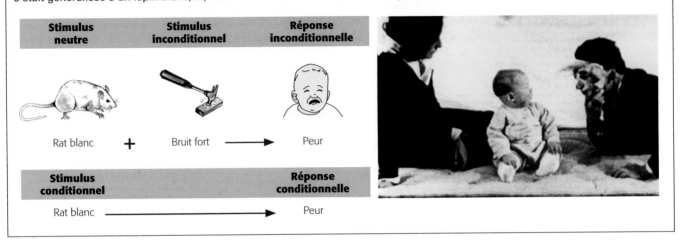

Quand on ramena le petit Albert au laboratoire cinq jours plus tard, sa peur s'était généralisée à un lapin blanc, et, dans une moindre mesure, à un chien blanc, à un col de fourrure blanche, à un masque de père Noël et même aux cheveux blancs de Watson. Un mois après, le petit Albert revint au laboratoire une dernière fois. Bien que moins intenses, ses peurs étaient encore bien présentes (Watson et Rayner, 1920, p. 12).

Watson avait conçu des techniques pour éliminer les peurs conditionnées, mais le petit Albert et sa famille ont déménagé avant qu'il les essaye sur son petit cobaye. Sachant que ce déménagement empêcherait l'enfant d'en bénéficier, Watson s'était montré très peu soucieux du bien-être de l'enfant. Watson et Rayner furent très critiqués pour avoir délibérément créé une peur durable chez un bébé. De nos jours, ni l'American Psychological Association ni la Société canadienne de psychologie (SCP) ni l'Ordre des psychologues du Québec n'autoriseraient une telle expérience, car elle contrevient à plusieurs égards à l'éthique de la recherche scientifique.

Trois ans après l'expérience du petit Albert, Watson, en collaboration avec sa collègue Mary Cover Jones (1924), a finalement testé ses idées sur l'élimination des peurs conditionnées. Leur sujet était un enfant de trois ans, Peter, qui avait peur des rats blancs, mais aussi des lapins (sa peur la plus intense), de la fourrure, des plumes et du coton. Ils ont amené Peter au laboratoire, l'ont installé confortablement sur une chaise haute et lui ont donné des bonbons à manger. Puis ils ont amené dans la pièce un lapin blanc en cage, qu'ils ont mis assez loin de Peter pour ne pas le perturber. Au cours des 38 séances de thérapie qui ont suivi, ils ont rapproché graduellement le lapin de l'enfant, pendant que celui-ci continuait à savourer des bonbons. De temps à autre, des amis de Peter venaient jouer avec le lapin (à bonne distance) pour que l'enfant constate de lui-même que l'animal était inoffensif. Vers la fin de la thérapie, les chercheurs ont commencé à sortir le lapin de la cage et, un jour, ont pu le déposer sur les genoux de l'enfant. À la dernière séance, non seulement Peter s'était attaché au lapin, mais il avait aussi perdu toute peur du manteau de fourrure, du coton et des plumes, et il pouvait tolérer les rats blancs et le tapis en fourrure.

Les idées de Watson sur l'élimination des peurs conditionnées — notamment celle de maintenir la réaction de plaisir (bonbons) en présence du stimulus anxiogène (lapin), jusqu'à ce que l'anxiété disparaisse — ont inspiré la technique de *désensibilisation systématique* des peurs phobiques utilisée aujourd'hui, et que nous décrirons au chapitre 10.

Le conditionnement classique

1. _____ été le premier à étudier le conditionnement classique.

2. Dans l'expérience la plus connue de ce chercheur, la salivation du chien en réponse à un son de cloche était une réponse (conditionnelle/inconditionnelle).

3. Quand le stimulus conditionnel revient à répétition sans le stimulus inconditionnel, la réponse conditionnelle diminue graduellement et finit par disparaître. Ce phénomène s'appelle _____ .
   a) la généralisation
   b) la discrimination
   c) l'extinction
   d) la récupération spontanée

4. Julie a eu un accident d'auto sur un pont. Depuis, elle est très nerveuse chaque fois qu'elle traverse un pont ou un viaduc. Le processus qui explique cette réaction s'appelle _____ .
   a) la généralisation
   b) la discrimination
   c) l'extinction
   d) la récupération spontanée

5. Le petit Marc a été mordu par le labrador de son voisin. Il n'approche plus ce chien, mais ne semble pas craindre les autres, même les labradors. Le processus qui explique ce comportement s'appelle _____ .
   a) la généralisation
   b) la discrimination

c) l'extinction
d) la récupération spontanée

6. Pour obtenir un conditionnement d'ordre supérieur, il faut associer répétitivement un stimulus neutre à _____ .
   a) un autre stimulus neutre
   b) un stimulus conditionnel existant
   c) un stimulus inconditionnel
   d) un réflexe conditionné

7. Dans l'expérience de Watson sur le bébé Albert, le rat blanc était le stimulus (neutre/inconditionnel) et les pleurs d'Albert quand le marteau frappait la barre d'acier étaient la réponse (neutre/inconditionnelle).

8. La peur qu'avait le petit Albert du rat blanc s'est étendue au lapin, au chien et au manteau de fourrure par un processus de _____ .
   a) généralisation
   b) discrimination
   c) extinction
   d) récupération spontanée

Réponses : 1. Ivan Pavlov. **2.** conditionnelle. **3.** c. **4.** a. **5.** b. **6.** b. **7.** neutre ; inconditionnelle. **8.** a.

Le conditionnement classique : un siècle après Pavlov

Qu'avons-nous appris sur le conditionnement classique depuis cent ans ?

La plupart des faits que Pavlov a mis en lumière et l'essentiel de sa théorie du conditionnement dit « classique » ont résisté au temps. Cependant, depuis la fin des années 1960, les chercheurs ont découvert des exceptions à certains des principes généraux énoncés par Pavlov, ce qui a fait évoluer notre compréhension du conditionnement classique.

La perspective cognitiviste   Pavlov et après lui les béhavioristes voyaient dans le conditionnement classique un processus automatique, qui reposait d'abord et avant tout sur (1) le nombre de jumelages répétés du stimulus neutre (ou conditionnel dans le cas du conditionnement d'ordre supérieur) avec le stimulus inconditionnel, et (2) le fait que le premier soit suivi de très près du second. Le psychologue Robert Rescorla (1988, 1968, 1967 ; Rescorla et Wagner, 1972) a remis en question cette façon de voir en démontrant que le conditionnement classique dépend d'un facteur encore plus crucial que la répétition et la proximité des stimulus : le fait que le stimulus neutre fournisse au sujet une information qui lui permet de *prédire* de manière fiable l'apparition du stimulus inconditionnel. Autrement dit, le conditionnement est d'autant plus facile à établir que le stimulus neutre est un signal fiable de l'apparition du stimulus inconditionnel. Cette découverte est importante, car elle signifie que le conditionnement classique repose au moins en partie sur l'interprétation de ce signal – et donc sur un processus mental.

Les perspectives biologique et évolutionniste   Pavlov était convaincu que pratiquement n'importe quel stimulus neutre pouvait devenir un stimulus conditionnel. Mais John Watson et Rosalie Rayner auraient-ils pu conditionner aussi facilement le petit Albert à avoir peur d'une fleur ou d'un ruban que d'un rat blanc ? Probablement pas. La recherche a démontré qu'il est plus facile de conditionner les humains à avoir peur des stimulus qui, comme les serpents, représentent une menace bien réelle à leur bien-être

(Ohman et Mineka, 2003). Le fait que la peur des serpents et d'autres animaux potentiellement dangereux soit aussi répandue chez les singes que chez les humains suggère l'existence d'une prédisposition biologique à acquérir cette peur.

Pour Martin Seligman (1972), la plupart des peurs courantes « sont liées à la survie de l'espèce humaine au long de son évolution ». Seligman (1970) a suggéré que les humains et les animaux sont prédisposés à associer certains stimulus plutôt que d'autres à des conséquences particulières, ce qui facilite considérablement le conditionnement. Notre tendance à développer des **aversions alimentaires** – dégoût ou évitement d'aliments qui ont été associés à la nausée ou à une indisposition – en est un bon exemple.

Pavlov a démontré que la répétition et l'ordre de présentation des stimulus sont des facteurs déterminants de la réussite du conditionnement : pour que l'association entre les deux se fasse, le stimulus neutre doit être présenté immédiatement avant le stimulus inconditionnel, et ce, à répétition. Or, l'acquisition des aversions alimentaires semble être une exception à ces deux règles. Souffrir une seule fois de nausées et de vomissements après avoir mangé un aliment donné peut suffire à conditionner une aversion durable pour cet aliment, au point que sa seule vue ou son odeur nous soulève le cœur. De plus, des recherches ont démontré que les cancéreux sous chimiothérapie associent souvent les nausées qui suivent le traitement aux aliments qu'ils ont consommés *plusieurs heures* avant (Bovbjerg et autres, 1992). Grâce à ce que nous ont appris ces recherches, on conseille maintenant à ces patients d'éviter de manger des aliments qu'ils aiment juste avant le traitement, et de manger plutôt un aliment peu nutritif et au goût inhabituel dont ils pourront facilement se passer. Cet aliment devient la cible de leur dégoût conditionné. Ainsi, ils risquent moins de prendre en aversion des aliments qu'ils aiment et qui sont bons pour leur santé.

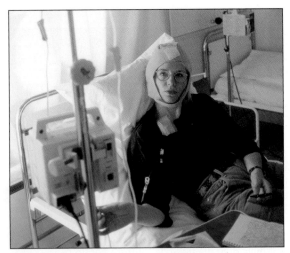

▲ La chimiothérapie peut entraîner des aversions alimentaires conditionnées, mais on peut favoriser le maintien d'une alimentation adéquate et déjouer le conditionnement en servant aux patients, juste avant leur traitement, des aliments non habituels et peu nutritifs dont l'association avec les nausées sera sans conséquence.

Aversion alimentaire
Dégoût ou évitement d'un aliment qui a été associé à de la nausée ou de l'indisposition.

Les facteurs clés : fiabilité du signal, répétition, intensité et proximité

Quels facteurs favorisent le conditionnement classique ?

En résumé, les psychologues contemporains considèrent que quatre facteurs facilitent le conditionnement classique :

- *La fiabilité avec laquelle le stimulus neutre prédit l'apparition du stimulus inconditionnel* Si le son de cloche est toujours suivi de nourriture, la salivation sera plus abondante et le conditionnement plus facile que si le son de cloche n'est pas toujours suivi de nourriture.

- *Le nombre de fois où le stimulus neutre est jumelé au stimulus inconditionnel* En général, plus le jumelage est fréquent, plus la réponse conditionnelle sera forte. Cependant, un seul jumelage suffit au conditionnement classique d'une aversion alimentaire ou d'une réponse émotionnelle très forte à des stimulus associés à un événement traumatisant.

- *L'intensité du stimulus inconditionnel* Si le stimulus neutre est jumelé à un stimulus inconditionnel très fort, la réponse conditionnelle sera plus intense et acquise plus rapidement que si elle est jumelée à un stimulus inconditionnel plus faible (Gormezano, 1984). Watson a produit un conditionnement plus fort et plus rapide chez le petit Albert en frappant avec un marteau sur une barre d'acier derrière l'enfant que s'il s'était contenté de frapper dans ses mains.

- *La proximité temporelle du stimulus neutre et du stimulus inconditionnel* Le conditionnement s'établit plus rapidement si le stimulus neutre précède de peu le stimulus inconditionnel. Si Watson avait frappé la barre de fer trop longtemps avant que le petit Albert voie le rat, il n'y aurait pas eu d'association.

Ces quatre facteurs s'appliquent également au conditionnement d'ordre supérieur, à la seule différence que c'est un stimulus conditionnel qui joue le rôle de stimulus inconditionnel.

Le conditionnement classique : personne n'y échappe…

Certaines chansons ont-elles un sens particulier pour vous parce qu'elles vous rappellent un amour présent ou passé ? Certains parfums vous semblent-ils agréables ou désagréables parce que vous les associez à certaines personnes ? Après ce que vous venez de lire, vous avez sûrement compris que beaucoup de nos réactions émotionnelles, positives ou négatives, résultent d'un conditionnement classique (souvent d'ordre supérieur). Jours après jours, des stimulus neutres acquièrent le pouvoir de déclencher en nous les mêmes émotions que des gens, des objets, des lieux, des situations ou des paroles auxquelles nous les avons associés. Les exemples de conditionnement classique ne manquent pas dans nos vies, mais l'exemple des peurs et des phobies, et celui de la publicité sont particulièrement éloquents.

Les peurs et les phobies   Le conditionnement classique explique une bonne partie de nos peurs. Si le gros chien gris du voisin vous a mordu quand vous étiez enfant, vous en avez probablement eu peur par la suite. Il se peut aussi que cette peur se soit étendue à tous les gros chiens (généralisation), mais peut-être pas aux petits chiens, ni aux chats (discrimination). Si la morsure n'était pas trop grave, que vous n'avez pas eu trop peur, et que vous n'avez plus jamais été mordu par un chien, votre peur a peut-être fini par s'estomper ou même par disparaître (extinction). Pourtant, même si c'est le cas, il vous est peut-être arrivé d'avoir un gros frisson ou une autre réaction de peur en vous retrouvant nez à nez avec un gros chien (récupération spontanée). Si la morsure a été très douloureuse, si vous avez été terrifié par l'incident ou encore si un autre chien vous a mordu par la suite ou a menacé de le faire, peut-être avez-vous toujours peur des gros chiens et même de tous les chiens…

Bien des gens qui ont subi des traitements dentaires douloureux en viennent à craindre non seulement la fraise du dentiste, mais aussi une foule d'autres stimulus associés au dentiste : le fauteuil, la salle d'attente, voire l'édifice hébergeant le cabinet du dentiste, etc. (conditionnement d'ordre supérieur). Une **phobie** est une peur excessive, irrationnelle et persistante d'un objet, d'un être vivant ou d'une situation qui ne présente aucun danger en soi.

Phobie
Peur excessive, irrationnelle et persistante d'un objet, d'un être vivant ou d'une situation qui ne présente aucun danger en soi.

La publicité   Pourquoi la publicité associe-t-elle si souvent des produits à des célébrités ou à des gens séduisants dans des situations excitantes, paradisiaques ou humoristiques ? Parce que les publicitaires connaissent bien les mécanismes du conditionnement classique. Ils espèrent qu'en jumelant à répétition un produit (stimulus « neutre ») à des stimulus agréables, ils finiront par conditionner chez nous une réponse positive. Pavlov avait découvert que faire entendre la cloche au chien *juste avant* de lui donner de la nourriture était la façon la plus efficace de conditionner la salivation. De même, la recherche nous apprend que les publicités télévisées sont plus efficaces si l'on présente les produits *avant* les personnes attrayantes ou les situations agréables (van den Hout et Merckelbach, 1991).

Détecter le conditionnement classique dans la publicité

Dès qu'on s'arrête un peu sur la publicité, on constate à quel point elle applique les principes du conditionnement classique. Un soir, pendant que vous regardez la télé, analysez les annonces que vous verrez à la lumière de ce que vous savez maintenant du conditionnement classique. À quels genres de stimulus (gens, objets ou situations) les produits sont-ils associés ? Les produits sont-ils présentés un peu avant, en même temps ou après ces stimulus ? Quelle est la fréquence de répétition ? Pouvez-vous deviner à partir de ces indices à quel public cible s'adresse telle ou telle pub ?

RETENEZ-LE   Le conditionnement classique : un siècle après Pavlov

1. Dans la vie courante, _____ ne s'acquièrent pas par conditionnement classique.

a) les émotions positives

b) les émotions négatives

c) les habiletés

d) les peurs et les phobies

2. Dans le conditionnement classique, le signal est _____ .

a) la réponse inconditionnelle

b) le stimulus inconditionnel

c) le stimulus conditionnel

d) le stimulus neutre

3. Vrai ou faux ? Pour que le conditionnement classique survienne, le stimulus neutre doit être présenté immédiatement avant le stimulus inconditionnel, sauf dans le cas des aversions alimentaires, où l'intervalle peut être de plusieurs heures.

4. Dans les publicités basées sur le conditionnement classique, au départ, le produit annoncé correspond _____ .

a) au SI   c) à la RI

b) au SN   d) à la RC

5. Dans le conditionnement classique, _____ ne favorise pas l'association entre le SN et le SI.

a) un plus grand nombre de jumelages du stimulus neutre avec le stimulus inconditionnel

b) le fait de présenter le stimulus neutre longtemps avant le stimulus inconditionnel

c) l'augmentation de l'intensité du stimulus inconditionnel

d) le fait de toujours faire suivre le stimulus neutre du stimulus inconditionnel

Réponses : 1. c. 2. c. 3. Vrai. 4. b. 5. b.

5.2 LE CONDITIONNEMENT OPÉRANT

Dans le conditionnement classique, le sujet n'apprend pas à donner une *nouvelle* réponse, mais seulement à donner une réponse déjà existante à un *nouveau* stimulus. Les réponses conditionnelles classiques sont involontaires : ce sont des réflexes ou des émotions et, dans la plupart des cas, le sujet ne peut pas s'empêcher de réagir comme prévu. Comprendre les principes du conditionnement classique nous en apprend beaucoup sur le comportement humain, certes, mais l'apprentissage humain suppose tout de même plus qu'une série de réponses réflexes ou involontaires aux stimulus environnementaux. Quand le téléphone sonne, répondez-vous à ce stimulus parce qu'il a été associé à un stimulus naturel quelconque ou parce que vous vous attendez à ce qu'il y ait quelqu'un à qui vous voulez parler au bout du fil ? Les psychologues Edward L. Thorndike et B. F. Skinner ont démontré que la deuxième raison était une meilleure explication.

La loi de l'effet : le chat de Thorndike

Pourquoi Thorndike attribue-t-il l'apprentissage par essais et erreurs à la « loi de l'effet » ?

Apprentissage par essais et erreurs
Type d'apprentissage qui survient lorsqu'une réponse est associée à la résolution d'un problème après plusieurs réponses erronées.

Loi de l'effet
Loi de l'apprentissage formulée par Thorndike selon laquelle le comportement est régi par les effets qu'il procure.

Le psychologue américain Edward Lee Thorndike (1874-1949) était convaincu que la plupart des changements comportementaux résultaient d'un **apprentissage par essais et erreurs**. En s'appuyant sur ses observations du comportement animal, Thorndike a formulé plusieurs lois de l'apprentissage. La plus importante est la **loi de l'effet** (Thorndike, 1911/1970), selon laquelle la conséquence d'une réponse, son effet, détermine si la tendance à répéter cette réponse est renforcée ou affaiblie – les réponses suivies d'effets satisfaisants étant les plus susceptibles d'être répétées.

Pour en faire la démonstration, Thorndike plaçait un chat affamé dans une cage de bois équipée d'une manette qui lui permettait d'ouvrir la porte pour accéder à un bol de nourriture. Après avoir essayé en vain de se faufiler entre les barreaux, le chat les mordillait, les griffait et les secouait, tournait en rond et, tôt ou tard, finissait par appuyer accidentellement sur la manette. Chaque fois qu'il ouvrait la porte, on lui donnait un peu de nourriture et on le remettait en cage. Après avoir répété le manège à quelques reprises, le chat apprenait à ouvrir la porte en appuyant sur la manette. « Inutile d'évoquer le raisonnement », soutenait Thorndike (1898), pour expliquer comment survenait ce type d'apprentissage : le chat se contentait de répéter le comportement qui produisait l'effet souhaité.

Le conditionnement opérant et le façonnement : les pigeons de Skinner

Comment la fameuse « boîte de Skinner » a-t-elle permis au chercheur de démontrer l'efficacité du conditionnement opérant ?

En s'appuyant sur la loi de l'effet de Thorndike et sur ses propres recherches, le psychologue béhavioriste américain Burrhus Frederic Skinner (1904-1990) de l'Université Harvard a affirmé que le changement comportemental – l'apprentissage – résultait souvent d'un **conditionnement opérant**. Dans ce type d'apprentissage, la fréquence d'un comportement volontaire est déterminée par sa conséquence (son effet).

Skinner a fait la démonstration du conditionnement opérant en manipulant délibérément les conséquences de certains comportements des rats et des pigeons qu'il étudiait. Il a conçu une situation expérimentale très simple : une boîte, appelée aujourd'hui **boîte de Skinner**, munie d'un bouton relié à un distributeur de nourriture, dans laquelle il plaçait un pigeon (ou un rat). Quand il avait faim, le pigeon picorait autour de lui jusqu'à ce que, par hasard, il picore sur le bouton ; quelques graines tombaient alors dans le distributeur. Les pigeons de Skinner apprenaient à picorer uniquement sur le bouton pour obtenir de la nourriture. Skinner en conclut que le comportement renforcé, c'est-à-dire suivi de conséquences satisfaisantes, tendait à être répété. On appelle **renforçateur** (ou **agent de renforcement**) tout ce qui suit un comportement et augmente la probabilité qu'il se répète – la nourriture, par exemple.

Conditionnement opérant
Type d'apprentissage associatif où la fréquence d'un comportement volontaire est déterminée par sa conséquence.

Boîte de Skinner
Boîte insonorisée munie d'un distributeur de nourriture que les animaux peuvent actionner ; inventée par B. F. Skinner pour réaliser des expériences de conditionnement opérant.

Renforçateur (ou **agent de renforcement**)
Tout ce qui suit un comportement et qui augmente la probabilité qu'il se répète.

◀ B. F. Skinner dans son laboratoire.

Le façonnement : petit à petit, étape par étape Skinner a réussi à apprendre des comportements très complexes à des rats et à des pigeons par **façonnement**. Cette technique de conditionnement opérant consiste à renforcer des comportements qui se rapprochent de plus en plus du comportement désiré – autrement dit, des **approximations successives** de ce comportement. Au début, le pigeon pouvait recevoir de la nourriture (renforçateur) juste pour avoir picoré *près* d'un bouton, ce qui l'incitait à ne picorer qu'à cet endroit. Une fois appris, ce comportement cessait d'être renforcé et, pour recevoir de la nourriture, le pigeon devait picorer *sur* le bouton, puis seulement sur un bouton de telle forme, et ainsi de suite. En renforçant successivement des comportements qui se rapprochaient de plus en plus du comportement désiré, Skinner amenait progressivement ses pigeons à picorer sur des boutons de différentes formes, avec ou sans signal lumineux, et même sur une cible en mouvement sur un écran (Skinner, 1960). (Durant la Deuxième Guerre mondiale, le « Projet Pigeons » de Skinner était financé par l'armée américaine, qui envisageait la possibilité d'utiliser des pigeons dressés à des fins militaires.)

Façonnement
Technique de conditionnement opérant qui consiste à renforcer des approximations successives du comportement désiré, guidant ainsi graduellement les réponses vers le but.

Approximations successives
Dans le façonnement, comportements qui se rapprochent de plus en plus du comportement désiré.

Le façonnement permet de dresser des animaux et de leur apprendre des tours éblouissants, comme ceux des dauphins dont il était question en début de chapitre. Très efficace pour conditionner des comportements complexes, il s'applique aussi bien aux humains. Par exemple, les parents et autres éducateurs peuvent s'en servir pour aider de jeunes enfants à apprendre des comportements complexes – les bonnes manières, par exemple –, en les félicitant ou en les récompensant à chaque amélioration. Les enseignants y recourent souvent avec les élèves indisciplinés : ils récompensent d'abord toute période de bonne conduite, si courte soit-elle, puis exigent des périodes de plus en plus longues de travail productif. La technique du façonnement peut même nous aider à changer nos propres comportements.

Extinction, récupération spontanée, généralisation et discrimination Un pigeon dans une boîte de Skinner finira par arrêter de picorer le bouton s'il ne reçoit plus de nourriture. Autrement dit, l'extinction existe aussi dans le conditionnement opérant ; elle survient quand les renforçateurs sont suspendus. De même, il peut y avoir récupération spontanée. Après un certain temps, le pigeon qui ne picorait plus le bouton peut se remettre à le faire à quelques reprises.

Skinner a réalisé nombre de ses expériences avec des pigeons en utilisant de petits disques lumineux colorés qu'ils devaient picorer pour recevoir un peu de graines. Il a ainsi pu observer un phénomène de généralisation du conditionnement opérant : les pigeons récompensés pour avoir picoré un disque jaune avaient tendance à picorer des disques de couleur similaire, et plus la couleur des disques s'éloignait du jaune, moins ils avaient tendance à les picorer.

Dans le conditionnement opérant, la discrimination survient quand la réponse au stimulus initial est renforcée, et que les réactions à des stimulus similaires ne le sont pas. Ainsi, pour favoriser la discrimination, un chercheur récompenserait le pigeon s'il avait picoré le disque jaune, mais ne le récompenserait pas quand il aurait picoré le disque orange clair ou vert pâle.

Certains indices finissent par être associés au renforcement ou à la punition. Ainsi, les enfants sont plus enclins à demander une faveur à leurs parents quand ces derniers sourient que quand ils sont renfrognés. L'indice qui signale si une réaction ou un comportement donné a des chances d'être récompensé, ignoré ou puni s'appelle un stimulus discriminatif.

Pourquoi voit-on souvent un même enfant se montrer détestable avec sa mère et adorable avec sa grand-mère, sage comme une image avec tel enseignant et intenable avec tel autre ? Très souvent, l'enfant a appris qu'avec certaines personnes (les stimulus discriminatifs), son inconduite entraînera presque à coup sûr une punition, alors qu'avec d'autres elle pourra même être récompensée (par un surplus d'attention, par exemple).

Récupération spontanée
Dans le conditionnement opérant, réapparition, sous une forme amoindrie, d'une réponse éteinte.

Généralisation
Dans le conditionnement opérant, tendance à produire la réponse en présence d'un stimulus similaire au stimulus qui a servi au conditionnement.

Discrimination
Dans le conditionnement opérant, capacité apprise de faire la distinction entre le stimulus pour lequel la réponse a été renforcée et des stimulus similaires pour ne donner la réponse conditionnée qu'en présence du premier.

Stimulus discriminatif
Stimulus qui signale si une réponse ou un comportement donné sera vraisemblablement suivi d'une récompense ou d'une punition.

RETENEZ-LE

Le conditionnement opérant

1. Le conditionnement opérant a été étudié par (Watson/Wundt/Skinner/Pavlov).

2. Le conditionnement opérant n'est pas efficace pour _____ .
   a) apprendre de nouvelles réponses
   b) apprendre à donner une réponse connue à un nouveau stimulus
   c) augmenter la fréquence d'une réponse existante
   d) diminuer la fréquence d'une réponse existante

3. Même si le B que Benoît a écrit ressemblait à un D, son professeur l'a félicité parce qu'il était mieux calligraphié que les précédents. Son enseignante utilise une procédure appelée _____ .

4. En conditionnement opérant, quand il n'y a plus de renforçateurs, on observe une _____ .
   a) généralisation   c) récupération spontanée
   b) discrimination   d) extinction

5. Lequel de ces énoncés décrit le conditionnement opérant ?
   a) Une association se forme entre une réponse et sa conséquence.
   b) Les réponses acquises sont d'habitude des réactions émotionnelles.
   c) Le sujet est d'ordinaire passif.
   d) La réponse acquise est involontaire ou réflexe.

Réponses : 1. Skinner **2.** b **3.** le façonnement **4.** d **5.** a

Le renforcement : toujours agréable

Principe clé du conditionnement opérant, le **renforcement** est un processus de conditionnement qui augmente la probabilité qu'un comportement se répète.

> *Qu'est-ce que le renforcement, et en quoi diffère-t-il selon qu'il est positif ou négatif ?*

Le renforcement positif et le renforcement négatif   Vous avez appris à maîtriser l'utilisation du guichet automatique pour avoir accès à votre argent, et à boucler votre ceinture de sécurité en voiture pour faire taire le signal sonore qui vous rappelle de le faire. Dans les deux cas, votre comportement a été renforcé par une conséquence agréable, mais de manière différente.

Par définition, un renforcement est agréable, sinon il n'augmenterait pas la probabilité qu'un comportement se reproduise. Un renforcement peut être positif ou négatif, mais seulement au sens mathématique d'ajout (+) ou de retrait (–). On parle de **renforcement positif** si le comportement est suivi de l'ajout d'un stimulus agréable, le renforçateur (l'argent qui sort d'un guichet automatique quand on s'en sert correctement, par exemple). On parle de **renforcement négatif** si le comportement est suivi du retrait d'un stimulus désagréable (comme le son agaçant qui s'arrête quand on attache une ceinture de sécurité).

Prenons l'exemple de Toto, quatre ans, qui fait l'épicerie avec sa mère. Toto demande des bonbons ; sa mère lui dit « non ». L'enfant insiste, refait sa demande sur tous les tons, toujours sans succès ; finalement, il se jette à terre et fait une crise. Sa mère tente de le calmer, puis le gronde, mais rien n'y fait ; embarrassée, elle finit par céder et lui donne des bonbons, ce qui met fin à la crise.

Dans cette situation, du point de vue de l'enfant, le comportement « faire une crise » a fait l'objet d'un renforcement positif puisqu'il a été suivi d'un renforçateur positif (les bonbons). Toto retient donc que faire une crise est un bon moyen d'obtenir des bonbons, et la probabilité qu'il refasse une crise augmente. Du point de vue de sa mère, le comportement « céder à Toto » a aussi fait l'objet d'un renforcement, mais négatif cette fois, puisqu'il a été suivi de la fin d'un stimulus désagréable (la crise de Toto). Elle retient donc que céder à Toto est un bon moyen de faire cesser une crise embarrassante, et la probabilité qu'elle cède de nouveau à Toto augmente. Si la situation se répète à quelques reprises, l'enfant aura de plus en plus tendance à faire des crises quand il n'obtient pas ce qu'il veut (généralisation), mais peut-être devra-t-il apprendre que sa mère ne lui cède que lorsque la crise a lieu en public (discrimination). Si sa mère se fatigue de ce petit manège et cesse *complètement* de céder aux crises de son fils, après quelques crises Toto comprendra qu'elles ne donnent rien ; il en fera de moins en moins souvent, puis arrêtera d'en faire (extinction). Par la suite, il se peut que Toto refasse une crise ou deux (récupération spontanée) dans une situation semblable, mais si ce comportement n'est jamais renforcé, il

Renforcement
Processus de conditionnement qui augmente la probabilité qu'un comportement donné se répète.

Renforcement positif
Renforcement au cours duquel le comportement est suivi de l'ajout d'un stimulus agréable.

Renforcement négatif
Renforcement au cours duquel le comportement est suivi du retrait d'un stimulus désagréable.

Prendre conscience des effets du renforcement dans la vie courante

Faites la liste de tous vos comportements qui sont influencés par des renforcements positifs ou négatifs durant une journée. Notez aussi ceux qui ont été influencés par une combinaison des deux. Ce jour-là, avez-vous eu plus de comportements renforcés positivement ou négativement ?

Comportement	Renforcement négatif	Renforcement positif	Combinaison des deux
Lever			
Toilette			
Déjeuner			
Trajet jusqu'au collège			
(Etc.)			
TOTAL			

disparaîtra complètement. Ignorer les crises d'un enfant au beau milieu d'une allée d'épicerie ne va pas de soi ; heureusement, comme nous le verrons plus loin, la mère de Toto pourrait prendre d'autres mesures. Si vous vous arrêtez à y penser, vous constaterez que les renforçateurs positifs et négatifs influent constamment sur vos comportements.

Le comportement superstitieux : la coïncidence qui conditionne

Il arrive qu'une réponse soit immédiatement suivie d'un événement agréable qui n'a aucun rapport avec elle. Quand le sujet ne sait pas à quoi attribuer une conséquence particulière qu'il voudrait voir se répéter, on peut voir apparaître un comportement superstitieux. Un joueur de poker cogne ses cartes sur la table en fermant les yeux, puis les regarde une à une de gauche à droite : il a une main exceptionnelle et gagne 1 000 $. Au coup suivant, il répète l'opération et gagne encore. Évidemment, le rituel ne fonctionne pas à tous les coups. Pourtant, un petit gain de temps à autre – un renforcement intermittent – pourra suffire pour qu'il le répète. Souvent, les rituels s'établissent lors d'une performance exceptionnelle (renforçateur) et se maintiennent par leur pouvoir de réduire l'anxiété (« Si je fais ceci et cela de la bonne manière et dans le bon ordre, tout devrait bien aller. » Ici, la diminution de l'anxiété produit un renforcement négatif.)

L'apprentissage par évitement et l'impuissance apprise   Lorsque nous sommes exposés à un stimulus douloureux ou désagréable, notre réaction naturelle est de le fuir. Les êtres humains et les animaux apprennent très vite à éviter les stimulus désagréables ou pénibles avant même qu'ils se produisent en modifiant leur comportement de manière à les éviter. Cet apprentissage par évitement résulte de deux types de conditionnement : le conditionnement classique et le conditionnement opérant. Tel événement, telle situation, est associé à un stimulus désagréable par conditionnement classique. Cette association sert de signal et permet au sujet d'adopter des comportements qui visent à éviter les conséquences désagréables (conditionnement opérant par renforcement négatif).

Apprentissage par évitement
Type d'apprentissage où le sujet apprend à modifier son comportement afin d'éviter un stimulus désagréable anticipé.

Par exemple, lors d'une expérience, les chercheurs Martin Seligman et Bruce Overmeier (1967) ont enfermé des chiens dans une cage à deux compartiments séparés par une petite barrière que les animaux pouvaient facilement sauter. À plusieurs reprises, ils leur ont fait entendre un signal d'alarme immédiatement suivi de décharges électriques administrées par le plancher. Toutefois, seul le plancher du compartiment où se trouvait leur nourriture était électrifié ; pour échapper aux décharges, il leur suffisait de sauter la barrière. Les chiens ont appris très vite à associer le signal d'alarme aux décharges qui suivraient (conditionnement classique), et à éviter les décharges en sautant la barrière dès qu'ils entendaient le signal d'alarme (conditionnement opérant par renforcement négatif).

Impuissance apprise
Résignation passive aux situations désagréables ou douloureuses ; réponse apprise résultant de l'exposition répétée à des situations désagréables ou douloureuses impossibles à fuir ou à éviter.

La recherche révèle que, si nous sommes régulièrement exposés à des situations désagréables ou pénibles que nous ne pouvons ni fuir ni éviter, nous risquons d'apprendre à nous y résigner passivement – comportement qu'on appelle l'impuissance apprise. La première expérience sur l'impuissance apprise a été menée par Overmeier et Seligman (1967) sur des chiens dans la cage électrifiée décrite plus haut. Le groupe contrôle était composé des chiens qui évitaient les décharges en sautant du compartiment électrifié à celui qui ne l'était pas. Les chiens du groupe expérimental, eux, avaient été immobilisés par un harnais et soumis à des décharges électriques qu'ils n'avaient aucun moyen d'éviter. Dans un deuxième temps, on leur enlevait le harnais ; libres comme les chiens du groupe contrôle, ils étaient soumis au même traitement qu'eux. Résultat : au lieu de sauter la barrière pour fuir les décharges électriques, ils ne faisaient absolument rien – exactement comme s'ils ne *pouvaient* rien faire. Ils avaient appris à se résigner. Seligman (1991, 1975) avança par la suite que les humains qui avaient subi des expériences désagréables ou douloureuses impossibles à éviter ou à fuir pouvaient, eux aussi, connaître l'impuissance apprise, et réagir aux souffrances et aux désagréments de la vie par la résignation, le repli sur soi et la dépression.

Utile dans bien des circonstances, l'apprentissage par évitement est parfois inadapté ; c'est le cas pour les phobies et pour certaines peurs. Ainsi, l'étudiante qui a eu une mauvaise expérience lors d'un exposé oral en classe peut se mettre à redouter toute situation qui exige qu'elle prenne la parole en public et modifier son comportement de manière à les éviter. Agir de la sorte lui évite de subir les conséquences redoutées, mais le comportement d'évitement se trouve ainsi renforcé par conditionnement opérant. Les comportements d'évitement inadaptés sont d'autant plus résistants à l'extinction que les gens ne se donnent jamais la possibilité d'apprendre que les conséquences terribles qu'ils redoutent sont très peu probables ou grandement exagérées.

Les renforçateurs primaires et secondaires Les renforçateurs sont-ils tous égaux ? Pas nécessairement. L'eau, la nourriture, le sommeil, l'arrêt de la douleur et le plaisir sexuel sont des renforçateurs primaires : ils comblent un besoin physique relié à la survie et ne dépendent pas de l'apprentissage. Si l'apprentissage reposait uniquement sur des renforçateurs primaires, nous n'apprendrions rien sans être assoiffés, affamés, en douleur ou en manque de sexe. En fait, une grande partie du comportement humain résulte de nos réponses à des renforçateurs secondaires, c'est-à-dire à des stimulus neutres qui deviennent des renforçateurs appris ou acquis par associations répétées à d'autres renforçateurs. Ainsi, enfant, nous avons appris que certains morceaux de métal ou de papier qui n'ont aucun intérêt en soi peuvent s'échanger contre d'autres renforçateurs. L'argent, mais aussi les caresses, les signes d'approbation comme les sourires et les mots gentils, les bonnes notes, les éloges, les prix, les applaudissements sont autant d'exemples de renforçateurs secondaires.

Renforçateur primaire
Renforçateur qui comble un besoin physique vital et ne dépend pas de l'apprentissage (par exemple, eau, nourriture, sommeil, arrêt de la douleur).

Renforçateur secondaire
Stimulus neutre qui devient un renforçateur appris par associations répétées à d'autres renforçateurs.

L'attention d'autrui est un renforçateur secondaire puissant. Pour obtenir les renforçateurs que nous cherchons auprès d'autres gens, nous devons d'abord obtenir leur attention. Les enfants luttent pour obtenir l'attention de leurs parents, leur principale source de renforçateurs. Hélas, trop souvent, les parents ou les professeurs n'accordent d'attention aux enfants que lorsque ces derniers se conduisent mal, et les ignorent quand ils se conduisent bien, ce qui a pour effet de renforcer les mauvaises conduites et de mener les bonnes à l'extinction faute de renforcement.

Le tableau 5.1 résume les différences entre le conditionnement classique et le conditionnement opérant.

Les programmes de renforcement : quand aurai-je mes renforçateurs ? Au départ, Skinner a conditionné ses pigeons et ses rats en récompensant chaque bonne réponse par de la nourriture ; ce renforcement continu est le moyen le plus efficace de conditionner une réponse. Cependant, une fois la réponse apprise, un renforcement intermittent devient souvent la façon la plus efficace de maintenir ou même d'augmenter le taux de bonnes réponses. Dans la vie courante, peu de comportements sont renforcés de façon continue ; le renforcement intermittent est plutôt la règle.

Renforcement continu
Dans le conditionnement opérant, type de renforcement où chaque réponse correcte ou désirée est suivie d'un renforçateur ; procédure la plus efficace pour conditionner une nouvelle réponse.

Renforcement intermittent
Dans le conditionnement opérant, type de renforcement où la réponse correcte ou désirée est tantôt suivie d'un renforçateur, tantôt non ; procédure la plus efficace pour maintenir une réponse apprise.

Tableau 5.1

COMPARAISON ENTRE LE CONDITIONNEMENT CLASSIQUE ET LE CONDITIONNEMENT OPÉRANT

Caractéristiques	Conditionnement classique	Conditionnement opérant
Théoriciens et chercheurs	Pavlov, Watson	Thorndike, Skinner
Type d'association	Entre deux stimulus	Entre une réponse et sa conséquence
État du sujet	Passif	Actif
Focalisation de l'attention	Sur ce qui précède la réponse	Sur ce qui suit la réponse
Réponse typique	Réponse involontaire (réflexe ou émotion)	Réponse volontaire orientée vers un but
Type d'apprentissage	Assez simple	De simple à complexe

Le renforcement intermittent peut être administré selon divers programmes de renforcement. Dans les programmes à ratio, on donne les renforçateurs après un certain nombre de réponses (un ratio est un rapport entre deux grandeurs ; ici, le nombre de renforçateurs par rapport au nombre de réponses). Le ratio peut être fixe ou variable (auquel cas il tourne autour d'une moyenne prédéterminée). Dans les programmes à intervalles, on donne le renforçateur après un certain laps de temps, qui là encore peut être fixe ou variable (auquel cas, il tourne autour d'une moyenne prédéterminée). Le tableau 5.2 décrit ces quatre types de programmes de renforcement intermittent avec leurs avantages et inconvénients.

Tableau 5.2

LES QUATRE TYPES DE PROGRAMMES DE RENFORCEMENT INTERMITTENT

Type de programme	Exemple	Avantages et inconvénients
Ratio fixe Renforçateur après un nombre de réponses fixe.	Les ouvriers en usine ou les travailleurs agricoles rémunérés selon le nombre d'unités produites ou la quantité récoltée.	Fréquence de réponses très élevée (le sujet a intérêt à travailler vite, car le renforçateur dépend du nombre de réponses). Performance constante si le ratio est faible ; courtes pauses s'il est élevé. Plus le ratio est élevé, plus la résistance à l'extinction est grande.
Ratio variable Renforçateur après un nombre de réponses variable, qui tourne autour d'une moyenne.	En télémarketing, le vendeur peut faire deux ventes de suite, puis attendre dix autres appels avant de conclure une troisième vente, la moyenne étant de cinq appels pour une vente. Les machines à sous sont conçues pour donner de l'argent après un nombre variable de parties, mais la moyenne reste la même.	Fréquence de réponses la plus élevée. Performance régulière (sans pause). Très résistant à l'extinction (la prochaine fois est peut-être la bonne…).
Intervalle fixe Renforçateur après une période de temps fixe.	Si le résultat au test est le renforçateur, et que l'étude est la réponse souhaitée, les tests à intervalle fixe favorisent l'étude juste avant le test, mais très peu le reste du temps. Si vous attendez un courriel de l'être cher tous les jours vers 10 h, vous commencerez à vérifier vos courriels un peu avant 10 h et cesserez dès que vous l'aurez reçu.	Fréquence de réponses la plus basse. Plus l'intervalle est long, plus la résistance à l'extinction augmente.
Intervalle variable Renforçateur après une période de temps variable, qui tourne autour d'une moyenne.	Les tests à l'improviste maintiennent un comportement d'étude plus constant. Si votre courriel quotidien arrive à n'importe quelle heure, vous allez vérifier régulièrement, mais moins souvent.	Fréquence de réponses modérée. Performance stable et uniforme. Plus résistant à l'extinction que le programme à intervalle fixe pour un même intervalle moyen.

▲ Les travailleurs agricoles sont rémunérés selon un programme à ratio fixe. Comme leurs gains dépendent de la quantité de fruits ou de légumes récoltés, ils ont intérêt à travailler le plus vite possible.

▲ Les machines à sous sont conçues pour donner de l'argent après un nombre variable de parties (programme à ratio variable). Les joueurs ne savent jamais quand elles paieront, ce qui les motive à continuer de jouer partie après partie.

Autres facteurs clés : le plus possible le plus vite possible   Outre le type de renfor-çateur et le programme de renforcement, deux autres facteurs facilitent le conditionne-ment opérant :

- *L'ampleur du renforçateur*   De manière générale, plus l'ampleur du renforçateur augmente, plus l'apprentissage de la réponse est rapide, plus le nombre de réponses augmente, plus la résistance à l'extinction s'accroît (Katz et autres, 2002 ; Dallery et autres, 2001 ; Clayton, 1964). Les ouvriers travaillent davantage et plus vite s'ils sont payés 40 $ plutôt que 10 $ par unité produite.

- *L'immédiateté du renforçateur*   De manière générale, plus le renforçateur est immé-diat, plus le conditionnement des ré-ponses est efficace. Les gens deviennent très vite dépendants du *crack* (Medzerian, 1991) ou du *cristal meth* parce que les effets de ces substances sont presque instan-tanés. Comme on le voit à la figure 5.4, plus le renforçateur tarde, plus l'acquisi-tion de la réponse est lente (Mazur, 1993 ; Church, 1989). Les gens qui ont beaucoup de poids à perdre ont du mal à changer leurs habitudes alimentaires notamment parce que les conséquences agréables de la perte de poids prennent beaucoup de temps à venir.

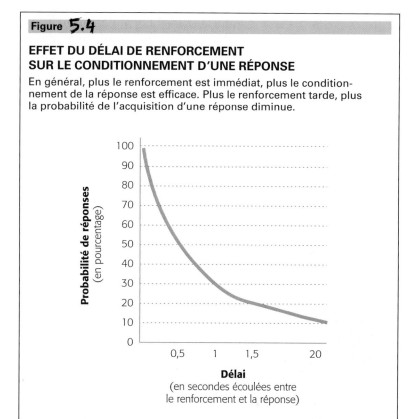

Figure 5.4

EFFET DU DÉLAI DE RENFORCEMENT SUR LE CONDITIONNEMENT D'UNE RÉPONSE

En général, plus le renforcement est immédiat, plus le condition-nement de la réponse est efficace. Plus le renforcement tarde, plus la probabilité de l'acquisition d'une réponse diminue.

Probabilité de réponses (en pourcentage)

Délai (en secondes écoulées entre le renforcement et la réponse)

Le renforcement : toujours agréable

1. Souvent, les gens adoptent des comportements qui ont été rapidement suivis d'un renforçateur, même si ces comporte-ments ne sont pas dans leur intérêt à long terme. Ce phénomène reflète l'importance _____ .
   a) de la force du renforcement
   b) de la motivation
   c) de l'immédiateté du renforcement
   d) du programme de renforcement

2. Le renforcement négatif (augmente/diminue) la probabilité d'une réponse.

3. Beaucoup de gens prennent de l'aspirine pour soigner un mal de tête. La disparition du mal de tête est un renforce-ment (positif/négatif).

4. Le renforcement (intermittent/continu) est le plus efficace pour conditionner une nouvelle réponse ; par la suite, le renforcement (intermittent/ continu) est le plus apte à maintenir la réponse.

5. Julie et Alice travaillent toutes deux à ratisser les feuilles. Julie est payée 1 $ pour chaque sac de feuilles qu'elle remplit et Alice est payée 4 $ de l'heure. Julie est rémunérée selon un programme à _____ et Alice selon un programme à _____ .

   a) intervalle fixe ; ratio fixe
   b) ratio variable ; intervalle fixe
   c) ratio variable ; intervalle variable
   d) ratio fixe ; intervalle fixe

6. Quel programme de renforcement offre la plus grande fréquence de réponses et la plus forte résistance à l'extinction ?
   a) ratio variable
   b) ratio fixe
   c) intervalle variable
   d) intervalle fixe

7. Vrai ou faux ? Danielle fait son lit tous les jours ces temps-ci, et ses parents aimeraient que cela continue. S'ils compren-nent l'effet du renforcement intermittent, ils la récom-penseront chaque fois qu'elle fait son lit.

Réponses : 1. c. **2.** augmente. **3.** négatif. **4.** continu ; intermittent. **5.** d. **6.** a. **7.** Faux.

En quoi la punition diffère-t-elle du renforcement négatif ?

La punition : toujours désagréable

Que peut faire le parent dont l'enfant fait une crise à l'épicerie pour avoir des bonbons ou l'enseignant aux prises avec un élève qui dérange toute la classe ? Lorsqu'on désire faire cesser un comportement, il n'est pas toujours possible de recourir au renforcement d'un comportement plus adéquat ; et il faut parfois recourir à la punition.

On se souvient que le renforcement, qu'il soit positif ou négatif, est toujours une conséquence *agréable* qui *augmente* la probabilité qu'un comportement se répète. Pour la **punition**, c'est exactement le contraire : qu'elle soit positive ou négative, il s'agit toujours d'une conséquence *désagréable*, qui *diminue* la probabilité qu'un comportement se répète.

La punition positive et la punition négative   On parle de **punition positive** quand on ajoute (+) un stimulus désagréable (regard désapprobateur, réprimande, devoir supplémentaire, imposition d'une corvée, contravention, etc.), et de **punition négative** quand on retire (−) un stimulus agréable (privation d'attention, interdiction de sorties, de télé ou de jeu vidéo, retrait du permis de conduire, etc.). Ici, comme pour le renforcement, les mots positif et négatif sont utilisés au sens strictement mathématique (ajout ou retrait d'un stimulus), et n'ont rien à voir avec un jugement de valeur, comme le montrent bien les exemples du tableau 5.3.

Tableau 5.3

LE RENFORCEMENT ET LA PUNITION

RENFORCEMENT : toujours agréable	PUNITION : toujours désagréable
Augmente la probabilité qu'un comportement se répète.	**Diminue la probabilité qu'un comportement se répète.**
RENFORCEMENT POSITIF **Ajouter un stimulus agréable** Donner des bonbons à un bambin quand il hurle pour en avoir augmente la probabilité qu'il hurle quand il veut des bonbons ; lui donner des bonbons quand il les demande poliment augmente la probabilité qu'il les demande de nouveau poliment.	**PUNITION POSITIVE** **Ajouter un stimulus désagréable** Réprimander l'enfant qui frappe son petit frère diminue la probabilité qu'il frappe de nouveau son petit frère, et se moquer d'un enfant qui essaie de dire un mot nouveau diminue la probabilité qu'il essaie de nouveau de dire un mot nouveau.
RENFORCEMENT NÉGATIF **Retirer un stimulus désagréable** Dispenser un adolescent de faire la vaisselle quand il la lance par terre augmente la probabilité qu'il la lance de nouveau par terre, et le dispenser de faire la vaisselle quand il a tondu le gazon sans rechigner augmente la probabilité qu'il tonde de nouveau le gazon sans rechigner.	**PUNITION NÉGATIVE** **Retirer un stimulus agréable** Priver de télé l'enfant qui a fait l'école buissonnière diminue la probabilité qu'il fasse de nouveau l'école buissonnière, et retirer sa confiance à l'enfant qui avoue une faute diminue la probabilité qu'il avoue de nouveau une faute.

Certaines punitions ont un double effet. Par exemple, vous êtes puni au moment où vous recevez une contravention, une punition positive puisqu'on ajoute un stimulus désagréable, et une deuxième fois au moment où vous payez votre contravention, une punition négative puisqu'on vous retire un stimulus agréable (de l'argent). De même, si vous tentez un saut audacieux en ski et que vous vous cassez une jambe, vous êtes doublement puni : sur le coup, par la douleur (punition positive), et à plus long terme, par la privation de ski pour le reste de la saison (punition négative). Ce genre de double punition a un puissant effet dissuasif.

Les inconvénients de la punition   La punition peut être très efficace à court terme, surtout si elle est immédiate. Cependant, elle comporte plusieurs inconvénients.

■ Skinner a toujours soutenu que la punition ne mène pas à l'extinction d'un comportement indésirable, qu'elle ne fait que le supprimer pendant que l'agent punitif est présent. Une fois la menace de punition passée et dans des contextes où une punition est peu probable, le comportement risque fort de continuer. L'argument de Skinner est ample-ment appuyé par l'observation. Si la punition (emprisonnement, casier judiciaire, amendes, etc.) menait à l'extinction des comportements répréhensibles, il n'y aurait pas tant de récidivistes dans notre système de justice.

■ La punition indique au sujet que son comportement est répréhensible, mais ne l'aide pas à acquérir un comportement plus adéquat. S'il y a punition, elle devrait être appliquée de pair avec des renforcements ou des récompenses pour tout comporte-ment convenable.

■ Souvent, la personne sévèrement punie devient craintive, et éprouve colère et hostilité envers la personne qui l'a punie. Ces réactions peuvent s'accompagner d'un désir de se venger d'elle, de l'éviter ou de la fuir ainsi que la situation punitive. De nom-breux jeunes fugueurs quittent leur domicile pour échapper aux mauvais traitements et à la violence physique.

■ Les châtiments corporels mènent souvent à l'agression. En présentant la violence physique comme un moyen de régler les problèmes et de décharger leur colère, les gens qui les administrent peuvent devenir des modèles. Les enfants de parents abusifs et violents sont plus susceptibles que les autres de devenir eux-mêmes abusifs et violents (Widom, 1989).

Comment rendre la punition plus efficace   Il est probablement illusoire de croire que les éducateurs peuvent se passer complètement de la punition, mais il est possible d'y recourir uniquement quand elle est vraiment nécessaire (pour mettre fin à un comporte-ment destructeur, par exemple), et de maximiser son efficacité. Des études révèlent que plusieurs facteurs influent sur l'efficacité d'une punition, notamment le choix du moment, la sévérité de la punition et la constance de son application (Parke, 1977).

■ *Une punition est plus efficace si elle est donnée pendant le comportement indésirable ou le plus tôt possible après.*   Interrompre le comportement déviant est très efficace, parce que cela met abruptement fin à ses conséquences agréables. Plus elle tarde, moins la punition est efficace (Camp et autres, 1967). Si la punition doit être retardée, la per-sonne qui la donne devrait en rappeler le motif au fautif, et lui expliquer en quoi son comportement était répréhensible.

■ *Idéalement, on devrait choisir la punition la plus légère susceptible d'avoir l'effet désiré sur le comportement.*   Des études sur des animaux ont révélé que plus la punition est forte, plus elle a un effet dissuasif sur le comportement indésirable (Church, 1963). Cependant, sa sévérité doit correspondre à la gravité du méfait, car une punition inutilement sévère risque de produire les effets indésirables mentionnés plus haut. Le but d'une punition n'est pas de soulager sa propre colère, mais de modifier le com-portement. En revanche, une punition trop légère n'aura aucun effet, et il en va de même de la punition dont on augmente progressivement la sévérité ; le fautif s'y adapte graduellement et son comportement persiste (Azrin et Holz, 1966). Pour décourager un comportement, il faut que la punition soit plus désagréable que le comportement répréhensible est agréable. Une contravention de 2 $ pour excès de vitesse n'a rien de très dissuasif ; une contravention de 200 $ a plus de chances de refréner l'envie de rouler vite.

■ *Pour être efficace, la punition doit être constante.*   Un parent ne doit pas ignorer un mauvais comportement un jour et le punir le lendemain. Les deux parents doivent aussi faire preuve de cohérence et réagir de la même façon au même comportement indésirable. De plus, la probabilité de la punition doit être élevée. Qui ferait un excès de vitesse quand il voit une voiture de police dans son rétroviseur ?

Les solutions de rechange à la punition   Les renforcements positifs et négatifs donnent souvent de meilleurs résultats que les punitions, sans avoir les mêmes désavantages. Quand une adolescente ne range pas sa chambre malgré les demandes répétées de ses parents, ces derniers peuvent soit la priver de sorties pour le week-end (punition négative) soit lui dire qu'elle est privée de sortie jusqu'à ce que sa chambre soit rangée (renforcement négatif). Selon vous, laquelle des deux méthodes a le plus de chances d'être efficace ?

Modification du comportement
Combinaison du renforcement et de la punition pour changer les comportements indésirables et favoriser l'apprentissage des comportements désirés.

▲ Les interventions de la psychologue Nadia Gagnier, dans l'émission *Dr Nadia, psychologue à domicile*, reposent sur la combinaison du renforcement et de la punition pour changer les conduites indésirables des enfants et favoriser leur apprentissage des comportements désirés.

De nombreux psychologues croient que la meilleure façon d'éteindre un comportement indésirable est de *supprimer ses conséquences agréables*. Selon ce point de vue, les parents devraient amener une réponse inappropriée – comme les crises de colère d'un enfant à qui on refuse des bonbons – à s'éteindre non pas en punissant l'enfant, mais en n'obtempérant *jamais* à ses demandes lorsqu'il fait une crise pour obtenir quelque chose, de façon à éviter le renforcement intermittent. Quand le comportement a pour but d'attirer l'attention, la meilleure façon d'obtenir son extinction consiste à l'ignorer complètement, et à accorder davantage d'attention aux comportements adéquats. Parfois, le seul fait d'expliquer à l'enfant pourquoi certains comportements ne conviennent pas suffit pour y mettre un terme. Les renforcements positifs comme les éloges rendent les comportements désirés par les parents beaucoup plus satisfaisants pour les enfants, à qui ils procurent l'attention dont ils ont besoin et qu'ils n'obtiennent trop souvent que lorsqu'ils se conduisent mal.

La modification du comportement : renforcer souvent, punir à bon escient

Les spécialistes de la modification du comportement préconisent souvent de combiner le renforcement et la punition pour changer les comportements indésirables chez les enfants et favoriser l'apprentissage des comportements désirés. Les interventions de la psychologue Nadia Gagnier, qu'on a pu voir dans l'émission *Dr Nadia, psychologue à domicile*, en sont un bon exemple. D'orientation béhavioriste, la psychologue aide les parents à supprimer les renforcements involontaires qui créent et maintiennent des comportements inappropriés chez leurs jeunes enfants. Elle leur apprend aussi à modifier les comportements indésirables par un recours judicieux au renforcement et à la punition négative, en particulier le retrait. Cette technique consiste à éloigner brièvement l'enfant des sources de renforcement positif (jouets, présence des autres, etc.) en l'isolant dans sa chambre ou, s'il est très jeune, sur une chaise prévue à cet effet.

RETENEZ-LE

La punition et la modification du comportement

1. Vrai ou faux ? Punition est synonyme de renforcement négatif.

2. _____ n'influe pas sur l'efficacité de la punition.
   a) Le choix du moment   c) L'intensité
   b) La constance   d) La fréquence

3. Vrai ou faux ? Habituellement, la punition *ne mène pas* à l'extinction d'un comportement indésirable.

4. La combinaison du renforcement et de la punition pour éliminer un comportement déviant ou favoriser une conduite désirable s'appelle (conditionnement opérant/modification du comportement).

Réponses : 1. Faux, 2. d, 3. Vrai, 4. modification du comportement.

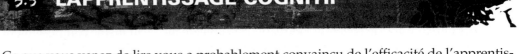

5.3   L'APPRENTISSAGE COGNITIF

Ce que vous venez de lire vous a probablement convaincu de l'efficacité de l'apprentissage par conditionnement classique et par conditionnement opérant. Mais l'un ou l'autre de ces conditionnements peut-il expliquer comment vous avez appris à lire ? Pour les béhavioristes comme Skinner et Watson, tout apprentissage se réduisait à un changement dans le comportement qui pouvait s'expliquer indépendamment des processus mentaux, par la seule action des stimulus de l'environnement sur le sujet. Aujourd'hui, la plupart des psychologues reconnaissent l'importance des processus mentaux dans l'apprentissage.

Dans cette section, nous allons nous intéresser aux théoriciens cognitivistes qui ont élargi l'étude du phénomène de l'apprentissage aux **processus cognitifs**, c'est-à-dire aux processus mentaux qui nous permettent de penser, de savoir, de résoudre des problèmes, de mémoriser et de former des représentations mentales. Nous allons étudier les travaux des chercheurs Wolfgang Köhler, Edward Tolman et Albert Bandura, qui ont montré chacun à leur manière à quel point la compréhension des processus cognitifs est cruciale pour expliquer le phénomène de l'apprentissage de manière complète.

Processus cognitif
Processus mental qui nous permet de penser, de savoir, de résoudre des problèmes, de mémoriser et de former des représentations mentales.

L'apprentissage par *insight* : les chimpanzés de Köhler

Qu'est-ce que l'insight, et comment influe-t-il sur l'apprentissage ?

Vous est-il déjà arrivé, pendant que vous cherchiez à résoudre un problème, que la solution surgisse soudainement dans votre esprit, parfaitement claire ? Si oui, vous avez fait l'expérience de l'*insight,* un type d'apprentissage cognitif décrit par le psychologue allemand Wolfgang Köhler (1887-1967), l'un des pères de la gestalt. Dans *The Mentality of Apes* (1925), Köhler raconte comment ses expériences avec des chimpanzés l'ont mené à cette découverte. Un jour, il imagina de suspendre des bananes au-dessus d'eux, mais hors de leur portée, et de laisser traîner des caisses de bois et des bâtons de bambou trop courts pour voir ce qu'ils en feraient. En observant leurs tentatives infructueuses pour atteindre les bananes en sautant ou en lançant des bâtons. Köhler remarqua que parfois, alors qu'ils semblaient avoir renoncé à s'emparer des fruits, ils revenaient soudain en hâte avec une solution : empiler les caisses et grimper dessus, utiliser un bâton trop court pour en rapprocher un plus long à l'extérieur de la cage, insérer le bambou le plus fin dans le creux du plus gros pour se fabriquer un perche, etc. Ils semblaient comprendre tout-à-coup d'une autre manière la relation entre les caisses, les bâtons et les bananes. Pour Köhler, leurs succès ne résultaient pas d'un simple apprentissage par essais et erreurs ou par association, mais d'un *insight*, c'est-à-dire de la découverte soudaine d'une solution rendue apparente par une réorganisation mentale des éléments du problème. À preuve, soulignait Köhler, les chimpanzés pouvaient immédiatement et facilement réutiliser cette solution : ils transféraient cet **apprentissage par *insight*** à des problèmes similaires.

◀ Après diverses tentatives infructueuses pour atteindre les bananes suspendues hors de leur portée, les chimpanzés de Köhler semblaient renoncer. Puis, grâce à une réorganisation mentale des éléments du problème, ils revenaient avec une nouvelle solution – empiler des caisses de bois et grimper dessus pour attraper les bananes, par exemple. Ils avaient appris par *insight*.

Insight
Découverte soudaine d'une solution rendue apparente par une réorganisation mentale des éléments du problème.

Apprentissage par *insight*
Type d'apprentissage cognitif qui repose sur l'*insight*.

La recherche a donné raison à Köhler. Une solution trouvée par *insight* s'apprend plus rapidement, se retient mieux et s'applique plus facilement à de nouveaux problèmes qu'une solution apprise par cœur (Rock et Palmer, 1990). De plus, des études d'imagerie cérébrale indiquent que l'apprentissage par *insight* est associé à un modèle unique d'interactions entre plusieurs zones du cerveau (Jing, 2004).

L'apprentissage latent et les cartes cognitives : les rats de Tolman

Comment Tolman a-t-il découvert à la fois l'apprentissage latent, et son lien avec les cartes cognitives et la motivation ?

Comme Köhler, Edward Tolman (1886-1959) n'endossait pas les idées béhavioristes de Watson et de Skinner sur l'apprentissage. Contrairement à ces derniers, il était convaincu que l'apprentissage pouvait avoir lieu sans renforcement, mais aussi qu'il fallait distinguer l'apprentissage de la performance, c'est-à-dire la réponse comportementale (Tolman, 1932).

Dans une expérience désormais célèbre, Tolman (Tolman et Honzik, 1930) a mis en lumière l'existence de l'**apprentissage latent**, qui se produit sans renforcement apparent et ne se manifeste pas (donc qu'on ne peut pas observer) tant que le sujet n'est pas motivé

Apprentissage latent
Type d'apprentissage qui se produit sans renforcement apparent et qui ne se manifeste que si le sujet est motivé à l'utiliser.

à l'utiliser (Tolman et Honzik, 1930). Les chercheurs placèrent trois groupes de rats dans un labyrinthe 17 jours de suite, et observèrent leurs progrès du 1er au 17e jour. Les rats du groupe 1, qui recevaient une récompense (de la nourriture) chaque fois qu'ils réussissaient à sortir du labyrinthe, améliorèrent leur performance de manière constante. Les rats du groupe 2, qui ne recevaient *jamais* de récompense, améliorèrent leur performance légèrement et graduellement. Les rats du groupe 3, qui ne reçurent aucune récompense jusqu'au 11e jour, progressèrent jusque-là comme ceux du groupe 2. Le lendemain du jour où l'on commença à les récompenser, leur performance s'améliora considérablement et, à partir de là, elle fut nettement meilleure que celle des rats qui avaient été récompensés chaque fois qu'ils sortaient du labyrinthe (voir la figure 5.5).

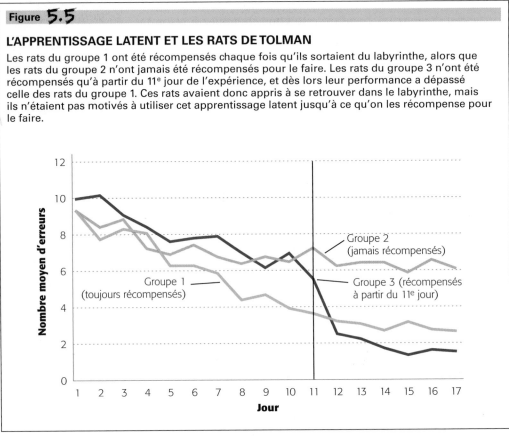

Figure 5.5

L'APPRENTISSAGE LATENT ET LES RATS DE TOLMAN

Les rats du groupe 1 ont été récompensés chaque fois qu'ils sortaient du labyrinthe, alors que les rats du groupe 2 n'ont jamais été récompensés pour le faire. Les rats du groupe 3 n'ont été récompensés qu'à partir du 11e jour de l'expérience, et dès lors leur performance a dépassé celle des rats du groupe 1. Ces rats avaient donc appris à se retrouver dans le labyrinthe, mais ils n'étaient pas motivés à utiliser cet apprentissage latent jusqu'à ce qu'on les récompense pour le faire.

Source : Tolman et Honzik, 1930.

▶ Même en l'absence d'une récompense, les rats de Tolman avaient appris à se retrouver dans le labyrinthe grâce à la carte cognitive qu'ils s'en étaient faite, mais cet apprentissage restait latent jusqu'à ce qu'ils soient motivés à s'en servir.

Carte cognitive
Représentation mentale d'une configuration spatiale comme un labyrinthe.

Pour Tolman, les progrès fulgurants des rats du groupe 3 signifiaient qu'il y avait eu un apprentissage latent : même sans récompense, ils avaient appris à se retrouver dans le labyrinthe, mais tant qu'ils n'étaient pas récompensés, ils n'étaient pas motivés à le faire. Qu'avaient appris les rats avant d'être renforcés ? Manifestement, quelque chose qui n'était pas un comportement observable. Tolman en conclut qu'ils avaient appris à se faire une représentation mentale du labyrinthe, une **carte cognitive** dont ils ne se serviraient qu'une fois motivés à le faire. Dans des recherches ultérieures, Tolman démontra que les rats apprenaient très vite à réorganiser leurs cartes cognitives pour se retrouver dans des labyrinthes de plus en plus complexes. Les idées de Tolman sur les cartes cognitives et l'apprentissage latent occupent une place beaucoup plus importante dans la psychologie aujourd'hui qu'à son époque, grâce aux travaux de la psychologie cognitive.

L'apprentissage social cognitif : les enfants de Bandura

Comment apprenons-nous en observant les autres ?

De nombreuses expériences sur les animaux et les humains ont montré qu'on apprend mieux et plus vite en présence d'un congénère. Nous nous intéresserons ici à l'**apprentissage social cognitif** (ou **apprentissage par observation**), que le psychologue d'origine canadienne Albert Bandura (1925-) a mis en lumière il y a plus de 50 ans, et qu'il a étudié ensuite pendant des décennies. Selon Bandura (1986), l'apprentissage par observation, aussi appelé apprentissage social cognitif, survient lorsque le sujet observe le comportement d'un **modèle**, et décide ensuite de le reproduire ou non.

Apprentissage social cognitif (ou **apprentissage par observation**)
Type d'apprentissage qui survient lorsque le sujet observe le comportement d'autrui et ses conséquences, et décide ensuite de le reproduire ou non.

Modèle
Animal ou personne que le sujet observe ou imite.

Dès le début des années 1960, Bandura a mené une série d'études classiques connues sous le nom de « Bobo Doll studies ». L'une de ces études impliquait trois groupes d'enfants de quatre ans (Bandura et autres, 1961). Les enfants du groupe 1 entraient un à un dans un local où un adulte frappait une grosse poupée gonflable en tenant des propos agressifs. Pour les enfants du groupe 2, le même adulte ignorait la poupée et s'amusait calmement avec autre chose. Pour les enfants du groupe 3 (groupe contrôle), il n'y avait aucun adulte avec la poupée. Les chercheurs observèrent ensuite derrière une glace sans tain ce que faisait chaque enfant une fois seul avec la poupée. Les enfants du groupe 1 imitèrent la plupart des comportements agressifs de l'adulte et manifestèrent davantage d'autres comportements agressifs (non imités) que les enfants des deux autres groupes. Les enfants du groupe 2 furent les moins agressifs des trois groupes. Dans une étude subséquente (Bandura et autres, 1963), on introduisit un modèle filmé ainsi qu'un modèle en dessin animé en plus du modèle en chair et en os. Les enfants exposés à la version filmée avec des humains se montrèrent nettement plus agressifs que les autres (voir l'encadré « Violence, médias et jeux vidéo » à la page 181).

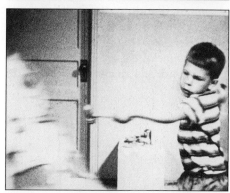

Dans les décennies qui ont suivi ses premières études, Bandura a approfondi les mécanismes de l'apprentissage par observation. À partir de là, il a formulé sa théorie sociale cognitive de l'apprentissage et du développement humain. Selon Bandura, l'observation de modèles permet aux enfants comme aux adultes l'apprentissage de connaissances et d'habiletés abstraites et concrètes (y compris l'apprentissage d'attitudes, de valeurs, de règles et de méthodes), et ce, sans avoir à passer par le laborieux processus d'essais, erreurs, punitions et renforcements décrit par les béhavioristes.

▲ Ces photos qui datent des années 1960 montrent des enfants de quatre ans en train de reproduire un comportement agressif sur la poupée Bobo utilisée par Bandura et ses collègues dans leurs premières études sur l'apprentissage par observation.

Les principes de l'apprentissage par observation   Récemment, des recherches ont démontré que l'apprentissage par observation est plus efficace si le sujet peut observer le modèle à plusieurs reprises avant de tenter de reproduire son comportement (Weeks et Anderson, 2000). Mais la répétition de l'observation ne suffit pas à elle seule pour qu'un observateur apprenne d'un modèle. L'apprentissage par observation n'est pas un processus automatique, précise Bandura. Il repose sur quatre facteurs qui varient selon les individus, et chez un même individu au cours de sa vie. Ces quatre facteurs sont les suivants :

- *L'attention sélective*   L'attention des sujets, d'après Bandura, se centre sur certaines caractéristiques du modèle et de son comportement. La nature de ces caractéristiques est déterminante quant à l'influence qu'aura le modèle. Les informations que les sujets sélectionnent concernent principalement le statut social, la compétence et le pouvoir que possède le modèle, mais ils notent également son âge, son sexe, son charme et son appartenance ethnoculturelle.

- *La mémorisation*   Ce que le sujet retient et garde en mémoire concernant ce qu'il a observé est un autre facteur crucial. Nous observons, nous apprenons, mais nous n'utilisons généralement pas tout de suite ce que nous avons appris. Nous le retenons pour nous en servir plus tard.

- *La capacité de reproduction*   La capacité physique et mentale du sujet à reproduire le comportement observé est évidemment déterminante. Vous avez beau observer à longueur de journée une vedette du hockey, une star du showbiz ou une astrophysicienne, vous n'acquerrez jamais ses habiletés si vous n'avez ni son talent ni son expérience.

- *La motivation*   Enfin, comme dans l'apprentissage latent, la motivation à imiter un modèle joue un rôle clé dans l'apprentissage par observation. L'observateur tient compte du fait que le modèle soit récompensé ou puni pour son comportement et du fait que lui-même *s'attende* à être récompensé ou puni s'il adopte le même comportement. (Bandura, 1977a, 1969). En situation d'apprentissage, note Bandura, les enfants comme les adultes établissent des objectifs, ont des attentes quant aux conséquences possibles et jugent leur propre performance en fonction de leur *sentiment d'efficacité personnelle*, c'est-à-dire de ce qu'ils se croient capables ou non d'accomplir (nous y reviendrons au chapitre 9) (Bandura, 1997).

RETENEZ-LE   L'apprentissage cognitif

1. La réorganisation mentale des divers éléments d'un problème qui mène à sa résolution s'appelle _____ .

2. Un apprentissage _____ est un apprentissage qui ne se manifeste pas tant que le sujet n'est pas motivé à l'utiliser.

3. Du plus loin qu'il se souvienne, Loïc a peur des souris, et sa mère souffre de la même peur. La peur de Loïc résulte probablement d'un apprentissage _____ .

4. Qui de Tolman, Bandura et Köhler a étudié chacun des sujets suivants ?
   a) L'apprentissage par observation
   b) Les cartes cognitives
   c) L'apprentissage par *insight*
   d) L'apprentissage latent
   e) L'apprentissage social cognitif

Réponses : 1. un *insight*. **2.** latent. **3.** par observation (ou social cognitif).
4. (a) Bandura (b) Tolman (c) Köhler (d) Tolman (e) Bandura.

Violence, médias et jeux vidéo

Combien d'heures par jour êtes-vous exposé à de l'information provenant d'un média électronique quelconque ? De nos jours, bien des gens y sont exposés pratiquement en permanence.

Les travaux de Bandura ont ouvert la voie à d'innombrables recherches sur les effets de la violence et de l'agressivité dans les médias. Ainsi, des chercheurs ont démontré de diverses façons – y compris par des expériences en laboratoire rigoureusement contrôlées avec des enfants, des adolescents et de jeunes adultes – que les jeux vidéo violents augmentent les comportements agressifs (Anderson et Bushman, 2001). On a aussi démontré que la violence dans les médias a cet effet qu'elle soit diffusée par la télé, la musique, les vidéoclips, les annonces publicitaires ou l'Internet (Villani, 2001). Ces résultats de recherche ont inspiré toutes sortes de systèmes de cotation que les parents peuvent consulter lorsqu'ils choisissent des contenus médiatiques pour leurs enfants. Cependant, les chercheurs ont découvert que le fait d'étiqueter comme « violent » un média ou un contenu médiatique risque de le rendre encore plus attirant aux yeux des enfants, en particulier les garçons de plus de 11 ans (Bushman et Cantor, 2003).

La violence à la télévision

On pourrait penser que si la violence à la télévision entraîne des conséquences appropriées – une arrestation, par exemple –, elle peut aussi dissuader les enfants de se livrer à des comportements agressifs. Malheureusement, la recherche expérimentale a démontré que les enfants ne traitent pas l'information relative aux conséquences de la même façon que les adultes (Krcmar et Cooke, 2001). Ainsi, observer les conséquences d'actes violents ne semble pas aider les enfants d'âge préscolaire à apprendre que la violence est moralement condamnable. Quant aux enfants d'âge scolaire, ils semblent juger le caractère moral ou immoral d'un acte de violence sur la simple base de la provocation : ils estiment que la violence est moralement légitime s'il s'agit d'une vengeance, et ce, même si elle est punie par une figure d'autorité. Plus étonnant encore, des études longitudinales récentes montrent que les effets de l'exposition à la violence durant l'enfance persistent dans l'âge adulte. Le psychologue L. Rowell Huesman et ses collègues (2003) ont découvert que les jeunes adultes qui ont regardé le plus grand nombre d'émissions violentes lorsqu'ils étaient enfants sont les plus susceptibles de se livrer à des actes violents. Cette étude était la première à établir un lien entre l'exposition à la violence dans les médias durant l'enfance et des actes de violence réels à l'âge adulte. Des études d'imagerie cérébrale indiquent que ces effets à long terme pourraient résulter des modes d'activation neuronale qui sous-tendent les scénarios comportementaux émotionnellement chargés que les enfants apprennent quand ils regardent des émissions violentes (Murray et autres, 2006).

Cela dit, les enfants imitent tout aussi bien les comportements prosociaux qu'ils voient à la télé que les comportements violents. Et, fort heureusement, les découvertes de Huesman et ses collègues s'appliquent tout aussi bien aux effets positifs de la télévision.

La violence dans les jeux électroniques

Ces dernières années, on s'inquiète de plus en plus des effets de la violence dans les jeux électroniques. Et pour cause : les enfants et les adolescents y consacrent au moins autant de temps qu'à la télé (Sherry et autres, 2005). Les psychologues se demandent ce qu'ils apprennent de ces jeux, et en particulier de ceux qui les incitent à jouer le rôle de personnages récompensés pour leurs comportements agressifs ou violents (Schneider et autres, 2004 ; Walsh et autres, 2002).

De nombreuses études ont démontré que les jeux électroniques violents augmentent les sentiments d'hostilité et réduisent la sensibilité aux images violentes (Arriaga et autres, 2006 ; Bushman et Huesman, 2006 ; Carnagey et Anderson, 2005 ; Anderson et Bushman, 2001 ; Anderson et Dill, 2000). Les chercheurs ont aussi constaté que ces jeux influent sur les paramètres physiologiques associés aux émotions hostiles et aux comportements agressifs : modes d'activation cérébrale, sécrétions hormonales, fréquences cardiaque et respiratoire, etc. (Brady et Matthews, 2006 ; Wang et Perry, 2006 ; Weber et autres, 2006 ; Hébert et autres, 2005). La recherche révèle également que les individus qui ont un comportement agressif affichent une préférence beaucoup plus marquée que leurs pairs pour les jeux électroniques violents et y répondent bien davantage sur le plan émotionnel (Anderson et Dill, 2000).

Comme les émissions de télévision, les jeux électroniques peuvent tout aussi bien servir à enseigner des messages positifs. Ainsi, des chercheurs de la University of Michigan ont découvert que les jeux vidéo étaient un moyen efficace pour apprendre aux adolescents à conduire plus prudemment (UMTRI, 2003). Plus étonnant, quelques heures d'entraînement à des jeux vidéo d'action améliore considérablement les habiletés cognitives spatiales des femmes et réduit de beaucoup la différence entre les sexes à cet égard – différence qu'on a longtemps cru innée (Feng et autres, 2007 ; Terlecki et Newcombe, 2005).

5.4 LA MOTIVATION

Tout au long de ce chapitre, chaque fois que nous avons parlé de comportements volontaires appris, nous avons parlé explicitement ou implicitement de motivation. Pourquoi les dauphins acceptent-ils de sauter en parfaite synchronie sur l'ordre d'un humain ? Pour obtenir la nourriture, les caresses ou les jeux qu'ils aiment. Qu'est-ce qui poussait le chat de Thorndike à appuyer sur la manette qui ouvrait sa cage, ou les pigeons de Skinner à picorer un disque de telle ou telle couleur ? La perspective d'obtenir ainsi de la nourriture. De même, les chimpanzés de Köhler ont appris à empiler des caisses de bois ou à utiliser des bâtons pour décrocher les bananes hors de leur portée. Quant aux rats de Tolman, ils avaient bel et bien appris à sortir du labyrinthe, mais n'étaient pas motivés à le faire jusqu'à ce que ce comportement soit enfin récompensé. Et vous, en tant qu'humain, qu'est-ce qui vous pousse à lire ce texte, à apprendre et, plus largement, à agir ? Qu'est-ce qui vous motive ?

Quelle différence y a-t-il entre motivation extrinsèque et motivation intrinsèque ?

Motivation
Ensemble des processus qui enclenchent, dirigent et maintiennent le comportement.

Motif
Besoin ou désir qui aiguillonne et oriente le comportement vers un but.

Motivation intrinsèque
Volonté de se comporter d'une certaine façon parce que cela est agréable ou satisfaisant en soi.

Incitatif
Stimulus extérieur qui motive le comportement.

Motivation extrinsèque
Volonté de se comporter d'une certaine façon pour obtenir une récompense ou éviter une conséquence indésirable.

▼ La seule vue de certains aliments nous pousse à manger même si nous n'avons pas faim.

Motivation et motifs : les raisons d'agir

Les psychologues définissent la **motivation** comme l'ensemble des processus qui enclenchent, dirigent et maintiennent le comportement ; c'est dire à quel point le territoire que couvre ce concept est vaste. Pour mieux l'étudier, les chercheurs travaillent donc souvent à partir du concept plus étroit et plus précis de *motif*. Un **motif** est un besoin ou un désir qui aiguillonne et oriente le comportement vers un but dont on attend une satisfaction. Quel que soit votre motif pour étudier en vue d'un examen – intérêt pour la matière, récompense promise par vos parents, volonté d'épater quelqu'un, désir d'échapper à l'anxiété liée à un échec, etc. –, il vous pousse à agir pour atteindre votre but. Deux personnes pourraient donc produire exactement le même comportement avec des motifs très différents.

Les motifs peuvent avoir une origine interne ; c'est le cas quand vous étudiez parce que la matière vous intéresse ou que vous mangez parce que vous avez faim. Ce genre d'activité est une fin en soi : vous vous y adonnez simplement parce qu'elles sont agréables ou satisfaisantes. On parle alors de **motivation intrinsèque**. D'autres motifs ont une origine externe ; c'est le cas quand des **incitatifs**, c'est-à-dire des stimulus externes comme l'argent ou la gloire, vous poussent à agir. Si vous étudiez pour obtenir une bonne note ou pour éviter d'en avoir une mauvaise, vous êtes mu par une **motivation extrinsèque**.

Dans la vie courante, la plupart des motifs humains sont à la fois intrinsèques et extrinsèques. Vous aimez peut-être votre emploi, mais si on supprimait votre salaire, un incitatif majeur, vous perdriez probablement toute envie de le garder. On l'a vu, pour Skinner, un renforçateur est une conséquence qui augmente la fréquence d'un comportement. Une fois le lien entre un comportement et un renforçateur établi, le fait de s'attendre à recevoir le renforçateur sert d'incitatif à produire le comportement désiré. Ainsi, l'espoir de recevoir un généreux pourboire motive les serveurs à assurer un service rapide et courtois à leurs clients.

Des besoins forts combinés à des incitatifs alléchants engendrent la motivation la plus forte. Si vous avez très faim (besoin) et que la brioche est très appétissante (incitatif), vous serez motivé à manger avec beaucoup d'appétit. Mais un incitatif alléchant peut vous motiver à agir même en l'absence de besoin : un dessert très appétissant vous poussera peut-être à manger même si vous n'avez pas faim. Inversement, vous avez beau avoir très faim, si vous détestez le foie de veau qu'on vous propose, vous n'y toucherez peut-être pas. Sachant cela, les dresseurs et les chercheurs attendent souvent pour commencer une séance d'apprentissage que les dauphins, les rats, les pigeons, les singes, les chats ou les chiens aient faim : les animaux sont alors nettement plus motivés à sauter hors de l'eau, à appuyer sur des manettes, à se retrouver dans un labyrinthe ou à grimper sur une caisse pour obtenir de la nourriture.

La faim est un besoin primaire, et l'une des raisons les plus fondamentales qui nous poussent à agir, mais ce n'est pas la seule, loin de là. Plusieurs théories ont été proposées pour expliquer l'éventail des motifs qui poussent les humains et les animaux à agir. Certaines se concentrent sur les besoins physiologiques, d'autres sur des besoins supérieurs et des motifs sociaux comme le besoin de réussite. La théorie de la hiérarchie des besoins de Maslow, elle, englobe l'ensemble de ces besoins.

La hiérarchie des besoins de Maslow

Quelle est la hiérarchie des besoins qui motivent les humains selon Maslow ?

De toutes les théories de la motivation, celle du psychologue humaniste Abraham Maslow (1908-1970), qui a résumé toute la gamme des motifs humains en une hiérarchie de besoins, est la plus globale et la plus connue.

Selon Maslow (1943), les humains doivent satisfaire en priorité leurs besoins primaires, c'est-à-dire leurs besoins physiologiques – oxygène, eau, nourriture, sommeil et élimination des déchets corporels – et leurs besoins de sécurité. Une fois ces besoins de base comblés viennent les besoins supérieurs, soit dans l'ordre les besoins d'affiliation et d'amour, puis les besoins d'estime et enfin le besoin d'accomplissement de soi. Ce n'est qu'une fois ces derniers besoins comblés que l'individu est vraiment épanoui. Bien que Maslow lui-même n'ait jamais représenté sa hiérarchie des besoins sous la forme d'une pyramide, ce schéma un peu simpliste s'est imposé par sa commodité (figure 5.6).

Figure 5.6

LA HIÉRARCHIE DES BESOINS DE MASLOW

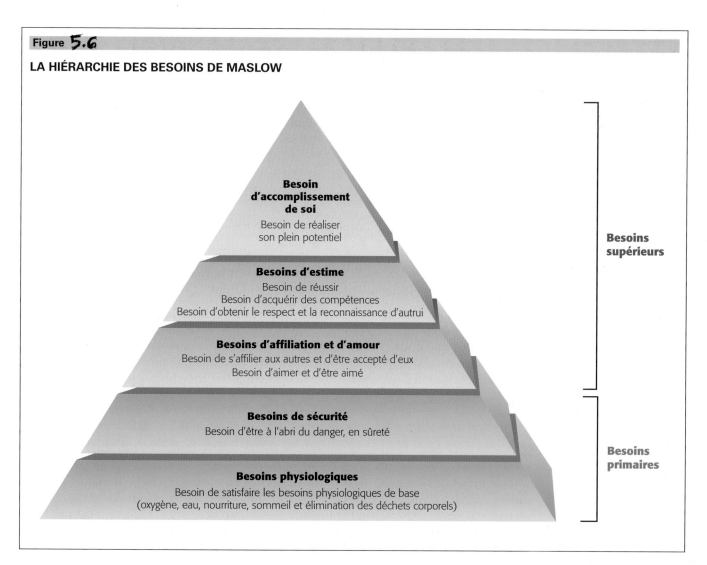

Si elle a le mérite de donner une vue d'ensemble de la motivation humaine, des motifs les plus élémentaires aux plus nobles, la théorie de Maslow est contredite par de nombreuses observations. Ainsi, on voit constamment des gens mettre leur vie en danger ou la sacrifier pour défendre une cause, renoncer à l'amour ou à l'amitié pour satisfaire leurs besoins d'estime, etc. (Goebel et Brown, 1981 ; Wahba et Bridwell, 1976).

Comment la théorie de la réduction des pulsions et la théorie de l'activation expliquent-elles la motivation ?

Les approches biologiques de la motivation

Dans les premières décennies du XXᵉ siècle, la plupart des psychologues croyaient que tous les comportements humains étaient motivés par des instincts, comme ceux qui poussent les araignées à tisser des toiles et les oiseaux à migrer en fonction des saisons. Depuis, la recherche nous a appris que les comportements humains sont beaucoup trop complexes, variés et imprévisibles pour qu'on puisse les expliquer par ces tendances comportementales innées et communes à tous les membres de l'espèce qu'on appelle les instincts. Aujourd'hui, des psychologues s'entendent généralement sur le fait qu'aucun instinct ne motive vraiment le comportement humain. En revanche, la plupart reconnaissent que des forces biologiques sous-tendent la motivation humaine.

Instinct
Tendance comportementale commune à tous les membres d'une espèce, et dont on présume qu'elle résulte de leur programme génétique.

Théorie de la réduction des pulsions
Théorie de la motivation selon laquelle un besoin engendre une pulsion que l'organisme est motivé à réduire.

Pulsion
État interne d'activation ou de tension engendrée par un besoin sous-jacent que l'organisme est motivé à satisfaire.

La théorie de la réduction des pulsions Popularisée par le béhavioriste Clark Hull (1943), la théorie de la réduction des pulsions postule que tous les organismes vivants ont des besoins biologiques à combler pour survivre. Lorsqu'il se manifeste, tout besoin crée une pulsion, c'est-à-dire un état interne d'activation ou une tension interne qui pousse l'organisme à agir pour la réduire. Par exemple, si vous êtes privé de nourriture, vous avez faim, et ce besoin biologique crée une pulsion – une tension – que vous êtes poussé à réduire en cherchant de la nourriture.

La théorie de la réduction des pulsions repose sur le concept d'homéostasie, selon lequel l'organisme tend toujours à maintenir un état de stabilité interne pour assurer sa survie physique. Tout ce qui est essentiel à sa survie – température corporelle, taux de glucose sanguin, équilibre hydrique, taux d'oxygène dans le sang, fréquences cardiaque et respiratoire, pression artérielle, etc. – doit être maintenu en équilibre. Quand cet équilibre est perturbé par un besoin (boire ou manger, par exemple), une pulsion émerge et pousse l'organisme à agir pour réduire la tension en satisfaisant son besoin et en restaurant son équilibre interne (voir la figure 5.7).

Confinée aux besoins physiologiques, la théorie de la réduction des pulsions est loin d'expliquer tout le spectre de la motivation humaine. Elle n'explique pas non plus pourquoi tant de gens sont amateurs de sensations fortes et recherchent des activités comme le saut en parachute, le poker ou les films d'horreur, qui provoquent justement l'état de tension qu'ils devraient être motivés à réduire.

Théorie de l'activation
Théorie selon laquelle tout organisme est motivé à maintenir un niveau optimal d'activation.

Activation
Degré d'activité de l'organisme mesuré sur un continuum allant du sommeil au stress, en passant par divers degrés d'éveil, de vigilance et d'alerte ; s'évalue par des indicateurs physiologiques comme la fréquence cardiaque, le rythme respiratoire, la tension musculaire, la conductance cutanée et les autres réactions végétatives (digestion, élimination, etc.).

Motif de stimulation
Motif qui pousse l'organisme à augmenter la stimulation lorsque son niveau d'activation est trop bas.

La théorie de l'activation Contrairement à la théorie de la réduction des pulsions, selon laquelle nous serions toujours motivés à réduire les tensions, la théorie de l'activation soutient que nous cherchons plutôt à maintenir un niveau optimal d'*activation*. Quand notre niveau d'activation descend en deçà du niveau optimal, nous cherchons à l'augmenter ; quand il dépasse le niveau optimal, nous cherchons à le réduire. Le terme activation désigne le degré d'activité de l'organisme dans un continuum qui va du sommeil au stress en passant par divers degrés d'éveil, de vigilance et d'alerte. On l'évalue par des indicateurs comme les fréquences cardiaque et respiratoire, la tension musculaire, la conductance de la peau et autres réactions végétatives (digestion, élimination, etc.).

Les besoins biologiques augmentent notre niveau d'activation, de même que les nouveaux stimulus, l'intensité accrue des stimulus connus (bruits forts, lumières éblouissantes, etc.), les stimulants comme la caféine, la nicotine, les amphétamines et la cocaïne, et, bien sûr, les émotions, comme nous le verrons au chapitre 8. Mais ce n'est pas tout : quand notre niveau d'activation est trop faible, des motifs de stimulation – comme la curiosité et le désir d'explorer, de manipuler des objets, de jouer – nous poussent aussi à

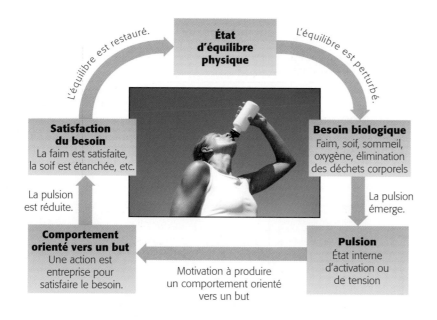

Figure 5.7

LA THÉORIE DE LA RÉDUCTION DES PULSIONS

La théorie de la réduction des pulsions repose sur le concept d'homéostasie. Elle postule que si l'équilibre interne est perturbé par un besoin physiologique comme la faim ou la soif, une pulsion émerge et motive l'organisme à agir pour satisfaire ce besoin et restaurer ainsi son équilibre interne.

État d'équilibre physique

L'équilibre est restauré.

L'équilibre est perturbé.

Satisfaction du besoin
La faim est satisfaite, la soif est étanchée, etc.

La pulsion est réduite.

Besoin biologique
Faim, soif, sommeil, oxygène, élimination des déchets corporels

La pulsion émerge.

Comportement orienté vers un but
Une action est entreprise pour satisfaire le besoin.

Motivation à produire un comportement orienté vers un but

Pulsion
État interne d'activation ou de tension

Loi de Yerkes-Dodson
Principe selon lequel une tâche s'accomplit d'autant plus efficacement que le niveau d'activation convient à son degré de difficulté, les tâches simples et routinières exigeant un niveau d'activation relativement élevé, les tâches modérément difficiles, un niveau d'activation moyen, et les tâches difficiles ou complexes, un niveau d'activation plus bas.

l'augmenter. Pensez-y : que faites-vous quand vous devez patienter dans une gare, un aéroport ou une salle d'attente ? Si vous êtes comme la plupart des gens, très vite, vous vous ennuyez et cherchez quelque chose à faire pour vous stimuler un peu : lecture, mots croisés, jeu de patience, conversation, etc.

On observe souvent un lien étroit entre le niveau d'activation et le rendement. Selon la **loi de Yerkes-Dodson** (1908), une tâche s'accomplit d'autant plus efficacement que le niveau d'activation convient au degré de difficulté qu'elle présente : les tâches simples et routinières exigent un niveau d'activation relativement élevé ; les tâches modérément difficiles, un niveau d'activation moyen ; les tâches difficiles ou complexes, un niveau d'activation plus bas. Dans tous les cas, un niveau d'activation trop bas ou trop élevé nuira au rendement. (Voir la figure 5.8, p. 186.)

▲ Les enfants cherchent (et trouvent) toujours quelque chose à faire pour se stimuler…

En général, on explique cette relation entre le niveau d'activation et le rendement par l'attention et la concentration. Un niveau d'activation trop bas permet à l'esprit de vagabonder ; si la tâche exige de l'attention (passer un examen, par exemple), le rendement en souffre. Cependant, un niveau d'activation très élevé comme celui que produit le stress nuit également à la concentration, car il mobilise toute la mémoire de travail disponible. Le niveau d'activation idéal pour passer un examen serait donc assez élevé pour empêcher l'esprit de vagabonder, mais pas trop pour ne pas vous priver de la mémoire de travail dont vous avez besoin.

Les critiques de cette théorie font valoir que l'activation n'est qu'une des nombreuses variables influant sur l'attention (Hanoch et Vitouch, 2004) et reprochent à la loi de Yerkes-Dobson de reposer essentiellement sur la recherche auprès des animaux (Hancock et Ganey, 2003). Pour ces raisons, affirment-ils, on ne doit pas généraliser la théorie de l'activation aux comportements humains complexes (comme passer un examen) sans prendre en considération tous les autres facteurs qui influent sur l'attention et la concentration.

▲ Les gens diffèrent considérablement quant au niveau d'activation qu'ils peuvent tolérer. Ainsi, les amateurs de sensations fortes peuvent trouver très agréable un niveau d'activation très élevé que d'autres trouveraient insupportable.

Figure 5.8

LA LOI DE YERKES-DODSON

Selon la loi de Yerkes-Dodson, le niveau d'activation optimal varie selon le degré de difficulté que présente la tâche à accomplir : les tâches simples et routinières requièrent un niveau d'activation relativement élevé, les tâches modérément difficiles, un niveau d'activation moyen, et les tâches difficiles ou complexes, un niveau d'activation plus bas.

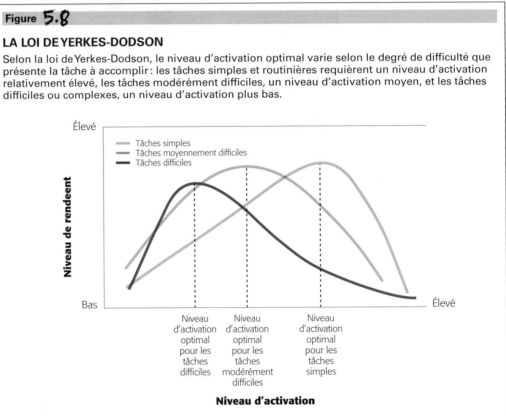

En quoi la théorie du besoin de réussite et la théorie de l'orientation des buts diffèrent-elles ?

Les motifs sociaux et le besoin de réussite

Quand la solitude vous pèse, vous appelez quelqu'un ou vous vous rendez à votre café préféré. Ce besoin d'affiliation, comme l'appellent les psychologues, est l'un des nombreux *motifs sociaux* qui guident et orientent le comportement. Contrairement aux pulsions primaires, les **motifs sociaux** sont appris : ils s'acquièrent par l'expérience et l'interaction avec autrui. Les motifs sociaux incluent également le besoin de réussite et tous les motifs qui dirigent nos comportements en milieu scolaire ou en milieu de travail.

Le besoin de réussite La hiérarchie des besoins de Maslow suggère que le besoin de réussite, l'un des nombreux besoins d'estime, émerge de lui-même une fois les besoins primaires satisfaits et peut alors être comblé comme tous les autres besoins. Cependant, d'autres théoriciens et chercheurs ne partagent pas ce point de vue et ont expliqué autrement cette importante dimension de la motivation humaine.

Motifs sociaux
Motifs acquis par l'expérience et l'interaction avec autrui (le besoin d'affiliation et le besoin de réussite, par exemple).

Au cours de ses premières recherches, le psychologue et psychanalyste Henry Murray (1938) a élaboré le Test d'aperception thématique (TAT). Basé sur une vingtaine d'illustrations qui montrent des personnages placés dans des situations ambiguës, ce test est censé révéler la nature et la force des besoins du sujet. Pour chaque illustration, celui-ci doit inventer une histoire pour expliquer ce qui se passe, ce que pensent et ressentent les personnages, et quel sera le dénouement le plus probable de la situation. L'un des besoins cernés par Murray à l'aide du TAT est le **besoin de réussite**, c'est-à-dire le besoin d'accomplir quelque chose de difficile, d'exceller. Le besoin de réussite a ceci de particulier que plus on réussit, moins il est comblé et plus il semble croître.

Selon les chercheurs David McClelland et John Atkinson, qui ont mené de nombreuses études sur le besoin de réussite (McClelland, 1985, 1961, 1958; McClelland et autres, 1953), les sujets qui ont un fort besoin de réussite se fixent des buts ambitieux, mais néanmoins atteignables avec beaucoup de travail, de détermination et de persistance. Les buts trop faciles, à la portée de n'importe qui, ne présentent aucun défi et n'ont aucun intérêt pour eux, car les atteindre ne serait pas gratifiant (McClelland, 1985). Par contre, ils évitent de se fixer des buts irréalistes et de prendre des risques trop élevés, ce qui serait une perte de temps, estiment-ils, puisque leurs chances de succès seraient infimes. Comme ces sujets fixent eux-mêmes leurs buts selon la perception qu'ils ont de leurs habiletés, ces buts ont tendance à être réalistes (Conroy et autres, 2001). Il en va tout autrement des sujets qui ont un faible désir de réussite. Lorsqu'il s'agit de mettre leurs compétences et leurs habiletés à l'épreuve, ces derniers ne prennent aucun risque, car ils sont davantage motivés par la peur de l'échec que par la perspective du succès. Ils se fixent donc des buts soit ridiculement modestes soit manifestement inatteignables (personne ne pourra alors leur reprocher d'avoir échoué…) (Geen, 1984).

La **théorie de l'orientation du but** propose une vision différente du besoin de réussite, où la motivation à réussir varie selon que le but en est un de maîtrise (but défini en fonction de soi) ou de performance (but défini par comparaison avec autrui), et selon qu'il en est un d'approche (obtenir quelque chose d'agréable) ou d'évitement (éviter quelque chose de désagréable). La combinaison de ces quatre types de buts donne quatre axes typiques: maîtrise-approche, maîtrise-évitement, performance-approche et performance-évitement (Wolters, 2004). Le tableau 5.4 explique et illustre chacune de ces quatre orientations.

Besoin de réussite
Besoin d'accomplir quelque chose de difficile, d'exceller.

Théorie de l'orientation du but
Théorie selon laquelle la motivation à réussir varie selon que le but en est un de maîtrise ou de performance et selon qu'il vise l'approche ou l'évitement; distingue quatre orientations: maîtrise-approche, maîtrise-évitement, performance-approche et performance-évitement.

▲ Les gens qui ont un fort désir de réussite se fixent des buts ambitieux, mais atteignables avec beaucoup de travail, de détermination et de persistance. Pour eux, les buts trop faciles, à la portée de n'importe qui, n'ont aucun intérêt, car les atteindre ne serait pas gratifiant. Avec ses 21 médailles paralympiques, dont 14 d'or, l'athlète Chantal Petitclerc en est un parfait exemple.

Tableau 5.4

L'ORIENTATION DES BUTS: QUATRE POSSIBILITÉS

	MAÎTRISE **But défini en fonction de soi**	**PERFORMANCE** **But défini par comparaison avec autrui**
APPROCHE **But dont l'atteinte apporte quelque chose d'agréable**	S'efforcer d'atteindre un but auquel on accorde soi-même une valeur intrinsèque. Exemple: Étudier et faire tout ce qu'il faut (assister au cours, poser des questions, etc.) pour enrichir ses connaissances et relever des défis.	Faire juste assez d'efforts pour que sa propre performance soit supérieure à celle des autres. Exemple: Étudier pour obtenir un A dans un cours difficile pour se sentir supérieur aux autres, ou se satisfaire d'un D parce que la plupart des autres ont essuyé un échec.
ÉVITEMENT **But dont l'atteinte permet d'éviter quelque chose de désagréable**	S'efforcer d'éviter quelque chose qui menacerait son estime de soi. Exemple: Étudier et faire tout ce qu'il faut pour éviter un échec d'apprentissage (ce qui, notons-le, est différent d'un échec scolaire).	Faire juste ce qu'il faut pour éviter que sa propre performance soit inférieure ou supérieure à celle de ses pairs. Exemple: Étudier juste assez pour obtenir la même note que les autres, même si on aurait pu faire bien mieux.

La recherche indique que les étudiants du secondaire et du collégial qui sont orientés sur la maîtrise sont moins susceptibles de se livrer à la procrastination que leurs pairs orientés vers la performance (Wolters, 2004, 2003). Cependant, être orienté sur la maîtrise ne garantit pas nécessairement de bonnes notes (Harackiewicz et autres, 2002). Il semble en effet que l'orientation performance-approche soit plus fortement associée à des notes élevées que toutes les autres (Church et autres, 2001).

RETENEZ-LE   La motivation

1. Quand vous vous engagez dans une activité pour obtenir une récompense ou éviter une punition, votre motivation est (intrinsèque/extrinsèque).

2. La théorie de la réduction des pulsions porte essentiellement sur les besoins (supérieurs/physiologiques/cognitifs) et les tensions qu'ils engendrent.

3. Selon la théorie de l'activation, les gens recherchent un niveau d'activation _____ .

4. Selon Maslow, pour qu'une personne soit motivée par des besoins d'affiliation et d'amour, elle doit d'abord avoir satisfait ses besoins _____ et ses besoins _____ .

5. Les motifs sociaux sont appris ; ils s'acquièrent par _____ et _____ .

6. Les gens qui ont un fort besoin de réussite se fixent des buts _____ .
   a) ridiculement faciles à atteindre
   b) moyennement difficiles à atteindre
   d) quasi impossibles à atteindre

Réponses : 1. extrinsèque. **2.** physiologiques. **3.** optimal. **4.** physiologiques ; de sécurité. **5.** l'expérience ; l'interaction avec autrui. **6.** b.

APPLIQUEZ-LE

Gagner la bataille contre la procrastination

Vous dites-vous souvent que vos notes seraient meilleures si vous aviez plus de temps pour étudier ? Êtes-vous souvent à la dernière minute pour étudier un examen ou remettre un travail ? Si oui, vous devriez peut-être vous attaquer à la plus grande perte de temps qui soit : la procrastination. Chez les étudiants, indique la recherche, la procrastination résulte en partie d'un manque de confiance en sa capacité de réussir (Wolters, 2003). Une fois qu'on en prend l'habitude, la procrastination persiste souvent pendant des années (Lee et autres, 2006). Pourtant, avec de la motivation et en utilisant les techniques efficaces de modification du comportement, tout le monde peut vaincre la procrastination et gagner de la confiance en soi. Si vous en avez assez de la procrastination, appliquez systématiquement les suggestions qui suivent.

- *Repérez ce qui vous distrait habituellement de vos études.* La télévision, les jeux électroniques et même la nourriture peuvent vous faire perdre un temps d'étude précieux. Pourtant, ces mêmes sources de distraction peuvent devenir de puissants renforçateurs si vous les utilisez comme récompenses lorsque vous avez fini d'étudier.

- *Planifiez votre temps d'étude, tenez-vous-en à votre horaire et récompensez-vous quand vous le faites.* Respectez votre horaire d'étude comme vous le feriez d'un horaire de travail fixé par un employeur. Prévoyez un renforçateur qui vous récompensera immédiatement après chaque période d'étude.

- *Mettez-vous au travail.* Le plus difficile est de commencer. Accordez-vous une récompense lorsque vous commencez à l'heure, et peut-être une punition lorsque vous commencez en retard.

- *Évitez de traîner les préparatifs en longueur.* Les procrastinateurs ont tendance à passer des heures à se préparer à une tâche au lieu de s'y mettre. Par exemple, ils passeront l'après-midi à faire le ménage de leur bureau pour retarder le moment de commencer un travail.

- *Utilisez la visualisation.* Une bonne partie de la procrastination vient de ce qu'on ne mesure pas ses conséquences. Tenter de les visualiser peut être une façon efficace de combattre la procrastination. Imaginez-vous en train de passer un examen pour lequel vous êtes mal préparé, par exemple.

- *Évitez de passer à une autre tâche quand vous arrivez à une partie plus difficile de votre travail.* Cette tactique de procrastination vous donne l'impression d'être occupé et d'avancer, mais ce n'est évidemment qu'un mécanisme d'évitement.

- *Notez dans un cahier les raisons que vous vous donnez pour retarder le moment de vous mettre au travail.* Si vous vous dites souvent « Je vais attendre d'avoir envie de le faire », comptez le nombre de fois où vous avez spontanément envie d'étudier dans une semaine... Le goût de l'étude vient en étudiant, pas avant !

- *N'attendez plus : commencez dès maintenant à appliquer ces quelques conseils* et vous gagnerez la bataille contre la procrastination.

RÉFLEXION CRITIQUE

1. Préparez des arguments à l'appui de chacune de ces positions :

   a) Le recours à la modification du comportement est légitime et très utile pour façonner la conduite d'autrui.

   b) La modification du comportement est une forme de manipulation et ne devrait pas être utilisée pour façonner la conduite d'autrui.

2. Pensez à un comportement que vous aimeriez changer chez un enfant, un ami, un parent ou un enseignant. En vous servant de ce que vous savez sur le conditionnement classique, le conditionnement opérant et l'apprentissage par observation, formulez un plan détaillé pour modifier le comportement de cette personne.

3. Selon la théorie de l'orientation des buts, la motivation varie selon que le but en est un de maîtrise ou de performance et selon qu'il vise l'approche ou l'évitement. Laquelle des quatre possibilités décrites au tableau 5.4 (p. 187) décrit le mieux votre type de motivation par rapport aux études ? Varie-t-il dans d'autres situations ? Donnez-en un exemple.

RÉSEAU DE CONCEPTS

APPRENTISSAGE ET MOTIVATION

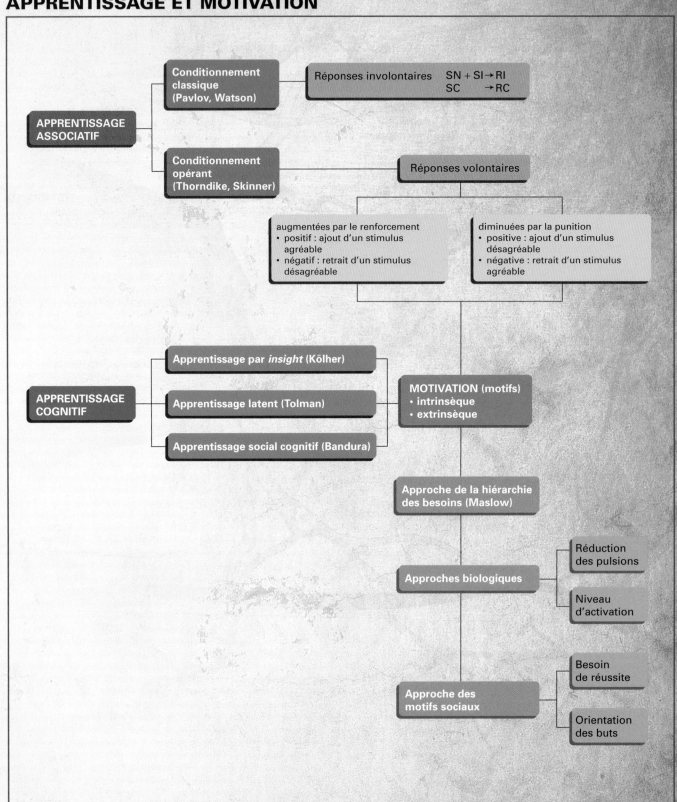

CHAPITRE 6

LA MÉMOIRE

Vous est-il déjà arrivé de revenir dans une maison où vous avez vécu enfant et de la trouver plus petite que dans votre souvenir ? Ce phénomène s'explique par la dimension personnelle que nous apportons à l'information que nous gravons dans notre mémoire. Ainsi, votre souvenir de la maison de votre enfance était coloré par votre perception du rapport entre sa taille et la taille que vous aviez vous-même enfant. Depuis, vous avez beaucoup grandi, d'où votre impression que la maison est plus petite. De telles distorsions cognitives sont fréquentes, et il est rare qu'elles dérangent quoi que ce soit dans notre vie. Par contre, les distorsions cognitives que connaissent les gens qui souffrent de troubles neurologiques peuvent les empêcher de vivre comme avant leur maladie. Les ouvrages du neurologue et écrivain britannique Oliver Sacks (1996) décrivent de nombreux cas de ce genre. Dans *Un anthropologue sur Mars*, Sacks raconte l'histoire de Franco Magnani, un cuisinier transformé en artiste de renommée mondiale par un trouble neurologique qui a fait monter en lui non seulement des images extrêmement nettes des lieux de son enfance, mais aussi l'obsession de les peindre.

Franco Magnani est né en 1934 à Pontito, un village médiéval niché sur les collines de la Toscane, en Italie. Il a huit ans le jour où son père meurt, et guère plus lorsque les troupes nazies envahissent et occupent son village. Dans les années qui suivent, la vie est dure pour les Magnani, qui n'ont pas toujours de quoi manger. Après la guerre, Franco se trouve un emploi chez un fabricant de meubles, où il travaille jusqu'en 1958. La situation économique désastreuse de son village le force alors à quitter Pontito pour aller travailler comme cuisinier dans les riches complexes touristiques qui bordent la Méditerranée. Le jeune homme, qui réussit fort bien dans sa nouvelle carrière, n'a bientôt aucun mal à se faire embaucher sur les bateaux de croisière, ce qui lui permet de voyager partout dans le monde. Mais il n'arrive pas à oublier le Golden Gate Bridge de San Francisco dont la photo le fascinait tant quand il était petit. En 1965, il immigre aux États-Unis et s'installe dans la ville de ses rêves.

Peu de temps après son arrivée, Magnani contracte une maladie virale et se retrouve en proie à une forte fièvre pendant plusieurs jours. La fièvre finit par le quitter ; son corps se rétablit, mais son esprit ne sera plus jamais le même. Franco l'ignore encore, mais le virus a déclenché chez lui le syndrome de Waxman-Geschwind (Trevisol-Bittencourt et Troiano, 2000 ; Waxman et Geschwind, 1975). Cette curieuse maladie se manifeste par divers symptômes – changements de personnalité, perte d'intérêt pour l'activité sexuelle, humeur changeante, etc. –, dont l'apparition d'images mentales aussi nettes et détaillées que des photographies. Les patients disent de ces images qu'elles surgissent dans leur esprit sans raison et indépendamment de leur volonté ; elles apparaissent parfois en rêve, et s'accompagnent chez certains, comme chez Franco Magnani, de l'obsession de les reproduire. Fait remarquable, toutes les visions de Magnani sont des scènes de son village natal où il n'a pas mis les pieds depuis 10 ans. Obéissant au désir impérieux qu'il a de les peindre, l'ancien cuisinier a tôt fait de découvrir que, d'une manière ou d'une autre, il a acquis la capacité de les transformer en véritables œuvres d'art – lui qui n'a jamais suivi le moindre cours de dessin ou de peinture, et qui ne s'est jamais intéressé sérieusement aux arts.

Le premier tableau de Franco Magnani représente la maison où il a grandi, et dès qu'il le termine, il en envoie une photo à sa mère. Madame Magnani n'en revient pas de la précision des souvenirs de son fils, et sa réponse enthousiaste incite ce dernier à peindre d'autres scènes de Pontito et de la campagne environnante. Travaillant exclusivement à partir des images mentales très nettes provoquées par le syndrome de Waxman-Geschwind, Magnani peint et dessine une série de ces scènes et ouvre une petite galerie à San Francisco pour les exposer.

En 1987, la photographe Susan Schwartzenberg se rend en Italie pour photographier les scènes représentées par le peintre. Les tableaux et les photographies sont exposés à l'Exploratorium, un musée de San Francisco. Cette exposition suivie de l'ouvrage de Sacks publié en 1995 et d'une version actualisée de l'exposition en 1998 valent à Magnani d'être acclamé dans le monde entier. Aujourd'hui septuagénaire, « Il Pittore della Memoria » (le peintre de la mémoire) comme on le surnomme en Italie vit aujourd'hui dans une petite ville de la baie de San Francisco, où il continue à peindre ses visions encore fréquentes et à exposer ses œuvres dans sa galerie, baptisée Pontito.

La comparaison des peintures de Magnani et des photos de Schwartzenberg permet de faire d'intéressantes observations sur la mémoire humaine. Observez les images de la page précédente. À droite, vous voyez une photographie de la maison où l'artiste a grandi, et à gauche, le tableau où il la représente. Comme vous le constatez, la peinture rend fidèlement la maison, mais présente des différences frappantes avec la photo. D'abord, Magnani n'a probablement jamais vu sa mère cuisinant un repas sous l'angle où il la montre dans le tableau. La scène représente plutôt ce qu'il a déduit des liens qu'il a établis entre la maison, son vécu de petit garçon et la cuisine de sa mère. Et, de toute évidence, la chaleur qui se dégage du tableau est absente de la photo ; elle émane sans doute de l'amour que l'artiste porte aux lieux qu'il peint et à une époque à jamais révo-lue. Selon Oliver Sacks, les tableaux de Franco Magnani sont une tentative de reconstruction du Pontito d'avant ce que lui et sa famille ont vu comme une corruption : l'occupation nazie. Les scènes peintes par Magnani recèlent donc des éléments qu'au-cune photographie n'aurait jamais pu capter, et qui proviennent uniquement des souvenirs de l'artiste, ainsi que du contexte social et émotionnel où ils ont été formés. Vous pouvez voir d'autres œuvres de Franco Magnani, les comparer aux photos de Susan Schwartzenberg et écouter ce qu'en dit Oliver Sacks sur le site Web de l'Exploratorium (<http://www.exploratorium.edu/learning_studio/news/april97.html>). (Voir aussi les sites <http://pontitochrisvannucci.spaces.live.com/photos/cns!A42516 9CB3B1B6CD!267/> et <http://francomagnani.com/>.)

Les œuvres de Franco Magnani en témoignent, le fonctionnement de la mémoire humaine est loin d'être aussi simple que celui d'un appareil photo ou d'une enregistreuse qui graverait les informations telles quelles. Dans ce chapitre, après avoir étudié la structure de la mémoire telle que nous la comprenons à l'heure actuelle, nous nous pencherons sur la nature des souvenirs, sur la façon dont ils se forment, puis la façon dont ils s'oublient. Pour conclure ce chapitre, nous verrons comment le système nerveux permet ce fascinant phénomène qu'est la mémoire.

6.1 LA STRUCTURE DE LA MÉMOIRE HUMAINE

Comment notre esprit crée-t-il les souvenirs ? Comment retient-il ce que nous apprenons ? Comment organise-t-il les connaissances que nous acquérons ? Pour les béhavioristes de la première heure, comme Watson et Skinner, ces questions ne relevaient pas de la psychologie scientifique puisque les processus à l'œuvre étaient impossibles à observer. Pendant plusieurs décennies, surtout aux États-Unis, la science du comportement était définie par les limites des techniques utilisées pour l'étudier, et la psychologie expérimentale, confinée à l'étude de problèmes limités, excluant les propriétés fascinantes de la vie mentale.

Dans les années 1960, les premiers théoriciens cognitivistes voulurent élargir les horizons de la psychologie. S'appuyant sur les acquis de la neurologie européenne, sur les découvertes des théoriciens gestaltistes et sur les travaux du psychologue britannique Frederic Bartlett (1886-1969), ils tentèrent de démontrer que notre savoir dépend de notre appareil biologique pour percevoir le monde, et que cette perception est un processus de construction. Autrement dit, le savoir repose non seulement sur l'information inhérente aux stimulus, mais aussi sur le traitement mental qu'en fait le sujet qui les perçoit (Milner et autres, 1998). La psychologie cognitive s'intéressait à l'analyse du processus par lequel l'information sensorielle est transformée en perception, puis en action – en comportement. En revenant à l'étude des processus, les psychologues cognitivistes se sont concentrés sur la façon dont le cerveau traite l'information, de sa captation par les récepteurs sensoriels jusqu'à son utilisation dans la pensée et dans l'action, en passant bien sûr par la mémoire.

L'approche du traitement de l'information

Une bonne partie de la recherche contemporaine sur la mémoire humaine s'est faite avec l'approche du traitement de l'information, qui cherche à expliquer la pensée humaine en prenant l'ordinateur comme métaphore (Bishop, 2005 ; Kon et Plaskota, 2000). Ainsi, dans leurs descriptions des divers aspects de la mémoire humaine, les théoriciens du traitement de l'information ont souvent comparé les structures anatomiques du cerveau au matériel informatique (*hardware*), et les stratégies mnésiques (de *mnésis*, mémoire), aux logiciels (*software*).

L'approche du traitement de l'information englobe de nombreuses mini-théories sur tel ou tel aspect de la mémoire : comment des sujets retiennent des listes de mots lors d'expériences en laboratoire, comment on se rappelle de nos innombrables tâches quotidiennes (« Il faut que je passe à bibliothèque après mon cours »), comment on oublie, etc. Mais selon ses principes généraux, la mémoire repose sur trois processus :

- l'**encodage**, c'est-à-dire la transformation de l'information sous une forme qui pourra être entreposée dans la mémoire (par exemple, si vous êtes témoin d'un accident de voiture, une représentation mentale se créera probablement dans votre cerveau pour que vous puissiez vous en souvenir) ;

- le **stockage**, c'est-à-dire l'entreposage de l'information codée dans la mémoire, ce qui exige des modifications physiologiques préalables dans le cerveau – un processus graduel qu'on appelle la **consolidation** ;

- la **récupération**, c'est-à-dire l'extraction de l'information stockée dans la mémoire.

Pour nous souvenir de quelque chose, nous devons passer par ces trois étapes : encoder l'information, la stocker et la récupérer. La **mémoire** se définit donc comme un processus mental qui repose sur l'encodage de l'information, sa consolidation et son stockage, puis sa récupération. La figure 6.1 illustre ces processus.

Encodage
Processus de transformation de l'information sous une forme qui pourra être stockée dans la mémoire.

Stockage
Processus par lequel l'information est consolidée et emmagasinée dans la mémoire.

Consolidation
Processus physiologique qui permet à l'information encodée d'être conservée dans la mémoire.

Récupération
Processus d'extraction de l'information stockée dans la mémoire.

Mémoire
Processus mental qui repose sur l'encodage de l'information, sa consolidation et son stockage, puis sa récupération.

Figure 6.1

LES PROCESSUS DE LA MÉMOIRE

Le fait de se souvenir repose sur la réussite de trois processus : l'encodage, le stockage (qui suppose une consolidation préalable) et la récupération.

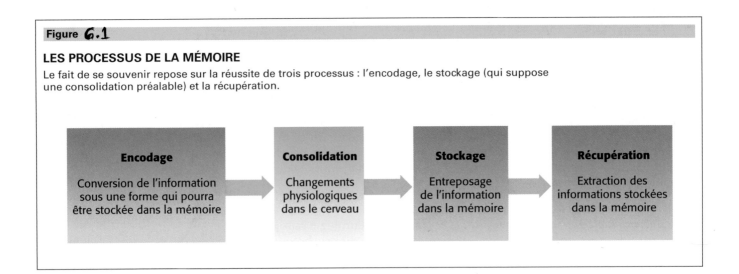

Encodage	**Consolidation**	**Stockage**	**Récupération**
Conversion de l'information sous une forme qui pourra être stockée dans la mémoire	Changements physiologiques dans le cerveau	Entreposage de l'information dans la mémoire	Extraction des informations stockées dans la mémoire

---

Le modèle des trois mémoires   L'approche du traitement de l'information n'est associée à aucun théoricien en particulier, mais plusieurs y ont apporté leur contribution. Ainsi, nous devons aux pionniers Richard Atkinson et Richard Shiffrin (Shiffrin, 1999 ; Atkinson et Shiffrin, 1968) le modèle des trois mémoires. Selon ce modèle, schématisé à la figure 6.2, la mémoire se compose de trois systèmes de mémoire en interaction : la mémoire sensorielle, la mémoire à court terme et la mémoire à long terme.

Figure 6.2

LE MODÈLE DES TROIS MÉMOIRES DE ATKINSON ET SHIFFRIN (1968)

Les trois systèmes de la mémoire diffèrent par la nature et la quantité d'information retenue, ainsi que par la durée de cette rétention.

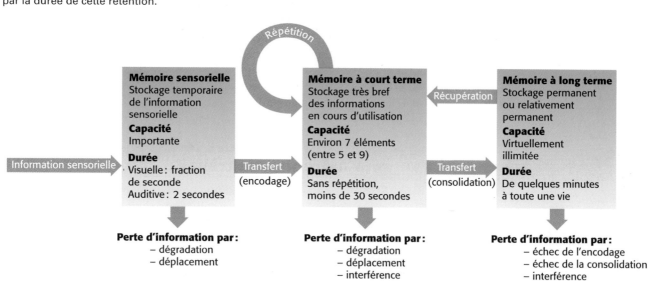

Répétition

Information sensorielle

Mémoire sensorielle
Stockage temporaire de l'information sensorielle
Capacité
Importante
Durée
Visuelle : fraction de seconde
Auditive : 2 secondes

Transfert (encodage)

Mémoire à court terme
Stockage très bref des informations en cours d'utilisation
Capacité
Environ 7 éléments (entre 5 et 9)
Durée
Sans répétition, moins de 30 secondes

Récupération

Transfert (consolidation)

Mémoire à long terme
Stockage permanent ou relativement permanent
Capacité
Virtuellement illimitée
Durée
De quelques minutes à toute une vie

Perte d'information par :
– dégradation
– déplacement

Perte d'information par :
– dégradation
– déplacement
– interférence

Perte d'information par :
– échec de l'encodage
– échec de la consolidation
– interférence
– oubli motivé
– échec de récupération

La mémoire sensorielle : une vraie passoire !

Imaginez-vous en train de rouler en voiture dans une grande ville : combien de bribes d'information vos sens captent-ils en une minute ? Probablement des millions. De combien d'entre elles vous souviendrez-vous ? Sûrement très peu. Pourquoi ? Parce que les informations captées par les sens restent très peu de temps dans la mémoire sensorielle. La mémoire sensorielle visuelle ne retient les images qu'une fraction de seconde, juste assez pour empêcher que ce que vous voyez disparaisse quand vous clignez des yeux. Quant à la mémoire sensorielle auditive, elle est d'environ deux secondes ; vous en faites l'expérience quand vous entendez dans votre tête l'écho des derniers mots que quelqu'un vient de prononcer. Vous l'aurez compris, la mémoire sensorielle est une vraie passoire : presque tout ce qui y entre en ressort immédiatement.

Qu'est-ce qui caractérise la mémoire sensorielle ?

Mémoire sensorielle
Système de la mémoire qui retient très brièvement l'information provenant des sens ; sa durée est d'une fraction de seconde à deux secondes environ.

Ce qu'on retient en une fraction de seconde

Combien de temps exactement dure un souvenir visuel ? Regardez ces trois rangées de lettres une fraction de seconde et fermez les yeux. De combien de lettres vous souvenez-vous ?

X B D F

M P Z G

L C N H

▶ La mémoire sensorielle retient une image une fraction de seconde, juste assez longtemps pour que nous puissions percevoir le mouvement d'un éclair, par exemple.

La plupart des gens qui ne voient ces lettres qu'une fraction de seconde n'en retiennent que quatre ou cinq. Est-ce parce que la mémoire sensorielle visuelle ne peut retenir que quatre ou cinq lettres à la fois ? Autrement dit, est-ce parce que sa capacité est trop faible ? Pour le savoir, le chercheur George Sperling (1960) a montré brièvement à des sujets les 12 lettres de l'exercice que vous venez de faire. Juste au moment où les lettres disparaissaient, il émettait un son aigu, moyen ou bas pour leur indiquer s'ils auraient à réciter les lettres de la rangée du haut, du milieu ou du bas. S'ils pouvaient regarder les 12 lettres entre 15/1000 et 1/2 seconde, a constaté Sperling, les sujets pouvaient réciter celles de n'importe quelle rangée dans presque 100 % des cas. Ils avaient donc retenu les 12 lettres, cependant elles s'estompaient si vite de leur mémoire sensorielle que, le temps d'en réciter 3 ou 4, les 8 ou 9 autres étaient déjà oubliées…

La mémoire à court terme : une mémoire de travail

Que devient l'information qui est dans la mémoire à court terme ?

Mémoire à court terme (MCT)
Système de la mémoire qui retient environ sept éléments (entre cinq et neuf) pendant moins de 30 secondes ; composante de la mémoire de travail.

Déplacement
Phénomène qui se produit quand la mémoire à court terme est remplie à pleine capacité, et que chaque nouvel élément d'information prend la place d'un autre, qui est alors oublié.

Regroupement
Stratégie mnésique qui consiste à regrouper ou à classer des éléments distincts en blocs plus gros, mais moins nombreux et donc plus faciles à retenir.

Si la mémoire sensorielle est une passoire, comment arrivons-nous à nous souvenir de quoi que ce soit ? Grâce à notre capacité d'attention qui, fort heureusement, nous permet de saisir une partie de l'information sensorielle pour l'envoyer à l'étape de traitement suivante, celle de la **mémoire à court terme**. La mémoire à court terme a une capacité très réduite : environ sept éléments d'information à la fois (plus ou moins deux), ce qui est tout juste suffisant pour retenir un numéro de téléphone le temps de le composer, à condition de connaître le code régional toutefois, car une série de 10 chiffres excède la capacité de la mémoire à court terme. Quand la mémoire à court terme est pleine, un **déplacement** se produit : chaque nouvel élément d'information en fait disparaître un autre, qui est alors oublié. Pensez à ce qui se passe quand votre table de travail devient trop encombrée : certaines choses commencent à « disparaître » sous les autres ou tombent sur le sol, et vous les perdez. Il en est de même pour la mémoire à court terme.

Pour augmenter la capacité de notre mémoire à court terme, on peut déjouer sa limite de sept éléments en recourant au **regroupement**, une stratégie qui consiste à réunir des éléments distincts en blocs moins nombreux et donc plus faciles à retenir (Miller, 1956). Ainsi, on retiendra plus aisément les chiffres 4 5 0 2 9 7 3 1 3 2 si on les regroupe en trois blocs : 450 297 3132. On a donc pris l'habitude de présenter ainsi les numéros de téléphone, d'assurance sociale, de carte de crédit, etc. Notons qu'un bloc d'information peut être un nombre, une syllabe, un mot, un acronyme, etc. (Cowan, 1988).

Regrouper des informations en les associant à des informations déjà stockées dans la mémoire à long terme, qui ont donc un sens, augmente encore la capacité réelle de la mémoire à court terme (Lustig et Hasher, 2002). Par exemple, si vous savez que les chiffres 514 correspondent à l'indicatif régional de l'île de Montréal, vous n'aurez pas à encombrer votre mémoire à court terme pour les retenir. Le regroupement est tout aussi utile pour retenir des numéros de téléphone ou d'autres données du genre que de grandes quantités d'information, comme le contenu de ce manuel. Ainsi, les grands titres, les sous-titres, les questions en marge, les schémas, les tableaux et les réseaux de concepts que vous trouverez dans ce chapitre vous aideront à classer l'information à retenir en la regroupant en blocs plus faciles à gérer. Vous retiendrez donc plus de matière de ce chapitre si vous utilisez ces éléments pour organiser vos notes et comme indices pour vous rappeler l'information quand vous révisez la matière d'un examen.

◀ Cette jeune femme essaie de conduire sa voiture sans renverser son café tout en demandant son chemin au téléphone, et en tentant de comprendre et de retenir les indications qu'on lui donne. Parions qu'elle fera bientôt l'expérience des limites de sa mémoire à court terme…

Une durée limitée, à moins de répéter Si votre mémoire à court terme a une capacité limitée, sa durée ne l'est pas moins : les informations qu'elle contient s'effacent en moins de 30 secondes, à moins que vous ne vous les répétiez constamment intérieurement ou à haute voix. Cependant, la répétition est un processus si fragile qu'une interruption d'à peine quelques secondes suffit pour que l'information disparaisse. Les distractions stressantes sont les plus susceptibles de court-circuiter la mémoire à court terme, et elles le feront très certainement s'il s'agit d'une menace à la vie. Des chercheurs ont diffusé l'odeur d'un renard dans un laboratoire où des rats exécutaient une tâche sollicitant leur mémoire à court terme ; on le devine, la performance des rats affolés a été nulle (Morrison et autres, 2002 ; Morrow et autres, 2000).

Quelle est la durée exacte de la mémoire à court terme si quelque chose empêche la répétition ? Dans deux études désormais classiques (Peterson et Peterson, 1959 ; Brown, 1958), des chercheurs ont montré brièvement trois consonnes (disons H, G et M) à des sujets. Ces derniers devaient ensuite compter par trois à l'envers à partir d'un nombre donné (738, 735, 732, etc.), s'arrêter après quelques secondes (de 3 à 18) et nommer les trois lettres. Or, en moyenne, après avoir compté plus de 9 secondes, les sujets ainsi distraits ne se souvenaient que d'une seule des trois lettres ; après 18 secondes, dans la presque totalité des cas, ils étaient incapables d'en nommer une seule. À défaut d'avoir pu être répétées mentalement, les trois lettres s'étaient complètement effacées de leur mémoire à court terme.

Mémoire à court terme et mémoire de travail Selon Allan Baddeley (1998), la mémoire à court terme est une des composantes d'un système plus vaste de structures et de processus de stockage temporaire appelé la mémoire de travail. Dans le modèle de Baddeley, la mémoire de travail est le système mnésique qui vous permet de travailler sur l'information, c'est-à-dire de la manipuler pour la comprendre, la retenir ou l'utiliser pour résoudre un problème ou pour communiquer avec quelqu'un. La mémoire à court terme, qui encode généralement l'information sous forme de sons – par exemple, la lettre T est encodée comme le son « té » et non comme la forme T (Conrad, 1964) –, repose largement sur la parole. Pendant qu'elle traite l'information verbale, soutient Baddeley, les autres types d'information (visuelles, spatiales, etc.) dont nous avons besoin pour accomplir une tâche donnée sont envoyées temporairement dans d'autres composantes de la mémoire de travail.

Mémoire de travail
Système de la mémoire utilisé pour comprendre l'information et la retenir, pour résoudre un problème ou pour communiquer avec quelqu'un ; inclut la mémoire à court terme.

Quel genre de « travail » se fait dans cette mémoire de travail ? L'un des plus importants est l'application des stratégies mnésiques, comme le regroupement. Utiliser une stratégie mnésique consiste à manipuler l'information pour la rendre plus facile à retenir. Nous utilisons certaines stratégies mnésiques presque automatiquement, mais d'autres nécessitent un peu plus d'effort. Par exemple, répéter une information encore et encore mentalement ou à haute voix peut nous servir à la maintenir dans notre mémoire à court terme assez longtemps pour que nous puissions nous en souvenir facilement, c'est-à-dire jusqu'à ce qu'elle finisse par être transférée dans notre mémoire à long terme (c'est probablement ainsi que vous avez appris vos tables de multiplication au primaire). Surtout si elle est combinée avec le regroupement, cette répétition de maintien peut être efficace pour mémoriser des numéros de téléphone, des plaques d'immatriculation et même des tables de multiplication.

Par contre, le meilleur moyen de retenir des informations complexes est probablement la répétition d'intégration, qui consiste à relier une nouvelle information à un ou plusieurs autres éléments que nous connaissons déjà. Par exemple, pour se souvenir que le mot anglais *foot* signifie « pied », quelqu'un qui apprend l'anglais pourrait l'associer au mot français *football*. Notre mémoire est fondamentalement associative : une chose nous en rappelle une autre, qui nous en rappelle une autre, etc. Nous retenons mieux une nouvelle information si nous pouvons la relier à des connaissances déjà acquises et solidement ancrées dans notre mémoire. Ce lien sera d'autant plus efficace qu'il a du sens pour nous.

Répétition de maintien
Stratégie mnésique qui consiste à répéter délibérément une information pour la maintenir dans la mémoire à court terme ; peut faciliter le transfert dans la mémoire à long terme.

Répétition d'intégration
Stratégie mnésique qui consiste à relier une nouvelle information à un ou plusieurs éléments déjà bien ancrés dans la mémoire.

Les niveaux de traitement de l'information Les chercheurs Fergus Craik et Robert Lockhart (1972) ont été les premiers à décrire la répétition de maintien et la répétition d'intégration, et à proposer ce qu'on appelle maintenant le modèle des niveaux de traitement de la mémoire (Baddeley, 1998). Selon ce modèle, la répétition de maintien correspond à un traitement « superficiel » (encodage basé sur un aspect superficiel de l'information, comme le son d'un mot), et la répétition d'intégration, à un traitement profond (encodage basé sur le sens de l'information). L'hypothèse de Craik et Lockhart, selon laquelle le traitement profond était plus susceptible d'entraîner une rétention à long terme que le traitement superficiel, a été vérifiée lors d'une étude désormais classique menée par Craik et Tulving (1975). Les sujets devaient répondre par oui ou par non à des questions qu'on leur posait juste avant de leur montrer un mot pendant 1/5 de seconde. Ces questions les amenaient à procéder à trois types de traitement pour chaque mot : (1) un traitement visuel (ce mot est-il écrit en lettres majuscules ?), (2) un traitement acoustique (ce mot rime-t-il avec tel autre mot ?), et (3) un traitement sémantique (ce mot a-t-il du sens dans telle phrase ?). Ce test exigeait donc pour chaque mot (1) un traitement superficiel, (2) un traitement plus profond, et (3) un traitement encore plus profond. Les tests de rétention de l'information effectués par la suite – mémoire à long terme – ont révélé que plus le traitement était profond, plus la mémoire était précise. Les recherches subséquentes ont montré que cette conclusion s'applique au modèle des trois systèmes de la mémoire. Des études d'imagerie cérébrale réalisées avec l'IRMf (p. 49) nous apprennent que l'encodage sémantique (le plus profond) déclenche une activité plus intense dans le cortex préfrontal gauche (Gabrieli, 1998). D'autres études sur la relation entre l'activité cérébrale et la profondeur du traitement (sémantique) ont permis de distinguer deux types d'activité liés à la mémoire : la recherche de l'information et sa récupération (Rugg et Wilding, 2000).

Quel type d'information stocke chacun des deux sous-systèmes de la mémoire à long terme : la mémoire déclarative et la mémoire procédurale ?

La mémoire à long terme : un entrepôt de souvenirs

Que se passe-t-il à l'étape suivante ? Si elle est traitée efficacement dans la mémoire à court terme, l'information se rend jusqu'à la **mémoire à long terme** (MLT), un vaste dépôt de souvenirs permanents ou relativement permanents (voir la figure 6.2, p. 195). Il n'y a pas de limites connues à la capacité de stockage de la mémoire à long terme ; elle peut conserver les souvenirs durant des années, des décennies et même toute une vie. Bien que l'information y soit habituellement stockée sous forme sémantique (mots ou phrases qui ont un sens), la mémoire à long terme peut aussi conserver des images, des sons et des odeurs. Les chercheurs divisent souvent la mémoire à long terme en deux grands sous-systèmes : la mémoire déclarative et la mémoire procédurale.

Mémoire à long terme (MLT)
Système de mémoire doté d'une capacité apparemment illimitée qui conserve des souvenirs plus ou moins permanents.

Mémoire déclarative (ou mémoire explicite)
Sous-système de la mémoire à long terme qui entrepose tout ce dont nous nous souvenons intentionnellement et consciemment – faits, informations, événements, images – et qui peut être déclaré ou énoncé en mots ; comprend la mémoire épisodique et la mémoire sémantique.

Mémoire épisodique
Type de mémoire déclarative qui enregistre les choses telles qu'elles ont été vécues subjectivement.

Mémoire sémantique
Type de mémoire déclarative qui entrepose des connaissances générales et des informations factuelles.

La mémoire déclarative La **mémoire déclarative** (ou **mémoire explicite**) conserve tout ce dont nous nous souvenons intentionnellement et consciemment – faits, informations, événements, images –, et qui peut être « déclaré », c'est-à-dire décrit ou énoncé en mots. Il peut s'agir de notre date de naissance, de la table de multiplication, du sens du mot « mémoire », d'un visage, d'un paysage, etc. On distingue deux types de mémoire déclarative : la *mémoire épisodique* et la *mémoire sémantique*.

■ La **mémoire épisodique** enregistre les choses telles qu'elles ont été vécues subjectivement (Wheeler et autres, 1997). C'est une sorte de journal intime, de registre des épisodes de votre vie : les gens que vous avez connus, les lieux que vous avez vus, vos expériences personnelles. Selon le psychologue canadien Endel Tulving (1989), « la mémoire épisodique permet aux gens de voyager dans le temps, de retrouver leur passé dans sa chronologie, de prendre conscience qu'ils ont vécu des événements ou en ont été témoins ». En utilisant la mémoire épisodique, une personne peut dire : « Je me souviens de mes dernières vacances à Miami, de ces après-midi que je passais à me faire dorer sur la plage en écoutant le déferlement des vagues. »

■ La **mémoire sémantique** retient les connaissances générales et les informations factuelles. Par exemple, même si on n'a jamais mis les pieds à Miami, grâce à la mémoire sémantique, on peut se souvenir que c'est une grande ville des États-Unis, située en Floride et bordée par l'océan Atlantique. Si la mémoire épisodique peut se comparer à un journal intime, la mémoire sémantique s'apparente davantage à un dictionnaire ou à une encyclopédie.

◀ La mémoire déclarative retient tout ce qui peut s'énoncer en mots : les souvenirs autobiographiques stockés dans la mémoire épisodique – « En janvier dernier, je me faisais dorer sur une plage de Miami » – ainsi que les connaissances générales et les informations factuelles stockées dans la mémoire sémantique – Miami est une grande ville des États-Unis, située sur la côte Atlantique de la Floride, etc.

Endel Tulving (1995) insiste sur le fait que les deux types de mémoire déclarative – épisodique et sémantique – ne fonctionnent pas indépendamment l'un de l'autre. Ainsi, votre souvenir de vous être fait dorer sur une plage de Miami l'hiver dernier (mémoire épisodique) dépend de votre compréhension du sens du mot « plage » (mémoire sémantique), et vos souvenirs personnels de la Floride (mémoire épisodique) contribuent sans doute à vos connaissances générales sur cet État des États-Unis (mémoire sémantique). Cependant, l'interdépendance des deux types de mémoire déclarative n'est pas absolue. Des recherches récentes révèlent que des gens dont seule la mémoire sémantique est endommagée peuvent encore apprendre et retenir des choses grâce à leur mémoire épisodique (Graham et autres, 2000). Ces personnes obtiennent de piètres résultats pour ce qui est des tâches sémantiques, comme mettre des mots sur des images, donner des exemples d'une catégorie générale (meubles, véhicules, etc.) ou classer des mots ou des images en catégories (êtres animés et êtres inanimés, par exemple). Cependant, l'essentiel de leur mémoire épisodique n'est pas touché (Snowden et autres, 1996 ; Hodges et autres, 1995) et peut continuer à stocker des informations sans aide directe de la mémoire sémantique et indépendamment d'elle (Graham et autres, 2000).

La mémoire procédurale   La **mémoire procédurale** (ou **mémoire implicite**) est un sous-système de la mémoire à long terme qui conserve les souvenirs liés aux habiletés motrices, aux habitudes et aux réponses simples apprises par conditionnement classique (Squire et autres, 1993). Les habiletés motrices (manger avec une fourchette, aller à bicyclette, conduire une voiture, etc.) s'acquièrent par la pratique répétitive et sont donc automatisables. Quoique longues à apprendre, une fois acquises, ces habiletés deviennent des habitudes relativement fiables ; on peut se les rappeler et les exécuter sans effort conscient ou presque. Ainsi, vous utilisez facilement le clavier de votre ordinateur, mais vous seriez probablement incapable de nommer les touches de chaque rangée de gauche à droite. La figure 6.3 (p. 200) présente un schéma des sous-systèmes de la mémoire à long terme.

Mémoire procédurale (ou mémoire implicite)
Sous-système de la mémoire à long terme qui entrepose les souvenirs liés aux habiletés motrices, aux habitudes et aux réponses simples apprises par conditionnement classique.

◀ Avez-vous déjà entendu dire qu'on n'oublie jamais comment faire de la bicyclette ? C'est exact : les habiletés motrices sont longues à acquérir, mais une fois stockées dans la mémoire procédurale, elles s'oublient rarement.

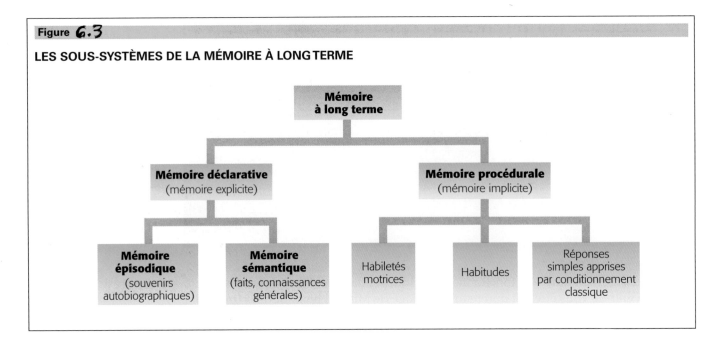

Figure 6.3

LES SOUS-SYSTÈMES DE LA MÉMOIRE À LONG TERME

Amorçage
Phénomène par lequel le contact préalable, conscient ou non, avec un stimulus (comme un mot ou une image) augmente la vitesse ou la précision avec laquelle ce stimulus sera nommé, ainsi que la probabilité qu'il le soit.

On associe à la mémoire procédurale l'**amorçage**, un phénomène par lequel un contact préalable conscient ou non avec un stimulus (comme un mot ou une image) augmente la vitesse ou la précision avec laquelle ce stimulus sera nommé, ainsi que la probabilité qu'il le soit. Par exemple, si un chercheur projette le mot « éléphant » sur un écran d'ordinateur trop brièvement pour que les sujets le perçoivent, et qu'on demande ensuite à ces derniers de nommer tous les animaux qui leur viennent à l'esprit, ils seront plus susceptibles de nommer l'éléphant (Challis et autres, 1996). L'amorçage peut influer sur le rendement, mais aussi sur les préférences, les émotions et le comportement. Des sujets exposés brièvement (même de façon subliminale) à des représentations d'art abstrait ont montré une plus grande préférence pour cette forme d'art que ceux qui n'avaient jamais vu ces représentations. Dans une autre étude, les sujets exposés de manière subliminale à des visages de personnes réelles ont interagi davantage avec ces personnes lorsqu'ils les ont rencontrées que les sujets qui n'avaient pas vu leur visage (Basic Behavioral Science Task Force, 1996).

RETENEZ-LE La structure de la mémoire humaine

1. Le processus de _____ transforme l'information sous une forme qui pourra être stockée dans la mémoire ; le processus de _____ permet de ramener à l'esprit le matériel stocké en mémoire.

2. À quel sous-système de la mémoire (mémoire sensorielle, mémoire à court terme ou mémoire à long terme) correspond chacune de ces descriptions de capacité et de durée de rétention de l'information ?

   a) capacité virtuellement illimitée ; longue durée

   b) grande capacité ; courte durée

   c) capacité très limitée ; courte durée

3. La mémoire déclarative contient de l'information qui peut être « déclarée », c'est-à-dire décrite ou énoncée en _____ .

4. Les habiles motrices nécessaires pour rouler à bicyclette sont stockées dans la mémoire _____ .

   a) épisodique

   b) sémantique

   c) procédurale

   d) déclarative

Réponses : 1. l'encodage ; la récupération. **2.** (a) mémoire à long terme (b) mémoire sensorielle (c) mémoire à court terme. **3.** mots. **4.** c.

6.2 LA NATURE DES SOUVENIRS

Vous arrive-t-il parfois de reconnaître quelqu'un sans pouvoir vous rappeler son nom, de ne vous souvenir que des premiers et derniers chiffres d'un numéro de téléphone ou d'aller chercher quelque chose et d'oublier en chemin ce dont il s'agissait ? Ces défaillances de la mémoire trouvent leur explication dans les principes généraux qui régissent l'acte de se souvenir.

Les tâches de la mémoire : rappel, reconnaissance et réapprentissage

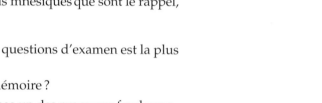

Quelles sont les trois principales tâches dont se servent les psychologues pour évaluer la mémoire ?

Comme vous le savez, il est plus facile de reconnaître une chose que de s'en souvenir juste en fouillant dans notre mémoire, comme il est plus facile de réapprendre quelque chose qu'on a oublié que de l'apprendre pour la première fois. Les chercheurs ont mené une foule d'études pour arriver à comprendre la différence entre ces trois processus mnésiques que sont le rappel, la reconnaissance et le réapprentissage.

Les tâches de rappel Selon vous, laquelle de ces deux questions d'examen est la plus difficile ?

- Quels sont les trois processus fondamentaux de la mémoire ?
- Parmi les processus suivants, nommez celui qui n'est pas un des processus fondamentaux de la mémoire.

  (a) L'encodage. (b) Le stockage. (c) La récupération. (d) La répétition.

La plupart des étudiants préfèrent les questions à choix multiple parce qu'il suffit de reconnaître la réponse, tandis qu'avec les questions ouvertes, il faut se la rappeler. Le **rappel** est une tâche mnésique qui consiste à retrouver des informations simplement en fouillant dans sa mémoire. Se rappeler le nom de quelqu'un, se souvenir des articles de la liste d'achats qu'on a oubliée à la maison, réciter de mémoire un discours ou un poème sont autant de tâches de rappel. Une tâche de rappel devient un peu plus facile si on dispose d'indices pour enclencher la mémoire. Un **indice de récupération** est un stimulus ou une bribe d'information qui aide à récupérer un souvenir donné. Pensez à la manière dont vous répondriez à ces deux questions d'examen :

Rappel
Tâche mnésique qui consiste à retrouver des informations en fouillant dans sa mémoire.

Indice de récupération
Tout stimulus ou élément d'information qui permet de récupérer une information dans la mémoire à long terme.

- Nommez les trois processus fondamentaux de la mémoire.
- Les trois processus fondamentaux de la mémoire sont l'e_____ , le s_____ et la r_____ .

Ces deux questions exigent qu'on se souvienne des informations à fournir, mais la plupart des étudiants trouveront la deuxième question plus facile parce qu'elle contient plusieurs indices de récupération.

Certaines tâches exigent un rappel sériel : l'information doit être donnée dans un ordre précis. C'est ainsi qu'on mémorise l'alphabet, les tables de multiplication, les poèmes et toute autre série d'informations ordonnées. Le rappel sériel est souvent plus facile que le rappel libre, où l'on doit retenir des informations sans ordre précis. Dans le rappel sériel, chaque lettre, mot ou tâche peut servir d'indice à l'élément qui suit. De fait, les recherches indiquent que, dans les tâches de rappel, les associations ordonnées résistent encore mieux aux distractions que les associations significatives (Howard, 2002).

▲ Avez-vous remarqué qu'il est plus facile de se souvenir du visage de quelqu'un (tâche de reconnaissance) que de son nom (tâche de rappel) ?

Rater une tâche de rappel même en présence d'indices de récupération ne signifie pas forcément que l'information est disparue de la mémoire à long terme. Vous pourriez vous en souvenir s'il s'agissait d'une tâche de reconnaissance.

Reconnaissance
Tâche de rappel dans laquelle on doit identifier un stimulus préalablement présenté.

Les tâches de reconnaissance La reconnaissance est exactement ce que dit son nom : le fait de reconnaître quelque chose de familier – un visage, un nom, une mélodie, un goût ou autre chose. Les questions d'examen à choix multiple, les questions « Vrai ou faux ? » et les questions d'association sont autant d'exemples de tâches de reconnaissance. La principale différence entre le rappel et la reconnaissance tient au fait que cette dernière n'exige pas que vous fournissiez de l'information, seulement que vous la reconnaissiez quand on vous la propose. La bonne réponse est toujours l'une des réponses proposées.

Réapprentissage
Mesure de la mémoire où la rétention est exprimée en pourcentage du temps économisé lors du réapprentissage d'une information par rapport au temps requis pour l'apprentissage initial.

Les tâches de réapprentissage Il existe un autre moyen, encore plus efficace, de mesurer la mémoire. Dans une tâche de réapprentissage, la rétention est exprimée en pourcentage du temps économisé lors du réapprentissage d'une information par rapport au temps requis pour l'apprentissage initial. Supposons qu'il vous a fallu 40 minutes pour mémoriser une liste de mots. Un mois plus tard, vous passez des tests de rappel et de reconnaissance, et vous n'arrivez ni à vous rappeler ni même à reconnaître un seul de ces mots ? Un chercheur devrait-il en conclure que vous n'avez pas gardé le moindre souvenir de ces mots ? Pas nécessairement. Il pourrait aussi se dire que les tâches de rappel et de reconnaissance ne sont pas des mesures assez sensibles pour révéler ce que vous retenez encore de cet apprentissage. Pour mesurer ce que vous n'avez peut-être pas complètement oublié, il pourrait mesurer le temps que vous mettrez à réapprendre cette liste de mots. Si vous y arrivez en 20 minutes, plutôt qu'en 40 comme la première fois, cela représenterait une économie de temps de 50 %. Ce temps d'apprentissage économisé reflète la proportion d'information qui était restée en mémoire. Chaque fois que vous révisez la matière d'un cours pour préparer un examen, vous pouvez constater que le réapprentissage prend moins de temps que l'apprentissage initial.

L'effet de position sérielle : les premiers et les derniers

Qu'est-ce que l'effet de position sérielle ?

Effet de position sérielle
Phénomène mnésique qui fait que, lorsqu'on mémorise des éléments d'une série, le taux de rappel est meilleur pour les éléments du début et de la fin de la série que pour ceux du milieu.

Si vous arrivez chez un ami, qu'il vous présente 12 inconnus et qu'il vous demande de répéter leurs noms, vous vous rappellerez probablement les noms mentionnés en premier et en dernier, alors que les autres vous échapperont. Ce phénomène s'appelle l'effet de position sérielle : lorsqu'on mémorise des informations en série, le taux de rappel est meilleur pour les éléments du début et de la fin de la série que pour ceux du milieu. La tendance à se souvenir plus facilement des éléments du début d'une série – ou effet de primauté – vient de ce que ces informations ont eu le temps d'être stockées dans la mémoire à long terme. La tendance à se souvenir des derniers éléments de la série est encore plus forte à cause de l'effet de récence : ces informations sont encore dans la mémoire à court terme. La faible rétention des éléments du milieu de la série s'explique par le fait que ces informations ne sont plus dans la mémoire à court terme et n'ont pas encore été transférées dans la mémoire à long terme. L'effet de position sérielle fournit un solide argument pour étayer l'hypothèse selon laquelle la mémoire à court terme et la mémoire à long terme sont des systèmes distincts (Glanzer et Cunitz, 1966 ; Postman et Phillips, 1965).

L'effet de contexte : circonstances particulières

Comment les circonstances et les états émotionnels influent-ils sur la mémoire ?

Ce petit scénario vous est probablement familier. En entrant dans votre chambre, vous pensez à quelque chose dont vous avez besoin à la cuisine, mais le temps de vous rendre à la cuisine, vous avez oublié ce que vous vouliez, et vous ne vous en souvenez qu'une fois de retour dans votre chambre.

Selon Tulving et Thompson (1973), plusieurs éléments du contexte physique où nous apprenons une information sont encodés avec cette information et s'intègrent à sa trace mnésique. Si le contexte initial est rétabli en tout ou en partie, il peut servir d'indice de récupération : cet **effet de contexte** explique pourquoi vous vous souvenez de ce que vous vouliez à la cuisine une fois de retour dans votre chambre. Il aurait suffi que vous visualisiez votre chambre, et le tour était joué (Smith et autres, 1978). (La prochaine fois que vous aurez du mal à vous souvenir d'une information durant un examen, essayez de vous visualiser dans la pièce où vous avez étudié.)

Godden et Baddeley (1975) ont mené l'une des premières études sur l'effet de contexte auprès de membres d'un club universitaire de plongée sous-marine. Après avoir mémorisé une liste de mots, soit sur terre soit à trois mètres sous l'eau, les sujets devaient se souvenir de ces mots, tantôt là où ils les avaient appris, tantôt ailleurs. L'étude a révélé que les plongeurs se souvenaient mieux sous l'eau des mots mémorisés sous l'eau, et sur terre des mots mémorisés sur terre. Leurs résultats étaient alors de 47 % supérieurs à ceux obtenus lorsqu'ils tentaient de se souvenir des mots dans un contexte différent de celui où ils les avaient mémorisés. Lors d'une étude plus récente sur l'effet du contexte sur la mémoire, les chercheurs montraient une vidéo aux sujets, puis testaient le souvenir qu'ils en avaient lors de deux entrevues : l'une immédiatement après, l'autre deux jours plus tard. Le contexte était le même pour tous les sujets, à une exception près : la moitié était interrogés par le même intervieweur, et l'autre moitié, par des intervieweurs différents. Vous vous en doutez, les sujets interrogés les deux fois par le même intervieweur (même contexte) ont obtenu de meilleurs résultats aux tâches de rappel (Bjorklund et autres, 2000).

Les odeurs peuvent aussi fournir à la mémoire des indices de récupération puissants et durables. Dans une étude de Morgan (1996), des sujets seuls dans un isoloir devaient s'acquitter d'une tâche cognitive portant sur une liste de 40 mots, qu'on ne leur demandait pas de retenir. Pendant ce temps, une partie des sujets étaient exposés à diverses odeurs. Cinq jours plus tard, de retour dans leur isoloir, les sujets ont été soumis à un test de rappel de ces 40 mots. Les sujets du groupe expérimental, qui avaient été exposés à une odeur agréable pendant l'exercice initial et pendant le test de rappel cinq jours plus tard, ont affiché un taux de rétention nettement plus élevé que les sujets du groupe témoin, qui n'avaient été exposés à cette odeur en aucune des deux occasions.

La mémoire et l'état émotionnel La recherche indique que nous avons également tendance à nous souvenir plus facilement d'une information si nous sommes dans le même état émotionnel qu'au moment de son encodage. Des chercheurs qui ont exposé des étudiants à des araignées ou à des serpents (stimulus anxiogènes) pendant qu'ils mémorisaient des listes de mots ont constaté que les sujets se souvenaient d'un plus grand nombre de mots s'ils étaient exposés aux mêmes stimulus durant le test de rappel (Lang et autres, 2001).

Vous l'avez peut-être remarqué, selon l'état émotionnel où nous sommes, notre mémoire privilégie certains souvenirs plutôt que d'autres. Quand on est très amoureux, on a tendance à se rappeler surtout les qualités de l'être aimé, les aspects agréables de sa personnalité, les bons moments de la relation. Par contre, quand l'amour s'est envolé et qu'on s'apprête à rompre, c'est surtout le reste qui nous revient en mémoire – les défauts de l'autre, ses habitudes agaçantes, les mauvais moments de la relation, etc. –, parfois au point qu'on se demande comment on a déjà pu aimer cette personne !

Ce phénomène s'exprime de diverses manières. Ainsi, des adultes chez qui on a diagnostiqué une dépression ont tendance à se rappeler un plus grand nombre d'événements négatifs de leur vie (Clark et Teasdale, 1982), et sont plus enclins à se souvenir de leurs parents comme de gens peu aimants qui les rejetaient (Lewinsohn et Rosenbaum, 1987). De plus, une méta-analyse de 99 études sur le rappel et 48 études sur la reconnaissance a révélé une corrélation significative entre la dépression et les troubles de mémoire. Cependant, à mesure que la dépression disparaît, la propension aux souvenirs négatifs et aux troubles de la mémoire disparaît aussi.

Effet de contexte
Tendance à se souvenir plus facilement d'une information dans un contexte identique ou similaire à celui de son encodage.

Le souvenir : une perpétuelle reconstruction

Pourquoi les psychologues disent-ils que le souvenir est une reconstruction ?

Wilder Penfield (1969) affirmait que toutes nos expériences étaient enregistrées de manière permanente par le cerveau. Cependant, la recherche indique que Sir Francis Bartlett (1886-1969), un pionnier de l'étude de la mémoire, était plus près de la réalité en décrivant le souvenir comme une reconstruction – un rapiéçage de quelques faits saillants, basé sur des informations tantôt exactes tantôt déformées ou erronées (Loftus et Loftus, 1980).

▶ Quand ils se souviennent d'un événement comme cet accident de voiture, les gens le reconstruisent de mémoire en rapiéçant des bribes d'information tantôt exactes, tantôt erronées ou déformées.

Schéma
Réseau intégré de connaissances, de croyances et d'attentes.

Les schémas et la mémoire Selon Bartlett, les processus de reconstruction du souvenir sont influencés par nos **schémas**, c'est-à-dire par les réseaux de connaissances, de croyances et d'attentes que nous nous formons sur les gens, les choses et les événements. Dans la plupart des cas, ces schémas aident la mémoire : ils facilitent le traitement de grandes quantités d'information en la simplifiant et en fournissant des cadres auxquels les nouvelles données peuvent se greffer. Par exemple, si vous voyez la manchette « Un chien sauve un bambin de la noyade » dans le journal, vous vous attendez à lire que l'enfant a failli se noyer dans un cours d'eau, un lac ou une piscine – pas dans une baignoire. Nos schémas sont fondés sur des moyennes, et les noyades se produisent beaucoup plus souvent dans des cours d'eau, des lacs ou des piscines que dans des baignoires. Le schéma évoqué par la manchette vous fait visualiser l'incident dans les lieux les plus probables.

Évidemment, les schémas peuvent aussi générer des souvenirs inexacts. Bartlett a étudié ce phénomène en donnant à des sujets des histoires et des dessins à étudier, et en leur demandant d'en reproduire le contenu à divers intervalles. Rares furent les comptes-rendus exacts. Plutôt que de se souvenir du matériel qu'ils avaient appris, les sujets semblaient l'avoir reconstruit. Ils avaient recréé des histoires plus courtes et plus cohérentes avec leur point de vue personnel. Ils avaient modifié les passages déroutants pour les conformer à leurs attentes. Ils avaient souvent supprimé ou modifié des détails, les remplaçant par des objets ou des événements plus familiers. Plus le temps passait, plus les erreurs augmentaient, mais les sujets de Bartlett ne semblaient pas se rendre compte qu'ils avaient en partie inventé le matériel dont ils croyaient se souvenir. Ironiquement, les éléments qu'ils avaient recréés étaient souvent ceux dont ils se « souvenaient » avec le plus de certitude… Les gens déforment systématiquement les faits et les circonstances de ce qu'ils vivent, en a conclu Bartlett, et ce, de trois manières : (1) la simplification (de nombreux détails disparaissent) ; (2) l'accentuation (les détails les plus importants pour les sujets sont augmentés) ; et (3) la cohérence (le sujet tente de donner un sens à ses souvenirs). L'information déjà stockée dans leur mémoire exerce une influence considérable sur la manière dont ils retiennent les nouvelles informations et les nouvelles expériences, et le passé est constamment reconstruit en fonction du présent.

Nos schémas ethnoculturels influent également sur notre mémoire. Ainsi, les gens retiennent plus facilement des histoires qui se passent dans leur contexte culturel, tout comme ils reconnaissent plus facilement des photographies de personnes de leur propre groupe ethnique (Corenblum et Meissner, 2006).

Se créer un faux souvenir

Lisez cette liste de mots à voix haute, au rythme d'environ un mot par seconde. Puis fermez le livre et écrivez tous les mots dont vous pouvez vous souvenir.

| lit | éveil | ronflement | rêve | bâillement | fatigué |
| sieste | réveillé | assoupissement | repos | somme | somnolence |

Lorsque vous aurez terminé, poursuivez votre lecture.

▼ Les gens gardent souvent un souvenir très vif des circonstances entourant l'annonce d'un événement hautement surprenant, choquant ou émotionnel. Vous rappelez-vous où vous étiez et ce que vous faisiez quand vous avez appris les attentats terroristes du 11 septembre 2001 aux États-Unis ?

Lorsqu'ils reconstruisent des souvenirs, les gens ne déforment pas intentionnellement les faits (sauf s'ils mentent, bien sûr). Ils ont seulement tendance à omettre certains détails réels et à en fournir d'autres inspirés par leurs propres schémas. Cette tendance à la distorsion systématique de la réalité a été démontrée à maintes reprises. Si vous avez ajouté le mot *sommeil* à votre liste dans la rubrique « Essayez-le », vous vous êtes créé un faux souvenir, qui vous semblait probablement aussi réel qu'un vrai (Dodson et Shimamura, 2000). Tous les mots de la liste évoquant le sommeil, il vous semblait « logique » (c'est-à-dire conforme à votre schéma mental) que le mot *sommeil* y figure. Dans les études utilisant des listes similaires, de 40 % à 55 % des sujets se sont « souvenu » d'un mot connexe qui ne figurait pas sur la liste (Roediger et McDermott, 1995).

Notre tendance à déformer la réalité en reconstruisant nos souvenirs nous rend le monde plus compréhensible et nous permet d'incorporer plus facilement de nouvelles informations ou de nouvelles expériences au système de croyances et d'attentes que nous nous sommes élaboré. Mais ces avantages ont un prix : nos souvenirs sont parfois grossièrement inexacts. La recherche révèle que les souvenirs autobiographiques sont particulièrement sujets à la reconstruction. Ainsi, on se souvient mieux des expériences agréables que des désagréables, et le souvenir des expériences désagréables s'estompe avec le temps – un type de distorsion que les chercheurs appellent le *biais positif* (Wood et Conway, 2006). Une étude menée auprès d'étudiants de niveau collégial illustre bien ce phénomène : questionnés sur leurs notes au secondaire, presque tous se souvenaient correctement des A qu'ils avaient obtenus, mais seulement 29 % de leurs D (Bahrick et autres, 1996).

Les souvenirs flash Vous rappelez-vous où vous étiez et ce que vous faisiez quand vous avez appris les attentats terroristes du 11 septembre 2001, la nouvelle de la fusillade du collège Dawson le 13 septembre 2006 ou le décès tragique d'un proche ? Vos parents ont-ils gardé un souvenir très net de la façon dont ils ont appris l'assassinat de quatorze jeunes femmes à l'École Polytechnique de Montréal le 6 décembre 1989 ? On appelle **souvenir flash** ce genre de souvenir très vif des circonstances entourant l'annonce d'un événement hautement surprenant, choquant ou émotionnel (Bohannon, 1988).

Certains spécialistes de la mémoire, comme Pillemer (1990) croient que les souvenirs flash ne sont pas fondamentalement différents des autres. Tous les souvenirs se caractérisent par leur charge émotive, leur portée (importance des conséquences de l'événement) et leur récurrence (fréquence à laquelle ils reviennent à l'esprit ou sont évoqués verbalement). Les souvenirs flash sont plus marquants, soutiennent-ils, simplement en raison de l'importance de leur charge émotive, de leur portée et leur récurrence.

Souvenir flash
Souvenir très vif des circonstances entourant l'annonce d'un événement hautement surprenant, choquant ou émotionnel.

Plusieurs études indiquent que les souvenirs flash ne sont pas aussi exacts que les gens le croient. Le lendemain de l'explosion de la navette spatiale *Challenger*, le 29 janvier 1986, des chercheurs ont interrogé des étudiants d'une université américaine sur ce qu'ils avaient vu de l'accident à la télévision. Réinterrogés sur le même sujet trois ans plus tard, le tiers de ces étudiants, pourtant convaincus de la précision de leurs souvenirs, en ont donné des comptes-rendus très différents de leurs récits initiaux (Neisser et Harsch, 1992). De plus, étonnamment, les souvenirs flash semblent s'oublier de la même façon que les autres souvenirs (Curci et autres, 2001).

Les souvenirs flash semblent souvent si nets qu'on peut les croire d'une précision photographique. Des études révélant qu'ils comportent des inexactitudes montrent que ce n'est pas le cas. Les psychologues doutent d'ailleurs qu'il existe plus de quelques rares cas de véritables souvenirs photographiques, ce qui rend les œuvres de Franco Magnani d'autant plus remarquables. Les enfants sont plus susceptibles que les adultes d'avoir des souvenirs photographiques ; environ 5 % d'entre eux semblent posséder une faculté appelée **mémoire eidétique** (Haber, 1980). Ces enfants peuvent retenir une image complexe pendant quelques minutes et se servir de ce souvenir visuel pour en décrire ou en reproduire le contenu avec une étonnante précision. En général, leur mémoire à long terme n'est pas meilleure que celle des autres enfants, et presque tous perdent leur mémoire eidétique avant l'âge adulte.

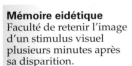

Mémoire eidétique
Faculté de retenir l'image d'un stimulus visuel plusieurs minutes après sa disparition.

Les témoignages oculaires   Selon Elizabeth Loftus, l'une des plus grandes spécialistes en la matière, les études sur la nature reconstructive de la mémoire humaine démontrent abondamment que le témoignage oculaire est hautement sujet à l'erreur, et qu'on doit toujours le recevoir avec la plus grande prudence (Villegas et autres, 2005 ; Loftus, 1993, 2003). Au Canada, plusieurs commissions d'enquête ont établi que l'identification erronée de la part de témoins oculaires est la principale source d'erreurs judiciaires : le témoin oculaire le mieux intentionné, le plus honnête et le plus crédible peut se tromper (Ministère de la Justice du Canada, 2005). Heureusement, certaines mesures permettent de réduire les risques d'erreur de la part des témoins oculaires (voir l'encadré ci-contre).

RETENEZ-LE La nature des souvenirs

1. Pour chacune des tâches suivantes, dites s'il s'agit d'une tâche de rappel, de reconnaissance ou de réapprentissage.
   a) Reconnaître un suspect dans une séance d'identification
   b) Répondre à la question 2 de cette rubrique
   c) Réviser la matière d'un cours pour se préparer à un examen de fin de session
   d) Répondre à des questions d'examen à choix multiple ou par association
   e) Réciter les répliques d'une pièce de théâtre

2. Si on vous lit une liste de 12 mots, et qu'on vous demande de les redire dans le même ordre, vous aurez tendance à vous souvenir plus facilement des premiers et des derniers que de ceux du milieu. Les chercheurs appellent ce phénomène l'effet de _____ .

3. Nous avons plus de facilité à nous souvenir d'une information lorsque nous sommes dans le même contexte physique ou le même état émotionnel qu'au moment où nous l'avons apprise. Les chercheurs appellent ce phénomène l'effet de _____ .

4. Les gens ne déforment pas délibérément les faits lorsqu'ils reconstruisent des souvenirs (sauf quand ils mentent). Ils ont seulement tendance à omettre certains détails réels et à en fournir d'autres provenant de leurs propres _____ .

5. Les _____ sont des souvenirs très vifs du lieu et du moment où une personne a appris un événement particulièrement dramatique.

Réponses : 1. (a) reconnaissance (b) rappel (c) réapprentissage (d) reconnaissance (e) rappel. **2.** position sérielle. **3.** contexte. **4.** schémas. **5.** souvenirs flash.

Les témoins oculaires et la justice : comment réduire le risque d'erreur ?

Typiquement, le témoin oculaire d'un crime doit identifier son auteur parmi plusieurs personnes lors d'une parade d'identification ou à partir de photos. La recherche indique qu'il vaut mieux demander d'abord au témoin de décrire l'auteur du crime et lui montrer ensuite (en personne ou en photo) des individus qui correspondent à cette description, plutôt que le contraire (Pryke et autres, 2000). Montrer au témoin des photos d'un ou de plusieurs suspects avant une parade d'identification augmente en effet le risque qu'il identifie une personne à tort parce qu'elle lui semble familière. Le suspect ne doit pas trop se démarquer des autres personnes présentées dans la parade d'identification ou la série de photos, et ces personnes doivent être choisies d'après la description qu'en a faite le témoin oculaire (âge, carrure, race, traits, etc.) et non en fonction de leur ressemblance avec un suspect. Les témoins oculaires risquent moins de se méprendre et sont tout aussi à même de faire une identification correcte si les personnes ou les photos sont présentées une après l'autre plutôt qu'ensemble (Loftus, 1993). Notons que le risque d'erreur augmente d'environ 15 % si le témoin doit identifier quelqu'un d'une autre race que la sienne (Egeth, 1993).

Des informations trompeuses fournies après l'événement peuvent mener à de faux souvenirs de l'événement réel (Loftus, 2005 ; Loftus et Hoffman, 1989 ; Kroll et autres, 1988). Aussi, un agent indépendant de l'enquête devrait être chargé de la parade d'identification ou de la série de photographies d'identification ; cet agent ne devrait pas savoir qui est le suspect, « pour éviter qu'une allusion ou une réaction faite par inadvertance donne un indice au témoin avant la séance d'identification proprement dite, ou ne rehausse son degré de confiance par la suite » (Ministère de la Justice du Canada, 2005). Les interrogatoires peuvent aussi influer sur les souvenirs d'un témoin oculaire. Comme les questions directives peuvent modifier ses souvenirs, il est crucial que les personnes qui mènent l'interrogatoire posent des questions neutres (Leichtman et Ceci, 1995).

Si le témoin a refait sa déclaration à plusieurs reprises avant le procès, il témoignera avec plus d'assurance au procès parce qu'il l'aura mémorisée (Shaw, 1996). Un témoin qui identifie quelqu'un avec une grande certitude peut être très convaincant pour les juges et les jurés. Pourtant, l'assurance du témoin ne garantit pas l'exactitude de son témoignage (Sporer et autres, 1995 ; Loftus, 1993). En fait, les témoins qui se perçoivent comme les plus objectifs sont plus confiants quant à l'exactitude de leur témoignage – que celui-ci soit exact ou non –, et sont plus susceptibles de donner des informations erronées dans leurs descriptions verbales (Geiselman et autres, 2000).

6.3 L'OUBLI

On pense souvent à l'oubli comme à un problème, alors qu'il s'agit d'abord et avant tout d'un mécanisme d'adaptation. Si puissant soit-il, le cerveau a ses limites : si la mémoire sensorielle retenait toutes les informations qu'elle reçoit, il serait incapable de les traiter. L'oubli est essentiel à un bon traitement de l'information. La mémoire est donc sélective. N'empêche, l'oubli est bien frustrant, surtout quand on est devant une feuille d'examen !

Ebbinghaus et la courbe de l'oubli

Les premières études expérimentales sur l'apprentissage et l'oubli ont été réalisées par le psychologue Hermann Ebbinghaus (1850-1909), avec lui-même comme seul et unique sujet. Pour étudier le plus objectivement possible la mémoire et l'oubli, le chercheur commence par mettre au point une méthode qui lui permettrait de mesurer ces phénomènes le plus rigoureusement possible. Sachant que certaines informations sont plus faciles à apprendre et à retenir que d'autres parce qu'elles ont une signification, Ebbinghaus invente plus de 2 300 « syllabes vides de sens » (LEJ, LUD, XIZ, etc.). Ces combinaisons consonne-voyelle-consonne ne ressemblant à aucun mot et ne voulant strictement rien dire, leur mémorisation présenterait un degré de difficulté à peu près équivalent.

Le chercheur entreprend ensuite d'apprendre par cœur et de manière systématique des centaines de listes de 13 syllabes vides de sens. Toujours à la même heure du jour et dans la même pièce où rien ne le distrait, il répète chaque liste encore et encore, au rythme de 2,5 syllabes à la seconde ponctué par un métronome, jusqu'à ce qu'il puisse la réciter deux fois sans erreur. Il note alors le temps qu'il lui a fallu pour arriver à ce degré d'apprentissage, qu'il appelle « la maîtrise ». Il attend un peu – le temps que l'oubli s'installe –, puis, à divers intervalles, il mesure le temps qu'il lui faut pour réapprendre la liste et revenir au même degré de maîtrise. En divisant le temps nécessaire pour l'apprentissage initial par le temps nécessaire pour le réapprentissage, il calcule ensuite le pourcentage de temps économisé. Cet « indice d'économie », comme il l'appelle, correspond à son « taux de rétention », c'est-à-dire au pourcentage de l'apprentissage original qui était resté dans sa mémoire.

Pour découvrir à quelle vitesse survient l'oubli, Ebbinghaus a aussi appris plus de 1 200 listes de syllabes sans signification. La figure 6.4 montre sa célèbre courbe de l'oubli, c'est-à-dire l'évolution de son taux de rétention (indice d'économie en pourcentage) à divers intervalles après le premier apprentissage. Comme on le voit, l'oubli se produit surtout au début : 20 minutes après l'apprentissage initial, le taux de rétention est déjà

Figure 6.4

LA COURBE DE L'OUBLI D'EBBINGHAUS

Après avoir mémorisé 1 200 listes de syllabes vides de sens comme celle que vous voyez à gauche, Ebbinghaus a mesuré son taux de rétention à divers moments après l'apprentissage initial. Comme on le voit, l'oubli se produit surtout au début : 20 minutes après l'apprentissage initial, le taux de rétention est déjà tombé à 58 %, après 1 heure, il n'est plus que de 44 %. Puis, la vitesse de l'oubli ralentit considérablement, et la courbe s'aplanit : après une journée, le taux de rétention est de 34 % ; après six jours, de 25 % ; et après 31 jours, de 21 %.

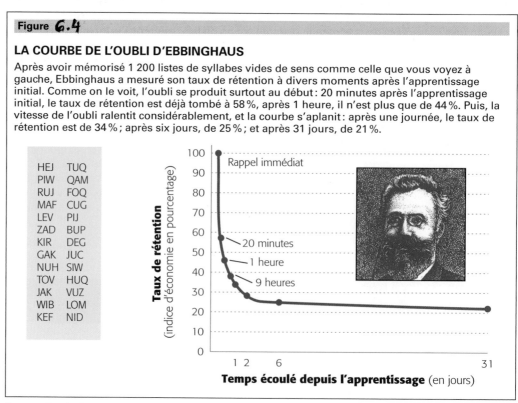

Source : D'après Ebbinghaus (1885/1913).

tombé à 58 %, après 1 heure, il n'est plus que de 44 %. Puis, la vitesse de l'oubli ralentit considérablement, et la courbe s'aplanit : après une journée, le taux de rétention est de 34 %, après six jours, de 25 %, et après 31 jours, de 21 %. Évidemment, ces données s'appliquent à des syllabes vides de sens apprises par cœur dans les conditions que nous venons de décrire. En général, les informations qui ont un sens s'oublient plus lentement, de même que les informations soigneusement encodées, traitées en profondeur et répétées fréquemment. Cependant, la courbe d'Ebbinghaus illustre un principe crucial : le taux de rétention dégringole très rapidement après l'apprentissage original, puis il se stabilise. Ainsi, des chercheurs qui ont mesuré ce que retenaient des étudiants en psychologie des noms et concepts qu'ils étudiaient ont constaté que leur courbe d'oubli était similaire à celle d'Ebbinghaus. L'oubli se produisait rapidement dans les mois suivant l'apprentissage initial, puis leur taux de rétention se stabilisait dans les trois années suivantes ; sept ans plus tard, il était resté à peu près le même (Conway et autres, 1991).

Ce qu'Ebbinghaus a appris sur l'oubli s'applique à tout le monde. La plupart des étudiants se livrent à une séance intensive de bourrage de crâne la veille d'un examen. Si c'est votre cas, ne vous attendez pas à ce que tout ce que vous mémorisez le lundi soit intact dans votre mémoire le mardi. Comme le plus gros de l'oubli se fait dans les 24 premières heures, vous auriez avantage à réviser la matière, même rapidement, le jour de l'examen. Moins la matière a de sens pour vous, plus vous l'oublierez, et plus une révision sera nécessaire.

Pourquoi oublions-nous ?
Les théories de l'oubli

Pourquoi notre mémoire nous trahit-elle parfois, et ce, même quand nous nous efforçons de retenir quelque chose ?

Quelles sont les causes de l'oubli ?

Le déclin naturel   Selon la **théorie du déclin naturel**, sans doute la plus ancienne des théories sur l'oubli, les souvenirs qui ne sont pas utilisés s'estompent avec le temps et finissent par s'effacer complètement. Le « déclin » évoque ici une modification physiologique des neurones qui ont enregistré l'expérience, et la trace que laisse un apprentissage peut s'estomper en quelques secondes, en quelques jours ou sur une période beaucoup plus longue. Aujourd'hui, la plupart des psychologues considèrent que la dégradation des souvenirs peut être une cause de l'oubli dans la mémoire sensorielle et dans la mémoire à court terme. Par contre, il ne semble pas y avoir de dégradation graduelle ou inévitable des souvenirs dans la mémoire à long terme. Des chercheurs ont constaté qu'avec de bons indices de récupération, même des souvenirs très anciens peuvent resurgir. Après 35 ans, leurs sujets pouvaient encore reconnaître 90 % des photos et des noms de leurs camarades du secondaire – soit le même pourcentage que des étudiants fraîchement diplômés (Bahrick et autres, 1975).

Théorie du déclin naturel
Théorie de l'oubli selon laquelle les souvenirs inutilisés s'estompent avec le temps et finissent par disparaître.

Reconnaître une pièce de 25 cents

Prenez une feuille de papier et dessinez de mémoire le côté pile d'une pièce de 25 cents. Votre dessin n'a pas à être esthétique. Il doit simplement montrer dans quelle direction est orienté le museau du caribou, ainsi que la place des inscriptions qui y figurent. Cette tâche de rappel vous semble trop difficile ? D'accord, essayons une tâche de reconnaissance. Lequel de ces dessins montre la pièce telle qu'elle est réellement ?

L'échec d'encodage   Lorsque vous n'arrivez pas à vous souvenir de quelque chose, est-ce toujours parce que vous l'avez oublié ? Oublier, c'est être incapable de se rappeler une information *dont on a déjà pu se souvenir*. Souvent, on dit avoir oublié une chose, alors qu'en réalité on ne l'a jamais retenue parce qu'il y a eu échec de l'encodage dès le départ. Vous avez vu des milliers de pièces de 25 cents dans votre vie, et vous n'avez réussi ni à dessiner la pièce de 25 cents ni même à la reconnaître avec certitude ? Rassurez-vous, à part les collectionneurs de monnaie, très peu de gens en sont capables (Nickersen et Adams, 1979). Il est étonnant de constater à quel point nous encodons peu de ce que nous voyons tous les jours et que nous croyons bien connaître. (Le dessin exact était le D, celui de la quatrième pièce.)

Quand vous préparez vos examens, vous contentez-vous de lire et relire votre manuel et vos notes, en présumant que vous finirez par apprendre ainsi la matière ? Méfiez-vous, cela peut vous donner l'impression de connaître la matière, parce qu'il est plus facile de suivre la pensée de l'auteur que de s'approprier le contenu du texte. Vous auriez intérêt à vous arrêter régulièrement pour vous assurer que vous l'avez bien encodée. Les questions en marge de ce manuel et les rubriques « Retenez-le » vous aident à vérifier si vous pouvez récupérer facilement l'information. La rubrique « Appliquez-le » (p. 219) vous propose plusieurs techniques simples pour éviter l'échec d'encodage et étudier plus efficacement.

Interférence
Cause d'oubli où les informations, associations ou réponses conditionnées stockées dans la mémoire soit avant ou soit après un souvenir diminuent la capacité de se rappeler ce souvenir.

L'interférence   Les interférences sont des causes d'oubli fréquentes et quotidiennes. Il y a interférence quand des informations, des associations ou des réponses conditionnées stockées *avant* ou *après* un souvenir donné nuisent à la capacité de se rappeler ce souvenir. Et plus les informations ou les expériences qui font de l'interférence sont similaires à l'information dont on essaie de se souvenir, plus il est difficile de se la rappeler.

L'interférence proactive se produit lorsque des informations ou des expériences déjà stockées dans la mémoire à long terme nuisent à la capacité de se souvenir d'une information plus récente (Underwood, 1957). Par exemple, si vous avez appris le japonais l'an dernier et que vous commencez à apprendre le chinois cette année, il se peut que la réponse vous vienne en japonais quand vous chercherez à traduire un mot en chinois. L'interférence proactive peut s'expliquer par une concurrence entre les anciennes réponses et les nouvelles (Bower et autres, 1994).

L'interférence rétroactive, elle, se produit quand de nouvelles informations ou de nouvelles expériences brouillent notre souvenir d'informations ou d'expériences plus anciennes. Par exemple, si vous commencez à apprendre l'italien, vous aurez peut-être l'impression d'oublier l'espagnol que vous avez appris l'an dernier (d'autant plus que l'espagnol et l'italien sont deux langues latines). Rassurez-vous cependant : les effets de l'interférence rétroactive sont souvent temporaires. Après un certain temps, il se peut même que vous vous rappeliez mieux l'information plus ancienne que l'information récente (Lustig et autres, 2004).

Notez bien que les deux types d'interférence se distinguent à partir *de ce qui est oublié ou difficile à retenir* (et non à partir de ce qui fait interférence). Il y a interférence *pro*active si on a du mal à retenir les nouvelles informations (le chinois), et interférence *rétro*active si on oublie les plus anciennes (l'espagnol). La figure 6.5 illustre ces deux formes d'interférence.

L'échec de consolidation   La consolidation est le processus physiologique qui permet à l'information encodée d'être transférée de la mémoire à court terme à la mémoire à long terme par un processus lent et graduel. Pour prendre une image très simple, notre cortex est comme une forêt où l'information doit se frayer un chemin. Le premier passage est difficile et laisse peu de traces ; la nature les effacera rapidement si on n'y revient pas. Mais à force de passer et de repasser au même endroit, peu à peu, un sentier se crée. Plus on emprunte ce sentier, plus il devient facile à trouver. De même, plus on repasse nos souvenirs, plus on répète nos apprentissages, mieux ils s'inscrivent dans nos circuits nerveux.

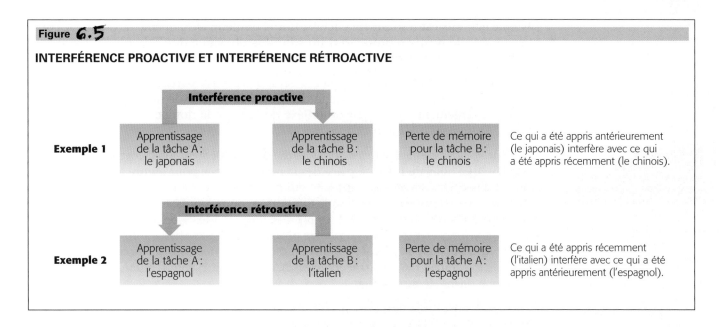

Figure **6.5**

INTERFÉRENCE PROACTIVE ET INTERFÉRENCE RÉTROACTIVE

Interférence proactive

Exemple 1

| Apprentissage de la tâche A : le japonais | Apprentissage de la tâche B : le chinois | Perte de mémoire pour la tâche B : le chinois | Ce qui a été appris antérieurement (le japonais) interfère avec ce qui a été appris récemment (le chinois). |

Interférence rétroactive

Exemple 2

| Apprentissage de la tâche A : l'espagnol | Apprentissage de la tâche B : l'italien | Perte de mémoire pour la tâche A : l'espagnol | Ce qui a été appris récemment (l'italien) interfère avec ce qui a été appris antérieurement (l'espagnol). |

Si le processus de consolidation est interrompu, habituellement, le souvenir ne se forme pas dans la mémoire à long terme. L'**échec de consolidation** peut résulter de tout ce qui entraîne une perte de conscience : accident de voiture, traumatisme crânien, crise épileptique, électrochocs, psychotropes, etc. On appelle **amnésie rétrograde** la perte temporaire ou permanente du souvenir d'événements qui ont précédé de peu une perte de conscience (Stern, 1981 ; Lynch et Yarnell, 1973). S'il vous est déjà arrivé, le lendemain d'une soirée trop bien arrosée, de ne plus vous remémorer comment elle s'est terminée, vous savez maintenant pourquoi… Rappelez-vous aussi ce que vous avez appris au chapitre 4 : la quantité et la qualité de sommeil influent sur la consolidation des souvenirs et des apprentissages. Dormez bien et vous apprendrez mieux !

Échec de consolidation
Interruption du processus mnésique de consolidation habituellement consécutive à une perte de conscience.

Amnésie rétrograde
Amnésie totale ou partielle touchant des événements précédant une perte de conscience.

L'échec de récupération   Combien de fois cela vous est-il arrivé pendant un examen : vous savez que vous connaissez la réponse à une question, mais vous n'arrivez pas à vous en souvenir ? D'après Tulving (1974), une bonne partie de ce que nous appelons des oublis tient en réalité à notre incapacité de localiser l'information ; bien qu'elle soit stockée dans notre mémoire à long terme, nous n'arrivons pas à la récupérer. Dès qu'il donnait à ses sujets des indices de récupération pour amorcer leur mémoire, a constaté Tulving, ces derniers se rappelaient un grand nombre d'informations qu'ils croyaient avoir oubliées. Le « mot sur le bout de la langue » est l'**échec de récupération** typique (Brown et McNeil, 1966). Une émotion forte peut aussi faire momentanément obstacle à la récupération, nous laissant avec l'impression d'avoir « la tête vide ». De même, un étudiant trop stressé durant un examen peut avoir un trou de mémoire ; une fois l'examen fini, le stress diminue… et le souvenir revient. Malheureusement, trop tard !

◀ Vous êtes-vous déjà trouvé dans cette situation frustrante : vous savez que vous connaissez la réponse à une question d'examen, mais vous êtes incapable de vous en souvenir ? Alors vous avez connu un problème de récupération.

Échec de récupération
Incapacité de récupérer une information stockée dans la mémoire à long terme.

L'oubli motivé   On l'a vu en étudiant cette distorsion de la mémoire qu'est le biais positif, de manière générale, nous nous souvenons mieux de ce qui est plaisant que de ce qui est déplaisant. Comme le soulignait Sigmund Freud (1895), qui était neurologue, le système nerveux est résolument enclin à fuir la douleur. De la même façon que le corps a un réflexe de recul en présence d'un stimulus physique douloureux, l'activité psychique recule devant tout ce qui pourrait susciter le déplaisir (Freud, 1911).

La théorie de l'oubli motivé s'inscrit dans la perspective psychanalytique. Pour Freud, la mémoire dépend étroitement de la charge émotionnelle de nos représentations, et l'oubli est largement motivé par un réflexe de fuite de la douleur et du déplaisir psychique. Autrement dit, l'oubli est un mécanisme de défense.

Refoulement
Dans la théorie de Freud, processus de mise à l'écart des pulsions qui se voient refuser l'accès à la conscience.

Pour Freud, l'oubli résulte en bonne partie du **refoulement**, un mécanisme de défense complexe que nous mettons en place dès la petite enfance pour mettre à l'écart des pulsions et des désirs sexuels ou agressifs qui pourraient menacer ou perturber notre vie consciente. Le refoulement fonctionne toujours en deux temps. D'abord, dans l'enfance, nous refoulons dans l'inconscient les représentations idéalisées de nos pulsions et de leurs conséquences agréables (le plaisir procuré par leur satisfaction) et désagréables (punition, honte, culpabilité, etc.). Plus tard dans la vie, nous refoulons ce qui est associé, même de très loin et même de façon détournée, à ces représentations, ce qui expliquerait une bonne partie de nos oublis.

Selon Freud, toute névrose (trouble affectif fréquent) a pour origine un refoulement. Par exemple, la phobie de tel animal ou de tel objet s'expliquerait par le fait qu'inconsciemment, cet animal ou cet objet *représente* une pulsion ou un désir refoulé pendant l'enfance. La psychanalyse vise donc à ramener à la conscience ce qui a été refoulé pour permettre la guérison. Nous reviendrons sur ces concepts d'inconscient et de refoulement au chapitre 9, qui porte sur la personnalité.

Si vous pensiez jusqu'ici que le refoulement concernait des traumatismes de l'enfance, surtout les abus sexuels, oubliés parce qu'ils sont trop douloureux, vous n'avez pas entièrement tort. Au début, c'est en effet ainsi que Freud définissait le refoulement. Il a cru un temps que toute névrose, qu'elle se manifeste par des symptômes physiques ou psychiques, découlait du traumatisme d'un abus sexuel vécu et refoulé dans l'enfance. Cependant, il a rapidement rejeté cette « théorie de la séduction » (*séduction* signifiant ici « abus sexuel »), et ce, pour plusieurs raisons :

> Il y eut d'abord les déceptions répétées que je subis lors de mes tentatives pour pousser mes analyses jusqu'à leur véritable achèvement, la fuite des gens dont le cas semblait le mieux se prêter à ce traitement (la psychanalyse), l'absence du succès total que j'escomptais [...]. Puis, aussi la surprise de constater que, dans chacun des cas, il fallait accuser le *père*, et ceci sans exclure le mien, de perversion, la notion de la fréquence inattendue de l'hystérie où se retrouve chaque fois la même cause déterminante, alors qu'une telle généralisation des actes pervers commis envers des enfants semblait peu croyable. [...] En troisième lieu, la conviction qu'il n'existe dans l'inconscient aucun indice de réalité de telle sorte qu'il est impossible de distinguer l'une de l'autre la vérité et la fiction investie d'affect.

Par ailleurs, comme nous le verrons au chapitre 10, d'un point de vue scientifique, les hypothèses freudiennes, notamment celles d'un inconscient où les pulsions et les désirs seraient refoulés, sont très peu étayées.

Si Freud a renoncé à sa théorie sur le refoulement des souvenirs d'abus sexuel dans l'enfance, plus de 100 ans plus tard, cette idée est restée très populaire. La recherche semble indiquer qu'elle n'est pas fondée (McNally, 2007). Il est certain que nous pouvons nous employer délibérément et activement à chasser de notre conscience le souvenir d'un événement douloureux, perturbant, anxiogène ou culpabilisant. Nous pouvons aussi réinterpréter avec des yeux d'adulte des souvenirs d'enfance, comprendre soudainement que ce qu'on a vécu sans comprendre était un abus sexuel. Mais est-il possible de retrouver à l'âge adulte le souvenir refoulé d'un abus sexuel subi dans l'enfance et qu'on avait complètement oublié, qui était *totalement* inaccessible à la conscience jusque-là ? Les spécialistes de la mémoire sont extrêmement sceptiques quant à l'existence d'un phénomène de refoulement aussi complet. Ils le sont d'autant plus lorsque ces « souvenirs » reviennent lors de thérapies spécialement conçues pour aider des personnes à retrouver ce genre de souvenirs, souvent en recourant à l'hypnose (McNally, 2007 ; Loftus, 2006 ; Loftus, 2005 ; Loftus et Bernstein, 2005 ; Gonsalves et autres, 2004 ; Loftus, 2004 ; McNally et autres, 2004 ; Dodson et Shimamura, 2000). L'abondance des recherches récentes sur le sujet vient de ce qu'aux États-Unis, la popularité de ce genre de thérapies a entraîné une vague d'accusations et de poursuites judiciaires pour abus sexuels sur la foi de « souvenirs refoulés » ainsi retrouvés, dont plusieurs se sont révélées sans fondement. De nombreuses études démontrent que le risque de suggérer involontairement des souvenirs dans un tel contexte « thérapeutique » est bien réel.

Même sans recourir à l'hypnose, la psychologue Elisabeth Loftus, l'une des grandes expertes de la mémoire en Amérique du Nord, a mené des expériences au cours desquelles elle a réussi à créer de faux souvenirs chez des sujets enfants et adultes (Loftus, 1997). Elle les amenait, par exemple, à se souvenir de « ce jour où, à l'âge de cinq ans, ils s'étaient perdus dans un centre commercial » – un événement fictif. Les sujets commençaient par dire qu'ils ne s'en souvenaient pas, mais réinterrogés à plusieurs reprises sur plusieurs fois, ils se le « rappelaient » de mieux en mieux, fournissant de plus en plus de détails, et n'arrivant pas à croire qu'il puisse s'agir d'une pure invention quand on finissait par le leur dire. Les adultes résistaient mieux que les enfants à ce genre de suggestion, mais environ 25 % d'entre eux finissaient par « se rappeler » avoir vécu l'événement fictif.

Les critiques se méfient surtout des souvenirs retrouvés d'événements qui se sont produits avant l'âge de cinq ans. En effet, la recherche indique que la formation de souvenirs épisodiques avant cet âge est très rare à cause de ce qu'on appelle l'**amnésie infantile**. L'hippocampe, qui est crucial pour la formation des souvenirs épisodiques, n'est alors pas complètement développé, pas plus que ne le sont les aires du cortex où les souvenirs sont stockés (Squire et autres, 1993). De plus, les aptitudes langagières limitées des enfants de cet âge les empêchent de stocker dans leur mémoire des souvenirs dans les catégories qui leur seront accessibles à l'âge adulte.

Amnésie infantile
Perte normale du souvenir des trois ou quatre premières années de vie.

RETENEZ-LE   **L'oubli**

1. _____ a inventé les syllabes vides de sens et créé la courbe de l'oubli.

2. Associez chacune des causes d'oubli suivantes à l'exemple approprié : échec d'encodage, échec de consolidation, échec de récupération, interférence.

  a) Se souvenir trop tard de la réponse à une question d'examen

  b) Ne pas pouvoir décrire le dos d'un billet de cinq dollars

  c) Appeler notre nouvel amour par le nom de notre ex

  d) Se réveiller à l'hôpital, et ne plus se souvenir qu'on a eu un accident de voiture

3. Aujourd'hui, pendant son cours de conversation espagnole, Lucas cherchait ses mots. Il faut dire qu'hier, il a passé la soirée à étudier pour son examen d'italien. Voilà un bel exemple d'interférence (proactive/rétroactive).

Réponses : 1. Ebbinghaus. **2.** (a) Échec de récupération (b) Échec d'encodage (c) Interférence (d) Échec de consolidation. **3.** proactive.

6.4 LA MÉMOIRE ET LE CERVEAU

Où sont stockés nos souvenirs ? Cette question a émergé au début du XIXᵉ siècle en même temps que cette autre question plus vaste : jusqu'à quel point les processus mentaux ont-ils une localisation précise dans le cerveau ? La première personne à se poser la question a été le médecin et anatomiste Franz Joseph Gall (1758-1828), à qui on doit deux apports conceptuels majeurs (Milner et autres, 1998). D'abord, il a tenté d'abolir la dualité corps-esprit en affirmant que le cerveau est l'organe de l'esprit. Deuxièmement, il a compris que le cortex cérébral n'est pas un tout homogène, qu'il contient des centres distincts régissant diverses fonctions mentales. Dédaignant l'expérimentation, Gall tente de les localiser en examinant les bosses du crâne des gens qui lui semblent bien pourvus de telle ou telle

▲ Le neuropsychologue canadien Donald Hebb (1904-1985) est l'un des piliers des neurosciences modernes.

« qualité mentale ». Sans succès, on s'en doute, même si la phrénologie, comme il appelle sa méthode, a connu une certaine popularité. À la fin des années 1820, le Français Pierre Flourens teste la théorie phrénologique en retirant de l'encéphale d'animaux de laboratoire les centres fonctionnels localisés par Gall. Il en conclut qu'aucun des sites du cerveau n'explique à lui seul les fonctions et les traits mentionnés par Gall, et que tous participent à toutes les fonctions supérieures.

La neuropsychologie de la mémoire naît à la fin du XIXᵉ siècle avec l'étude de sujets souffrant de troubles de la mémoire à la suite d'une lésion cérébrale. Ces premiers travaux révèlent que certains types de lésions peuvent toucher certains types de souvenirs, alors que d'autres restent intacts. Mais ces résultats sont très parcellaires, et il faudra attendre jusqu'au milieu du XXᵉ siècle pour qu'ils commencent à s'expliquer. Entre les années 1920 et 1950, malgré les découvertes de Broca et de Wernicke sur la localisation des fonctions langagières, le débat entre partisans et adversaires de la localisation des fonctions cognitives domine la réflexion sur les processus mentaux, y compris la mémoire (Milner et autres, 1998). Le neuropsychologue Karl Lashley (1929) explore la surface du cortex cérébral du rat en retirant une à une ses différentes zones sans en trouver une seule réservée ou simplement nécessaire au stockage des souvenirs. Lashley en conclut que l'ampleur de la perte de mémoire est corrélée avec la taille de la zone corticale lésée, et non avec sa localisation.

À la fin des années 1940, un pionnier de la neuropsychologie cognitive, le professeur et chercheur Donald Hebb de l'Université McGill, apporte un début d'explication aux résultats de Lashley (Milner et autres, 1998). Ses années de travail auprès des patients du célèbre neurochirurgien Wilder Penfield à l'Institut neurologique de Montréal lui ont appris que des lésions cérébrales très importantes ne se traduisent pas nécessairement par une baisse de l'intelligence, ce qui l'a amené à s'intéresser aux traces que laisse l'apprentissage dans le cerveau. Dans son ouvrage *The Organization of Behavior : a Neuropsychological Theory* (Hebb, 1949), Donald Hebb formule l'hypothèse que de vastes groupes de neurones distribués sur de larges zones du cortex travaillent ensemble pour représenter l'information encodée. En nombre suffisant, ils pourraient survivre à la plupart des lésions et continuer à assurer la représentation de l'information. L'idée d'une mémoire distribuée était avant-gardiste. Plus les études s'accumulaient, plus il devenait évident qu'il n'y avait pas un centre unique de la mémoire, et que plusieurs parties du système nerveux central y participaient.

L'hippocampe et la région hippocampique : un rôle clé

Quel rôle jouent l'hippocampe et la région hippocampique dans la mémoire ?

Comme beaucoup de ce que nous savons sur les bases biologiques de la mémoire, notre connaissance du rôle de l'hippocampe et de la région hippocampique nous vient d'abord d'études de cas de patients souffrant de problèmes de mémoire à la suite d'une lésion cérébrale localisée.

En 1950, à l'aide des premiers électroencéphalogrammes (EEG), Wilder Penfield commence à pratiquer les premières lobotomies temporales unilatérales (sur un seul hémisphère) pour retirer le foyer épileptique du cerveau de patients qui souffrent de crises graves et invalidantes. À la demande de Hebb, l'éminent neurochirurgien accueille à l'Institut neurologique de Montréal la doctorante en neuropsychologie Brenda Milner pour qu'elle évalue les effets de ces interventions sur ses patients. En ce qui concerne la mémoire, constate Milner, ces interventions entraînent au pire des pertes mineures et circonscrites (Milner et autres, 1998).

Cependant, contre toute attente, 2 des quelque 90 patients opérés quelques années plus tôt par Penfield souffrent d'une **amnésie antérograde** grave, persistante et généralisée. Leur intelligence est intacte et ils n'ont perdu ni leurs connaissances ni leurs habiletés, mais depuis l'intervention, ils sont incapables de former de nouveaux souvenirs : ils oublient tout au fur et à mesure. Or, un des deux patients a subi deux interventions, et n'est devenu amnésique qu'après qu'on lui ait retiré les structures médianes (internes) tempo-

Amnésie antérograde
Amnésie caractérisée par l'incapacité de former de nouveaux souvenirs.

rales. Comme ces structures contiennent l'hippocampe – une structure limbique double dont les moitiés symétriques sont situées chacune dans la face médiane (interne) du lobe temporal – Penfield et Milner en concluent que ce centre nerveux joue un rôle crucial dans la formation des souvenirs. Cependant, précisent-ils, l'hippocampe n'est pas le site du stockage des souvenirs, car leurs patients ont toujours accès à leurs souvenirs (Milner et Penfield, 1955).

Brenda Milner : mémoire vivante

Âgée de près de 90 ans et toujours active en recherche, Brenda Milner mène une carrière exceptionnelle en soi et en particulier pour une femme de sa génération. D'abord détentrice d'un diplôme en psychologie expérimentale de l'Université de Cambridge en Angleterre, elle émigre au Canada en 1944 où, après un bref passage à l'Université de Montréal, elle fera un doctorat en psychophysiologie à l'Université McGill, sous la direction de Donald Hebb. Puis elle entreprendra sa longue carrière en recherche à l'Institut neurologique de Montréal, auprès du docteur Wilder Penfield. Fondatrice du Département de psychologie de l'Institut neurologique de Montréal et professeure titulaire au Département de neurologie et de neurochirurgie de l'Université McGill depuis 1970, Brenda Miller a reçu d'innombrables prix et distinctions.

Source : Prix du Québec (www.prixduquebec.gouv.qc.ca).

Brenda Milner et le cas de H.M. Ces résultats attirent l'attention du Dʳ William Scoville, un neurochirurgien du Connecticut qui avait constaté une amnésie antérograde encore plus profonde chez un patient épileptique à qui il avait retiré les structures médianes des deux lobes temporaux, contenant l'hippocampe, l'amygdale et les structures sous-jacentes du cortex. Milner est invitée à étudier le cas de H.M., qu'elle rendra célèbre dans le monde entier en le suivant pendant 30 ans, et qui contribuera à faire d'elle une sommité de la mémoire même s'il ne la reconnaît jamais d'une fois à l'autre. H.M. est incapable de reconnaître le personnel hospitalier (sauf Scoville qu'il connaissait avant l'opération), de s'orienter dans l'hôpital ou de se souvenir de ce qu'il a mangé à son dernier repas (Milner, 1959, 1957).

Par contre, son quotient intellectuel est passé de 104 à 117 après l'intervention (probablement parce qu'il avait beaucoup moins de crises), et il est doté d'une capacité d'attention remarquable, découvre Milner. Par exemple, il peut retenir le nombre 584 pendant 15 minutes, en le répétant continuellement et en recourant à des stratégies mnémotechniques complexes. Mais dès que son attention est captée par autre chose, il oublie tout ce qui vient de se passer. Ses perceptions sensorielles sont normales, mais il ne les retient qu'une trentaine de secondes (Milner et Taylor, 1972 ; Sidman et autres, 1968). Au début des années 1970, Milner avance que ces résultats soutiennent la distinction entre un processus de mémoire primaire de très courte durée, et un processus secondaire (détérioré chez H.M.) assurant le stockage à long terme de l'information (Milner, 1972).

Milner et ses étudiants proposent à H.M. des tâches d'apprentissage de divers types, qui révèlent toutes son extrême difficulté à réaliser le moindre apprentissage. À une exception près : par la pratique répétitive, H.M. peut encore acquérir de nouvelles habiletés motrices, bien qu'il ne se rappelle jamais les avoir déjà apprises. Ainsi, il apprend à jouer au tennis et à améliorer son jeu, mais d'une fois à l'autre, ne garde aucun souvenir d'y avoir déjà joué (Milner, 1970, 1966 ; Milner et autre, 1968). Il apprend aussi maîtriser une tâche de dessin, et ce, avec une courbe d'oubli typiquement normale, même s'il a toujours le sentiment de l'accomplir pour la première fois. Aujourd'hui, nous connaissons ce type de dissociation, mais pour Milner, la découverte est stupéfiante. Elle a sous les yeux l'une des premières preuves de l'existence d'un système de mémoires multiples dans le cerveau – idée que des philosophes et des psychologues avaient déjà émise sur la base de l'intuition et de l'introspection (Milner et autres, 1998).

La démonstration d'un apprentissage moteur chez H.M. a marqué le début de la période de recherche expérimentale qui allait établir les bases biologiques des systèmes de mémoires multiples. Ces travaux ont établi que les capacités d'apprentissage de H.M. et d'autres patients amnésiques ayant une lésion temporale médiane bilatérale ne se limitent pas aux habiletés motrices, mais s'étendent à ce qu'on appelle aujourd'hui la mémoire procédurale ou implicite : aux habitudes et aux réponses simples apprises par conditionnement classique. La mémoire procédurale est intacte, alors que la mémoire déclarative est atteinte.

Le rôle de l'hippocampe dans la mémoire   Des études sur les animaux ont confirmé que les tissus cérébraux qui ont été retirés du cerveau de H.M. jouent un rôle crucial dans la mémoire de travail (Ragozzino et autres, 2002). Pour certains chercheurs, cela indique que la région hippocampique n'aurait qu'un rôle temporaire dans le stockage à long terme, en participant à un processus de consolidation très lent au cours duquel sa contribution diminuerait progressivement jusqu'à ce que le néocortex devienne capable à lui seul d'assurer la cohérence de la représentation interne initiale (Squire et Alvarez, 1995).

La recherche semble confirmer que l'hippocampe est particulièrement important pour la formation des souvenirs épisodiques (Eustache, 2008 ; Eichenbaum et Fortin, 2003 ; Eichenbaum, 1997 ; Gluck et Myers, 1997). La mémoire sémantique, quant à elle, ne dépend pas uniquement de l'hippocampe, mais aussi des régions hippocampiques sousjacentes (Hoenig et Acheef, 2005 ; Vargha-Khadem et autres, 1997).

La recherche a également établi l'importance cruciale de l'hippocampe dans le stockage et l'utilisation des cartes mentales qui permettent l'orientation dans l'espace. Des études sur des animaux révèlent aussi que l'hippocampe joue un rôle important dans la réorganisation des informations spatiales acquises antérieurement (Bilkey et Clearwater, 2005 ; Lee et Kesner, 2002).

Une fois stockés, les souvenirs peuvent être récupérés sans l'intervention de la région hippocampique, ce qui explique que même privé de fonction hippocampique, H.M. avait accès à ses connaissances et à ses souvenirs anciens (Gluck et Myers, 1997 ; McClelland et autres, 1995). De nombreux chercheurs soutiennent donc que les bases neurologiques des mémoires épisodique et sémantique sont entièrement distinctes (par exemple, Tulving, 2002). Cependant, certains neuroscientifiques se demandent jusqu'à quel point les processus cérébraux associés aux souvenirs épisodiques et sémantiques peuvent être dissociés. Les recherches auprès d'adultes plus âgés souffrant de « démence sémantique » à la suite d'une lésion du lobe frontal montrent que bon nombre d'entre eux souffrent aussi de défaillances de la mémoire épisodique (Nestor et autres, 2002). De plus, d'autres études révèlent que des lésions des lobes temporaux et occipitaux peuvent également causer une perte de la mémoire épisodique (Wheeler et McMillan, 2001). Tous ces processus restent à clarifier.

Des études d'imagerie cérébrale récentes ont révélé que l'hippocampe joue un rôle majeur dans les tâches de reconnaissance, et que le degré d'activité de l'hippocampe varie selon la nature de la tâche. S'il s'agit de reconnaître des visages connus, on observe une activité cérébrale étendue, qui engage les lobes préfrontaux et temporaux ainsi que l'hippocampe et la région environnante. L'activité est moins étendue durant la reconnaissance des visages encodés depuis peu et durant l'encodage de nouveaux visages (Henson et autres, 2002). Les études réalisées sur des singes présentant une lésion cérébrale limitée à la seule région de l'hippocampe montrent de façon probante que cette région est absolument essentielle dans les tâches de reconnaissance (Teng et autres, 2000 ; Zola et autres, 2000).

Neurones, mémoire et apprentissage

L'information que nous retenons est saisie par notre mémoire sensorielle, encodée par notre mémoire à court terme dans la région hippocampique, puis par un processus graduel de consolidation, transférée de la mémoire à court terme (région hippocampique) dans notre mémoire à long terme (cortex cérébral) pour y être stockée. Nos souvenirs ne sont pas stockés dans une aire précise du cortex cérébral, mais plutôt, comme l'a prédit Donald Hebb, distribués sur l'ensemble du cortex des deux hémisphères du cerveau. L'information relative à tel ou tel souvenir est répartie, selon sa nature dans les aires spécialisées (cortex préfrontal, visuel, auditif, moteur, etc.) que nous avons étudiées au chapitre 2, qui communiquent constamment entre elles pour assurer la circulation de l'information. C'est là que se trouve la trace de nos apprentissages.

Mais que se passe-t-il à l'intérieur de ces structures pendant qu'elles changent, se reforment et se réorganisent pour construire de nouveaux souvenirs ? Qu'est-ce que cette fameuse trace neuronale que laissent nos souvenirs et nos apprentissages ? Que se passe-t-il dans les neurones et entre les neurones pour que nous puissions nous souvenir et apprendre ?

D'abord, rappelons que nous retenons de nouvelles informations et de nouveaux apprentissages grâce à deux phénomènes neuronaux : la plasticité cérébrale, dont nous avons parlé au chapitre 2, et la **neurogenèse** (naissance de nouveaux neurones). On sait aujourd'hui que, contrairement au dogme longtemps admis, le cerveau continue de produire des nouveaux neurones à l'âge adulte en particulier la région hippocampique. Cette neurogenèse persistante aboutit à la naissance de plusieurs milliers de nouveaux neurones par jour, dont une partie sera intégrée aux réseaux de neurones existants. Or, la naissance de nouveaux neurones fonctionnels augmente fortement après l'apprentissage. Inversement, le blocage expérimental de la neurogenèse chez l'animal s'accompagne de déficits dans certains apprentissages.

Neurogenèse
Naissance de nouveaux neurones.

Eric Kandel et ses collègues ont été les premiers à démontrer les effets de l'apprentissage et de la mémoire dans des neurones individuels en étudiant un invertébré au système nerveux très simple, l'*aplysie*, un escargot de mer (Dale et Kandel, 1990 ; Dash et autres, 1990). Au moyen de microélectrodes implantées dans plusieurs neurones de l'aplysie, Kandel et son équipe ont pu dresser la carte des circuits neuronaux qui se formaient et se maintenaient pendant que l'animal apprenait et mémorisait de nouvelles informations. Ils ont également découvert les différents types de synthèse de protéines qui facilitent la mémoire à court et à long terme (Sweatt et Kandel, 1989 ; Kandel et autres, 1987). La portée de ces travaux a valu à Eric Kandel le prix Nobel de physiologie et de médecine en 2000.

Cependant, les études d'apprentissage et de mémorisation chez l'aplysie par l'approche des neurones individuels ne reflètent que le conditionnement classique simple, qui est une forme de mémoire procédurale. D'autres chercheurs qui étudient les mammifères ont observé des changements physiques dans les neurones et les synapses des aires du cerveau associées à la mémoire déclarative (Lee et Kesner, 2002).

On l'a vu, déjà dans les années 1940, Donald O. Hebb (1949) soutenait que l'apprentissage et la mémoire devaient reposer sur l'amélioration de la transmission synaptique entre les neurones. L'avenir lui a donné raison : le modèle neuronal d'apprentissage et de mémoire le plus étudié depuis répond aux exigences du mécanisme décrit par Hebb (Fischbach, 1992). La **potentialisation à long terme (PLT)** est une amélioration de l'efficacité de la transmission neuronale dans les synapses qui dure des heures, voire plus longtemps encore (Bliss et Lomo, 2000 ; Martinez et Derrick, 1996 ; Nguyen et autres, 1994). La potentialisation à long terme (*potentialiser* signifie « renforcer ») n'a lieu que si les neurones récepteurs et émetteurs sont activés en même temps par une stimulation intense. De plus, le neurone récepteur doit être dépolarisé quand la stimulation a lieu, sinon la PLT ne se produit pas. La PLT est un phénomène courant dans la région hippocampique qui, on l'a vu, permet la formation des souvenirs déclaratifs (Eichenbaum et Otto, 1993).

Potentialisation à long terme (PLT)
Amélioration de l'efficacité de la transmission synaptique qui dure des heures, voire plus longtemps encore.

Si les changements synaptiques produits par la potentialisation à long terme (PLT) sont bien ceux qui surviennent pendant l'apprentissage, se sont dit des chercheurs, le blocage expérimental de la PLT devrait entrer en conflit avec l'apprentissage. Pour vérifier si tel était bien le cas, Davis et ses collègues (1992) ont administré à des rats une substance qui bloque certains récepteurs en doses assez fortes pour nuire à une tâche d'apprentissage de labyrinthe. Résultat : la PLT a bel et bien été inhibée dans l'hippocampe des rats. Inversement, Riedel (1996) a constaté que la PLT ainsi que la mémoire des rats augmentaient quand on leur administrait une substance qui excitait ces mêmes récepteurs après une séance d'apprentissage du labyrinthe.

Ces études ont amené les chercheurs à chercher des associations entre la PLT, et des troubles dont on sait qu'ils perturbent l'activité des neurotransmetteurs et qu'ils sont associés à la mémoire. Ils ont découvert que la dépression, entre autres, nuit à la PLT (Froc et Racine, 2005). Le trouble bipolaire, la maladie d'Alzheimer et la maladie de Parkinson semblent aussi liés à la PLT (Ueki et autres, 2006 ; Friedrich, 2005 ; Francis, 2003).

Hormones et mémoire : émotions fortes, souvenirs durables

Comment les hormones influencent-elles la mémoire ?

Les souvenirs les plus forts et les plus durables sont souvent ceux liés aux émotions fortes qui déclenchent une réaction physiologique : peur, colère, joie, dégoût, surprise, tristesse ou détresse. Une recherche indique qu'il pourrait y avoir deux voies pour la formation des souvenirs : une pour l'information ordinaire et une autre pour ceux déclenchés par l'émotion (Cahill et autres, 1995). Quand une émotion déclenche une activation, les glandes surrénales libèrent dans le sang de l'adrénaline et de la noradrénaline (voir au chapitre 2 la réaction de fuite ou de combat, p. 43-44). Les informations liées à ces émotions activent l'amygdale (cruciale dans les émotions) et d'autres parties du système mnésique (Damasio, 1999 ; Gabrieli, 1998), ce qui expliquerait qu'elles laissent des souvenirs plus vifs et plus durables. Ainsi, soutient le neuropsychologue Antonio Damasio, quand la mémoire enregistre l'identité d'un homme agressif, elle enregistre également la réaction physique à la peur déclenchée par cet homme. Pour pouvoir planifier l'action la prochaine fois que ce danger se présentera, le cerveau a besoin de se créer une représentation qui contienne à la fois l'information perceptive externe (l'identité de l'homme) et l'information émotionnelle interne (la peur en réaction à cet homme). (Damasio, 1999).

D'autres hormones peuvent avoir des effets importants sur la mémoire. Des teneurs excessives en cortisol (l'hormone du stress), par exemple, interfèrent avec la mémoire chez les victimes de maladies des glandes surrénales, où est produit le cortisol (Jelicic et Bonke, 2001). En outre, les gens soumis à des agents stressants à titre expérimental, comme être forcé de parler en public, dont l'organisme réagit en libérant des niveaux de cortisol supérieurs à la moyenne, réussissent moins bien aux tests de mémoire que ceux dont l'organisme libère moins de cortisol que la moyenne dans les mêmes situations (Al'absi et autres, 2002).

▲ Les souvenirs les plus forts et les plus durables sont généralement associés aux émotions qui déclenchent une activation physiologique. Ainsi, les gens gardent souvent des souvenirs très vifs des circonstances entourant le moment où ils sont tombés amoureux.

RETENEZ-LE   **La mémoire et le cerveau**

1. L'hippocampe joue un rôle crucial dans la formation des souvenirs _____ ; le reste de la région hippocampique est très important dans la formation des souvenirs _____ .

2. Par la pratique répétitive, H.M. peut faire des apprentissages moteurs et acquérir de nouvelles habiletés ; il a conservé sa mémoire _____ .

3. La _____ est l'accroissement de l'efficacité de la transmission neuronale au niveau des synapses ; elle est à la base de l'apprentissage et de la mémoire au niveau des neurones.

4. Le souvenir des circonstances entourant une situation menaçante qui entraîne une réaction de fuite ou de combat active _____ .

Réponses : 1. épisodiques ; sémantiques. **2.** procédurale. **3.** potentialisation à long terme. **4.** l'amygdale.

APPLIQUEZ-LE

Étudier plus efficacement

Vous vous en doutez, aucune pilule magique ne peut améliorer votre mémoire. Comme toute autre compétence, l'art de la mémorisation s'acquiert par le savoir et la pratique. Mettons donc à profit ce que vous venez d'apprendre sur la mémoire.

Quand vous étudiez, vous utilisez votre mémoire à court terme dont la capacité est limitée à sept éléments ou blocs d'information. Il y a plusieurs manières de favoriser le transfert de l'information dans la mémoire à long terme.

Concentrer son attention

La première chose à faire est d'éliminer toutes les sources de distraction pour éviter que des informations inutiles occupent l'espace limité et précieux disponible dans votre mémoire à court terme. Il est plus profitable d'étudier de 30 à 45 minutes bien concentré que toute une soirée devant la télé.

Classer et regrouper l'information pour en réduire la quantité

Classer l'information permet d'avoir une vue d'ensemble de la matière à étudier, de repérer l'essentiel et de trier ce qu'on maîtrise déjà de ce sur quoi il faudra travailler davantage pour répartir son temps en conséquence. Organiser l'information permet aussi de la retrouver plus facilement, comme faire de l'ordre dans une pièce aide à localiser ce qu'on cherche plus rapidement. Le type d'organisation a également son importance. Presque tout le monde peut réciter les mois de l'année en 10 secondes, mais combien de temps vous faudrait-il pour apprendre à les retenir dans un autre ordre ? Il vous serait bien plus difficile de retenir ces 12 éléments pourtant totalement assimilés en ordre alphabétique, parce qu'ils ne sont pas classés ainsi dans votre mémoire. De même, vous compliquez beaucoup la tâche de votre mémoire si vous essayez de retenir de grandes quantités d'informations désordonnées. Mieux vous organiserez l'information, mieux vous la retiendrez. Lorsque vous étudiez un chapitre, écrivez chaque titre et sous-titre sur une fiche ; puis prenez des notes sur chaque section et sous-section en utilisant des fiches distinctes. Conservez ces fiches par ordre de chapitre et utilisez-les pour vos révisions.

La mémoire privilégie le sens, la signification. Donc, mieux vous comprenez la matière, mieux vous la retiendrez. Mais vous pouvez aussi donner du sens à ce qui n'en a pas pour le retenir plus facilement : un vieux truc mnémotechnique. Ainsi, la phrase « Mon vieux, tu me jettes sur une nouvelle planète » aide à mémoriser la position des planètes dans le système solaire, et la phrase « Mais où est donc Carnior ? », à retenir les sept conjonctions de coordination les plus courantes en français.

Répartir le travail sur plusieurs séances d'étude pour éviter la surcharge

Nous avons tous et toutes essayé la technique du bourrage de crâne : étudier frénétiquement la veille d'un examen. Plusieurs séances d'étude espacées sont généralement plus efficaces qu'une séance d'étude concentrée, sans temps de repos. Ce principe s'applique autant à l'apprentissage d'habiletés motrices qu'à celui de faits et d'informations. Les musiciens vous le diront tous, il vaut beaucoup mieux pratiquer une heure par jour que sept heures d'affilée une fois par semaine. Les séances de mémorisation entraînent fatigue et baisse de concentration, et rendent plus vulnérable à l'interférence. L'efficacité des séances d'étude espacées sera encore plus grande si vous commencez chacune en révisant rapidement la matière des séances précédentes ; vous réactivez ainsi les circuits neuronaux créés lors de cet apprentissage, ce qui favorise la consolidation et accélère le réapprentissage !

APPLIQUEZ-LE *(suite)*

Approfondir le traitement de l'information pour favoriser la consolidation

Quand ils révisent pour un examen, beaucoup d'étudiants se contentent de lire et relire leurs manuels et leurs notes. En plus de prendre du temps, cela crée une illusion de maîtrise, car il est plus facile de suivre la pensée de l'auteur que de s'approprier le contenu du texte. La recherche démontre que vous retiendrez davantage si vous augmentez la quantité d'apprentissage actif dans votre préparation. Cela peut se faire de différentes façons.

- *Réciter ce qu'on apprend au fur et à mesure* On le sait depuis un siècle : réciter au fur et à mesure le contenu d'un texte plutôt que de le lire d'une traite augmente de deux à trois fois sa rétention (Gates, 1917). Lisez une page ou quelques paragraphes, puis récitez mentalement ou à haute voix ce que vous venez de lire. Reprenez votre lecture, arrêtez après quelques paragraphes et récitez de nouveau, ainsi de suite.

- *Se poser des questions* Pendant que vous lisez, posez-vous des questions qui vous incitent à lier les nouvelles informations à celles que vous possédez déjà. Les questions *pourquoi* – par exemple, *Pourquoi oublie-t-on ?* – se sont révélées particulièrement efficaces pour retenir les informations d'un texte (Willoughby et autres, 2000 ; Wood et autres, 1990). Dans le présent manuel, chaque section commence par une question. Lisez-la, puis lisez le contenu de la section. Revenez ensuite à la question, et vérifiez si vous pouvez y répondre. Ne vous contentez pas de *penser* que vous pourriez y répondre, *répondez-y* ! Si vous constatez qu'il vous manque des éléments d'information, relisez la section et revenez à la question pour y répondre. Cette technique vous protège contre l'échec d'encodage. Vous serez étonné de son efficacité. Interrogez-vous avant qu'on vous interroge !

- *Tester ses connaissances* Des recherches récentes indiquent qu'on obtient de bien meilleurs résultats dans la rétention d'information si, en plus de répartir la révision sur plusieurs séances d'étude, on les accompagne de petits tests fréquents (Cull, 2000). Vous devriez très bien réussir ce cours si vous répondez aux questions des rubriques « Retenez-le » à la fin de chaque section de ce manuel.

- *Résumer ce qu'on sait* Rédiger un résumé du chapitre ou en expliquer le contenu à quelqu'un d'autre vous oblige à réfléchir à l'essentiel. Pourquoi ne pas former un groupe d'étude ? C'est stimulant et efficace.

- *Personnaliser la matière* Le travail scolaire s'appuie essentiellement sur deux formes de mémoire à long terme : la mémoire procédurale pour la répétition et le « par cœur », et la mémoire sémantique pour le sens et les connaissances. Mais, comme on retient mieux ce qui nous touche de près, rien ne vous empêche de mettre votre mémoire épisodique à contribution. Essayez de vous approprier la matière en l'associant à des exemples ou à des anecdotes tirés de votre expérience personnelle. Et pendant que vous y êtes, pourquoi ne pas mettre à contribution toutes les parties de votre cerveau où vous pouvez stocker de l'information :
  - les lobes préfrontaux : l'analyse, les liens, la logique, la signification ;
  - les lobes occipitaux : le contenu visuel, les plans, les réseaux de concepts, les images (amusez-vous à dessiner le contenu à mémoriser ou à vous créer des images mentales qui l'illustrent) ;
  - les lobes temporaux : l'audition (récitez à voix haute) ;
  - le cervelet : les automatismes (ne vous arrêtez pas dès que vous pensez connaître la matière, récitez-la trois autres fois pour bien l'ancrer et créer un automatisme, vous serez surpris de constater à quel point c'est efficace !).

Derniers conseils

- Éloignez dans le temps l'étude des matières semblables, comme la psychologie et la sociologie, afin d'éviter l'interférence,
- et souvenez-vous que la fatigue et la somnolence sont les ennemis de la mémoire alors que le sommeil est son meilleur allié, puisque l'une de ses fonctions est la consolidation des souvenirs.

Bonne étude !

RÉFLEXION CRITIQUE

1. Pourquoi les psychologues disent-ils que les souvenirs sont des reconstructions ? Illustrez votre réponse par des exemples tirés de votre expérience.

2. Si vous étiez juré dans un procès où la preuve contre l'accusé repose entièrement sur un témoin oculaire, comment soupèseriez-vous cette preuve à la lumière de ce que vous avez appris dans ce chapitre ?

3. Quelles informations de ce chapitre vous seront les plus utiles dans vos études et plus généralement dans votre vie ?

RÉSEAU DE CONCEPTS

LA MÉMOIRE

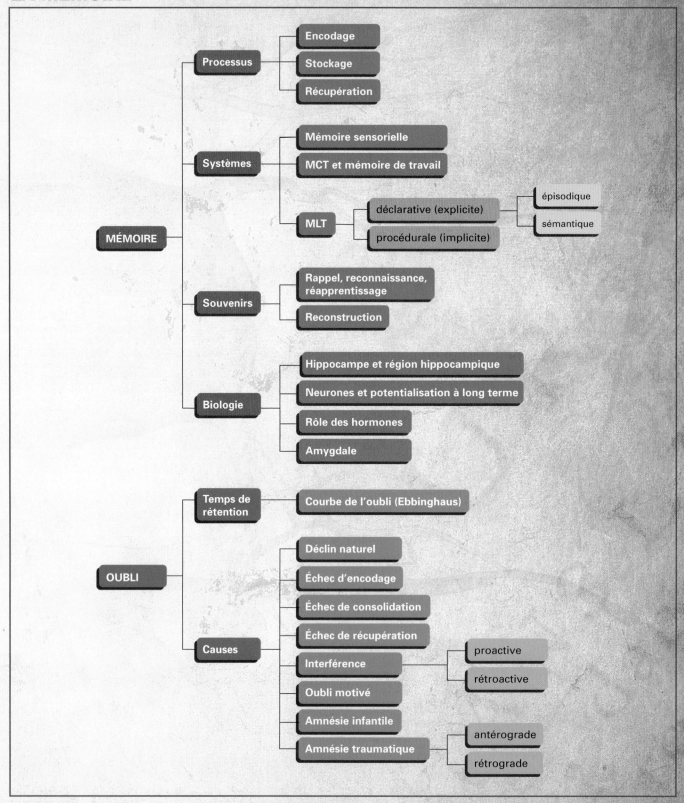

INTELLIGENCE, PENSÉE ET COGNITION

*J*uin 1963. Le romancier japonais Kenzaburo Oe, est fou de joie : sa femme Yukari vient de donner naissance à leur premier enfant. Mais le bonheur de Oe ne tarde pas à voler en miettes. Le petit garçon est venu au monde avec une encéphalocèle, une hernie du cerveau qui traverse le crane. L'intervention chirurgicale qui pourrait lui sauver la vie le laisserait avec un profond handicap mental et d'autres troubles neurologiques, expliquent les médecins ; mieux vaut ne rien faire et le laisser mourir en paix. Quelques jours plus tard, Kenzaburo Oe, qui doit écrire un article sur le mouvement pacifiste contre la bombe atomique, rencontre des médecins qui ont passé leur vie à traiter des survivants d'Hiroshima. Profondément découragé, il leur raconte son dilemme. L'enfant risque effectivement d'être gravement handicapé par l'opération, confirment-ils, mais la vie humaine est précieuse, et on peut trouver espoir et joie dans les circonstances les plus terribles de la vie. Quand Kenzaburo revient chez lui, les Oe donnent à leur fils le prénom d'Hikari, *lumière* en japonais, et demandent aux chirurgiens de l'opérer.

Comme on s'y attendait, le retard mental d'Hikari est manifeste dès sa petite enfance, De plus, il souffre de crises d'épilepsie, sa vue est très mauvaise, il ne parle pas et il semble incapable d'établir des relations sociales. Les efforts des Oe pour entrer en contact avec leur fils inspirent tout de même le romancier, comme en témoignent ses écrits imprégnés d'une espérance qui ne peut naître qu'au cœur d'une grande tragédie humaine. Son œuvre acquiert une renommée mondiale, et deux autres enfants en bonne santé voient le jour au sein de la famille Oe.

Lorsque Hikari a six ans, ses parents remarquent chez lui une aptitude particulière à mémoriser des chansons et à les fredonner, bien que ses capacités à comprendre et à parler fussent fort limitées. Ils décident de lui offrir des leçons de piano et trouvent une professeure disposée à le prendre en charge malgré ses difficultés : Kumiko Tamura. Celle-ci ne tarde pas à déceler chez lui de remarquables talents musicaux. Après quelques mois de cours, le petit Hikari joue déjà avec aisance des pièces classiques difficiles, et commence à composer ses propres pièces en improvisant sur des formes classiques. Sans trop y croire, Kumiko décide d'essayer d'enseigner la notation musicale à son élève pour qu'il puisse consigner ses compositions, et qu'elles ne se perdent pas. À sa grande surprise, Hikari parvient assez rapidement à maîtriser la difficile technique d'écriture de la musique classique. Hikari Oe est aujourd'hui un homme mûr avec un QI très en dessous de la moyenne et un vocabulaire d'à peine quelques mots, incapable de vivre de manière autonome. Mais il est également un compositeur classique qui a «trouvé sa propre voix», comme l'a dit son père Kenzaburo Oe lorsqu'il a reçu le prix Nobel de littérature en 1994.

Hikari est un cas type du *syndrome savant*, une combinaison de handicaps mentaux très lourds et de talent exceptionnel. Les psychologues, qui étudient ce phénomène relativement rare depuis plus d'un siècle, ne comprennent toujours pas pourquoi certaines aptitudes mentales s'aiguisent lorsque d'autres sont détruites ou très peu fonctionnelles. Cependant, l'étude de ce phénomène a amené les spécialistes de la cognition à formuler de nouvelles théories sur les fonctions intellectuelles normales, et à regarder au-delà des tests de QI traditionnels pour tenter d'arriver à une définition plus exacte de l'intelligence humaine.

Nous avons vu au chapitre 1 que le terme « cognition » englobe tous les processus mentaux par lesquels s'acquiert la connaissance. Dans les chapitres précédents, nous avons traité de ces processus cognitifs que sont la sensation, la perception et la mémoire. Dans ce chapitre, nous en examinerons plusieurs autres. Nous nous intéresserons à ces outils universels que nous utilisons pour penser, raisonner et donner un sens à l'univers : les images mentales, les concepts et le langage. Nous verrons comment ces représentations mentales se développent peu à peu chez l'enfant au fil de son développement, et la façon dont nous les mettons à profit pour résoudre des problèmes et prendre des décisions.

Mais d'abord, nous allons nous intéresser à l'intelligence, cette faculté que nous associons si spontanément à la cognition. Comment la définissaient ceux qui ont mis au point les premiers tests d'intelligence ? Qu'est-ce que le quotient intellectuel, et que mesure exactement ce fameux QI ? Si Hikari Oe a un si faible QI, comment expliquer qu'il soit parvenu à maîtriser des connaissances aussi complexes que la musique classique, et aussi abstraites que les codes de son écriture ? Existe-t-il d'autres sortes d'intelligences que celle mesurée par le QI, comme l'intelligence musicale ou l'intelligence émotionnelle ?

7.1 LA MESURE DE L'INTELLIGENCE D'HIER À AUJOURD'HUI

Que voulez-vous dire exactement quand vous dites d'une personne qu'elle est très intelligente ? Voulez-vous dire qu'elle comprend vite ? Qu'elle raisonne logiquement ? Qu'elle résoud des problèmes qui mystifient les autres ? Qu'elle a de bons résultats scolaires ? Qu'elle a un *quotient intellectuel (QI)* supérieur ? Vous savez probablement que les « tests de *QI* » sont censés mesurer l'*intelligence,* mais avez-vous déjà réfléchi à la difficulté de définir l'intelligence de manière à ce qu'elle puisse être mesurée, et même chiffrée ? Au milieu des années 1990, un groupe de travail de l'American Psychological Association (APA) proposait cette définition de l'**intelligence**: « capacité d'un individu à comprendre des idées complexes, [...] à s'adapter efficacement à son environnement, [...] à apprendre par l'expérience, à pratiquer diverses formes de raisonnement et à surmonter des obstacles par l'effort mental » (Neisser et autres, 1996). Mais les diverses facettes de l'intelligence telle que définie par l'APA relèvent-elles d'aptitudes distinctes et indépendantes ou d'une seule et même faculté qui gouverne toutes les autres ? Peut-on vraiment mesurer l'intelligence ? Si oui, comment ? Et à quoi serviront ces mesures ? Ces questions fascinent et divisent les psychologues depuis les tout débuts de la psychologie.

Intelligence
Capacité d'un individu à comprendre des idées complexes, à s'adapter à son environnement de manière efficace, à apprendre de ses expériences, à pratiquer diverses formes de raisonnement et à surmonter des obstacles à l'aide de sa pensée.

Les origines de l'approche psychométrique de l'intelligence

Quels ont été les rôles respectifs de Galton, de Cattell, de Spearman et de Wechsler dans les premières tentatives de mesure scientifique de l'intelligence humaine ?

Peu de sujets ont fait et font encore couler autant de salive et d'encre que la mesure scientifique de l'intelligence humaine. Pour le comprendre, il faut savoir que l'histoire des tests d'intelligence est intimement liée à celle de l'eugénisme (ou **eugénique**) – la science qui étudie et met en œuvre les moyens d'améliorer l'espèce humaine soit en favorisant l'apparition de certains caractères (eugénique positive), soit en éliminant d'autres caractères indésirables (eugénique négative). L'histoire que vous vous apprêtez à lire est aussi celle de la naissance de la **psychologie différentielle**, la branche de la psychologie qui étudie les différences psychologiques entre des individus ou des groupes placés dans la même situation. Et c'est aussi l'histoire de la **psychométrie**, l'évaluation scientifique des capacités psychologiques d'un individu à l'aide de tests et autres instruments de mesure, car, sans la psychométrie, la psychologie différentielle pourrait difficilement exister.

Psychologie différentielle
Branche de la psychologie qui étudie des différences psychologiques entre des individus ou des groupes placés dans la même situation.

Psychométrie
Évaluation scientifique des capacités psychologiques d'un individu à l'aide de tests et autres instruments de mesure.

Galton, Cattell, l'eugénique et les premiers tests mentaux Les premières tentatives de mesurer scientifiquement l'intelligence humaine ont été entreprises par le Britannique Francis Galton. Issu d'une famille de riches intellectuels dont il a hérité la fortune dans la vingtaine et homme de science touche-à-tout, Galton a exploré le continent africain, fait des recherches d'anthropométrie criminelle et publié un livre, *Hereditary Genius* (1869), ainsi que des articles (Galton, 1864-1865) sur le bagage héréditaire d'hommes de génie. Fasciné par les « êtres d'exception », il est persuadé que les différences individuelles, et en particulier l'intelligence, résultent uniquement de l'hérédité. Pour lui, ces différences expliquent la supériorité des élites aisées sur les classes inférieures, et des Anglo-Saxons sur d'autres « races ». Ardent défenseur de la théorie de l'évolution de son cousin Charles Darwin,

▲ Francis Galton (1822-1911).

bien que Darwin ne partage pas toutes ses vues (voir l'encadré ci-dessous), Galton (1864-1865, 1869) déplore que les mesures de protection sociale apportées par la civilisation contrarient les lois de la sélection naturelle en permettant aux « inaptes » de se reproduire et d'affaiblir le bagage héréditaire des races civilisées. Selon lui, il est grand temps de lutter contre cette dégénérescence en favorisant les unions entre les gens les plus doués et en empêchant les « simples d'esprit » de se reproduire. Mais pour convaincre ses concitoyens de la nécessité de ces mesures, Galton doit prouver ce qu'il avance en cernant et en mesurant les caractéristiques biologiques qui sous-tendent l'intelligence humaine.

Darwin et « l'instinct de sympathie »

Dans *La Descendance de l'homme et la sélection naturelle*, paru en 1871, Darwin fait référence à l'ouvrage de son cousin Francis Galton, *Hereditary Genius* (1869). Il est probable que le talent et le génie chez l'homme soient héréditaires, écrit-il, et vraisemblable que les protections sociales aillent à l'encontre de la sélection naturelle. Cependant, Darwin se refuse à en tirer les même conclusions que Galton :

> Notre instinct de sympathie nous pousse à secourir les malheureux ; la compassion est un des produits accidentels de cet instinct que nous avons acquis dans le principe, au même titre que les autres instincts sociables dont il fait partie. La sympathie [...] tend toujours à devenir plus large et plus universelle. Nous ne saurions restreindre notre sympathie, en admettant même que l'inflexible raison nous en fit une loi, sans porter préjudice à la plus noble partie de notre nature.

Comme d'autres scientifiques de l'époque, Galton croit que mieux on perçoit les sensations physiques, plus le système nerveux est efficace et plus on est intelligent. Il croit donc possible de mesurer l'intelligence par des mesures d'acuité sensorielle et de vitesse de réaction. Pour ce faire, il crée en 1884 son propre laboratoire d'eugénique (de *eu-*, bonne, et *genios*, naissance, origine), mot qu'il invente pour désigner « l'étude des facteurs socialement contrôlables qui peuvent élever ou abaisser les qualités raciales des générations futures, aussi bien physiquement que mentalement » (Galton, 1883). Galton installe son laboratoire dans les locaux d'un musée de Londres et fait payer les visiteurs pour qu'ils se soumettent à diverses mesures et s'amusent à se comparer à leurs congénères. Il recueille ainsi des données anthropométriques sur des milliers de personnes. Pour les analyser, il met au point des méthodes statistiques fondamentales encore couramment employées aujourd'hui dans les tests psychologiques, comme la régression, la corrélation et l'*étalonnage* selon la courbe de Gauss (comme sur la figure 7.1, p. 231). Surtout, Galton s'entoure de mathématiciens et, bientôt, fait appel à un spécialiste des méthodes de mesure des sensations physiques mises au point par Wilhelm Wundt au premier laboratoire de psychologie expérimentale fondé en 1879 à Leipzig, en Allemagne.

À l'époque, le psychologue américain James McKeen Cattell (1860-1944), ancien élève puis assistant de Wilhelm Wundt, est justement en Europe. Très intéressé par le laboratoire d'eugénique de Galton, Cattell contacte ce dernier en 1888, et conçoit avec lui une série de tests très simples pour mesurer les fonctions sensorielles et motrices : temps de réaction à un stimulus visuel ou sonore, capacité de détecter de très petites différences de poids, temps de rétention de lettres de l'alphabet, force de la poignée de main, seuil de douleur, etc. De retour aux États-Unis, Cattell y propage les idées eugénistes de Galton ainsi que ses méthodes statistiques, qu'il perfectionne en mettant au point ses propres tests. En 1890, il les publie dans un article intitulé « Mental Tests and Measurements » où le terme « tests mentaux » est utilisé pour la première fois. Un an plus tard, Cattell accepte un poste de professeur de psychologie à la Columbia University, y fonde son propre laboratoire et connaît un grand succès avec ses tests mentaux. Tout s'effondre (et Cattell laisse tout tomber), lorsqu'en 1901, des analyses statistiques faites à sa demande par un de ses étudiants révélèrent l'absence totale de corrélation entre ses tests et la réussite universitaire !

Les ravages de l'eugénisme

Extrait de
« La notion de race dans les sciences
et l'imaginaire raciste : la rupture est-elle
consommée », *Cadrage*, n° 24 (septembre-novembre
2005), Observatoire de la génétique, Institut de
recherches cliniques de Montréal.

Par Daniel Ducharme (Ph.D. Sociologie)
et Paul Eid (Ph.D. Sociologie), chercheurs
à la Commission des droits de la personne
et des droits de la jeunesse du Québec.

Dans *Hereditary Genius* (1869), Francis Galton propose de s'attaquer aux gènes récessifs porteurs de tares et de défauts jugés « inacceptables », pour éviter que le patrimoine génétique humain ne dépérisse [...] Largement teintée d'une vision ethnocentrique qui cadre bien avec la mission « civilisatrice » que se donnaient à l'époque les grandes puissances coloniales européennes, la pensée de Galton considère l'Européen moderne, dont il se vante bien humblement d'être l'un des spécimens les mieux « aboutis », comme l'être humain qui possède les meilleures capacités génétiques. À partir de cette observation, il s'interroge sur les potentialités d'un programme eugénique qui conduirait à une amélioration de l'espèce humaine.

Il n'en fallut pas plus pour qu'un large mouvement eugéniste voie le jour dans une bonne partie du monde occidental. Ce mouvement connut un essor particulièrement rapide aux États-Unis où, dans la première moitié du XXe siècle, on faisait face à un afflux impressionnant d'immigrants venus refaire leur vie dans le Nouveau Monde[1]. Désirant réduire les « problèmes sociaux » qu'entraînait cette immigration massive et voulant protéger la spécificité du patrimoine génétique américain, le gouvernement des États-Unis approuva la création d'associations eugénistes dès les années 1920 et adopta l'*Immigration Act* en 1924, qui limitait sévèrement l'immigration des pays du Sud ou de l'est de l'Europe. De nombreux États américains adoptèrent des politiques ouvertement eugéniques[2], prétextant entre autres le « déclin de l'intelligence américaine », dont on voyait principalement la cause dans l'immigration noire provenant du continent africain[3]. C'est ainsi, comme le notent Rifkin et Howard, que :

> À la suite d'une propagande systématique et bien coordonnée, menée par les avocats de l'eugénisme, des dizaines de milliers de citoyens américains furent stérilisés malgré eux au nom de lois diverses édictées par certains États dans les premières années du siècle[4].

Des politiques eugéniques similaires furent adoptées au Canada (notamment au Manitoba et en Saskatchewan), mais aussi en Europe, principalement dans les pays scandinaves[5] et dans la tristement célèbre Allemagne nazie des années 1930 et 1940. Sous la férule de Joseph Goebbels, alors ministre de la Propagande, l'armée allemande poursuivit durant cette période une politique de purification raciale ayant pour but de faire rejaillir et dominer les caractéristiques biologiques de la « race aryenne ». Le généticien français Albert Jacquard[6] note que, dans l'ensemble de l'Europe germanique, « des textes législatifs organisaient dès 1933 la stérilisation de certains sujets, l'orientation des mariages, la mise à l'écart de certaines ethnies ». Ces pratiques eugéniques connaîtront leur apogée avec les camps de concentration et, surtout, d'extermination, lors de la Seconde Guerre mondiale, où plus de six millions d'individus trouveront la mort. Dans ces « camps de la mort », les Juifs seront les principales victimes, mais les politiques de purification raciale et sociétale adoptées par le gouvernement national-socialiste allemand toucheront aussi bien les tziganes, que les adhérents à l'Internationale communiste et les homosexuels.

L'après-guerre ne marquera pas nécessairement la fin de l'eugénisme dans le monde, mais on assistera à un déclin relatif de l'influence que cette idée exerce sur l'élaboration des politiques de natalité de nombreux pays. Certaines sociétés eugéniques continueront leurs activités en Amérique du Nord jusque dans le milieu des années 1960. Par ailleurs, l'*Immigration Act* américain de 1924 ne sera abrogé qu'en 1962, sous l'influence du gouvernement démocrate de John F. Kennedy qui affirmait que la diversité ethnique est un facteur d'enrichissement de la société américaine.

L'Europe, quant à elle, prendra conscience de l'étendue des pertes humaines imputables aux politiques de purification raciale de l'Allemagne nazie dans l'immédiat après-guerre. Certains pays promulgueront toutefois le maintien de politiques de stérilisation dans le but de favoriser une amélioration du patrimoine génétique de leurs populations (Suède, Norvège, Danemark). Ces politiques seront progressivement abandonnées dans les années 1970. Ce n'est que tout récemment qu'une indemnisation a été offerte par le gouvernement suédois aux personnes ayant subi à cette époque une stérilisation sans leur consentement[7] [...]

Pour lire le texte intégral : http://www.ircm.qc.ca/bioethique/obsgenetique/cadrages/cadr2005/c_no24_05/c_no24_05_02.html

---

1. Ludmerer K. M. *Genetics and American Society : A Historical Appraisal.* Baltimore : Johns Hopkins University Press, 1972.

2. L'Indiana fut le premier État à adopter une loi eugénique, en 1907. Celle-ci prévoyait la stérilisation des criminels, des « imbéciles » et des « arriérés », plus souvent qu'autrement sélectionnés au sein des communautés afro-américaines. Dans les années qui suivirent, 32 autres États américains adoptèrent des lois similaires. On estime que les mesures prévues par ces lois touchèrent environ 50 000 personnes. Pour en savoir davantage sur le sujet, on lira à profit : Marange V. *La bioéthique : La science contre la civilisation ?* Paris : Marabout, Le Monde Éditions, 1998.

3. Jacquard A. *Éloge de la différence : La génétique et les hommes.* Paris : Le Seuil, 1978.

4. Rifkin J., et Howard T. *Les apprentis sorciers : Demain, la biologie...* Paris : Ramsay, 1979 (citation, p. 57).

5. La Norvège proclama officiellement durant les années 1930 que « la prévention raciale est une fonction de l'État ». Voir Marange V., *op. cit.*, *supra* note 16, p. 39.

6. Jacquard A., *op. cit.*, p. 199.

7. Jacquard A., *op. cit.*, p. 199 ; Marange V., *op. cit.*

Spearman et la théorie de l'intelligence générale (facteur *g*)   En 1904, le psychologue britannique Charles Spearman (1863-1945), lui aussi convaincu du caractère entièrement héréditaire de l'intelligence et des bienfaits de l'eugénique, reprend les tests si prometteurs de Cattell. Il attribue leurs résultats décevants à un problème statistique, qu'il trouve le moyen de corriger (Spearman, 1904). Partant de là, il innove en inventant une méthode statistique, l'analyse factorielle, qui permet d'isoler les facteurs communs à un ensemble de variables fortement corrélées entre elles. Reste à l'expérimenter. En guise d'échantillon, il recrute deux classes d'une trentaine d'élèves chacune. Il évalue leur intelligence « dans la vie » en se fiant à leurs notes scolaires (latin, anglais, mathématiques, musique, etc.), au jugement de leurs maîtres et à l'opinion de certains de leurs camarades. Quant à leur intelligence « en laboratoire », il la mesure par trois tests de seuils sensoriels : la plus petite différence perçue de bruit, de lumière et de poids. L'analyse factorielle lui révèle que les sujets qui excellent dans un domaine tendent à exceller dans les autres. Quelle que soit l'habileté mesurée, conclut Spearman (1904), le rendement des sujets dépend de deux facteurs : un facteur général toujours présent, l'**intelligence générale** (ou **facteur *g***), et un facteur spécifique secondaire (ou facteur *s*), qui change selon l'aptitude testée. Cette conception unifiée de l'intelligence se retrouve encore aujourd'hui dans les tests d'intelligence basés sur un QI : tous sont censés mesurer l'intelligence générale, le fameux facteur *g* de Spearman.

> **Intelligence générale** (ou **facteur *g***)
> Dans le modèle de l'intelligence de Spearman, aptitude intellectuelle générale qui sous-tend à divers degrés toutes les activités mentales.

Lorsqu'il publie ses résultats, Spearman croit avoir trouvé non seulement la preuve de l'existence d'une l'intelligence unique et héréditaire, mais aussi le moyen de la mesurer à partir de l'acuité sensorielle. Pourtant, le premier test d'intelligence utilisable n'a été inspiré ni par lui, ni par aucune des théories ou des méthodes dont nous venons de parler, mais par la nécessité de résoudre un problème concret dans les écoles de France.

Comment et dans quel but a été créée l'Échelle métrique de Binet-Simon ?

Binet et le premier test d'intelligence

En 1904, le gouvernement français forme une commission spéciale pour trouver un moyen objectif d'évaluer le potentiel intellectuel individuel des enfants d'âge scolaire. La loi française a rendu l'instruction obligatoire jusqu'à l'âge de 16 ans, et bien des jeunes qui autrefois seraient restés chez eux se retrouvent sur les bancs de l'école. Certains ont du mal à suivre le programme scolaire, et il devient urgent de dépister ceux qui ont besoin d'un enseignement spécialisé. C'est dans ce but pragmatique que le pédagogue et psychologue Alfred Binet (1857-1911) va élaborer, avec son collaborateur le psychiatre Théodore Simon (1873-1961), le premier test utilisable pour mesurer les facultés intellectuelles selon d'autres critères que le rendement scolaire.

▲ En collaboration avec le psychiatre Théodore Simon, le psychologue français Alfred Binet a mis au point le premier test utilisable pour évaluer le niveau de développement mental des enfants d'âge scolaire.

Psychologue renommé (Cattell suivait ses travaux avec attention…), Binet vient de publier un ouvrage intitulé *L'étude expérimentale de l'intelligence* (1903) et a beaucoup réfléchi sur la question. Ses idées sont aux antipodes de celles de Galton, de Cattell et de Spearman. Quand Binet (1909) parle d'hérédité, c'est pour déplorer que la misère se transmette de génération en génération, et que la détérioration physique qu'elle cause entraîne à son tour une détérioration de l'intelligence. Les corrélations de Spearman n'ont convaincu ni lui ni Simon « qu'il existe en chacun de nous une faculté méritant le nom d'intelligence générale », ni qu'on peut la mesurer par des tests d'acuité sensorielle. Helen Keller (voir p. 82), qui est sourde et aveugle, n'en est pas moins très intelligente (Simon et Binet, 1904). De plus, affirme Binet (1909), aucune analyse statistique de tests mentaux faite sur des sujets anonymes ne peut donner la mesure d'une intelligence : « ces cancres, il faut les examiner l'un après l'autre, savoir pour quelle raison ils occupent ce rang inférieur, si c'est par défaut d'intelligence ou de caractère, et si leur état peut être amendé ». Car pour Binet, le dépistage des élèves « anormaux » n'a de sens que s'il vise à les aider. Loin de voir l'intelligence de l'enfant comme une aptitude innée, fixe et immuable, il la conçoit comme un ensemble de processus cognitifs dynamiques et grandement éducables :

> […] si l'on considère que l'intelligence n'est pas une fonction unique, indivisible et d'essence particulière, mais qu'elle est formée par le concert de toutes ces petites fonctions de discrimination, d'observation, de rétention, etc., dont on a constaté la plasticité et l'extensibilité, il paraîtra incontestable que la même

loi gouverne l'ensemble et ses éléments, et que par conséquent l'intelligence de quelqu'un est susceptible de développement ; avec de l'exercice et de l'entraînement, et surtout de la méthode, on arrive à augmenter son attention, sa mémoire, son jugement, et à devenir littéralement plus intelligent qu'on ne l'était auparavant, et cela progresse ainsi jusqu'au moment où l'on rencontre sa limite.

Publiée en 1905 puis révisée en 1908 et en 1911, l'*Échelle métrique de Binet-Simon* prend pour mesure le niveau de développement mental de l'enfant comparativement à celui d'enfants de divers âges. Le test consiste en une série de tâches très diversifiées liées à la vie quotidienne, mais faisant appel aux « facultés supérieures » : la mémoire, le jugement, l'imagination, la capacité de raisonnement et de résolution de problèmes. Ces tâches sont classées en ordre de difficulté croissant, et administrées à l'enfant dans cet ordre. Le test s'arrête quand l'enfant ne peut plus accomplir les tâches dont peuvent s'acquitter les trois quarts des enfants d'un âge donné. Les dernières tâches réussies indiquent son niveau intellectuel. Si ce niveau est supérieur à son âge réel, on pourra penser que l'enfant est précoce ; s'il est inférieur à son âge réel, il se peut que son intelligence ne soit pas normale. Cependant, prévient Binet (1909), en soi, un écart de niveau ne nous apprend rien ; il doit impérieusement être interprété par un spécialiste, et n'est significatif qu'après une analyse rigoureuse. Un retard de deux ans peut faire soupçonner un cas « d'arriération », mais il peut avoir d'autres raisons. L'influence de la famille et du milieu social, l'ignorance du sens de certains mots, un trouble physique non décelé, une timidité excessive et d'autres raisons encore peuvent entraîner des écarts de niveau d'un ou deux ans au test sans que l'intelligence de l'enfant ne soit en cause, insiste Binet.

Dès sa première édition, le test de Binet-Simon est traduit et publié dans plusieurs pays. Malgré toutes ces précautions et ces avertissements, Binet, qui meurt en 1911, ne pourra pas empêcher que son test soit utilisé d'une toute autre manière que celle qu'il avait prévue…

Terman et le premier test de QI

Pourquoi dit-on que l'échelle de Stanford-Binet mise au point par Terman est le premier test de QI ?

En 1912, le psychologue allemand William Stern (1912) déplore que le « niveau intellectuel » du Binet-Simon, terme qu'il rebaptise « âge mental », ne rende pas compte du fait qu'un enfant de 4 ans qui a un âge mental de 2 ans est beaucoup plus retardé que l'enfant de 12 ans qui a un âge mental de 10 ans. Il propose donc de diviser l'âge mental de l'enfant par son âge chronologique de manière à obtenir un quotient qu'on multipliera par 100 pour éviter les décimales. Ainsi, l'enfant de 4 ans aura un quotient de 0,50 (4 ans ÷ 2 ans), et celui de 12 ans, un quotient de 0,83 (12 ans ÷ 10 ans).

Aux États-Unis, depuis 1905, plusieurs traductions du Binet-Simon circulent dans les écoles publiques, les écoles de réforme, les tribunaux pour jeunes délinquants et les institutions pour déficients mentaux. En 1916, l'auteur d'une de ces traductions, le psychologue Lewis Terman de la faculté d'éducation de la Stanford University, en publie une nouvelle version remaniée en profondeur. L'*Échelle de Stanford-Binet* intègre le quotient de Stern, baptisé **quotient intellectuel (QI)**. En plus d'ajouter une trentaine d'éléments au test original, Terman (1916) propose de nouvelles **normes** d'âge basées sur les résultats moyens d'un petit échantillon d'enfants de race blanche et de classe moyenne ou aisée, résultats qui serviront de bases de comparaison pour noter tous les enfants qui passeront le test. Le premier test de QI vient de voir le jour, et son auteur, eugéniste convaincu, en est ravi.

En testant scientifiquement tous les enfants, écrit Terman (1916), dans *The Measurement of Intelligence*, on pourra dorénavant classer et orienter chacun selon son intelligence. Les « faibles d'esprit » pourront être placés très tôt sous « la surveillance de la protection de la société », et on pourra les empêcher de se reproduire, ce qui réduira de beaucoup « la criminalité, la pauvreté et l'inefficacité industrielle » en plus d'améliorer le bagage génétique et la moralité de la nation. En effet, écrit Terman, les faibles d'esprit sont prédisposés au vice et au crime. À preuve, selon un médecin de la cour municipale de Chicago, sur 564 prostituées traduites devant la cour, seulement 3 % avaient étudié au-delà de la 5e année du primaire. Même si leur intelligence n'a pas été testée, on peut donc, affirme

Quotient intellectuel (QI)
Indice d'intelligence calculé à l'origine en divisant l'âge mental par l'âge chronologique (Stern) puis en multipliant par 100 (Terman), et de nos jours en fonction de l'écart entre le résultat d'un sujet et le résultat moyen des sujets de son âge, s'il s'agit d'un enfant, sinon, des autres adultes.

Norme
En psychométrie, standard basé sur le résultat moyen d'un très grand nombre de sujets à un test psychologique, et qui sert de base de comparaison pour évaluer les résultats individuels de sujets similaires qui passeront ce test par la suite.

Terman, être « raisonnablement certain » que la moitié d'entre elles, sinon plus, étaient faibles d'esprit. Il est intéressant de noter, écrit-il plus loin, que la faiblesse d'esprit et la débilité sont « très, très fréquentes chez les familles mexicaines et indigènes du sud-ouest des États-Unis, de même que chez les Nègres », un trait qui « semble être racial ou du moins inhérent au bagage héréditaire de leur famille d'origine ». Terman prédit que les tests permettront de découvrir des différences raciales très significatives dans l'intelligence générale. Durant la Première Guerre mondiale, Terman fait partie d'un groupe de psychologues mandatés par le gouvernement pour concevoir et appliquer les tests de QI aux recrues de l'armée américaine. À la fin de la guerre, quelque deux millions d'hommes avaient passé le *Army Alpha Test*. En 1923, un des membres du groupe, le psychologue Carl Brigham (1923), publie *A Study of American Intelligence*, ouvrage où il écrit entre autres que l'intelligence américaine est en déclin, que ce déclin s'accélérera avec l'augmentation du brassage racial, et qu'il sera plus rapide que le déclin des groupes européens à cause de la « présence des Nègres aux États-Unis ». Ce livre a l'effet d'une onde de choc au pays, et alimente la ferveur du mouvement eugéniste, avec les effets décrits dans l'encadré de la p. 227. Quelque temps plus tard, Brigham siégeait sur la commission chargée de concevoir le SAT (*Scholastic Aptitude Test*), le test de QI obligatoire pour être admis dans un collège américain. Sachant tout cela, on comprend mieux que les tests de QI aient suscité tant de critiques et de méfiance par la suite.

Thurstone et les tests d'aptitudes mentales primaires

En quoi les tests de Thurstone diffèrent-ils de tous les tests précédents ?

En 1938, le psychologue Louis L. Thurstone (1887-1955), conteste les fondements mathématiques du facteur *g* de Spearman, et l'existence même de l'intelligence générale. Thurstone (1948, 1947) met au point une nouvelle méthode d'analyse multifactorielle et l'applique aux résultats de plus d'un millier de sujets à une batterie de 56 sous-tests mesurant diverses aptitudes intellectuelles. Il isole ainsi sept facteurs qu'il appelle **aptitudes mentales primaires**, soit la compréhension verbale, l'aptitude numérique, les relations spatiales, la rapidité perceptive, la fluidité verbale, la mémoire associative et le raisonnement. Toutes les activités intellectuelles reposent sur une ou plusieurs de ces aptitudes, soutient Thurstone. Avec sa collègue la psychologue Thelma G. Thurstone, il élabore des *Tests d'aptitudes mentales primaires* pour les mesurer et donner ainsi une image beaucoup plus juste qu'un score unique comme le QI. Cependant, lorsqu'il analyse les résultats d'un groupe d'enfants hétérogènes sur le plan intellectuel, il n'arrive pas à prouver que les sept aptitudes mentales sont indépendantes : les résultats indiquent la présence d'un facteur *g* (intelligence générale). La version finale de sa théorie admet donc l'existence d'un facteur *g*, mais démontre élégamment qu'il s'agit d'un facteur de second ordre, les sept aptitudes mentales primaires restant des facteurs prédominants. Certains enfants sont bons en ceci, d'autres en cela, d'autres en d'autres choses encore. À cet égard, la démarche adoptée par Thurstone joue alors un rôle très important. À partir de là, l'hégémonie de l'intelligence générale avec tout ce qu'elle sous-tendait commence à s'affaiblir.

Aptitude mentale primaire
Dans le modèle de l'intelligence de Thurstone, une de sept aptitudes mentales qui, seules ou combinées, interviennent dans toutes les activités intellectuelles.

Wechsler et les premiers tests de QI pour adultes avec courbe de Gauss

En quoi l'échelle de Wechsler diffère-t-elle de l'échelle de Stanford-Binet ?

Dans les années 1920 et 1930, la pratique du test d'intelligence devient de plus en plus populaire aux États-Unis. Cependant, l'échelle de Stanford-Binet de l'époque ne permet pas d'évaluer des adultes, car sa formule de calcul du QI n'est plus valide une fois la maturité intellectuelle atteinte. Ainsi, un sujet de 40 ans qui obtiendrait le résultat moyen des sujets de 20 ans aurait un QI de 50 (20/40 X 100), celui d'un déficient mental ! En 1939, le psychologue David Wechsler du Bellevue Psychiatric Hospital à New York élabore le premier test de QI individuel valide pour les 16 ans et plus, l'*Échelle d'intelligence Wechsler-Bellevue*, qui deviendra avec sa révision de 1955 l'*Échelle d'intelligence Wechsler pour adultes (WAIS)*. Le WAIS est construit de sorte que la notation ne soit plus basée sur l'âge mental divisé par l'âge chronologique, mais sur une comparaison entre les résultats du sujet et ceux d'une population de référence. Il s'agit là d'une conception résolument statistique de l'intelligence, où l'intelligence « normale » est définie comme la valeur centrale d'une courbe statistique, la *courbe de Gauss*. Le premier WAIS comporte une autre innovation inspirée par les travaux de Thurstone : composé de cinq sous-tests verbaux et de six sous-tests non verbaux, il permet d'obtenir un QI verbal et un QI non verbal, en plus d'un QI global, (Wechsler, 1939). Ce nouveau format est si bien reçu que Wechsler l'utilise par la suite pour ses tests destinés aux enfants : l'*Échelle d'intelligence de Wechsler pour enfants (WISC)* (1947), et plus tard l'*Échelle d'intelligence préscolaire et primaire de Wechsler (WPPSI)* (1972).

La courbe de Gauss (courbe en cloche ou courbe normale)   Dans une population donnée, si on classe les individus selon n'importe quelle caractéristique (taille, poids, QI, etc.), on s'aperçoit que plus on s'approche de la moyenne pour le critère considéré, et plus il y a de gens ; plus on s'en éloigne, et moins il y en a. Aux deux extrémités, il n'y a presque personne. La représentation graphique de cette réalité « normale » s'appelle une courbe de Gauss (ou courbe en cloche ou courbe normale) et prend la forme d'une cloche. Si les résultats des tests de QI donnent des courbes en cloche parfaitement symétriques, c'est qu'ils sont étalonnés pour le faire : ils comportent un petit nombre d'éléments très difficiles (que très peu réussiront), et un petit nombre d'éléments très simples (auxquels très peu ne pourront répondre). Les autres éléments serviront à évaluer les sujets dans la moyenne. Les éléments du test sont donc ajustés et étalonnés jusqu'à ce que leurs résultats produisent la fameuse courbe en cloche. Sur les échelles de Wechsler, on attribue arbitrairement la note 100 au QI moyen de tous les sujets du même groupe d'âge et l'écart-type est de 15 points, ce qui donne la courbe qu'on voit à la figure 7.1. La moitié des sujets se situent tout près de la moyenne (entre 90 et 110) ; 68,26 % entre 85 et 115, et 95,44 % entre 70 et 130. À peine 2 % des notes dépassent 130, un QI jugé supérieur, et près de 2 % tombent sous les 70, un QI sous le seuil de la déficience intellectuelle.

Courbe de Gauss (ou courbe en cloche ou courbe normale) Représentation graphique de données qui prend la forme d'une cloche.

Figure **7.1**

LA COURBE DE GAUSS

Sur les échelles de Wechsler, le QI moyen est arbitrairement fixé à 100, et l'écart-type est de 15. Près de 68 % des scores se situent entre 85 à 115 (écart-type 1:15 points ou moins), et près de 95 % entre 70 et 130 (écart-type 2:30 points ou moins).

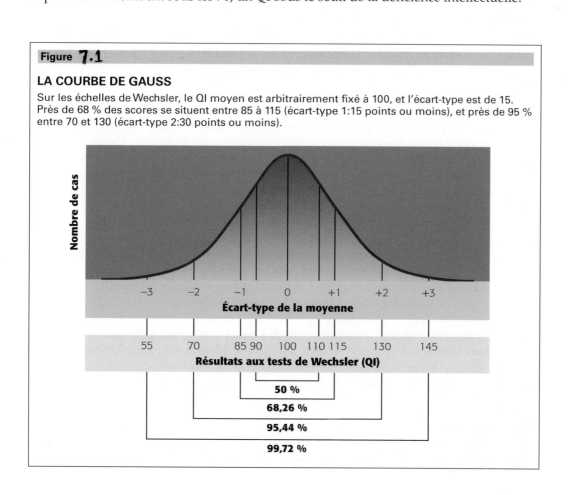

Adrien Pinard

En plus d'avoir collaboré pendant plus de 20 ans avec Jean Piaget, pour qui il a réalisé des expériences, le psychologue et chercheur québécois Adrien Pinard (1916-1998) a élaboré plusieurs tests psychométriques. En 1951, il publiait avec Gérard Barbeau une version révisée et adaptée du test de Wechsler. L'*Épreuve individuelle d'intelligence générale* était conçue pour des sujets francophones et étalonnée sur une population montréalaise. En 1989, Jean-Marc Chevrier propose l'*Épreuve individuelle d'habiletés mentales* (EIHM), également inspirée du test de Wechsler, et dont les normes se basent cette fois sur une population francophone répartie sur l'ensemble du Québec et hors Québec.

Quelles exigences les tests contemporains doivent-ils satisfaire ?

Les tests de QI contemporains : ce qu'il faut savoir

L'échelle de Stanford-Binet et les différentes formes de l'échelle de Wechsler restent parmi les tests les plus répandus pour mesurer les habiletés intellectuelles. Elles ont été révisées plusieurs fois et ont beaucoup évolué. Par exemple, le WISC-IV (quatrième version) publié en 2003 comporte 15 sous-tests. Cinq de ces sous-tests produisent un QI de compréhension verbale, et les dix autres sous-tests, tous non verbaux, fournissent trois autres QI : raisonnement perceptif, vitesse de traitement de l'information et mémoire de travail. Le QI global tient compte de ces quatre QI. De nombreux psychologues apprécient ces diverses mesures, qui donnent un tableau plus juste des forces et des faiblesses des sujets. Ce type de tests de QI doit être administré individuellement par un psychologue ou un autre professionnel qualifié. Pour tester un grand nombre de sujets en peu de temps et à moindres frais, on recourt plutôt à des tests d'intelligence collectifs comme le *Test d'intelligence générale Otis-Lennon*, qu'on utilise pour l'admission des élèves dans certaines écoles.

On a beaucoup reproché aux tests de QI et autres tests d'aptitudes intellectuelles de désavantager les gens, et en particulier les enfants, dont le bagage culturel et linguistique diffère de celui de la majorité ou de la culture dominante. L'ajout de nombreux sous-tests non verbaux dans plusieurs tests de QI vise à réduire ce biais. Certains tests de QI sont entièrement conçus à cet effet. Ainsi, les matrices progressives de Raven, un test mis au point par le Britannique J. C. Raven, sont entièrement constituées de figures géométriques abstraites qui nécessitent peu d'intervention verbale. On a aussi reproché aux tests d'être biaisés en faveur des gens de race blanche de la classe moyenne, la « majorité » à partir de laquelle les tests sont construits et normalisés dans bien des pays (Serpell, 2003). La formulation des questions et les expériences auxquelles elles font référence sont plus familières à certains groupes qu'à d'autres. Bien qu'on s'efforce d'éliminer ces biais, il serait téméraire d'affirmer que les tests de QI ne reflètent pas les concepts et les valeurs de la culture dont ils sont issus. Cependant, il est incontestable que les tests de QI contemporains ont gagné en rigueur depuis les tests de Terman.

La qualité des tests de QI Plusieurs critères permettent d'évaluer la qualité d'un test. Les premiers sont la **fidélité** et la *validité*. Un test est fidèle si ses résultats sont sensiblement les mêmes chaque fois que les mêmes sujets le repassent ou sont soumis à une de ses variantes. Plus la corrélation entre les résultats est élevée, plus le test est fidèle. Cela dit, même le test le plus fidèle est complètement inutile s'il n'est pas valide. Un test a de la **validité** s'il mesure bien ce qu'il doit mesurer. Ainsi, un thermomètre est un instrument valide pour mesurer la température, et un pèse-personne, pour mesurer le poids. Mais, si fidèle soit-il, votre pèse-personne n'est pas un instrument valide pour mesurer votre température, ni votre thermomètre pour vous peser.

Fidélité
Qualité d'un test dont les résultats, lors d'essais indépendants et dans des conditions identiques, demeurent stables.

Validité
Capacité d'un test à bien mesurer ce qu'il est censé mesurer.

Pour que les résultats soient comparables d'une personne à l'autre, un bon test doit avoir fait l'objet d'une standardisation. Autrement dit, ses normes d'administration et de notation doivent être exactement les mêmes pour tous les sujets. Ainsi, tous doivent recevoir exactement les mêmes directives (orales ou écrites) avant de passer le test, disposer du même temps pour chaque partie du test, et être évalués selon le même barème. La notation repose sur un étalonnage qui se fait à l'étape de la construction du test. On administre le test à un vaste échantillon représentatif de la population (disons celle du Québec), pour déterminer des résultats moyens qui serviront de normes – d'étalons –, et à partir desquels on interprétera les résultats de tous ceux et celles qui passeront le test à l'avenir. On analyse les résultats de l'échantillon en calculant la moyenne, l'écart-type, les rangs centiles et d'autres mesures. Le test sera ajusté jusqu'à ce que les résultats de l'échantillon se distribuent selon la courbe dite « normale », la courbe de Gauss. C'est ce qu'on appelle la normalisation du test.

Standardisation
Fixation précise des conditions d'administration et de notation d'un test.

Étalonnage
Établissement de normes à partir desquelles seront interprétés les résultats des personnes qui passeront un test.

Normalisation
Traitement des résultats d'un étalonnage pour qu'ils se conforment à une distribution dite « normale ».

Le QI et l'hérédité : nature ou culture ?

Que savons-nous aujourd'hui de l'influence respective des gènes et de l'environnement sur les habiletés cognitives mesurées par les tests de QI ?

De nos jours, la plupart des psychologues s'entendent pour dire que les habiletés cognitives mesurées par les tests de QI sont à la fois innées et acquises ; cependant, l'importance relative des facteurs génétiques et environnementaux est loin de faire l'unanimité (Petrill, 2003). Nous avons vu au chapitre 2 (p. 78) que les études comparant des jumeaux monozygotes élevés séparément et les études sur des enfants adoptés sont un bon moyen d'estimer l'héritabilité d'un trait – c'est-à-dire la probabilité que les différences individuelles pour ce trait s'expliquent seulement par la transmission génétique. Or, ces études indiquent une très forte héritabilité des habiletés mesurées par le QI (Plomin, 1999 ; Bouchard, 1997 ; McGue et autres, 1993).

Héritabilité
Probabilité estimée que les différences individuelles pour un trait ou une caractéristique s'expliquent par la seule transmission génétique.

Le psychologue Thomas Bouchard, du Minnesota Center for Twin and Adoption Research, mène depuis 1979 une étude longitudinale sur 140 paires de jumeaux hétérozygotes et monozygotes élevés ensemble ou séparément, et est considéré comme un expert des études sur l'héritabilité des traits psychologiques. Or, affirme Bouchard (1997), divers types d'études sur les jumeaux confirment que l'« intelligence générale ou QI » dépend lourdement de l'hérédité, et que l'environnement y joue un rôle mineur. De plus, souligne Bouchard (1997), des études sur des enfants adoptés peu après la naissance révèlent que leur QI est plus proche de ceux de leurs parents biologiques que de ceux de leurs parents adoptifs. Enfin, chez les frères et sœurs non liés biologiquement et élevés ensemble, il n'y a pas plus de corrélations de QI à l'âge adulte qu'entre de parfaits étrangers. De nombreuses autres études indiquent que les gènes jouent un rôle important dans la détermination des compétences mesurées par le QI, notamment des compétences linguistiques (Craig et Plomin, 2006 ; Plomin et Dale, 2000), Faut-il en conclure que le QI est déterminé une fois pour toutes à la naissance et que les efforts déployés pour améliorer les habiletés cognitives des enfants n'y changent pas grand-chose ? Eh ! bien non !

Les interventions dans la petite enfance et le QI Il y a plus de 30 ans, Sandra Scarr et Richard Weinberg (1976) ont étudié les cas de 130 enfants noirs ou mulâtres provenant de familles pauvres et adoptés par des familles blanches très instruites de la classe moyenne supérieure ; 99 d'entre eux avaient été adoptés avant l'âge d'un an. Ces enfants avaient donc été pleinement exposés à la culture et au vocabulaire de la classe moyenne, la « culture des tests et de l'école » (p. 737) . Or, les tests de ces 130 enfants ont révélé un QI *moyen* de 106,3 et leurs notes aux épreuves de niveau ont été légèrement au-dessus de la moyenne nationale,

▲ Si les chercheurs ont pu établir la très forte influence de l'hérédité sur les habiletés mesurées par le QI pour les enfants de familles aisées et riches, ils ont aussi constaté que pour les enfants des familles pauvres, l'influence de l'environnement prédomine. En effet, dans un environnement difficile, le potentiel génétique des enfants n'aura pas la chance de s'exprimer pleinement.

▶ Le psychologue du développement Craig Ramey a utilisé la méthode expérimentale pour démontrer que l'éducation à la petite enfance peut faire augmenter le QI des enfants de milieux défavorisés.

jamais au-dessous. En moyenne, plus les enfants avaient été adoptés jeunes, plus leur QI était élevé. Le QI moyen des 99 enfants adoptés avant l'âge d'un an était de 110,4 – soit 10 points au-dessus de la moyenne. Depuis, de nombreuses études visant à évaluer les effets des programmes préscolaires sur les bébés et les jeunes enfants issus de familles pauvres indiquent clairement que les interventions éducatives précoces influent sur le fonctionnement intellectuel (Schellenberg, 2004 ; Brooks-Gunn, 2003 ; Turkheimer, 1989 ; Duyme, 1988 ; Schiff et Lewontin, 1986). Celles du psychologue et spécialiste du développement Craig Ramey comptent parmi les plus connues et les plus probantes (Ramey et Ramey, 2004 ; Burchinal et autres, 1997 ; Campbell et Ramey, 1994 ; Ramey, 1993 ; Ramey et Campbell, 1987), car, contrairement à plusieurs autres, elles reposent sur des expériences ; on sait donc que les effets constatés ont vraiment pour cause les interventions mises en œuvre.

Dans l'une des études de Ramey, des bébés de 6 à 12 mois dont les mères avaient un QI bas et un revenu faible ont été répartis de manière aléatoire entre deux groupes. Dans le groupe expérimental (groupe 1), les enfants bénéficiaient de soins médicaux et de suppléments alimentaires et étaient inscrits dans un programme de garderie enrichie 40 heures par semaine jusqu'à l'âge scolaire. Dans le groupe témoin (groupe 2), les enfants recevaient seulement des soins médicaux et des suppléments alimentaires (il aurait été immoral de les en priver). À l'âge scolaire, la moitié des sujets de chaque groupe ont été assignés, toujours de manière aléatoire, au groupe 3, où les enfants bénéficiaient d'un programme périscolaire destiné à aider leur famille à apprendre comment soutenir leur apprentissage scolaire par des activités éducatives à domicile. Le reste des sujets (groupe 4) ne bénéficiaient plus d'aucun programme. Ramey a suivi les enfants des quatre groupes jusqu'à l'âge de 12 ans, les soumettant périodiquement à des tests de QI. Les résultats de cette expérience sont éloquents. D'abord, les enfants qui ont participé aux deux programmes de Ramey ont obtenu de meilleurs résultats aux tests de QI que ceux qui n'avaient fait l'objet d'aucune intervention ou qui n'avaient participé qu'au programme périscolaire. Plus important encore, 40 % des enfants du groupe témoin (groupe 2) qui n'avaient pas bénéficié du programme de garderie affichaient des QI de moins de 85 (cas limites ou arriération), comparativement à seulement 12,5 % des enfants du groupe expérimental. De plus, des recherches récentes révèlent que l'avantage cognitif dont bénéficiaient ces derniers s'est maintenu à l'âge adulte (Campbell et autres, 2002, 2001). L'étude de Ramey montre clairement que l'environnement a un grand potentiel d'influence sur le QI.

La situation socioéconomique et le QI   Dans l'ensemble, les études sur les enfants sortis de la pauvreté révèlent que leur QI tend à devenir sensiblement plus élevé que celui des membres de leur famille biologique, tandis que les études de jumeaux ou d'adoptions indiquent que l'environnement ne joue qu'un rôle mineur dans les différences de QI (van Ijzendoorn et autres, 2005). Comment expliquer ce paradoxe ? L'hypothèse la plus plausible est que l'héritabilité (voir, p. 233) de l'intelligence varie selon les milieux, les mêmes gènes ayant des effets différents dans des environnements différents (Deary et autres, 2006). Ce phénomène n'avait pas été détecté par les études de jumeaux et d'adoptions, car celles-ci ont presque toujours été menées auprès de familles moyennes ou aisées. En effet, les familles pauvres n'ont généralement ni le temps ni l'envie de participer bénévolement à des études sur les jumeaux, pas plus qu'elles n'ont les moyens d'adopter des enfants. Cette hypothèse a été testée par Eric Turkheimer et ses collègues de la Virginia University (Turkheimer et autres, 2003), qui ont mené le même genre d'étude que leurs collaborateurs, mais en partant d'une base de données comportant une forte proportion de familles à la limite ou sous le seuil de la pauvreté. Leur échantillon était constitué de 319 paires de jumeaux monozygotes et dizygotes (54 % de Noirs, 43 % de Blancs, et 3 % « autres ») inscrits dans un programme de soins périnataux et qui avaient passé un test de QI à l'âge de 7 ans. En ajoutant la dimension de la situation socioéconomique à leurs analyses de corrélations, les chercheurs ont constaté comme leurs collègues que chez les enfants de familles aisées, l'héritabilité du QI était considérable (le QI des enfants était fortement corrélé à celui des parents). Par contre, chez les enfants de familles pauvres, l'environnement jouait un rôle déterminant dans les différences de QI, tandis que l'hérédité semblait n'avoir pratiquement aucun effet ! L'hypothèse de Turkheimer (2008) et ses collègues est que dans un environnement difficile, le potentiel génétique des enfants n'a pas la chance de s'exprimer pleinement, comme c'est le cas dans un milieu aisé. Les familles aisées peuvent libérer du temps, de l'énergie et des moyens pour apporter aux enfants la stimulation nécessaire à l'expression des gènes et à la construction des circuits cérébraux responsables des habiletés cognitives mesurées par le QI.

La race et le QI   Historiquement, la plupart des études américaines indiquent qu'en moyenne les Noirs obtiennent 15 points de moins que les Blancs aux tests de QI standardisés (par exemple, Rushton et Jensen, 2005 ; Loehlin et autres, 1975) ; des études effectuées dans d'autres pays rapportent des différences similaires (par exemple, Rushton et Jensen, 2003). En 1969, le psychologue américain Arthur Jensen publiait un article où il attribuait ces écarts de QI à des différences génétiques entre les races, différences si importantes qu'on ne pouvait rien y changer. Une telle affirmation, qui mettait implicitement en cause l'utilité des programmes d'intervention précoce destinés aux enfants noirs défavorisés, ainsi que sa recommandation selon laquelle les enfants afro-américains devraient être dirigés vers un type d'enseignement différent a suscité un tollé aux États-Unis (Ciancolo et Sternberg, 2004). Vingt-cinq ans plus tard, au milieu des années 1990, le psychologue Richard Herrnstein et le politologue Charles Murray revenaient sur la question avec leur ouvrage *The Bell Curve* (Herrnstein et Murray, 1994). Ils y soutenaient que les différences de QI entre individus et entre groupes expliquent les inégalités sociales. Comme on vient de le voir, des opinions comme celles de Jensen, de Herrnstein et de Murray contredisent les résultats de recherche dont nous venons de faire état. À l'heure actuelle, la recherche indique plutôt que les différences de QI entre les Noirs et les Blancs s'expliquent davantage par des inégalités socioéconomiques et culturelles et un accès restreint à l'éducation que par l'hérédité.

Depuis plus de trois décennies, le psychologue Richard Lynn (2006) compare le QI des diverses nations en compilant les résultats de centaines d'études. Selon Lynn, les pays qui affichent les QI les plus élevés du monde sont, dans l'ordre, Hong Kong, le Japon et la Corée du Nord, suivis de près par les pays d'Europe, le Canada et les États-Unis. Compte tenu de la grande inégalité des niveaux de vie à l'échelle mondiale, ces conclusions de Lynn n'ont rien d'étonnant. Les enfants des pays industrialisés obtiennent de meilleurs résultats aux tests de niveau que leurs pairs des pays en voie de développement. Cependant, des recherches internationales portant sur la réussite en mathématiques et en sciences révèlent qu'à des QI similaires, les étudiants d'Asie distancent dans ces domaines leurs

▲ Pour ce qui est de l'intelligence, voilà un couple qui n'a rien à envier à personne !

pairs européens et nord-américains (NCES, 2003). Des chercheurs soupçonnent les attitudes culturelles concernant la contribution relative des aptitudes naturelles et de l'effort d'être en partie responsables de ces différences (Li, 2003).

Une étude classique sur la place de l'intelligence dans les croyances culturelles a révélé qu'au Japon et en Chine, les mères accordaient beaucoup plus d'importance que les parents nord-américains à la réussite scolaire de leurs enfants (Stevenson et autres, 1986). De plus, elles minimisaient l'importance des aptitudes innées, et valorisaient le travail acharné et la persévérance, alors que les parents américains faisaient l'inverse (Stevenson, 1992). Selon des recherches plus récentes, les enfants américains d'âge préscolaire ont des croyances similaires à celles des enfants asiatiques quant aux liens entre l'effort et la réussite (Heyman et autres, 2003). Cependant, contrairement à leurs pairs asiatiques, vers 11 ans, sans doute à cause de l'influence des adultes et des pairs, les enfants américains se mettent à croire que la réussite tient davantage des aptitudes innées que de l'effort (Altermatt et Pomerantz, 2003 ; Heyman et autres, 2003). Stevenson ajoute que « lorsque les adultes croient que la réussite scolaire dépend davantage des aptitudes que de l'effort, ils sont moins portés à encourager la participation de leur enfant à des activités liées à la réussite scolaire » (1992, p. 73).

QI, déficience mentale et syndrome savant

Selon quels critères peut-on déterminer qu'une personne souffre de déficience intellectuelle ?

Déficience intellectuelle
Intelligence en deçà de la normale, ce qui se traduit par un QI de moins de 70 et par de graves difficultés de fonctionnement dans la vie quotidienne.

À l'extrémité droite de la courbe en cloche, il y a les surdoués ; à l'autre extrémité, on trouve les 2 % de personnes qu'un faible QI peut placer dans la catégorie de la déficience intellectuelle. Ne sont considérés comme déficients intellectuels que les gens (1) dont le QI est inférieur à 70 et (2) dont la capacité de prendre soin d'eux-mêmes et d'être en relation avec autrui est gravement compromise (Grossman, 1983). La déficience intellectuelle peut être légère (QI de 55 à 70), modérée (de 40 à 55), grave (de 25 à 40) ou profonde (en deçà de 25). Le tableau 7.1 montre le degré de fonctionnement attendu selon le degré de déficience intellectuelle. Parmi les causes de la déficience intellectuelle, on compte les lésions cérébrales, les aberrations chromosomiques (comme le syndrome de Down), les carences chimiques et les lésions que le fœtus aurait subies pendant son développement. De plus, les études illustrant le retard mental durable provoqué par une exposition précoce au plomb s'accumulent (Garavan et autres, 2000 ; Morgan et autres, 2000). Jusqu'à la fin des années 1960, les enfants retardés étaient éduqués presque exclusivement dans des institutions spéciales. Depuis, il y a eu un mouvement vers l'intégration scolaire de ces enfants dans des écoles régulières, que ce soit dans des classes normales pour au moins une partie de la journée ou dans des classes spéciales. Les programmes de formation destinés aux personnes atteintes de déficience intellectuelle sont des investissements rentables. Reposant en grande partie sur des techniques de modification du comportement, ils permettent à ces citoyens et citoyennes de gagner leur vie.

▶ Les personnes atteintes de déficience intellectuelle peuvent apprendre de nombreux petits métiers, ce qui est à la fois profitable pour la société et gratifiant pour elles.

Tableau 7.1

LA DÉFICIENCE INTELLECTUELLE MESURÉE SUR LES ÉCHELLES DE WECHSLER

Degré	QI	Caractéristiques
Légère	55-70	Peuvent acquérir un niveau d'instruction équivalent à la 6e année. Peuvent être autonomes et gagner leur vie dans divers métiers.
Modérée	40-55	Sont probablement incapables d'acquérir un niveau d'instruction supérieur à la 2e année ; peuvent développer une certaine autonomie et des aptitudes sociales et professionnelles ; peuvent travailler en atelier protégé.
Grave	25-40	Peuvent acquérir des habitudes d'hygiène élémentaires et apprendre à parler (apprentissage par la répétition des habitudes).
Profonde	Moins de 25	Ont un développement moteur rudimentaire ; peuvent apprendre certaines habitudes de soins personnels élémentaires.

Le syndrome savant Hikari est un cas type du syndrome savant, une combinaison de handicaps mentaux très lourds et de dons vraiment hors du commun. Les personnes atteintes du syndrome savant peuvent accomplir des prouesses extraordinaires dans un domaine, habituellement les arts ou le calcul mental. Certains sont des musiciens exceptionnels, d'autres peignent ou dessinent admirablement, et d'autres encore sont des prodiges du calcul mental ; quant aux « calculateurs de calendrier », ils peuvent calculer en un clin d'œil le jour de la semaine correspondant à n'importe quelle date passée ou à venir.

Syndrome savant
Syndrome caractérisé par une combinaison de handicaps mentaux lourds et de dons hors du commun dans un domaine particulier.

Le syndrome savant est très rare, et reste encore en bonne partie une énigme pour la science. Il peut être acquis ou congénital. On sait que la moitié des « savants » sont autistes (ils présentent des difficultés relationnelles majeures). Or, l'oreille absolue (capacité de reconnaître une tonalité musicale en l'absence de référence) est plus fréquente chez les autistes que dans le reste de la population, et leur acuité sonore, plus développée (Bonnel et autres, 2003). Le syndrome savant peut résulter d'une lésion ou d'une pathologie de l'hémisphère gauche. Comme les habiletés savantes sont plutôt typiques de l'hémisphère droit, certains chercheurs croient que les lésions de l'hémisphère gauche sont ainsi compensées par l'hémisphère droit au fil du temps (Miller 2005 ; Miller et autres, 1998). Bien que le cas soit différent, il est intéressant de noter qu'après avoir été victime du syndrome de Waxman-Geschwind, qui affecte l'hémisphère gauche, Franco Magnani (voir p. 192) s'est mis à peindre de façon spectaculaire. D'autres chercheurs croient plutôt que les dons des « savants », en particulier le calcul mental, dorment en chacun de nous, inhibés par d'autres fonctions mentales ; ces talents seraient en quelque sorte libérés par des atteintes à l'hémisphère gauche (Snyder et Mitchell, 1999). Dans une étude novatrice réalisée sur des sujets normaux, le psychologue Allan Snyder et ses collègues ont inhibé par impulsions magnétiques des zones du cerveau responsables du regroupement et du classement de l'information (Snyder et autres, 2006). Or, une fois cela fait, les sujets devenaient capables de faire des calculs mentaux complexes à la manière des « savants ».

▲ Raymond, le personnage principal du film *Rainman*, incarné par Dustin Hoffman, est fictif, mais de l'avis du psychiatre et chercheur Laurent Mottron, il est construit à partir de plusieurs cas réels.

La mesure de l'intelligence d'hier à aujourd'hui

1. Qui suis-je ?

a) J'ai conçu le premier test d'intelligence, et ce n'était pas un test de QI.

b) J'ai été le premier à vouloir mettre au point des tests pour mesurer l'intelligence.

c) J'ai été le premier à utiliser le terme « tests mentaux ».

d) J'ai conçu le premier test de QI.

e) J'ai conçu le premier test de QI utilisant la courbe en cloche.

f) Je suis l'auteur de la théorie de l'intelligence générale (facteur *g*).

2. La (psychométrie/psychologie différentielle) est la branche de la psychologie qui étudie des différences psychologiques entre des individus ou des groupes placés dans la même situation ; la (psychométrie/psychologie différentielle) est l'évaluation scientifique des capacités psychologiques d'un individu à l'aide de tests et autres instruments de mesure.

3. Je suis la courbe en cloche. Quels sont mes deux autres noms ?

4. Un test est (valide/fidèle) si ses résultats sont sensiblement les mêmes chaque fois que les mêmes sujets le repassent ; il est (valide/fidèle) s'il mesure bien ce qu'il doit mesurer.

5. Ne sont considérés comme déficients intellectuels que les gens (1) dont le QI est inférieur à _____ et (2) dont la capacité de s'occuper d'eux-mêmes et d'être en relation avec autrui est compromise.

Réponses : 1. (a) Alfred Binet (b) Francis Galton (c) James McKeen Cattell (d) Lewis Terman (e) David Wechsler (f) Charles Spearman. **2.** psychologie différentielle ; psychométrie. **3.** Courbe de Gauss et courbe normale. **4.** fidèle ; valide. **5.** 70.

7.2 L'INTELLIGENCE AU-DELÀ DU QI

Revenons à la question que nous posions en introduction de ce chapitre. Si le QI d'Hikari Oe est si bas, bien en deçà du seuil de la déficience intellectuelle, comment expliquer qu'il soit parvenu à maîtriser des connaissances aussi complexes que la musique classique, et aussi abstraites que les codes de l'écriture musicale ? Si beaucoup de psychologues ont adopté la théorie d'une intelligence générale qui sous-tend toutes les autres, bien d'autres psychologues ne l'endossent pas et envisagent l'intelligence tout autrement. C'est notamment le cas de Robert Sternberg et d'Howard Gardner, qui ont chacun leur propre théorie sur la nature de ce que nous appelons l'intelligence.

Sternberg et la théorie triarchique de l'intelligence

En quoi la théorie triarchique de l'intelligence de Sternberg se distingue-t-elle de la théorie de l'intelligence générale ?

Robert Sternberg (1986, 1985) a formulé la **théorie triarchique de l'intelligence**, selon laquelle il existe trois types d'intelligence (voir la figure 7.2) :

Théorie triarchique de l'intelligence
Théorie de Sternberg qui postule l'existence de trois type d'intelligence : l'intelligence componentielle (analytique), l'intelligence « expérientielle » (créatrice) et l'intelligence contextuelle (pratique).

- L'intelligence componentielle, qu'on pourrait qualifier d'analytique, concerne les aptitudes mentales les plus étroitement liées à la réussite de tests de QI et de tests de rendement (examens, tests de niveau, etc.). Ceux-ci, dit Sternberg, ne mesurent que les aspects de l'intelligence liés au savoir formel, scolaire.

- L'intelligence « expérientielle » (mot inventé par Sternberg), qu'on pourrait qualifier de créatrice, permet aux gens qui en sont bien pourvus de résoudre des problèmes nouveaux et de composer avec des situations ou des défis inattendus, de trouver des façons ingénieuses de s'acquitter des tâches quotidiennes plus efficacement.

- L'intelligence contextuelle (pratique), qui concerne le bon sens, l'esprit pratique et la débrouillardise, l'adaptation au milieu, permet aux gens qui en sont bien pourvus de miser sur leurs forces, de pallier leurs faiblesses, de bien s'adapter à leur milieu, de le changer pour mieux y réussir ou, au besoin, d'en trouver un nouveau.

Sternberg et ses collègues (1995) soutiennent que les résultats d'un individu aux tests de QI et son degré de succès dans le monde réel sont basés sur deux types de connaissance distincts : la connaissance formelle ou explicite (acquise à l'école) et la connaissance tacite ou implicite. Contrairement à la connaissance explicite, la connaissance tacite, axée sur la pratique, s'acquiert sans l'aide directe d'autrui. Selon Sternberg, elle joue un rôle important dans les performances d'un individu, et des recherches soutiennent ses affirmations voulant que l'on soit en présence de deux formes distinctes de connaissance (Grigorenko et autres, 2004 ; Taub et autres, 2001).

Figure 7.2

LA THÉORIE TRIARCHIQUE DE L'INTELLIGENCE DE STERNBERG

Intelligence componentielle (analytique)	Intelligence «expérientielle» (créatrice)	Intelligence contextuelle (pratique)
Habiletés mentales les plus étroitement liées à la réussite aux tests de QI et aux tests de rendement	Pensée créatrice et résolution de problème	Bon sens, débrouillardise, esprit pratique, adaptation au milieu

Les chercheurs ont cependant observé que les méthodes de mesure de la connaissance formelle, comme les tests de QI courants, prédisent la réussite avec plus de justesse que les tests à l'aide desquels Sternberg évalue l'intelligence pratique. Sternberg et ses alliés en conviennent, mais soutiennent que cela s'explique par les imperfections de leurs tests. Ces dernières années, Sternberg et ses collègues se sont donc concentrés sur l'élaboration de tests d'intelligence fidèles et valides pour mesurer chacun des trois types d'intelligence postulés par leur modèle (Sternberg, 2003a, 2003b ; Sternberg et autres, 2001). Les idées de Sternberg ont gagné en popularité dans les milieux de l'éducation. Plusieurs études indiquent que des méthodes d'enseignement qui misent sur les trois types d'intelligence de Sternberg peuvent être efficaces chez les élèves en difficulté (Grigorenko et autres, 2002).

Gardner et la théorie des intelligences multiples

Combien y a-t-il de types d'intelligence selon Gardner ?

Psychologue et chercheur à la Harvard University, Howard Gardner ne croit pas lui non plus à l'existence de l'intelligence générale, du facteur *g*. Selon lui, nous sommes dotés de plusieurs intelligences ou structures mentales (*frames of mind*) indépendantes et d'égale importance, chacune correspondant à un potentiel biologique – une capacité de traiter de manière spécifique tel ou tel type d'informations (ou de données) (Gardner, 2000, 1983). Même s'il convient que le nombre réel de ces «intelligences» est difficile à déterminer, Gardner a élaboré un modèle qui postule l'existence de huit intelligences décrites à la figure 7.3 (p. 240): l'intelligence linguistique, l'intelligence logico-mathématique, l'intelligence spatiale, l'intelligence kinesthésique, l'intelligence musicale, l'intelligence interpersonnelle, l'intelligence intrapersonnelle et l'intelligence naturaliste). Gardner, qui continue à raffiner son modèle, envisage la possibilité d'inclure dans son modèle un neuvième type d'intelligence, l'*intelligence existentielle*, qui se rapporte au

▲ Le chimpanzé Ayumu sait reconnaître, mémoriser et classer dans l'ordre les chiffres qui apparaissent un instant sur l'écran. À ce petit jeu, lui et ses jeunes congénères battent même à plate couture des étudiants entraînés pendant six mois, ont découvert des chercheurs de l'Université de Tokyo. Lorsque l'affichage ne dure que deux dixièmes de seconde, Ayumu réussit l'épreuve sans erreur dans 80 % des cas, alors que le score des étudiants ne dépasse pas 40 %. Source : Inoue et Matsuzawa, 2007.

domaine spirituel et nous permet d'appréhender le sens de la vie (Halama et Strízenec, 2004). Pour Gardner, les tests de QI comme l'apprentissage scolaire traditionnel font surtout appel à l'intelligence linguistique et à l'intelligence logico-mathématique au détriment des autres formes d'intelligence.

Gardner a élaboré sa théorie des intelligences multiples en étudiant des patients présentant comme Hikari Oe des atteintes cérébrales qui ont touché certaines formes d'intelligence et en ont laissé d'autres intactes, ainsi que des autistes qui présentent le syndrome savant. Pour Gardner, tous ces gens sont le meilleur argument qu'on puisse opposer aux théories du quotient intellectuel (QI) et de l'intelligence générale, «la démonstration vivante […] du fait que l'on peut avoir une forme d'intelligence très développée et une autre beaucoup moins» (Gardner, 2002). L'un des aspects les plus stimulants de la théorie des intelligences multiples, dit Gardner, est qu'elle offre la possibilité d'approfondir notre connaissance des différences entre les diverses espèces animales. «Chaque espèce animale a un profil cognitif qui lui est propre», dit Gardner (2002), mais nous sommes «la seule espèce à posséder les huit formes d'intelligence que j'ai identifiées» (voir l'encadré ci-dessous). Même si on lui a reproché d'être fondée davantage sur la réflexion et l'intuition que sur les résultats d'études empiriques (Aiken, 1997), la théorie de Gardner reste relativement populaire, surtout auprès des éducateurs. Son aspect le plus controversé est probablement le postulat que toutes les formes d'intelligence sont d'égale importance. Ainsi, Sternberg (2000) conteste le fait qu'un adulte qui n'a aucune aptitude musicale puisse être considéré comme aussi limité mentalement qu'un autre qui n'a aucune aptitude linguistique et soutient qu'il vaudrait mieux parler de «talents multiples».

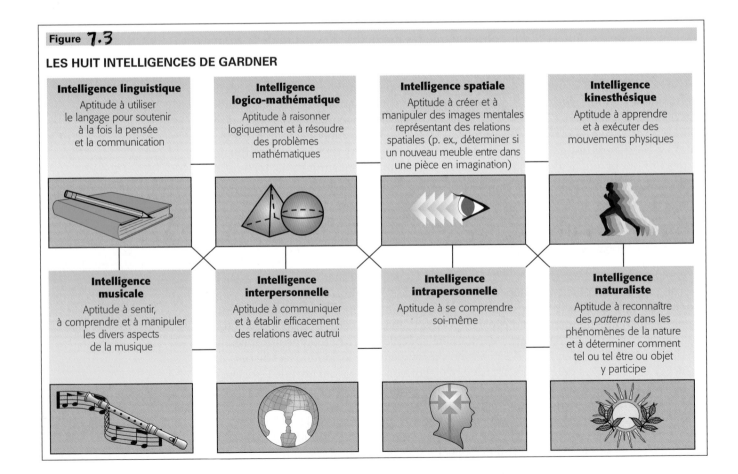

Figure 7.3

LES HUIT INTELLIGENCES DE GARDNER

Intelligence linguistique
Aptitude à utiliser le langage pour soutenir à la fois la pensée et la communication

Intelligence logico-mathématique
Aptitude à raisonner logiquement et à résoudre des problèmes mathématiques

Intelligence spatiale
Aptitude à créer et à manipuler des images mentales représentant des relations spatiales (p. ex., déterminer si un nouveau meuble entre dans une pièce en imagination)

Intelligence kinesthésique
Aptitude à apprendre et à exécuter des mouvements physiques

Intelligence musicale
Aptitude à sentir, à comprendre et à manipuler les divers aspects de la musique

Intelligence interpersonnelle
Aptitude à communiquer et à établir efficacement des relations avec autrui

Intelligence intrapersonnelle
Aptitude à se comprendre soi-même

Intelligence naturaliste
Aptitude à reconnaître des *patterns* dans les phénomènes de la nature et à déterminer comment tel ou tel être ou objet y participe

L'intelligence chez les animaux

Si définir l'intelligence est déjà problématique pour les humains, la définir de manière à pouvoir la comparer à celle des autres espèces animales, et à comparer celle des animaux entre eux est encore moins évident. On sait que même les escargots sont capables d'apprentissage; doit-on en conclure qu'ils sont intelligents? On sait aussi qu'il existe de nombreux systèmes de communication chez les animaux : on peut apprendre à des chimpanzés à comprendre et à utiliser plusieurs centaines de mots dans une langue des signes ou avec des symboles en plastique, et aux chiens à réagir à des mots. Les éléphants, les dauphins, les gorilles, les chimpanzés, les orangs-outans réussissent le test de reconnaissance de soi dans un miroir – un test utilisé pour déceler l'apparition de la conscience de soi vers 18 mois chez le petit humain –, mais les chiens ratent ce test. Par ailleurs, toutes ces capacités, pour être mesurées, nécessitent une intervention humaine dans des situations forcément artificielles.

Le psychologue et éthologue Louis Lefebvre, de l'Université McGill, s'intéresse depuis une dizaine d'années à l'intelligence animale et à ce qui distingue les espèces les plus intelligentes des autres. Lefebvre a donc eu l'idée d'appliquer aux animaux les critères utilisés par les anthropologues pour évaluer les avancées humaines chez les hommes préhistoriques : l'utilisation d'outils et l'innovation. Ces critères ont le grand mérite de permettre d'obtenir d'abondantes informations sur plusieurs espèces en milieu naturel, sans test ni intervention humaine. Reste à les préciser.

Chez l'animal comme chez l'homme, l'usage d'un outil témoigne d'une plus grande complexité comportementale, et à plus forte raison si l'outil est fabriqué. Ainsi, on fait une différence qualitative entre le pinson qui utilise telle quelle une brindille trouvée au sol pour piquer un insecte dans une crevasse, et le corbeau qui fabrique un outil en déchirant une languette de feuille rigide prélevée sur une plante, et en

utilise le bout pointu pour dénicher un insecte. De plus, même les jeunes corbeaux qui n'ont jamais vu leurs parents le faire ont recours à cette stratégie, ce qui dénote que ce comportement ne résulte pas d'un apprentissage, mais plutôt d'une capacité cognitive héréditaire. Enfin, un animal donné démontre des capacités cognitives supérieures s'il manifeste un comportement novateur par rapport à ses congénères. Ainsi, une mésange du sud de l'Angleterre a découvert qu'elle pouvait percer à coups de bec les capsules des bouteilles de lait livrées aux maisons tôt le matin pour en aspirer la crème à la surface. Elle fut vite imitée par la plupart des mésanges de la région, un comportement innovateur qu'on ne retrouve nulle part ailleurs chez les mésanges.

Louis Lefebvre évoque le cas assez spectaculaire d'une corneille, en Israël, qui pêchait au leurre : perchée au bout d'un quai, elle tentait d'attirer de petits poissons à sa portée en laissant tomber dans l'eau un morceau d'un petit pain qu'elle avait apporté et tenait sous sa patte. Si rien ne se passait, elle récupérait le morceau et le mangeait. Après quelques essais, un poisson s'est finalement présenté, que la corneille a aussitôt attrapé pour s'envoler avec sa prise, abandonnant le reste du pain !

Avec son équipe, Lefebvre a répertorié dans la littérature scientifique 2 332 cas d'observations bien documentées faisant état de comportements d'utilisation d'outils et d'innovations parmi 808 espèces d'oiseaux du monde entier. Il a ensuite comparé les espèces entre elles sur ces deux critères. Il a ainsi pu constater qu'au chapitre de l'innovation les corvidés (corbeaux, corneilles, etc.) arrivent en tête, suivis des buses et des aigles, des pies, des faucons, tandis que les faisans, les cailles et les autruches arrivent en queue de peloton. Cette constatation s'applique aussi à toutes les catégories d'animaux, qu'il s'agisse des mammifères, des oiseaux, des poissons, des reptiles ou même des insectes : à l'intérieur de chaque catégorie, certaines espèces sont plus évoluées que d'autres. Ainsi, chez les primates, les chimpanzés, les orangs-outans et les capucins sont plus évolués que les ouistitis; chez les cétacés, les dauphins et les orques sont plus évolués que les baleines à fanons comme la baleine bleue.

Les cas d'innovation et d'utilisation d'outils permettent de mieux comprendre l'évolution de l'intelligence. Les résultats de ces recherches ont amené les spécialistes comme Louis Lefebvre à rompre avec une vision de l'intelligence conçue comme une aptitude uniforme le long d'une échelle unique, allant des animaux les plus simples aux plus complexes. Chaque espèce à l'intérieur des différentes catégories a développé des capacités cognitives spécifiques en fonction de ses besoins et de son environnement.

Source : Conférence de la série *Au cœur des sciences* donnée par Louis Lefebvre le 7 février 2008 à l'Université du Québec à Montréal (UQAM).

*Quelles sont les composantes
de l'intelligence émotionnelle ?*

L'intelligence émotionnelle

Sans être une théorie de l'intelligence à proprement parler, le modèle de l'intelligence émotionnelle mérite qu'on s'y intéresse. Homme ou femme, la connaissance que nous avons de nos émotions et de celles d'autrui influe sur notre façon de penser à nous-mêmes et d'aborder nos interactions avec les autres. Bien qu'il ait été popularisé par le psychologue et journaliste scientifique Daniel Goleman (1995), le concept de l'**intelligence émotionnelle** a été introduit en 1990 par les psychologues Peter Salovey de la Yale University et John D. Mayer de la University of New Hampshire. Selon Salovey et son collègue David Pizarro (Salovey et Pizarro, 2003), l'intelligence émotionnelle, c'est-à-dire la capacité d'appliquer sa connaissance des émotions dans la vie quotidienne, est aussi importante que la sorte d'intelligence que mesure le QI. Des études indiquent qu'effectivement, l'intelligence émotionnelle et le QI ne sont pas corrélés (Lam et Kirby, 2002 ; van der Zee et autres, 2002), et qu'il y a par contre des corrélations entre l'intelligence émotionnelle et la réussite tant scolaire que sociale (Rozell et autres, 2002).

Intelligence émotionnelle
Aptitude à percevoir correctement les facteurs émotionnels et à les prendre en considération dans la vie quotidienne.

▶ Une personne qui a une grande intelligence émotionnelle fait preuve d'empathie en sachant lire les comportements non verbaux d'autrui et en y répondant de manière appropriée.

Toujours selon Salovey et Pizarro, l'intelligence émotionnelle comporte deux ensembles de composantes. Le premier concerne les aspects personnels de l'intelligence émotionnelle, à savoir la conscience et la gestion de ses propres émotions. Les gens capables de surveiller les émotions qui montent en eux sont moins susceptibles de se laisser emporter par elles. Cela dit, gérer ses émotions ne signifie ni les supprimer ni leur laisser libre cours, mais simplement les exprimer adéquatement. La gestion des émotions inclut le fait de se livrer à des activités qui nous remontent le moral, mettent du baume sur nos plaies ou nous rassurent quand nous nous sentons anxieux. Le deuxième ensemble de composantes concerne les aspects interpersonnels de l'intelligence. L'**empathie**, ou la capacité de se mettre intuitivement à la place d'autrui, de sentir ses émotions, est une de ces composantes ; son indicateur clé est la capacité de lire les comportements non verbaux d'autrui – ses expressions faciales, ses gestes, le ton et les inflexions de sa voix, etc. L'aptitude à gérer ses relations est une autre de ces composantes, celle-là relevant à la fois des aspects personnels de l'intelligence émotionnelle et de l'empathie. En d'autres mots, pour composer efficacement avec les concessions mutuelles que supposent les relations sociales, il faut être capable de gérer ses émotions tout en étant sensible à celles des autres.

Empathie
Capacité de se mettre intuitivement à la place d'autrui, de sentir ses émotions.

L'intelligence au-delà du QI

1. Qui suis-je ?

    a) J'ai formulé la théorie des intelligences multiples, qui postule l'existence d'au moins huit intelligences distinctes, indépendantes et d'égale importance.

    b) J'ai formulé la théorie triarchique de l'intelligence, qui postule l'existence de trois types d'intelligence.

2. L'(empathie/intelligence émotionnelle) est la capacité d'appliquer sa connaissance des émotions dans la vie quotidienne. L'(empathie/intelligence émotionnelle) est la capacité de se mettre intuitivement à la place d'autrui, de sentir ses émotions.

3. Vrai ou faux ?

    a) L'indicateur clé de l'empathie est la capacité de lire les comportements non verbaux d'autrui – ses expressions faciales, ses gestes, le ton et les inflexions de sa voix, etc.

    b) L'empathie, c'est exactement comme la sympathie : c'est le fait de partager la tristesse, la douleur ou le malheur d'autrui.

Réponses : 1. (a) Howard Gardner (b) Robert Sternberg **2.** intelligence émotionnelle ; empathie **3.** (a) Vrai (b) Faux.

7.3 LA PENSÉE ET LES REPRÉSENTATIONS MENTALES

À quel âge avez-vous commencé à penser ? À raisonner ? Hum… difficile à dire, n'est-ce pas ? Évidemment, répondre à ces questions oblige à se demander ce qu'est la pensée. Nous pensons constamment, mais dans la vie courante, nous nous arrêtons rarement pour nous demander en quoi consiste ce processus cognitif pourtant si fondamental. Comment feriez-vous, par exemple, pour penser au temps des Fêtes, à une musique de Noël avec des grelots, à une table qui déborde de bonnes choses, à des cadeaux emballés sous un arbre de Noël, et pour résoudre ce petit problème :

> Vous avez le choix entre ces trois cadeaux, tous emballés dans des boîtes identiques, avec un même papier bleu et un même ruban bleu, sauf une, qui a un ruban rose. L'un des cadeaux est un *iPhone* ; les deux autres, des poupées. Vous voulez le *iPhone*. On vous donne un indice : les deux poupées se trouvent dans les boîtes aux emballages identiques. De quelle couleur est le ruban du cadeau que vous choisissez ?

Trouver le *iPhone* aurait-il été plus facile si vous aviez eu vraiment les trois cadeaux devant vous ? Pas vraiment, n'est-ce pas ? Il vous a suffi de vous représenter mentalement les trois boîtes-cadeaux, puis de manipuler et d'utiliser ces représentations mentales. C'est ce qui vous a permis de comprendre les données du problème, d'apprendre où n'était pas le *iPhone*, de faire un *raisonnement* simple pour trouver où il était, et, une fois le problème résolu, de prendre votre décision et de choisir le cadeau au ruban rose. La **pensée** est ce processus cognitif qui consiste à se représenter les objets et leurs propriétés en leur absence, à manipuler ces *représentations mentales* et à les utiliser – pour comprendre, acquérir de nouvelles connaissances, créer, résoudre des problèmes, prendre des décisions, bref, pour donner du sens à notre univers et mieux nous adapter à notre environnement. Les **représentations mentales**, c'est-à-dire ces représentations internes qui reflètent dans votre esprit des parties de l'univers, incluent :

- des *images mentales* ;
- des catégories mentales, ou *concepts* (*cadeau, couleur, choix, vouloir*, etc.) ;
- des symboles, en particulier ceux du *langage*.

Comme nous allons le voir dans cette section, la pensée inclut le **raisonnement**, c'est-à-dire la série d'opérations mentales qui permet, à partir de données initiales, de tirer une conclusion, une inférence. Ainsi, en partant de ce que vous saviez sur l'emballage des trois cadeaux et le contenu de deux d'entre eux (données), vous avez pu en inférer que le *iPhone* était dans la boîte avec un ruban rose. Mais avant d'aborder la notion de raisonnement, examinons d'un peu plus près les diverses formes de représentations mentales dont nous nous servons pour penser.

Pensée
Processus cognitif qui consiste à se représenter les objets et leurs propriétés en leur absence, à manipuler ces représentations mentales et à les utiliser.

Représentations mentales
Représentations internes qui reflètent une partie de l'univers dans l'esprit du sujet.

Raisonnement
Série d'opérations mentales qui permet de tirer une conclusion, une inférence, d'un ensemble de données.

Les images mentales : la représentation des expériences sensorielles

Que sont les images mentales et comment l'imagerie nous aide-t-elle à penser ?

Quand vous réfléchissez à un problème comme celui des trois cadeaux en vous imaginant les couleurs des rubans, quand vous faites l'inventaire mental de votre garde-robe pour choisir ce que vous allez porter, que vous réécoutez dans votre tête des paroles ambiguës pour essayer d'en éclaircir le sens ou que vous vous imaginez en train de dévaler une pente de ski difficile pour en apprivoiser les obstacles, votre pensée utilise des **images mentales** – c'est-à-dire des représentions mentales qui évoquent les propriétés sensorielles des objets en leur absence (Vurpillot, 1999). (Notons que ces expériences sensorielles incluent les sensations captées par intéroception, comme les sensations motrices et viscérales.)

Image mentale
Représentation mentale qui évoque les qualités sensorielles d'objets absents du champ perceptif.

Les images mentales sont fondamentales dans la cognition. Ce sont les premières représentations mentales que le bébé humain utilise lorsqu'il commence à « penser », c'est-à-dire à comprendre que les objets existent en dehors de lui, qu'ils ont une existence propre. Et même si nous pouvons penser en mots, nous recourons constamment à ces images mentales non seulement pour rêvasser ou faire des exercices de visualisation, mais aussi pour comprendre, raisonner, planifier, régler divers problèmes et prendre toutes sortes de décisions. On l'a vu au chapitre 6, notre mémoire code et stocke énormément d'informations et d'expériences sous forme d'images, de sons, de sensations, etc. Il n'est donc pas étonnant qu'il soit plus facile de se rappeler ces informations et ces expériences sous cette forme plutôt que sous une forme plus abstraite (Paivio, 1995). Les images mentales sont des représentations analogiques, c'est-à-dire qu'elles ressemblent aux objets représentés sur le plan de la structure – un carré reste carré. Cependant, les objets sont toujours plus ou moins transformés par le processus de représentation. Lorsqu'on évoque une image mentale comme des cadeaux emballés sous un arbre de Noël, on peut avoir l'impression qu'elle nous vient globalement. Ce n'est pas le cas, nous apprend la recherche (Kosslyn, 1988). Nous les construisons élément par élément dans notre mémoire de travail, en récupérant des fragments de souvenirs que nous rapiéçons et complétons pour obtenir un ensemble complet. Le résultat peut être très près de la réalité ou largement imaginaire. En psychologie, le terme imagerie désigne l'ensemble des processus mis en œuvre qui permettent la génération des images mentales et leur maintien dans la mémoire de travail ; leur exploration ; leur manipulation (rapprochement, rotation, réversion de mouvement, etc.) ; la récupération et l'utilisation de leur contenu. (Larousse, *Grand Dictionnaire de la psychologie*, 1999).

Imagerie
Ensemble des processus mis en œuvre pour élaborer et utiliser des images mentales.

En tirant parti de l'imagerie, les techniques de visualisation peuvent faciliter l'acquisition de connaissances et d'habiletés, notamment d'habiletés motrices. Comme on le sait, la visualisation fait très souvent partie intégrante de l'entraînement des athlètes de haut niveau. Ce phénomène s'explique probablement par le fait que, lorsqu'on se représente mentalement en train d'accomplir une tâche, on active les mêmes circuits neuronaux que lorsqu'on l'accomplit réellement (Fourkas et autres, 2006 ; Richter et autres, 2000 ; Lotze et autres, 1999 ; Stephan et autres, 1995).

▲ Emprisonné pendant sept ans durant la révolution culturelle chinoise, le pianiste virtuose chinois Liu Chi Kung a repris ses concerts dès qu'il a été libéré. Après tant d'années sans toucher un clavier, il jouait mieux que jamais. Son secret ? « Je répétais tous les jours en me rappelant note par note chacune des pièces de mon répertoire. »

ESSAYEZ-LE

Manipuler une image mentale

A. Imaginez une fourmi qui marche sur un journal à un mètre de vous. Combien a-t-elle de pattes ?

B. Maintenant, imaginez votre fourmi perchée sur un cure-dent juste devant vous. A-t-elle des cils ?

Dans quelle image mentale la fourmi est-elle la plus grosse, A ou B ? Quelle image mentale a donné le plus de détails sur la fourmi ?

Source : D'après Finke, 1985.

Qu'est-ce qu'un concept, et quelle est la différence entre un concept naturel et un concept formel ?

Les catégories et les concepts : le classement des représentations mentales

Pourquoi les catégories et les concepts sont-ils essentiels à l'organisation de la pensée ? La représentation mentale nous permet de classer en catégories les informations captées par nos sens et perçues par notre cerveau. Sans cette catégorisation – ce regroupement mental d'éléments similaires –, la pensée serait une suite infinie de représentations mentales d'objets distincts dotés de propriétés distinctes. La catégorisation permet de *concevoir* des représentations mentales plus globales, de former des *concepts*. Un concept est une catégorie mentale qui représente l'idée qu'on se fait d'un ensemble d'éléments (objets, événements, relations, propriétés, etc.) ayant des caractéristiques en commun. *Poupée, arbre, oiseau, couleur, étudiant, école* sont des exemples de concepts.

Catégorisation
Regroupement mental d'éléments similaires.

Concept
Catégorie mentale qui représente l'idée que le sujet se fait d'un ensemble d'éléments ayant des caractéristiques communes.

En tant qu'unités de base de la pensée, les concepts sont des outils essentiels à la cognition : ils simplifient l'information, facilitent son traitement et permettent de penser et de communiquer rapidement et efficacement. Ils nous épargnent d'avoir à examiner longuement chaque chose et à la décrire avec force détails pour l'identifier. Quand nous voyons un animal à quatre pattes, poilu, avec deux yeux et deux oreilles, la gueule ouverte, la langue pendante et la queue frétillante, nous y reconnaissons immédiatement un exemplaire du concept de *chien*. Le concept de *chien* représente une classe d'animaux différents à plusieurs égards, mais qui ont des caractéristiques communes ; ainsi, les danois, les teckels, les colleys, les chihuahuas, etc. sont tous inclus dans le concept de *chien*. Une fois le concept acquis, on peut y greffer les nouvelles informations qui s'y rapportent. De plus, les concepts n'existent pas isolément, ils sont hiérarchisés. Par exemple, le concept de *chien* représente un sous-ensemble du concept d'*animal*, lui-même englobé dans le concept d'*être vivant*. La conceptualisation obéit donc à une certaine logique. Les psychologues distinguent deux types de concepts : les *concepts naturels* et les *concepts formels*.

Les concepts naturels   La plupart des concepts que nous utilisons sont des **concepts naturels**, acquis dans la vie quotidienne, au fil de nos perceptions et de nos expériences. Le concept naturel est généralement associé à un **prototype** qui nous semble présenter ses caractéristiques les plus courantes et les plus typiques. Quel est votre prototype du concept d'*oiseau* ? Parions qu'il est plus près du moineau ou du merle que du dindon ou du manchot empereur, qui ne volent pas, mais n'en sont pas moins des oiseaux. Cela dit, le manchot empereur et le dindon correspondent sûrement davantage à votre concept naturel d'*oiseau* qu'à tous vos autres concepts d'animaux. Il arrive qu'un de nos concepts naturels ne soit pas représenté par un prototype courant, mais par un exemplaire du concept puisé à même notre expérience particulière (Estes, 1994). Si vous élevez des dindons, que vous adorez le film *La marche de l'empereur* (Jacquet, 2005) ou que vous travaillez au Biodôme, il se peut que votre prototype du concept d'*oiseau* soit un dindon ou un manchot. En revanche, comme presque tout le monde voit beaucoup plus de mouettes et de moineaux que de manchots ou de dindons (non rôtis…), la plupart des gens n'auront pas le réflexe d'évoquer un de ces volatiles pour se représenter un oiseau ou pour le classer dans la catégorie des oiseaux. Certains exemplaires d'un concept se greffent moins bien que d'autres à un concept naturel, de sorte que les concepts naturels restent souvent assez flous (Rosch, 1978, 1973). Pour les préciser, il faut recourir au *concept formel*.

▲ Quel est votre prototype du concept d'*oiseau* ? Parions qu'il est plus près du moineau ou de la mouette que du manchot empereur ou du dindon – qui ne peuvent pas voler, mais n'en sont pas moins des oiseaux….

Concept naturel
Concept acquis au fil des expériences de la vie quotidienne.

Prototype
Exemple englobant les caractéristiques les plus communes et les plus typiques d'un concept.

Les concepts formels   Contrairement au concept naturel, le **concept formel** est une représentation sociale clairement encadrée par une définition formelle (comme celles des dictionnaires), un ensemble de règles ou une classification. Beaucoup de concepts formels s'acquièrent à l'école ou par la lecture. C'est souvent là qu'on apprend par exemple que le concept d'*oiseau* englobe tout vertébré ovipare à sang chaud, qui a deux ailes et deux pattes, un corps couvert de plumes et un bec corné. Ou encore que le concept de *triangle* inclut toutes les figures géométriques constituées de trois côtés et de trois angles, qu'il y a les triangles équilatéraux, les triangles rectangles, les triangles isocèles, etc. Si les concepts naturels d'*oiseau* ou de *triangle* peuvent naître à partir de représentations mentales non verbales, les concepts formels, eux, sont nécessairement associés à des éléments du langage : mots, expressions, etc.

Concept formel
Concept clairement encadré par une définition formelle, un ensemble de règles ou une classification.

Quel est le lien entre le langage et la pensée ?

Langage
Moyen de communiquer des pensées en utilisant un système de symboles sociale-ment partagés et organisés selon un ensemble de règles, une grammaire.

Phonème
Plus petite unité de son dépourvue de sens d'un langage parlé.

Morphème
Plus petite unité porteuse de sens qu'il soit possible d'isoler dans un énoncé donné.

Syntaxe
Règles grammaticales selon lesquelles les mots sont combinés pour produire un nombre infini de phrases qui ont du sens.

Le langage : la communication des représentations mentales

Les scientifiques définissent le **langage** comme un moyen de communiquer des pensées en utilisant un système de symboles (sons, signes ou symboles graphiques) socialement partagés et organisés selon une grammaire, c'est-à-dire un ensemble de règles. De toute évidence, on peut penser et communiquer sans langage. Cependant, sans le langage, chacun se retrouverait largement isolé des autres par l'incapacité de leur communiquer et de recevoir d'eux une énorme somme d'informations. Chacun serait condamné à se fier à sa seule expérience ou à imiter les autres pour essayer de tirer profit de la leur. Le langage est un outil de communication incroyablement puissant, car il nous permet de formuler et de comprendre un nombre pratiquement infini de phrases chargées de sens. Le langage franchit les limites d'espace et de temps. Il nous permet de communiquer à propos de choses présentes ou absentes, internes ou externes, concrètes ou abstraites, qui ont été, sont ou pourraient être. Il nous donne accès à l'expérience, à la connaissance et à la sagesse des autres, qui peuvent profiter des nôtres. Outre son rôle fondamental dans la communication, le langage rend possible des représentations et des manipulations mentales beaucoup plus abstraites et complexes, tant sur le plan affectif que sur le plan logique. Enfin, il nous procure un puissant mécanisme interne pour nous remémorer nos idées, les critiquer et les modifier. En ce sens, il joue un rôle clé dans le développement de la pensée et du raisonnement, au plan individuel – comme nous le verrons dans la prochaine section (tableau 7.2, p. 253) –, mais aussi au plan collectif. La plupart des animaux peuvent communiquer, et certains disposent d'un langage, mais seuls les humains disposent de la parole, qui leur a permis de développer un langage aussi étendu.

La psycholinguistique est la discipline qui étudie les processus mentaux à l'œuvre dans l'acquisition, la production et l'utilisation d'un langage, ainsi que la façon dont les sons et les symboles du langage prennent un sens. Elle s'intéresse notamment à la structure du langage, et aux règles qui gouvernent son usage – autrement dit, aux éléments clés de ce système de représentations mentales symboliques que sont les *phonèmes*, les *morphèmes*, la *syntaxe*, la *sémantique* et la *pragmatique*.

- *Les phonèmes*   Les plus petites unités de son dépourvues de sens d'un langage parlé sont les **phonèmes**. Les humains peuvent produire une centaine de sons différents pouvant servir de phonèmes, mais la plupart des langues en utilisent beaucoup moins. (Vous trouverez au début de votre dictionnaire un alphabet phonétique international qui liste la quarantaine de sons qui peuvent servir de phonèmes en français, ainsi que le signe qui les représente graphiquement.) Éléments de base du langage parlé, les phonèmes s'enchaînent dans un ordre donné pour produire des *morphèmes*.

- *Les morphèmes*   Un **morphème** est la plus petite unité porteuse de sens qu'on puisse isoler dans un énoncé. Certains morphèmes sont constitués d'un seul phonème (comme le morphème *a* dans l'énoncé « Il *a* sa maison »), mais la plupart en ont plusieurs ; ainsi, il y a deux phonèmes dans les morphèmes *il* et *sa*, quatre dans le morphène *maison*. La combinaison de morphèmes permet de former les mots d'un langage et de leur donner du sens. Par exemple, le mot « maisonnette » est constitué de la combinaison du morphème *maison* et du morphème *ette*, qui y ajoute le sens « petite ». Notons que la grammaire inclut à la fois les règles de la combinaison des morphèmes (celles qui nous font mettre le morphème *ette* après le morphème *maison* plutôt qu'avant pour former un mot qui signifie « petite maison » [maisonnette]) et les règles de la *syntaxe*.

- *La syntaxe*   Si nombreux soient-ils, en eux-mêmes et à eux seuls, ces symboles que sont les mots ne suffisent pas pour constituer un langage, qui exige également des règles pour structurer (mettre ensemble) les mots d'une manière ordonnée et significative. C'est là qu'entre en jeu la **syntaxe**, c'est-à-dire l'ensemble des règles de grammaire qui déterminent l'ordre des mots d'une phrase et la construction des phrases. Par exemple, la combinaison de mots « maison il sa a » n'a aucun sens parce qu'elle ne respecte pas les règles de la syntaxe française. Par contre, la syntaxe impeccable d'une phrase comme « Les idées vertes et incolores dorment furieusement » lui donne une apparence de sens… qui nous incite à trouver un sens là où il n'y en a aucun, soulignait le grand linguiste Noam Chomsky (1957).

- *La sémantique* La sémantique concerne le sens des morphèmes, des mots, des groupes de mots et des phrases. Ainsi, le même morphème peut signifier des mots différents (*mes, mets, mais, mai*) ; le même mot peut avoir plusieurs sens (voir en *esprit*, avoir de l'*esprit*, l'*esprit* à la fête, faible d'*esprit*, hanté par un *esprit*, etc.) ; la même structure de phrase peut évoquer des images différentes (*Sylvain a vu un homme avec un télescope*).

- *La pragmatique* Si quelqu'un prononce les mots *il est mort*, comment savez-vous s'il s'agit d'un constat ou d'une question ? Grâce à la pragmatique, c'est-à-dire aux caractéristiques du langage parlé qui aident à décoder la signification *sociale* des paroles énoncées. En d'autres termes, la pragmatique concerne les éléments du langage dont la signification ne peut être comprise que dans leur contexte. L'un des aspects de la pragmatique est la *prosodie*, c'est-à-dire l'intonation, l'accentuation et le rythme de la parole. Chaque langue a sa prosodie. En français, l'intonation baisse à la fin d'un constat, et monte à la fin d'une question. Si un homme assis à côté de vous dans un aéroport vous dit « journal » en montant le ton à la fin du mot, vous comprenez donc qu'il vous dit : « Voulez-vous ce journal ? » D'autres indices non verbaux peuvent accompagner le mot et indiquer la question : ses yeux peuvent s'agrandir et ses sourcils se relever ; il peut vous tendre le journal ou en pointer un sur une table, etc. Les codes non verbaux (expressions faciales, gestes, mouvements du corps, etc.) qui aident à comprendre le sens et l'intention d'un message oral sont un autre aspect très important de la pragmatique. Le message verbal « journal » perd donc une partie de sa richesse de sens si vous ne voyez pas votre interlocuteur.

Sémantique
Signification qui découle de l'arrangement des mots et des phrases.

Pragmatique
Caractéristiques du langage parlé qui aident à décoder la signification sociale des paroles (prosodie, expressions faciales et corporelles).

Phonème	/i/
Morphème	/tir/
Unités syntaxiques	/il tire/ /la langue/
Décodage sémantique	Il tire la langue [de quelqu'un] Il tire la langue [grimace]
Décodage pragmatique	

Source : *Le cerveau à tous les niveaux*, 2008.

▲ L'acquisition de la langue maternelle sollicite la mémoire procédurale, celle qui permet d'apprendre à monter une bicyclette ou à lacer ses chaussures. Acquise par immersion, la langue maternelle devient aussi automatique. On l'apprend sans avoir conscience des règles qui la structurent, simplement à force de baigner dedans. Au contraire, l'apprentissage d'une langue seconde se fait par un effort conscient de mémorisation de son lexique (morphèmes et mots), de sa syntaxe et de ses particularités sémantiques et pragmatiques. Apprise ainsi, une langue seconde dépendra de la mémoire déclarative. Par contre, si elle est apprise « dans la rue » comme la première, sans qu'on lui porte une attention particulière, elle pourra aussi être prise en charge par la mémoire procédurale.

RETENEZ-LE — La pensée et les représentations mentales

1. La pensée est un processus cognitif qui repose sur des _____ mentales, soit des _____ mentales, des catégories mentales ou _____ , et des symboles comme ceux du _____ .

2. Le raisonnement consiste en une série d'opérations mentales qui permet de tirer une _____ d'un ensemble de données.

3. Les images mentales sont des représentations mentales qui évoquent les propriétés _____ des objets en leur absence.

4. Un concept est une _____ mentale qui représente l'idée qu'on se fait d'un ensemble d'éléments ; on distingue deux types de concepts : les concepts _____ et les concepts _____ . Les concepts _____ sont toujours associés à des mots.

5. Le langage est un moyen de communiquer des pensées à l'aide d'un système de (sons, signes ou symboles) socialement partagés et organisés selon une grammaire.

6. Le terme _____ désigne :
   a) la plus petite unité de son du langage.
   b) la plus petite unité de langage porteuse de sens.
   c) l'ensemble des règles de grammaire qui déterminent l'ordre des mots d'une phrase et la construction des phrases.

7. La (sémantique/pragmatique) concerne le sens des morphèmes, des mots, des groupes de mots et des phrases, et la (sémantique/pragmatique) concerne les caractéristiques du langage parlé qui aident à décoder la signification sociale des paroles énoncées : intonations de la voix, expressions faciales, gestes, mouvements du corps, etc.

Réponses : 1. représentations ; images ; concepts ; langage. **2.** conclusion (ou inférence). **3.** sensorielles. **4.** catégorie ; naturels ; formels ; formels. **5.** symboles. **6.** (a) phonème (b) morphème (c) syntaxe. **7.** sémantique ; pragmatique.

7.4 — LE DÉVELOPPEMENT DE LA PENSÉE ET DU RAISONNEMENT

« Comment la pensée se développe-t-elle ? » voulait savoir le psychologue et biologiste Jean Piaget (1896-1980), qui a consacré une bonne partie de sa vie à répondre à cette question. Aujourd'hui considéré comme un des pionniers de la perspective cognitiviste, Piaget reprochait au behaviorisme de réduire l'apprentissage à un processus passif d'association stimulus-réponse. Ses observations détaillées sur les structures de pensée communes à la plupart des enfants de tel ou tel âge l'ont amené à formuler l'hypothèse suivante : l'être humain s'adapte naturellement à son environnement, et il s'agit là d'un processus actif (Bee et Boyd, 2007). Autrement dit, loin d'être façonné passivement par son milieu, il cherche activement à le comprendre. Pour ce faire, dès le début de sa vie, il explore, goûte, palpe et examine les objets et les gens qui l'entourent.

La construction de la pensée selon Piaget

Par quel processus se construit la pensée selon Piaget ?

La connaissance s'acquiert principalement par un processus mental d'organisation qui commence dès la naissance, dit Piaget. Le petit humain part d'expériences particulières pour en tirer des inférences (des conclusions) qu'il peut ensuite généraliser à de nouvelles expériences. Ces inférences permettent la construction de *schèmes*. Un **schème** est une structure cognitive interne qui fournit une procédure à suivre dans une circonstance donnée ; c'est à la fois une sensation, une représentation de l'esprit (action mentale) et un comportement observable (action physique) (Bee et Boyd, 2008). Pour Piaget, l'essence même du développement cognitif réside dans le raffinement de ces schèmes sur lesquels s'édifie la connaissance.

Schème
Dans la théorie de Piaget, plan d'action construit à partir de l'expérience et utilisé dans des circonstances similaires.

▼ Jean Piaget (1896-1980).

Les premiers schèmes sont très rudimentaires et essentiellement sensorimoteurs. Par exemple, une enfant d'un an qui a déjà vécu l'expérience de lancer une balle de tennis a construit un schème qu'elle utilise ensuite dès qu'elle est en présence d'un objet assimilable à une balle. Ce schème fait qu'elle s'attend à ce que tout objet assimilable à une balle rebondisse. Donc, si on lui présente une prune, son schème de balle (sa procédure applicable aux objets assimilables à une balle) l'incite à lancer cette « balle » sur le sol en s'attendant à ce qu'elle rebondisse. Piaget appelle **assimilation** le processus mental qui consiste à intégrer de nouveaux objets, de nouveaux événements, de nouvelles expériences et de nouvelles informations à des schèmes existants. Naturellement, la prune ne rebondit pas comme une balle, alors que devient le schème de balle de l'enfant ? Toujours selon Piaget, un processus indissociable de l'assimilation intervient alors, l'**accommodation**, qui consiste à modifier des schèmes existants ou à en créer de nouveaux pour y intégrer de nouveaux objets, de nouveaux événements, de nouvelles expériences et de nouvelles informations. Si l'enfant constate qu'une prune ne rebondit pas (peut-être après avoir réessayé à quelques reprises pour en être bien certaine), son schème de balle doit s'*accommoder*, se modifier. Cette modification du schème mène à une meilleure adaptation intellectuelle au monde réel (à un meilleur équilibre, pour reprendre le terme de Piaget), car le schème modifié inclut la nouvelle information « certains objets similaires à une balle ne rebondissent pas ». Mais le processus ne s'arrête pas à l'accommodation.

Quand les résultats de nos actions entrent en conflit avec nos attentes, dit Piaget, un processus mental inhérent à l'intelligence humaine, l'**équilibration**, nous incite à harmoniser nos schèmes avec les réalités de l'environnement. Ainsi, une fois qu'elle a découvert que les prunes ne rebondissent pas, notre jeune enfant sera motivée à répéter l'expérience en lançant tous les autres objets similaires à une balle qu'elle rencontre (assimilation) pour déterminer lesquels rebondissent et lesquels ne rebondissent pas. Ces actions ont pour but d'ajouter au schème un ensemble de règles qui pourront servir à différencier les « balles » qui rebondissent et de celles qui ne rebondissent pas (accommodation). Par exemple, l'une de ces règles pourrait être « si ça peut se manger, ça ne rebondit pas ». Lorsque l'enfant disposera d'un ensemble de règles utilisables, son schème de balle sera achevé (*équilibré*, dirait Piaget), et elle pourra cesser d'essayer de faire rebondir tous les objets en forme de balle qu'elle voit.

Pour Piaget, le développement de la pensée des enfants repose sur ce processus actif qui consiste à utiliser des schèmes pour agir sur le monde (assimilation), à les modifier ou à en créer de nouveaux quand les choses ne se déroulent pas comme prévu (accommodation), et à agir sur le monde avec les nouveaux schèmes jusqu'à ce qu'ils s'harmonisent à la réalité (équilibration). La figure 7.4 (p. 250) montre comment le schème « objet rond » d'une jeune enfant pourrait se développer à mesure qu'elle découvre les caractéristiques distinctives des balles qui rebondissent (comme une balle de tennis) et d'un aliment qui a la forme d'une balle (comme une prune). Notons que ce processus peut s'étendre sur des semaines, des mois, voire des années.

Assimilation
Dans la théorie de Piaget, processus mental par lequel les nouvelles situations sont incorporées aux schèmes déjà existants.

Accommodation
Dans la théorie de Piaget, processus mental par lequel des schèmes sont créés ou modifiés pour intégrer de nouveaux objets ou de nouvelles situations, expériences ou informations.

Équilibration
Dans la théorie de Piaget, processus mental qui incite l'enfant à harmoniser ses schèmes avec la réalité pour que sa compréhension du monde reste cohérente.

Figure 7.4

ASSIMILATION, ACCOMMODATION ET ÉQUILIBRATION

(1) L'enfant *assimile* une balle (un objet rond qui rebondit) a son schème « balle ». Ce schème est un plan d'action : la prochaine fois qu'elle verra un objet assimilable à une balle, sa main s'arrondira pour la saisir et la lancer à terre pour la faire rebondir.
(2) L'enfant *assimile* une prune à son schème de balle et met en œuvre son plan d'action. **(3)** L'enfant *accommode* son schème de balle pour y inclure l'observation que certains objets ronds rebondissent, mais d'autres pas. **(4)** L'enfant cherche à *équilibrer* son schème de balle par l'expérimentation avec d'autres « objets ronds ». **(5)** L'enfant aura terminé son processus d'équilibration lorsque son schème d'objet rond lui permet d'assimiler adéquatement toutes sortes d'objets ronds.

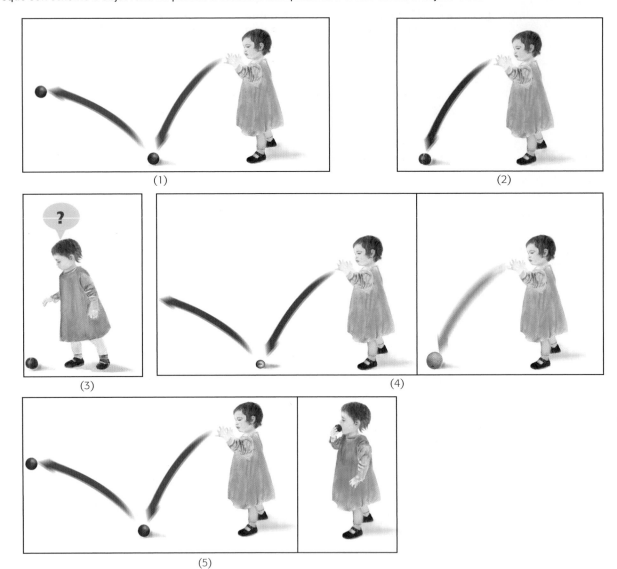

(1)

(2)

(3)

(4)

(5)

Les stades du développement de la pensée selon Piaget

Quels sont les stades du développement de la pensée selon Piaget ?

Pourquoi un enfant de trois ans est-il convaincu qu'il aura plus de biscuit à manger si on brise un biscuit en deux devant lui ? Pourquoi les explications, preuve à l'appui, d'un « grand » qui tente de le détromper ont-elles si peu d'effet sur lui ? Et par quel miracle cet enfant finit-il par comprendre un jour qu'un biscuit entier n'est pas plus petit que deux moitiés ? Les travaux du psychologue suisse Jean Piaget (1896-1980) ont considérablement éclairé notre compréhension du développement de la pensée, à tel point qu'il est aujourd'hui considéré comme l'un des pionniers de la psychologie cognitive.

Selon la théorie du développement cognitif de Piaget, la pensée et le raisonnement de l'enfant se développent par stades successifs (Piaget et Inhelder, 1969 ; Piaget, 1964, 1963). L'individu commence sa vie avec un répertoire de schèmes très limité, inévitablement primitifs et imparfaits, mais au fil des années, à mesure qu'il s'adapte par les processus d'assimilation et d'accommodation, ses schèmes se complexifient et se diversifient (Bee et Boyd, 2008). Pour que sa compréhension de l'univers reste cohérente et sensée, il doit réorganiser leur structure interne de temps en temps. Dans le modèle de Piaget, le processus d'équilibration comporte trois réorganisations majeures des schèmes, chacune conduisant à une nouvelle période de développement. La première survient vers l'âge de deux ans, quand les schèmes sensorimoteurs deviennent moins dominants et que l'enfant utilise de plus en plus souvent des schèmes mentaux (représentations mentales). La seconde se produit vers l'âge de six ou sept ans : l'enfant acquiert un nouvel ensemble de schèmes mentaux plus complexes, les « opérations concrètes », qui lui permettent de penser logiquement et de faire des opérations mentales simples, comme les additions et les soustractions mentales. La troisième et dernière réorganisation survient au début de l'adolescence, lorsque l'enfant devient aussi apte à manier les idées que les objets, et passe aux « opérations formelles ». Ces trois réorganisations majeures déterminent les quatre périodes ou stades du développement cognitif :

- Le **stade sensorimoteur** (de 0 à 2 ans) Le bébé découvre le monde et ses objets par ses sens, ses actions et les mouvements de son corps. À la fin de cette période, il a pris conscience de la permanence de l'objet (les objets continuent à exister même quand ils sont hors de vue) et commence à utiliser des symboles simples, comme le mot.

- Le **stade préopératoire** (de 2 à 6 ans) Le jeune enfant peut se représenter mentalement les objets et les événements à l'aide d'images et de mots, se livrer à des jeux imaginaires (« faire semblant ») et utiliser un objet pour en représenter un autre. Sa pensée est égocentrique (le point de vue d'autrui lui échappe), et dominée par ses perceptions : il se laisse tromper par les apparences et ne peut envisager un objet sous plus d'une dimension à la fois (centration). À la fin de la période, il s'exerce à faire des regroupements d'objets (précatégories), à envisager le point de vue d'autrui et à utiliser une logique simple.

- Le **stade des opérations concrètes** (de 6 à 11-12 ans) L'enfant devient capable de penser logiquement dans des situations concrètes. Il acquiert les notions de conservation (malgré ses changements de forme ou d'apparence, une quantité reste la même tant que rien n'y est ajouté ou enlevé) et de réversibilité (quand une substance n'a changé qu'en apparence, elle peut revenir à son état initial). Il peut sérier des objets et les classifier selon de multiples dimensions.

- Le **stade des opérations formelles** (à partir de 11-12 ans) L'adolescent apprend à penser logiquement dans des situations abstraites, à vérifier des hypothèses systématiquement, et à manier la logique formelle. Plus il approche de l'age adulte, plus il devient habile à imaginer des choses qu'il n'a jamais vues ou des événements qui ne se sont pas encore produits, à organiser mentalement les idées et les objets, et à utiliser le *raisonnement déductif*. Pour des raisons que nous allons étudier dans la prochaine section, les adultes ne parviennent pas tous à développer pleinement leur pensée formelle, mais la poursuite des études y contribue beaucoup.

 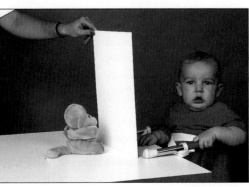

◀ Manifestement, ce bébé qui cesse d'essayer de saisir le toutou dès qu'un écran vient lui en cacher la vue n'a pas encore acquis la notion de permanence de l'objet décrite par Piaget. Bientôt il comprendra que les objets ont une existence propre, qu'ils continuent à exister même quand ils sont hors de sa vue.

La conservation du volume

Si vous connaissez un enfant d'âge préscolaire, demandez la permission à des parents de le soumettre à cette petite expérience. Montrez-lui deux verres identiques et remplissez-les de la même quantité de jus. Lorsque l'enfant aura constaté que la quantité de jus est bien la même, versez devant lui le contenu de l'un des verres dans un verre plus haut et plus étroit, et placez ce verre à côté de l'autre verre de jus. Puis, demandez à l'enfant si les deux verres contiennent la même quantité de jus, ou si l'un des verres en contient davantage. Au stade préopératoire, les enfants sont convaincus que le verre plus haut et plus étroit contient plus de jus, même s'ils ont constaté de leurs propres yeux et admettent que la quantité versée était exactement la même. Si vous refaites l'expérience avec un enfant d'âge scolaire, il vous expliquera qu'il semble y avoir plus de jus dans le grand verre, mais que verser le jus dans un autre contenant ne change pas sa quantité.

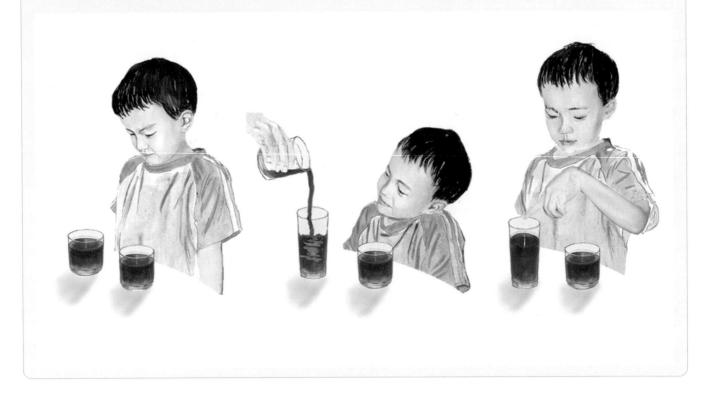

Le stade préopératoire s'appelle ainsi parce que les jeunes enfants ne sont pas encore capables d'effectuer des opérations (manipulations) mentales qui respectent les règles de la logique. Les jeunes enfants ont du mal à penser logiquement, à cause de la centration, qui les porte à se focaliser sur une seule dimension d'un objet à la fois. Dans l'expérience du verre de jus, ils se focalisent sur la hauteur du verre (le niveau du jus) et ne voient pas que le verre est plus étroit. De même, dans le cas du biscuit brisé, l'enfant se focalise sur le nombre de morceaux, et ne comprend pas que la masse du biscuit qu'on brise devant lui ne peut pas avoir changé. En réalisant ce genre d'expérience avec des enfants de divers âges, Piaget a constaté qu'ils en venaient progressivement à pouvoir envisager deux dimensions ou plus d'un objet à la fois, et à comprendre que si seule l'apparence d'une substance change, l'opération est réversible – elle peut revenir à son état original. Au stade des opérations concrètes, l'enfant peut penser à la fois à la hauteur et à la largeur des verres de jus, et renverser mentalement l'opération (transvaser mentalement le jus dans le premier verre et constater que la quantité est la même). Il a acquis la notion de conservation – c'est-à-dire la compréhension qu'une quantité d'une substance (son nombre, sa masse, sa superficie, son poids ou son volume) reste la même en dépit des apparences tant que rien n'y est ajouté ou enlevé.

Notons que le développement de la pensée est intimement lié au développement du langage, comme en témoigne le tableau 7.2.

Tableau 7.2

LE DÉVELOPPEMENT DU LANGAGE DANS LES CINQ PREMIÈRES ANNÉES DE VIE

Bien que les étapes de développement du langage varient d'un enfant à l'autre, leur succession et l'âge moyen auquel ils se produisent ne varient pas entre différentes cultures. De plus, dans toutes les cultures, l'aptitude à apprendre une langue diminue considérablement après la puberté.

Âge	Activités prélangagières et langagières
0-3 mois	Les sons émis par le nouveau-né sont généralement les pleurs, son principal moyen de communication. À partir d'un mois ou deux, le bébé commence à rire et à gazouiller (sons de voyelles) quand il est seul. Quand on lui parle, il répond par des sourires et des gazouillis.
5-6 mois	Vers 20 semaines, les consonnes apparaissent, souvent combinées à des voyelles. Le bébé joue avec les sons en les répétant sans cesse (babababababa). Il babille les phonèmes de toutes les langues.
8-10 mois	Le bébé se concentre sur les phonèmes, le rythme et l'intonation de la langue qu'il entend, et cesse progressivement d'émettre les sons qu'il n'entend pas. Il commence à comprendre certains mots (langage réceptif).
11-12 mois	Le bébé imite les sons et prononce quelques mots. Ce sont souvent des mots-phrases, car ils se rapportent non seulement à l'objet mais à la sensation et à l'action possible qu'il évoque – le schème. Il s'exprime souvent par une combinaison de mots, de gestes et de sons à connotation émotionnelle. Par exemple, il pourra dire lait pendant qu'il s'étire vers son gobelet en ouvrant et refermant la main et en émettant des sons plaintifs. Dans les mois qui suivent, son langage réceptif progressera à toute vitesse.
18-20 mois	Le bébé utilise un vocabulaire d'environ 50 mots et utilise des mots-phrases de deux mots : « Mimi lait ». Progressivement, les mots se libèrent de l'immédiateté ; l'enfant devient capable de se représenter mentalement les objets en leur absence ; il acquiert la notion de permanence de l'objet.
24 mois	L'enfant utilise un vocabulaire d'environ 300 mots ; il acquiert les suffixes et place les mots fonctionnels dans un ordre fixe. Sa pensée s'organise.
30 mois	L'enfant emploie un langage télégraphique. Sa compréhension du langage qu'il entend est quasi complète, et il demande ce qu'il veut oralement. Ses phrases de deux ou trois mots commencent à répondre à des règles syntaxiques, mais il n'utilise ni pronoms, ni articles, et les verbes restent à l'infinitif.
3 ans	L'enfant commence à acquérir les règles de grammaire, et ce, par la seule exposition à la régularité des structures qu'il entend. À preuve, les erreurs qu'il fait viennent d'une surgénéralisation de ses régularités. Il dira par exemple « démonter de la chaise » plutôt que « descendre de la chaise ». Les déformations des mots ont presque disparu, et la structure syntaxique de base, sujet-verbe-complément, est en place. Le vocabulaire compte près de 1000 mots, et l'usage du « je » est maîtrisé. L'enfant aime écouter des histoires et poser des questions, et il commence à raconter ce qu'il a fait ou vu.
4 ans	On observe un déchaînement verbal dominé par des questions incessantes. L'enfant maîtrise les repères temporels (hier, aujourd'hui, demain, etc.) et utilise de plus en plus souvent les prépositions. Les principales composantes du langage sont donc en place.
5 ans	Les pronoms relatifs et les conjonctions apparaissent. L'enfant conjugue ses verbes et manie le langage plus finement, même si de petites imperfections persistent. Il apprend aussi à dire les choses de façon plus appropriée au contexte, signe qu'il se distance de sa propre perception et réalise que les autres ne perçoivent pas la réalité de la même façon que lui. À la fin de sa cinquième année, il utilise de plus en plus de substantifs, de verbes et d'adjectifs. Son vocabulaire compte maintenant plus de 2 500 mots. Il pourra bientôt passer au stade opératoire.

Sources : Bee et Boyd, 2008 ; *Le cerveau à tous les niveaux*, 2009.

Ce que la recherche nous a appris depuis Piaget   Le processus de développement cognitif décrit par Piaget est l'un des ensembles de découvertes les plus stables qu'on puisse trouver en psychologie, et rares sont ceux qui contestent son génie et sa contribution monumentale à la connaissance scientifique du développement mental. Cela dit, les recherches de Piaget reposaient entièrement sur des techniques d'observation et d'entrevue, et donc sur des réponses verbales. De nouvelles techniques qui reposent sur les réactions non verbales – succion, regard, modifications de la fréquence cardiaque, mouvements d'extension et orientation de la tête – révèlent que les bébés et les jeunes enfants sont beaucoup plus compétents que ne le croyait Piaget (Johnson, 2000 ; Flavell, 1992). Par exemple, des recherches récentes indiquent que les bébés pourraient être plus conscients de la présence des objets hors de leur vue que ne le pensait Piaget (Hespos et Baillargeon, 2006 ; Johnson et autres, 2003 ; Mareschal, 2000), et que la notion de permanence des objets pourrait commencer à apparaître dès l'âge de trois mois (Baillargeon et DeVos, 1991).

De plus, croient les « néopiagétiens », bien qu'il existe d'importantes constantes dans le développement cognitif, ses stades sont moins étanches et moins fixes que l'affirmait Piaget, du moins en ce qui concerne certaines tâches (Case, 1992). L'expérience et une pratique intensive leur permettent en effet de maîtriser plus tôt des tâches et des contenus que Piaget croyait hors de la portée des enfants de leur âge (Flavell, 1992). Le psychologue russe Lev Vygotsky (1896-1934), un contemporain de Piaget dont les travaux n'ont été traduits que beaucoup plus tard, avait d'ailleurs mis en lumière l'influence de la culture et de l'éducation sur le développement intellectuel des enfants. Selon Vygotsky, lorsque l'enfant est presque prêt à atteindre un niveau donné de développement – lorsqu'il est dans une « zone proximale de développement » –, la stimulation d'un éducateur ou d'un pair plus âgé peut lui permettre d'atteindre plus rapidement ce niveau.

Qu'est-ce que le raisonnement formel, et quelle est la différence entre raisonnement déductif et raisonnement inductif ?

Le raisonnement et la logique formelle

Nous avons vu en début de chapitre qu'un raisonnement est une série d'opérations mentales qui permet, à partir de données initiales, de tirer une conclusion, une inférence d'un ensemble de données. Cependant, ces conclusions ne sont pas nécessairement fondées. C'est pour remédier à cet état de chose que le philosophe grec Aristote (384-322 av. J.-C.) a proposé un système de logique formelle (ou logique pure), qui croyait-il, permettrait aux penseurs de détacher leur raison de leurs émotions et des autres facteurs qui risquaient de les amener à des conclusions non conformes aux données sur lesquelles elles prétendent se fonder. On peut donc définir le **raisonnement formel** comme une suite d'opérations mentales qui permet de tirer des conclusions fondées d'un ensemble de données par l'enchaînement logique des idées, des propositions. Le système aristotélicien a servi de fondement à la méthode scientifique pendant plus de deux mille ans, et sous-tend les stratégies de pensée critique dont nous avons parlé au chapitre 1. En voici les règles de base.

Raisonnement formel
Suite d'opérations mentales qui permet de tirer des conclusions fondées d'un ensemble de données par l'enchaînement logique des idées, des propositions.

Raisonnement déductif (ou raisonnement par déduction)
Forme de raisonnement qui va du général au particulier, qui part de principes généraux pour en tirer des conclusions.

Syllogisme
Opération par laquelle on déduit de deux prémisses – une prémisse majeure (le principe général) et une prémisse mineure – une conclusion qui sera valide pour autant que les prémisses soient exactes et répondent aux règles de la logique.

Prémisse
Chacune des deux propositions placées au début d'un syllogisme et dont on tire la conclusion.

Le raisonnement déductif Le **raisonnement déductif** (ou **raisonnement par déduction**) est une forme de raisonnement qui va du général au particulier, qui part de principes généraux pour en tirer des conclusions. Aristote a proposé une méthode formelle de raisonnement déductif, le **syllogisme**, où deux **prémisses** (propositions) – une majeure (le principe général) et une mineure – sont suivies d'une conclusion valide si ces deux prémisses (1) sont exactes, et (2) respectent les règles de la logique formelle. Examinons le syllogisme suivant :

Prémisse majeure : Toutes les voitures de série ont quatre roues.

Prémisse mineure : Le véhicule de Marie est une voiture de série.

Conclusion : Donc, le véhicule de Marie a quatre roues.

Ici, la conclusion est valide parce que toute la catégorie « voitures de série » s'insère dans la catégorie plus vaste « véhicules à quatre roues ».

Par contre, le syllogisme suivant ne respecte pas les règles de la logique formelle.

Prémisse majeure : Toutes les voitures de série ont quatre roues.

Prémisse mineure : Or, le véhicule de Marie a quatre roues.

Conclusion : Donc, le véhicule de Marie est une voiture de série.

Ici, même si les deux prémisses sont vraies, la conclusion n'est pas valide parce que la prémisse mineure est trop générale pour permettre une déduction. En effet, la catégorie « véhicules à quatre roues » englobe non seulement les voitures de série, mais aussi les camions et d'autres véhicules (tracteurs, etc.). En toute logique, on ne peut donc conclure que le véhicule de Marie est une voiture de série.

Le raisonnement inductif   Le raisonnement inductif (ou raisonnement par induction) est une forme de raisonnement qui part de faits ou de cas particuliers pour en tirer un principe général. Ce type de raisonnement mène à des conclusions qui *peuvent* être vraies, à des *probabilités*. Sur la base de telles conclusions, on peut parfois affirmer que des prémisses sont fausses, mais jamais qu'elles sont vraies. Le raisonnement par induction se démarque ainsi clairement du raisonnement par déduction, où des prémisses exactes et conformes aux règles de la logique mènent toujours à des conclusions fondées. Par exemple, si on vous donne la série de chiffres 7 3 7 3 7 3 7 3 7, et qu'on vous demande de prédire le chiffre suivant, que répondez-vous ? Une conclusion raisonnable serait le chiffre 3. La prémisse de cette conclusion est une loi générale établie à partir de la série : un 7 est toujours suivi d'un 3. Si le chiffre suivant est un 5, vous pourrez affirmer que cette prémisse est fausse. Cependant, s'il s'agit d'un 3, vous ne pourrez pas pour autant affirmer que cette prémisse est vraie, car il est possible que sa prédiction ne tienne pas dans l'avenir. Tout ce que vous pouvez affirmer, c'est qu'elle s'est vérifiée dans ce cas particulier. L'erreur courante dans le raisonnement par induction est de sauter aux conclusions trop rapidement, à partir de données insuffisantes.

> **Raisonnement inductif (ou raisonnement par induction)**
> Forme de raisonnement qui part de faits ou de cas particuliers pour en tirer un principe général.

Le raisonnement formel dans la vie courante   Nous avons souvent du mal à appliquer le raisonnement formel. Cette difficulté tient en partie au fait que nos croyances et nos idées préconçues nous font mettre en doute les conclusions qui résultent du raisonnement par déduction ou par induction (Wang et Li, 2003 ; Evans et autres, 2001). Ainsi, la plupart de nos préjugés se forment par induction, à partir de cas particuliers – parfois d'un seul –, et se maintiennent quel que soit le nombre de cas qui les contredisent. Apparemment, nous préférons garder nos croyances plutôt que les sacrifier sur l'autel de la logique. Néanmoins, des recherches indiquent que la scolarisation et l'entraînement influent considérablement sur la capacité d'appliquer la logique formelle. Par exemple, les jeunes de 12 à 14 ans (stade des opérations formelles) qui ont énormément de mal à utiliser la logique formelle pour résoudre des problèmes de la vie courante démontrent une capacité de raisonnement impressionnante lorsqu'ils se livrent à des exercices de logique similaires à ceux qu'ils ont appris en classe (Artman et autres, 2006). Les collégiens et autres adultes qui ont reçu un entraînement à la logique formelle améliorent également leur performance dans le type d'exercices qu'ils ont appris à maîtriser (Leshowitz et autres, 2002). Un bon bagage de connaissances peut aussi aider à raisonner plus efficacement (Johnson-Laird, 2001). Ainsi, les fanatiques de baseball ou de hockey qui ne connaissent rien à la Bourse raisonneront plus logiquement s'ils évaluent les probabilités de victoire de telle ou telle équipe que les probabilités que telle ou telle valeur boursière monte. (Évidemment, s'il s'agit d'évaluer les chances de victoire de leur équipe préférée, les partisans risquent de trouver des arguments « logiques » pour croire qu'elle est possible, même si les faits indiquent le contraire...)

▲ Aristote (384-322 av. J.-C.), le père de la logique formelle, vu par Raphaël (1483-1520).

Nos idées préconçues ne sont pas le seul obstacle au raisonnement formel dans la vie quotidienne. Dans « la vraie vie », il est souvent impossible de réunir toutes les informations nécessaires à un raisonnement infaillible. Et même lorsque c'est possible, les limites de notre mémoire de travail, qui ne peut traiter qu'un certain nombre d'éléments à la fois, nous empêchent souvent de tenir compte de toutes les données pertinentes. Alors comment procédons-nous au jour le jour pour résoudre les problèmes qui se présentent à nous et prendre des décisions un tant soit peu éclairées ?

RETENEZ-LE **Le développement de la pensée et du raisonnement**

1. Un _____ est une structure cognitive interne qui fournit une procédure à suivre dans une circonstance donnée.

2. Piaget appelle (équilibration/accommodation/assimilation) le processus par lequel les nouvelles situations sont intégrées aux schèmes existants, et (assimilation/accommodation/équilibration) le processus par lequel ces schèmes sont modifiés pour tenir compte de nouvelles informations.

3. Auquel des stades de développement de la pensée décrits par Piaget correspondent les étapes suivantes ?

   a) De la naissance à deux ans : stade _____

   b) Âge préscolaire : stade _____

   c) École primaire : stade _____

   b) Adolescence : stade _____

4. Vrai ou faux ? La recherche nous a appris que les enfants sont plus précoces et leurs stades de développement moins bien définis que Piaget ne le croyait.

5. Selon Vygotsky, lorsque l'enfant est presque prêt à atteindre un niveau donné de développement – lorsqu'il est dans une _____ , la stimulation d'un éducateur ou d'un pair plus âgé peut lui permettre de l'atteindre plus rapidement.

6. On appelle raisonnement (inductif/déductif/formel) une suite d'opérations mentales qui permet de tirer des conclusions fondées d'un ensemble de données par l'enchaînement logique des idées, des propositions. Le syllogisme est une forme de raisonnement (inductif/déductif/formel). Le raisonnement (inductif/déductif/formel) part de faits ou de cas particuliers pour en tirer un principe général.

Réponses : 1. schème. **2.** assimilation ; accommodation. **3.** (a) sensorimoteur (b) préopératoire (c) opérations concrètes (d) opérations formelles. **4.** Vrai. **5.** zone proximale de développement. **6.** formel ; déductif ; inductif.

7.5 LA RÉSOLUTION DE PROBLÈME ET LA PRISE DE DÉCISION

Résolution de problème
Processus qui englobe les pensées et les actions requises pour atteindre un but ou trouver une solution qui n'est pas immédiatement accessible.

Prise de décision
Processus qui consiste à choisir entre plusieurs possibilités en fonction des objectifs fixés et des informations dont on peut disposer.

Dans cette section, nous allons nous pencher sur deux processus cognitifs fondamentaux, sans lesquels il nous serait impossible de nous adapter à notre environnement : la *résolution de problème* et la *prise de décision*. On appelle résolution de problème le processus qui englobe toutes les pensées et les actions requises pour atteindre un but ou trouver une solution qui n'est pas immédiatement évidente ou accessible. Le terme prise de décision, quant à lui, désigne le processus cognitif qui consiste à choisir entre plusieurs possibilités en fonction des objectifs fixés et des informations dont on peut disposer. La résolution de problème passe par la prise de décision chaque fois qu'on a conscience qu'il y a plus d'une solution à un problème : il faut alors en choisir une. Par ailleurs, dans de nombreuses situations, il n'y a pas de problème à résoudre parce qu'on connaît d'emblée les solutions possibles ; cependant, comme il faut en choisir une, une décision s'impose.

Quelles sont les stratégies les plus courantes pour résoudre un problème ou prendre une décision ?

Les principales stratégies de résolution de problème et de prise de décision

De manière générale, comment vous y prenez-vous pour résoudre vos problèmes et prendre vos décisions ? Il vous arrive peut-être de procéder par essais et erreurs, en essayant une à une diverses méthodes ou solutions jusqu'à ce que vous trouviez la bonne, mais en général vous utilisez sûrement des stratégies plus efficaces. Les principales stratégies de résolution de problème sont les *algorithmes*, la *prise de décision systématique*, les *heuristiques*, la *réflexion collective* et l'*intuition*.

Algorithme
Procédure systématique et ordonnée qui, appliquée correctement, mène toujours à la solution d'un certain type de problème.

Les algorithmes Certains problèmes peuvent être résolus par l'application d'un **algorithme**, c'est-à-dire d'une procédure systématique et ordonnée qui, appliquée correctement, permet toujours de trouver la solution à un certain type de problème. Ainsi, les formules mathématiques, comme la règle de trois ou la formule de calcul de l'aire d'un rectangle (longueur x largeur), sont des algorithmes. Bien entendu, pour utiliser un algorithme, il faut savoir qu'il existe, et à quel type de problèmes il s'applique. Surtout, il faut que le problème à résoudre puisse l'être par un algorithme, ce qui est loin d'être toujours le cas ! S'il existe des algorithmes pour calculer la surface d'une pièce à repeindre ou le pourcentage de son revenu qu'on dépense en nourriture, aucun ne peut nous aider à répondre aux questions d'un examen de psychologie ou à résoudre des problèmes comme le choix du meilleur appartement, de la meilleure profession ou du meilleur partenaire amoureux possible…

La prise de décision systématique

En théorie, la décision optimale ou la solution optimale à un problème résulte de la prise de décision systématique, c'est-à-dire de la recherche et de l'examen de toutes les solutions possibles à la lumière de toutes les informations pertinentes. Cependant, la prise de décision systématique a des limites importantes. La première est le manque de temps et de ressources : réunir toutes les informations

▲ Le mot *algorithme* (avec un « i « et non un « y ») vient du nom du mathématicien perse Al Khuwarizmi (780-850 environ), nom qui fut latinisé au Moyen Âge en *algoritmi*. Ci-dessus, la statue de Al-Khuwarizmi à l'Université de Téhéran.

pertinentes, puis trouver et analyser une à une toutes les possibilités est généralement trop long, trop lourd et trop coûteux. Deuxièmement, même si on disposait de ce temps et de ces ressources, les limites de notre mémoire de travail ne permettent de traiter qu'un certain nombre de données à la fois. Troisièmement, et c'est là la principale limite de la prise de décision systématique, comme il est impossible de prédire l'avenir, rien ne garantit que la décision prise après tant de temps et d'effort aujourd'hui sera encore la meilleure demain ou dans 10 ans. Au mieux, on peut prendre une décision éclairée.

Dans une étude pionnière sur la prise de décision, le psychologue Amos Tversky (1972) suggère que les gens composent avec les limites de la prise de décision systématique en adoptant une stratégie d'élimination « par attribut », c'est-à-dire en soumettant les possibilités à des critères classés en ordre d'importance. Toutes les possibilités qui ne répondent pas au critère le plus important sont éliminées, puis toutes celles qui ne répondent pas au deuxième, etc., et le choix se porte sur la dernière possibilité qui reste. Par exemple, si on cherche un appartement (1) à moins de 600 $ par mois, (2) avec deux chambres, (3) chauffé, (4) avec cuisinière et frigo, (5) dans un quartier branché, on élimine d'emblée (1) les appartements à plus de 600 $ par mois, puis (2) ceux qui n'ont qu'une chambre, puis (3) ceux qui ne sont pas chauffés, et ainsi de suite jusqu'à ce qu'il n'en reste qu'un.

Les heuristiques

Procédez-vous toujours de manière aussi systématique que le suggère le modèle de Tversky quand vous prenez vos décisions – quand vous décidez de partir plus tôt pour éviter les embouteillages, par exemple ? C'est peu probable. De telles décisions se fondent généralement sur des **heuristiques**, c'est-à-dire sur des procédés cognitifs empiriques (fondés sur l'expérience, sur l'observation) qui réduisent le temps et l'effort requis pour prendre une décision ou faire un choix. Ces raccourcis sont très commodes et relativement efficaces, mais leur résultat n'est pas garanti.

L'une des heuristiques les plus populaires, l'**analyse fin-moyens** (ou **détermination d'objectifs partiels**), consiste à comparer la condition ou la situation de départ (état initial) au but à atteindre (état final), puis à déterminer et à suivre la série d'étapes (moyens) qui réduisent l'écart entre les deux (Sweller et Levine, 1982). Les problèmes à résoudre sont souvent si vastes et complexes qu'il faut les découper en sous-problèmes ou en étapes pour qu'une solution apparaisse. Par exemple, si un professeur demande un exposé écrit sur tel ou tel sujet comme travail de trimestre et que vous voulez une bonne note, vous asseoir et rédiger votre exposé ne suffira pas. Vous devrez vous informer sur le sujet, réfléchir à la façon dont vous l'aborderez, approfondir votre recherche, élaborer un plan

Heuristique
Stratégie cognitive empirique qui réduit le temps et l'effort nécessaire à la prise de décision et à la résolution de problème ; raccourci mental commode et relativement efficace, mais dont le résultat n'est pas garanti.

L'analyse fin-moyens (ou **détermination d'objectifs partiels**)
Heuristique qui consiste à comparer la condition ou la situation de départ au but à atteindre (fin), puis à déterminer et à suivre la série d'étapes (moyens) qui réduisent l'écart entre les deux.

détaillé de votre exposé, rédiger un brouillon de chacune de ses parties, assembler le tout, en travailler quelques versions, mettre en forme la version finale et la remettre à temps avant d'arriver à votre but : obtenir un A. (Notez que cette stratégie permet de mieux gérer le temps et de réduire le stress face aux échéances.)

Voici quelques autres heuristiques très courantes :

- **L'heuristique d'analogie**, qui consiste à comparer un problème ou une situation à d'autres problèmes ou situations analogues connues : si la stratégie A a déjà été efficace dans un contexte similaire, on peut l'appliquer en présumant qu'elle le sera à nouveau.

- **L'heuristique de reconnaissance**, qui consiste à stopper l'évaluation et à se décider dès qu'on reconnaît un facteur qui fait pencher la balance en faveur d'une décision donnée. On peut ainsi décider d'acheter un article parce qu'il est en solde, alors qu'un autre article aurait peut-être représenté un meilleur rapport qualité-prix.

- **L'heuristique de représentativité**, qui consiste à évaluer une chose ou un phénomène en fonction de sa ressemblance avec un échantillon type. Par exemple, la décision de faire confiance à quelqu'un qu'on vient de rencontrer peut se fonder sur sa ressemblance avec quelqu'un qui représente la personne de confiance par excellence. Évidemment, cette ressemblance peut être trompeuse, et l'échantillon censément représentatif peut ne pas l'être.

- **L'heuristique de disponibilité**, qui consiste à évaluer l'importance ou la probabilité d'une chose ou d'un phénomène en fonction de la facilité à en trouver des exemples en mémoire. Ainsi, la décision de partir tôt pour éviter les embouteillages de l'heure de pointe peut se baser sur les souvenirs d'embouteillages récents qui nous viennent à l'esprit. Le risque de cette heuristique est de mal estimer la fréquence ou la probabilité réelle d'un phénomène. Par exemple, on peut surestimer le taux de chômage parce qu'on a plusieurs exemples de chômeurs en mémoire, ou le sous-estimer parce qu'il n'y en a pas ou très peu dans notre entourage.

- **La démarche à rebours**, qui consiste à envisager les étapes nécessaires à la résolution d'un problème ou à l'atteinte d'un but en partant du but ou de la situation finale à atteindre pour cheminer à rebours vers la situation de départ.

Démarche à rebours
Heuristique qui consiste à déterminer les étapes nécessaires à l'atteinte d'un but en partant du but et en cheminant à rebours vers la situation de départ.

Le problème des nénuphars

Les nénuphars doublent la surface qu'ils couvrent chaque jour. Au début de l'été, l'étang ne comptait que 1 nénuphar ; 60 jours plus tard, il était entièrement couvert. Au bout de combien de jours l'étang était-il à moitié couvert ?

Source : James F. Fixx, *Solve It : A Perplexing Profusion of Puzzles*, 1978.

La réflexion à deux ou à plusieurs   Les sessions de remue-méninges (*brain-storming*) et les groupes de travail ponctuels sont des stratégies de résolution de problème et de prise de décision très courantes dans les entreprises et autres organisations. Et pour cause : des groupes de deux à cinq personnes trouvent de meilleures solutions que chacune de ces personnes isolément (Laughlin et autres, 2006). La prochaine fois que vous aurez un problème complexe à résoudre, demandez-vous s'il n'est pas possible de réunir quelques proches pour le leur soumettre ou du moins d'en discuter avec une personne fiable. Peut-être trouverez-vous à deux ou à plusieurs une solution qui aurait échappé à chacun de vous.

L'intuition et les émotions   Vous arrive-t-il de connaître intuitivement la solution à un problème ou la meilleure décision à prendre sans pouvoir le prouver ou le justifier rationnellement ? L'**intuition**, c'est-à-dire la connaissance immédiate de quelque chose quasiment sans aide du raisonnement, produit des jugements très rapides, fondés sur une conviction intime. Des spécialistes du traitement de l'information soutiennent que l'intuition est une forme avancée de jugement et de prise de décision, basée sur une représentation mentale de *l'essentiel* de ce que le sujet retient d'une information plutôt que de ses détails (Reyna et autres, 2005 ; Reyna, 2004). À mesure que les gens acquièrent de la maturité et une expertise dans un domaine, les décisions dans ce domaine tendent à se baser de plus en plus sur cette « représentation de l'essentiel » (Reyna et Lloyd, 2006). Ce type de représentation incorpore souvent de l'information à teneur émotionnelle : jugements (bon/mauvais, sûr/dangereux), états affectifs ou émotions précises (peur, colère, joie, etc.) (Rivers et autres, 2008).

Intuition
Connaissance immédiate de quelque chose fondée sur une conviction intime, parfois viscérale.

Selon le neurologue Antonio Damasio (2003), de la University of Southern California, les émotions guident la décision en indiquant au sujet ce qui a vraiment de l'importance pour lui. L'action des composantes affectives dépasserait les processus d'évaluation rationnelle en rapidité, en économie de moyens et en efficacité, en particulier quand il est impossible de soupeser rationnellement le pour et le contre de toutes les possibilités dans une situation donnée. L'intuition aiderait alors à choisir ce qui est jugé essentiellement bon, agréable ou sûr et à rejeter ce qui est jugé essentiellement mauvais, désagréable ou dangereux, sans qu'on puisse dire exactement pourquoi. Dans *L'Erreur de Descartes* (1994) et *Spinoza avait raison* (2003), Damasio raconte comment lui et ses collègues ont pris conscience du rôle clé de l'émotion dans la prise de décision en étudiant les cas de personnes qui avaient subi des lésions aux lobes frontaux. Les chercheurs, et surtout la neuro-anatomiste Hanna Damasio, ont reconstitué avec précision, à l'ordinateur, le parcours probable de la tige de métal qui avait traversé le crâne de Phineas Gage, ce contremaître qui a survécu à son accident, en 1848 (voir le chapitre 2, p. 57). En étudiant ce cas et plusieurs autres, dont celui du patient Elliot – opéré d'une tumeur dans la même région des lobes frontaux que Phineas Gage, le cortex orbitofrontal –, ils ont constaté une constante. Bien qu'ayant conservé toutes leurs facultés intellectuelles, ces patients avaient tous d'importantes difficultés à prendre de bonnes décisions, et plus particulièrement dans des situations aux résultats incertains (relations amoureuses, choix de carrière, planification, investissements, entreprises diverses). Or, ils avaient manifestement une bonne connaissance des données du problème, des possibilités qui s'offraient à eux et des conséquences probables de ces actions ; il ne s'agissait donc pas d'un dysfonctionnement cognitif lié à l'apprentissage, à la mémoire ou au raisonnement.

À force d'étudier ces patients, les chercheurs ont fini par mettre le doigt sur le problème : leur absence d'émotions ou leur incapacité d'intégrer leurs émotions dans leurs décisions rendaient ces décisions inadéquates. Typiquement, ces patients n'utilisaient pas l'expérience émotionnelle qu'ils avaient accumulée au cours de leur vie. Normalement, les expériences que nous stockons dans notre mémoire comportent une certaine dose d'émotions positives ou négatives. Prenons un exemple simple. Si un gros chien noir menace de vous mordre, vous retenez à la fois le gros chien noir et la peur que vous avez ressentie – vous restez « marqués ». La prochaine fois qu'une situation analogue se présente (Un gros chien noir !), les émotions associées à l'expérience antérieure se déclenchent automatiquement. Ces émotions vous donnent un signal. Elles attirent votre attention sur certains aspects du problème (Est-ce le même chien? Est-il dangereux), sur les actions possibles avec leurs résultats positifs ou négatifs dans le passé, ce qui améliore considérablement la rapidité et la qualité de votre raisonnement dans cette situation. Ainsi, nous évitons automatiquement les situations qui rappellent un danger à cause de la peur qu'elles nous avaient causée, et nous sommes attirés par les situations qui évoquent un plaisir déjà ressenti. Mais la plupart du temps, le signal est assez subtil, c'est l'intuition : on préfère une option sans pouvoir dire exactement pourquoi. Parce que ces signaux sont liés au corps (*soma*), aux sensations physiques déclenchées par une émotion, Damasio les appelle les *marqueurs somatiques*. Les marqueurs somatiques ne sont pas des substituts du raisonnement; ils jouent un rôle auxiliaire qui accroît son efficacité et sa rapidité en permettant de faire des choix et de prendre des décisions rapidement, en faisant l'économie d'une analyse complexe du rapport coût/avantages – simplement par ce que nous appelons « l'intuition ». (Nous reviendrons au chapitre 8 sur la théorie des marqueurs somatiques de Damasio.)

Quels sont les principaux pièges et obstacles dans la résolution de problème et la prise de décision ?

Les pièges classiques : bien les connaître pour mieux s'en méfier

Nos efforts pour résoudre un problème ou prendre la meilleure décision possible sont souvent contrariés par les mêmes pièges ou entraves qu'il importe de connaître pour mieux s'en méfier : l'*effet de cadrage*, la *rigidité fonctionnelle* et la *fixation*.

L'effet de cadrage   Dans une étude classique appelée « le problème de la maladie asiatique », Kahneman et Tversky (1984) ont présenté le dilemme suivant à des sujets, tous médecins. Qu'auriez-vous répondu?

> Imaginez le scénario suivant en présumant que les chiffres estimés sont certains. Le gouvernement se prépare à l'apparition d'une nouvelle maladie venue d'Asie. Si rien n'est fait, 600 personnes mourront. Deux programmes de lutte contre la maladie sont envisagés. Si on adopte le programme A, 200 personnes seront sauvées. Si on adopte le programme B, les probabilités sont de 1 sur 3 pour que les 600 personnes soient sauvées, et de 2 sur 3 pour que personne ne soit sauvé. Lequel des deux programmes privilégiez-vous?

Quel programme avez-vous choisi? Dans cette étude, 72 % des médecins ont préféré le programme A, où le résultat est certain, et seulement 28 % ont choisi le programme B, où le risque est plus grand. Les chercheurs ont ensuite soumis à un échantillon similaire de sujets, médecins eux aussi, cette variante du dilemme :

> Imaginez le scénario suivant en présumant que les chiffres estimés sont certains. Le gouvernement se prépare à l'apparition d'une nouvelle maladie venue d'Asie. Si rien n'est fait, 600 personnes mourront. Deux programmes de lutte contre la maladie sont envisagés. Si on adopte le programme C, 400 personnes mourront. Si on adopte le programme D, les probabilités sont de 1 sur 3 que personne ne meure, et de 2 sur 3 pour que 600 personnes meurent. Lequel des deux programmes choisiriez-vous?

Quel est votre choix? Étonnamment, puisque *les données objectives du problème restent exactement les mêmes*, cette fois, 78 % des sujets ont opté pour le programme le plus risqué, le programme D, qui a les mêmes conséquences que le programme B de la première version. Comment expliquer ce résultat troublant? Par l'**effet de cadrage** : quelle que soit la stratégie utilisée, la façon dont les données d'un problème nous sont présentées – le fait qu'elles laissent entrevoir comme résultat potentiel de notre choix ou de notre décision soit un gain, soit une perte – influe sur le processus de prise de décision. Ici, par exemple, le problème est conçu (« cadré ») pour que les sujets se focalisent sur les 200 vies à sauver dans le premier cas, et sur les 400 morts à éviter dans le deuxième. Or, quand ils veulent réaliser des gains (vies sauvées), les gens sont plus enclins à opter pour la solution qui offre une certitude (200 vies sauvées). Quand ils veulent éviter des pertes (400 vies), ils semblent beaucoup plus enclins à opter pour la solution risquée, comme l'ont fait 78 % des participants. Peu de gens auront à décider de la vie ou de la mort de centaines de personnes, mais n'importe qui peut avoir à prendre une décision concernant un traitement médical.

Effet de cadrage
Manière de présenter l'information de manière à faire entrevoir la possibilité d'un gain ou d'une perte.

Si les médecins parlent de «chances de survie», on sera plus enclin à opter pour l'approche prudente ; s'ils parlent de «risques de décès», la solution plus hasardeuse nous paraîtra plus indiquée. Prendre l'habitude d'inverser le cadrage des problèmes est donc une bonne habitude à prendre.

La rigidité fonctionnelle   Dans certains cas, notre difficulté à résoudre un problème tient à la rigidité fonctionnelle, c'est-à-dire à l'incapacité d'utiliser les objets d'une nouvelle manière. Souvent, les fonctions et les attributs «normaux» des objets, appareils ou équipements que nous utilisons se figent dans notre esprit, ce qui nous empêche de penser à des manières inhabituelles et novatrices de les utiliser (German et Barrett, 2005). Ainsi, une personne encline à la rigidité fonctionnelle et qui brise la carafe de sa cafetière filtre un bon matin en conclura vite qu'elle devra se passer de café ce matin-là, car sa pensée restera focalisée sur la carafe brisée. Si elle pensait plutôt à la fonction que remplissait la carafe, elle comprendrait qu'un autre récipient ou même sa tasse ferait l'affaire, et son problème serait résolu.

Rigidité fonctionnelle
Incapacité d'utiliser des objets d'une nouvelle manière pour résoudre un problème à cause d'une focalisation sur leur fonction «normale».

La fixation   Analogue à la rigidité fonctionnelle, mais s'appliquant beaucoup plus largement, la fixation se caractérise par l'application répétitive de stratégies, méthodes ou solutions familières, même lorsque d'autres conviendraient mieux. On ne s'en étonnera pas, les personnes enclines à la fixation sont aussi enclines à la rigidité fonctionnelle (McKelvie, 1984). Essayez le petit problème suivant, et vous serez peut-être aux prises avec une fixation. (Un indice : nous sommes plus enclins à la fixation quand nous omettons d'examiner les particularités d'un problème.)

Fixation
Tendance à appliquer à répétition des stratégies ou des méthodes familière sans examiner avec soin les données particulières de ce dernier.

◀ Nombre d'entre nous peinons à résoudre des problèmes de la vie quotidienne à cause de notre rigidité fonctionnelle, c'est-à-dire notre incapacité à le faire en utilisant des objets familiers de manière inédite.

Le problème des neuf points

À l'aide de quatre lignes droites, reliez tous les points sans soulever votre crayon. Oui, c'est possible... Allons, un petit effort !

Solution du problème des neuf points

La plupart des gens ont du mal à sortir du cadre imaginaire qu'ils s'imposent. Leur fixation sur la disposition des points les «force» à chercher une solution au problème à l'intérieur du carré. Si vous sortez du cadre (du carré), vous constaterez que la solution est très simple. Et si vous ne trouvez pas vraiment... tournez la page...

La pensée créatrice : sortir des sentiers battus

Le petit exercice des neuf points montre bien à quel point la pensée créatrice peut être un atout dans la résolution de problème et la prise de décision. Contrairement à ce qu'on pense, les idées créatrices qui parviennent à la conscience ne sont pas des flashes instantanés ; elles ont incubé pendant un certain temps (Lubart, 2003). Le processus créatif de résolution de problème comporte quatre étapes (Goleman et autres, 1992) : (1) la préparation (recherche d'information pouvant aider à résoudre le problème) ; (2) l'incubation (mise au repos du problème pendant l'assimilation de l'information pertinente) ; (3) l'illumination ; (4) la traduction des idées en actions utiles. L'étape de l'incubation, sans doute la plus importante du processus, a lieu de manière inconsciente.

Selon le psychologue J. P. Guilford (1967), qui a étudié la créativité pendant plusieurs décennies, les penseurs créatifs maîtrisent la **pensée divergente**, c'est-à-dire la capacité de produire de nombreuses idées, questions ou solutions en présence d'un problème pour lequel il n'existe aucune solution qui fait l'unanimité. Plus largement, la pensée divergente est une pensée profondément originale, qui repose sur une synthèse d'association d'idées inhabituelles. Elle est souple, passant rapidement et en douceur d'un flot de pensée ou d'un ensemble d'idées à un autre, fluide et prolifique (Csikszentmihalyi, 1996).

Pensée divergente
Capacité de produire de nombreuses idées, réponses ou solutions à un problème pour lequel il n'existe aucune solution préalable.

Par comparaison, toujours selon Guilford, la pensée convergente, celle qui cherche une seule solution à un problème bien défini, est le type d'activité mentale que mesurent les tests de QI et les examens scolaires. Ce qui ne signifie pas que pensée divergente et pensée convergente sont toujours indépendantes ; les deux sont nécessaires pour accomplir la plupart des tâches cognitives. Quiconque veut développer sa créativité doit développer sa pensée divergente, mais la pensée convergente est essentielle pour distinguer les bonnes idées des mauvaises (Csikszentmihalyi, 1996). De même, résoudre des problèmes clairement définis n'exclut pas de recourir à la pensée divergente, puisqu'on peut envisager plusieurs solutions.

Solution du problème des neuf points

Des chercheurs tentent de déceler les parties du cerveau à l'œuvre dans ces deux modes de pensée. En général, la pensée convergente se traduit par une grande activité du lobe frontal gauche, tandis que la pensée divergente fait appel au lobe frontal droit (Razoumnikova, 2000). D'autres études montrent que les processus de la pensée convergente, comme la recherche de constantes lors d'événements, sont le fait de l'hémisphère gauche (Wolford et autres, 2000). En mesurant le flux sanguin cérébral (rCBF), Carlsson et ses collègues (2000) ont observé des différences frappantes entre l'activité des lobes frontaux des participants s'adonnant activement à la pensée créatrice et celle des autres. La figure 7.5(a) illustre l'activité du lobe frontal au moment où s'exerce une pensée très créatrice : les deux hémisphères sont actifs, mais le lobe frontal droit l'est considérablement plus. La figure 7.5(b) montre qu'en l'absence de pensée créatrice, c'est le lobe frontal gauche qui est très actif.

▶ Les personnes créatrices se caractérisent notamment par leur motivation intrinsèque ; elles aiment le processus créatif pour ce qu'il est.

Figure 7.5

SCHÉMAS DU FLUX SANGUIN CÉRÉBRAL (rCBF)

(a) La pensée très créatrice est associée à une activité des deux hémisphères, mais cette dernière est considérablement plus élevée du côté droit (le rouge indique l'activité). (b) En l'absence de pensée créatrice, l'activité est confinée à l'hémisphère gauche.

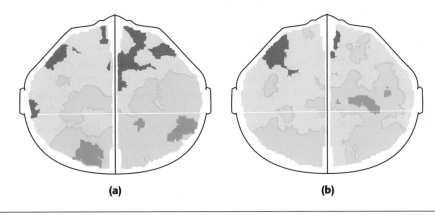

(a)   (b)

Source: Adapté de Carlsson et autres, 2000.

La résolution de problème et la prise de décision

1. La (résolution de problème/prise de décision) est le processus qui consiste à choisir entre plusieurs possibilités en fonction des objectifs fixés et des informations dont on peut disposer, et la (résolution de problème/prise de décision) est le processus qui englobe les pensées et les actions requises pour atteindre un but ou trouver une solution qui n'est pas immédiatement accessible.

2. Vrai ou faux ?

   a) Certaines situations où il n'y a aucun problème à résoudre exigent néanmoins une prise de décision.

   b) La résolution de problème mène toujours à la bonne solution.

   c) L'élimination par attribut est une stratégie qui vise à composer avec les limites de la prise de décision systématique (manque de temps, capacité de la mémoire à court terme et impossibilité de prédire l'avenir).

   d) Une heuristique est une procédure systématique et ordonnée qui, appliquée correctement, permet toujours de trouver la solution à un certain type de problème

3. Associez à sa définition chacune des heuristiques suivantes : analyse fin-moyens, heuristique d'analogie, heuristique de reconnaissance, heuristique de représentativité, heuristique de disponibilité, démarche à rebours.

   a) Comparer un problème ou une situation à d'autres problèmes ou situations analogues connues : en présumant que si la stratégie A s'est déjà avérée efficace dans un contexte similaire, elle le sera à nouveau.

   b) Comparer la condition ou la situation de départ au but à atteindre (fin), puis à déterminer et à suivre la série d'étapes (moyens) qui réduisent l'écart entre les deux.

   c) Évaluer l'importance ou la probabilité d'une chose ou d'un phénomène en fonction de la facilité à en trouver des exemples en mémoire.

   d) Évaluer une chose ou un phénomène en fonction de sa ressemblance avec un échantillon type.

   e) Envisager les étapes nécessaires à la résolution d'un problème ou à l'atteinte d'un but en partant du but ou de la situation finale à atteindre pour cheminer à rebours vers la situation de départ.

   f) Stopper l'évaluation et se décider dès qu'on reconnaît un facteur qui fait pencher la balance en faveur d'une décision donnée.

APPLIQUEZ-LE

Stimuler votre créativité

La créativité n'est pas l'apanage des artistes. Tout le monde a un potentiel de créativité. Que pouvez-vous faire pour stimuler votre créativité ? Voici quelques pistes :

- **Branchez-vous sur votre créativité et ayez confiance en elle.** Plus vous prendrez l'habitude de penser à vous comme à une personne créative, plus vous valoriserez la créativité comme objectif personnel, plus vous aurez de chances d'avoir des idées et des solutions novatrices aux problèmes (Hennessey et Amabile, 1988).
- **Mettez-vous au défi.** Vous aimez la cuisine ou la photo ? Quel que soit votre intérêt, donnez-vous de petits défis. Ne vous contentez pas de cuisiner un bon repas ou de faire de belles photos. Inventez de nouvelles recettes, prenez des photos inédites, insolites, sortez des sentiers battus. Plus vous dépasserez l'ordinaire, plus vous deviendrez créatif.
- **Étendez vos connaissances.** Plus vous acquerrez de connaissances et d'expérience, plus vous développerez de potentiel de création (Epstein, 1996).
- **Changez votre routine.** Dînez à une heure différente. Prenez un autre chemin pour aller au collège ou au travail. Ne vous demandez pas pourquoi vous faites ce genre de changements ; faites-les, tout simplement.
- **Passez plus de temps avec des artistes ou des gens créateurs.** Les relations avec des gens créateurs stimuleront votre potentiel de créativité (Amabile, 1983).
- **Soyez souple et ouvert à de nouvelles possibilités.** Libérez vos pensées des contraintes arbitraires. Exercez-vous à éviter les fixations et la rigidité mentale.
- **Évitez l'autocensure.** Ignorez la petite voix qui vous dit que quelque chose ne fonctionnera pas. Ne critiquez ni vos pensées ni vos efforts durant les premières phases du processus de création. S'inquiéter du résultat inhibe le processus de création (Amabile, 1983).
- **N'ayez pas peur de faire des erreurs.** Pour les créateurs, les erreurs sont des expériences d'apprentissage précieuses, et non quelque chose à craindre et à éviter à tout prix. En fait, les gens créatifs tendent à faire plus d'erreurs que les autres. Pourquoi ? Parce qu'ils font plus d'essais, expérimentent davantage et trouvent plus d'idées à tester (Goleman et autres, 1992).
- **Capturez vos bonnes idées.** Prêtez plus d'attention à vos pensées créatrices et soyez prêt à les préserver où que vous soyez (Epstein, 1996). Utilisez un carnet de notes, un magnétophone ou un gadget électronique, peu importe. L'essentiel est de saisir vos bonnes idées au moment où elles surgissent. Il est peu probable qu'elles réapparaissent sous la même forme à un moment plus opportun.
- **Détendez-vous.** La détente stimule la pensée créatrice. Allez vous promener, prenez une longue douche, asseyez-vous sur un fauteuil confortable et rêvassez, allongez-vous dans un hamac, etc. La relaxation permet de jouer avec des idées, de les combiner autrement.

En groupe, l'humour semble favoriser la créativité. Les groupes où les gens blaguent, se taquinent et rient facilement sont souvent plus créatifs que ceux où les interactions sont plus formelles. Les organisations qui cherchent à encourager la créativité et l'innovation devraient donner à leur personnel plus de latitude pour résoudre des problèmes et gérer leur rendement. Le personnel devrait avoir suffisamment de temps pour pouvoir fournir un travail de qualité, pouvoir travailler de manière autonome et ne pas se sentir constamment surveillé.

RÉFLEXION CRITIQUE

1. Les représentations mentales, les modes de raisonnement et les stratégies de résolution de problème ou de prise de décision que vous avez étudiés dans ce chapitre peuvent s'appliquer à votre vie scolaire et personnelle. Donnez-en des exemples.

2. Pensez à un problème que vous avez eu à résoudre dernièrement. Quelle a été la première étape de votre démarche ? Quelle technique de résolution de problème avez-vous utilisée ? Pourquoi ? Quel(s) obstacle(s) avez-vous rencontré(s) au cours du processus (rigidité fonctionnelle, fixation, limites inhérentes à telle ou telle heuristique, etc.) ? Qu'est-ce qui aurait pu contribuer à améliorer votre démarche ?

3. Quelle théorie de l'intelligence correspond le mieux à votre propre conception de l'intelligence ? Pourquoi ?

RÉSEAU DE CONCEPTS

INTELLIGENCE, PENSÉE ET COGNITION

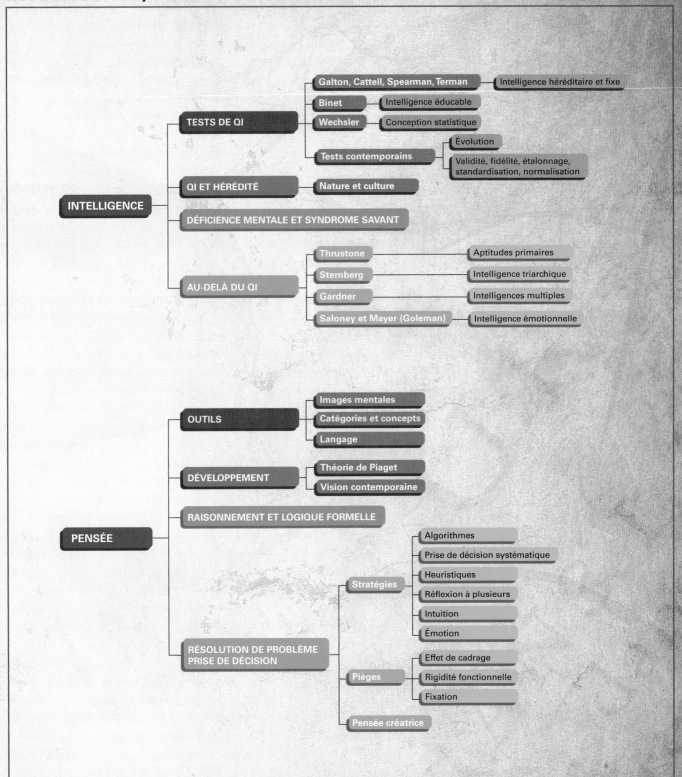

ÉMOTION, STRESS ET ADAPTATION

▲ Les ossements de l'*Australopithécus afarencis* Lucy ont été découverts en 1974 à Hadar en Éthiopie par une expédition regroupant une trentaine de chercheurs éthiopiens, américains et français, codirigée par le paléoanthropologue Donald Johanson, le paléontologue Yves Coppens et le géologue Maurice Taieb. Lucy vivait il y a quelque 3,2 millions d'années, devait mesurer entre 1,10 m et 1,20 m, et peser au maximum 25 kg. On estime qu'elle est morte vers l'âge de 20 ans, et le fait que ses ossements n'aient pas été dispersés par un charognard indique qu'elle a été rapidement ensevelie après sa mort. Lucy doit son surnom à la chanson des Beatles « Lucy in the Sky with Diamonds » que les chercheurs écoutaient le soir sous la tente en répertoriant les ossements trouvés dans la journée.

Reculons dans le temps, il y a trois ou quatre millions d'années. L'australopithèque Lucy, s'est un peu éloignée des siens pour aller cueillir des fruits et satisfaire sa faim. Au détour d'un sentier, elle se fige en voyant, à quelques mètres d'elle à peine, un lointain ancêtre de l'ours. Le vent souffle dans l'autre direction, et il ne l'a pas encore vue. Lucy a une forte réaction émotionnelle, inévitable et primitive, qui prépare son corps à fuir ou à lutter pour survivre. La branche sympathique de son système nerveux autonome s'active : son cœur bat plus vite, sa respiration s'accélère, sa pression artérielle augmente pour envoyer le sang là où Lucy en a besoin : dans les jambes pour fuir, dans les bras pour lutter et au cerveau pour penser à la meilleure des deux solutions. Lucy prend ses jambes à son cou et court de toutes ses forces jusqu'à ce qu'elle retrouve enfin sa tribu, hors d'haleine, épuisée et en nage. Ouf ! elle l'a échappé belle, mais sa peur lui a sauvé la vie. Une fois la menace passée, la branche parasympathique de son système nerveux autonome reprend le contrôle, et peu à peu, son cœur et sa respiration ralentissent, ses muscles se détendent, et ses paramètres physiologiques reviennent à la normale. Lucy se détend et, satisfaite d'avoir échappé au danger, s'endort profondément.

Imaginons maintenant une autre Lucie, une collégienne qui vit au début du XXIe siècle. Demain matin, à 8 h, cette Lucie-là a un examen très important, dont la réussite, se répète-t-elle depuis une semaine, est vitale pour sa cote R. Pendant la nuit, panne d'électricité ; le réveil ne sonne pas. Trois quarts d'heure plus tard, Lucie se fait réveiller par sa mère qui la secoue sans ménagement en lui criant dans les oreilles : « Vite ! Vite ! ma chérie. Réveille-toi, tu es en retard. Dépêche-toi, tu vas rater ton examen. » Quand elle émerge de son sommeil et comprend enfin ce qui se passe, Lucie se sent vraiment en danger pendant quelques secondes : cet examen n'est-il pas *vital* pour elle ? Son cœur s'emballe, sa fréquence cardiaque augmente, sa respiration s'accélère, elle a l'impression d'avoir reçu une injection d'adrénaline. Elle se jette hors du lit et se précipite à la salle de bain, refusant le déjeuner que sa mère lui propose : elle n'a aucun appétit, son système digestif ralentit. Sous la douche, elle essaie de se calmer en se raisonnant : « Après tout, je ne suis pas en danger de mort... » Elle s'habille en vitesse, sort, marche deux coins de rue et arrive juste à temps... pour voir l'autobus lui passer sous le nez. « NON ! Là, je vais vraiment rater mon examen. » Nouvelle activation du système sympathique ; hors d'elle, Lucie revient à la maison dans tous ses états. Après avoir perdu de précieuses minutes à convaincre sa mère de lui prêter sa voiture pour la journée, elle obtient enfin gain de cause : « Maman, tu me sauves la vie ! » Le collège est à une demi-heure de chez elle en auto ; peut-être arrivera-t-elle à temps, après tout. Cinq minutes plus tard, Lucie est coincée dans un embrouillage monstre. Furieuse et terrifiée par la catastrophe imminente – arriver trop tard, rater son examen, ne pas obtenir sa cote R –, elle voudrait bien abandonner la voiture et courir jusqu'au collège ou étrangler tous ces imbéciles qui n'avancent pas, mais c'est évidemment hors de question. Elle ne peut que ronger son frein derrière son volant. Le cœur battant, le souffle court, la bouche sèche et les mains moites, au bord de la nausée, Lucie « stresse ».

Il y a quelques millions d'années, la peur de l'australopithèque Lucy lui sauvait la vie en préparant son corps à agir pour échapper au danger, et le retour auprès des siens ramenait ses paramètres physiologiques à la normale. De nos jours, les réactions auxquelles notre système sympathique nous prépare sont la plupart du temps inappropriées – fuir un patron qui nous critique injustement n'est pas une solution ; le frapper encore moins. Mais notre système nerveux l'ignore (comme disait l'autre, notre cerveau a évolué pour s'adapter... à l'âge de pierre). Chaque fois que nous percevons une menace, quelles que soient sa nature et la réaction qui serait la plus appropriée, il continue à déclencher la réaction physiologique primitive qui prépare notre corps à l'action. Qu'advient-il de toute cette activation physiologique produite en vain, surtout si elle se répète plusieurs fois par jour, pendant des jours, des mois, des années ? Elle use l'organisme, et produit ce qu'on appelle « les méfaits du stress sur la santé ».

Maintenant, supposons un instant que l'horrible matinée de notre Lucie du XXIe siècle ne soit pas exceptionnelle, mais au contraire assez représentative de la façon dont elle vivra les prochaines décennies. Il pourrait en être ainsi pour toutes sortes de raisons. Imaginons un petit scénario. Comme sa mère, Lucie est née avec un tempérament plus « nerveux », plus « émotionnel » que d'autres. À son contact, elle a appris qu'il était normal de tout dramatiser, de se mettre dans tous ses états à la moindre contrariété. De plus, Lucie se fait dire depuis toujours par son père que dans la vie il faut se fixer des buts, puis foncer et jouer des coudes pour les atteindre, « parce que, ma fille, dans la vie ce sont les plus forts qui gagnent ; les autres sont laissés pour compte ». Lucie pourrait alors avoir tendance à se mettre elle-même sous pression, à se fixer des objectifs irréalistes, voire inatteignables, dans l'espoir de briller dans les milieux les plus sélects. Malheureusement, ses ressources ne sont pas toujours à la hauteur de ses ambitions et de ses rêves.

Au fil des années, Lucie essuie un certain nombre de revers professionnels et amoureux. Ses patrons comme ses intimes lui reprochent d'être trop agressive, trop émotive, trop explosive, trop imprévisible, trop « épuisante », invivable, quoi ! C'est injuste, se dit Lucie. Ce n'est pas ma faute si je suis émotive. Je suis née comme ça, et je n'y peux rien. Blessée et insatisfaite, Lucie se réfugie dans le travail, mange trop et ne dort pas assez, force un peu trop sur l'alcool et d'autres substances qui « aident à vivre », se dit Lucie.

Et voilà qu'un jour, tout craque. Au beau milieu de la trentaine, Lucie tombe gravement malade. « Infarctus ou accident cardiovasculaire, cancer, diabète ou dépression, peu importe. Tu sais bien que c'est le stress qui t'a rendue malade », disent ses proches.

Quelques jours après sa sortie de l'hôpital, Lucie se rend pour la forme chez le psychologue spécialiste du stress qu'on lui a fortement suggéré de consulter. Dix minutes plus tard, elle explose : « Je suis venue une fois, mais je ne reviendrai pas. Vous ne pouvez rien pour moi. Personne n'y peut rien. Ce n'est pas le stress qui a gâché ma vie et qui m'a rendue malade, ce sont mes émotions ! La peur qui ne me lâche jamais ; ce sentiment d'un danger imminent, cette inquiétude, cette anxiété, cette panique, qui m'envahissent à tout moment. Cette colère qui monte en moi à la moindre critique et qui me fait faire des choses épouvantables, que je regrette ensuite, mais il est trop tard. Cette peur, cette colère et cette tristesse d'être incapable de me maîtriser, et d'avoir tout perdu à cause de ça : amour, travail, santé… Si seulement vous pouviez me débarrasser de mes émotions une fois pour toutes, faire que je ne ressente plus rien. Je pourrais prendre des décisions rationnelles, profiter de la vie, et être calme et heureuse, comme vous… »

Soudain consciente de l'absurdité de ses propos, Lucie s'interrompt et jette un coup d'œil à la vieille dame assise devant elle. Curieusement, elle ne semble pas du tout mal à l'aise devant son éclat. Sur ses lèvres flotte un léger sourire dénué de toute moquerie, même si l'amusement fait pétiller ses yeux lorsqu'elle lui demande : « Aimez-vous lire ? »

— Oui, répond Lucie. Surtout ces temps-ci, je n'ai rien d'autre à faire, et je pars en voyage de repos pour un mois…

— Peut-être aimeriez-vous en savoir un peu plus long sur vos ennemies ?

— Mes ennemies ?

La vieille dame éclate de rire. « Oui, vos ennemies les émotions ! Si je ne peux rien faire d'autre pour vous, laissez-moi au moins vous prêter quelques livres et quelques articles sur le sujet. Il est toujours bon de se renseigner sur nos ennemis… Allons, venez ! » dit la dame en entraînant Lucy vers son immense bibliothèque. Elle ramasse un grand sac, le tend à Lucie, ahurie, et y glisse les livres un à un en lui nommant les auteurs, comme si elle lui présentait de vieux amis dans un cocktail mondain.

— D'abord les classiques : voici Charles alias Darwin, William James, et Walter Cannon bien sûr. Ensuite, ma chère Magda Arnold qui revient à la mode ces temps-ci, et naturellement, l'incontournable Richard Lazarus. Mais aussi, les p'tits derniers : Paul Ekman, Joseph LeDoux – un spécialiste de la peur, il va vous intéresser – et finalement, Antonio Damasio, que je vous laisse découvrir. Tous des passionnés des émotions, chacun à leur manière.

— Vous ne me donnez rien sur le stress ? ironise Lucie.

— Désolée, je croyais que le sujet ne vous intéressait pas. Certains en parlent aussi, vous verrez. Mais, puisque vous y tenez, voici Hans Selye, et Henri Laborit. Prenez votre temps pour les lire ; vous n'aurez qu'à les laisser à la réception quand vous aurez fini si vous ne voulez pas me revoir.

— Je viendrai vous saluer à mon retour, répond Lucie, prenant un air contrit, tandis que la vieille dame la raccompagne vers la sortie.

— Si vous voulez. D'ici là, je vous souhaite un beau voyage… » dit la vieille dame, qui ajoute pour elle-même en refermant la porte, « un beau voyage au pays du stress et des émotions ».

Comme Lucie ne tardera pas à l'apprendre, et comme nous le verrons dans ce chapitre, les émotions ne sont pas la cause du stress, pas plus que le stress n'est la cause des émotions. Pourtant, il est quasi impossible de comprendre le stress en faisant abstraction des émotions, et vice versa.

D'abord, une grande partie de nos connaissances actuelles sur les mécanismes et les effets du stress nous viennent de la recherche sur les émotions – essentiellement sur la peur et, dans une moindre mesure, sur la colère, les deux réactions émotionnelles les plus faciles à déclencher ou à conditionner en laboratoire.

Deuxièmement, nous le savons tous, nos émotions s'accompagnent souvent de stress. Il y a du stress dans la peur qui nous envahit à l'idée de rater un examen ; dans la colère qui monte en nous lorsqu'un patron nous harcèle, qu'un professeur nous humilie ou qu'un client nous insulte ; dans le chagrin qui nous serre la gorge quand un être cher meurt ou que l'être aimé rompt ; et même dans la joie que nous éprouvons à l'idée d'entrer à l'université ou de revoir un proche après une longue séparation. Inversement, une situation stressante engendre presque toujours une émotion, qu'il s'agisse de peur, de joie, de colère, de tristesse ou d'autre chose.

Enfin, la réaction émotionnelle et la réaction immédiate de stress sont étrangement semblables. Toutes deux sont des expériences affectives soudaines, intenses et brèves, caractérisées par des phénomènes physiologiques et des manifestations extérieures quasi identiques. À tel point que certains auteurs utilisent presque indifféremment les deux concepts, en particulier quand il s'agit d'émotions fortes comme la peur, la colère ou la joie, qui activent les mêmes circuits physiologiques. Heureusement pour nous, le stress et l'émotion sont des phénomènes distincts, et nous éprouvons souvent des émotions qui ne nous causent aucun stress – quand nous pleurons sur un bon film triste, par exemple…

Dans les pages qui suivent, nous commencerons par définir l'émotion. Puis nous nous intéresserons aux travaux pionniers de Charles Darwin, le père de l'étude des émotions. Eh oui ! Darwin a consacré un livre entier à l'expression des émotions chez les humains et les animaux, jetant ainsi les fondements de ce qui allait devenir un siècle plus tard le modèle des émotions de base. Nous passerons ensuite en revue les grandes théories qui ont successivement tenté d'expliquer ce qui arrive lorsque nous ressentons une émotion et nous verrons que chacune a apporté sa pierre à l'édifice (toujours en construction) de notre connaissance du processus émotionnel. Le lien entre les émotions et le stress, cet autre phénomène omniprésent dans nos vies, deviendra alors beaucoup plus facile à comprendre. Qu'est-ce que le stress ? Pourquoi sommes-nous stressés, et pourquoi le stress peut-il nous rendre malades ? Pouvons-nous, sinon éviter le stress, du moins apprendre à mieux le gérer ? Et si oui, comment ? Que de questions stressantes…

8.1 QU'EST-CE QU'UNE ÉMOTION ?

Dans la vie de tous les jours, quand nous parlons de nos « émotions », nous avons tendance à englober dans ce terme toutes les dimensions de notre vie affective : nos émotions proprement dites, mais aussi nos sentiments (« J'aime Untel »), nos humeurs (« Je suis déprimée ces temps-ci, mais je ne sais pas trop pourquoi »), nos traits de personnalité (« Je suis tellement sensible, tellement nerveuse »), nos désirs (« J'ai envie d'elle/de lui ») et même nos sensations (« J'adore ses caresses »). Dans ce chapitre, nous nous concentrerons sur les émotions proprement dites. Comment les psychologues contemporains définissent-ils l'émotion, et comment en sont-ils venus à cette définition ? D'où viennent les émotions et à quoi nous servent-elles ? Y a-t-il un « siège de l'émotion » dans le corps humain ? Qu'est-ce qui déclenche le processus émotionnel et comment fonctionne-t-il ?

Quelles sont les trois composantes de l'émotion, et qu'est-ce qui distingue les émotions des sentiments ?

Définir l'émotion

« Tout le monde sait ce qu'est une émotion, jusqu'à ce que vous lui demandiez de la définir ! » constataient B. Fehr et J. A. Russel (1984), deux psychologues qui ont tenté de cerner ce concept dans les années 1980. Aujourd'hui encore, les définitions de l'émotion varient considérablement selon les disciplines, les perspectives et les théories, et aucune ne fait l'unanimité. Toutefois, après des décennies de recherche, les psychologues s'entendent généralement pour dire que l'**émotion** humaine est un état affectif soudain, intense et bref, caractérisé par une activation physiologique, une expression corporelle et une activité mentale. L'activation physiologique englobe toutes les réactions internes responsables de ce que nous ressentons physiquement au moment où nous avons une émotion : cœur qui s'emballe, souffle court ou précipité, tension ou relâchement des muscles et des sphincters, bouche sèche, pincements à l'estomac, tiraillement dans le ventre, sueur, mains moites, etc. L'expression corporelle englobe toutes les manifestations externes de l'émotion : expressions faciales, postures, gestes, ton de voix, etc. Quant à l'activité mentale, elle inclut tous les processus mentaux en jeu dans l'émotion, de la perception du stimulus jusqu'à la pensée consciente.

Émotion
État affectif soudain et passager caractérisé par une activation physiologique, une expression corporelle et une activité mentale.

La différence entre émotion et sentiment   Bien que vague et imparfaite, cette définition permet de distinguer l'émotion proprement dite du sentiment, qui est la représentation qu'on se fait d'une personne, d'une chose ou d'une situation à laquelle une ou plusieurs émotions ont été associées, et qui peut exister sans activation physiologique ni expression corporelle. Ainsi, la colère est une émotion tandis que la rancune est un sentiment ; la peur est une émotion tandis que la méfiance est un sentiment, etc. Le neurologue Antonio Damasio (2001) insiste à la fois sur la différence entre l'émotion et le sentiment, et sur leur lien très étroit : « Les sentiments sont privés, subjectifs. Ils sont ressentis par l'individu et lui seul. Il ne s'agit pas de comportements, mais de pensées. » Ces pensées – ces représentations – que sont les sentiments naissent de la perception de l'émotion ressentie par le corps, mais aussi de la *cause* de cette émotion, explique-t-il. « Toutes les émotions peuvent devenir des sentiments à partir du moment où nous établissons cette relation de cause à effet entre les transformations de notre corps et ce qui les a suscitées » (Damasio, 2001). Autrement dit, notre vie affective ne se réduit pas à nos seules émotions – heureusement ! –, mais les émotions sont en quelque sorte des réactions de base à partir desquelles se construisent nos sentiments et toute notre vie affective.

Pour reprendre les termes de Damasio (2001), par définition, l'émotion « met le corps en action – action en partie interne, en partie externe. Les émotions sont donc d'une certaine façon publiques, on peut les mesurer, les étudier. » La plupart des définitions des psychologues modernes insistent sur ce point : l'émotion est une *tendance à l'action*, un ensemble de réactions physiques et de perceptions subjectives qui motive l'organisme à *réagir* aux êtres ou aux événements importants (Purves et autres, 2008). Le mot *émouvoir* vient d'ailleurs du latin *emovere*, « mettre en mouvement ».

Tout organisme n'a toujours qu'un seul but, celui de maintenir l'équilibre de son « milieu intérieur », écrivait en 1865 le physiologiste français Claude Bernard (1813-1878). Nos raisons d'agir les plus puissantes nous viennent d'actions qui ont assuré la survie de notre espèce : manger, boire, dormir, se reproduire. Mais cela ne suffit pas. Pour rester en vie, il nous faut aussi fuir ou combattre les menaces extérieures, de manière à préserver notre intégrité physique et notre équilibre interne, notre précieuse homéostasie. Le système nerveux est centré sur l'action. Le cerveau s'est développé et perfectionné au fil des millénaires, permettant à des organismes de plus en plus évolués de relever des défis environnementaux de plus en plus complexes.

Évidemment, Darwin ne disposait pas d'appareils d'imagerie cérébrale fonctionnelle pour étudier les émotions. C'est donc sur leur dimension « publique » et observable à l'œil nu qu'il s'est penché avec son extraordinaire faculté d'observation.

8.2 L'ORIGINE DES ÉMOTIONS : DE DARWIN AUX ÉMOTIONS DE BASE

En 1872, soit 13 ans après la parution de *L'origine des espèces par la sélection naturelle* (1859), le grand naturaliste Charles Darwin (1809-1882) publiait *L'expression des émotions chez l'homme et les animaux*, traduit en français en 1880. On s'en doute, ce livre de Darwin sur les émotions s'inscrit dans sa théorie générale de l'évolution des espèces et des origines animales de l'espèce humaine. Toute son argumentation vise en effet à démontrer que les émotions humaines sont innées et universelles, et ce, parce que nous les avons héritées de nos lointains ancêtres animaux.

Aujourd'hui, la preuve n'est plus à faire que les humains sont des primates ; nous savons même que notre génome est quasi identique à celui des grands chimpanzés et des bonobos. Pourtant, le livre sur les émotions qu'a écrit Darwin pour le démontrer garde tout son intérêt. En plus d'avoir eu une influence déterminante sur les débuts de la psychologie scientifique, il a ouvert à l'étude des émotions des avenues plus achalandées que jamais en ce début du XXIe siècle (Ekman, 2002). En effet, Darwin a été le

> **Sentiment**
> État affectif complexe et durable correspondant à la représentation qu'on se fait d'une personne, d'une chose ou d'une situation à laquelle une ou plusieurs émotions ont été associées.

premier à avancer que nos émotions et leurs expressions étaient le produit de l'évolution de notre espèce, qu'elles étaient donc innées et universelles, mais aussi qu'elles jouaient encore un rôle crucial dans la communication humaine, et qu'elles étaient directement liées au système nerveux. Or, ces hypothèses formulées il y a près d'un siècle et demi, la recherche sur les émotions – de plus en plus intensive et pointue ces dernières décennies – ne cesse de les confirmer.

Pourquoi Darwin affirmait-il que les émotions humaines sont un produit de l'évolution et une forme de langage héritée des animaux ?

L'expression des émotions : un langage animal

Pourquoi nos poils se hérissent-ils et nos dents se découvrent-elles quand nous sommes en proie à la colère ou à la peur ? Pourquoi nos cheveux se dressent-ils sur notre tête sous l'effet de la terreur ? Et pourquoi avons-nous « la chair de poule » ? note Darwin dès les premières pages de *L'expression des émotions* (1872/2002). La plupart de nos expressions émotionnelles faciales et corporelles, dit-il, sont inexplicables tant qu'on ne comprend pas celles des animaux, tant qu'on n'admet pas que l'homme a vécu autrefois « dans une condition voisine de la bestialité » ; ce n'est qu'alors qu'elles prennent tout leur sens. Ainsi, l'animal qui a peur ou qui est en colère hérisse ses appendices cutanés (plumes, poils, écailles, piquants, etc.) devant son adversaire pour lui paraître plus gros et plus terrifiant ; s'il est carnivore, il lui montre ses dents comme on brandit une arme, etc. Multipliant les exemples de similarités entre les expressions émotionnelles des animaux, surtout des autres primates, et celles des humains, Darwin (1872) montre qu'elles permettent aux uns et aux autres de *communiquer sans un mot des états internes similaires* : « Il suffit d'avoir observé des singes pour être convaincu qu'ils comprennent parfaitement les gestes et les signes les uns des autres, et dans une large mesure ceux de l'homme. » Pour être convaincu aussi que ce « langage des émotions » beaucoup plus ancien que la parole confère un énorme avantage du point de vue de l'évolution, car il augmente considérablement les chances de survivre et de se reproduire.

▶ Planches illustrant l'édition originale de *The Expression of the Emotions in Man and Animals* (1872). À gauche (p. 128) : « Fig. 15 Chat terrifié par un chien. Dessiné d'après nature par M. Wood. » À droite (p. 141) : « Fig. 18 Chimpanzé déçu et boudeur. Dessiné d'après nature par M. Wood. »

128   SPECIAL EXPRESSIONS: CHAP. V.

friends, whilst dogs always do so, I cannot say. Cats cleanse themselves by licking their own coats more regularly than do dogs. On the other hand, their tongues seem less well fitted for the work than the longer and more flexible tongues of dogs.

Cats, when terrified, stand at full height, and

CHAP. V.   MONKEYS.   141

Fig. 18. Chimpanzee disappointed and sulky. Drawn from life by Mr. Wood.

Vous avez vu assez de documentaires animaliers pour savoir que Darwin avait raison. Ainsi, chez plusieurs espèces, dès qu'un seul des membres du groupe sent un prédateur et communique l'émotion de la peur, les autres s'effraient, et cette émotion les prépare à fuir pour sauver leur vie (Horstmann, 2003 ; Fox et autres, 2000). De plus, comme le souligne le primatologue Frans de Waal (2007), la communication émotionnelle permet aux membres des espèces sociales de coopérer. Ainsi, grâce à elle, « des chimpanzés peuvent collaborer, s'encourager et se consoler. S'ils se bagarrent, ils savent aussi se réconcilier », dit de Waal, et « font preuve d'empathie, de réciprocité et d'équité ». L'évolution a retenu ces caractéristiques parce qu'elles améliorent leurs chances de survie. La bonne entente avec autrui est une compétence déterminante pour eux comme pour nous, car un primate isolé ne reste pas longtemps en vie. « Nous appartenons à une catégorie d'animaux "obligatoirement sociaux", dit de Waal. C'est pourquoi la crainte de l'ostracisme rôde dans tout esprit humain : être exclu est le pire sort qui puisse nous être réservé… »

Évidemment, écrit Darwin (1972), l'humain « ne s'est pas borné à l'usage de cris inarticulés, de gestes et de signes expressifs ; il a inventé le langage articulé » pour communiquer. Pourtant, l'expression émotionnelle continue à nous servir :

> La faculté d'échanger ses idées au moyen du langage entre membres d'une même tribu a joué un rôle capital dans le développement de l'humanité, mais les mouvements expressifs du visage et du corps viennent singulièrement en aide au langage. On s'en aperçoit bien vite quand on parle de quelque sujet important avec une personne dont le visage est caché. […] Les mouvements de l'expression donnent de la vie et de l'énergie au discours. Ils révèlent parfois les pensées et les intentions d'une manière plus vraie que les paroles, qui peuvent être menteuses. […] Nous découvrons bien vite la sympathie de ceux qui nous entourent à leur expression ; nos souffrances en sont adoucies, nos plaisirs augmentés, et c'est ainsi que se fortifient les bons sentiments mutuels.

▼ Les expressions émotionnelles clarifient le sens des mots, comme en témoignent les émoticônes, ces « binettes » qui ponctuent nos courriels et nos textos.

Tu exagères.	:-)
Tu exagères.	:-(
Tu exagères.	:-O
Tu exagères.	|:-()

On l'a vu au chapitre 7, les recherches des psycholinguistes confirment les dires de Darwin. La pragmatique du langage parlé, c'est-à-dire ses caractéristiques qui nous aident à décoder le sens des paroles énoncées, repose sur des indices non verbaux qui véhiculent des messages émotionnels : voix, expressions faciales, gestes et mouvements corporels. Sans ces indices non verbaux, les mots perdent beaucoup de leur sens. À tel point que, quand nous clavardons ou que nous échangeons des courriels et des textos, nous sentons le besoin de ponctuer ces « conversations » d'émoticônes – de binettes qui clarifient le message en exprimant une émotion.

Le langage inné des émotions : bébé communique !

Que révèle le développement émotionnel sur le caractère inné des émotions de base ?

Autre preuve que nos expressions émotionnelles font partie du bagage héréditaire de notre espèce, dit Darwin, elles sont innées. Dès les premiers jours de leur vie, les bébés humains s'en servent pour communiquer avec leur entourage. S'appuyant sur une foule d'observations et de photos de nourrissons et d'enfants en bas âge, Darwin met en lumière le fait que tous les bébés prennent les mêmes expressions pour traduire les mêmes états internes, et ce, bien trop tôt pour qu'elles aient été « apprises par imitation ou par association ». D'ailleurs, souligne-t-il avec raison, ces expressions se manifestent de la même manière chez des enfants aveugles de naissance.

Ici encore, la recherche confirme les observations de Darwin. Dès leurs premières heures de vie, les nouveau-nés affichent certaines émotions simples, comme le dégoût en réaction aux substances amères et le sourire en réaction à celles qui ont un goût sucré (Steiner, 1973). Certains de leurs mouvements faciaux spontanés sont déjà organisés ; cette organisation ne pouvant avoir été apprise, elle dépend forcément d'un programme génétique inné (Oster et Ekman, 1978). De plus, le développement émotionnel des bébés suit toujours la même séquence. Vers l'âge de trois mois, ils expriment la joie et la tristesse ; ils commencent à rire vers trois ou quatre mois, manifestent la colère et la surprise entre quatre et six mois, et la peur vers sept mois (Provine, 1996 ; Lewis, 1995).

▶ Planches illustrant l'édition originale de *The Expression of the Emotions in Man and Animals* (1872). « Les petits enfants poussent des cris de douleur aussitôt après leur naissance, écrit Darwin, et tous leurs traits revêtent alors l'aspect qu'ils doivent offrir par la suite. Ces seuls faits suffisent pour montrer qu'un grand nombre de nos expressions les plus importantes n'ont pas eu besoin d'être apprises ; il est toutefois digne de remarque que certaines d'entre elles, bien qu'assurément innées, réclament de chaque individu un long exercice avant d'en être arrivées à toute leur perfection ; il en est ainsi, par exemple, des pleurs et du rire. »

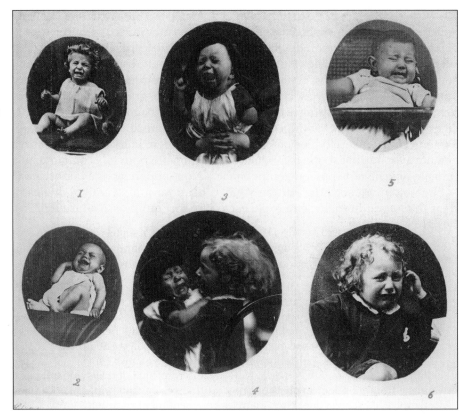

▼ Dans les cultures les plus différentes, – îles Trobriand, Yanomamo, Grèce, Allemagne et Japon –, les mères utilisent l'expression faciale des émotions pour tenter de réguler les humeurs de leurs bébés (Kanaya et autres, 1989 ; Keller et autres, 1988 ; Termine et Izard, 1988).

En bon père de famille, Charles Darwin avait constaté que son bébé reconnaissait son sourire, y répondait et n'aimait pas que sa nourrice pleure. De fait, les bébés sont très attentifs aux expressions faciales d'autrui, surtout à celles de leur mère ; dès leur première année de vie, ils utilisent cette information pour guider leur propre comportement. Ainsi, dans une situation ambiguë, ils se fient à l'expression de leur mère pour savoir s'ils ont ou non quelque chose à craindre – un phénomène appelé « référence sociale » (Klinnert et autres, 1983). Au cours de leur deuxième année, grâce au développement de leur cortex préfrontal, les bambins commencent à comprendre que les autres sont différents d'eux, qu'ils n'éprouvent pas les mêmes sensations, perceptions, désirs et émotions qu'eux (Decerty et Ickes, 2009 ; de Haan et Gunnar, 2009). C'est à partir de là qu'ils commencent à développer leur empathie. En même temps que cette nouvelle capacité qui leur permet de se mettre intuitivement à la place d'autrui, de saisir ce que les autres ressentent, apparaît également tout un cortège de sentiments et de comportements sociaux : fierté, honte, culpabilité, sympathie, pitié, tendresse, etc.

Qu'est-ce qui permet d'affirmer que les émotions ont la même signification partout dans le monde ?

Le langage universel des émotions de base

Darwin voit dans ce mode de communication inné que sont les expressions faciales et corporelles un trait d'union entre les humains et les animaux, certes, mais aussi entre tous les membres de l'espèce humaine. À l'époque, d'autres savants évolutionnistes soutiennent que, puisqu'il existe des « races » humaines différentes, certaines supérieures et d'autres inférieures (voir l'encadré sur l'eugénisme au chapitre 7, p. 227), elles descendent nécessairement d'espèces animales différentes. Convaincu de « l'unité de l'espèce humaine » –, Darwin entend leur servir un argument de taille en démontrant que les mêmes expressions faciales expriment les mêmes émotions *partout dans le monde* (Ekman, 1999). Pour cerner les expressions faciales que les Anglais associent le plus facilement à telle ou telle émotion, il se sert de photos d'expressions humaines que le grand anatomiste français Guillaume Duchenne a recréées en 1862 (ci-dessous). Parallèlement, il mène une vaste enquête transculturelle, demandant à des dizaines d'Européens en poste à l'étranger d'observer les expressions émotionnelles de populations locales, et de les lui décrire en répondant à un questionnaire. Leurs réponses provenant de huit régions du monde (Afrique, Amérique, Australie, Bornéo, Chine, Inde, Malaisie et Nouvelle-Zélande) l'amènent à la conclusion qu'une même émotion est exprimée « en tout pays avec une remarquable uniformité [...] ce qui démontre une étroite similitude de structure physique et d'état intellectuel chez toutes les races de l'espèce humaine ».

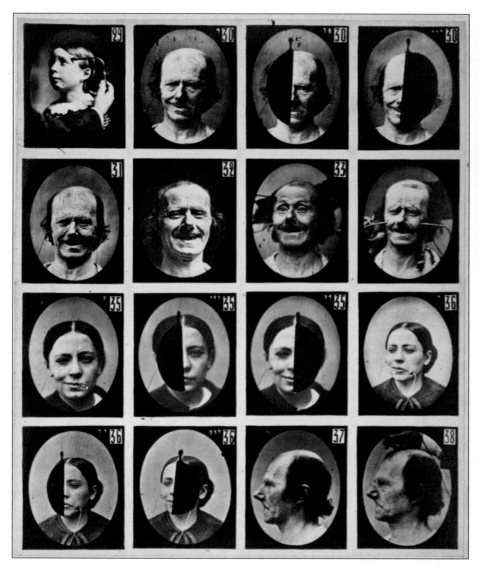

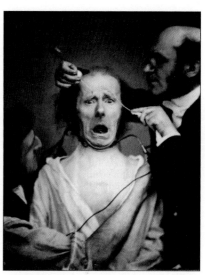

◀ « En 1863, le docteur Duchenne publiait [...] son *Mécanisme de la physiologie humaine*, où il analyse au moyen de l'électricité et représente par de magnifiques photographies les mouvements des muscles de la face. [...] Le docteur Duchenne [...] a galvanisé les muscles de la face chez un vieillard dont la peau était peu sensible, et reproduit ainsi diverses expressions qui ont été photographiées à une grande échelle. J'ai eu la bonne fortune de pouvoir montrer plusieurs des meilleures épreuves, sans un mot d'explication, a une vingtaine de personnes instruites, d'âges divers et des deux sexes ; je leur demandai à chaque fois par quelle émotion ou quelle sensation elles supposaient que le vieillard fût animé [...] Parmi ces expressions, plusieurs furent immédiatement reconnues de presque tout le monde [...]. »
– Charles Darwin, 1872

À la fin des années 1960, les psychologues Paul Ekman et Carroll Izard – aujourd'hui des sommités dans le domaine des émotions et de leur expression – entreprennent des recherches transculturelles systématiques pour mettre à l'épreuve la thèse universaliste de Charles Darwin. De son propre aveu, Ekman (1999) est alors fermement convaincu que Darwin a tort, et que les expressions faciales ne sont pas innées, mais déterminées par l'apprentissage et la culture. Or, à sa grande surprise, leurs études rigoureuses et extensives ont révélé que six émotions fondamentales – peur, colère, tristesse, joie, dégoût et surprise – semblent effectivement exprimées et comprises de manière similaire dans toutes les cultures (Ekman,1973 ; Izard, 1972).

ESSAYEZ-LE

Reconnaître l'expression faciale des émotions de base

Regardez attentivement ces six photos et associez chacune à l'émotion de base qui y est exprimée :
joie, tristesse, peur, colère, surprise, dégoût.

  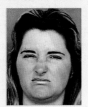 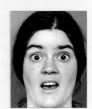  

1. _____ 2. _____ 3. _____ 4. _____ 5. _____ 6. _____

Réponses : 1. Colère. 2. Peur. 3. Dégoût. 4. Surprise. 5. Joie. 6. Tristesse.

Émotion de base
Selon le modèle de Ekman, une des six familles d'états émotionnels universels qui résultent de l'évolution de l'espèce humaine : joie, tristesse, peur, colère, surprise et dégoût.

Des recherches subséquentes ont établi que ces six **émotions de base** répondent toutes à certains critères qui permettent de les distinguer d'autres phénomènes affectifs, comme les sentiments, et de les différencier les unes des autres (Ekman, 1999). En plus d'avoir une expression universelle distinctive et de se développer de la même manière chez les enfants de toutes les cultures, chacune est brève, se retrouve chez d'autres primates, et se déclenche rapidement et spontanément en réaction à un même genre d'événement : la peur est toujours associée à une menace ou à un danger ; la tristesse, à une perte ; la colère, à une injure ou à une injustice, etc. (Scherer, 1997). Enfin, chacune des émotions de base correspond à une expérience subjective et à des représentations mentales typiques, et chacune a sa physiologie particulière. L'existence des six émotions de base proposées par Ekman et Izard au début des années 1970 fait aujourd'hui l'objet d'un très large consensus scientifique. Les émotions de base doivent se concevoir comme des « familles » d'états émotionnels, explique Ekman (1999). La famille de la peur, par exemple, englobe divers états allant de l'inquiétude à la terreur en passant par la frayeur, la crainte, l'anxiété, etc.

> On peut concevoir chaque famille émotionnelle comme un thème avec ses variations. Le thème se compose des caractéristiques uniques de cette famille, et les variations sur ce thème reflètent les différences culturelles et individuelles, et les particularités de la situation et du contexte où l'émotion survient. Le thème est le produit de l'évolution ; les variations reflètent l'acquis.

Les différences culturelles L'universalité des six émotions de base n'exclut donc nullement l'existence de différences culturelles, sociales ou individuelles (Russell, 2003). Plus de trois décennies après Ekman et Izard, les chercheurs Scherer et Wallbott (1994) ont mené une étude transculturelle sur les expressions émotionnelles dans 37 pays sur cinq continents ; or, s'ils ont relevé énormément de similitudes, ils ont aussi trouvé des différences culturelles importantes dans la façon dont les émotions sont déclenchées, régulées et socialement partagées. Des études plus récentes vont aussi dans ce sens. Par exemple, les Asiatiques seraient plus attentifs que les Occidentaux aux indices d'émotion, comme le ton de voix (Ishii et autres, 2003). De plus, chaque culture semble avoir un « accent » dans ses expressions faciales (Marsh et autres, 2003) – c'est-à-dire un patron distinctif de mouvements musculaires infimes qu'on retrouve chez la plupart de ses membres lorsqu'ils expriment telle ou telle émotion. En d'autres mots, la façon japonaise d'avoir un visage heureux diffère légèrement de la façon américaine d'avoir un visage heureux, et toutes deux diffèrent légèrement de la façon allemande d'avoir un visage heureux. Bien que minimes, ces différences comptent assez pour influer sur la perception des émotions même entre personnes provenant de cultures très similaires. D'ailleurs, une étude classique de Izard (1971) a révélé que les Blancs nord-américains reconnaissent plus vite les expressions faciales d'autres Blancs nord-américains que celles de Blancs européens.

Les règles d'expression des émotions Quelle tête faisiez-vous à huit ans quand, en ouvrant un cadeau, vous découvriez un vêtement vraiment affreux ? Si vous ne disiez pas « Ouache ! » à voix haute, il est probable que l'expression de votre visage l'exprimait tout aussi éloquemment. Et quelle tête faisiez-vous à 18 ans dans les mêmes circonstances ? Entre-temps, vous aviez appris à sourire et à faire semblant que le cadeau vous plaisait. En d'autres mots, vous aviez appris une **règle d'expression émotionnelle** – une règle sociale qui dicte comment une émotion doit être exprimée, ainsi que quand et où son expression est appropriée (Scherer et Wallbott, 1994 ; Ekman, 1993 ; Ekman et Friesen, 1975). Les groupes sociaux obligent souvent leurs membres à afficher des émotions qu'ils ne ressentent pas ou à masquer les émotions qu'ils ressentent : on doit se montrer triste à des funérailles, cacher sa colère quand on perd un match ou une partie de cartes, dissimuler son dégoût quand on n'aime pas une odeur ou un plat, etc. Ces règles peuvent varier considérablement selon les cultures, les milieux, les familles, etc. Ainsi, dans la culture japonaise traditionnelle, on ne doit pas exprimer des émotions négatives en présence d'autrui (Matsumoto et autres, 2005 ; Triandis, 1994 ; Ekman, 1972). Autre exemple : dans la plupart des sociétés occidentales, on s'attend à ce que les femmes sourient souvent, qu'elles soient heureuses ou non.

On peut sourire pour couvrir un mensonge, pour rassurer un ami ou par simple politesse. Nous respectons presque toujours ce genre de règles apprises très jeunes, mais nous avons rarement conscience qu'elles régissent une bonne partie de nos expressions émotionnelles… et de celles des autres.

Règle d'expression émotionnelle
Règle culturelle qui régit la manière, le moment et le lieu adéquats pour exprimer une émotion.

▲ Ces deux sourires vous semblent-ils authentiques ?

Détecter les mensonges non verbaux En 1862, le physiologiste Guillaume Duchenne a décrit l'une des différences faciales les plus étudiées entre une expression authentique et une expression artificielle : celle du sourire (Ekman et Davidson, 1993). Que le sourire soit spontané ou délibéré, le grand zigomatique, ce muscle qui tire les lèvres vers le haut, se contracte. Cependant, le sourire spontané contracte également les *orbicularis oculi*, ces muscles qui encerclent les yeux, et tirent la peau des joues et du front vers les globes oculaires. On peut contracter volontairement le grand zygomatique, expliquait Duchenne, mais normalement les *orbicularis oculi* ne se contractent que si le plaisir est réel. Leur inertie trahit donc un sourire artificiel. (La difficulté d'imiter le rire s'explique probablement, elle aussi, par le fait que le rire volontaire n'active pas exactement les mêmes muscles que le rire spontané.)

Cela dit, les gens qui savent très bien cacher leurs émotions ont beau jeu pour mentir. En effet, les stratégies qu'utilisent la plupart des gens pour évaluer la sincérité ne sont pas plus efficaces qu'un tirage à pile ou face – pile, tu mens ; face, tu dis vrai (Lock, 2004). Quant aux gens dont le métier repose sur la capacité d'évaluer la sincérité, comme les enquêteurs judiciaires, certaines études indiquent qu'ils détectent mieux le mensonge que la moyenne des gens (Ekman et autres, 1999 ; Ekman et O'Sullivan, 1991), mais d'autres indiquent que ce n'est pas le cas (Akehurst et autres, 2004 ; Leach et autres, 2004). Dans une étude souvent citée de Paul Ekman, les sujets les plus doués pour déceler les micro-expressions d'à peine 0,05 seconde qui trahissent souvent l'émotion réelle étaient aussi les meilleurs pour détecter le mensonge (Ekman et O'Sullivan, 1991). Notre difficulté à déceler le mensonge tient probablement au fait que, contrairement à l'idée répandue voulant que tous les menteurs se trahissent par leur regard fuyant ou leur agitation, en réalité, il y a très peu de constances dans leur comportement. En moyenne, ils peuvent s'interrompre plus souvent ou cligner des yeux moins souvent que ceux qui disent la vérité, mais ces comportements ne sont pas parfaitement corrélés avec le mensonge (Lock, 2004). Les scientifiques ont donc tenté de concevoir des machines qui sauraient reconnaître la sincérité et le mensonge mieux que nous.

La technique du polygraphe traditionnel est basée sur le postulat suivant : mentir entraîne des modifications des paramètres physiologiques que l'appareil peut mesurer et enregistrer avec précision (Rosenfeld, 1995). En fait, le polygraphe ne mesure pas le mensonge, mais les signes d'anxiété et de stress qui y sont liés. Or, les gens qui ont l'habitude de mentir ou qui se sont entraînés à tromper un polygraphe peuvent le faire sans anxiété ni stress, et donc sans déclencher l'activation physiologique que l'appareil mesure. Par contre, il n'est pas impossible que la machine puisse considérer un sujet sincère mais très anxieux comme menteur. Bref, le polygraphe est à ce point peu fiable que ses résultats ne sont pas recevables en preuve devant les tribunaux canadiens. De nombreuses autres techniques de détection de mensonges sont apparues ces dernières années, notamment un système de décodage facial mis au point par Paul Ekman, des techniques basées sur des mesures neurologiques utilisant l'EEG et l'IRMf. Toutes s'annoncent plus précises, mais toutes sont encore à l'étude, et on sait déjà qu'aucune n'est à l'épreuve des erreurs, ni des tricheurs.

Darwin et le lien entre les émotions et le système nerveux

Quelle différence Darwin faisait-il entre émotion et sentiment, et pourquoi reliait-il l'émotion au système nerveux ?

En début de chapitre, nous avons vu que le mot *émotion* signifie « mettre en mouvement » ; que « l'émotion met le corps en action, action en partie interne, en partie externe » (Damasio, 2001) ; et que, même si elles varient, les définitions des spécialistes des émotions convergent sur un point : l'émotion est une *tendance à l'action*, un ensemble de réactions physiques et de perceptions subjectives qui *motive l'organisme à réagir* aux êtres ou aux événements importants. Nous avons vu aussi que cette caractéristique de l'émotion, le fait qu'elle mobilise le corps, la distingue du sentiment, qui, lui, est une représentation (image mentale ou pensée) de l'émotion et de ce qui l'a causée. Tout cela, Darwin l'a observé, compris et illustré par des exemples très parlants dans *L'expression des émotions* :

> Un homme peut avoir l'âme dévorée de soupçons ou de haine, d'envie ou de jalousie, sans que ces sentiments provoquent par eux-mêmes aucun acte, sans qu'ils se révèlent par aucun signe extérieur, bien que leur durée soit en général plus ou moins prolongée ; tout ce qu'on peut dire, c'est que cet homme ne paraît, à coup sûr, ni gai ni d'humeur agréable.
>
> [...] un homme peut savoir que sa vie est exposée au plus grand danger et désirer ardemment la sauver, et dire cependant, comme Louis XVI entouré d'une populace furieuse : « Ai-je peur ? Tâtez mon pouls. » Un même homme peut en haïr ardemment un autre mais, jusqu'au moment où son système physique s'affecte et réagit extérieurement d'une manière quelconque, on ne saurait dire que cet homme est furieux.

Mais Darwin est intrigué par cette différence entre émotion et sentiment. Pourquoi des « états d'esprit » pourtant très intenses (haine, envie, jalousie, conscience d'un danger mortel) restent-ils parfois des sentiments qui ne mettent pas le corps en action et sur lesquels la volonté garde une emprise, tandis que d'autres « états d'esprit » comme nos émotions « sont si étroitement liées à leur expression qu'elles ne peuvent guère exister tant que notre organisme demeure inerte et passif » ? Autrement dit, comment des « états d'esprit » comme la colère, la peur ou la joie peuvent-ils échapper à la volonté ? Tout en prévenant que « le sujet que nous abordons est plein d'obscurité » et en avouant son ignorance, Darwin fait l'hypothèse – dans les termes de 1872 – que les expressions faciales et corporelles de l'émotion, et l'activation physiologique évidente qui l'accompagne (accélération ou ralentissement de la fréquence cardiaque, dilatation ou constriction des vaisseaux sanguins, augmentation ou ralentissement de l'activité du système digestif, des viscères et de certaines glandes, sécrétion de larmes, etc.), peuvent résulter de l'action directe du système nerveux, et être « dès le début, indépendantes de la volonté ». Il conclut son ouvrage sur ces mots :

> Nous avons vu qu'en elle-même l'expression, ou le langage des émotions, ainsi qu'on l'a quelquefois nommée, a certainement son importance pour le bien de l'humanité. Chercher à découvrir, autant qu'il est possible, la source ou l'origine des expressions diverses qui peuvent se voir à toute heure sur le visage des hommes qui nous entourent, sans parler de nos animaux domestiques, voilà certes une étude qui devrait avoir pour nous un grand intérêt. Nous pouvons donc conclure de ces diverses considérations que l'étude philosophique de notre sujet […] serait digne encore d'exercer la sagacité de tous et en particulier de quelque savant physiologiste.

RETENEZ-LE — L'origine des émotions : de Darwin aux émotions de base

1. L'émotion est un état affectif _____ et _____ tandis que le sentiment est un état plus _____ .

2. Par définition, l'émotion met le corps en _____ .

3. Le sentiment est un état affectif plus (durable/intense) que l'émotion et, contrairement à elle, peut exister sans activation physiologique ni expression corporelle.

4. Lequel des énoncés suivants est faux ? Selon la théorie de Darwin, les expressions des principales émotions humaines :

   a) sont des produits de l'évolution de notre espèce.

   b) sont innées et universelles.

   c) ont une fonction communicative.

   d) s'expriment de manière exactement identique chez tous les individus.

5. Selon Ekman, les six émotions de base, c'est à dire _____ , _____ , _____ , _____ et _____ , doivent être conçues non pas comme six émotions uniques, mais comme six _____ d'émotions.

6. Parce qu'ils obéissent à des _____ , les gens parfois cachent leurs émotions ou expriment des émotions qu'ils ne ressentent pas.

Réponses : 1. soudain ; passager ; durable. **2.** action ou mouvement. **3.** durable. **4.** d. **5.** la peur ; la colère ; la tristesse ; la joie ; le dégoût ; la surprise ; familles. **6.** règles d'expression émotionnelle.

8.3 LE PROCESSUS ÉMOTIONNEL : DE WILLIAM JAMES AUX NEUROSCIENCES

Que se passe-t-il exactement quand nous vivons une émotion, quand la surprise nous fait bondir, quand la peur nous paralyse, nous donne des ailes ou décuple nos forces ; quand la tristesse nous serre la gorge, quand la colère nous fait monter la moutarde au nez, quand la joie nous inonde, etc. ? On l'a dit, l'émotion a trois grandes composantes : l'activation physiologique, l'activité mentale et l'expression corporelle. Mais dans quel ordre interviennent-elles, et qu'est-ce qui cause quoi ? Qu'est-ce qui fait qu'un stimulus capté par nos sens déclenche ou non le processus qui aboutit à ce que nous appelons une émotion ? Quels sont les processus physiologiques à l'œuvre, et quel rôle y joue le système nerveux ? Comme le souhaitait Darwin, d'autres après lui allaient se pencher sur ces questions, à commencer par un de ses grands lecteurs : le fondateur de la psychologie scientifique américaine, William James (1842-1910).

Les théories sur le processus émotionnel ne manquent pas, et ce manuel en entier ne suffirait pas à les recenser. Mais toutes ou presque se réfèrent à la théorie de Darwin et à l'une ou l'autre des grandes théories que nous allons survoler. Malgré leur ancienneté, elles continuent à guider et à inspirer la recherche scientifique sur les émotions.

La théorie « périphérique » de James-Lange

Pourquoi qualifie-t-on la théorie de James de « périphérique » ?

En 1884, douze ans après la parution de l'*Expression des émotions* et deux ans après la mort de Darwin, le physiologiste et philosophe William James publie un article intitulé « What is an Emotion ? ». Dans les dernières années, constate-t-il, les physiologistes ont exploré la cognition et l'action volontaire, et ont localisé les aires sensorielles et motrices du cortex. Mais aucun ne semble se demander d'où viennent les émotions « brutes », celles qui ont une expression corporelle distinctive, et dont parlait Darwin. Ont-elles aussi leur siège spécifique dans le cortex ? James croit que non. Selon lui, elles relèvent du système nerveux périphérique (figure 2.1, p. 42), et des aires somatosensorielles et motrices déjà localisées dans le cortex.

Ce qui se passe quand on éprouve une émotion, affirme James, est le contraire de ce que nous dit le bon sens. Le bon sens nous dit que, si nous rencontrons un ours, nous avons peur, et que par conséquent notre cœur s'emballe, nous tremblons et nous nous enfuyons. Donc le bon sens nous dit que (1) la perception d'un stimulus (Un ours !) déclenche (2) l'état mental qu'on appelle émotion (« J'ai peur. »), qui déclenche à son tour (3) des réactions corporelles que nous ressentons – par exemple, cœur qui s'emballe, forces décuplées, mouvements de fuite, etc. Cependant, dit James, il serait plus logique d'inverser cette séquence. Quand il perçoit tel ou tel stimulus important pour la survie, le système nerveux périphérique déclenche automatiquement telles ou telles réactions corporelles – effets sur les glandes, les viscères (cœur, poumons, reins, estomac, intestins, etc.), les muscles, etc. C'est la perception de ces réactions corporelles internes (système nerveux végétatif) et externes (système nerveux somatique) qui *est* l'émotion. Comme ces réactions corporelles diffèrent selon l'émotion ressentie, nous pouvons reconnaître l'émotion que nous ressentons. Nous sommes tristes *parce que* nous pleurons. Nous avons peur *parce que* notre cœur s'emballe, que nous tremblons et que nous sentons la peur dans nos viscères, etc. Si nous ne ressentions pas les réactions corporelles de la peur, comment pourrions-nous savoir que nous avons peur ? Essayez-le !

ESSAYEZ-LE

Imaginer la peur sans ses réactions corporelles

Imaginez-vous en train de revivre une émotion intense, disons la peur, en faisant mentalement abstraction de *tous* les changements corporels associés à cette émotion – ni cœur qui s'emballe ou qui s'arrête, ni accélération de la respiration ou souffle court, ni tremblements, ni tension ou faiblesse musculaire, ni chair de poule, ni sensation de creux dans le ventre, ni pincements dans l'estomac, ni sueur, etc. Que constatez-vous ?

Si on élimine toutes les sensations corporelles internes et externes d'une émotion intense, avance James, on s'aperçoit que rien de mental ne nous permet de revivre cette émotion. On peut encore penser qu'une situation est dangereuse, mais on ne peut pas *sentir* la peur ; il n'en reste qu'un état intellectuel froid et neutre.

Théorie de James-Lange
Théorie de William James et Carl Lange selon laquelle un stimulus émotionnel déclenche des réactions corporelles distinctives dont la prise de conscience produit l'expérience subjective de l'émotion.

Presque en même temps que James, le physiologiste et psychologue danois Carl Lange formulait de son côté une théorie très similaire. La fusion de ces deux théories par leurs auteurs respectifs a donné la **théorie de James-Lange** (Lange et James, 1922). Comme ses auteurs en convenaient, cette théorie ne reposait que sur le raisonnement et l'introspection ; elle ne s'appuyait sur aucune donnée expérimentale. La théorie a néanmoins fait autorité jusqu'à ce qu'elle soit sérieusement ébranlée par Walter Cannon à la fin des années 1920, puis reléguée aux oubliettes pendant plus de trois quarts de siècle.

La théorie « centrale » de Cannon-Bard

Pourquoi qualifie-t-on la théorie de Cannon-Bard de « centrale » ?

Lorsqu'il s'attaque à la théorie de James-Lange en 1927, le physiologiste américain Walter Cannon (1871-1945) a derrière lui des années de recherches expérimentales sur les changements physiologiques associés aux émotions, et en particulier à la colère et à la peur, à la douleur et à la faim, et surtout, à la fameuse réaction de fuite ou de combat.

La réaction de fuite ou de combat   Dès leurs premières expériences sur les effets des émotions sur la digestion chez les animaux, Cannon et ses collègues observent un curieux phénomène : lorsqu'un animal est en proie à une émotion forte comme la peur ou la colère, ses mouvements gastro-intestinaux ralentissent et même s'arrêtent. Plus étonnant encore, ce phénomène s'accompagne d'autres changements : accélération de la fréquence cardiaque, de la respiration, etc. Au fil de ses études sur « l'excitation émotionnelle », Cannon (1915) réussit à relier les changements observés à l'activation du système nerveux végétatif (SNV), qui régule l'activité des glandes et des viscères. Il découvre ensuite que, lorsqu'un animal est surexcité par la peur ou la colère, la branche sympathique du SNV s'active et stimule les glandes surrénales, ce qui déclenche une sécrétion hormonale. Il injecte cette sécrétion, que nous appelons aujourd'hui l'adrénaline, à d'autres chats, et vérifie ainsi qu'elle déclenche toujours les mêmes réactions physiologiques (voir la figure 2.2, p. 43). En s'interrogeant sur l'utilité de tous ces changements, les chercheurs finissent par constater qu'ils visent tous à augmenter subitement la vigilance, l'énergie et la résistance de l'animal. Comme ils ont lu Darwin, ils en concluent que cette « réaction d'urgence » s'est développée au fil de l'évolution pour préparer l'organisme *à fuir ou à combattre* toute menace à sa survie et à son bien-être. En présence d'une telle menace, la branche sympathique du SNV déclenche immédiatement cette réaction physiologique de fuite ou de combat. Une fois l'urgence passée, sa branche parasympathique ramène les paramètres physiologiques à la normale.

▼ Walter Cannon.

Attaque en règle   Fort de ses recherches sur les émotions et le SNV, Cannon (1931, 1927, 1915) réfute la théorie de James. Nos émotions, affirme-t-il, ne peuvent pas s'expliquer par la prise de conscience des réactions physiologiques différentes déclenchées par le SNV en réaction à un stimulus, et ce, pour plusieurs raisons :

- Si James avait raison, rompre le lien entre les viscères et le cortex en sectionnant la moelle épinière supprimerait toute émotion puisque le cerveau ne pourrait ni percevoir ni interpréter ces réactions physiologiques ; or, les animaux sur qui on a pratiqué cette intervention chirurgicale continuent à avoir des réactions émotionnelles.

- Les gens qu'une lésion de la moelle épinière à la hauteur du cou a rendus insensibles à leur corps sous cette lésion disent continuer à éprouver des émotions.

- Les réactions physiologiques déclenchées par le SNV dans divers états émotionnels sont trop peu spécifiques pour permettre de différencier une émotion d'une autre.

- Les muscles lisses des viscères sont trop peu innervés et trop lents pour déclencher des réactions aussi rapides que les émotions.

- La stimulation artificielle du SNV sympathique par injection d'adrénaline, par exemple, provoque les réactions physiologiques, mais ne déclenche pas l'expérience subjective de l'émotion.

À l'époque, ces arguments ont d'autant plus de poids qu'ils reposent sur des données expérimentales, et que Cannon propose une théorie de rechange où le système nerveux central

(SNC) a le beau rôle. Cette théorie « centrale » découle d'expériences réalisées par l'un de ses collaborateurs, le physiologiste Philip Bard (1898-1977). Après avoir retiré la totalité de leur cortex à des chats, Bard a constaté que le moindre stimulus déclenche chez eux des manifestations physiques de « pseudorage » – pseudo, parce que cette rage est sans objet, elle n'est dirigée contre rien, au point où l'animal peut se mordre lui-même. Or, ces crises n'ont pas lieu si on leur retire aussi une partie de l'hypothalamus. Cannon et Bard en concluent que c'est cette structure limbique qui déclenche la réaction physiologique associée à l'émotion en activant le SNV. Cependant, si les chats sans cortex à l'hypothalamus intact réagissent par de la rage à n'importe quel stimulus, le cortex joue sûrement un rôle dans l'interprétation des stimulus émotionnels, la différenciation des émotions et leur régulation. La **théorie de Cannon-Bard** postule donc que le stimulus émotionnel capté par les sens (la vue de l'ours) arrive au thalamus (relais de toutes les sensations), qui le transmet simultanément (1) à l'hypothalamus, lequel active la branche sympathique du SNV, ce qui déclenche la réaction physiologique, et (2) au cortex, ce qui produit l'expérience subjective de l'émotion (la peur, par exemple). Ces réactions simultanées sont parallèles et indépendantes ; aucune ne dépend de l'autre ou ne déclenche l'autre (Cannon 1931, 1927).

Théorie de Cannon-Bard
Théorie de Walter Cannon et Philip Bard selon laquelle le stimulus émotionnel capté par les sens est relayé simultanément par le thalamus à l'hypothalamus, qui déclenche l'activation physiologique, et au cortex cérébral, qui produit l'expérience consciente de l'émotion, aucune de ces réactions simultanées ne déclenchant l'autre.

La théorie de l'évaluation : Arnold, Lazarus et les autres

Qu'est-ce qui déclenche le processus émotionnel selon la théorie de l'évaluation ?

La psychologue Magda Arnold (1903-2002) commence à s'intéresser aux émotions au début des années 1940. Ses premières recherches portent sur la spécificité des réactions physiologiques associées à divers états émotionnels (Arnold, 1945), les circuits cérébraux des émotions de base (Arnold, 1950) et les tendances à l'action qui y sont associées (Arnold et Gasson, 1954). Comme Darwin et James, elle pense que certaines émotions s'accompagnent de réactions physiologiques et d'expressions qui dénotent des tendances à l'action innées et adaptatives (Reisenzein, 2006). Pourtant, ni leur théorie ni aucune autre ne répond à ses questions. Qu'est-ce qui fait qu'un stimulus déclenche une émotion ou non ? Et s'il en déclenche une, pourquoi celle-ci plutôt que celle-là ? Pourquoi pas toujours la même (Reisenzein, 2006) ? Arnold a son idée là-dessus. En 1950, elle introduit le concept d'évaluation. En 1960, elle publie *Emotion and Personality*, une somme de 700 pages où elle présente sa théorie générale des émotions. Une émotion, dit-elle, c'est une tendance à aller vers ce qu'on juge bon et à éviter ce qu'on juge mauvais. Aucun stimulus ne peut déclencher une émotion s'il n'a pas d'abord été évalué par celui qui l'a capté. L'émotion résulte de cette évaluation, et non du stimulus. Telle est l'idée centrale de la **théorie de l'évaluation** (ou **théorie de l'*appraisal***) de Arnold, qui deviendra le point de départ de la plupart des théories cognitives de l'émotion (Kappas, 2006 ; Reisenzein, 2006 ; Bortfeld et autres, 2006).

Théorie de l'évaluation
(ou **théorie de l'*appraisal***)
Théorie de Magda Arnold selon laquelle aucun stimulus ne peut déclencher une émotion sans avoir d'abord été évalué par celui qui le perçoit.

L'évaluation intuitive d'Arnold   Avec son évaluation préalable à l'émotion, Arnold nous ramène-t-elle à la séquence du bon sens inversée par James au début du siècle, à l'idée que nous pensons « Un ours ! » avant d'avoir peur ? Pas du tout : l'évaluation qui déclenche l'émotion n'est ni réfléchie ni délibérée. Elle est directe, immédiate, intuitive et involontaire (Arnold, 1960a). Si quelqu'un approche ses doigts de vos yeux, vous évitez la menace instantanément, sans réfléchir, même si vous n'avez pas *pensé* que cette personne vous voulait du mal, ni même *compris* ce qui se passait. Mais pour avoir une réaction de recul aussi instantanée, il a bien fallu que vous fassiez une évaluation tout aussi instantanée, dit Arnold, que d'une manière ou d'une autre vous *détectiez* un danger, que vous *imaginiez* qu'un doigt dans un œil vous ferait mal. Cette évaluation est plus rapide que la pensée consciente parce qu'elle repose sur l'intuition, postule Arnold (1960b). Des circuits limbiques très anciens détectent instantanément ce qui est bon ou mauvais pour l'organisme sur la base d'une attraction ou d'une répulsion sensorielle, sans qu'il soit nécessaire de le reconnaître ou de le nommer. Cette réaction émotionnelle d'attraction ou d'aversion s'exprime par une réaction physiologique et motrice d'approche ou d'évitement (Arnold, 1960a, 1960b). Lorsqu'on prend conscience de ces réactions, l'évaluation intuitive peut se compléter par une évaluation réfléchie, qui permettra de différencier l'émotion, de la corriger et de la réguler (Arnold, 1954). Parfois l'évaluation qui déclenche l'émotion est réfléchie, mais la plupart du temps, ce n'est pas le cas.

L'évaluation cognitive de Lazarus Les manuels de psychologie ont souvent attribué la théorie de l'évaluation à Richard Lazarus (1922-2002), le psychologue qui, dès les années 1960, l'a testée, étayée par ses expériences sur les émotions stressantes et modifiée pour en tirer sa *théorie de l'évaluation cognitive* (Reisenzein, 2006). Lazarus a toujours reconnu que le concept d'évaluation venait d'Arnold, mais la popularité de son approche a éclipsé cette dernière. La théorie de Lazarus, que nous étudierons avec le stress, diffère de celle d'Arnold sur deux points : il propose un processus d'évaluation un peu différent, et il croit que les évaluations qui déclenchent les émotions sont conscientes (Reisenzein, 2006). Après avoir longtemps fait autorité, la théorie de l'évaluation cognitive de Lazarus s'est retrouvée au cœur d'un grand débat lancé au début des années 1980 par un article du psychologue Robert Zajonc (1984, 1980). Les émotions sont trop rapides pour résulter d'une évaluation cognitive, soutient Zajonc, et elles peuvent exister sans cognition. À preuve, les sujets qu'il a exposés de manière subliminale à des idéogrammes, et à qui il a demandé ensuite de choisir leurs préférés parmi plusieurs ont presque toujours choisi ceux auxquels ils avaient été exposés à leur insu (Zajonc, 1980). Lazarus réplique et, à défaut d'avoir clarifié ce que chacun entendait précisément par « cognition », le débat s'éternise (Leventhal et Scherer, 1987). La polémique suscite une foule d'études et de nouvelles théories sur les dimensions de l'évaluation selon les émotions et le contexte, mais surtout sur les divers niveaux inconscients et conscients du processus d'évaluation. À la fin de la décennie, Lazarus (1991) reconnaît que certaines évaluations « positif/négatif » automatiques et non conscientes peuvent déclencher une émotion. Dix ans plus tard, il va plus loin, et avec un certain humour :

> Quand Arnold a écrit sa monographie, la psychologie cognitive commençait à peine à envisager que le traitement de l'information puisse prendre des raccourcis. C'est l'une des raisons pour lesquelles mon propre « traitement de l'évaluation » a été considérablement plus abstrait que celui d'Arnold, plus conscient et plus délibéré aussi. Malgré la redondance de l'expression, j'ai utilisé le terme « évaluation cognitive » pour souligner le processus conscient, subjectif et complexe qu'implique souvent le processus d'évaluation. […] J'avais l'impression qu'Arnold n'avait pas assez insisté sur la complexité des jugements évaluatifs. Maintenant, je suis plus impressionné par l'instantanéité du processus d'évaluation, même dans les cas complexes et abstraits (Lazarus, 2001).

Spécialiste des émotions et historienne de la psychologie cognitive, Rainer Reisenzein (2006), de l'Université de Greifswald, affirme qu'à l'heure actuelle, il serait difficile de nommer un chercheur dans le domaine qui ne soit pas d'accord avec l'idée que l'émotion humaine résulte souvent, si ce n'est pas typiquement, d'un processus d'évaluation. Après un long séjour aux oubliettes, Arnold fait l'objet d'une relecture qui met en lumière sa portée et son influence directe ou indirecte sur les théoriciens des émotions qui l'ont suivie (Reisenzein, 2006 ; Shields et Kappas, 2006 ; Kappas, 2006, 2003 ; Roseman et Smith, 2001).

Il faut dire que, dès le début des années 1980, Arnold (1984) expliquait la rapidité et le caractère automatique de l'évaluation intuitive par l'existence d'une « mémoire affective » essentiellement sensorimotrice, dépendant de circuits limbiques reliant notamment le thalamus, l'amygdale et l'hippocampe. Lorsqu'ils détectent un stimulus sensoriel ayant une valeur émotionnelle – c'est-à-dire ayant été évalué positif ou négatif dans le passé –, disait-elle, ces circuits raniment instantanément l'évaluation antérieure, ce qui déclenche tout aussi instantanément la tendance à l'action (l'émotion) correspondante. Or, à la lumière des découvertes des neurosciences, ces spéculations semblent aujourd'hui étonnamment justes.

Qu'est-ce que le double circuit de la peur de Joseph LeDoux ?

Le double circuit de la peur de LeDoux

Grâce à ses minutieuses recherches sur la peur conditionnée chez les animaux, le neuroscientifique Joseph LeDoux (2000, 1996) a découvert l'existence de deux circuits émotionnels dans le cerveau : un circuit rapide, imprécis, non conscient et difficilement contrôlable, et un circuit plus lent, plus précis et plus contrôlé, qui module plus ou moins l'autre. D'un point de vue évolutif, ces deux circuits représenteraient deux stades d'une même fonction : un stade élémentaire qui permet une réaction immédiate au stimulus déclencheur, et un stade plus évolué qui permet de raffiner la réaction. La figure 8.1 montre un schéma de ces deux circuits. Supposons qu'en marchant dans la forêt, vous apercevez une forme brune au détour d'un sentier. Ce stimulus est converti en influx nerveux par le nerf optique et se rend au thalamus (comme toutes les informations sensorielles). De là, l'information non décodée part à la fois :

- vers l'amygdale, qui détecte sa valeur émotionnelle (danger !) et active, par l'intermédiaire de l'hypothalamus, les réactions physiologiques qui préparent le corps à l'action (fuir ou combattre) ; votre cœur s'emballe, etc. ; c'est le circuit court ;
- vers le cortex visuel, qui le décode (un ours ou randonneur accroupi ?) ; c'est le circuit long.

Le circuit long permet de constater, soit :

- qu'il s'agit bien d'un ours et envoie par l'amygdale un signal au SNV, qui amplifie la réaction physiologique déjà en cours, ce qui vous permet de fuir à toutes jambes, de vous battre avec l'ours (!!!) ou de figer sur place ;
- qu'il s'agit seulement d'un randonneur qui relace sa chaussure (ouf…) ; il envoie par l'amygdale un signal au SNV qui désactive le système nerveux sympathique, ce qui permet au système nerveux parasympathique de ramener vos paramètres physiologiques à la normale ; votre cœur ralentit, et vous en êtes quitte pour une belle frousse.

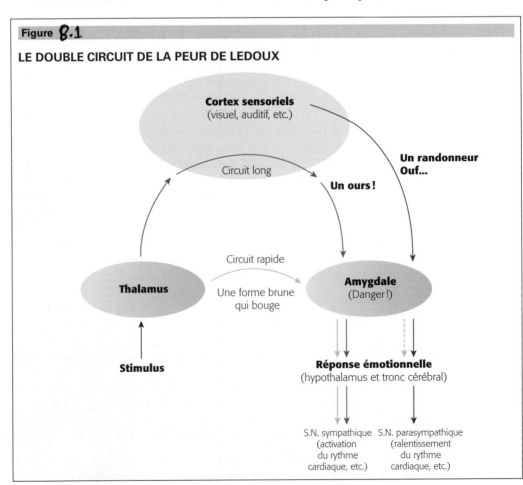

Figure 8.1

LE DOUBLE CIRCUIT DE LA PEUR DE LEDOUX

Autrement dit, le circuit court et rapide vous prépare à agir dès qu'il semble y avoir danger, et le circuit long corrige le tir quelques fractions de seconde plus tard, augmentant ou apaisant les réactions physiologiques qui s'étaient enclenchées.

Le lien amygdale-cortex préfrontal : quand l'ours est dans la tête   Mais combien de fois nous arrive-t-il d'avoir un pincement au cœur, une faiblesse, les joues qui rosissent, une petite nausée à cause d'une simple pensée ? Le fait que le cortex préfrontal soit également relié à l'amygdale explique que la pensée puisse déclencher une réaction émotionnelle. Voilà pourquoi on peut se sentir anxieux à la seule idée de rencontrer un ours en forêt… ou de rater un examen. Le lien amygdale-cortex préfrontal explique aussi le côté déraisonnable des phobies. L'amygdale déclenche une forte réaction d'alarme au premier indice de l'objet phobique. L'analyse rationnelle de la situation, plus lente, est d'autant plus court-circuitée que l'état émotif intense, une fois installé, influe en retour sur le contenu des pensées.

L'hypothèse des marqueurs somatiques de Damasio

Qu'est-ce qu'un marqueur somatique selon Damasio ?

Pour le neurologue Antonio Damasio (1994), l'émotion est en quelque sorte la représentation cognitive de notre état corporel, ce qui permet d'établir un lien entre la réaction automatique de l'organisme et le stimulus qui l'a provoquée. Selon son hypothèse des marqueurs somatiques, les réactions physiologiques associées aux émotions, qu'elles soient très fortes ou discrètes au point de passer inaperçues, laissent une trace dans la mémoire, grâce à l'hippocampe. Le stimulus transmis par le thalamus (et plus tard celui qui viendra du cortex sensoriel) active l'amygdale, laquelle émet des signaux vers l'hypothalamus, et celui-ci déclenche la cascade de réactions qui deviendra une émotion, et vers l'hippocampe, qui enregistre les détails de la situation. Les réactions corporelles seraient ainsi des marqueurs somatiques qui posent une étiquette positive ou négative sur nos expériences. Ces marqueurs nous permettraient par la suite d'évaluer très rapidement, et parfois à notre insu, le caractère désirable ou non d'un stimulus, d'une situation ou d'une décision à partir de nos expériences antérieures. Comme le fait remarquer Damasio, les intuitions qui orientent notre comportement dans la bonne direction sont souvent ce qu'on appelle dans la sagesse populaire le cœur ou les tripes, comme dans la formule : « Je sais au fond de moi – dans mes tripes – ce qu'il faut faire. »

James et Cannon : qui avait raison ?   D'une certaine façon, l'hypothèse des marqueurs somatiques de Damasio « ressuscite » la théorie de James-Lange. James avait raison de dire que les réactions physiologiques interviennent dans l'émotion. Cependant, selon Damasio, elles interviennent moins dans la différentiation des émotions que dans la décision de l'action à entreprendre. En effet, les réactions physiologiques émotionnelles sont moins différenciées que le croyait James, mais beaucoup plus que le disait Cannon. Le fait que les chats de Cannon et Bard aient continué à manifester des émotions après qu'on ait coupé le lien entre les viscères et le cortex n'invalide pas la théorie de James, car d'autres voies d'intéroception restaient intactes, comme celles des muscles du visage et de la circulation sanguine (Belzung, 2007). Les patients qui ont des lésions à la moelle épinière continuent à avoir des réactions émotionnelles, mais l'intensité de ces émotions est d'autant moindre que la lésion est haute (Damasio, 1995). D'ailleurs, les études de Cannon révèlent que les émotions des chats étaient moins intenses après l'intervention. De plus, on sait maintenant que les viscères sont beaucoup plus innervés qu'on le croyait, et qu'il est possible de distinguer en partie certaines émotions de l'activité viscérale générée par le système nerveux sympathique (Scherer et Wallbott, 1994 ; Ekman et autres, 1983). On peut également déclencher des émotions par des manipulations du SNV : par exemple, des injections intraveineuses d'un peptide gastrique (la cholécystokinine) peuvent provoquer des crises de panique (Harro et Vasar, 1991).

Le tableau 8.1 (p. 286) présente les grandes théories sur le processus émotionnel.

Tableau 8.1

LE PROCESSUS ÉMOTIONNEL : LES GRANDES THÉORIES

Les théories	En bref	L'exemple de l'ours
La théorie périphérique de James-Lange	En réaction à un stimulus capté par les sens, le système nerveux périphérique déclenche des réactions physiologiques dont la prise de conscience engendre telle ou telle émotion.	*Lucy voit un ours, ce qui déclenche en elle des réactions physiologiques dont la prise de conscience lui fait comprendre qu'elle a peur.*
La théorie centrale de Cannon-Bard	Le stimulus capté par les sens se rend au thalamus, d'où il est transmis simultanément à l'hypothalamus, qui déclenche les réactions physiologiques, et au cortex cérébral, qui produit l'expérience consciente de l'émotion. Ces réactions simultanées sont parallèles et indépendantes ; aucune ne déclenche l'autre.	*Lucy voit un ours. Ses réactions physiologiques et sa peur sont simultanées.*
La théorie de l'évaluation de Arnold	Le stimulus capté par les sens est évalué, et cette évaluation intuitive, involontaire et automatique (positive ou négative) déclenche la réaction émotionnelle avant que l'information parvienne à la conscience. Parfois, une évaluation consciente permet ensuite de déterminer de quelle émotion il s'agit et de la réguler. L'évaluation qui déclenche le stimulus peut parfois être consciente.	*Le cœur de Lucy s'emballe, puis elle réalise qu'il y a un ours. « Fuyons ! » se dit-elle en prenant ses jambes à son cou.*
La théorie du double circuit de la peur de LeDoux	Le stimulus capté par les sens emprunte simultanément le circuit court et inconscient thalamus-amygdale-hypothalamus, qui enclenche la réaction physiologique, et le circuit long thalamus-cortex-amygdale-hypothalamus, qui amplifie ou freine la réaction selon le cas.	*Le cœur de Lucy s'emballe, puis elle réalise qu'il y a un ours. « Fuyons ! » se dit-elle en prenant ses jambes à son cou.*
L'hypothèse des marqueurs somatiques de Damasio	Les réactions physiologiques associées à un stimulus sont enregistrées par l'hippocampe et deviennent des marqueurs somatiques, permettant à l'amygdale l'évaluation rapide de situations apprises.	*À l'avenir, toute forme brune dans le sentier fera réagir Lucy encore plus vite.*

Et le stress dans tout ça ? Nos émotions nous renseignent sur notre milieu intérieur de la même manière que les informations sensorielles nous renseignent sur le monde extérieur, participant ainsi à l'homéostasie (Damasio, 1995). Pour le physiologiste français Claude Bernard (1813-1878), tout organisme n'a toujours qu'un seul but, celui de maintenir la constance de son « milieu intérieur », à défaut de quoi, l'organisme devient vulnérable à la maladie. Lorsqu'il a découvert la réaction de fuite ou de combat, Cannon a trouvé cette réaction physiologique très adaptative, mais il s'est inquiété de ses effets à long terme : s'il ne peut ni fuir ni combattre, et que la situation perdure, l'organisme sera soumis à une activation physiologique néfaste…

RETENEZ-LE   ## Le processus émotionnel : de William James aux neurosciences

1. Associez ces auteurs à la théorie des émotions qu'ils ont proposée : James et Lange, Cannon et Bard, Arnold, Lazarus, LeDoux, Damasio.

a) Un processus inconscient évalue tout stimulus avant même que nous le percevions consciemment.

b) L'émotion et la réaction physiologique sont deux phénomènes indépendants qui se produisent simultanément.

c) Les réactions physiologiques agissent comme marqueurs somatiques qui nous permettent d'évaluer très rapidement les situations et de prendre des décisions qui tiennent compte de nos expériences.

d) C'est parce que notre rythme cardiaque s'accélère que nous réalisons que nous avons peur.

e) Il existe deux circuits cérébraux des émotions, l'un très rapide qui provoque les réactions physiologiques et un autre, plus lent, qui corrige le tir.

Réponses : 1. (a) Arnold (b) Cannon et Bard (c) Damasio (d) James et Lange (e) LeDoux.

8.4 QU'EST-CE QUE LE STRESS ?

En décrivant la réaction de fuite ou de combat et en s'inquiétant des effets néfastes qu'elle entraîne à long terme, Walter Cannon a ouvert la voie aux recherches sur ce que nous appelons aujourd'hui le stress. Il a d'ailleurs été le premier à employer ce mot emprunté au vocabulaire de la mécanique pour désigner les agressions susceptibles de perturber l'homéostasie (Cannon, 1932). Cependant, le premier à isoler le phénomène et à décrire ses effets physiologiques a été l'endocrinologue et chercheur montréalais Hans Selye (1907-1982).

Hans Selye
et le syndrome général d'adaptation

Qu'est-ce que le syndrome général d'adaptation décrit par Hans Selye ?

Au milieu des années 1930, pendant qu'il menait des recherches sur les hormones avec des rats de laboratoire, Hans Selye remarqua un phénomène intrigant. Lorsqu'ils étaient soumis à des agressions prolongées ou répétées, quelle qu'en soit la nature (injections, décharges électriques, bruits intenses, froid, restrictions alimentaires, surpopulation, etc.), ses rats réagissaient tous sensiblement de la même manière : après avoir déployé une grande énergie pour lutter contre ces agressions, ils semblaient s'y habituer, puis tombaient malades et mouraient. Plus étonnant encore, leur autopsie révélait toujours les mêmes anomalies : atrophie de structures liées à la réaction immunitaire du thymus (glande située à la partie inférieure du cou), des ganglions lymphatiques et de la rate ; hypertrophie des surrénales ; baisse du nombre de lymphocytes dans le sang, ulcères gastro-intestinaux, etc. Or, durant ses études de médecine à Prague dans les années 1920, Selye avait déjà observé ce même ensemble de symptômes chez des patients dont l'organisme avait subi un choc : choc des grands brûlés, choc septique, choc hémorragique, etc. S'appuyant sur les travaux de Claude Bernard sur le « milieu intérieur » et de Walter Cannon sur l'homéostasie et la réaction de fuite et de combat, Selye en conclut que l'organisme réagissait de manière assez semblable à toute forme d'agression qui rompait son homéostasie. Il reprit le terme **stress** pour désigner cette réaction non spécifique de l'organisme à tout stimulus qui exige une **adaptation** – c'est-à-dire des efforts pour répondre à de nouvelles exigences environnementales – et appela **syndrome général d'adaptation (SGA)** la séquence prévisible des réactions d'un organisme soumis à un stresseur important qui perdure.

◀ Mondialement reconnu pour ses travaux sur le stress, l'endocrinologue Hans Selye est né à Vienne en 1907. Après des études à Prague, à Paris et à Rome, Selye est engagé à l'Université McGill en 1932. En 1945, il devient le premier directeur de l'Institut de médecine et de chirurgie expérimentales de l'Université de Montréal, institut qu'il dirige jusqu'à sa retraite en 1976. En 1977, il fonde l'International Institute of Stress, dont les bureaux se trouvent dans sa propre maison. Il meurt à Montréal, le 16 octobre 1982.

Stress
Pour Selye, réaction non spécifique de l'organisme à tout nouvel événement (stimulus ou situation) qui exige une adaptation.

Adaptation
Ensemble des efforts déployés par un organisme pour répondre aux exigences de son environnement.

Syndrome général d'adaptation (SGA)
Séquence prévisible des réactions d'un organisme soumis à un stresseur important qui perdure.

Pour Selye, le stress positif, ou *eustress*, mobilise les ressources de l'organisme pour une durée raisonnable et à bon escient – que ce soit pour réagir à un danger ou à une menace, comme dans la réaction de fuite ou de combat, pour relever un défi ou pour s'adapter à un nouvel événement. Ce type de stress est une source essentielle de motivation, de satisfaction, de joie et même d'euphorie ; il met du piquant dans la vie :

> Le stress est la réaction non spécifique de l'organisme à toute exigence, plaisante ou non. S'asseoir sur une chaise de dentiste est stressant, mais échanger un baiser passionné l'est aussi : après tout, notre pouls monte en flèche, notre respiration s'accélère et notre cœur s'emballe. Pourtant, qui renoncerait à un passe-temps aussi agréable parce qu'il suppose un stress ? Notre objectif ne doit pas être d'éviter complètement le stress, mais d'apprendre à reconnaître la réaction typique au stress et d'essayer de moduler nos vies en conséquence (Selye et Cherry, 1978).

Par contre, lorsque l'organisme combat en vain une menace qui perdure, le stress amène détresse et maladie. Le syndrome général d'adaptation décrit par Selye comporte trois phases (voir la figure 8.2, p. 288). Pendant la phase d'alarme, qui correspond à la réaction d'urgence décrite par Cannon, l'organisme mobilise ses ressources pour fuir ou combattre. S'il n'y arrive pas rapidement, il entre dans une phase de résistance durant laquelle il continue à déployer des efforts physiologiques intenses pour maîtriser le stresseur ou le tolérer. Les symptômes de la phase d'alarme s'atténuent ou disparaissent, ce qui laisse croire que l'organisme s'est adapté alors qu'il continue à lutter. La durée de la phase de résistance dépend à la fois de la puissance du stresseur et des capacités de l'organisme (état de santé, force et vigueur, âge, qualité de son alimentation, etc.). S'il réussit à maîtriser le stresseur, l'organisme se rétablit. Sinon, il atteint la phase d'épuisement : toutes ses réserves d'énergie sont épuisées, et les symptômes de la phase d'alarme réapparaissent. Si rien n'est fait, l'organisme, usé, tombe malade et finit par mourir.

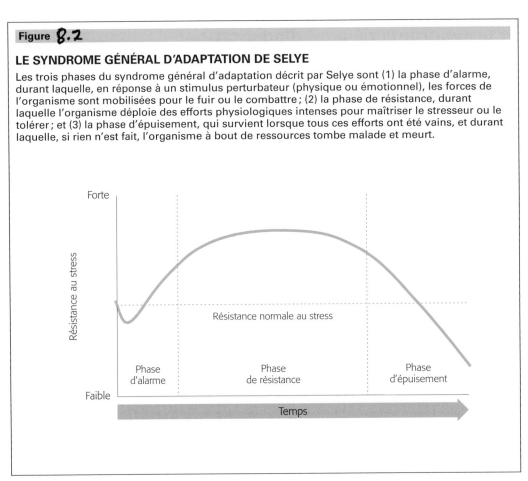

Figure 8.2

LE SYNDROME GÉNÉRAL D'ADAPTATION DE SELYE

Les trois phases du syndrome général d'adaptation décrit par Selye sont (1) la phase d'alarme, durant laquelle, en réponse à un stimulus perturbateur (physique ou émotionnel), les forces de l'organisme sont mobilisées pour le fuir ou le combattre ; (2) la phase de résistance, durant laquelle l'organisme déploie des efforts physiologiques intenses pour maîtriser le stresseur ou le tolérer ; et (3) la phase d'épuisement, qui survient lorsque tous ces efforts ont été vains, et durant laquelle, si rien n'est fait, l'organisme à bout de ressources tombe malade et meurt.

Source : Selye, 1956.

Cette description s'accompagnait d'une ébauche de la physiologie du stress. Pour Selye, la phase d'alarme correspond à la réaction de fuite ou de combat décrite par Cannon, avec libération d'adrénaline par les surrénales. Puis, postule Selye, lorsque l'organisme entre dans la phase de résistance, une réaction en chaîne se déclenche : l'hypothalamus stimule l'hypophyse, qui à son tour stimule les surrénales, lesquelles se mettent à libérer des hormones, les glucocorticoïdes, qui permettent à l'organisme de continuer à résister au stresseur. Dans la phase d'épuisement, l'excès de glucocorticoïdes en circulation engendre des « maladies de l'adaptation » qu'il a constatées chez ses rats. La découverte par Selye du syndrome général d'adaptation et du rôle qu'y joue « l'axe du stress » (l'axe hypothalamus-hypophyse-surrénales) a inspiré des milliers de recherches et est à l'origine d'à peu près tout ce que nous savons aujourd'hui sur le lien entre le stress et la maladie.

Henri Laborit et l'inhibition de l'action

Quel est le rôle de l'inhibition de l'action dans le stress selon Henri Laborit ?

Dans les années 1970, le biologiste et chercheur français Henri Laborit (1914-1995), qui s'intéresse depuis longtemps aux recherches de Selye, se penche à son tour sur les effets physiologiques du stress. On l'a vu au chapitre 5 (p. 170), les chercheurs Overmeier et Seligman (1967) ont démontré expérimentalement que des chiens longuement exposés à un stimulus désagréable (légères décharges électriques) qu'ils ne pouvaient ni fuir ni combattre finissaient par s'y résigner passivement – une forme de conditionnement qu'ils ont appelée «l'impuissance apprise». Laborit utilise le même protocole expérimental pour réaliser une série d'expériences sur des rats. Il démontre ainsi que les maladies liées au stress découlent non pas de l'exposition prolongée à un stresseur, ni même de l'échec des actes visant à s'y soustraire ou à l'éliminer, mais bien de ce qu'il appelle l'inhibition de l'action (Laborit, 1980).

■ Dans l'expérience n° 1, un rat est placé dans une cage à plancher grillagé et séparée en deux compartiments par une cloison munie d'une porte, qu'on laisse ouverte. Un signal sonore et un flash lumineux se déclenchent, et quatre secondes plus tard, on envoie une décharge électrique dans le plancher grillagé. Le rat apprend très vite la relation temporelle entre les signaux sonores et lumineux, et la décharge électrique qu'il reçoit dans les pattes ; il ne tarde pas à éviter la décharge en passant dans le compartiment adjacent dès que les signaux se déclenchent. Mais à peine est-il arrivé dans le nouveau compartiment que les signaux sonores et lumineux annoncent une nouvelle décharge dans ce dernier. De nouveau, le rat change de compartiment, et de nouveau, les signaux annonciateurs de la décharge se déclenchent, et ainsi de suite. L'animal est soumis à ce va-et-vient 10 minutes par jour pendant 7 jours consécutifs. Le huitième jour, à l'examen, son état physiologique se révèle excellent.

▲ D'abord chirurgien de la Marine française, Henri Laborit (1914-1995) s'est ensuite orienté vers la recherche fondamentale en biologie. En 1950, il a découvert le premier tranquillisant au monde, la chlorpromazine, qui sera commercialisée sous le nom de Largatil. À la même époque, il a aussi contribué à l'invention d'une technique d'anesthésie révolutionnaire, qui réduisait le choc postopératoire dont bien des opérés mouraient jusque-là même si leur intervention chirurgicale avait été un succès. Ses travaux sur l'inhibition de l'action ont grandement éclairé les mécanismes du stress. Henri Laborit a été professeur invité de biopsychopharmacologie à l'Université du Québec à Montréal de 1978 à 1983.

■ Dans l'expérience n° 2, deux rats sont placés dans le même compartiment de la cage, et la porte menant à l'autre compartiment est fermée : ils vont subir les décharges électriques sans pouvoir s'enfuir. Rapidement, ils se battent, se mordent et se griffent. Après 7 jours de ce traitement à raison de 10 minutes par jour, mis à part les morsures et les griffures, les rats se portent parfaitement bien.

■ Dans l'expérience n° 3, le rat est seul dans la cage, et la porte de communication est fermée. Le protocole est le même que dans les deux expériences précédentes. Après une semaine, les examens biologiques révèlent une chute de poids importante ; une hypertension artérielle qui persiste plusieurs semaines ; de multiples lésions ulcéreuses à l'estomac et divers problèmes cutanés (démangeaisons, urticaire, pelade).

Cette série d'expériences montre que l'animal qui peut agir – soit en fuyant (expérience n° 1), soit en combattant (expérience n° 2) –, ne développe pas de troubles physiologiques, et ce, *même si son action est inutile et qu'il continue à être exposé au stresseur*. Par contre, l'animal exposé au stresseur, mais qui ne peut ni fuir ni lutter (expérience n° 3) présente des troubles pathologiques manifestes qui ne peuvent être attribués qu'à l'inhibition de l'action.

Depuis les années 1950, j'avais l'habitude de considérer que la pathologie pouvait résulter […] d'un système dit de «défense» dont j'ai signalé qu'il ne défendait notre vie qu'en permettant l'autonomie motrice, la fuite ou la lutte. […] J'ai écrit que ce système, qui permettait à l'homme des cavernes de fuir ou de lutter contre l'ours du même nom, était devenu inopérant à la sortie de cette caverne contemporaine qu'est le métropolitain alors que le patron, le supérieur hiérarchique, ou «l'autre» plus simplement encore, ne pouvaient être fuis ou combattus […] et j'attribuais les désordres physiopathologiques à cette réaction devenue sans objet. Or, […] je suis aujourd'hui conduit à la réviser. En effet, il faut bien comprendre que ce n'est pas cette réaction de fuite ou de lutte, bien isolée par Cannon, et devenue inutile, que maintenant je pense être à l'origine de la pathologie réactionnelle chronique, mais une autre réaction, celle commandant l'inhibition de l'action quand l'action s'avère impossible, et qui dépend du système inhibiteur de l'action (Henrit Laborit, 1982).

Pour Laborit (1980), l'inhibition de l'action garde une valeur adaptative, car elle donne un sursis à l'organisme. Lorsque l'action est impossible, souligne-t-il, elle apparaît comme « un moindre mal puisqu'elle évite la destruction pure et simple de l'agressé [...]. Elle permet à l'agressé de se faire oublier, elle évite la confrontation. » Cependant, si elle peut assurer sa survie dans l'immédiat, elle sera « capable aussi de mettre celle-ci en danger, si la solution qu'elle fournit, l'inaction, n'apporte pas une solution rapide au problème posé par l'environnement ».

Les expériences de Laborit sur l'inhibition de l'action ont été reproduites avec succès, et d'autres chercheurs en ont conçu des variantes fort intéressantes. Ainsi, Levine et Ursin (1980) ont appris à des rats à appuyer sur une manette pour mettre fin à des décharges électriques. Ils les ont ensuite placés deux par deux dans des cages, mais séparés par une cloison, de sorte qu'un seul des rats avait accès à la manette. Or, même si le fait d'actionner la manette mettait fin aux chocs pour tous les rats, seuls ceux qui n'avaient pas accès à la manette tombaient malades. De nombreux chercheurs ont tenté et tentent encore de déterminer s'il existe, comme le pensait Laborit, un circuit neuronal inhibiteur de l'action. À ce jour, la recherche indique que des circuits distincts régissent l'inhibition des réactions motrices, des réactions cognitives et de l'émotion (inhibition de la peur), mais que ces circuits dépendraient d'un processus inhibiteur plus général régi par une zone du cortex préfrontal (Dillon et Pizzagalli, 2007).

Richard Lazarus et le stress psychologique

Selon Lazarus, quel est le rôle des évaluations cognitives dans la réaction au stress ?

Pourquoi un même événement peut-il être neutre ou agréable pour vous et extrêmement stressant pour un autre ? Selon le psychologue Richard Lazarus (1922-2002), ce n'est pas tant l'événement en soi qui nous bouleverse que la façon dont nous le percevons et l'interprétons – d'où les différences individuelles dans la nature, l'intensité et la durée des émotions et du stress. Lazarus (2001) insiste sur l'aspect psychologique du **stress**. Il le définit d'ailleurs non pas comme une réaction physiologique ou comportementale à un événement, mais comme l'interaction entre le sujet et une situation qui, après évaluation, lui semble à la fois importante pour son bien-être et trop exigeante par rapport aux ressources dont il dispose.

Lazarus a formulé sa première théorie du stress au milieu des années 1960, et l'a reformulée et peaufinée à plusieurs reprises par la suite (Lazarus et Launier, 1978 ; Lazarus et Folkman, 1984 ; Lazarus, 1991 ; Lazarus, 2001). Dans ses dernières formulations, la théorie du stress de Lazarus est intégrée à sa théorie plus générale des émotions dont il a été question plus haut. Dans ce modèle du stress de Lazarus, le plus connu et le plus soutenu par la recherche (Lazarus et Folkman, 1984), l'**évaluation primaire** consiste en une évaluation du sens et de la portée de la situation : aura-t-elle un effet positif, négatif ou nul sur le bien-être du sujet ? Ainsi, la situation peut être perçue comme une perte ou un préjudice (le mal est déjà fait) ; comme la menace d'une perte ou d'un préjudice ; ou comme un défi, une occasion d'améliorer son bien-être ou d'atteindre ses buts. La perte ou le préjudice réel ou anticipé peut concerner tout ce qui importe à l'individu : une partie de son corps, un de ses proches, une de ses relations, un bien matériel, son argent, son estime de soi, etc. Si la situation jugée stressante concerne un préjudice, une perte ou une menace, l'individu éprouve des émotions négatives : anxiété, peur, colère, ressentiment, etc. (Folkman, 1984). En revanche, une situation envisagée comme un défi suscite habituellement des émotions positives, comme de l'excitation, de l'espoir et de l'enthousiasme. Mais on distingue ces diverses évaluations, précise Lazarus (2001), à seule fin de les décrire pour bien comprendre. En réalité, l'évaluation de la situation est un processus dynamique et souvent complexe : une perte antérieure peut aussi être perçue comme une menace pour l'avenir, une situation perçue comme une menace peut évoluer et devenir un défi, etc.

L'**évaluation secondaire**, elle, permet au sujet de juger si la situation est maîtrisable et d'évaluer les ressources adaptatives dont il dispose : ressources physiques (santé, énergie, endurance), sociales (réseau de soutien), psychologiques (habiletés, moral, estime

Stress
Pour Lazarus, interaction entre le sujet et une situation qui, après évaluation, lui semble à la fois importante pour son bien-être et trop exigeante par rapport aux ressources dont il dispose.

Évaluation primaire
Dans la théorie du stress de Lazarus, évaluation cognitive d'un événement potentiellement stressant pour en déterminer l'effet positif, négatif ou neutre.

Évaluation secondaire
Dans la théorie du stress de Lazarus, évaluation cognitive des ressources disponibles pour affronter un stresseur.

de soi), matérielles (argent, outils, équipement) et temps. Le sujet examine les possibilités qui s'offrent à lui, puis décide de la façon dont il va composer avec le stresseur. Son degré de stress dépend largement de l'évaluation qu'il fait de ses ressources et de la mesure dans laquelle elles seront grevées par la situation. À mesure que celle-ci évolue, le sujet peut procéder à plusieurs réévaluations successives, qui pourront réduire ou augmenter le stress.

Ce processus d'évaluations primaires et secondaires est influencé tant par des facteurs personnels comme la confiance en soi que par des facteurs contextuels, comme la nouveauté, la prévisibilité, l'incertitude ou encore la durée (Lazarus, 2001 ; Lazarus et Folkman, 1984). Considérés comme des « antécédents de l'évaluation cognitive », ces facteurs sont interdépendants et contribuent à déterminer si le sujet percevra la situation comme une menace ou comme un défi, et à quel point sa réaction émotionnelle sera intense (Lazarus, 2001). Toujours selon ce modèle, à partir du moment où le sujet estime qu'une de ses « transactions » avec l'environnement est stressante, cette évaluation déclenche une réaction dont la nature et l'ampleur dépendent de son évaluation de la situation et des ressources dont il dispose. Cette réaction est à la fois physiologique (activation du système nerveux, libération d'hormones, etc.), émotionnelle (anxiété, peur, chagrin, colère, excitation, enthousiasme, etc.) et comportementale : il est poussé à faire quelque chose, à manifester des comportements d'adaptation – de *coping*– efficaces ou non. La figure 8.3 résume le modèle du stress de Lazarus et Folkman (1984).

Figure 8.3

LE MODÈLE DU STRESS DE LAZARUS ET FOLKMAN (1984)

SITUATION
PROCESSUS D'ÉVALUATION COGNITIVE

Évaluation primaire : sens et portée de la situation
(effet positif, négatif ou nul sur le bien-être personnel ?)

La situation implique-t-elle :
- un préjudice ou une perte ?
- une menace ou un risque ?
- un défi ?

Évaluation secondaire : ressources disponibles

Le sujet évalue :
1. ses ressources (physiques, sociales, psychologiques et matérielles) pour déterminer si elles sont adéquates pour composer avec le stresseur ;
2. les possibilités de s'adapter au stresseur.

La situation sera jugée plus ou moins stressante selon l'évaluation que fait le sujet de ses répercussions sur son bien-être (évaluation primaire) et des ressources dont il dispose pour l'affronter (évaluation secondaire).

RÉACTION DE STRESS

- Physiologique : activation du système nerveux, libération d'hormones, etc.
- Émotionnelle : anxiété, peur, chagrin, colère, excitation, enthousiasme.
- Comportementale : comportements de *coping* (y compris les stragégies de *coping* centrées sur les problèmes et sur les émotions).

RÉÉVALUATIONS

À mesure que la situation évolue, le sujet procède à des réévaluations qui peuvent augmenter ou réduire son stress.

Source : Lazarus et Folkman, 1984.

La théorie du stress de Lazarus a d'importants mérites. La recherche a abondamment confirmé que nos réactions physiologiques, émotionnelles et comportementales au stress dépendent en partie de la perception que nous avons des stresseurs potentiels et de nos propres ressources (Holahan et autres 1996 ; Holahan et Moos, 1994). Avant Lazarus, les théoriciens et les chercheurs s'étaient surtout penchés sur les aspects physiologiques du stress. En insistant sur ses composantes psychologique et cognitive, Lazarus a ouvert la possibilité de limiter ses ravages en modifiant la façon dont nous composons avec lui. Sa théorie du stress et du *coping* a généré énormément de recherches, notamment sur des stratégies de gestion du stress et des émotions qui se sont révélées d'une grande utilité.

Mais avant d'aborder ce sujet, il importe de faire le point sur ce que nous savons aujourd'hui de la physiologie du stress et de ses effets néfastes.

RETENEZ-LE

Qu'est-ce que le stress ?

1. Hans Selye a surtout décrit les aspects _____ du stress, tandis que Richard Lazarus a insisté sur ses aspects _____.

2. À quel stade du syndrome général d'adaptation décrit par Selye correspondent chacune des descriptions suivantes ?
   a) Les réserves d'énergie de l'organisme sont complètement taries.
   b) L'organisme déploie des efforts physiologiques intenses pour s'adapter au stresseur.
   c) L'organisme mobilise ses ressources pour fuir ou combattre.

3. Durant la phase de résistance décrite par Selye, une réaction en chaîne se déclenche dans l'axe du stress : l'_____ stimule l'_____ , qui à son tour stimule les _____ , qui se mettent à libérer des _____ pour permettre à l'organisme de continuer à résister au stresseur.

4. Les expériences que Laborit a menées avec des rats lui ont permis de découvrir les ravages de _____ .

5. Dans la théorie du stress de Lazarus, l'évaluation _____ permet au sujet d'évaluer le sens et la portée de la situation et l'évaluation _____ lui permet d'évaluer les ressources adaptatives dont il dispose et les possibilités qui s'offrent à lui.

Réponses : 1. physiologiques ; psychologiques. **2.** (a) Phase d'épuisement (b) Phase de résistance (c) Phase d'alarme. **3.** hypothalamus ; hypophyse ; surrénales ; glucocorticoïdes. **4.** l'inhibition de l'action. **5.** primaire ; secondaire.

8.5 LES EFFETS PHYSIOLOGIQUES DU STRESS

Toujours d'actualité, la découverte par Hans Selye du syndrome général d'adaptation et du rôle qu'y joue l'axe hypohalamus-hypophyse-surrénales est à l'origine de ce que nous a appris la recherche sur la physiologie du stress et ses effets néfastes sur la santé. Cependant, on sait aujourd'hui que cet « axe du stress » n'est pas le seul en cause. En effet, le stress physiologique met en jeu quatre ensembles en interaction constante : (1) l'axe hypohalamus-hypophyse-surrénales, (2) les systèmes nerveux sympathique et parasympathique, (3) le système immunitaire et (4) le cerveau, notamment les régions concernées par la formation des émotions, la mémorisation, et la régulation des émotions et de l'humeur, soit les noyaux amygdaliens, l'hippocampe et le cortex associatif et préfrontal (Demarthon, 2007).

La physiologie du stress : ce qu'on en sait aujourd'hui

Que nous a appris la recherche sur la physiologie du stress depuis Selye ?

À la lumière de ce que nous a appris la recherche, on peut résumer comme suit les grandes lignes de notre compréhension actuelle du stress physiologique (Demarthon, 2007).

La phase d'alarme Lorsqu'un stimulus stressant qui menace l'homéostasie parvient, par l'intermédiaire du thalamus, aux structures limbiques (notamment les noyaux amygdaliens et l'hippocampe), celles-ci déclenchent l'alarme, et activent le système nerveux sympathique, qui libère de la noradrénaline et stimule la production d'adrénaline par les glandes surrénales. La réaction physiologique de fuite ou de combat s'amorce. Mais cette réaction d'urgence, rapide parce que déclenchée par voie nerveuse, n'a qu'un but : apporter un surcroît de vigilance et d'énergie à l'organisme pour le préparer à se défendre, c'est-à-dire à fuir ou à lutter contre un stresseur soudain *pendant de quelques minutes à une heure*. Comme on l'a vu en étudiant les émotions, très vite, l'organisme cherche à rétablir son homéostasie.

La phase de résistance   S'il n'a pu ni fuir ni surmonter un stresseur qui perdure, l'organisme entre dans la phase de résistance. Le système endocrinien prend alors la relève pour prolonger la mobilisation de l'énergie et aider ainsi l'organisme à résister au stresseur ou à s'y adapter à moyen terme. L'axe hypothalamus-hypophyse-surrénales entre en jeu. Par une réaction hormonale en chaîne, l'hypothalamus stimule l'hypophyse, qui, à son tour stimule les surrénales, lesquelles se mettent alors à libérer un surcroît de glucocorticoïdes – notamment de cortisol – qui viennent renforcer l'effet de l'adrénaline et de la noradrénaline. Comme ces dernières, les glucocorticoïdes stimulent la production de glucose en libérant le gras du cholestérol dans la circulation sanguine. Avec d'autres hormones, les glucocorticoïdes contribuent également à l'inhibition de fonctions consommatrices d'énergie comme la croissance et les fonctions reproductrices. Enfin, elles jouent un rôle très important dans l'autorégulation du stress. En bloquant la synthèse d'autres hormones, le cortisol et d'autres hormones apparentées freinent leur propre production par un mécanisme complexe de rétroaction qui évite que la machine ne s'emballe. Sous l'effet des glucocorticoïdes, l'organisme jouit donc provisoirement d'un répit : les symptômes de la phase d'alarme s'atténuent ou disparaissent, et l'organisme continue à lutter en utilisant ses réserves. Mais tôt ou tard, les effets physiologiques neuroendocriniens du stress doivent s'interrompre pour que l'organisme puisse renouveler ses stocks énergétiques. Si l'organisme réussit à fuir le stresseur, à le surmonter ou à s'y adapter à temps, la réaction hormonale s'inverse, et l'organisme se rétablit. Ce rétablissement prendra d'autant plus de temps que la phase de résistance aura été longue.

La phase d'épuisement   La phase d'épuisement n'a lieu que si l'axe du stress est sollicité trop longtemps ou trop souvent (stress chronique). Dans ce cas, non seulement l'organisme a épuisé ses ressources énergétiques, mais le mécanisme de rétroaction qui limite la production des glucocorticoïdes se dérègle : au lieu de revenir à leur niveau normal, les glucocorticoïdes s'accumulent dans l'organisme. Leur surabondance prolongée peut alors avoir de nombreux effets néfastes sur la santé, et en particulier sur le système immunitaire.

Les effets néfastes du stress sur la santé physique et mentale

Quels sont le principaux effets néfastes du stress ?

S'il ne cause pas directement la maladie, le stress chronique use l'organisme et le met en état de vulnérabilité. Il affaiblit le système immunitaire, augmente le risque de maladies cardiovasculaires et favorise divers autres troubles et maladies physiques, en plus de contribuer aux troubles anxieux et à la dépression.

L'affaiblissement du système immunitaire   Normalement, le système immunitaire, composé d'une armée de cellules et d'organes hautement spécialisés, repère et détruit les virus, bactéries, champignons, parasites et autres antigènes qui pénètrent l'organisme. Cependant, les glucocorticoïdes ont le pouvoir d'inhiber l'immunité, sans doute pour éviter, là encore, un emballement du système. En effet, dans le cas d'un stress physique, comme une infection, les messagers chimiques émis par le système immunitaire peuvent activer l'axe du stress. En inhibant l'immunité, les glucocorticoïdes exercent un second rétrocontrôle, cette fois pour modérer la réponse immunitaire. Cependant, en cas de stress chronique, les glucocorticoïdes, dont la production est hors contrôle, poursuivent leur travail de sape de l'immunité, et l'organisme devient beaucoup plus vulnérable aux infections (rhumes, grippes, bronchites, herpès buccal et génital, mononucléose, etc.). À ce jour, la recherche ne permet pas d'établir un lien direct entre le stress et

▲ Vous enrhumez-vous plus facilement dans les périodes de stress plus intense, en fin de session par exemple ? La recherche nous apprend que le stress est associé à une incidence accrue de ce type de maladies.

l'apparition d'un cancer, ni entre l'état psychologique des cancéreux et l'évolution de leur maladie. Cependant, il est de plus en plus clair que les effets du stress chronique sur le système immunitaire affaiblissent les défenses de l'organisme contre le cancer. En effet, contrairement aux cellules normales, les cellules cancéreuses n'arrêtent pas de se diviser et, à moins d'être repérées et détruites par le système immunitaire, elles continuent de croître et finissent par tuer l'organisme.

Phénomène intéressant, la recherche indique que c'est l'interprétation des événements, plutôt que les événements eux-mêmes, qui a un effet sur le système immunitaire : l'évaluation négative de l'événement émotionnel qui cause un stress ralentit l'activité du système immunitaire alors qu'une évaluation positive la stimule (Siegrist et autres, 1997 ; Zeier et

Psychoneuroimmunologie
Étude multidisciplinaire des effets des facteurs psychologiques et neurologiques sur le système immunitaire.

autres, 1996) ! Ce phénomène maintenant bien connu a permis le développement de la **psychoneuroimmunologie**, domaine de recherche prometteur où des psychologues, des biologistes et des chercheurs en médecine mettent leur expertise en commun pour étudier les effets des facteurs psychologiques (émotions, pensées et comportements) et neurologiques sur le système immunitaire (Cohen, 1996).

Les maladies cardiovasculaires Un niveau de stress élevé est associé à un risque accru de maladies cardiovasculaires (Brydon et autres, 2006 ; Rosengren et autres, 1991 ; Siegrist et autres, 1990). Les substances libérées durant une réaction de stress aigu (phase d'alarme) pénètrent dans le réseau sanguin presque aussi rapidement que si on les injectait par voie intraveineuse. Après avoir déclenché en laboratoire une réaction de stress chez des groupes de sujets, des chercheurs (Malkoff et autres, 1993) ont découvert que leurs plaquettes (globules sanguins qui jouent un rôle important dans la coagulation et l'homéostasie) libéraient d'importantes quantités d'une substance qui favorise l'accumulation de dépôts graisseux (appelés plaques d'athérome) sur la paroi interne des artères coronaires, ce qui augmente le risque de crise cardiaque (infarctus du myocarde) et d'accident vasculaire cérébral (AVC). Des facteurs génétiques pourraient aussi être en cause, mais la recherche actuelle jette un éclairage nouveau sur le rôle du stress et des émotions dans les maladies cardiovasculaires. Ainsi, les sujets dont les parents souffrent d'hypertension, mais qui n'en souffrent pas encore eux-mêmes, présentent le même type de réactivité émotionnelle et les mêmes piètres stratégies d'adaptation que leurs parents (Frazer et autres, 2002). L'encadré ci-contre présente l'évolution des recherches concernant certains modes de réaction émotionnels et comportementaux comme facteur de susceptibilité aux maladies cardiaques.

Les troubles anxieux, la dépression et autres troubles mentaux Comme nous le verrons de manière plus approfondie au chapitre 10, sans être la cause des troubles anxieux et de la dépression, le stress joue un rôle très important dans le déclenchement ou l'aggravation de ces troubles. L'hippocampe, qui est muni de nombreux récepteurs sensibles aux glucocorticoïdes, joue un rôle essentiel dans la dégradation du cortisol excédentaire. Cependant, si l'axe du stress est sollicité trop longtemps ou trop souvent, l'excès de cortisol finit par saturer les récepteurs de cortisol, et l'hippocampe, qui n'arrive plus à jouer son rôle, s'atrophie, pouvant perdre jusqu'à 10 % de son volume initial (Fossati et autres, 2004). Ce dysfonctionnement dérègle à son tour le mécanisme des récepteurs de la sérotonine – un neurotransmetteur qui intervient dans la régulation de

Les facteurs émotionnels associés à un risque accru de maladies cardiovasculaires

Après des années de recherche, dans les années 1970, les cardiologues Meyer Friedman et Ray Rosenman (1974) en sont venus à la conclusion que certains modes de réaction émotionnels et comportementaux étaient liés à un risque accru de maladies cardiovasculaires. Ils distinguaient alors deux profils :

- **Le type B, associé à un très faible taux de maladies cardiovasculaires** Ces personnes sont détendues et faciles à vivre. Ni impatientes ni hostiles, elles peuvent se détendre sans culpabilité. Dans le sport et le jeu, elles cherchent à s'amuser et à relaxer, plutôt qu'à faire la preuve de leur supériorité. Une personne de type B peut être aussi intelligente et ambitieuse qu'une personne type A, et peut réussir aussi bien sinon mieux que cette dernière.

- **Le type A, associé à un taux élevé de maladies cardiovasculaires** Friedman et Ray Rosenman décrivaient ces personnes comme mues par un fort sentiment d'urgence, impatientes, dynamiques, ambitieuses, compétitives, hostiles et colériques.

La recherche a révélé depuis que, dans le type A, le facteur déterminant n'est pas le sentiment d'urgence, mais *la colère et l'hostilité* qui attisent un tempérament réactif et agressif (Smith et Ruiz, 2002) ; ce lien se retrouve dans toutes les cultures, et aussi bien chez les hommes que chez les femmes (Mohan, 2006 ; Olson et autres, 2005). Des recherches plus poussées ont démontré que la colère et l'hostilité peuvent faire partie d'un ensemble plus large de variables, incluant d'autres formes de détresse émotionnelle (Kubzansky et autres, 2006 ; Olson et autres, 2005). Considérées isolément, la colère et l'hostilité sont l'une et l'autre des variables prédictives des maladies cardiovasculaires. Cependant, quand on y ajoute l'anxiété et le cynisme – autres manifestations de détresse émotionnelle, les analyses statistiques révèlent que cette combinaison d'émotions et de sentiments négatifs prédit mieux les maladies cardiovasculaires que chacune des quatre variables prises isolément. Cette découverte a amené des chercheurs à proposer une reformulation de la classification de Friedman et Rosenman pour parler plutôt de type D, pour « Détresse » (Denollet, 1997).

- **Le type D** Ce profil est caractérisé par la détresse émotionnelle combinée à une tendance à ne pas extérioriser les émotions négatives.

Une étude menée auprès d'hommes qui suivaient un programme thérapeutique de réhabilitation après une crise cardiaque a révélé que le risque de mortalité était quatre fois plus élevé chez ceux d'entre eux qui étaient de type D (Sher, 2004). Certains chercheurs croient que le taux de mortalité élevé des sujets de type D pourrait s'expliquer par une tendance accrue de l'organisme à réagir au stress de procédés médicaux invasifs comme les interventions chirurgicales par une réponse inflammatoire (Pedersen et Denollet, 2003). Beaucoup de recherche sera encore nécessaire pour élucider la physiologie de ce fameux « type D ».

Quel que soit le lien physiologique entre les modes de réaction émotionnelle et comportementale et les maladies cardiovasculaires, leurs relations avec des comportements liés à la santé (par exemple, l'abus de psychotropes comme l'alcool, les drogues ou le tabac) pourraient se révéler tout aussi importantes. Ainsi, les individus qui ont tendance à avoir une vision pessimiste de la vie, comme ceux du type D, sont moins susceptibles de s'abstenir de fumer après avoir suivi un programme d'abandon du tabac (Hooten et autres, 2005).

▲ La tendance à la colère et la tendance à l'hostilité sont des variables prédictives des maladies cardiovasculaires.

l'humeur, du sommeil, de l'impulsivité, de l'agressivité et de l'appétit. La baisse du taux de sérotonine qui en résulte réduit la capacité du sujet à maîtriser des émotions, accroît son impulsivité, et perturbe son sommeil, son appétit et sa libido – autant de symptômes de dépression. Le dérèglement du taux de sérotonine entraîne à son tour un dérèglement des taux de noradrénaline et de dopamine, ce qui se traduit par d'autres symptômes dépressifs, comme l'apathie et le manque de motivation dont souffrent les déprimés (Durand et Barlow, 2007 ; Gotlib et Hammen, 2002).

Autres maladies et troubles associés au stress Le stress a également été associé aux troubles de l'appareil digestif, à certaines maladies de la peau, au diabète de type 2, à certaines maladies auto-immunes comme le lupus, et à divers troubles liés à l'appareil reproducteur. Même notre poids peut dépendre de notre état de stress, puisque l'activation de l'axe du stress peut conduire à la stimulation de la prise alimentaire.

Les effets physiologiques du stress

RETENEZ-LE

1. Le stress physiologique met en jeu quatre ensembles en interaction constante : (1) l'axe _____ - _____ - _____ ; (2) les systèmes nerveux _____ et _____ ; (3) le système _____ ; et (4) le _____ , notamment les noyaux amygdaliens, l'hippocampe et le cortex associatif et préfrontal.

2. Le stress chronique augmente la vulnérabilité à de nombreux agents pathogènes à cause de son effet sur le _____ .

3. La _____ est un nouveau champ de recherche multidisciplinaire qui étudie les effets des facteurs psychologiques et neurologiques sur le système immunitaire.

Réponses : 1. hypothalamus, hypophyse, surrénales ; sympathique, parasympathique ; immunitaire ; cerveau. **2.** système immunitaire. **3.** psychoneuroimmunologie.

8.6 LA GESTION DU STRESS

On entend souvent parler de gestion du stress, mais la plupart du temps, cela ressemble davantage à un vœu pieu qu'à une réalité. Pourtant, il est possible d'apprendre à mieux gérer le stress. Pour cela, il importe d'abord et avant tout de bien en connaître les sources – les plus néfastes n'étant pas toujours celles que l'on pense –, et de savoir qu'il existe des facteurs de protection contre ses ravages, ainsi que des stratégies pour le réduire.

Les sources de stress : des grandes catastrophes aux petits irritants

Quelles sont les principales sources de stress ?

Quelles sortes d'événements et de situations vous stressent le plus ? Si vous croyez que les événements les plus spectaculaires et les plus dramatiques sont nécessairement les plus néfastes, ce qui suit risque de vous surprendre.

Les grandes catastrophes et les événements traumatisants Qu'il s'agisse de catastrophes naturelles (tsunamis, tremblements de terre, ouragans, tempêtes de verglas, inondations, glissements de terrain, etc.) ou d'origine humaine (bombardement, attentat terroriste, écrasement d'avion, etc.), les événements traumatisants où des gens meurent, sont grièvement blessés ou sont exposés à un danger mortel ou très grave peuvent susciter une peur intense et des sentiments d'impuissance ou d'horreur chez les victimes comme chez les témoins. Pourtant, la plupart des gens composent relativement bien avec le degré très élevé de stress associé à de tels événements. À court terme, ils risquent d'éprouver des symptômes de l'**état de stress aigu** (ou **syndrome de stress aigu**) : sentiment de torpeur, de détachement ou de déréalisation ; incapacité de se rappeler certains aspects du drame ; impression de le revivre constamment (*flashbacks*, pensées ou cauchemars récurrents) ; détresse liée à tout ce qui le rappelle et évitement de ces situations ; manifestations d'anxiété (troubles du sommeil, irritabilité, problèmes de concentration, hypervigilance, sursauts, agitation, etc.). Si la situation se rétablit, ces symptômes s'atténuent et disparaissent habituellement dans les jours ou semaines qui suivent l'événement. Cependant, chez certaines personnes, l'état de stress aigu persiste pendant plus d'un mois : on parle alors d'un **état de stress post-traumatique** (ou **syndrome de stress post-traumatique**). Les gens soumis à un stress chronique intense (soldats en mission de combat, otages en captivité, civils qui vivent dans des zones de guerre, des camps de réfugiés ou d'autres milieux où la violence est monnaie courante, etc.) sont particulièrement exposés au syndrome de stress post-traumatique (Kilpatrick et autres, 2003). Il en va de même de certaines victimes d'événements traumatisants à caractère plus personnel : agressions sexuelles, crimes violents, etc. (Filipas et Ullman, 2006 ; NCIPC, 2002).

État de stress aigu (ou **syndrome de stress aigu**)
Ensemble de symptômes déclenchés par l'exposition à un événement traumatisant et qui disparaissent dans le mois qui suit.

État de stress post-traumatique (ou **syndrome de stress post-traumatique**)
État de stress aigu qui persiste pendant plus d'un mois.

▼ Les événements où des gens meurent, sont grièvement blessés ou sont exposés à un danger mortel ou très grave suscitent généralement une peur très forte ainsi qu'un sentiment d'impuissance ou d'horreur chez ceux ou celles qui en sont victimes ou témoins. Il peut en résulter un état de stress aigu dont les symptômes s'atténuent et disparaissent habituellement dans les jours ou les semaines qui suivent. Lorsque cet état de stress aigu persiste pendant plus d'un mois, on parle d'état de stress post-traumatique.

Les événements de la vie, petits et grands, heureux ou malheureux On l'a dit, qu'ils soient heureux ou malheureux, tous les événements de la vie qui supposent un changement sont, à divers degrés, des sources de stress. Dans les années 1960, les chercheurs Thomas Holmes et Richard Rahe (1967) ont élaboré l'**Échelle du stress de Holmes-Rahe** (ou **Social Readjustment Rating Scale, SRRS**). Cet outil d'évaluation du stress classe 43 événements de la vie du plus stressant au moins stressant (ceux qui supposent le plus de changement et exigent le plus d'efforts d'adaptation étant considérés comme les plus stressants) et en attribue à chacun un nombre de points de stress précis. Selon Holmes et Rahe, lorsqu'ils font grimper le total à plus de 150 points, les changements survenus au cours des deux années précédentes correspondent à un stress important et augmentent le risque de maladies et de troubles psychosomatiques. Au-delà de 300 points, le sujet est soumis à un stress très élevé, ce qui entraîne un risque très important de problèmes psychosomatiques (Rahe et autres, 1964). Des études récentes confirment que le poids relatif attribué par Holmes et Rahe aux divers événements reste pertinent pour des adultes vivant en Amérique du Nord, et que les résultats de l'*Échelle Holmes-Rahe* sont bel et bien corrélés à de nombreux indicateurs de santé (Dohrenwend, 2006 ; De Coteau, Hope et Anderson, 2003 ; Hobson et Delunas, 2001 ; Scully et autres, 2000).

Échelle du stress de Holmes-Rahe (ou **Social Readjustment Rating Scale, SRRS**)
Instrument de mesure du stress conçu par Holmes et Rahe et qui classe 43 événements de la vie du plus stressant au moins stressant en attribuant à chacun un nombre de points donné.

◄ Même les événements heureux, comme un mariage, peuvent entraîner du stress.

Évaluer votre degré de stress selon l'*Échelle Holmes-Rahe*

Parmi les événements suivants, cochez ceux que vous avez vécus depuis deux ans et faites le total de vos points.

Événement	Valeur	Points
1. Décès du conjoint	100	_____
2. Divorce	73	_____
3. Séparation	65	_____
4. Séjour en prison	63	_____
5. Décès d'un proche parent	63	_____
6. Maladies ou blessures	53	_____
7. Mariage	50	_____
8. Perte d'emploi	47	_____
9. Réconciliation avec le conjoint	45	_____
10. Retraite	45	_____
11. Maladie d'un membre de la famille	44	_____
12. Grossesse	40	_____
13. Difficultés sexuelles	39	_____
14. Ajout d'un membre dans la famille	39	_____
15. Changement dans la vie professionnelle	39	_____
16. Modification de la situation financière	38	_____
17. Mort d'un ami proche	37	_____
18. Changement de carrière	36	_____
19. Augmentation du nombre de disputes avec le conjoint	35	_____
20. Hypothèque supérieure à un an de salaire	31	_____
21. Saisie d'hypothèque ou de prêt	30	_____
22. Modification de ses responsabilités professionnelles	29	_____
23. Départ de l'un des enfants	29	_____
24. Problème avec les beaux-parents	29	_____
25. Succès personnel éclatant	28	_____
26. Début ou fin d'emploi du conjoint	26	_____
27. Première ou dernière année d'études	26	_____
28. Modification de ses conditions de vie	25	_____
29. Changements dans ses habitudes personnelles	24	_____
30. Difficultés avec son patron	23	_____
31. Modification des heures et des conditions de travail	20	_____
32. Changement de domicile	20	_____
33. Changement d'école	20	_____
34. Changement du type ou de la quantité de loisirs	19	_____
35. Changement dans les activités religieuses	19	_____
36. Changement dans les activités sociales	18	_____
37. Hypothèque ou prêt inférieur à un an de salaire	17	_____
38. Changement dans les habitudes de sommeil	16	_____
39. Changement du nombre de réunions familiales	15	_____
40. Changement dans les habitudes alimentaires	15	_____
41. Voyage ou vacances	13	_____
42. Fêtes ou célébrations importantes	12	_____
43. Infractions mineures à la loi	11	_____
TOTAL		_____

Source : Basé sur Holmes et Masuda, 1974.

Les conflits intérieurs et l'absence de contrôle   Certaines situations sont stressantes parce qu'elles nous obligent à faire des choix qui engendrent des conflits intérieurs. S'il s'agit de choisir entre deux choses également désirables, on parle d'un conflit approche-approche. Certains conflits approche-approche peuvent être très stressants, car ils ont des conséquences majeures, comme choisir entre deux carrières passionnantes ou entre poursuivre sa carrière et l'interrompre pour avoir un enfant. Dans un conflit évitement-évitement, le choix doit se faire entre deux choses indésirables. Ainsi, pour prendre un exemple vécu bien qu'extrême, il y a quelques années en Ontario, des parents de jumelles siamoises qui partageaient un seul cœur ont dû choisir laquelle serait sauvée par une intervention chirurgicale sans laquelle toutes deux mourraient. Dans un conflit approche-évitement, une chose désirable suppose inévitablement une chose non désirable. Par exemple, une personne à qui l'on offre un emploi intéressant et lucratif pourra hésiter à l'accepter parce que cet emploi suppose qu'elle travaille tous les soirs et les fins de semaine.

L'impression de ne pas maîtriser la situation peut également être stressante, car le sentiment d'exercer un certain contrôle sur ce qui arrive contribue beaucoup au bien-être physique et psychologique (Rodin et Salovey, 1989). Dans une étude désormais célèbre, Langer et Rodin (1976) ont donné à un groupe de résidents d'une maison de retraite la possibilité d'exercer une plus grande maîtrise sur leurs conditions de vie – aménagement de leur chambre, heures des films, etc. En 18 mois, ces gens ont vu leur santé et leur bien-être s'améliorer, et leur taux de décès (15 %) a été inférieur à celui des résidents du groupe témoin (30 %). L'imprévisibilité de certains stresseurs influe également sur le stress ressenti. Les gens qui savent d'avance qu'ils auront à vivre une situation stressante et peuvent s'y préparer vivent moins de stress que ceux qui doivent composer avec un stresseur imprévu. De plus, même l'impression subjective d'exercer un certain contrôle sur un stresseur peut réduire le taux sanguin de cortisol aussi efficacement qu'un contrôle réel (Bollini et autres, 2004).

Les tracas quotidiens et le stress chronique   Qu'est-ce qui stresse le plus, les grands événements de la vie ou les tracas de la vie courante ? Selon le chercheur Richard Lazarus, bien qu'ils soient moins stressants en soi, les tracas quotidiens finissent par générer un degré de stress plus élevé que les grands événements de la vie, parce qu'ils nous maintiennent dans un état d'activation constant (Lazarus et DeLongis, 1983). Les tracas quotidiens dont parle Lazarus vont des frustrations et irritants mineurs qu'il appelle les microstresseurs (files d'attente, pannes de voiture, bris d'ordinateur ou d'électroménager, bouchons de circulation, tracasseries administratives, etc.) aux préoccupations plus sérieuses liées à la situation socioéconomique, à la santé, aux études ou au travail. Ils incluent les malentendus ou les démêlés avec les proches, les patrons, les clients, les professeurs et les camarades. Ils incluent des facteurs environnementaux comme la pollution ou le bruit (Moser et Robin, 2006). Une étude de six mois menée auprès de 75 couples américains a révélé une corrélation significative entre le stress associé aux tracas quotidiens et des problèmes de santé comme le rhume et la grippe, les maux de gorge, les maux de tête et les maux de dos (DeLongis et autres, 1988).

La recherche indique également que les microstresseurs qui accompagnent les grands événements de la vie (comme ceux mesurés par l'*Échelle du stress de Holmes-Rahe*) sont parfois de meilleurs prédicteurs du degré de détresse psychologique que ces grands événements eux-mêmes (Pillow et autres, 1996). Certaines situations stressantes qui perdurent, comme un mariage malheureux, une situation de harcèlement, des problèmes socioéconomiques, un climat social ou politique insupportable, peuvent engendrer un stress chronique. Le simple fait d'être l'unique ou l'un des rares membres d'une minorité ethnoculturelle dans un milieu donné peut entraîner un stress chronique important, et ce, même en l'absence d'attitudes racistes, de discrimination ou d'autres manifestations de racisme (Plummer et Slane, 1996). Cependant, un fort sentiment d'appartenance ethnique semble modérer les effets de ce type de stress (Utsey et autres, 2002).

Conflit approche-approche
Conflit intérieur qui résulte du fait d'avoir à choisir entre deux choses désirables.

Conflit évitement-évitement
Conflit intérieur qui résulte du fait d'avoir à choisir entre deux choses indésirables.

Conflit approche-évitement
Conflit intérieur qui résulte du fait d'avoir à choisir une chose désirable qui entraîne inévitablement une autre chose indésirable.

Microstresseur
Dans la théorie du stress de Lazarus, petite frustration de la vie quotidienne qui engendrent du stress.

Mettre à jour la liste des 10 tracas quotidiens les plus courants des collégiens de 1981

Cette liste des 10 sujets de tracas quotidiens les plus courants selon des collégiens des deux sexes vient d'une étude du début des années 1980 (Kanner et autres, 1981). Qu'y changeriez-vous pour la mettre à jour ?

Sujet de tracas	Pourcentage
1. Inquiétudes quant à l'avenir	76,6
2. Manque de sommeil	72,5
3. Pertes de temps	71,1
4. Manque d'égards de la part des fumeurs	70,7
5. Apparence physique	69,9
6. Fait d'avoir trop de choses à faire	69,2
7. Fait d'égarer ou de perdre des choses	67,0
8. Manque de temps pour faire ce qui doit être fait	66,3
9. Peur de ne pas être à la hauteur, de ne pas satisfaire aux exigences	64,0
10. Sentiment de solitude	60,8

Source : Kanner et autres, 1981.

Dans nos sociétés, la source de stress chronique qui touche le plus grand nombre de gens est probablement le travail. Tout travail comporte une certaine dose de stress, mais la quantité de stress et ses sources diffèrent selon le type de métier et l'organisation du travail. Les métiers les plus stressants sont ceux qui comportent un ou plusieurs des facteurs suivants : charge de travail trop lourde ou trop légère ; exigences de rendement élevées ; responsabilité du bien-être physique ou psychologique d'autrui avec une maîtrise limitée sur les événements (personnel des salles d'urgence, contrôleurs aériens etc.) ; peu de possibilités de recourir à sa créativité ; peu de reconnaissance ou de possibilités d'avancement (Angenendt, 2003 ; Lewig et Dollard, 2003 ; Albrecht, 1979). Le stress lié au travail peut être particulièrement important pour les femmes, plus souvent aux prises avec la discrimination, le harcèlement sexuel et les difficultés quotidiennes de la conciliation travail-famille. Le stress chronique lié au travail peut mener à l'**épuisement professionnel** (Freudenberger et Richelson, 1981), qui se traduit par l'épuisement, la sensation d'être vidé émotionnellement et un grand pessimisme quant à la possibilité d'une amélioration de la situation. Les personnes qui ont l'impression que leur travail n'est pas reconnu et apprécié sont plus enclines à l'épuisement professionnel. Ainsi, une étude indique que près de la moitié des travailleurs sociaux du Royaume-Uni souffrent d'épuisement professionnel, et que le sentiment de ne pas être apprécié est le meilleur prédicteur de ce trouble (Evans et autres, 2006).

Épuisement professionnel
Épuisement, sensation d'être vidé émotionnellement et pessimisme qui résulte d'un stress chronique associé au travail.

Le chômage est également une source importante de stress, au point que les gens qui perdent leur emploi présentent un risque accru de maladies liées au stress dans les mois qui suivent (Isaksson et autres, 2004 ; Crowley, Hayslip et Hobdy, 2003 ; He, Colantonio, et Marshall, 2003). En plus des préoccupations d'ordre économique qui en découlent, la perte d'un emploi entraîne à la fois un changement de vie, de l'incertitude quant à l'avenir et un sentiment de perte de contrôle sur sa vie qui sont tous d'importants facteurs de stress.

Toujours selon Lazarus, le degré de stress qu'éprouve une personne dépend en partie de l'équilibre entre les bonnes et les mauvaises choses qui lui arrivent. Autrement dit, les expériences positives de la vie qui agissent comme des **remontants** peuvent neutraliser les effets de nombreux tracas. Pour les gens d'âge moyen, ces remontants sont souvent liés à la famille ou à la santé (Pinquart et Sörensen, 2004) ; pour les étudiants, il s'agit souvent de prendre du bon temps (Kanner et autres, 1981).

Remontant
Dans la théorie du stress de Lazarus, expérience positive de la vie qui peut neutraliser les effets stressants des tracas quotidiens.

◀ Les contrôleurs aériens
exercent un travail extrêmement
stressant.

Les facteurs de protection :
optimisme, endurance et soutien social

Quels facteurs sont associés à
une meilleure résistance au stress ?

Dans une situation stressante, les différences de réaction dépendent aussi de l'attitude de la personne et du soutien qu'elle peut obtenir de son entourage. La recherche nous apprend que certains facteurs personnels offrent une protection contre les effets du stress et de la maladie, notamment l'optimisme, l'endurance et le soutien social.

L'optimisme   Les gens généralement optimistes tendent à mieux composer avec le stress, ce qui peut réduire leur risque de maladie (Seligman, 1990). Contrairement aux pessimistes, les optimistes s'attendent habituellement à de bons résultats, ce qui explique peut-être qu'en réponse à des stresseurs similaires, ils sécrètent moins de glucocorticoïdes que les pessimistes (Lai et autres, 2005). Le désespoir est une forme particulièrement dangereuse de pessimisme. Une étude longitudinale d'un vaste échantillon de Finlandais a révélé que le taux de mortalité des sujets qui se disaient en proie à un désespoir modéré ou élevé était de deux à trois fois plus élevé que celui des sujets qui le qualifiaient de faible (Everson et autres, 1996).

L'endurance : engagement, sentiment de contrôle et goût du défi   À la fin des années 1970, la psychologue Suzanne Kobasa (Kobasa et autres, 1982 ; Kobasa, 1979) a mené une étude longitudinale sur des sujets masculins qui occupaient des postes de direction très stressants. Kobasa a ainsi découvert que trois caractéristiques psychologiques distinguaient ceux qui étaient restés en santé de ceux chez qui l'incidence de maladie était élevée : l'engagement, le sentiment de contrôle et le goût du défi. Elle a appelé **endurance au stress** ce trio de caractéristiques. Les gens qui ont une grande endurance au stress sont très engagés dans leur travail et leur vie personnelle. Ils se voient non pas comme des victimes de ce que la vie leur réserve, mais comme des gens qui ont du contrôle sur ce qui leur arrive. Ils passent à l'action pour régler leurs problèmes et aiment les défis, qu'ils perçoivent comme des occasions de progresser et de s'améliorer, plutôt que comme des menaces. D'autres recherches indiquent que les trois caractéristiques de l'endurance sont reliées au sentiment de bien-être chez les personnes âgées et les enfants gravement handicapés (Ben-Zur et autres, 2005 ; Smith et autres, 2004). Le concept d'endurance peut être relié au concept de résilience (voir l'encadré à la page suivante).

Endurance au stress
Aptitude physique et morale à résister au stress qui repose sur l'engagement, le sentiment de contrôle et le goût du défi.

Le soutien social   Le *soutien social* réduit le stress, a des effets bénéfiques sur le système immunitaire ainsi que sur les systèmes cardiovasculaire et endocrinien, et réduit le recours à des pratiques malsaines, comme l'abus de psychotropes (Bouhuys et autres, 2004 ; Holt-Lunstad et autres, 2003 ; Miller et autres, 2002 ; Uchino et autres, 1996). Par

Soutien social
Aide concrète ou émotionnelle qu'apportent les proches, l'entourage et la collectivité surtout en cas de besoin.

soutien social, on entend l'aide concrète (services, biens, argent), l'information, les conseils et le soutien émotionnel qu'apportent les proches, l'entourage et la collectivité, surtout en cas de besoin. Il donne le sentiment d'être écouté, aimé, valorisé, estimé et choyé par les gens envers qui on se sent une responsabilité similaire. Le soutien social peut aussi venir indirectement des activités sociales (travail, loisirs, activités parentales) qui contribuent à briser l'isolement et peuvent donner un sentiment d'appartenance ou d'affiliation. Ces dernières années, des chercheurs ont commencé à distinguer le soutien perçu, c'est-à-dire le soutien dont la personne croit pouvoir bénéficier au besoin, et le soutien réel qu'elle reçoit. Fait intéressant, le soutien perçu semble plus important que le soutien réel (Reinhardt et autres, 2006 ; Norris et Kaniasty, 1996).

▶ Un bon réseau de soutien social peut aider une personne à récupérer plus vite d'une maladie.

La résilience

Pourquoi certains enfants sont-il détruits alors que d'autres semblent trouver en eux ou dans leur environnement les ressources nécessaires pour s'en sortir face à des traumatismes ou à des conditions de vie difficiles (violence physique, viol, inceste, négligence, rejet, abandon, misère, guerre, etc.). La résilience est cette capacité de certaines personnes face à des stress importants de mettre en jeu des mécanismes adaptatifs qui leur permettent non seulement de « tenir le coup », mais de rebondir en tirant un certain profit d'un tel affrontement. Le terme *résilience* vient de la physique, où il désigne la résistance des matériaux à la pression. Il a été introduit en psychologie dans les années 1960 par Emmy Werner, psychologue américaine qui a étudié les enfants de la rue à Hawaï sur une période de 30 ans. Le terme a ensuite été popularisé par Boris Cyrulnik, neuropsychiatre français, dans son livre *Un merveilleux malheur*, publié chez Odile Jacob en 1999. Partant de l'observation de survivants de camps de concentration et d'enfants des orphelinats de Roumanie, qui ont triomphé d'épreuves immenses, il y faisait état d'un pouvoir de reprise en main insoupçonné, dont plusieurs équipes de recherche dans le monde commencent à découvrir l'étendue. Les principaux facteurs de résilience comprennent une « confiance fondamentale », acquise dans les premières années de vie grâce à un attachement sécurisant à l'adulte qui a pris soin de l'enfant. Cet attachement constitue une base sûre pour garder espoir malgré l'adversité, et continuer à se tourner vers les autres. La rencontre d'un « tuteur de résilience », une personne significative dans la vie de l'enfant, qui pourra combler les déficits parentaux et favoriser l'estime de soi, est également importante. Les possibilités créatrices, sous toutes leurs formes, par exemple l'écriture par laquelle on peut mettre en mots la souffrance et ainsi l'extérioriser, permettent de transcender la souffrance. Plusieurs artistes ont déjà dit à quel point leur art leur avait sauvé la vie en leur permettant en quelque sorte de faire quelque chose de leurs blessures.

Même si la personne semble sortir à peu près indemne de ce qui aurait pu détruire sa vie, les événements ont pu laisser des cicatrices qui pourraient se réveiller bien plus tard sous l'effet cumulatif d'autres épreuves. Chacun traverse des périodes de fragilité et d'autres de plus grande solidité, des périodes où il peut trouver du soutien et d'autres non, être résilient face à tel type de violence mais pas à toutes les formes, parfois surmonter un stress considérable mais pas une succession de traumatismes dont l'effet cumulatif viendra à bout de ses ressources.

Source : Boris Cyrulnik (1999). *Un merveilleux malheur*, Paris, Odile Jacob ; Michel Lemay (2001) « La résilience devant la violence », *Revue québécoise de psychologie*, vol. 22, n° 1, 2001.

Composer avec le stress : le *coping*

Bien que l'Office de la langue française du Québec recommande de parler d'*adaptation* au stress (OLF, 2004), les psychologues comme les dictionnaires et lexiques de psychologie retiennent plutôt le terme *coping* (de l'anglais *to cope*, s'en sortir, se débrouiller). Selon Lazarus et Folkman (1984), il importe en effet de distinguer l'adaptation – un concept extrêmement large qui inclut tous les modes de réaction des organismes vivants aux conditions changeantes de l'environnement – du *coping*, qui ne désigne que les efforts de l'humain pour maîtriser ou tolérer par l'action ou la pensée des situations perçues comme menaçantes ou trop exigeantes. Selon les cas, le *coping* peut être centré sur le problème ou centré sur l'émotion. Il peut aussi être proactif.

Coping
Ensemble des efforts de l'individu pour maîtriser ou tolérer par l'action ou la pensée des situations perçues comme menaçantes ou trop exigeantes pour ses ressources.

Le *coping* centré sur le problème

Le *coping* centré sur le problème vise à réduire, à modifier ou à éliminer le stresseur, autrement dit, à résoudre entièrement ou partiellement le problème. Si vous obtenez une mauvaise note en histoire et que vous y voyez une menace pour votre réussite, vous pouvez y réagir en étudiant davantage, en discutant du problème avec votre professeur, en formant un groupe d'étude avec des camarades, en vous cherchant un tuteur ou en abandonnant le cours. On l'a vu au chapitre 7, il existe plus de solutions qu'on ne le pense pour régler un problème. Malheureusement, on a souvent tendance à bloquer le processus de résolution de problème par ce fameux « Je n'ai pas le choix ! » qu'on entend si souvent ! (Dans ce cas, la rubrique « Appliquez-le » (p. 264) vous aidera à débloquer le processus.) Une stratégie centrée sur le problème est utile tant qu'elle débouche sur une *action* visant à régler, à modifier ou à éliminer le stresseur. Sinon, se focaliser sur le problème risque de tourner à la rumination stérile.

Coping centré sur le problème
Réaction directe visant à réduire, à modifier ou à éliminer un stresseur.

Le *coping* centré sur l'émotion

Le *coping* centré sur l'émotion est une réaction indirecte qui vise à réduire l'impact émotionnel d'un stresseur en modifiant consciemment ou inconsciemment l'interprétation ou son évaluation de la situation. Les stratégies inconscientes de *coping* centrées sur l'émotion relèvent de mécanismes de défense décrits plus en détail au chapitre 9 (p. 314). Mentionnons notamment le déni (par exemple, refuser de croire qu'on vient de faire une crise cardiaque), la rationalisation (se convaincre qu'il y a eu erreur sur le dossier et que le malaise n'est qu'une indigestion) ou l'isolation (suspendre sa pensée pour ne pas comprendre ce que dit le médecin). Ces mécanismes inconscients ont le mérite de réduire le stress le temps d'encaisser le choc, mais à long terme ils risquent de nous empêcher de prendre les mesures qui s'imposent. Le *coping* centré sur l'émotion est plus efficace s'il garde en contact avec la possibilité d'agir, ce qui est l'avantage des stratégies conscientes. Une stratégie consciente pourrait être de s'efforcer délibérément d'ignorer une source de stress, ce qui peut aussi être une stratégie efficace. Ainsi, lors d'une étude menée auprès de 116 victimes de crises cardiaques, toutes ont déclaré avoir peur de subir une autre crise, mais celles qui essayaient d'ignorer cette peur étaient moins enclines à présenter des symptômes d'anxiété comme des cauchemars et des *flashbacks* (Ginzburg et autres, 2002). Notez que ces personnes ne niaient pas le risque, elles s'efforçaient simplement de ne pas y penser.

Coping centré sur l'émotion
Réaction indirecte qui vise à réduire l'impact émotionnel d'un stresseur en modifiant consciemment ou inconsciemment la perception qu'on en a ou l'évaluation qu'on en fait.

La combinaison du *coping* centré sur le problème et du coping centré sur l'émotion est probablement la stratégie la plus efficace (Folkman et Lazarus, 1980). Ainsi, un cardiaque peut s'efforcer de ne pas penser au risque de refaire une crise cardiaque pour réduire son anxiété (*coping* centré sur l'émotion) tout en respectant consciencieusement les recommandations des médecins sur les changements de style de vie qui s'imposent (*coping* centré sur le problème).

Modifier son interprétation ou son évaluation d'une situation stressante est une autre stratégie consciente de *coping* centré sur l'émotion. Si vous risquez de perdre votre emploi, et que cela vous semble une catastrophe, votre stress sera très élevé ; pour le réduire, vous pourrez vous dire que ce n'est peut-être pas si tragique, que la perte de cet emploi serait peut-être l'occasion d'en trouver un autre plus intéressant. Cette stratégie peut être efficace si elle se fonde sur une évaluation précise et réaliste de la situation. Par contre, essayer de vous convaincre que « cet examen va bien se passer » ne réduira pas votre stress si vous savez que vous n'avez pas étudié et que vous ne possédez pas la matière. Mieux vaudrait admettre les faits et relativiser l'importance de cet examen ou vous dire que vous tâcherez de faire pour le mieux.

Une autre stratégie consciente de *coping* centré sur l'émotion consiste à verbaliser l'émotion ressentie. Pourquoi parler à quelqu'un fait-il du bien ? À l'aide d'imagerie cérébrale fonctionnelle, Matthew Lieberman et ses collègues de l'Université de Californie ont montré que le stress engendré par une émotion diminue lorsque cette émotion est reconnue et nommée (Lieberman et autres, 2007). La verbalisation est rendue possible par le cortex préfrontal, qui a aussi pour rôle de modérer l'activation de l'amygdale, le système d'alarme de notre cerveau. Ainsi, parler fait diminuer l'intensité de l'émotion ressentie, nous permettant d'organiser nos pensées et d'y voir plus clair. Le simple fait de tenir un journal où l'on écrit ce que l'on ressent aurait des effets positifs sur la santé (Solano et autres, 2003 ; Pennebaker et Seagal, 1999). Ce phénomène pourrait bien ne pas être étranger à la popularité fulgurante du cellulaire et du clavardage qui nous permettent de partager au fur et à mesure nos mille et un tracas quotidiens !

Coping proactif
Fait de prendre des mesures à l'avance pour éviter des situations stressantes ou en atténuer l'impact.

Le *coping* proactif   Le *coping* proactif consiste à prendre à l'avance des mesures pour éviter des situations stressantes ou en atténuer l'impact (Aspinwall et Taylor, 1997). Les sources de stress dont les gens se plaignent le plus souvent sont le manque de temps (« Tout est urgent, je ne sais plus où donner de la tête »), le manque de confiance en soi (« Je n'y arriverai jamais »), le manque de contrôle (« Je n'ai pas le choix ») et l'incertitude (« Que va-t-il arriver ? »). Or, beaucoup de mesures prises à l'avance peuvent réduire l'anxiété liée à ces sources de stress. Les mots clés ici sont *planification* et *action*. Le manque de temps chronique résulte souvent au moins en partie d'objectifs irréalistes (on ne peut pas tout faire). Faire la liste de tout ce qu'on a à faire puis établir des priorités en fonction de ce qui nous tient le plus à cœur et de nos buts dans la vie peut nous éviter de courir et de stresser pour des choses qui ne sont pas si importantes, finalement. Pour ce qui est vraiment important, planifier et passer immédiatement à l'action évite beaucoup de perte de temps. Ainsi, partir un peu d'avance le matin pour éviter les embouteillages ou commander ses manuels scolaires d'avance pour ne pas avoir à faire la file la veille de la rentrée sont des exemples de *coping* proactif. Attendre à la dernière minute pour faire ce qu'on a à faire – se lever le matin, étudier, faire un travail de session, acheter ses manuels scolaires, etc. – nous rend plus vulnérable aux imprévus qui nous placent dans des situations « d'urgence ». Planifier ce qui peut l'être et agir en conséquence permet de réduire le stress lié à l'incertitude. Aussi, si un problème semble insurmontable, l'analyse fin-moyens (détermination d'objectifs partiels) lui donnera une allure nettement moins impressionnante (voir p. 257). Recourir à l'imagerie mentale pour apprivoiser à l'avance une situation stressante est un autre moyen de prendre de l'assurance et de retrouver le sentiment d'avoir du contrôle sur ce qui nous arrive. Une bonne hygiène de vie, l'exercice physique et la relaxation sont de bonnes stratégies de *coping* proactif.

▲ Acheter vos manuels à l'avance permet d'éviter le stress d'avoir à le faire à la dernière minute. Un bon exemple de *coping* proactif.

L'hygiène de vie   Dans les périodes où l'agenda est surchargé, on essaie de gagner du temps en se couchant tard, en se levant tôt, en compensant le manque de sommeil par des boissons énergisantes et autres stimulants, en mangeant sur le pouce, bref, en imposant à notre organisme un stress supplémentaire dont il n'a vraiment pas besoin. Bien se nourrir et bien dormir est encore plus important que d'habitude en période de stress. N'empiétez pas sur vos nuits, car le sommeil a des fonctions réparatrices cruciales. Souvenez-vous que les psychotropes ne font que masquer les symptômes.

Exercice physique, relaxation et méditation   Comment deux activités aussi opposées que l'exercice et la relaxation peuvent-elles toutes deux réduire les effets nocifs du stress ? Parce que toutes deux agissent chacune sur une des deux branches du système nerveux végétatif qui régulent les réactions physiologiques du stress : le système sympathique pour l'activation et le système parasympathique pour la récupération. L'exercice physique permet d'utiliser l'énergie produite par l'activation sympathique qui nous prépare à la fuite ou au combat. Il agit comme substitut, en éliminant les glucocorticoïdes et autres hormones dans l'action, ce qui permet au système sympathique de se désactiver et au système parasympathique d'assurer la récupération. Plus l'activité physique est vigoureuse, plus l'anxiété s'atténue (Broman-Fulks et autres, 2004). Les exercices aérobies (comme la course, la natation, le jogging, le cyclisme, l'aviron et le saut à la corde) sont les plus efficaces.

Comme l'activité physique, la relaxation vise à réduire l'activation du système sympathique, mais en passant par « la mise au repos du cortex », pour reprendre les termes du médecin qui a conçu la méthode de relaxation qui porte son nom, Edmund Jacobson (1888-1983). La relaxation progressive de Jacobson consiste à contracter et à relâcher chaque groupe musculaire en commençant par les orteils pour remonter jusqu'à la nuque et au visage, ce qui fait cesser les signaux de tension physique envoyés au cerveau. Autre méthode de relaxation très utile, le « *training* autogène » mis au point dans les années 1930 par le médecin allemand J. H. Schultz (1884-1970) est basé sur une série d'exercices d'imagerie mentale qui visent à obtenir une « déconnexion générale de tout l'organisme ». Bien maîtrisées, de telles techniques favorisent l'apparition d'ondes cérébrales de repos (comparables à celles obtenues dans l'hypnose, dans le cas du *training* autogène) et une véritable modification des paramètres physiologiques (Auriol, 1979). La méditation a des effets tout aussi puissants (voir p. 148).

▲ L'exercice physique, la relaxation et la méditation sont de puissants moyens de lutter contre le stress.

RETENEZ-LE   La gestion du stress

1. L'état de stress (aigu/post-traumatique) est un ensemble de symptômes déclenchés par l'exposition à un événement traumatisant et qui disparaissent dans le mois qui suit. On parle d'état de stress (aigu/post-traumatique) lorsque ces symptômes persistent pendant plus d'un mois.

2. Certaines situations sont stressantes parce qu'elles engendrent des conflits intérieurs. Dans un conflit _____ , le choix doit se faire entre deux choses indésirables. Lorsqu'une qu'une chose désirable entraînerait inévitablement une chose indésirable, il y a conflit _____ .

3. _____ , _____ et _____ sont des facteurs de protection contre le stress.

4. Pour les spécialistes du stress, le terme « endurance » désigne un trio de caractéristiques composé de l'_____ , du _____ et du goût du _____ .

5. À quel type de *coping* correspond chacune de ces définitions ?

    a) Réaction indirecte qui vise à réduire l'impact émotionnel d'un stresseur en modifiant consciemment ou inconsciemment la perception qu'on en a ou l'évaluation qu'on en fait.

    b) Fait de prendre des mesures à l'avance pour éviter des situations stressantes ou en atténuer l'impact.

    c) Réaction directe visant à réduire, à modifier ou à éliminer un stresseur.

6. Vrai ou faux ?

    a) L'exercice physique permet d'utiliser l'énergie produite par l'activation du système nerveux parasympathique pour préparer l'organisme à la fuite ou au combat.

    b) L'exercice physique élimine les glucocorticoïdes et autres hormones dans l'action, ce qui permet au système sympathique d'assurer la récupération.

    c) Comme l'activité physique, la relaxation vise à réduire l'activation du système nerveux sympathique.

Réponses : 1. aigu; post-traumatique. **2.** évitement-évitement; approche-évitement. **3.** l'optimisme; l'endurance; le soutien social. **4.** engagement; sentiment de contrôle; défi. **5** (a) *Coping* centré sur l'émotion (b) *Coping* proactif (c) *Coping* centré sur le problème. **6.** (a) Faux (b) Faux (c) Vrai.

APPLIQUEZ-LE

Réguler ses émotions et mieux gérer le stress

On l'a vu dans ce chapitre, le stress est vital. Pourtant, une bonne part du stress que nous vivons quotidiennement est objectivement inutile et néfaste, et résulte d'interprétations de la réalité apprises et quasi automatiques. Ainsi, le stress qui précède un exposé oral peut être soit très stimulant si on voit dans cette situation une occasion de se démarquer avec une présentation intéressante et drôle, soit très handicapant si on s'attend à oublier son texte, à bafouiller, à perdre la face et à faire rire de soi. Rares sont les gens à qui il n'arrive jamais d'être envahi par une peur irrationnelle (d'échouer, de décevoir, de ne pas être à la hauteur, de se ridiculiser, etc.) au point d'en avoir les mains moites et le cœur qui bat la chamade. Or, plus on perçoit la situation comme menaçante, plus le stress est grand. Examiner les pensées spontanées qui nous viennent dans les situations stressantes les plus courantes de notre vie peut nous aider à limiter le stress inutile généré par les émotions négatives qui y sont liées. Tel est l'objectif de l'exercice qui suit.

Connaître vos stresseurs

- Faites une liste des principales sources de stress de votre vie à l'heure actuelle. Dans un premier temps, tenez-vous en à 10, pour simplifier l'exercice.
- Classez ces sources de stress de la plus stressante à la moins stressante, et écrivez-les dans un tableau de cinq colonnes comme celui-ci (partagez une feuille 8 1/2 x 11 en 10, car vous aurez besoin de place pour écrire).

Source de stress	Problème grave	Tracas ou contrariété	Pensées liées à ce stresseur	Actions
1.				
2.				
etc.				

- Pour chaque stresseur, déterminez s'il s'agit d'un problème grave ou s'il relève plutôt du tracas ou de la contrariété, et cochez la colonne correspondante. La liste des tracas et contrariétés sera probablement plus longue que celle des problèmes graves.

Repérer et combattre vos pensées irréalistes

- Pour chacune de ces sources de stress, écrivez toutes les pensées qui vous viennent spontanément à l'esprit quand vous y pensez (« Je n'ai pas le choix », « Je n'y arriverai jamais », « Ma mère va me tuer si elle l'apprend », « Je vais mourir de honte », etc. Écrivez ces pensées avec la formulation précise qui vous vient, honnêtement et sans vous censurer. Chacune traduit votre interprétation de la réalité, vos préoccupations par rapport à cette situation. Les traduire en mots vous aidera à en prendre conscience, mais aussi à constater qu'une partie d'entre elles sont excessives, irrationnelles et inutilement dramatiques. Bien des situations sont importantes, mais rares sont les vraies questions de vie ou de mort. Une fois cette prise de conscience faite, remplacez vos pensées qui sont excessives par d'autres plus précises et plus réalistes, ou rayez-les de la liste. On se sent déjà mieux ! Dédramatiser et relativiser les choses réduit le stress et permet d'entrevoir des solutions.
- Pour chacune de vos préoccupations réalistes, imaginez plusieurs solutions possibles. Ne vous arrêtez pas aux plus évidentes ; faites preuve de créativité. Encore là, soyez honnête. Par exemple, chercher toutes sortes d'excuses pour éviter les exposés oraux ne fonc-

▸▸▸

APPLIQUEZ-LE *(suite)*

tionnera pas éternellement, et cela ne fait qu'alimenter l'anxiété que vous inspire ce genre de situations. Si vos pensées tournent autour de la peur d'être ridicule, vous pourriez plutôt envisager (1) de faire un exposé à deux ou à trois ; (2) de tester votre exposé devant une personne de confiance qui pourra vous donner son opinion et vous faire des suggestions ; (3) préparer quelques réparties humoristiques pour clouer le bec à un(e) petit(e) comique qui interviendrait, etc. Plus vous imaginerez de solutions, même farfelues, dans un premier temps, plus votre processus de résolution de problème débloquera. Vous serez surpris de constater qu'on a toujours plus de possibilités qu'on ne le pense d'abord, qu'il y a toujours moyen d'agir sur au moins un aspect du problème, quel qu'il soit.

- Choisissez la solution qui vous convient le mieux pour chacun des problèmes. Sur une autre feuille, classez les solutions retenues pour chaque source de stress de la plus facile à appliquer à la plus difficile.

Passez à l'action

- Passez à l'action. Appliquez tout de suite la solution qui peut l'être le plus facilement. En plus de régler une de vos préoccupations, cela vous aidera à réaliser que vous avez du pouvoir sur ce qui vous tracasse et vous donnera la confiance nécessaire… pour passer à la suivante.

- Lorsque vous arriverez aux problèmes les plus graves, ceux qui vous semblent insurmontables, appliquez l'analyse fin-moyens décrite au chapitre 7 (p. 257) : découpez la démarche à entreprendre en sous-objectifs et, autant que possible, commencez par les plus faciles. Rappelez-vous que le stress est une réaction qui vous procure un surcroît d'énergie pour préparer votre organisme à l'action. Pensez-y comme à une source d'énergie à canaliser, et essayez d'envisager chaque étape comme un défi à relever. Ce changement d'attitude pourra vous aider.

- Contrairement à ce qu'on pense tant qu'on ne l'a pas essayé, cet exercice se fait assez rapidement. Il vaut la peine de le faire par écrit la première fois pour faire le point. Il est bon de prendre conscience de toutes ces petites choses qui semblent anodines prises isolément, mais qui au total finissent par peser lourd. D'où l'impression qu'on a parfois d'être dans un grand état de stress sans pouvoir mettre le doigt sur un stresseur en particulier.

- Recourez au *coping* centré sur le problème pour régler ce qui peut l'être, au *coping* centré sur l'émotion pour mieux tolérer les situations que vous ne pouvez pas régler ou changer, et au *coping* proactif pour éviter les situations stressantes appréhendées ou pour réduire leur impact.

Ne l'oubliez pas

- Tout le monde a ses limites ; sachez remettre sereinement à demain ce qu'il vous est impossible de faire aujourd'hui. Cela dit, résistez à la tentation de remettre constamment à demain les choses qui vous stressent. La meilleure façon de lutter contre le stress est l'action. La procrastination fait durer le malaise plus longtemps par rapport à ce qui devra être fait de toute façon. Si la procrastination est votre péché mignon, relisez la rubrique « Appliquez-le » sur le sujet (voir le chapitre 5, p. 188).

- Le soutien social a un rôle protecteur. N'hésitez pas à faire appel à vos proches et à votre réseau social lorsque vous êtes aux prises avec une situation particulièrement stressante. En cas de besoin, envisagez le recours à une aide professionnelle. La plupart des collèges et des universités offrent des services de consultation psychologique où l'on peut être soutenu dans l'apprentissage de la gestion du stress. (Nous reparlerons de la psychothérapie au chapitre 10.)

- Dernier conseil, mais non le moindre : surveillez votre hygiène de vie !

RÉFLEXION CRITIQUE

1. Savez-vous à quel point le langage non verbal et l'expression émotionnelle sont parlants ? Pour vous en faire une idée, visionnez un extrait de film ou de série télévisée (que vous aurez préalablement enregistrée) en coupant le son pour ne conserver que l'image. Notez toute l'information que vous pouvez tirer du comportement non verbal des protagonistes. Écoutez maintenant l'extrait avec le son. Qu'observez-vous ? Votre perception était-elle juste ? Si vous avez fait des erreurs, à quoi les attribuez-vous ? Quelles conclusions pouvez-vous tirer pour la vie quotidienne ?

RÉSEAU DE CONCEPTS

ÉMOTION, STRESS ET ADAPTATION

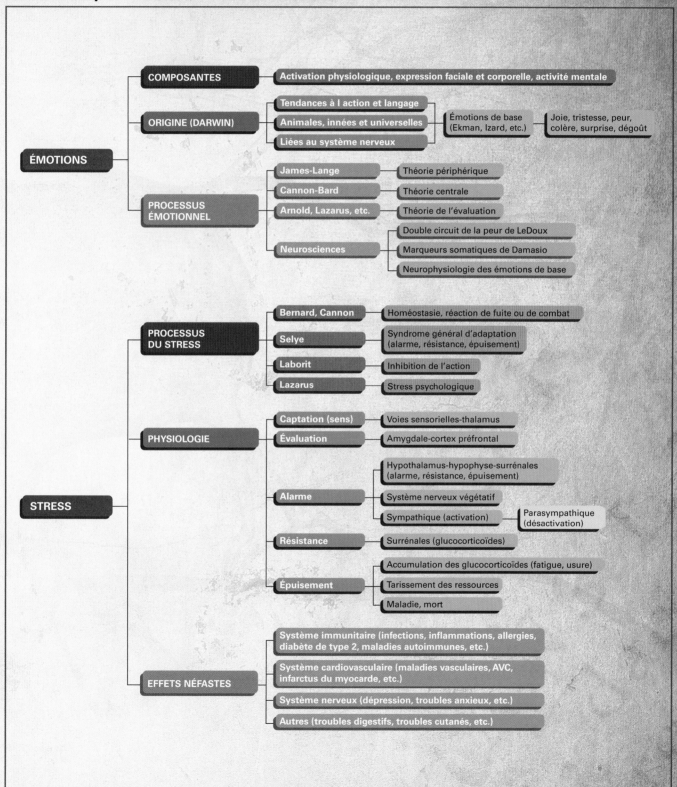

ÉMOTIONS

- **COMPOSANTES** — Activation physiologique, expression faciale et corporelle, activité mentale
- **ORIGINE (DARWIN)**
  - Tendances à l'action et langage
  - Animales, innées et universelles — Émotions de base (Ekman, Izard, etc.) — Joie, tristesse, peur, colère, surprise, dégoût
  - Liées au système nerveux
- **PROCESSUS ÉMOTIONNEL**
  - James-Lange — Théorie périphérique
  - Cannon-Bard — Théorie centrale
  - Arnold, Lazarus, etc. — Théorie de l'évaluation
  - Neurosciences
    - Double circuit de la peur de LeDoux
    - Marqueurs somatiques de Damasio
    - Neurophysiologie des émotions de base

STRESS

- **PROCESSUS DU STRESS**
  - Bernard, Cannon — Homéostasie, réaction de fuite ou de combat
  - Selye — Syndrome général d'adaptation (alarme, résistance, épuisement)
  - Laborit — Inhibition de l'action
  - Lazarus — Stress psychologique
- **PHYSIOLOGIE**
  - Captation (sens) — Voies sensorielles-thalamus
  - Évaluation — Amygdale-cortex préfrontal
  - Alarme
    - Hypothalamus-hypophyse-surrénales (alarme, résistance, épuisement)
    - Système nerveux végétatif
    - Sympathique (activation) — Parasympathique (désactivation)
  - Résistance — Surrénales (glucocorticoïdes)
  - Épuisement
    - Accumulation des glucocorticoïdes (fatigue, usure)
    - Tarissement des ressources
    - Maladie, mort
- **EFFETS NÉFASTES**
  - Système immunitaire (infections, inflammations, allergies, diabète de type 2, maladies autoimmunes, etc.)
  - Système cardiovasculaire (maladies vasculaires, AVC, infarctus du myocarde, etc.)
  - Système nerveux (dépression, troubles anxieux, etc.)
  - Autres (troubles digestifs, troubles cutanés, etc.)

LA PERSONNALITÉ

noire. Partant de cette théorie, Hippocrate distinguait quatre types de personnalité selon la prédominance supposée de l'une ou l'autre. L'excès de sang, croyait-il, produisait la personnalité sanguine, instable, nerveuse et joyeuse; l'excès de flegme expliquait la lenteur et la léthargie caractéristique de la personnalité flegmatique; l'excès de bile jaune, l'irritabilité de la personnalité colérique; et l'excès de bile noire, le naturel pessimiste de la personnalité mélancolique. Avec les progrès de la médecine et des connaissances anatomiques, la théorie des humeurs a été délaissée, puis abandonnée, mais la classification d'Hippocrate a inspiré des siècles de théoriciens. On en trouve encore des traces dans les théories des traits du XXᵉ siècle, que nous étudierons dans ce chapitre.

En psychologie moderne, on s'entend pour définir la **personnalité** comme l'ensemble des façons de penser, de ressentir et de se comporter qui distinguent un être humain d'un autre, et qui font son individualité, sa singularité. La plupart des psychologues reconnaissent à la personnalité une certaine stabilité dans le temps. Cependant, alors que certains croient qu'elle se stabilise tôt dans l'enfance et ne change guère par la suite, d'autres insistent au contraire sur son potentiel de changement.

Martin Seligman, l'un des psychologues cliniciens les plus influents aux États-Unis, endosse sans réserve l'idée que la personnalité peut changer. Il affirme même avoir réussi à changer la sienne à l'âge de 60 ans! Cette métamorphose, raconte-t-il, a été déclenchée par une conversation avec sa fille de cinq ans, Nikki, pendant qu'ils désherbaient le jardin ensemble. Au lieu de se concentrer sur la tâche comme lui, la fillette lançait les herbes en l'air, chantait et dansait. Habitué au travail ordonné et précis, Seligman, exaspéré, se tourna vers sa fille et la gronda vertement. Nikki s'éloigna en pleurant, pour revenir quelques minutes plus tard, les yeux secs:

— Papa, j'ai quelque chose à te dire.

— Oui, Nikki?

— Tu te souviens que je pleurnichais toujours quand j'avais quatre ans? À cinq ans, j'ai décidé d'arrêter. C'est une des choses les plus difficiles que j'ai faites, mais j'ai réussi. Alors si moi j'ai pu arrêter de pleurnicher, toi, tu pourrais sûrement arrêter de toujours rouspéter.

Touché par la perspicacité de l'enfant, Seligman prit la résolution de cesser de rouspéter et d'adopter une attitude plus coulante dans la vie. Lui qui était alors président de l'American Psychological Association (APA) venait de comprendre deux choses fondamentales, raconte-t-il. D'abord, si l'on n'entraîne pas son esprit à percevoir ce qu'elle a de gratifiant et de joyeux au lieu de se focaliser sur les difficultés et les contrariétés, on peut passer à côté de la vie. Deuxièmement, le rôle premier de la psychologie scientifique devrait être d'aider les gens à retrouver cet équilibre en tendant vers le positif. Convaincu qu'une approche de la psychologie et de la psychothérapie qui insisterait davantage sur les forces de l'humain que sur ses faiblesses permettrait de prévenir bon nombre de troubles mentaux, Seligman entreprit alors de lutter contre ce qu'il appelait «le pessimisme de la psychologie» (Seligman et Csikszentmihalyi, 2000). Depuis, les expériences de Seligman ont montré que des efforts intentionnels et systématiques pour changer notre attitude dans la vie peuvent nous aider à la voir plus positivement (Seligman et autres, 2005). Ces données appuient l'idée que la personnalité n'a rien d'immuable (voir la rubrique «Appliquez-le», p. 341.

uand nous pensons à nos proches ou aux gens de notre entourage, souvent, il nous vient à l'esprit quelques mots qui résument l'impression qu'on a d'eux: «C'est la fille la plus sympathique que je connais!», «Elle est tellement drôle! On ne s'ennuie jamais avec elle», «Je ne peux pas le sentir, cet hypocrite», «Un vrai génie, mais tout seul dans son monde!», «Ce snob prend tout le monde de haut», «Une séductrice née, celle-là», «Quel coincé!», etc. Bien que très subjectives, ces évocations résument souvent avec justesse le trait de caractère ou l'attitude sociale dominante chez ces gens. C'est ce qui nous saute aux yeux quand on rencontre une personne inconnue: semble-t-elle ouverte ou repliée sur elle-même, aimable ou rébarbative, chaleureuse ou froide, triste ou joyeuse, douce ou agressive, émotive ou cérébrale, timide ou fonceuse, etc. Ces caractéristiques que nous affichons sans y penser tellement elles font partie de nous, qui frappent les autres en premier et qui influent sur nos rapports sociaux souvent à notre insu constituent la partie la plus voyante de notre personnalité. Le terme *personnalité* est d'ailleurs dérivé du mot latin *persona,* qui, dans le théâtre grec et romain antique, désignait le masque que portait chaque acteur et qui dépeignait le trait de caractère dominant de son personnage; la notion de *personnalité* était donc associée au paraître, à ce qui émerge en surface (Hansenne, 2006). Dans ce chapitre, nous verrons toutefois que l'étude de la personnalité humaine dépasse largement l'étude des caractères ou des traits apparents, qu'elle consiste plutôt «à passer du masque à ce qu'il cache» (Cottraux et Blackburn, 2006), du paraître à l'être.

L'une des premières classifications connues des types de personnalité nous vient du médecin grec Hippocrate de Cos, qui a vécu au IVᵉ siècle av. J.-C. Considéré comme le père de la médecine parce qu'il rejetait les croyances qui attribuaient la maladie à des causes divines, Hippocrate défendait la théorie des humeurs. Selon cette théorie, la santé physique et mentale dépendait de l'équilibre des quatre «humeurs» ou liquides corporels qu'on croyait responsables du fonctionnement du corps humain: le sang, le flegme (la lymphe), la bile jaune et la bile

Dans ce chapitre, nous explorerons les principales théories des psychologues du XXᵉ siècle qui ont tenté de cerner la personnalité humaine en commençant par celle de Freud, qui a fait de son étude un des pivots de la psychologie. À mesure que vous avancerez dans ce chapitre, vous constaterez que les grandes théories de la personnalité diffèrent considérablement. Vous vous demanderez peut-être laquelle décrit le mieux l'insaisissable concept de la personnalité, mais vous en viendrez probablement à la conclusion que chacune apporte un éclairage différent et complète les autres. Dans la dernière section de ce chapitre, nous nous pencherons sur la fascinante question des troubles de la personnalité.

Personnalité
Ensemble des façons de penser, de sentir et de se comporter qui distinguent un individu d'un autre, et qui font son individualité, sa singularité.

9.1   LES THÉORIES PSYCHANALYTIQUES/ PSYCHODYNAMIQUES

On l'a dit au chapitre 1, le terme *psychanalyse* désigne non seulement la psychothérapie mise au point par Sigmund Freud, mais aussi l'importante théorie de la personnalité qu'il a proposée. L'idée maîtresse de la théorie freudienne, qui est restée au cœur de toutes les théories psychanalytiques/psychodynamiques de la personnalité, est que des forces inconscientes façonnent la pensée et le comportement de l'être humain.

Les concepts de base de la théorie freudienne

Quelles sont les caractéristiques des trois composantes de la personnalité – le ça, le moi et le surmoi – dans la théorie freudienne ?

Freud distingue trois niveaux de conscience : le *conscient*, le *préconscient* et l'*inconscient*. Le **conscient** renferme tout ce dont nous sommes conscients à tout moment : pensées, sentiments, perceptions ou souvenirs. Le **préconscient** ressemble un peu à ce que nous appelons aujourd'hui la mémoire à long terme : il contient tous les souvenirs, les sentiments, les expériences et les perceptions auxquels nous ne pensons pas consciemment à tout moment, mais que nous pouvons facilement ramener à la conscience. Pour Freud, l'**inconscient** est le plus important des trois niveaux de conscience ; il le voit comme la principale source de motivation du comportement humain. L'inconscient renferme toutes les pulsions (sexuelles, agressives) et tous les désirs qui ne sont jamais parvenus à la conscience, de même que toutes les pulsions et tous les désirs qui ont déjà été conscients, mais qui étaient si anxiogènes qu'ils ont été refoulés (involontairement retirés de la conscience). Freud estimait que les pulsions et les désirs inconscients étaient la source des troubles psychologiques.

Freud a proposé une théorie de la personnalité qui repose sur trois systèmes : le *ça*, le *moi* et le *surmoi*. Notons que ces « systèmes » n'ont pas d'existence réelle ; ce sont des concepts, des façons d'aborder la personnalité. La figure 9.1 (p. 314) illustre les relations du ça, du moi et du surmoi avec le conscient, le préconscient et l'inconscient.

Le ça est la seule composante de la personnalité en place dès la naissance. Héréditaire, primitif, inaccessible et complètement inconscient, il englobe (1) les instincts de vie, c'est-à-dire les pulsions sexuelles et les pulsions biologiques comme la faim et la soif ; et (2) l'instinct de mort, qui explique les pulsions agressives et destructrices (Freud, 1933/1965). Guidé par le principe de plaisir, le ça recherche le plaisir, évite la douleur et tente d'obtenir la satisfaction immédiate de ses désirs. Le ça est le siège de la **libido** – l'énergie psychique qui se dégage des pulsions sexuelles et nourrit toute la personnalité –, mais il ne peut que désirer, imaginer, fantasmer et exiger.

Le **moi** est la part logique, rationnelle et réaliste de la personnalité. Il se met en place au cours de la première année de vie, au fur et à mesure que le bébé réalise qu'il est un être distinct de sa mère. Cette compréhension de sa propre existence ne peut émerger que lorsque les exigences du ça ne sont pas systématiquement comblées. C'est donc dans la frustration que le bébé comprend qu'il y a quelqu'un, distinct de lui, qui est chargé

Conscient
Dans la théorie freudienne, siège des pensées, sentiments, perceptions ou souvenirs dont une personne est consciente à tout moment.

Préconscient
Dans la théorie freudienne, siège des souvenirs, sentiments, expériences et perceptions dont le sujet n'est pas conscient à tout moment, mais qu'il peut facilement ramener à la conscience.

Inconscient
Dans la théorie freudienne, siège des pulsions et des désirs qui ne sont jamais parvenus à la conscience ou qui ont été refoulés.

Ça
Dans la théorie freudienne, système de la personnalité entièrement inconscient qui englobe les instincts de vie et de mort, et fonctionne selon le principe de plaisir ; siège de la libido.

Libido
Dans la théorie freudienne, énergie psychique qui se dégage des pulsions sexuelles et nourrit toute la personnalité ; dans la théorie jungienne, toute énergie psychique.

Moi
Dans la théorie freudienne, système de la personnalité logique, rationnel et essentiellement conscient, qui fonctionne selon le principe de réalité.

▲ Sigmund Freud (1856-1939) et sa fille Anna Freud (1895-1982), qui devint elle-même une éminente psychanalyste. Clinicienne réputée et théoricienne de renom, elle écrivit plusieurs ouvrages, notamment sur le moi et ses mécanismes de défense, et eut une influence marquante sur la psychologie développementale.

Figure 9.1

LA PERSONNALITÉ SELON FREUD

Selon Freud, on peut se représenter la personnalité comme un gigantesque iceberg. Le ça, totalement inconscient, est complètement submergé et flotte sous la surface. Le moi est essentiellement conscient et visible, mais en partie inconscient. Le surmoi agit aussi aux niveaux conscient et inconscient.

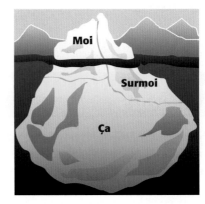

de satisfaire ses pulsions. Selon Freud, sans cette frustration, le petit enfant demeure en symbiose totale avec la mère, ce qui compromet l'élaboration de son identité propre ou de son moi. Une des fonctions du moi est de satisfaire les pulsions du ça. Cependant, le moi, qui est essentiellement conscient, fonctionne selon le principe de réalité. Il doit tenir compte des contraintes du monde réel pour déterminer le moment, le lieu et l'objet les plus appropriés pour la satisfaction des pulsions du ça. L'art du possible est son guide, et des compromis sont souvent nécessaires – se contenter d'un pique-nique dans un parc plutôt que de s'offrir un homard à la terrasse d'un bon restaurant, par exemple.

À l'âge de cinq ou six ans, le **surmoi**, qui est la composante morale de la personnalité, s'est déjà formé. Il inclut (1) la conscience morale, qui s'élabore à partir des comportements pour lesquels l'enfant a été puni, et dont il se sent coupable ; et (2) le moi idéal, qui s'élabore à partir des comportements pour lesquels l'enfant a été félicité et récompensé, et dont il est fier ou satisfait. Au début, le surmoi ne reflète que les attentes des parents, mais avec le temps il s'élargit pour inclure les enseignements du monde social. Guidé par le principe de perfection, le surmoi établit des principes moraux qui définissent et limitent la souplesse du moi. Plus sévère que toute autorité extérieure, y compris les parents, le surmoi juge non seulement le comportement, mais les pensées, les sentiments et les désirs.

Surmoi
Dans la théorie freudienne, système moral de la personnalité constitué par la conscience morale et l'idéal du moi, et qui fonctionne selon un principe de perfection.

Les mécanismes de défense Tout se passerait bien si le ça, le moi et le surmoi avaient des objectifs compatibles. Toutefois, les exigences de plaisir du ça entrent souvent en conflit direct avec le désir de perfection morale du surmoi. Parfois, le moi doit réduire l'anxiété qu'entraîne l'antagonisme des exigences immodérées du ça et des jugements implacables du surmoi. S'il ne peut pas résoudre le problème directement, il se protège en recourant à des **mécanismes de défense** inconscients, qui soulagent l'anxiété et maintiennent l'estime de soi. Le plus important de tous, à partir duquel se forment tous les autres, est le refoulement. On l'a vu au chapitre 6, ce mécanisme de défense consiste à empêcher des pulsions sexuelles ou agressives trop anxiogènes d'accéder à la conscience ou à en chasser les désirs, perceptions et pensées qui y sont liés. Le tableau 9.1 énumère et définit les mécanismes de défense décrits par Freud.

Mécanisme de défense
Dans la théorie freudienne, moyen inconscient utilisé pour soulager l'anxiété générée par les conflits du ça et du surmoi, et maintenir l'estime de soi.

Tout le monde utilise des mécanismes de défense de temps à autre, mais certains, comme la rationalisation et la sublimation, sont plus adaptés que d'autres à la vie en société et à un développement individuel sain. Freud disait même de la sublimation, qu'elle était le fondement de toute vie civilisée, puisqu'elle permettait à l'individu de canaliser ses pulsions sexuelles et agressives vers un objectif évolué et socialement acceptable, comme le sport ou la création (Pervin et John, 2005). Les autres mécanismes de défense, plus infantiles, sont moins adaptés. De plus, soutenait Freud, une surutilisation des mécanismes de défense peut nuire à la santé mentale – ce qui a été confirmé par la recherche (Watson, 2002). Convaincu que les pulsions et les désirs inconscients étaient la source des troubles psychologiques, Freud estimait que pour les guérir, il fallait ramener à la conscience les pulsions refoulées à l'origine des mécanismes de défense inadaptés. Comme on le verra au chapitre 10, sa méthode thérapeutique est basée sur cette hypothèse.

Tableau 9.1

LES MÉCANISMES DE DÉFENSE SELON FREUD

Mécanisme	Description	Exemple
Refoulement	Fait d'empêcher involontairement des pulsions sexuelles ou agressives trop anxiogènes d'accéder à la conscience ou de chasser involontairement de la conscience les désirs, les pensées ou les souvenirs qui y sont liés	Mathieu a oublié qu'il avait souhaité la mort de son père lorsqu'il était adolescent.
Projection	Fait d'attribuer à autrui ses propres pulsions, désirs ou pensées jugés inacceptables	Une femme qui souffre de ne pas avoir de relations sexuelles accuse les hommes de ne penser qu'à ça.
Déni	Fait de refuser consciemment une réalité qui représente un danger ou une menace	Un malade refuse d'admettre qu'il souffre d'un cancer incurable.
Rationalisation	Fait de justifier après coup une action ou un événement problématique par une raison logique, rationnelle ou socialement acceptable	Loïc se dit qu'il n'a pas obtenu le poste qu'il convoitait uniquement parce qu'il n'avait pas de contacts dans cette entreprise.
Régression	Fait de revenir à un comportement typique d'un stade de développement antérieur pour se protéger d'une frustration ou d'une anxiété intolérable	Nadia fond en larmes chaque fois qu'on la critique.
Formation réactionnelle	Fait d'exprimer des idées et des émotions exagérées qui sont à l'opposé de pulsions et désirs inconscients et troublants	Très attiré par la pornographie, David préconise sa censure complète.
Déplacement	Fait de remplacer l'objet original d'une pulsion (sexuelle ou agressive) par un objet ou une personne moins menaçante	Furieux contre son père qui vient de lui donner la fessée, Jérémie frappe son petit frère.
Sublimation	Fait de rediriger l'énergie sexuelle et agressive dans des quêtes ou des réalisations socialement acceptables ou admirables	Chaque fois qu'il se sent frustré ou agressif, Félix va s'entraîner au gymnase.

Les quatre stades du développement psychosexuel selon Freud

Quels sont les stades du développement psychosexuel selon Freud et quelle est leur importance dans le développement de la personnalité ?

Pour Freud, la libido est le principal facteur qui influe sur la personnalité. Présente dès la naissance, elle évolue au fil des quatre **stades du développement psychosexuel** : le stade oral, le stade anal, le stade phallique et le stade génital. Chacun de ces stades est centré sur une partie du corps qui procure des sensations agréables ; cette zone érogène devient la source d'un conflit psychique parce que des exigences sociales forcent l'individu à retarder le plaisir qu'il en retire ou à y renoncer (Freud, 1920/1994, 1905/1987). Toujours selon Freud, si ce conflit n'est pas résolu rapidement, l'individu peut faire une

Stades du développement psychosexuel
Dans la théorie freudienne, stades d'évolution de la libido, chacun centré sur une zone érogène associée à l'apparition d'un conflit (stade oral, stade anal, stade phallique et stade génital).

Fixation
Dans la théorie freudienne, interruption du développement de la libido, qui reste investie dans les objets, images ou types de gratification typiques d'un stade prégénital ; résulte d'une gratification excessive ou insuffisante à ce stade.

fixation : une partie de sa libido reste alors investie dans les objets, images ou types de gratification typiques de ce stade, ce qui lui laisse moins d'énergie pour surmonter les difficultés des stades suivants. Une gratification excessive à un stade donné peut rendre l'individu réticent à passer au stade suivant, tandis qu'une gratification insuffisante peut le laisser aux prises avec le désir de combler les besoins insatisfaits. Freud croyait que certains traits de personnalité résultaient de la difficulté à résoudre les conflits liés à l'un ou l'autre des stades du développement psychosexuel.

Le stade oral (de la naissance à deux ans) Au stade oral, la bouche est la principale source du plaisir sensuel, que Freud considérait comme l'expression d'une sexualité infantile (1920/1994). Le conflit de ce stade est centré sur le sevrage. Si la mère tarde à sevrer son bébé et maintient un état symbiotique avec celui-ci, ou si au contraire elle refuse de l'allaiter ou le sèvre trop brutalement, elle l'empêche de résoudre ce conflit. Autrement dit, une gratification excessive ou insuffisante à ce stade peut entraîner une fixation orale, qui se traduira par un intérêt excessif pour des activités comme manger, boire, fumer, mâcher de la gomme, se ronger les ongles et, même, embrasser. (Selon sa propre théorie, les 20 cigares quotidiens que fumait Freud étaient probablement symptomatiques d'une fixation orale.) Freud croyait que les difficultés rencontrées au stade oral pouvaient expliquer des traits de personnalité comme la dépendance, la crédulité et l'optimisme excessifs, ou, au contraire, un pessimisme excessif, une forte tendance à la passivité, au sarcasme, à l'hostilité et à l'agressivité. De plus, comme le moi se met en place durant le stade oral, une bonne résolution des difficultés liées au stade oral lui apparaissait cruciale pour la formation d'un moi fort et équilibré.

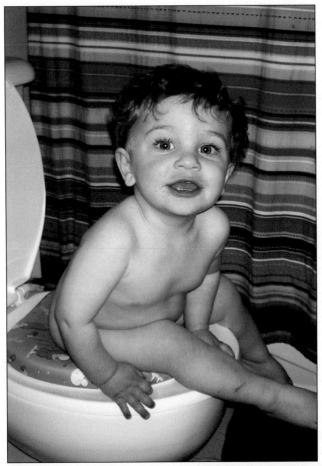

Le stade anal (de deux à trois ans) Au stade anal, l'expulsion et la rétention des matières fécales procurent un plaisir sensuel à l'enfant, disait Freud. Le conflit apparaît avec le début de l'apprentissage de la propreté, une des premières tentatives des parents pour amener l'enfant à renoncer à une gratification ou à la retarder. D'un mode où il est libre de céder à ses pulsions, mais entièrement pris en charge, l'enfant passe à un autre mode où il doit apprendre à maîtriser ses pulsions et à accepter l'autorité qui lui impose d'être propre ; en contrepartie, il deviendra plus autonome socialement. Si les parents ont une approche trop rigide de l'apprentissage de la propreté, soutenait Freud, l'enfant peut se rebeller. Il peut le faire ouvertement en déféquant où et quand bon lui semble, attitude qui peut mener à la formation d'une « personnalité anale expulsive » ; le sujet devient un adulte négligé, irresponsable, rebelle, hostile et destructeur. Dans d'autres cas, l'enfant défie ses parents et attire leur attention en

▲ Au stade anal, soutenait Freud, l'expulsion et la rétention des matières fécales procurent un plaisir sensuel à l'enfant. Le conflit de ce stade est lié à l'apprentissage de la propreté, l'enfant devant apprendre à accepter l'autorité qui lui impose d'être propre, ce qui, en contrepartie, le rendra plus autonome.

retenant fréquemment ses selles, ce qui peut mener à la formation d'une « personnalité anale rétentrice » ; le sujet, qui trouve sa sécurité dans la possession, devient avare, têtu, rigide et obsédé de propreté, d'ordre et de précision (Freud, 1933/1965).

Le stade phallique (de trois à six ans)   Au stade phallique, l'enfant découvre qu'il peut se procurer du plaisir en touchant ses organes génitaux ; la masturbation est courante. Durant ce stade, il prend conscience des différences anatomiques entre les hommes et les femmes, ce qui le rend à la fois voyeur et exhibitionniste. C'est également à cet âge qu'il teste son pouvoir de séduction auprès de ses parents. L'un des aspects les plus controversés de la théorie freudienne est l'explication que donne Freud du conflit central de ce stade, qu'il appelle le **complexe d'Œdipe**. Dans la tragédie grecque *Œdipe roi* de Sophocle, le héros, qui ignore l'identité de ses parents, monte sur le trône en assassinant son père, le roi, et en épousant sa mère. En simplifiant beaucoup, on peut résumer comme suit la notion freudienne de complexe d'Œdipe. Durant le stade phallique, les garçons concentrent leurs pulsions sexuelles sur leur mère et éprouvent des pulsions agressives envers leur père, qu'ils voient comme un rival. Le garçon résout habituellement ce conflit en s'identifiant à son père et en refoulant ses pulsions sexuelles pour sa mère. Cette résolution est facilitée par l'angoisse de castration. Réalisant que les filles n'ont pas de pénis, le petit garçon s'imagine qu'on le leur a coupé. Sachant que son père est plus fort que lui, il craint que ce dernier le castre (comme une fille) pour le punir de ses pulsions coupables. Il choisit donc de ressembler à son père pour acquérir son propre pouvoir de séduction. En s'identifiant à son père, l'enfant adopte ses comportements, ses manières et ses jugements moraux, et c'est ainsi que son surmoi se forge (Freud, 1929/1934). Dans la théorie freudienne, la présence d'une figure paternelle, un homme qui joue clairement son rôle d'amant auprès de la mère et affirme son autorité sur l'enfant, est essentielle pour que le garçon puisse résoudre son complexe d'Œdipe et acquérir un surmoi sain.

Freud proposait un processus développemental tout aussi controversé et encore plus complexe pour les filles au stade phallique. En quelques mots, quand elle découvre qu'elle n'a pas de pénis, la petite fille éprouve une envie du pénis et concentre ses pulsions sur son père, qui possède l'organe convoité (Freud, 1933/1965) ; elle devient alors jalouse de sa mère qu'elle voit comme une rivale. Mais ces pulsions sexuelles et agressives finissent par l'angoisser, de sorte qu'elle refoule alors ses pulsions sexuelles pour son père et choisit de s'identifier à la mère, ce qui contribue à la formation de son surmoi (Freud, 1929/1934). La résolution du complexe d'Œdipe est beaucoup plus difficile pour les petites filles, croyait Freud, car elles n'ont pas l'angoisse de castration pour les aider à refouler leurs fantasmes.

Selon Freud, chez le garçon comme chez la fille, la non-résolution du complexe d'Œdipe au stade phallique peut produire une grande culpabilité et une forte anxiété qui persistent jusqu'à l'âge adulte et entraînent des problèmes sexuels, une grande difficulté relationnelle avec le sexe opposé ou l'homosexualité.

La période de latence (de six ans à la puberté)   Comparativement au stade phallique, la *période de latence* est relativement calme. La libido est temporairement sublimée dans les activités scolaires, le jeu, les loisirs et le sport. Au cours de cette période, l'enfant préfère les camarades de jeu de même sexe. L'enfant au surmoi bien formé peut coopérer avec les autres de manière socialement acceptable. Par contre, l'enfant au surmoi trop faible se transforme en petit tyran, et l'enfant au surmoi trop fort est inhibé et a beaucoup de mal à s'affirmer dans un groupe.

Le stade génital (à partir de la puberté)   Au stade génital, chez la majorité des gens, la libido se tourne graduellement vers le sexe opposé. Toujours selon Freud, elle culminait dans l'amour hétérosexuel et la sexualité pleinement adulte. Seuls les rares individus qui parviennent au stade génital sans fixation à un stade antérieur atteignaient cet équilibre psychologique qu'il assimilait à la capacité d'aimer et de travailler. Le tableau 9.2 (p. 318) résume les stades du développement psychosexuel de Freud.

Complexe d'Œdipe
Conflit psychique qui a lieu au stade phallique ; l'enfant est sexuellement attiré par le parent du sexe opposé et éprouve de l'hostilité envers le parent du même sexe.

Tableau 9.2

LES STADES DU DÉVELOPPEMENT PSYCHOSEXUEL SELON FREUD

Stade		Zone érogène	Conflit/Expérience	Traits associés à une fixation à ce stade
Oral (de la naissance à deux ans)		Bouche	Sevrage Gratification provenant des activités buccales : téter, manger, mordre, etc.	Optimisme démesuré, crédulité, dépendance Pessimisme excessif, passivité, hostilité, propension au sarcasme, agressivité
Anal (de deux à trois ans)		Anus	Apprentissage de la propreté Gratification provenant de l'expulsion ou la rétention des matières fécales	Obsession de la propreté, de l'ordre et de la précision, avarice, rigidité Malpropreté, allure négligée, esprit de rébellion, destructivité
Phallique (de trois à six ans)		Organes génitaux	Complexe d'Œdipe Curiosité sexuelle, masturbation	Donjuanisme, vanité, tendance à la promiscuité sexuelle, troubles sexuels, difficultés relationnelles avec le sexe opposé
Latence (de six ans à la puberté)		Aucun	Période de calme sexuel Intérêt tourné vers l'école, les passe-temps et les amis du même sexe	
Génital (à partir de la puberté)		Organes génitaux	Retour de l'intérêt sexuel Établissement de relations sexuelles matures	

Évaluation de la théorie freudienne

Comment la psychologie moderne considère-t-elle les idées de Freud ?

Comme on pouvait s'y attendre, les psychologues et autres observateurs de la condition humaine ne s'entendent pas sur l'utilité ou la nocivité des concepts psychanalytiques de Freud. À une extrémité du spectre, les détracteurs de Freud, comme le psychiatre E. Fuller Torrey, estiment que l'infusion des idées de Freud dans la culture occidentale a conduit cette dernière à accorder une importance démesurée au plaisir sexuel (Torrey, 1992). Selon Torrey, les conseils éducatifs basés sur la théorie psychanalytique comme ceux du célèbre pédiatre américain Benjamin Spock (1903-1998) ont inquiété inutilement des millions de parents quant aux effets nocifs de leurs méthodes éducatives sur la santé psychologique de leurs enfants. Torrey accuse également l'approche freudienne d'avoir permis à des criminels comme les meurtriers en série de faire porter à leurs parents le blâme de leurs actes. (Notons que Torrey est tout aussi critique envers les béhavioristes). À l'autre extrémité du spectre, les partisans de

Freud soutiennent que la popularisation de sa théorie a conscientisé les gens sur l'importance de la sexualité dans leur vie et sur la portée des expériences de la petite enfance. Plusieurs soulignent avec raison que, tant dans les médias populaires que dans les milieux de l'enseignement et de la recherche, on a souvent déformé grossièrement les idées de Freud (Grant et Harari, 2005). Selon eux, la théorie freudienne a joué un rôle déterminant dans l'évolution de toutes les disciplines qui touchent au comportement humain, notamment la psychologie, la sociologie, l'anthropologie, la psychiatrie, la neurologie et le travail social.

Qu'en est-il du statut scientifique de la théorie freudienne ? Certains aspects de la théorie freudienne, comme l'importance des expériences de la petite enfance et de la dynamique familiale, contribuent encore aujourd'hui à expliquer plusieurs troubles psychologiques (par exemple, Pieringer et autres, 2005). De plus, les thérapies psychanalytiques/psychodynamiques actuelles (dont nous parlerons au chapitre 10) sont directement inspirées des techniques de Freud (Houzel, 2004 ; Bartlett, 2002). Cependant, la foi aveugle avec laquelle de trop nombreux thérapeutes ont endossé la théorie freudienne dans les premières décennies du XXe siècle allait à l'encontre de la conception que Freud lui-même s'en faisait : une théorie scientifique qui devait être prouvée comme n'importe quelle autre. Or, on l'a vu aux chapitres 4 et 6, pour ce qui est de notre compréhension de la conscience, de la signification des rêves et de l'oubli motivé, l'approche des neurosciences a supplanté les théories freudiennes. Cela tient en bonne partie à l'incapacité des psychanalystes de tester adéquatement – par des moyens autres que des analyses *a posteriori* d'études de cas cliniques – les hypothèses causales de la théorie psychanalytique (Grünbaum, 2006). En fait, une bonne partie de la théorie freudienne semble pratiquement impossible à tester scientifiquement. Comment pourrait-on vérifier que les petits garçons sont amoureux de leur mère et veulent se débarrasser de leur père, qu'une des composantes de la personnalité est entièrement motivée par la recherche du plaisir, ou que l'inconscient existe et qu'il contient des pulsions sexuelles et agressives refoulées ? Pour ces raisons, on trouve très peu de psychologues purement freudiens de nos jours.

Les théories néofreudiennes : Jung, Adler et Horney

Quel a été l'apport des théories néofreudiennes de Jung, d'Alder et de Horney à l'étude de la personnalité ?

Est-il possible d'élaborer une théorie de la personnalité qui s'appuie sur les forces de la théorie freudienne tout en évitant ses écueils ? Plusieurs théoriciens de la personnalité s'y sont essayés. Souvent qualifiés de « néofreudiens », la plupart étaient des disciples de Freud en début de carrière, mais en sont venus à exprimer leurs désaccords avec des principes fondamentaux de sa théorie. C'est notamment le cas de Carl Jung, d'Alfred Adler et de Karen Horney.

Carl Jung : la psychologie analytique Le psychiatre suisse Carl Gustav Jung (1875-1961), l'un des néofreudiens les plus importants, ne croyait pas comme Freud que l'instinct sexuel (libido) soit le principal facteur de développement de la personnalité. Jung définissait la libido comme une énergie psychique vitale englobant l'ensemble des instincts, de la faim jusqu'au besoin de culture. Jung ne croyait pas non plus que la personnalité se formait presque complètement dans la petite enfance comme l'affirmait Freud ; pour lui, le milieu de la vie était une période encore plus importante du développement de la personnalité (Jung, 1933). Autre divergence avec Freud, pour Jung, la personnalité a trois composantes : le moi, l'inconscient personnel et l'inconscient collectif. Le moi est la composante consciente de la personnalité, celle qui vaque aux occupations quotidiennes ordinaires ; comme Freud, Jung la considère secondaire par rapport à l'inconscient. Cependant, Jung distingue deux formes d'inconscient : *l'inconscient personnel* et *l'inconscient collectif*. L'**inconscient personnel** se développe en fonction de l'expérience de chaque individu. Il contient aussi bien des expériences, des pensées et des perceptions enfouies, mais accessibles à la conscience (l'équivalent du préconscient freudien), que les pulsions et les désirs réprimés. Quant à l'**inconscient collectif**, la couche la plus inaccessible de

Inconscient personnel
Dans la théorie de Jung, couche de l'inconscient qui contient autant les expériences, pensées et perceptions enfouies mais accessibles à la conscience que les pulsions et les désirs réprimés ou refoulés.

Inconscient collectif
Dans la théorie de Jung, couche de l'inconscient la plus inaccessible qui contient les expériences communes accumulées par l'humanité au fil de son évolution, et des tendances innées à réagir de telle ou telle manière à des situations humaines universelles.

l'inconscient, il renferme les expériences communes accumulées par l'humanité au fil de son évolution. Pour Jung, c'est ce qui explique la similarité de certains mythes, rêves, symboles et croyances religieuses dans des cultures éloignées par la distance et le temps. Dénominateur commun de l'humanité, l'inconscient collectif contient aussi les tendances innées des humains à réagir de telle ou telle manière à des situations universelles. Bien qu'inconscientes, ces tendances sont représentées par des **archétypes** : dieux, démons, esprits du mal, héros, etc. Ces figures symboliques primitives reflètent le contenu de l'inconscient collectif et s'expriment dans les mythes, les religions, l'art, les légendes et le folklore, ainsi que dans l'imaginaire, les rêves et les symptômes psychiques.

Archétype
Dans la théorie de Jung, figures symboliques primitives qui reflètent le contenu de l'inconscient collectif et s'expriment dans les mythes, les religions, l'art, les légendes et le folklore, ainsi que dans l'imaginaire, les rêves et les symptômes psychiques.

Jung croyait aussi que tout être humain possédait dans son inconscient les attributs des deux sexes, ceux du sexe opposé étant généralement sous-développés. Il appelait *anima* la femme que tout homme porte en lui et *animus* l'homme que chaque femme porte en elle (Jung, 1961). Pour que sa personnalité se développe sainement, l'individu doit prendre conscience qu'il a des éléments féminins et masculins, puis les intégrer, pensait Jung. Le *soi* jungien représente la personnalité pleinement développée, lorsque les forces intérieures opposées sont intégrées et équilibrées. Le soi jungien englobe le conscient et l'inconscient de l'individu, sa *persona* (son « masque social »), son ombre (la part de lui-même qu'il ne veut pas voir), ses parts féminine et masculine, ainsi que les tendances à l'extraversion ou à l'introversion – deux termes inventés par Jung. L'**extraversion** est la tendance à l'ouverture, à l'adaptation et à la sociabilité ; l'**introversion**, la tendance à se centrer sur l'intérieur, à être pensif, retiré et non social. L'intégration et l'équilibration des forces intérieures opposées commencent au milieu de la vie, affirmait Jung. Chez certains, ce changement s'accompagne d'une crise, que Jung lui-même a connue.

▲ Carl Gustav Jung (1875-1961), le père de la psychologie analytique.

Extraversion
Pour Jung, tendance à se tourner vers le monde extérieur, à s'adapter et à être sociable.

Introversion
Pour Jung, tendance à se tourner vers le monde intérieur, à être pensif et en retrait.

Jung est le père de la psychologie analytique, qu'il a appelée ainsi pour la distinguer de la psychanalyse. Il a laissé une empreinte profonde sur la psychologie du développement, et a influencé et influence encore de nombreux analystes, notamment le Québécois Guy Corneau, auteur de plusieurs ouvrages, dont le best-seller *Père manquant, fils manqué* (1989, 2003), traduit en 10 langues.

Alfred Adler   Né à Vienne et immigré aux États-Unis en 1935, le psychiatre et psychanalyste Alfred Adler (1870-1937) s'est d'abord associé à Freud, puis a proposé sa propre théorie néofreudienne, qui met l'accent sur l'unité de la personnalité plutôt que sur les conflits du ça, du moi et du surmoi. Pour Adler (1956, 1927), la plupart de nos comportements sont motivés, non pas par l'instinct sexuel, mais par le désir de surmonter les sentiments d'infériorité acquis dans l'enfance. Il affirmait que la plupart des gens adoptaient à un âge très tendre leur « style de vie » – leur façon personnelle et unique de mener « le combat pour la supériorité » en tant qu'enfant, puis en tant qu'adulte. Adler a utilisé ce terme pour mettre en lumière la force motivationnelle d'un concept de soi qui inclut l'idée qu'un autre, d'autres ou tous les autres sont meilleurs que soi. Sans le sentiment d'infériorité, il ne désirerait pas aller au-delà de sa situation présente. Adler accorde beaucoup d'importance à l'inconscient, qui nous amène à nier tout ce qui risque de perturber notre « style de vie ». On lui doit le concept de complexe d'infériorité. Le complexe d'infériorité est un nœud de sentiments d'infériorité souvent inconscient, qui peut conduire à des réalisations grandioses, à des comportements asociaux ou aux deux.

Karen Horney   Le travail de la psychanalyste allemande Karen Horney (1885-1952), immigrée aux États-Unis en 1932, est surtout centré sur les thèmes de la personnalité névrotique (Horney, 1950, 1945, 1937) et de la psychologie féminine (Horney, 1967). Bien que convaincue de l'importance des expériences vécues dans la petite enfance, Horney

(1939) soutenait aussi que la personnalité pouvait continuer à se développer et à changer durant toute la vie. Selon Horney, Freud exagérait le rôle de l'instinct sexuel dans le développement de la personnalité, comme il sous-estimait celui de l'environnement et de la culture. Elle n'endossait pas la division de la personnalité (ça, moi et surmoi) de Freud, et rejetait carrément ses stades du développement psychosexuel, et plus particulièrement les concepts de complexe d'Œdipe et d'envie du pénis. Horney s'opposait énergiquement à l'idée freudienne selon laquelle le désir féminin d'avoir un homme et d'enfanter n'était que la conversion du désir inassouvi d'avoir un pénis. Elle considérait que la notion même d'envie du pénis reflétait le sexisme de l'époque, et qu'il était plus juste de parler d'envie du pouvoir, c'est-à-dire des privilèges et qualités que la société attribuait aux hommes. Une grande partie des problèmes psychologiques des femmes, disait Horney (1945), vient de la difficulté qu'elles ont d'être à la hauteur d'une image féminine idéalisée d'elles-mêmes. Pour être en santé psychologiquement, disait-elle, les femmes – et les hommes aussi, d'ailleurs – doivent modifier leurs idées irrationnelles sur la perfection. On peut voir une influence de Horney dans les thérapies cognitivo-comportementales modernes que nous explorerons au chapitre 10.

RETENEZ-LE
Les théories psychanalytiques/psychodynamiques

1. Selon Freud, les trois composantes de la sexualité sont le ça, guidé par le principe de _____ ; le moi, guidé par le principe de _____ ; et le surmoi, guidé par le principe de _____ .

2. Selon Freud, le ça est le siège (du conscient/de la libido/de la personnalité).

3. Associez les stades du développement psychosexuel selon Freud (oral, anal, phallique, de latence, génital) au conflit qui le caractérise.

   a) Complexe d'Œdipe

   b) Atteinte d'une sexualité adulte

   c) Sevrage

   d) Apprentissage de la propreté

4. Selon Freud, entre l'âge de six ans et la puberté, l'enfant traverse une période de calme sexuel appelée période de

(refoulement/déni/latence) durant laquelle son intérêt se tourne vers l'école et les amis du même sexe.

5. (Jung/Adler/Horney) rejetait les concepts freudiens de complexe d'Œdipe et d'envie du pénis.

6. Selon Jung, l'inconscient _____ est la couche de la personnalité où sont emmagasinées les expériences universelles de l'espèce humaine.

7. (Jung/Adler/Horney) affirmait que la motivation fondamentale de l'être humain était de surmonter les sentiments d'infériorité acquis durant l'enfance, et qu'un complexe d'infériorité pouvait entraver le développement normal de la personnalité.

Réponses : 1. plaisir ; réalité ; perfection. **2.** de la libido. **3.** (a) phallique (b) génital (c) oral (d) anal. **4.** latence. **5.** Horney. **6.** collectif. **7.** Adler.

9.2 LES THÉORIES HUMANISTES

Les théories humanistes de la personnalité sont plus optimistes que les théories psychanalytiques/psychodynamiques puisqu'elles considèrent que l'être humain est naturellement enclin à la croissance et à la réalisation de son plein potentiel.

Deux théories humanistes : Maslow et Rogers

Comment les théoriciens humanistes Abraham Maslow et Carl Rogers conçoivent-ils la personnalité ?

On l'a vu en étudiant la motivation au chapitre 5, pour le psychologue humaniste Abraham Maslow (1908-1970), la personnalité se développe en fonction d'une série de besoins : viennent d'abord les besoins primaires – les besoins physiologiques et le besoin de sécurité –, puis les besoins supérieurs – les besoins d'affiliation et d'amour, le besoin d'estime et, au sommet de la hiérarchie, le besoin d'accomplissement de soi (voir la figure 5.6, p. 183). Selon Maslow, l'individu équilibré cherche continuellement à devenir ce qu'il peut être, à s'accomplir en réalisant son plein potentiel. Les personnes accomplies sont celles qui ont la perception la plus juste de la réalité – capables de jugements honnêtes, elles repèrent rapidement la fausseté et la malhonnêteté. La plupart se sentent investies d'une mission ou éprouvent le besoin de consacrer leur vie au bien commun. Elles ont tendance à ne pas dépendre d'autrui ou d'une autorité externe; autonomes, elles semblent plutôt motivées de l'intérieur. On les reconnaît à cette capacité qu'elles ont de vivre fréquemment ce que Maslow appelle des «expériences paroxystiques», c'est-à-dire des expériences intérieures intenses et profondément significatives qui les mettent en harmonie avec elles-mêmes et le reste du monde.

Le psychologue Carl Rogers (1902-1987) partageait les vues de Maslow sur la quête d'accomplissement de soi de l'être humain équilibré. Sa contribution la plus fondamentale aux théories de la personnalité est la notion de **concept de soi**, c'est-à-dire la perception subjective qu'une personne a d'elle-même (Hansenne, 2006; Pervin et John, 2005), l'ensemble organisé des caractéristiques qu'elle croit être les siennes. Pense-t-elle pouvoir accomplir quelque chose dans la vie? Se croit-elle capable d'établir des liens significatifs avec les autres et de se faire apprécier d'eux? Se reconnaît-elle des qualités et des talents? Plus elle connaît et accepte ses forces et ses limites – plus son concept de soi est réaliste –, plus la personne est en **congruence**, c'est-à-dire en harmonie avec elle-même et avec les autres. Inversement, plus elle souhaite être autrement que ce qu'elle aspire à être (**soi idéal**), plus elle est frustrée et malheureuse. Ce pourrait être le cas, par exemple, de quelqu'un qui se perçoit comme un très mauvais chanteur (concept de soi) et qui rêve d'être une grande vedette de la chanson (soi idéal). Cet état de conflit intérieur que Rogers appelle l'**incongruence** se produit également lorsque le soi idéal ou l'expérience de vie est incompatible avec le concept de soi. Ce pourrait être le cas de quelqu'un qui se perçoit comme un grand acteur, mais ne décroche jamais le moindre petit rôle (Hergenhahn et Olson, 2007; Pervin et John, 2005). Plus l'écart entre le concept de soi et le soi idéal ou l'expérience vécue est grand, moins on peut espérer réaliser son plein potentiel.

Selon Rogers, la tendance à l'incongruence se développe très tôt dans la vie. Dès la naissance, affirme-t-il, l'être humain a besoin de l'amour, de l'affection et du respect de ses parents, et ce, sans jugement ni conditions. L'enfant qui obtient cette **considération inconditionnelle** se sent accepté tel qu'il est et sera plus enclin à la congruence une fois adulte. Par contre, l'enfant qui n'obtient qu'une **considération conditionnelle** – c'est-à-dire qui doit se plier aux conditions de ses parents pour obtenir leur considération et leur approbation – est forcé de vivre et d'agir selon les valeurs d'autrui plutôt que selon les siennes. Il apprend ainsi à renier son soi réel en inhibant son comportement et en ignorant ou en déformant certaines de ses perceptions, se fermant ainsi à une partie de son expérience. En plus d'entraîner du stress et de l'anxiété, ces conflits constants entre le soi réel et l'expérience de vie menacent toute la structure du soi.

Rogers était convaincu qu'un des buts premiers de la psychothérapie était d'amener le client (terme qu'il préférait à celui de *patient*) à s'ouvrir à ses expériences et à vivre selon ses propres valeurs. Pour ce faire, Rogers a conçu la *thérapie centrée sur le client* (chapitre 10), dans laquelle le psychothérapeute doit témoigner une considération inconditionnelle au client, quoi que ce dernier dise ou fasse, et quoi qu'il ait fait ou envisage de faire. En lui montrant qu'il l'accepte tel qu'il est sans jugement ni conditions, le thérapeute permet au client de se sentir moins menacé et de reprendre contact avec son soi réel, affirmait Rogers. Si elle réussit, la thérapie aide le client à devenir une «personne pleinement fonctionnelle», qui vit de manière entière et spontanée, selon son propre système de valeurs.

Concept de soi
Perception subjective que l'individu a de lui-même, ensemble organisé des caractéristiques qu'il croit être les siennes.

Soi idéal
Image de soi à laquelle l'individu aspire, ce qu'il rêve d'être.

Congruence
Harmonie ou adéquation entre le concept de soi et le soi idéal ou l'expérience de vie.

Incongruence
Conflit ou écart entre le concept de soi et le soi idéal ou l'expérience de vie.

Considération inconditionnelle
Pour Rogers, considération accordée à une personne sans attentes ni conditions particulières.

Considération conditionnelle
Pour Rogers, considération accordée à une personne si cette dernière satisfait à certaines conditions.

Évaluation des théories humanistes

Comment la psychologie moderne envisage-t-elle les théories humanistes?

Comme les théories psychanalytiques, les théories humanistes de la personnalité ont perdu beaucoup de leur popularité auprès des psychologues contemporains en raison de leur manque de fondements scientifiques. On a leur aussi reproché une conception exagérément optimiste, voire naïve, de la nature humaine. Néanmoins, elles ont le mérite d'avoir incité les scientifiques à étudier des traits de personnalité positifs comme l'altruisme, la coopération, l'amour, la tolérance et, plus particulièrement, l'*estime de soi.*

Du concept de soi à l'estime de soi   Vous avez sûrement entendu parler de l'importance de l'estime de soi dans la santé mentale de l'être humain. Étroitement liée au concept de soi de Rogers, qui englobe toutes les perceptions que la personne a d'elle-même, l'**estime de soi** se rapporte plus spécifiquement au jugement qu'elle porte sur sa valeur ou son mérite individuel.

> **Estime de soi**
> Jugement que le sujet porte sur sa valeur ou ses mérites.

Comment se développe l'estime de soi ? Les différences individuelles résultent entre autres de comparaisons entre des caractéristiques réelles et des caractéristiques désirées. La personne qui n'a aucune oreille musicale et qui désire plus que tout devenir pianiste de concert risque d'avoir une piètre estime de soi... Cependant, la plupart des gens ne fondent pas l'opinion globale qu'ils ont de leur valeur sur un seul champ de compétence, mais sur ce qu'ils perçoivent comme leurs forces et leurs faiblesses. Si leurs forces résident dans des sphères qu'ils jugent importantes et qu'ils valorisent, ils ont une bonne estime de soi. Par contre, si prodigieux soient-ils, leurs qualités, talents ou exploits dans des sphères qu'ils ne valorisent pas ne changeront pas grand-chose à leur estime de soi.

Les psychologues du développement ont démontré que l'estime de soi est un trait relativement stable de l'enfance jusqu'à un âge adulte avancé (Robins et Trzesniewski, 2005). L'opinion que l'enfant se forme sur sa valeur et ses mérites peut donc le suivre toute la vie. Dès l'âge de sept ans, la plupart des enfants ont déjà acquis un sentiment global d'estime de soi. Au primaire et au secondaire, ils acquièrent des perceptions de plus en plus stables quant à leurs compétences dans divers domaines – sportif, artistique, scolaire, etc. (Harter, 1990). Ces perceptions se forment à partir de leurs propres expériences et des informations qu'ils obtiennent d'autrui. Pour acquérir une bonne estime de soi, les enfants ont donc besoin de connaître des succès dans des domaines qui leur importent, et d'être encouragés par leurs parents, leurs éducateurs et leurs pairs. (Notons qu'ils ont aussi besoin de limites claires et cohérentes pour pouvoir s'évaluer à leur juste valeur et devenir autonomes.)

▲ Pour acquérir une bonne estime de soi, les enfants ont donc besoin de connaître des succès dans des domaines qui leur importent, et d'être encouragés par leurs parents, leurs éducateurs et leurs pairs.

RETENEZ-LE   **Les théories humanistes**

1. Vrai ou faux ? Les théories humanistes de la personnalité considèrent que l'être humain est naturellement enclin à la croissance et à la réalisation de son plein potentiel.

2. Selon (Maslow/Rogers), les individus avaient besoin d'un regard positif inconditionnel pour s'épanouir.

3. Selon Rogers, (le soi idéal/le concept de soi/l'estime de soi) englobe toutes les perceptions que la personne a d'elle-même ; (le soi idéal/le concept de soi/l'estime de soi) se rapporte plus spécifiquement au jugement qu'elle porte sur sa valeur ou son mérite individuel ; (le soi idéal/ le concept de soi/l'estime de soi) est l'image de soi à laquelle elle aspire, ce qu'elle rêve d'être.

4. Selon Rogers, plus l'écart entre le _____ et le _____ ou l'expérience vécue est grand, plus l'individu est en état d'incongruence, et moins il peut réaliser son plein potentiel.

Réponses : 1. Vrai. **2.** Rogers. **3.** le concept de soi ; l'estime de soi ; le soi idéal. **4.** concept de soi ; soi idéal.

9.3 LES THÉORIES DES TRAITS

Si vous deviez décrire votre personnalité en cinq mots, il vous viendrait probablement à l'esprit des qualificatifs comme timide, curieux, intelligent, pratique ou sensible. Ces descripteurs de la personnalité correspondent à ce que les psychologues appellent des *traits*. En principe, les **traits de personnalité** sont des caractéristiques personnelles qui permettent à l'individu de réagir de manière relativement constante aux exigences situationnelles et aux circonstances imprévues de sa vie (De Raad et Kokkonen, 2000). Les théories des traits tentent d'expliquer la personnalité et les différences individuelles en fonction de ces caractéristiques personnelles considérées comme relativement stables en toutes circonstances.

Trait de personnalité
Caractéristique personnelle relativement stable en toutes circonstances qui permet de décrire ou d'expliquer la personnalité.

Les premières théories des traits

Quelles sont les idées proposées par les premières théories des traits ?

Les premières théories des traits visaient souvent à trouver une façon pratique de regrouper et de classifier les descripteurs de la personnalité, c'est-à-dire les qualificatifs utilisés pour décrire sa propre personnalité et celle d'autrui. Avec l'avènement de l'ordinateur, les théoriciens des traits ont pu recourir à des stratégies statistiques élaborées pour classer ces descripteurs. Vers la fin des années 1960, l'idée que des centaines de ces traits pouvaient être regroupés pour mieux décrire la personnalité et faciliter la recherche dans le domaine était bien établie. Les premières théories des traits ont marqué le début d'une approche encore très importante dans la recherche sur la personnalité.

Les traits cardinaux, centraux et secondaires d'Allport Pour le psychologue américain Gordon Allport (1897-1967), l'un des premiers théoriciens des traits, chaque individu hérite d'un ensemble unique de traits bruts, qui sont ensuite façonnés par ses expériences (Allport et Odbert, 1936). Ces traits sont les unités fondamentales de la personnalité, considère Allport, qui en distingue trois types : les *traits cardinaux,* les *traits centraux* et les *traits secondaires* (Hergenhahn et Olson, 2007 ; Hansenne, 2006 ; Pervin et John, 2005). Le trait cardinal est celui qui résume le mieux la personnalité d'une personne, qui détermine presque tous ses actes : c'est une disposition ou une motivation si marquée et envahissante qu'on la retrouve dans presque tous ses comportements. Les mythes et les légendes sur tel ou tel personnage reposent souvent sur le trait cardinal qu'on lui prête : Machiavel est devenu l'incarnation même de la ruse perfide ; Don Juan, de la séduction en série ; Séraphin Poudrier, de l'avarice invétérée ; Mère Teresa, du dévouement à autrui, etc. En pratique, cependant, peu de gens possèdent un véritable trait cardinal ; la plupart sont décrits avec plus de justesse par une courte liste de traits centraux, ceux que vous mentionneriez si on vous demandait de décrire en quelques mots une personne de votre entourage. Moins omniprésents que les traits cardinaux, les traits centraux sont des caractéristiques marquées et stables dans le temps, qui se manifestent dans presque tous nos comportements. Quant aux traits secondaires, ils font partie de la personnalité, mais se manifestent plus rarement, et seulement dans certaines circonstances. Ainsi, un professeur ennuyeux et taciturne peut devenir animé et captivant quand il parle d'un sujet qui le passionne. De même, une personne habituellement très agréable peut devenir insupportable dès qu'elle perd à un jeu de société. Allport appelle « disposition personnelle » l'ensemble des traits cardinaux, centraux et secondaires (Hergenhahn et Olson, 2007).

Les traits de surface et les traits d'origine de Cattell Comme Allport, le psychologue Raymond Cattell (1905-1998) considère les traits comme les unités de base de la personnalité. Cattell s'est illustré par son utilisation des méthodes statistiques et de l'analyse factorielle pour dégager un ensemble de traits qui suffirait à expliquer l'essentiel de la personnalité humaine. En gros, l'analyse factorielle permet de vérifier si, parmi un ensemble d'éléments ou d'énoncés, certains sont suffisamment corrélés pour constituer un seul et même facteur. Cette méthode permet de regrouper des données qui vont dans le même sens et de générer des concepts intégrateurs. Cattell parle des traits observables comme de *traits de surface*. Après avoir étudié des milliers de gens par les méthodes de l'observation et du questionnaire, le chercheur a repéré certains agglomérats de traits de surface qui se manifestaient ensemble de temps à autre. Ces agglomérats dénotaient selon lui des facteurs de personnalité plus profonds et plus généraux permettant de mieux prédire le comportement humain – les *traits d'origine* (ou traits de source). Liés au tempérament (émotivité, énergie, etc.), aux aptitudes (intelligence, etc.) ou aux motivations, les traits d'origine ont un important fondement biologique, mais s'affirment dans les interactions sociales. Selon Cattell, ils se retrouvent chez tous les humains, mais à divers degrés, ce qui explique les différences individuelles. Cattell a dénombré 23 traits d'origine chez les individus normaux, dont 16 qu'il a étudiés en détail. Communément appelé le *16PF* (pour *16 Personality Factors*), le questionnaire de personnalité de Cattell produit un profil de personnalité à partir de ces 16 facteurs de personnalité identifiés par des lettres (voir le tableau 9.3) ; pour chaque facteur, le sujet est évalué sur une échelle de 1 (score le plus faible) à 5 (score le plus élevé) (Cattell et autres, 1977 ; Cattell, 1950). Le test de Cattell est encore très utilisé pour la recherche (par exemple, Brody et autres, 2000) et les évaluations destinées à l'orientation professionnelle et à la sélection du personnel. À partir des 16 facteurs du 16PF, Cattell a dégagé quatre facteurs globaux qui exercent une influence plus générale sur le comportement. Les deux plus importants sont l'anxiété – révélée par des scores faibles pour les facteurs C et H, et des scores élevés pour les facteurs L, O, Q3 et Q4 –, et l'extraversion – révélée par des scores élevés pour les facteurs A, E, F, H et Q2 (Cottraux et Blackburn, 2006).

Tableau 9.3

LES 16 FACTEURS DE PERSONNALITÉ DE CATTELL

Facteur	Score faible	Score élevé
A – Chaleur	Réservé	Chaleureux
B – Raisonnement	Concret	Abstrait
C – Stabilité émotionnelle	Instable	Stable
E – Ascendance	Soumis	Dominant
F – Vivacité	Retenu	Enthousiasme
G – Sens moral, caractère consciencieux	Opportuniste	Consciencieux
H – Assurance en société	Timide	Audacieux
I – Sensibilité	Insensible	Sensible
L – Méfiance	Confiant	Méfiant
M – Créativité	Pratique	Imaginatif
N – Franchise	Direct	Sournois
O – Appréhension	Sûr de soi	Inquiet
Q1 – Ouverture au changement	Conservateur	Ouvert au changement
Q2 – Autonomie	Dépendant	Indépendant
Q3 – Perfectionnisme	Désordonné	Perfectionniste
Q4 – Tension	Décontracté	Tendu

Le modèle de la personnalité à trois facteurs d'Eysenck   Comme Cattell, le psychologue anglais Hans Eysenck (1916-1997) s'est basé sur l'analyse factorielle pour décrire les dimensions de base de la personnalité humaine. Cependant, selon le modèle d'Eysenck (1990), trois dimensions ou superfacteurs suffisent pour décrire la personnalité :

- la dimension extraversion/introversion (E), avec à une extrémité des personnes très sociables, animées et affirmées, et à l'autre, des personnes très timides;

- la dimension névrosisme (N), qui mesure le degré de stabilité émotionnelle, avec à une extrémité les personnes anxieuses, émotives, tendues et irrationnelles, et à l'autre, les personnes émotionnellement très stables;

- la dimension psychotisme (P), qui mesure la relation d'un individu avec la réalité, avec à une extrémité des personnes solitaires, distantes, dénuées d'empathie, coupées du monde et prédisposées à la psychose ou à la personnalité antisociale, et à l'autre, des personnes très rationnelles qui ont un sens aigu de la réalité.

Les trois superfacteurs de la personnalité d'Eysenck se rapprochent des facteurs de second ordre de Cattell. Mais Eysenck (1990) a surtout mis en relation les facteurs extraversion/introversion et névrosisme avec les quatre dimensions fondamentales de la personnalité selon Hippocrate. Pour lui, un fort degré de névrosisme donne une personnalité mélancolique s'il est associé à l'introversion, et à la personnalité colérique s'il est associé à l'extraversion. Un faible degré de névrosisme (stabilité émotionnelle) donne une personnalité flegmatique s'il est associé à l'introversion, et une personnalité sanguine s'il est associé à l'extraversion (Hansenne, 2006; Pervin et John, 2005). Eysenck a mis au point une série de tests de personnalité que les chercheurs et les cliniciens emploient encore aujourd'hui (Miles et Hempel, 2004). Comme il estimait que les trois dimensions de la personnalité étaient enracinées dans le fonctionnement neurologique, son modèle ENP a fourni une grille utile pour les études neurologiques sur la personnalité. Ainsi, les chercheurs ont constaté un lien entre l'activité de la dopamine dans le cerveau et l'extraversion (Wacker et autres, 2006). Quant au névrosisme, il serait associé à une réactivité plus forte des structures limbiques (Chi et autres, 2005). Eysenck a également mis les résultats de son test en relation avec certains troubles psychologiques (Cottraux et Blackburn, 2006). Par exemple, un score élevé sur les dimensions névrosisme et introversion serait caractéristique des troubles anxieux, de la dépression, et du trouble obsessionnel-compulsif (troubles que nous étudierons au chapitre 10). De même, un score élevé de névrosisme accompagné d'un score élevé d'extraversion serait caractéristique des personnalités antisociales et histrioniques décrites plus loin dans ce chapitre.

Le modèle de la personnalité à cinq facteurs: les *Big Five*

Selon le modèle des cinq facteurs, quelles sont les dimensions les plus importantes de la personnalité ?

Le modèle de la personnalité à cinq facteurs, souvent appelé le modèle des *Big Five*, est celui qui fait le plus large consensus. L'idée d'utiliser cinq superfacteurs plutôt que trois comme Eysenck pour expliquer la personnalité remonte au début des années 1960 (par exemple, Norman, 1963). Cependant, aujourd'hui, le modèle des cinq facteurs est surtout associé aux travaux de Paul Costa et Robert McCrae (1985), ainsi qu'à ceux de Lewis Goldberg (1993). Les modèles de ces auteurs diffèrent à certains égards, mais ils s'entendent pour dire que les cinq superfacteurs sont des tendances fondamentales et innées chez l'humain, et que l'environnement a peu d'influence sur elles. Ces cinq grandes tendances peuvent se résumer par le sigle OCEAN soit: O pour ouverture d'esprit, C pour caractère consciencieux, E pour extraversion, A pour amabilité et N pour névrosisme (instabilité émotionnelle).

Modèle de la personnalité à cinq facteurs
Théorie des traits qui tente de décrire et d'expliquer la personnalité en fonction de cinq grandes dimensions composées chacune d'une constellation de traits (ouverture d'esprit, caractère consciencieux, extraversion, amabilité et névrosisme).

L'ouverture   Êtes-vous toujours prêt à entendre de nouvelles idées et à essayer de nouvelles choses? Si oui, vous obtiendriez probablement un score élevé à un test qui mesure l'ouverture. Cette dimension permet de distinguer les individus imaginatifs, intellectuellement curieux et larges d'esprit à l'affût de la nouveauté de ceux qui ont des intérêts plus restreints et qui aiment la routine. L'ouverture peut être un facteur important dans l'adaptation aux nouvelles situations. Ainsi, une étude longitudinale de quatre ans a révélé que des étudiants universitaires qui avaient obtenu un score élevé pour cette dimension au début de leurs études supérieures se sont adaptés à la vie universitaire plus facilement que ceux qui avaient obtenu un score plus faible (Harms et autres, 2006). Ils semblaient davantage capables d'adapter leurs traits de personnalité aux exigences universitaires.

Le caractère consciencieux   Pliez-vous toujours très soigneusement vos vêtements fraîchement lavés avant de les ranger ? La personne qui obtient un score élevé pour la dimension caractère consciencieux est beaucoup plus attentive à ce genre de détails que les autres ; elle est souvent perçue comme fiable et réfléchie. Celle qui obtient un score faible peut être perçue comme une personne paresseuse ou peu fiable, mais se révèle aussi nettement plus spontanée et plus décontractée. Dans certaines circonstances, à la plage par exemple, sa compagnie sera probablement plus agréable que celle d'une personne constamment préoccupée par le sable sur la serviette ou la crème solaire à réappliquer aux 15 minutes. Les études indiquent que cette dimension inclut des traits comme l'ordre, la maîtrise de soi et le zèle (Roberts et autres, 2005). Comme on pouvait s'y attendre, elle est corrélée avec la santé. Des études longitudinales auprès d'élèves du primaire indiquent que les enfants peu consciencieux sont plus enclins à devenir fumeurs ou obèses à l'âge adulte que leurs pairs très consciencieux (Hampson et autres, 2006). De même, le caractère consciencieux semble avoir des liens à long terme avec l'adoption de mesures favorables à la santé, comme l'évitement de l'obésité, chez les adultes d'âge moyen (Brummett et autres, 2006).

Cette dimension permet aussi de prédire le rendement scolaire et professionnel. Les élèves du primaire les plus consciencieux ont tendance à être les plus performants à l'école secondaire (Shiner, 2000). De même, les étudiants de première année d'université les plus consciencieux tendent à obtenir les meilleurs résultats à la fin de leurs études et vice versa (Lievens et autres, 2003 ; Chamorro-Premuzic et Furnham, 2002). Enfin, on observe un lien entre les variations du caractère consciencieux et le rendement au travail chez les adultes, et ce, quel que soit le type d'emploi (Barrick et autres, 2001).

L'extraversion   Que préférez-vous faire de vos soirées libres : sortir avec des amis ou bien rester tranquillement chez vous à lire ou à regarder un film ? Les gens qui obtiennent un score élevé pour l'extraversion préfèrent avoir de la compagnie (les boute-en-train sont presque toujours des extravertis). À l'autre extrémité du continuum, l'intraverti se sent souvent plus à l'aise seul. Il semble plus facile pour un extraverti de se trouver un emploi que pour un introverti : les extravertis reçoivent plus d'offres d'emploi que les introvertis (Tay et autres, 2006). Par contre, les extravertis sont enclins aux comportements à risque comme des relations sexuelles non protégées (Miller et autres, 2004).

L'amabilité   Les gens vous disent-ils que vous avez bon caractère, que vous êtes facile à vivre ? Les gens qui obtiennent un score élevé pour la dimension amabilité ont souvent cette réputation. Le continuum de l'amabilité va de l'altruisme et de la compassion à l'hostilité ouverte envers autrui. La personne qui obtient un faible score pour cette dimension a plutôt la réputation d'être froide, inamicale, chicanière et parfois même vindicative. La dimension de l'amabilité permet de prédire la performance au travail (Witt et autres, 2002). Comme on peut s'y attendre, elle est associée à la capacité de travailler en équipe (Stewart et autres, 2005).

▲ Les gens extravertis et aimables font meilleure figure dans les entrevues d'emploi que ceux qui obtiennent un faible score pour ces deux dimensions du modèle des cinq facteurs.

Le névrosisme (instabilité émotionnelle)   Si vous voyez un verre de 250 mL qui contient 125 mL d'eau, direz-vous qu'il est à moitié plein ou à moitié vide ? Les gens qui ont un score élevé pour la dimension du névrosisme sont pessimistes et enclins à voir systématiquement le côté négatif des choses. Leur tendance à exagérer l'importance de tracas que la plupart des gens trouvent anodins les prédispose à l'instabilité émotionnelle ; se retrouver dans une file d'attente peut suffire à les mettre hors d'eux. De telles réactions peuvent être drôles à voir dans une comédie, mais dans la vraie vie, ces gens ont du mal à maintenir des relations sociales (Rogge et autres, 2006). Au travail, cela se traduit souvent par l'incapacité de coopérer avec leurs collègues (Stewart et autres, 2005). Les données montrent aussi qu'un névrosisme prononcé est un obstacle à l'apprentissage (Robinson et Tamir, 2005) : la tendance à se tracasser pour des riens distrait la personne de ce qu'elle essaie d'apprendre, ce qui nuit au transfert de l'information de la mémoire à court terme à la mémoire à long terme.

Que nous apprend la recherche sur la stabilité des cinq facteurs de la personnalité ?

La stabilité des cinq facteurs au cours de la vie

On l'a vu au chapitre 7, l'étude sur les jumeaux du Minnesota a révélé une corrélation étroite entre les QI des vrais jumeaux (Bouchard, 1997). Les mêmes données ont permis à Tellegen et ses collègues (1988) de constater que les vrais jumeaux ont également des traits de personnalité très semblables, et ce, qu'ils aient été élevés ensemble ou non. D'autres études sur les jumeaux indiquent que l'hérédité contribue considérablement aux différences individuelles en ce qui concerne les cinq facteurs de personnalité (Johnson et autres, 2004 ; Caspi, 2000 ; Bouchard, 1994 ; Loehlin, 1992). Cependant, comme dans toutes les études génétiques, les corrélations ne sont pas parfaites. De plus, elles varient considérablement d'un facteur de personnalité à l'autre. Il est donc probable que l'hérédité et l'environnement influent tous deux sur les cinq facteurs. Ainsi, le zèle de l'élève consciencieux est récompensé par de bons résultats scolaires, tandis que le manque de zèle de l'élève peu consciencieux est puni par de mauvaises notes. De telles expériences ont probablement pour effet d'augmenter le zèle des premiers et d'inciter les derniers à trouver des compensations.

Si l'hérédité influe fortement sur la personnalité comme l'indiquent les études sur les jumeaux, les cinq facteurs devraient rester relativement stables au fil des ans. De fait, on observe une corrélation entre certaines mesures de la personnalité dans l'enfance et des mesures effectuées à l'âge adulte, ce qui appuie l'hypothèse selon laquelle les cinq facteurs sont déterminés très tôt dans la vie (Caspi, 2000 ; McCrae et Costa, 1990). De plus, les données indiquent que les réponses des sujets aux mesures des cinq facteurs de personnalité restent très constantes durant la vie adulte (Roberts et DelVecchio, 2000). Toutefois, comme celles qui ressortent des études sur les jumeaux, ces corrélations sont loin d'être parfaites, ce qui indique qu'il existe des écarts significatifs par rapport à la tendance générale à la stabilité. Des analyses minutieuses révèlent en effet qu'il existe de subtils changements dans les cinq

▲ La recherche nous apprend que, chez la plupart des gens, les cinq facteurs de la personnalité restent relativement stables au cours de la vie. Les gens que leur personnalité extravertie pousse à braver les feux de la rampe depuis l'enfance, comme Gregory Charles, en sont des exemples convaincants.

facteurs au cours de la vie adulte, et que la nature de ces changements varie selon le facteur considéré (Terracciano et autres, 2005). Les études longitudinales qui suivent des sujets jusqu'à un âge avancé montrent que l'ouverture d'esprit, l'extraversion et le névrosisme diminuent avec l'âge, tandis que la tendance à se montrer aimable et consciencieux s'accentue jusqu'à l'âge de 70 ans environ, après quoi elle se met à diminuer.

Comment concilier les études qui indiquent que les cinq facteurs sont stables au cours de la vie et celles qui révèlent des changements au fil des ans ? Éventuellement, la poursuite des recherches et l'amélioration des méthodes de mesure des cinq facteurs permettront peut-être aux psychologues de trouver des réponses concluantes à cette question. D'ici là, l'explication la plus vraisemblable semble être que chez la plupart des gens les cinq facteurs tendent à la stabilité, mais sont sujets au changement jusqu'à un certain point.

L'influence de la culture sur les cinq facteurs

De quelle façon la personnalité diffère-t-elle d'une culture à l'autre ?

Les défenseurs du modèle des cinq facteurs soutiennent généralement que ceux-ci sont universels. Les données confirmant l'universalité des cinq facteurs proviennent d'études qui les ont mesurés au Canada, en Finlande, en Pologne, en Allemagne, en Russie, à Hong Kong, en Croatie, en Italie, en Corée du Sud, en Chine, au Mexique, en Écosse, en Inde et en Nouvelle-Zélande (Gow et autres, 2005 ; Guenole et Chernyshenko, 2005 ; Sahoo et autres, 2005 ; Rodriguez et Church, 2003 ; McCrae et autres, 2002 ; Zhang, 2002 ; Paunonen et autres, 1996). On sait aussi que les cinq facteurs contribuent aux différences individuelles d'adaptation chez les gens que leur métier amène à déménager dans des régions du monde où la culture est loin de la leur (Shaffer et autres, 2006).

Cela dit, la recherche indique aussi que le modèle des cinq facteurs ne rend peut-être pas compte de toutes les manières dont la culture influe sur la personnalité. Dans une étude classique, Hofstede (1983, 1980) a analysé des questionnaires mesurant les valeurs reliées au travail chez plus de 100 000 employés d'IBM dans 53 pays du monde. Il a ainsi dégagé quatre dimensions liées à la culture et à la personnalité, notamment la dimension individualisme-collectivisme. Les cultures individualistes comme la nôtre accordent plus d'importance aux réalisations personnelles qu'aux réalisations collectives ; les individus très performants y obtiennent honneurs et prestige. Les membres des cultures collectivistes tendent à être plus interdépendants, à se définir et à définir leurs intérêts personnels en fonction de leur appartenance au groupe. Les Asiatiques, par exemple, ont des cultures très collectivistes, ce qui est conforme à la religion prédominante, le confucianisme. Selon les valeurs confucéennes, l'individu trouve son identité dans l'interdépendance, en tant que membre d'un groupe plus large. Les Asiatiques voient dans cette interdépendance un ingrédient important du bonheur (Kitayama et Markus, 2000). Néanmoins, les cultures asiatiques ne sont pas les plus collectivistes. L'étude d'Hofstede sur les employés d'IBM révèle que, des 53 pays participants, les États-Unis sont le plus individualiste de tous, suivis par l'Australie, la Grande-Bretagne, le Canada et le Royaume-Uni. À l'autre extrémité du spectre, les plus collectivistes sont, dans l'ordre, le Guatemala, l'Équateur, Panama, le Venezuela et la Colombie – tous des pays latino-américains Hofstede (1983, 1980).

Notons que certains psychologues soutiennent qu'il ne faut pas accorder trop d'importance aux différences culturelles en matière de personnalité. Par exemple, selon certains chercheurs, le but de tout individu, quelle que soit sa culture, est d'améliorer son estime de soi (Sedikides et autres, 2003). Le désir de se conformer aux exigences d'une culture collectiviste aurait donc une motivation individualiste (une meilleure estime de soi), et l'orientation individualiste serait universelle, du moins dans une certaine mesure. De plus, si les membres de diverses cultures adhèrent diversement à la philosophie individualiste, l'autonomie – le sentiment de maîtriser sa propre vie – est un prédicteur de bien-être dans toutes les cultures (Ryan et autres, 2003).

RETENEZ-LE   **Les théories des traits**

1. Selon (Allport/Cattell/Eysenck), les différences individuelles s'expliquent par les traits d'origine.

2. Selon (Allport/Cattell/Eysenck), un trait cardinal est le trait qui résume le mieux la personnalité d'un individu, qui détermine presque tous ses actes.

3. Selon (Allport/Cattell/Eysenck), trois grandes dimensions suffisent pour décrire la personnalité : l'extraversion-introversion, le névrosisme et le psychotisme.

4. De nos jours, la théorie la plus populaire chez des théoriciens des traits est le modèle de la personnalité à (trois/cinq/six) facteurs, souvent appelé le _____.

5. Les membres des cultures _____ ont tendance à être plus interdépendants que les individus vivant dans des cultures _____.

Réponses : 1. Cattell. **2.** Allport. **3.** Eysenck. **4.** cinq ; *Big Five*. **5.** collectivistes ; individualistes.

9.4   LES THÉORIES SOCIALES-COGNITIVES

La recherche établira peut-être un jour avec certitude que les cinq facteurs du modèle des *Big Five* sont héréditaires, stables et universels. Cependant, à l'heure actuelle, ce modèle n'explique pas de manière satisfaisante certains aspects de ce qu'on appelle la personnalité. Ainsi, pourquoi même les plus extravertis d'entre nous sont-ils parfois silencieux et en retrait ? Comment les individus désorganisés, ceux qui obtiennent un faible score pour le caractère consciencieux, arrivent-ils à s'acquitter de tâches qui requièrent autant de minutie que la rédaction d'un rapport de recherche universitaire ? Les chercheurs qui étudient l'influence de l'apprentissage sur la personnalité fournissent des éléments de réponse à ces questions. Essentiellement, leurs hypothèses sont issues des théories sociales-cognitives selon lesquelles la personnalité est une accumulation de comportements appris que l'on acquiert dans les interactions avec autrui.

Mischel et le débat situation-traits

Sur quoi porte le débat situation-traits ?

Ces dernières décennies, le psychologue Walter Mischel a été l'un des plus éminents critiques des théories des traits. À la fin des années 1960, Mischel (1968) a déclenché le « débat situation-traits », toujours en cours, sur l'importance relative des facteurs inhérents à la situation et des facteurs inhérents à la personne dans l'explication du comportement (Rowe, 1987). Par exemple, vous n'organiseriez probablement pas un vol dans un magasin, mais résisteriez-vous à la tentation de ramasser le billet de 20 $ qu'un étranger richement vêtu a échappé dans la rue à son insu ? Mischel et d'autres ont affirmé que c'est la nature de ces deux situations qui dictera votre comportement, et non un trait comme l'honnêteté. Un vol dans un magasin peut exiger l'élaboration et l'exécution d'un plan compliqué et risque d'avoir de lourdes conséquences si vous êtes pris, de sorte que vous optez pour l'honnêteté. Ramasser dans la rue un billet de banque échappé par un inconnu est facile et, si on vous prend sur le fait, vous risquez tout au plus d'être embarrassé, alors vous le ramassez. Par la suite, Mischel (1977, 1973) a nuancé ses propos, et a admis que le comportement dépendait à la fois de facteurs personnels et de facteurs situationnels. Pour lui, le trait de personnalité représente une probabilité conditionnelle : il est probable qu'un comportement donné se produise advenant une situation donnée (Wright et Mischel, 1987).

Dans le débat situation-traits, ceux qui défendent la prépondérance des traits évoquent les études longitudinales indiquant que les cinq facteurs sont relativement stables au cours de la vie. Ceux qui défendent la prépondérance de la situation s'appuient sur d'autres études ; par exemple, alors que le névrosisme a généralement tendance à diminuer avec l'âge, chez les femmes qui ont perdu d'importantes sources de soutien social, le névrosisme tend plutôt à augmenter avec l'âge (Maiden et autres, 2003). De nombreux psychologues estiment que 30 ans de recherche donnent raison aux deux parties, et que le comportement est influencé à la fois par des facteurs inhérents à la personne (les traits de personnalité) et à la situation (Fleeson, 2004). Pour eux, une théorie des différences individuelles devrait inclure ces deux types de facteurs.

Le déterminisme réciproque de Bandura

Comment le déterminisme réciproque de Bandura explique-t-il la personnalité ?

Au chapitre 5, nous avons mentionné le théoricien Albert Bandura et les recherches sur l'apprentissage social-cognitif. Bandura a proposé une théorie détaillée de la personnalité qui tient compte à la fois des traits et des facteurs situationnels (1986, 1977a). Qui plus est, Bandura y prend aussi en considération des variables cognitives. Parce qu'il inclut de nombreuses variables et propose une explication systématique de leur interaction, le modèle de Bandura a généré énormément de recherche et a aidé des psychologues à mieux comprendre les constances et les variations de la personnalité.

Bandura estime que la personnalité est influencée par l'interaction entre des variables personnelles, des variables environnementales et des variables comportementales. Il qualifie cette interaction de **déterminisme réciproque** pour souligner que leurs influences mutuelles expliquent des variations de ces trois types de variables. Les variables personnelles incluent des traits de personnalité comme les cinq facteurs ; des variables liées au traitement de l'information comme les stratégies de mémorisation, les différences individuelles liées à l'intelligence, aux stades de développement cognitif et social ou aux attentes apprises sur la réaction de l'environnement à tel ou tel un comportement ; et, finalement, des facteurs physiologiques comme le fonctionnement neurologique. Quant aux variables environnementales, elles incluent les sources sociales d'information, les types de conséquences qu'entraînent nos comportements ainsi que les caractéristiques spécifiques de telle ou telle situation. Enfin, les variables comportementales sont nos comportements eux-mêmes.

Déterminisme réciproque
Selon Bandura, relation d'influence mutuelle entre le comportement, les facteurs cognitifs et personnels, et l'environnement.

Voyons comment le déterminisme réciproque pourrait expliquer qu'une étudiante qui obtient un faible score sur la dimension caractère consciencieux peut devenir suffisamment consciencieuse pour rédiger un bon rapport de recherche et le remettre à temps (voir la figure 9.2 pour un résumé, p. 332). D'abord, quand cette étudiante réfléchit à la façon dont elle s'y prendra pour rédiger son rapport de recherche, des variables internes autres que sa personnalité peu consciencieuse entrent en jeu, notamment les souvenirs liés à ses rapports de recherche précédents. Peut-être a-t-elle déjà perdu des points pour ne pas les avoir soignés ou pour les avoir remis en retard... Sachant par expérience ce que peuvent coûter de tels comportements, elle peut décider de faire des efforts pour soigner son travail et le remettre à temps. Deuxièmement, un certain nombre de facteurs environnementaux influeront sur ces efforts. Si ce rapport de recherche compte pour 50 % de la note, elle sera plus motivée à y mettre des efforts que s'il ne compte que pour 10 %. De même, si les consignes du professeur ne sont pas claires, elle risque d'avoir peur de mal comprendre ce qu'il attend d'elle. Troisièmement, le comportement de cette étudiante influera sur l'issue de l'expérience. L'anxiété générée par le manque de clarté des consignes du professeur peut l'inciter à constamment remettre le travail au lendemain, auquel cas il y a de fortes chances que son tempérament peu consciencieux se manifeste comme par le passé. Mais cette même anxiété peut aussi la pousser à demander des éclaircissements à son professeur, ce qui l'aidera à lutter contre son penchant naturel. Le cas échéant, son anxiété diminuera, et elle aura davantage confiance en sa capacité de surmonter un trait de personnalité qui lui nuit.

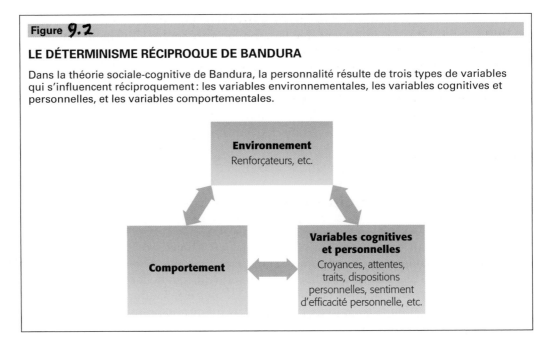

Figure 9.2

LE DÉTERMINISME RÉCIPROQUE DE BANDURA

Dans la théorie sociale-cognitive de Bandura, la personnalité résulte de trois types de variables qui s'influencent réciproquement : les variables environnementales, les variables cognitives et personnelles, et les variables comportementales.

Environnement
Renforçateurs, etc.

Comportement

Variables cognitives et personnelles
Croyances, attentes, traits, dispositions personnelles, sentiment d'efficacité personnelle, etc.

Comme le montre cet exemple, le déterminisme réciproque parvient à bien expliquer les influences mutuelles entre les variables personnelles, environnementales et comportementales : chaque ensemble de variables influe sur les deux autres. Selon Bandura, le comportement ne résulte pas uniquement de variables personnelles comme les cinq facteurs, pas plus que de variables environnementales comme les renforçateurs. Le comportement subit l'influence de variables qui relèvent de la personne et de l'environnement, et influe à son tour sur elles. Le comportement, l'environnement et les facteurs cognitifs et personnels sont donc pour Bandura les composantes indissociables du système dynamique de la personnalité, lequel s'adapte à toutes les exigences situationnelles que rencontre l'individu.

Quelle est l'influence du sentiment d'efficacité personnelle et du lieu de contrôle sur la personnalité ?

Le sentiment d'efficacité personnelle et le lieu de contrôle

Sentiment d'efficacité personnelle
Selon Bandura, perception que la personne a de sa capacité d'accomplir efficacement ce qu'elle entreprend.

Bandura soutient également que le **sentiment d'efficacité personnelle** – c'est-à-dire la perception que la personne a de sa capacité d'accomplir efficacement ce qu'elle entreprend – est une variable clé parmi les variables personnelles. Des chercheurs qui ont étudié le sentiment d'efficacité personnelle dans 25 pays ont constaté qu'il s'agit d'une différence individuelle importante dans tous les pays (Scholz et autres, 2002). Selon Bandura, les personnes qui ont un fort sentiment d'efficacité personnelle abordent les nouvelles situations avec assurance, se donnent des objectifs ambitieux et persévèrent pour les atteindre parce qu'elles s'en croient capables. Inversement, les personnes qui ont un faible sentiment d'efficacité personnelle s'attendent à échouer ; typiquement, elles évitent les défis et abandonnent les tâches qu'elles trouvent difficiles. Les recherches de Bandura montrent que les personnes dotées d'un fort sentiment d'efficacité personnelle sont moins enclines à la dépression que celles qui ont un faible sentiment d'efficacité personnelle (Bandura, 1997b).

Lieu de contrôle
Selon Rotter, facteur cognitif (attentes, croyances) qui détermine des différences de comportement selon que l'individu tend à attribuer la cause de ce qui lui arrive soit à lui-même et à ses actes (lieu de contrôle interne), soit au destin, au hasard, à la chance ou à autrui (lieu de contrôle externe).

Le psychologue Julian Rotter a proposé un facteur cognitif similaire au sentiment d'efficacité personnelle : le **lieu de contrôle**. Selon Rotter (1990, 1971, 1966), les gens qui ont tendance à penser que ce qui leur arrive dépend d'eux-mêmes ou de leurs actes ont un lieu de contrôle interne. Un lieu de contrôle interne peut accentuer un trait stable ou un facteur variable. Reprenons l'exemple de l'étudiante qui décide de soigner son rapport de recherche et de le remettre à temps. Si elle échoue et qu'elle attribue son échec au fait qu'elle n'a pas une personnalité consciencieuse (trait stable), elle risque de penser qu'elle n'y peut rien et de se décourager. Par contre, si elle attribue son échec au fait qu'elle n'a pas fait assez d'efforts (facteur variable), elle garde une possibilité de modifier la situation dans l'avenir. La recherche le confirme, pour augmenter les probabilités d'atteindre un objectif, mieux vaut attribuer un résultat à des facteurs variables perçus comme maîtrisables plutôt qu'à des variables internes perçues comme inchangeables comme un trait de personnalité (Roesch et Weiner, 2001).

Les gens qui ont un lieu de contrôle externe ont tendance à considérer que ce qui leur arrive dépend du hasard, du destin ou d'autrui et que, quoi qu'elles fassent, elles ne peuvent rien y changer. Selon Rotter, les gens qui ont un lieu de contrôle externe sont moins susceptibles de modifier leur comportement par renforcement, car ils ne font pas le lien entre leurs propres actes et le renforcement. Ainsi, les étudiants qui ont un lieu de contrôle externe ont tendance à tout remettre au lendemain (« de toute façon, ce qui doit arriver arrivera »), de sorte qu'ils réussissent moins bien que ceux qui ont un lieu de contrôle interne. De plus, un lieu de contrôle externe est associé à un degré de satisfaction moindre à l'égard de la vie (Kirkcaldy et autres, 2002).

▲ Les gens qui ont un fort sentiment d'efficacité personnelle poursuivent des objectifs ambitieux et persistent dans leurs efforts jusqu'à ce qu'ils atteignent leurs objectifs. Le chanteur Martin Deschamps en est un exemple concluant !

Faire le point sur votre lieu de contrôle

Pour chaque énoncé, dites si vous êtes d'accord ou pas d'accord.

1. L'hérédité détermine la plus grande partie de notre personnalité.

2. La réussite est beaucoup une question de chance.

3. On a beau faire des plans, il y a toujours quelque chose qui vient les contrarier.

4. Pour obtenir ce qu'on veut dans la vie, il faut être au bon endroit au bon moment.

5. L'intelligence est innée ; on ne peut pas l'améliorer.

6. Si je réussis à bien m'acquitter d'une tâche, c'est qu'elle était facile.

7. On ne peut pas changer sa destinée.

8. La réussite scolaire dépend principalement de notre situation socioéconomique.

9. Les gens sont seuls parce qu'on ne leur donne pas l'occasion de faire de nouvelles rencontres.

10. L'avenir est trop incertain pour qu'on puisse se fixer des objectifs sérieux.

Accordez-vous 1 point chaque fois que vous étiez d'accord avec l'énoncé et aucun point chaque fois que vous n'étiez pas d'accord, et faites le total. Plus vous avez de points, plus votre lieu de contrôle est externe.

Le petit test que vous venez de faire suggère que vous avez un lieu de contrôle externe ? Qu'à cela ne tienne, la recherche indique que le sentiment d'efficacité personnelle et le lieu de contrôle sont des aspects appris de la personnalité. Ainsi, des études menées auprès d'élèves du secondaire montrent que l'apprentissage de méthodes axées spécifiquement sur la tâche – des stratégies de résolution de problème, par exemple – augmente le sentiment d'efficacité personnelle à l'égard de cette tâche (Poynton et autres, 2006). L'apprentissage peut également influer sur le lieu de contrôle. Dans une étude chinoise, les chercheurs ont appris à des élèves du secondaire à attribuer leurs résultats scolaires à l'effort davantage qu'à la capacité ou à des variables externes (Guangyaun, 2005). Étonnamment, lorsqu'ils ont réévalué ces mêmes sujets 13 ans plus tard, les chercheurs ont constaté qu'ils bénéficiaient encore de cet apprentissage. Ils parvenaient mieux à se fixer des objectifs conformes à leurs capacités que les sujets du groupe témoin, et se montraient plus persévérants dans leurs efforts pour atteindre ces objectifs.

De telles données sur le caractère appris du sentiment d'efficacité personnelle et du lieu de contrôle sont très intéressantes, car la recherche indique que ces facteurs cognitifs influent de manière importante sur les résultats qu'obtiennent les gens, et ce, indépendamment des cinq facteurs de personnalité. Pour ne donner que ces exemples, comme les cinq facteurs de la personnalité, le sentiment d'efficacité personnelle est corrélé avec le nombre d'offres d'emploi reçus après une série d'entrevues (Tay et autres, 2006). Et comme les cinq facteurs, le lieu de contrôle influe sur le rendement scolaire (Hattrup et autres, 2005). Ainsi, que vous ayez ou non une personnalité consciencieuse, vous aurez plus de chances de réussir si vous avez un lieu de contrôle interne.

Ce qui précède signifie qu'une théorie de la personnalité qui inclut à la fois les cinq facteurs, le sentiment d'efficacité personnelle et le lieu de contrôle explique mieux les différences individuelles de la personnalité qu'une théorie axée sur un seul de ces aspects, quel qu'il soit. De plus, le déterminisme réciproque de Bandura nous apporte une explication fort utile de la façon dont ces variables et plusieurs autres interagissent pour produire le type de comportements et de processus mentaux typiquement considérés comme relevant de la personnalité. Il s'agit là d'un bel exemple de ce que nous disions en début de chapitre : la meilleure façon de comprendre la personnalité est de l'envisager en intégrant les points forts des grandes théories qui tentent de la décrire et de l'expliquer.

RETENEZ-LE — Les théories sociales-cognitives

1. Le théoricien social-cognitif _____ a lancé le débat situation-traits au début des années 1960 et reste encore aujourd'hui le psychologue dont le nom y est le plus étroitement associé.

2. Dans le déterminisme réciproque de Bandura, la personnalité est façonnée par trois ensembles de variables : les variables _____ , _____ et _____ .

3. La personne convaincue de pouvoir bien s'acquitter d'une tâche a un fort _____ .

4. Les gens qui croient que ce qui leur arrive dépend de la fatalité, du hasard, de la chance ou d'autrui ont un lieu de contrôle _____ .

Réponses : **1.** Walter Mischel. **2.** personnelles ; comportementales ; environnementales. **3.** sentiment d'efficacité personnelle. **4.** externe.

9.5 LES TROUBLES DE LA PERSONNALITÉ

▲ Heath Ledger dans le rôle du *Joker* (*The Dark Knight*, 2008).

Avez-vous vu le dernier film de Batman, *Le Chevalier noir* (*The Black Knight*, 2008) de Christopher Nolan ? Dans ce film, le personnage du *Joker* incarné par Heath Ledger est tout simplement cauchemardesque, car il est à la fois terriblement intelligent et d'une extrême violence. Il comprend parfaitement les failles psychologiques des humains qui l'entourent et s'en sert pour les manipuler à sa guise. Après les avoir torturés psychologiquement, il les tue ou les force à s'entretuer sans le moindre scrupule ; il dispose froidement de la vie des autres sans exprimer d'émotions. Ce personnage fictif illustre le pire de ce que peut donner ce que les psychologues appellent « le trouble de la personnalité antisociale ». Ce type de personnalité pathologique a souvent été exploité au cinéma, car il incarne à la perfection les côtés les plus sombres et les plus sordides de l'humanité, ce qui nous fascine (Gluss et Smith, 2006). Les personnes qui ont une personnalité antisociale ne sont pas toutes aussi dangereuses que le *Joker* du film de Batman, mais elles peuvent faire énormément de tort à leur entourage parce qu'elles sont sans scrupules et dénuées de conscience morale. Dans cette section, nous nous intéresserons à ce trouble de la personnalité et à plusieurs autres. Nous verrons que toutes les personnalités pathologiques ont des aspects excessifs qui les rendent plus ou moins caricaturales. Mais surtout, nous passerons en revue les divers types de troubles de la personnalité, nous verrons pourquoi les gens qui en souffrent ont du mal à s'adapter aux autres et aux exigences de la vie en société, et comment on peut les dépister.

Qu'est-ce qu'un trouble de la personnalité ?

Quels sont les points communs de tous les troubles de la personnalité ?

Pour les psychologues, le **trouble de la personnalité** se caractérise par une manière inadaptée, rigide et durable de percevoir les gens et les choses, de penser, de se comporter et d'établir des liens qui se manifeste généralement dès l'enfance ou l'adolescence. Le trouble de la personnalité est une déviation par rapport aux normes culturelles. Ainsi, s'il peut sembler normal d'agir en prédateur dans une situation de survie, ce n'est pas le cas dans une situation sociale où tout le monde est bien nanti.

Trouble de la personnalité
Manière inadaptée, rigide et durable de se comporter et d'établir des liens, qui commence généralement pendant l'adolescence.

Les troubles de la personnalité sont généralement vus comme des déviations du développement normal de la personnalité plutôt que comme de véritables maladies. Cependant, ils rendent les personnes qui en sont atteintes suffisamment malheureuses et inadaptées pour qu'on les considère comme des troubles mentaux. Ainsi, le *Manuel diagnostique et statistique des troubles mentaux* (APA, 2003) – le système de classification psychiatrique le plus utilisé en Amérique du Nord comme on le verra au chapitre 10 – y consacre une section entière. Les troubles de la personnalité comptent d'ailleurs parmi les plus fréquents de tous les troubles mentaux. Des recherches menées dans de nombreux pays indiquent qu'entre 10 % et 15 % des gens présentent un trouble de la personnalité (Cottraux et Blackburn, 2006 ; OMS, 1992). La majorité d'entre eux souffrent d'un autre type de trouble mental au cours de leur vie, les plus fréquents étant la dépression, les troubles anxieux, l'alcoolisme et la toxicomanie (Cottraux et Blackburn, 2006 ; Brieger et autres, 2003 ; Joyce et autres, 2003). Les troubles de la personnalité semblent donc constituer un facteur de risque de maladie mentale.

On l'a vu dans ce chapitre, la plupart des psychologues considèrent aujourd'hui que la personnalité résulte probablement de l'interaction du bagage génétique et des expériences de vie, et qu'elle se forge au fil du développement de l'individu. Nous naissons avec certaines tendances – à la timidité ou à l'anxiété, par exemple –, qui sont renforcées ou atténuées par nos expériences et nos apprentissages. C'est ainsi que certaines personnes acquerraient une manière de percevoir les gens et les choses, de penser, de se comporter et d'établir des liens qui dévie considérablement de la norme. Les psychologues ne s'entendent pas sur les causes des troubles de la personnalité. Cependant, de nombreuses études cliniques auprès de sujets qui en sont atteints révèlent des antécédents de rejet, de surprotection ou d'abus au cours de l'enfance (Cottraux et Blackburn, 2006 ; Young et autres, 2005 ; Beck et autres, 2004). Selon le psychologue cognitiviste Aaron Beck (1976), l'un des plus éminents chercheurs et cliniciens dans le domaine des troubles psychologiques, ces expériences pénibles les ont amenés à acquérir des schémas cognitifs sur eux-mêmes ou sur le monde aussi irrationnels que « difficiles à modifier à cause de leur globalité et de leur rigidité » (Cottraux et Blackburn, p. 60, 2006). Par exemple, à la moindre difficulté, la personne pourra se dire qu'elle ne vaut rien, qu'elle ne mérite pas d'être aimée, que les autres vont la rejeter, etc. De nombreux psychologues croient comme Beck que ces schémas cognitifs négatifs et irrationnels, dont le contenu varie selon le type de personnalité (voir le tableau 9.4, p. 336) et qui s'activent automatiquement dans telle ou telle situation, expliquent en bonne partie la souffrance associée aux troubles de la personnalité.

Les troubles de la personnalité se traduisent presque toujours par d'importants problèmes d'adaptation et des histoires professionnelles et sociales instables, car il est extrêmement difficile de composer avec les gens qui ont une personnalité pathologique. Certains savent que leur comportement est problématique, bien qu'ils semblent incapables de changer, mais la plupart attribuent leurs problèmes à autrui ou aux circonstances. S'il arrive très souvent que des gens atteints de troubles de la personnalité consultent un psychothérapeute, c'est généralement un autre problème, comme la dépression, qui les incite à le faire. Le thérapeute a alors la délicate tâche de conscientiser le client au problème de fond qu'il perçoit et de l'amener à modifier sa façon de penser et de se comporter. Comme on le verra au chapitre 10, la recherche indique que les thérapies cognitives comme celle conçue par Aaron Beck, peuvent s'avérer efficaces, et pour certains troubles, les thérapies psychanalytiques/psychodynamiques le sont probablement aussi (Provencher et autres, 2007).

Quels comportements sont associés aux troubles de la personnalité des groupes A, B, et C ?

L'A B C des troubles de la personnalité

Les professionnels de la santé mentale distinguent plus d'une dizaine de troubles de la personnalité, mais plusieurs présentent des similitudes, de sorte que les critères utilisés pour les distinguer se recoupent. Le *DSM-IV-TR* les classe donc en trois groupes : les personnalités excentriques et bizarres (groupe A), les personnalités émotionnelles et désorganisées (groupe B), et les personnalités anxieuses et craintives (groupe C). Comme le montre le tableau 9.4, les troubles de la personnalité se distinguent par leurs manifestations comportementales et des schémas cognitifs typiques.

Tableau 9.4

LES PRINCIPAUX TROUBLES DE LA PERSONNALITÉ

	Trouble	Manifestations comportementales	Schémas cognitifs
GROUPE A			
Personnalités excentriques et bizarres (Comportement étrange)	Personnalité paranoïaque	Méfiance, suspicion, hypervigilance, rancune tenace	Je ne peux faire confiance à personne.
	Personnalité schizoïde	Détachement, froideur, indifférence aux autres, isolement	Je suis mon meilleur ami ; les autres ne m'intéressent pas.
	Personnalité schizotypique	Excentricité, méfiance	Les choses ne sont pas comme les autres le croient.
GROUPE B			
Personnalités émotionnelles et désorganisées (Comportement théâtral et imprévisible)	Personnalité narcissique	Inflation de soi, arrogance, compétivité	Je suis exceptionnel, supérieur aux autres.
	Personnalité histrionique	Dramatisation, expressivité exhibitionnisme	Je dois impressionner tout le monde.
	Personnalité limite *(borderline)*	Impulsivité, instabilité	Personne ne peut m'aimer assez. ni me comprendre.
	Personnalité antisociale	Attaque, agressivité prédation	Les gens sont faits pour être exploités à mes fins.
GROUPE C			
Personnalités anxieuses et craintives (Comportement craintif et inhibé)	Personnalité obsessionnelle-compulsive	Perfectionnisme, contrôle, rigidité	Les erreurs sont catastrophiques ; les autres ne sont pas fiables.
	Personnalité évitante	Évitement, inhibition	Je risque d'être blessé par les autres.
	Personnalité dépendante	Besoin de soutien, attachement	Je ne peux rien faire ni rien décider seul.

Source : D'après *DSM-IV-TR* ; Cottraux et Blackburn, 2006 ; Beck et autres, 2004 ; Debray et Nollet, 2001.

Groupe A : personnalités excentriques et bizarres   Tous les troubles classés dans le groupe A se caractérisent par un comportement excentrique et bizarre, et une tendance à l'isolement. Les schémas cognitifs de base des personnes qui en souffrent tournent autour de l'idée qu'il est préférable de se méfier ou se s'éloigner des autres. Ainsi, les individus qui ont une personnalité paranoïaque se montrent extrêmement méfiants et suspicieux. Convaincus qu'ils seront en danger s'ils ne sont pas constamment sur leurs gardes, ils sont hypervigilants et ont tendance à épier les gens, qu'ils croient malveillants. S'ils reçoivent un compliment, ils ont tendance à y voir une remarque moqueuse ou malintentionnée. Ces gens ont un sens aigu de leurs droits et portent facilement plainte, même pour des vétilles. Ils entretiennent peu de relations suivies, car ils se vexent pour des riens et sont très rancuniers. Les individus qui ont une personnalité schizoïde, eux, se désintéressent complètement de leurs semblables ; ils s'isolent et semblent incapables d'établir des liens émotionnels. Ils affichent un grand détachement et sont très peu expressifs. Quant aux gens qui ont une personnalité schizotypique, ils ont souvent une apparence physique étrange et une tenue vestimentaire très excentrique. Ils sont enclins à la paranoïa et tiennent souvent des propos bizarres ; par exemple, ils peuvent se croire dotés de dons (télépathie, clairvoyance, capacité de deviner ce que les autres pensent, etc.). Ils ont très peu d'habiletés sociales.

Groupe B : personnalités théâtrales et imprévisibles   Les troubles du groupe B s'expriment par un comportement flamboyant et imprévisible, comme se plaindre à voix haute d'avoir été négligé ou insulté par un employé dans un magasin. Les schémas cognitifs centraux des gens qui en sont atteints tournent autour du fait qu'ils doivent être remarqués et perçus comme supérieurs ou exceptionnels pour que leur vie ait un sens. Ces troubles sont associés à un risque élevé de suicide (Lambert, 2003). Le désir envahissant d'être le centre d'attention est particulièrement typique des personnes qui ont une personnalité narcissique ou une personnalité histrionique. Peu empathiques, les personnes qui ont une personnalité narcissique ont tendance à se croire supérieures aux autres et à les exploiter pour gravir les échelons sociaux. Leurs relations interpersonnelles oscillent constamment entre l'admiration et le mépris. Elles ne supportent pas la critique, mais ne se gênent pas pour critiquer les autres. Elles ont souvent du charisme et des talents de meneur, mais finissent par se mettre les gens à dos par leurs comportements hautains et blessants. Les personnes qui ont une personnalité histrionique ont plutôt tendance à se donner en spectacle et à utiliser la séduction pour être reconnues. Elles établissent une intimité superficielle avec n'importe qui et, dans l'espoir d'être aimées, approuvent et reprennent les idées des autres, même si elles ne les partagent pas. Elles sont enclines à se vêtir de façon voyante et à faire de multiples avances sexuelles pour se sentir désirées. Elles sont beaucoup plus intéressées par l'effet qu'elles produisent sur les autres que par les autres eux-mêmes (Debray et Nollet, 2001). Leur humeur est changeante, passant facilement de la plus grande exaltation à la détresse la plus profonde, et elles expriment fortement leurs états d'âme.

La personnalité limite (ou *borderline*) est un trouble plus grave qui entraîne une grande instabilité chez les personnes qui en sont atteintes. Très impulsives, celles-ci ont tendance à avoir des comportements extrêmes dans plusieurs sphères de leur vie : comportements sexuels à risque, abus d'alcool et de drogues, relations fusionnelles et instables, crises de colère imprévisibles et intenses, changements fréquents d'emplois et d'orientation de vie, automutilation (par exemple, s'arracher des cheveux ou se taillader la peau). La crainte de l'abandon est au cœur de leurs relations ; elles ont donc tendance à s'accrocher aux gens qu'elles aiment. Quand une relation amoureuse se termine, la rupture est généralement dramatique ; elles voient souvent leur « ex » comme leur pire ennemi, mais la plupart du temps elles tournent leurs émotions négatives contre elles-mêmes. Une proportion importante des personnes qui ont une personnalité limite ont des antécédents de perturbations des liens d'attachement et de mauvais traitements durant l'enfance (Trull et autres, 2003). Souvent, elles ont été victimes d'abus sexuel, ce qui peut expliquer en partie le fait que la plupart sont des femmes (Mehran, 2006). Bon nombre d'entre elles souffrent aussi de troubles de l'humeur (Brieger et autres, 2003), et ont des idées et des comportements suicidaires.

▲ Dans ses romans autobiographiques *Borderline* (Boréal, 2000) et *La brèche* (Boréal, 2002), portés à l'écran par Lyne Charlebois (*Borderline*, 2008), l'écrivaine montréalaise Marie-Sissi Labrèche raconte son enfance infernale auprès d'une mère psychotique et dépressive, ainsi que les excès auxquels l'a poussée sa personnalité limite avant qu'elle ne réussisse à surmonter ses propres problèmes de santé mentale grâce à l'écriture et à la psychothérapie.

Également très impulsifs, les individus qui ont une personnalité antisociale se caractérisent surtout par leur mépris des droits d'autrui, qu'ils bafouent sans remords. Convaincus que les lois, les règles et les conventions sociales ne s'appliquent pas à eux, ils les enfreignent quand bon leur semble. Les enfants et les adolescents atteints de ce trouble mentent, volent, détruisent le bien d'autrui, fuguent, font l'école buissonnière et peuvent se montrer cruels envers les gens et les animaux (Arehart-Treichel, 2002). Bon nombre boivent trop et ont de nombreux partenaires sexuels. Comme la personnalité n'est pas complètement formée avant l'âge adulte, si on pose un diagnostic durant l'enfance ou l'adolescence, on parlera de trouble des conduites plutôt que de personnalité antisociale. Une fois adultes, la plupart des sujets qui ont une personnalité antisociale sont incapables de garder un emploi, d'honorer leurs engagements financiers, d'agir en parent responsable et de respecter la loi. Cela dit, ils sont parfaitement capables de «jouer le jeu» et de se plier aux règles ou aux conventions pour obtenir ce qu'ils veulent. Le diagnostic de trouble de la personnalité antisociale s'applique également à des sujets qu'on qualifiait autrefois de psychopathes, c'est-à-dire à des individus excessivement agressifs, insensibles et dénués de conscience morale, comme le *Joker*, qui ont appris à cacher adroitement ces traits de personnalité.

Le trouble de la personnalité antisociale touche majoritairement des hommes. Des études d'imagerie cérébrale sur des sujets qui ont reçu un diagnostic de trouble de la personnalité antisociale indiquent qu'ils décodent mal la signification émotionnelle des mots et des images (Hare, 1995). Ainsi, leur degré d'activité cérébrale est le même en présence de stimulus neutres (comme les mots *chaise*, *table* et *pierre*) et de stimulus émotionnellement chargés (comme les mots *cancer*, *viol* et *meurtre*). De tels résultats suggèrent que l'absence de réaction empathique caractéristique de la personnalité antisociale a une base neurophysiologique (Habel et autres, 2002).

Groupe C : personnalités anxieuses et craintives   Les troubles de la personnalité du groupe C sont associés à la crainte et à l'anxiété. Les personnes qui en souffrent sont plus repliées sur elles-mêmes que les personnalités de type B. Leurs schémas cognitifs de base tournent autour du fait qu'elles ne se sentent pas à la hauteur de leurs propres attentes et de celles des autres. Les personnes qui ont une personnalité obsessionnelle-compulsive craignent de ne pas tout faire à la perfection. Elles ont l'impression qu'il n'y a qu'une seule façon de faire les choses, et sont très attachées à l'ordre, à la rigueur et à la discipline; cependant, elles ne souffrent pas du type d'obsessions et de compulsions irrationnelles qu'on observe chez les personnes atteintes du trouble obsessionnel-compulsif (que nous étudierons au chapitre 10). Elles semblent inflexibles dans leurs habitudes et leurs convictions, et accordent une grande importance aux détails. Elles cherchent à contrôler leur environnement autant que possible et ont peu confiance aux capacités des autres, qu'elles jugent souvent irresponsables. La plupart n'ont que des relations émotionnelles superficielles à cause de leur tendance à imposer à autrui leurs exigences irréalistes. Elles éprouvent beaucoup d'anxiété quand les choses ne se déroulent pas comme prévu ou quand des changements surviennent dans leurs habitudes de vie.

Les deux autres troubles classés dans le groupe C, la personnalité évitante et la personnalité dépendante, se caractérisent par une grande difficulté à l'égard des relations sociales, mais qui s'exprime de manière opposée. Les personnes qui ont une personnalité évitante fuient les relations avec autrui, car elles sont excessivement sensibles à la critique et au rejet. Terrifiées à l'idée de se révéler sous leur vrai jour, elles évitent les relations intimes. Elles ont tendance à s'isoler et cherchent à se faire oublier. Leurs contacts sociaux sont hésitants, et elles disparaissent dès qu'elles perçoivent le moindre signe de désapprobation ou d'indifférence. À l'inverse, les personnes à la personnalité dépendante comptent démesurément sur les autres. Elles ne peuvent rien décider, pas même ce qu'elles portent ou ce qu'elles mangent, sans chercher les conseils et l'approbation d'autrui. À cause de leur dépendance, elles redoutent plus que tout l'abandon et s'accrochent à leurs proches ou à leurs conjoints, même quand ces relations sont destructrices. Elles ne profèrent jamais leur opinion, ne s'opposent jamais aux décisions des autres et ont tendance à se mettre à leur service. Elles cherchent constamment à être rassurées, mais ne le sont jamais vraiment. Elles se laissent souvent exploiter, s'exposant ainsi à un certain mépris.

L'évaluation de la personnalité : qu'est-ce qui est anormal ?

Que considère-t-on anormal en ce qui concerne la personalité, et comment évalue-t-on cette dernière ?

En lisant les descriptions qui précèdent, vous avez peut-être eu l'impression de reconnaître certains de vos comportements ou de ceux de gens de votre entourage. Ne sautez pas trop vite aux conclusions. Les caractéristiques des troubles de la personnalité sont très similaires aux variations d'une personnalité normale. Cependant, pour qu'on pose un diagnostic de trouble de la personnalité, il faut que plusieurs (et non une seule) des caractéristiques comportementales du trouble se manifestent, et ce, quel que soit le contexte. Par exemple, votre copine qui prend toute la place et flirte sans vergogne avec tout le monde lors des soirées entre amis a probablement des traits histrioniques. Cependant, si elle souffrait du trouble de la personnalité histrionique, elle ferait aussi un drame chaque fois qu'elle n'est pas le centre d'attention des autres, et ces comportements ne se manifesteraient pas seulement dans les soirées entre amis, mais en toute circonstance – qu'elle soit au collège, dans le bureau de son médecin, dans l'autobus ou au salon funéraire. Le dépistage des troubles de la personnalité relève évidemment de la compétence des professionnels de la santé mentale. Ces derniers disposent de plusieurs outils pour évaluer la personnalité, notamment l'observation et l'entrevue, ainsi que des tests de personnalité comme ceux mis au point par Cattell ou Eysenck, et d'autres, en particulier le MMPI.

L'Inventaire multiphasique de la personnalité du Minnesota (MMPI) L'Inventaire multiphasique de la personnalité du Minnesota (MMPI), ou plus précisément sa version révisée, le MMPI-2 est probablement le test le plus couramment utilisé pour dépister les problèmes de personnalité et d'autres troubles mentaux (Butcher et Rouse, 1996 ; Butcher et Graham, 1989). Élaboré à la fin des années 1930 et au début des années 1940 par les chercheurs J. Charnley McKinley et Starke Hathaway, le MMPI a été conçu spécifiquement pour déceler les prédispositions à divers types de troubles mentaux. McKinley et Hathaway ont administré plus de 1 000 questions sur des attitudes, des sentiments et des symptômes précis à un groupe de patients ayant reçu un diagnostic clair de trouble mental, ainsi qu'à un groupe témoin de sujets qui ne présentaient aucun trouble mental connu. Après analyse des résultats, les chercheurs ont retenu les 550 éléments de question qui distinguaient les sujets ayant reçu un diagnostic de trouble mental de ceux du groupe témoin. En 1989, on a publié le MMPI-2, une version révisée et mise à jour du MMPI (Butcher et autres, 1989). La plupart des tests originaux ont été retenus, mais on y a ajouté de nouveaux éléments pour mieux rendre compte de problématiques comme l'alcoolisme et la toxicomanie, les idées suicidaires, les troubles de l'alimentation, etc. De plus, comme le MMPI était souvent peu fiable pour les femmes, les adolescents et les Afro-Américains, on a établi de nouveaux échantillons plus représentatifs. Il a été traduit et utilisé dans plusieurs dizaines de pays où l'on retrouve des profils de personnalité similaires à ceux des populations américaines auprès desquelles il a été validé (Lucio et autres, 1994 ; Butcher, 1992). Voici des exemples de questions du MMPI auxquelles le sujet doit répondre par *Vrai, Faux* ou *Je ne sais pas*.

La plupart de mes rêves ont trait à des questions sexuelles.

Une personne ne devrait pas être punie pour avoir violé une loi qu'elle juge déraisonnable.

L'avenir est trop incertain pour qu'on puisse faire des projets sérieux.

Mon comportement dépend, dans une large mesure, des habitudes de mon entourage.

Le tableau 9.5 (p. 340) montre les dix échelles cliniques du MMPI-2. Un score élevé à une des échelles ne signifie pas nécessairement que le sujet a un trouble de la personnalité ou un autre trouble mental. Le psychologue examine le profil MMPI du sujet – la tendance de ses scores sur les échelles – et le compare avec les profils de sujets normaux et de sujets qui présentent divers troubles.

Tableau 9.5

LES ÉCHELLES CLINIQUES DU MMPI-2

Échelle	Interprétation possible d'un score élevé
1. Hypocondrie	Personne qui manifeste une préoccupation excessive pour sa santé physique
2. Dépression	Personne généralement déprimée, découragée et souffrante
3. Hystérie	Personne qui se plaint souvent de symptômes physiques sans causes physiologiques apparentes
4. Déviance psychopatique	Personne qui affiche un mépris des règles morales et sociales
5. Masculinité-Féminité	Personne qui affiche des stéréotypes masculins ou féminins traditionnels
6. Paranoïa	Personne extrêmement méfiante qui se sent persécutée
7. Psychasthénie	Personne qui tend à être très anxieuse, rigide, tendue et préoccupée
8. Schizophrénie	Personne qui tend à s'isoler, et à avoir des pensées bizarres et inhabituelles
9. Hypomanie	Personne généralement très émotionnelle, émotive, énergique et impulsive
10. Introversion sociale	Personne qui tend à être modeste, effacée et timide

Pour vérifier si le sujet répond sincèrement au test, le questionnaire contient des questions comme celle-ci : « Je remets parfois au lendemain ce que je pourrais faire aujourd'hui » ; « De temps à autre, il m'arrive de faire du commérage » ; « Certaines blagues grivoises me font rire ». La plupart des gens répondraient « Vrai », à moins justement de mentir pour sembler mentalement normal (ou faire bonne impression). D'autres questions visent les sujets qui voudraient simuler une maladie mentale, pour éviter une condamnation judiciaire par exemple. La recherche indique que les échelles de contrôle du MMPI-2 détectent efficacement les sujets à qui on a demandé de mentir pour avoir l'air normal ou de simuler un trouble mental (Butcher et autres, 1995 ; Bagby et autres, 1994). Même si on leur donne des informations précises sur les troubles mentaux, les sujets ne peuvent pas produire des profils similaires à ceux de sujets qui souffrent de ces troubles (Wetter et autres, 1993).

Le MMPI-2 est fiable, facile à administrer et à noter, et peu coûteux à utiliser. Il est utile pour dépister, diagnostiquer et décrire cliniquement le comportement anormal, mais il ne révèle pas très bien les différences de personnalité normales. En 1992, on a publié le MMPI-A, une version du test conçue expressément pour les adolescents, et qui inclut des énoncés concernant par exemple les troubles de l'alimentation, la toxicomanie et les problèmes scolaires et familiaux.

RETENEZ-LE

Les troubles de la personnalité

1. Associez chaque groupe de troubles de la personnalité (A, B et C) à sa principale caractéristique comportementale.

   a) Comportement excentrique et bizarre

   b) Comportement craintif et anxieux

   c) Comportement théâtral

2. Pour chacun des troubles de la personnalité suivants, dites s'il fait partie du groupe A, B ou C.

   a) Trouble de la personnalité narcissique

   b) Trouble de la personnalité obsessionnelle compulsive

   c) Trouble de la personnalité histrionique

   d) Trouble de la personnalité schizotypique

   e) Trouble de la personnalité schizoïde

   f) Trouble de la personnalité paranoïaque

   g) Trouble de la personnalité antisociale

   h) Trouble de la personnalité dépendante

   i) Trouble de la personnalité évitante

   j) Trouble de la personnalité limite (*borderline*)

Réponses : 1. (a) A, (b) C, (c) B. **2.** (a) Groupe B (b) Groupe C (c) Groupe B (d) Groupe B (e) Groupe A (f) Groupe A (g) Groupe B (h) Groupe C (i) Groupe C (j) Groupe B.

APPLIQUEZ-LE

À défaut d'être heureux, se sentir mieux

Être optimiste, c'est-à-dire avoir confiance en l'avenir, est un trait de personnalité qui contribue certainement au bonheur. Regarder l'avenir à travers des lunettes roses, par contre, peut nous empêcher de l'apprécier. Le psychologue Daniel Gilbert, qui a étudié le lien entre la prise de décisions et le bonheur, a constaté qu'on est souvent déçu quand on prend des décisions qui sont censées nous rendre heureux (Gilbert, 2006). Par exemple, on croit qu'on serait heureux si seulement on vivait dans un endroit plus agréable. Tellement qu'on décide d'économiser des sous, de passer ses temps libres à chercher l'endroit rêvé, de s'imposer le stress d'un déménagement. Et voilà que, les boîtes à peine défaites, on s'aperçoit que la nouvelle maison ou le nouvel appartement n'apporte pas la béatitude à laquelle on s'attendait. Selon les recherches de Gilbert, nous faisons exactement la même chose dans nos relations. Toujours pour être plus heureux, on sort, on flirte, on se fréquente, on déménage ensemble (enfin la vie à deux!), on a des enfants ou des aventures ou les deux, on se lasse, on se laisse, on déménage (enfin tranquille!), on se réconcilie avec des amis, on se fâche avec d'autres, on sort, on flirte, et ainsi de suite, et encore, et encore. Tout ça pour se rendre compte qu'on est revenu à son point de départ émotionnellement. Ce qu'a découvert Gilbert – notre tendance à surestimer constamment la quantité de bonheur que nous apportera tel ou tel changement dans notre vie – signifie-t-il que le bonheur est hors de portée? Non. Cela signifie qu'une certaine insatisfaction de notre état actuel est probablement nécessaire pour nous motiver à nous améliorer et à améliorer notre situation. Et que relativiser nos attentes est essentiel pour éviter le cercle vicieux du fol espoir toujours déçu qui vient avec la certitude que le bonheur nous attend de l'autre côté de la prochaine décision, du prochain changement.

C'est un cliché terriblement éculé, mais peut-être devrions-nous apprendre à mieux apprécier ce que nous avons déjà. Avec ses collègues, le psychologue Martin Seligman – le papa de Nikki dont nous parlions en début de chapitre – teste l'efficacité d'une multitude d'exercices conçus pour améliorer le sentiment de bien-être des gens en les amenant à se concentrer sur les bons côtés de ce qu'ils vivent (Seligman et autres, 2005). L'un de ces exercices s'appelle « Trois bonnes choses ». Les chercheurs ont demandé aux sujets de leurs études de tenir un journal où ils devaient noter tous les jours trois bonnes choses qui leur étaient arrivées dans la journée. Croyez-le ou non, après une semaine, les sujets disaient déjà se sentir plus heureux, et ceux qui ont continué à tenir leur « journal des trois bonnes choses » une fois la recherche terminée ont affirmé que son effet était durable!

Autre truc tout simple, qui vient celui-là d'une étude sur les attitudes de personnes âgées satisfaites de leur sort. Les chercheurs ont constaté qu'ils jugeaient leur état actuel en se comparant… à des gens qui allaient plus mal qu'eux (Frieswijk et autres, 2004). On a beau faire des blagues sur les vieux qui, à l'article de la mort, disent encore « Ça pourrait aller plus mal! », c'est précisément cette attitude qui permet de composer plus sereinement avec les mille et une misères du vieillissement. Partant du principe qu'on commence à vieillir dès la naissance, on peut penser que cette attitude est utile à tout âge!

RÉFLEXION CRITIQUE

1. À votre avis, laquelle des théories de la personnalité décrites dans ce chapitre est la plus précise, raisonnable et réaliste? Justifiez votre réponse.

2. Préparez une argumentation étayée par des théories et des recherches scientifiques à l'appui de chacune des positions suivantes:

   a) Les traits de personnalité sont essentiellement innés.

   b) Les traits de personnalité sont essentiellement appris.

3. Comment ce qui vous avez appris dans ce chapitre vous éclaire-t-il sur votre propre personnalité? Expliquez votre réponse.

RÉSEAU DE CONCEPTS

LA PERSONNALITÉ

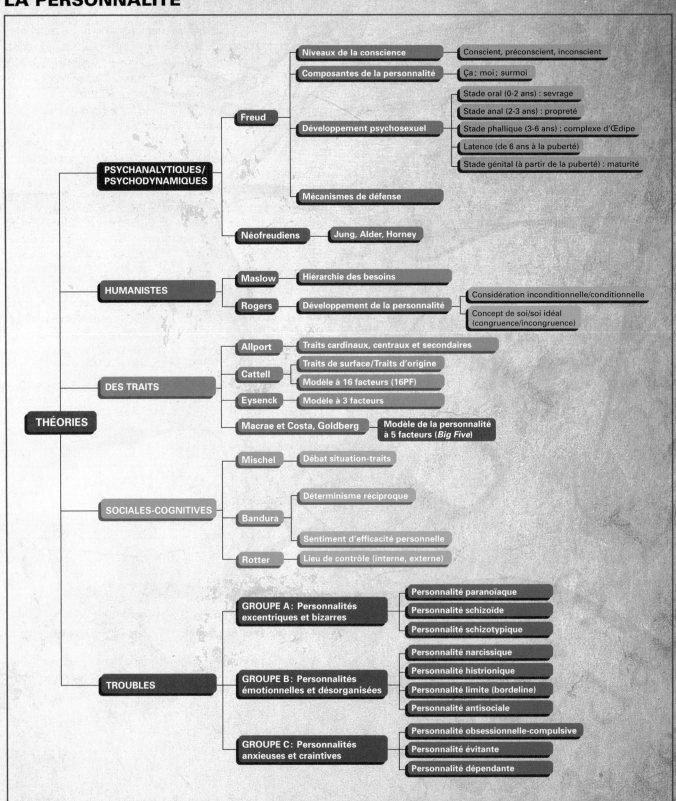

LES TROUBLES MENTAUX ET LEUR TRAITEMENT

▲ Russell Crowe incarnant John Nash dans le film *Un homme d'exception* (2001).

▲ John Forbes Nash (1928-), Prix Nobel d'économie en 1994.

Avez-vous vu *Un homme d'exception*, le film que Ron Howard (2001) a tiré de la biographie de John Forbes Nash[1]. Russell Crowe y incarne ce brillant mathématicien américain, récipiendaire d'un prix Nobel, qui a passé la majeure partie de sa vie adulte à lutter contre cette terrible maladie mentale qu'est la schizophrénie. Une histoire vraiment exceptionnelle…

En 1950, à 21 ans, John F. Nash dépose sa thèse de doctorat sur la théorie des jeux; il y esquisse un modèle mathématique aujourd'hui connu comme *l'équilibre de Nash*, qui trouvera des applications très importantes en économie. Le jeune Nash décroche ensuite un poste de chercheur et de professeur à la prestigieuse Princeton University et enseigne au MIT à Cambridge. Durant sa vingtaine, il démontre des postulats mathématiques complexes; non seulement il a une façon originale d'envisager les problèmes, mais il est doté d'une mémoire et d'une capacité de concentration tout à fait phénoménales. Sur le plan personnel, Nash est un singulier personnage. Dès sa tendre enfance, pourtant passée dans une famille à l'aise et aimante, il se montre très peu sociable, préférant de loin la compagnie des livres à celle des humains. Durant ses études, ses condisciples le trouvent bizarre et hautain; il manifeste peu d'émotions et semble insensible à celles d'autrui. Plus tard, ses collègues le jugent excentrique, et ses étudiants n'apprécient guère ses curieuses façons d'agir. Néanmoins, il est doté d'un physique avantageux, sait faire preuve d'humour et exerce un certain charme, ce qui lui vaut d'être remarqué par une étudiante en physique du MIT, la brillante et jolie Alicia López-Harrison de Larde, qu'il épouse en 1957.

Deux ans plus tard, la vie de John Nash bascule. En 1959, ses collègues et ses proches remarquent d'importants changements dans sa façon de raisonner et de se comporter. Soudain obsédé de numérologie, il se met à écrire des chiffres partout: le sort de l'humanité dépend de la résolution de ces énigmes, dit-il. Il parle d'une mission que lui a confiée le gouvernement planétaire: seuls ses savants pourront sauver la Terre des menaces que des extraterrestres font planer sur notre planète. Il envoie des lettres truffées de chiffres à plusieurs gouvernements et ouvre des comptes bancaires partout dans le monde pour organiser la défense contre une invasion d'extraterrestres qui communiquent avec lui. Jadis capable des raisonnements mathé-matiques les plus spectaculaires, il tient des propos d'une incohérence déroutante. Lors d'une conférence universitaire, il brandit la photo du pape Jean XXIII à la une d'un numéro récent du *Life Magazine* et déclare qu'on l'a retouchée pour qu'elle lui ressemble et qu'elle contient un message codé qui lui est adressé: à preuve, il porte le même prénom que le pape, et 23 est justement le chiffre premier qu'il préfère… Tantôt il est pris de violents accès de colère; tantôt il se replie complètement sur lui-même. Il a l'impression d'être le pied gauche de Dieu, dit-il, et que Dieu marche sur la Terre…

Après des mois de tension et d'inquiétude, sa femme Alicia, enceinte depuis peu, se résout à le faire interner. Le diagnostic tombe: John Nash souffre de schizophrénie. Comme il a grandi dans une famille aimante, instruite et à l'aise, sa maladie contredit les croyances des psychiatres de l'époque, pour qui la schizophrénie résultait du rejet et de la dureté de la famille. On sait aujourd'hui que la schizophrénie a de multiples causes, et que l'hérédité y est pour beaucoup.

Durant ce premier d'une longue série de séjours en institution psychiatrique, John Nash est traité à l'insuline, dont on lui administre de fortes doses pour provoquer des comas diabétiques. Imaginé par le médecin viennois Manfred Sackel dans les années 1930, ce traitement reposait sur l'idée que priver le cerveau de sucre, son seul carburant, entraînait la mort des neurones inutiles et «nettoyait» le cerveau trop encombré des schizophrènes. Si les patients sortaient de ce traitement plus calmes, un certain nombre y ont laissé la vie, et on a fini par l'abandonner au début des années 1960.

Dans les années qui suivent son premier internement, John Nash subit aussi des électrochocs, un traitement très controversé utilisé encore aujourd'hui, mais avec plus de parcimonie et seulement si le patient ne répond pas aux médicaments. Nash fera aussi l'expérience des premiers neuroleptiques, qui sont apparus dans les années 1950. Conçus pour enrayer les hallucinations, ces médicaments sont moins efficaces que les antipsychotiques d'aujourd'hui, et s'accompagnent d'effets secondaires beaucoup plus pénibles: raideurs musculaires, tremblements, appauvrissement des émotions, perte d'énergie, etc.

Craignant que tous ces traitements ne lui fassent perdre définitivement sa mémoire et ses capacités intellectuelles, Nash prend rarement ses médicaments lorsqu'il n'est pas interné.

Entre ses internements, il connaît d'assez longues périodes de calme, durant lesquelles il hante les corridors de Princeton, noircissant les tableaux de chiffres. Bien qu'il soit l'ombre de lui-même, il lui arrive parfois d'avoir des discussions de haut niveau avec des collègues ou des étudiants. Mais tôt ou tard ses hallucinations reprennent le dessus. La vie de Nash se déroule ainsi pendant 25 longues années, partagée entre ses séjours à l'asile psychiatrique et ses tentatives désespérées pour réintégrer le monde universitaire.

Puis, à partir des années 1980, Nash se rétablit graduellement et finit par guérir de sa schizophrénie. Cette heureuse issue est rare, mais le cas n'est pas unique. Des études longitudinales auprès de centaines de personnes schizophrènes révèlent qu'environ 10 % d'entre elles sont guéries après une trentaine d'années – les 10 premières ayant été les plus souffrantes (Winokur et Tsuang, 1996). Les causes de ces guérisons ne sont pas totalement élucidées, mais plusieurs facteurs peuvent avoir joué en faveur de Nash : l'apparition tardive de la maladie, son intelligence, ses réalisations exceptionnelles avant que la maladie le touche et le soutien dont il a bénéficié ensuite.

La plupart du temps, la schizophrénie se déclenche à l'adolescence ou au début de la vingtaine, comme ce fut malheureusement le cas pour un des deux fils de John Nash. La maladie cause alors probablement des dommages plus irréversibles que lorsqu'elle apparaît au début de la trentaine comme chez Nash (Falloon et autres, 1998). Malgré la maladie, Nash a toujours lu, écrit et réfléchi, maintenant son esprit le plus actif possible malgré les hallucinations auditives qui le hantent. Il dit avoir appris dans les dernières années de sa maladie à reconnaître et à rejeter ses idées paranoïdes. Le fait d'avoir pu rester en contact avec le milieu universitaire entre ses internements a sans doute contribué à le protéger d'une détérioration plus définitive de son état. Cependant, affirme John Nash, sans le soutien indéfectible de sa femme Alicia, il n'aurait jamais eu la force mentale nécessaire pour surmonter ses difficultés (Nasar, 1999). Cette guérison exceptionnelle lui a permis de reprendre ses travaux universitaires à la fin des années 1980 et de recevoir en 1994 le prix Nobel de sciences économiques avec John C. Harsanyi et Reinhard Selten pour leurs travaux pionniers sur la théorie des jeux non coopératifs.

1. Nasar, Sylvia (1999). *Un cerveau d'exception : de la schizophrénie au prix Nobel, la vie singulière de John Forbes Nash*, Paris, Éditions Calmann-Lévy.

Selon l'Organisation mondiale de la santé (OMS, 2006), une personne sur quatre souffrira d'un *trouble mental* au cours de sa vie. Pourtant, au Canada, seulement 40 % des personnes qui en sont atteintes recourent à des services de santé mentale, en bonne partie à cause des préjugés sur la maladie mentale (Desjardins et autres, 2008). Bien qu'ils ne soient pas fondés, ces préjugés ont la vie plus dure qu'on le pense. Ainsi, une enquête récente de l'Association médicale canadienne (2008) révèle qu'une majorité de la population canadienne croit encore que les personnes qui souffrent de troubles mentaux sont soit des gens dangereux, soit des êtres faibles et sans volonté qui cherchent à attirer l'attention.

Nous avons déjà étudié certains *troubles mentaux* dans les précédents chapitres de cet ouvrage : les troubles liés à une substance psychotrope au chapitre 4, le syndrome de stress post-traumatique au chapitre 8 et les troubles de la personnalité au chapitre 9. Dans ce chapitre, après avoir défini ce qu'est un trouble mental, nous étudierons certains troubles mentaux répandus que nous n'avons pas encore abordés : les troubles de l'humeur, les troubles anxieux, les troubles des conduites alimentaires et la schizophrénie. Nous nous pencherons ensuite sur le lien entre les troubles mentaux et le suicide. Puis, nous nous intéresserons au traitement des troubles mentaux par la psychothérapie et la pharmacothérapie.

10.1 DÉFINIR LES TROUBLES MENTAUX

Comme on l'a vu en ouverture de chapitre, les hallucinations de John Nash tournaient en bonne partie autour de l'existence des extraterrestres. Cependant, bien des gens croient aux extraterrestres sans souffrir pour autant de schizophrénie ou d'un autre trouble mental. Alors, qu'est-ce qui distingue une personne qui a des croyances ou des comportements inhabituels d'une personne qui a perdu le contact avec la réalité ?

Quels critères permettent de déterminer si un comportement est anormal et s'il est révélateur d'un trouble mental ?

Trouble mental
Processus psychologique ou mode comportemental anormal qui entraîne une détresse émotionnelle et perturbe substantiellement le fonctionnement de la personne qui en souffre.

Qu'est-ce qui est anormal ?

La plupart des psychologues et autres professionnels de la santé mentale s'entendent pour définir le **trouble mental** comme un processus psychologique ou un mode comportemental anormal qui entraîne une détresse émotionnelle et perturbe substantiellement le fonctionnement de la personne qui en souffre. Pour comprendre les troubles mentaux, il importe donc de différencier un comportement anormal au sens d'inhabituel et un comportement anormal indicateur d'un trouble mental. Les psychologues situent les comportements humains sur un continuum dont les deux pôles sont l'adaptation et l'inadaptation. Les comportements adaptés sont ceux qui permettent de répondre efficacement aux exigences de l'environnement ; par exemple, étudier pour préparer ses examens ou travailler pour gagner sa vie est un comportement adapté. Les comportements inadaptés ont le résultat contraire : ils empêchent d'autres comportements adaptés et compromettent le bon fonctionnement de la personne. Par exemple, croire aux extraterrestres est un comportement inadapté seulement si cela empêche ou compromet des comportements adaptés comme étudier pour préparer ses examens ou travailler pour gagner sa vie.

Les troubles mentaux se traduisent généralement par des comportements inadaptés comme ceux qu'a manifestés John Nash, mais tout comportement inadapté n'est pas nécessairement révélateur d'un trouble mental. Pour déterminer si un comportement donné est révélateur d'un trouble mental, les professionnels de la santé mentale doivent procéder à une évaluation complète de tous les comportements de la personne et de leurs raisons possibles. Cette évaluation repose sur un ou plusieurs entretiens cliniques visant à répondre à certaines questions cruciales sur tel ou tel comportement, par exemple :

■ *Ce comportement est-il étrange dans le contexte socioculturel de cette personne ?* Ce qui est normal et anormal dans un contexte social ou culturel ne l'est pas forcément dans un autre. Par exemple, se promener seins nus en public peut être jugé normal sur certaines plages, mais ce ne sera sûrement pas le cas si une employée ou une cadre se présente seins nus à son travail.

▲ Chaque culture a sa définition du comportement anormal. S'il est parfaitement normal de ne pas avoir de domicile fixe lorsqu'on appartient à un peuple nomade, au Québec, les sans-abri se retrouvent dans une situation non seulement atypique, mais très précaire. Dans ce contexte, ne pas avoir de domicile fixe peut être le symptôme ou la conséquence d'un trouble mental, bien que ce ne soit pas nécessairement le cas.

■ *Ce comportement est-il associé à une détresse émotionnelle ?* Une grande détresse émotionnelle peut mener à un diagnostic de trouble mental si rien dans la vie de la personne ne la justifie. Cette détresse sans raison apparente peut se traduire de diverses façons. Certaines personnes peuvent se montrer tristes ou déprimées ; d'autres, anxieuses, agitées ou surexcitées ; et d'autres encore, effrayées, ou même terrifiées par des **hallucinations** (sensations imaginaires) ou des **idées délirantes** (croyances infondées jugées invraisemblables ou absurdes par les autres membres d'une société ou d'une culture).

■ *Jusqu'à quel point ce comportement est-il inadapté ?* Selon certains experts, la meilleure façon de déterminer si un comportement est normal ou anormal consiste à évaluer jusqu'à quel point il perturbe le fonctionnement. Se laver les mains avant de manger est un comportement adapté. Hésiter à manger parce qu'on ne peut pas se laver les mains est un comportement légèrement inadapté si cela nuit à une bonne alimentation ou à d'autres aspects de la vie. Se laver les mains 100 fois par jour, sauter des repas si on ne peut pas le faire, manquer les cours ou s'absenter du travail pour le faire est un comportement d'autant plus inadapté qu'il empêche ou compromet plusieurs autres comportements adaptés.

Hallucination
Sensation imaginaire.

Idée délirante
Croyance infondée jugée invraisemblable ou absurde par la plupart des autres membres d'une société ou d'une culture.

Classifier les troubles mentaux : le *DSM-IV-TR*

Qu'est-ce que le DSM-IV-TR, et à quoi sert-il ?

En 1952, l'American Psychiatric Association publiait son premier *Diagnostic and Statistical Manual of Mental Disorders (DSM)*, ouvrage qui proposait un système pour décrire, classifier et diagnostiquer les problèmes de santé mentale. Couramment appelé *DSM-IV-TR*, le *Manuel diagnostique et statistique des troubles mentaux*, **texte révisé, 4e édition** (APA, 2003) répertorie et décrit quelque 300 troubles mentaux classés en 7 grandes catégories (voir le tableau 10.1, p. 348) ; la parution du *DSM-V* (5e édition) est prévue pour 2011. Bien qu'il existe d'autres systèmes de classification des troubles mentaux – notamment la *Classification internationale des maladies (CIM)* publiée par l'Organisation mondiale de la santé (OMS) –, le *DSM-IV-TR* est le plus utilisé dans le monde, et celui qu'on utilise partout en Amérique du Nord. Malgré ses imperfections, il permet aux chercheurs, aux cliniciens et aux compagnies d'assurance de parler le même langage lorsqu'ils formulent un diagnostic, administrent un traitement, font de la recherche ou discutent de problèmes de santé mentale (Clark et autres, 1995).

DSM-IV-TR (*Manuel diagnostique et statistique des troubles mentaux, texte révisé, 4e édition*)
Manuel publié par l'American Psychiatric Association qui décrit les critères de classification et de diagnostic des troubles mentaux.

Expliquer les troubles mentaux : l'approche biopsychosociale

Comment l'approche biopsychosociale envisage-t-elle les causes des troubles mentaux ?

Historiquement, la plupart des grandes écoles de pensée en psychologie ont proposé leur explication des causes des troubles mentaux. Aujourd'hui, bien que la façon dont les chercheurs et les cliniciens contemporains abordent les troubles mentaux soit colorée par la perspective théorique qu'ils privilégient, la plupart conviennent qu'un trouble mental s'explique très rarement par une cause unique et linéaire (Durand et Barlow, 2007 ; Blackburn et Cottraux, 2001). Généralement, ils souscrivent donc à l'**approche biopsychosociale**, une approche de la santé et de la maladie selon laquelle la plupart des troubles mentaux ont une **étiologie** (ensemble des causes) multifactorielle et résultent de l'interaction de facteurs biologiques, psychologiques et socioculturels. Dans le cas des facteurs biologiques, il peut s'agir d'un problème ou d'une prédisposition génétique, d'une anomalie structurelle, d'une infection cérébrale ou d'un déséquilibre biochimique dans le cerveau (neurotransmetteurs). Les facteurs psychologiques concernent les forces et les limites de la personne (capacités intellectuelles, personnalité, estime de soi, croyances, schémas cognitifs, modes de comportements, etc.). Finalement, les facteurs socioculturels concernent les conditions de vie (situation familiale et socioéconomique, soutien disponible, événements marquants,

Approche biopsychosociale
Approche de la santé et de la maladie selon laquelle la plupart des troubles physiques et mentaux résultent de l'interaction de facteurs biologiques, psychologiques et socioculturels.

Étiologie
Ensemble des causes d'un trouble ou d'une maladie ; étude systématique de ces causes.

stresseurs environnementaux, influence de la culture d'appartenance, etc.). L'exemple de la dépression de Sophie décrit dans la prochaine section montre bien comment l'interaction complexe de facteurs biologiques, psychologiques et socioculturels peut produire un trouble mental. Le tableau 10.2 ci-contre résume l'étiologie multifactorielle des troubles anxieux.

Tableau 10.1

LES GRANDES CATÉGORIES DE TROUBLES MENTAUX DU *DSM-IV-TR*

Catégorie	Symptômes	Principaux troubles
Troubles de l'humeur	Troubles caractérisés par des épisodes de dépression extrême ou prolongée, des épisodes maniaques, ou les deux.	Dépression majeure Trouble bipolaire Autres troubles de l'humeur
Troubles anxieux	Troubles caractérisés par de l'anxiété, des comportements d'évitement et d'autres comportements inadaptés.	Trouble anxieux généralisé (TAG) Trouble panique Phobie sociale Trouble obsessionnel-compulsif (TOC) État de stress aigu/État de stress post-traumatique
Troubles des conduites alimentaires	Troubles caractérisés par des perturbations graves de l'alimentation.	Anorexie Boulimie Autres troubles des conduites alimentaires
Schizophrénie et autres troubles psychotiques	Troubles caractérisés par des symptômes psychotiques comme les hallucinations et les idées délirantes, un discours désorganisé, un comportement étrange et la perte de contact avec la réalité.	Schizophrénie, type paranoïde Schizophrénie, type désorganisé Schizophrénie, type catatonique Autres troubles psychotiques
Troubles de la personnalité (voir le chapitre 9, p. 334)	Troubles caractérisés par un mode durable, rigide et inadapté des conduites, qui apparaissent tôt dans la vie et qui entraînent de la détresse ou une altération du fonctionnement social ou professionnel.	Personnalité antisociale Personnalité histrionique Personnalité narcissique Personnalité limite Autres troubles de la personnalité
Troubles liés à une substance	Troubles caractérisés par des modifications indésirables du comportement dues à l'abus d'une substance, à la dépendance à une substance ou à l'intoxication par une substance.	Troubles liés à l'alcool Troubles liés au cannabis/aux amphétamines/à la cocaïne/aux hallucinogènes/aux solvants volatils/aux opiacés, etc. Troubles liés aux sédatifs, hypnotiques ou anxiolytiques
Troubles habituellement diagnostiqués dans l'enfance	Troubles caractérisés par une perturbation précoce du développement (langage, capacité d'apprendre ou de socialiser, comportement, etc.).	Retard mental Troubles des apprentissages Troubles envahissants du développement (par exemple, autisme) Trouble de déficit de l'attention/Hyperactivité Trouble oppositionnel et trouble des conduites
Delirium, démence, troubles amnésiques et autres troubles cognitifs	Troubles caractérisés par une détérioration de facultés comme la mémoire, l'attention et la pensée. Ces troubles ont une origine physiologique, et entraînent un profond changement de la personnalité et du comportement.	*Delirium* dû à une intoxication (voir Troubles liés à une substance) Démence de type Alzheimer Démence due à un traumatisme crânien/à la maladie de Parkinson, etc. Troubles amnésiques Autres troubles cognitifs
Troubles somatoformes	Troubles caractérisés par la présence de symptômes physiques d'origine psychologique et non dus à une affection médicale générale.	Hypocondrie Trouble de conversion

Source: Adapté du *DSM-IV-TR* (APA, 2003).

Tableau 10.2

L'ÉTIOLOGIE MULTIFACTORIELLE DES TROUBLES MENTAUX : L'APPROCHE BIOPSYCHOSOCIALE

Facteurs	Dimensions	Quelques exemples
Facteurs biologiques	Bagage génétique	Prédisposition génétique à l'anxiété
	Structure cérébrale	Réduction de la taille de l'hippocampe
	Équilibre neurochimique du cerveau	Baisse des taux de sérotonine, de noradrénaline, de dopamine, etc.
	Équilibre hormonal	Hausse du taux de cortisol sanguin sous l'effet du stress
Facteurs psychologiques	Capacités intellectuelles	Troubles de l'apprentissage
	Schémas cognitifs	Croyance qu'il faut se méfier des autres
	Personnalité	Tendance à la paranoïa ou au narcissisme
	Estime de soi	Perception négative de son image corporelle
	Comportements sociaux	Tendance à s'isoler des autres
Facteurs socioculturels	Modèles familiaux	Style parental, apprentissages précoces
	Situation familiale et conjugale	Difficultés conjugales, monoparentalité
	Situation socioéconomique	Précarité de l'emploi, pauvreté
	Soutien social	Isolement, manque de soutien
	Autres stresseurs	Deuil, maladie, immigration
	Normes culturelles	Individualisme, manque d'investissement dans le système de services en santé mentale

RETENEZ-LE   **Définir les troubles mentaux**

1. Pour être considéré comme anormal, un comportement doit être jugé étrange dans le contexte _____ où il se manifeste.

2. Le _____ est un manuel qui répertorie les troubles mentaux et précise les critères qui permettent de les diagnostiquer.

3. Le terme _____ désigne l'ensemble des causes d'un trouble ou d'une maladie, ainsi que l'étude de ces causes.

4. Selon l'approche _____ , la plupart des troubles mentaux ont une étiologie variée et résultent de l'interaction de facteurs _____ , _____ et _____ .

Réponses : 1. socioculturel. **2.** DSM-IV-TR. **3.** étiologie.
4. biopsychosociale ; biologiques ; psychologiques ; socioculturels.

10.2 LES TROUBLES DE L'HUMEUR

Troubles de l'humeur
Catégorie de troubles mentaux caractérisés par des perturbations extrêmes des émotions et de l'humeur ; inclut notamment la dépression majeure et le trouble bipolaire.

Les **troubles de l'humeur** se caractérisent par des perturbations extrêmes et apparemment injustifiées des émotions et de l'humeur. La *dépression majeure* est de loin le plus fréquent, mais le *trouble bipolaire* (parfois appelé trouble maniaco-dépressif) en fait également partie.

La dépression majeure : le cas de Sophie

Sophie, une jeune femme de 20 ans aussi sérieuse que solitaire, vient de recevoir un diagnostic de *dépression majeure*. Au CLSC où elle s'est traînée pour obtenir une ordonnance de somnifères, on connaît bien ses antécédents familiaux. À cinq ans, Sophie a eu un accident de voiture avec son père : ce dernier est mort sous les yeux de l'enfant, qui est restée seule avec son cadavre un long moment avant l'arrivée des secours. Élevée tant bien que mal par une mère et une grand-mère souffrant toutes les deux de dépression récurrente depuis leur jeunesse, Sophie, qui s'est toujours sentie « différente », a grandi en retrait de ses camarades, préférant sa solitude à leur turbulente compagnie. Il y a un an, après avoir très vite rompu une première relation amoureuse, Sophie a quitté le foyer familial pour aller vivre seule en appartement. Déterminée à se faire une place au soleil, la jeune femme a passé l'année à étudier avec acharnement tout en travaillant pour gagner sa vie, sans jamais s'accorder le moindre moment de loisir ou de répit.

▶ Les victimes de la dépression majeure éprouvent des sentiments accablants de tristesse et de désespoir, et perdent habituellement toute capacité d'éprouver du plaisir.

Sophie explique au médecin que, quelques semaines plus tôt, elle a reçu, en même temps que son diplôme si chèrement payé, une nouvelle qui l'a « cassée ». L'emploi qu'elle rêvait d'obtenir venait d'être attribué à la plus insouciante de ses camarades de classe, laquelle, en plus d'être jolie et douée, était sur le point de se fiancer. « Maman avait raison, commente Sophie. Le bonheur et l'amour, c'est pour les autres, pas pour nous. » Depuis, la jeune femme a reçu d'autres offres d'emploi intéressantes, admet-elle, mais « je suis trop nulle de toutes façons, personne ne voudra de moi ». D'ailleurs, dit-elle, plus rien ne l'intéresse, et elle se sent incapable de faire quoi que ce soit, même penser. Elle ne sort plus de chez elle, mange et dort à peine, pleure sans arrêt et, finit-elle par avouer, n'a plus qu'une envie : « s'endormir pour toujours ».

Dépression majeure
Trouble de l'humeur caractérisé par des sentiments accablants de tristesse et de désespoir, la perte de la capacité d'éprouver du plaisir et des perturbations psychomotrices ; souvent accompagné d'une perte d'énergie physique, de modifications du sommeil, de l'appétit et du poids, ainsi que de difficultés à se concentrer et à penser clairement.

Psychose
Perte de contact avec la réalité se traduisant par des idées délirantes ou des hallucinations.

Les symptômes de Sophie sont typiques de la **dépression majeure**. Les victimes de ce trouble de l'humeur éprouvent des sentiments accablants de tristesse et de désespoir, et perdent habituellement toute capacité d'éprouver du plaisir. Les perturbations psychomotrices sont un symptôme clé de la dépression majeure : les mouvements, le débit de la voix et la pensée soit ralentissent, soit s'accélèrent, ce qui se traduit par une apathie ou une agitation anormale (Sobin et Sackheim, 1997). Ces symptômes s'accompagnent souvent d'une perte d'énergie physique, de modifications du sommeil (insomnie ou hypersomnie), de diminution ou d'augmentation de l'appétit et du poids, ainsi que de difficultés à se concentrer et à penser clairement. La plupart des personnes en dépression majeure ont des idées suicidaires, et une minorité d'entre elles passent à l'acte (Mishara, 2003). Plus une personne s'enfonce dans la dépression, plus elle se retire de ses activités sociales (Judd et autres, 2000). Dans de rares cas, la dépression peut donner des symptômes de **psychose**, c'est-à-dire d'une perte de contact avec la réalité se traduisant par des idées délirantes ou des hallucinations ; on parle alors de dépression psychotique.

Environ 1 personne sur 10 souffre de dépression majeure au cours de sa vie. Depuis l'an 2000, l'OMS considère la dépression comme la première cause d'incapacité dans le monde (Patten et Juby, 2008). Au Canada, chaque année, plus d'un million de personnes vivent un épisode de dépression majeure (Patten et Juby, 2008), et on estime qu'entre 50 % et 60 % d'entre elles feront une rechute. Le trouble touche deux fois plus de femmes que d'hommes (Santé Canada, 2002 ; Culbertson, 1997). La plupart du temps, le premier épisode dépressif survient au début de l'adolescence ou au début de l'âge adulte. La durée moyenne des épisodes dépressifs est de 6 à 12 mois ; certains ne durent que de 3 à 4 semaines, d'autres persistent la vie entière.

Une étiologie multifactorielle Comme la plupart des troubles mentaux, la dépression majeure a une étiologie multifactorielle. L'étude du cas de Sophie montre bien comment l'interaction de facteurs biologiques, psychologiques et sociaux peut produire un trouble mental – en l'occurrence, la dépression majeure. Les antécédents familiaux de la jeune femme indiquent qu'elle a hérité une prédisposition génétique à la dépression (facteur biologique). La mort de son père dans des circonstances tragiques (facteur socioculturel) a pu faire naître chez l'enfant qu'elle était une peur de l'abandon qui l'a incitée à se méfier des liens d'attachement et à s'isoler des autres (facteur psychologique). Le fait que Sophie ait été privée du précieux soutien d'un parent en pleine possession de ses moyens (facteur socioculturel) et qu'elle ait grandi auprès d'une mère et d'une grand-mère dépressives (facteur socioculturel) a vraisemblablement contribué à façonner sa vision pessimiste du monde (facteur psychologique). De plus, l'individualisme de notre société et les préjugés entourant la maladie mentale (facteurs socioculturels) ont pu maintenir sa famille dans un isolement peu propice au rétablissement de sa mère et à son propre épanouissement.

L'interaction de tous ces facteurs peut certainement expliquer la vulnérabilité de Sophie à la dépression, mais qu'est-ce qui a précipité la jeune femme dans cet épisode dépressif à ce moment précis de sa vie ? Selon toute probabilité, le stress a été l'élément déclencheur.

Le rôle du stress dans la dépression majeure Des études récentes révèlent que la combinaison d'une vulnérabilité individuelle (facteurs biologiques, psychologiques et socioculturels) et d'un stress intense et prolongé est la principale cause des modifications neurochimiques et structurelles du cerveau que l'on observe dans la dépression majeure (facteurs biologiques) (Durand et Barlow, 2007 ; Gotlib et Hammen, 2002).

On l'a vu au chapitre 8, un stress important et prolongé a pour effet d'augmenter le taux sanguin de cortisol, une hormone sécrétée par les surrénales et métabolisée par l'hippocampe, ce qui peut déclencher une réaction en chaîne. Outre son rôle dans la mémoire et l'apprentissage, l'hippocampe joue un rôle crucial dans la réduction du stress. Cependant, lorsque l'excès de cortisol finit par saturer ses récepteurs de cortisol, l'hippocampe n'arrive plus à jouer son rôle apaisant et s'atrophie, pouvant perdre jusqu'à 10 % de son volume initial (Fossati et autres, 2004). Ce dysfonctionnement dérègle à son tour le mécanisme des récepteurs de la sérotonine – un neurotransmetteur qui intervient dans la régulation de l'humeur, du sommeil, de l'impulsivité, de l'agressivité et de l'appétit. La baisse du taux de sérotonine qui en résulte réduit la capacité du sujet à maîtriser ses émotions, accroît son impulsivité, et perturbe son sommeil, son appétit et sa libido – autant de symptômes de dépression. Le dérèglement du taux de sérotonine entraîne à son tour un dérèglement des taux de noradrénaline et de dopamine, ce qui se traduit par d'autres symptômes dépressifs, comme l'apathie et le manque de motivation dont souffre Sophie (Durand et Barlow, 2007 ; Gotlib et Hammen, 2002).

Si les gens réagissent différemment au stress selon leur vulnérabilité génétique (facteurs biologiques), la perception de ce qui est stressant ou non dépend aussi, on l'a vu au chapitre 8, de leur interprétation des événements et de leur façon de s'y adapter (facteurs psychologiques). Ces schémas cognitifs et ces modes de réaction se forgent au cours du développement du sujet, en fonction des événements de sa vie, de ses apprentissages, du soutien social, etc. (facteurs socioculturels). Dans le cas de Sophie, les stresseurs liés au passage à l'âge adulte – début de la vie amoureuse, départ du nid familial, fin des études, difficulté d'amorcer une carrière, etc. – combinés à une vulnérabilité biologique et psychologique ont suffi pour déclencher un épisode dépressif.

Le trouble bipolaire : les hauts et les bas de Van Gogh

En quoi le trouble bipolaire se distingue-t-il de la dépression majeure ?

Trouble bipolaire
Trouble de l'humeur caractérisé par une alternance d'épisodes maniaques et d'épisodes dépressifs entrecoupés de périodes relativement normales ; autrefois appelé psychose maniaco-dépressive ou trouble maniaco-dépressif.

Épisode maniaque
Dans le trouble bipolaire, épisode caractérisé par une euphorie extrême, une très haute opinion de soi, une hyperactivité et un optimisme débridé ; s'accompagne souvent d'idées de grandeur et de réactions hostiles ou autodestructrices.

Idées de grandeur
Conviction d'être une personne très puissante, importante ou célèbre, dotée de compétences, de connaissances ou de pouvoirs exceptionnels.

Un jour, le grand peintre Vincent Van Gogh (1853-1890) s'est délibérément coupé l'oreille. Selon des spécialistes de la santé mentale qui ont analysé sa production artistique et ses écrits personnels, Van Gogh souffrait probablement du **trouble bipolaire** (Blumer, 2002). Autrefois appelé « psychose maniaco-dépressive », ce trouble se caractérise typiquement par une alternance d'épisodes de dépression majeure et de périodes d'euphorie extrême appelées *épisodes maniaques*, entrecoupés de périodes relativement normales. Outre l'euphorie extrême, les **épisodes maniaques** se caractérisent par un optimisme débridé, une très haute opinion de soi et une hyperactivité marquée. Les gens en phase maniaque perdent temporairement contact avec la réalité et sont enclins à afficher des idées délirantes, notamment des **idées de grandeur** : ils sont convaincus d'être quelqu'un de très puissant ou important ou célèbre, doté de compétences, de connaissances ou de pouvoirs exceptionnels. On les voit souvent se lancer dans des entreprises extravagantes ou périlleuses où ils peuvent engloutir de grosses sommes d'argent. Si on tente de les ramener à la raison, ils peuvent devenir hostiles, furieux et même dangereux pour autrui, ou encore retourner cette agressivité contre eux-mêmes et s'automutiler. L'incident de l'oreille coupée de Van Gogh a vraisemblablement eu lieu au cours d'un épisode maniaque. À la suite d'une violente dispute avec le peintre Paul Gauguin, Van Gogh tenta de le tuer, puis, pour se punir, se coupa l'oreille gauche et alla l'offrir à une prostituée. Très souvent, on doit hospitaliser les gens durant leurs épisodes maniaques pour les protéger et protéger autrui des conséquences du piètre état de leur jugement.

Beaucoup plus handicapant que la dépression majeure, le trouble bipolaire est heureusement beaucoup moins fréquent. Il touche entre 1 % et 2 % de la population, et cette prévalence est à peu près identique chez les deux sexes (Santé Canada, 2002 ; NIMH, 2001). Le premier épisode tend à apparaître à la fin de l'adolescence ou au début de l'âge adulte ; dans environ 90 % des cas, il sera suivi d'une rechute, souvent dans l'année qui suit (environ 50 % des cas).

De nombreuses études indiquent que la base génétique du trouble bipolaire est nettement plus importante que celle de la dépression majeure (Durand et Barlow, 2007 ; Kalidindi et McGuffin, 2003 ; Gotlib et Hammen, 2002). Pour ne citer que cet exemple, lorsqu'un jumeau monozygote souffre de trouble bipolaire, les risques que l'autre en souffre s'élèvent à 80 %, comparativement à 36 % dans le cas de la dépression majeure. Des recherches récentes en psychiatrie moléculaire semblent confirmer que les bases génétiques et biochimiques du trouble bipolaire ressemblent davantage à celles de la schizophrénie qu'à celles du trouble dépressif majeur (Molnar et autres, 2003).

◀ Le 24 décembre 1888, probablement au cours d'un épisode maniaque, le peintre Vincent Van Gogh se dispute violemment avec Paul Gauguin, qu'il tente de tuer ; pour se punir, il se coupe l'oreille gauche et va l'offrir à une prostituée. En janvier 1889, la crise passée, Van Gogh peint son célébrissime *Autoportrait à l'oreille bandée*. En juillet 1890, profondément déprimé, Van Gogh se tire un coup de revolver dans la poitrine et meurt deux jours plus tard, le 29 juillet 1890.

RETENEZ-LE   Les troubles de l'humeur

1. _____ est le trouble de l'humeur le plus répandu et le plus fortement influencé par le stress.

2. Jamal traverse des épisodes dépressifs, si profonds qu'il devient suicidaire, et des _____ , c'est-à-dire des périodes d'euphorie et d'hyperactivité où il se prend pour un être d'exception et manifeste un optimisme débridé. Ces symptômes sont caractéristiques du _____ .

3. En ce qui concerne les troubles de l'humeur, la recherche indique que la composante génétique est beaucoup plus importante dans _____ que dans _____ .

Réponses : 1. La dépression majeure. 2. épisodes maniaques ; trouble bipolaire. 3. le trouble bipolaire ; la dépression majeure.

10.3   LES TROUBLES ANXIEUX

Quel être humain ne s'est jamais senti anxieux ? Avoir des palpitations quand on est en danger ou avant un rendez-vous très important, avoir le trac avant un exposé oral ou une performance sur scène ou se sentir tendu avant un examen est parfaitement normal. Comme on l'a vu au chapitre 8, le stress est adaptatif : il nous met en état d'alerte et nous prépare à l'action. Même si elle survient sans raison apparente, semble irrationnelle ou s'accompagne de manifestations physiques, cette crainte de ce qui pourrait arriver que les psychologues appellent **anxiété** n'est pas considérée comme un trouble mental (Association psychiatrique canadienne, juillet 2006). Par contre, si l'anxiété devient intense, fréquente ou persistante et entraîne des réactions physiologiques, émotionnelles et comportementales qui perturbent le fonctionnement, elle peut être symptomatique d'un *trouble anxieux*. Les **troubles anxieux** sont les plus répandus de tous les troubles mentaux : ils touchent environ 15 % de la population, surtout des femmes et de jeunes adultes (Poulin et autres, 2004 ; Fournier et autres, 2002 ; Servant, 2001). Les troubles anxieux les plus fréquents sont le *trouble anxieux généralisé (TAG)*, le *trouble panique* avec ou sans *agoraphobie*, la *phobie sociale* et les *phobies spécifiques*, et le *trouble obsessionnel-compulsif (TOC)*. Sauriez-vous les reconnaître avant même de lire le reste de cette section ?

Anxiété
Peur de ce qui pourrait arriver, souvent accompagnée de manifestations physiologiques.

Troubles anxieux
Catégorie de troubles mentaux caractérisés par une anxiété intense, fréquente ou durable.

ESSAYEZ-LE   Distinguer les principaux troubles anxieux

Brigitte, Kim, Mathias, Sylvia et Jules viennent de recevoir un diagnostic de trouble anxieux. Sauriez-vous dire à partir de leurs symptômes respectifs qui souffre de chacun des troubles anxieux suivants : trouble anxieux généralisé, trouble panique, phobie sociale, phobie spécifique, trouble obsessionnel-compulsif ?

a) Avant de sortir de chez elle, Brigitte vérifie à plusieurs reprises si chaque fenêtre et chaque porte sont bien verrouillées ; souvent, elle revient sur ses pas pour tout vérifier de nouveau. Elle a si peur d'attraper un microbe qu'elle se lave et se brosse constamment les mains jusqu'à ce qu'elles soient rouges et douloureuses ; elle désinfecte toute sa vaisselle à l'eau de Javel et se promène avec des lingettes imbibées d'alcool. Elle a aussi toujours peur de blesser une personne qu'elle aime. Elle n'arrive pas à chasser ces idées de son esprit.

b) Soudainement, sans raison, Kim sent sa fréquence cardiaque s'accélérer. Elle est prise de vertiges, n'arrive plus à respirer et a l'impression qu'elle va mourir. Ces symptômes reviennent régulièrement, et la seule idée qu'ils la reprennent rend Kim anxieuse.

c) Il ne se passe pas un jour sans que Mathias soit terrorisé à l'idée de faire quelque chose d'embarrassant. Dès qu'on le regarde, il se met à transpirer et à trembler de manière incontrôlable. Il évite les fêtes et les réunions de peur de rencontrer des gens qu'il ne connaît pas, et ne va même plus travailler de peur d'être convoqué à une réunion.

d) Jules est terrifié par les chats. Dès qu'il en voit un, il se met à trembler. Il ne va plus faire de promenades et évite tous les endroits où il risque d'en rencontrer un.

e) Depuis un an, Sylvia est perpétuellement inquiète. Qu'il s'agisse de sa santé ou de celle de ses proches, de ses études, de son travail, de sa situation financière ou de ses amours, elle redoute toujours le pire. Tendue, fatiguée et irritable, elle a du mal à dormir et à se concentrer sur autre chose que ses inquiétudes.

Vous pourrez vérifier si vos réponses sont exactes en continuant à lire cette section.

_____
Source : D'après NIMH, 1999.

Trouble anxieux généralisé (TAG)
Trouble mental caractérisé par une anxiété excessive qui persiste pendant six mois ou plus.

Le trouble anxieux généralisé (TAG)

Le **trouble anxieux généralisé (TAG)** se caractérise par une anxiété excessive qui persiste pendant six mois ou plus. Les personnes qui en souffrent s'attendent constamment au pire et, bien que leurs craintes soient infondées ou disproportionnées, n'arrivent pas à les maîtriser. Leur anxiété excessive se traduit généralement par de la tension, de la fatigue, de l'irritabilité et des problèmes de concentration et de sommeil. Elle peut aussi s'accompagner de tremblements, de palpitations, de transpiration excessive, d'étourdissements, de nausée, de diarrhées ou de mictions très fréquentes. La recherche indique que le trouble anxieux généralisé, qui entraîne beaucoup de détresse et peut être très handicapant, est l'un des troubles anxieux les plus répandus, touchant de 4 % à 5,1 % de la population (APA, 2003), dont deux fois plus de femmes que d'hommes (Brawman-Mintzer et Lydiard, 1997 ; Kranzler, 1996). On estime que l'héritabilité du trouble anxieux généralisé est de l'ordre de 30 % (Kendler et autres, 1992).

Attaque de panique
Épisode soudain, violent et incontrôlable de forte anxiété, de peur ou de terreur.

Le trouble panique et l'agoraphobie

Avez-vous déjà eu une **attaque de panique**, c'est-à-dire une sensation soudaine de peur ou de terreur accompagnée de palpitations, de tremblements et d'une sensation d'étouffement ? Si oui, vous avez peut-être cru pendant un moment que vous étiez en train de mourir ou de perdre la raison. Même si les attaques de panique sont effrayantes, il faut savoir qu'elles sont très courantes – 15 % de la population en a déjà vécu ou en vivra une au cours de sa vie –, et qu'elles ne sont pas un trouble mental en elles-mêmes. Cependant, elles peuvent être symptomatiques d'un trouble anxieux appelé le *trouble panique*. Pour savoir si c'est le cas, les cliniciens vérifient d'abord si les attaques de panique ont ou non un déclencheur connu. Les attaques de panique dont on connaît le déclencheur – par exemple, celles qui surviennent chaque fois qu'une personne arrive à un carrefour où elle a déjà eu un accident – sont généralement considérées comme une réaction apprise plutôt que comme le symptôme d'un trouble anxieux.

Les attaques de panique imprévisibles sont plus susceptibles d'être symptomatiques du trouble panique ; sans en comprendre parfaitement le mécanisme, les chercheurs savent qu'elles résultent du fait que le cerveau interprète comme un signal de danger une réponse normale de l'organisme (NAMI, 2003). Par exemple, la consommation de caféine augmente la fréquence cardiaque. Or, pour des raisons inconnues, chez les victimes d'attaques de panique spontanées, le cerveau perçoit ce changement normal comme un signal de danger, ce qui déclenche la réaction de fuite ou de combat. Les fonctions cognitives supérieures de la victime entrent alors en action – « Je suis en train de faire une crise cardiaque ! Je vais mourir ! » –, ce qui amplifie la sensation de danger et prolonge l'attaque de panique en court-circuitant les efforts du système parasympathique pour contrer l'influence du système sympathique. C'est pourquoi les cliniciens traitent souvent les attaques de panique en apprenant aux victimes à maîtriser leurs réactions cognitives aux sensations physiques qui accompagnent les attaques de panique.

Trouble panique
Trouble anxieux caractérisé par des attaques de panique imprévisibles et récurrentes.

Lorsqu'une personne souffre d'attaques de panique imprévisibles, récurrentes, et que ce problème perturbe son fonctionnement ou l'incite à modifier ses habitudes de vie, on pourra diagnostiquer un **trouble panique**. Ce trouble anxieux touche entre 2 % et 4 % de la population (Servant, 2001 ; Marchand et Boivin, 1999). Le trouble panique peut avoir des conséquences majeures sur la vie sociale des personnes qui en souffrent, mais aussi sur leur santé (Sherbourne et autres, 1996). Les victimes du trouble panique doivent composer non seulement avec les attaques de panique elles-mêmes, mais avec l'anxiété liée à l'éventualité et aux conséquences des prochaines attaques de panique. Chez la majorité des personnes qui souffrent du trouble panique, et plus particulièrement les femmes, cette anxiété se transforme en *agoraphobie* (Marchand et Letarte, 2004 ; Servant, 2001).

L'agoraphobie   On appelle **agoraphobie** la peur intense de se trouver dans un lieu où il serait impossible de fuir ou de trouver de l'aide rapidement en cas de crise d'anxiété ou d'attaque de panique. Dans certains cas, l'agoraphobe organise toute son existence de manière à éviter les rues passantes, les magasins achalandés, les restaurants, les transports publics, etc. Souvent, l'agoraphobe est incapable de sortir sans être accompagné et, dans certains cas, incapable de sortir tout court. Le principal critère diagnostique de l'agoraphobie est l'évitement de ces situations jugées dangereuses. Environ 7 % de la population souffre d'agoraphobie à un moment de sa vie, avec ou sans trouble panique. L'agoraphobie peut en effet se manifester en l'absence de trouble panique, le seul fait d'avoir déjà ressenti une forte anxiété dans un lieu public pouvant engendrer la « peur d'avoir peur » dans des endroits jugés non sécuritaires (Marchand et Letarte, 2004). Lorsque l'agoraphobie est la complication d'un trouble panique, la peur d'être en proie à une nouvelle attaque de panique incite la personne à éviter les lieux et les situations où ces attaques se sont déjà produites.

Agoraphobie
Peur intense de se trouver dans un lieu où il serait impossible de fuir immédiatement ou de trouver de l'aide en cas de crise d'anxiété ou d'attaque de panique.

La phobie sociale et les phobies spécifiques

En quoi la phobie sociale se distingue-t-elle de la phobie spécifique ?

Y a-t-il une chose ou une situation qui vous glace d'effroi ? Avez-vous une peur irraisonnée des serpents, des araignées, des insectes ou d'autres animaux, des hauteurs, des espaces confinés, de prendre l'ascenseur ou de parler en public ? Si tel est le cas, vous souffrez peut-être d'une **phobie**, c'est-à-dire d'une peur excessive, persistante et irrationnelle d'un objet, d'un être vivant ou d'une situation qui ne présente aucun danger en soi. La plupart des gens qui souffrent d'une phobie se rendent compte que leur peur est irrationnelle, mais se sentent malgré tout contraints d'éviter les objets ou les situations qu'ils redoutent.

Phobie
Peur excessive, irrationnelle et persistante d'un objet, d'un être vivant ou d'une situation qui ne présente aucun danger en soi.

La phobie sociale   La **phobie sociale** se caractérise par la peur intense et l'évitement d'une ou de plusieurs situations sociales présentant un risque de se mettre dans l'embarras ou de s'humilier devant autrui. Les gens qui souffrent de phobie sociale sont terrorisés à l'idée d'être soumis à l'observation attentive d'autrui et de se ridiculiser en se mettant à rougir, à trembler ou à transpirer, ou encore en se montrant maladroits, stupides ou incompétents. La phobie sociale est un trouble anxieux très courant (environ 1 personne sur 10 en souffre au cours de sa vie) et il est plus fréquent chez les femmes et les jeunes adultes (Pelissolo, 2005 ; Boisvert et autres, 1999). La phobie sociale peut prendre la forme particulière d'une « anxiété de performance ». Ainsi, environ le tiers des personnes qui ont une phobie sociale ont une seule peur : parler devant un public (Kessler et autres, 1998). Dans une enquête menée auprès de 449 sujets qui n'avaient pas reçu de diagnostic de phobie sociale, un tiers des répondants ont déclaré qu'ils ressentiraient une anxiété excessive s'ils devaient parler devant une vaste audience (Stein et autres, 1996).

Phobie sociale
Peur irrationnelle et évitement de toute situation sociale présentant un risque de se mettre dans l'embarras ou de s'humilier devant autrui.

Dans sa forme extrême, la phobie sociale peut restreindre gravement la vie sociale et être très préjudiciable au rendement, empêchant l'avancement d'une carrière ou la poursuite des études (Pelissolo, 2005 ; Bruch et autres, 2003 ;

▶ Les gens qui souffrent de phobie sociale sont terrorisés à l'idée d'être soumis à l'observation attentive d'autrui et de se ridiculiser en se mettant à rougir, à trembler ou… à transpirer.

Stein et Kean, 2000 ; Greist, 1995). Les gens qui en souffrent recourent souvent à l'alcool et aux tranquillisants pour diminuer leur anxiété en société. De plus, un grand nombre présentent des symptômes dépressifs ou de l'agoraphobie, ce qui complique le traitement (Boisvert et autres, 1999).

Phobie spécifique
Peur marquée d'une situation, d'un être vivant ou d'une chose en particulier ; terme générique s'appliquant à toutes les phobies autres que l'agoraphobie et la phobie sociale.

La phobie spécifique On appelle **phobie spécifique** la peur marquée d'une situation, d'un être vivant ou d'une chose en particulier. Ce terme générique s'applique à toutes les phobies autres que l'agoraphobie et la phobie sociale. Exposées à l'objet ou à la situation qu'elles craignent, les personnes affligées d'une phobie spécifique éprouvent une anxiété telle qu'elles se mettent à trembler ou à crier. Elles feront tout ce qu'elles peuvent pour éviter l'objet ou la situation qui les effraie. Les femmes sont deux fois plus nombreuses que les hommes à éprouver ce genre de phobie, avec une prévalence d'environ 16 % contre 7 % chez les hommes (Boisvert et autres, 1999). Les divers types de phobies spécifiques sont, par ordre de fréquence : (1) les phobies situationnelles (peur des ascenseurs, des avions, des lieux confinés, des hauteurs, des tunnels, des ponts, etc.) ; (2) les phobies liées aux éléments naturels (peur des orages, peur de l'eau, etc.) ; (3) les phobies liées à un animal (peur des chiens, des serpents, des insectes, des araignées, etc.) ; (4) la phobie du sang, des injections ou des blessures (Fredrikson et autres 1996). La plupart des phobies sont apprises soit par l'expérience d'une situation traumatisante, soit par l'observation de personnes qui transmettent une peur donnée ; souvent, cet apprentissage remonte à si loin dans l'enfance que ceux qui en souffrent n'en gardent aucun souvenir.

? *Qu'est-ce qui caractérise le trouble obsessionnel-compulsif ?*

Le trouble obsessionnel-compulsif (TOC)

Connaissez-vous le cas d'Howard Hugues, incarné au cinéma par Leonardo DiCaprio dans le film *L'aviateur* réalisé par Martin Scorsese en 2004 ? Ce célèbre et richissime industriel américain était tellement obsédé par les microbes qu'il a tenté de créer autour de lui un environnement stérile. L'une des manifestations de son obsession était de se laver constamment les mains malgré les plaies qu'il finissait par s'infliger. Son trouble s'est aggravé au point où, refusant d'ingérer toute nourriture qui pouvait avoir été touchée par une main humaine, il s'est littéralement laissé mourir de faim. Ce cas très grave de **trouble obsessionnel-compulsif (TOC)** montre à quel point ce trouble anxieux peut devenir handicapant. La personne atteinte d'un TOC souffre d'*obsessions* ou de *compulsions* récurrentes, généralement des deux.

Trouble obsessionnel-compulsif (TOC)
Trouble anxieux caractérisé par des obsessions envahissantes et des rituels incontrôlables.

Obsession
Pensée, image ou impulsion récurrente et persistante qui envahit la conscience et cause de la détresse.

Les **obsessions** sont des pensées, des images ou des impulsions involontaires et persistantes qui envahissent la conscience et causent un grand désarroi. Certaines personnes sont obsédées par la peur d'attraper des microbes ou d'avoir oublié de faire quelque

▲ Dans le film *L'aviateur* (2004) de Martin Scorsese, Leonardo DiCaprio incarnait le célèbre et richissime industriel américain Howard Hugues, qui souffrait d'un trouble obsessionnel-compulsif extrême handicapant.

chose, comme éteindre le four ou verrouiller leur porte (Insel, 1990). D'autres se focalisent de façon obsessionnelle sur l'ordre et la symétrie, la sexualité, l'agressivité, etc.

La **compulsion** est un besoin irrépressible et persistant de se livrer à répétition à certains actes ou rituels dictés par une obsession. La personne sait que ces actes sont insensés, mais ne pas les accomplir entraîne une anxiété intolérable qu'elle ne peut soulager qu'en cédant à sa compulsion. La plupart d'entre nous avons parfois des comportements compulsifs – éviter de marcher sur les fentes du trottoir, compter des marches d'escalier ou exécuter un petit rituel de temps à autre. La compulsion ne devient problématique que si elle est irrépressible et assez accaparante pour nuire au fonctionnement normal. Les compulsions axées sur le nettoyage et le lavage touchent 75 % des personnes traitées pour un TOC (Ball et autres, 1996). Leurs autres compulsions consistent souvent à compter, à vérifier, à toucher ou à accumuler des choses, ou à tout organiser et ordonner de manière excessive. Dans la mesure où ils doivent être exécutés fidèlement pour éloigner le danger, les actes et les rituels compulsifs semblent parfois refléter des pensées superstitieuses. Les gens atteints de TOC ne prennent aucun plaisir à ces comportements et les savent anormaux, mais sont incapables d'y résister, comme en témoigne l'exemple suivant :

> Mike, un patient de 32 ans, se livrait à des rituels de vérification dictés par la peur de faire du mal aux autres. Quand il conduisait, il devait fréquemment s'arrêter et revenir en arrière pour s'assurer qu'il n'avait pas écrasé des gens, surtout des bébés. Avant de tirer la chasse d'eau, il devait vérifier qu'il n'y avait aucun insecte dans la cuvette, pour ne pas être responsable de la mort d'un être vivant. À la maison, il vérifiait à répétition que les portes et les fenêtres étaient fermées, que la cuisinière et les lumières étaient éteintes […]. Mike passait en moyenne quatre heures par jour à se livrer à ces rituels de vérification et à une multitude d'autres. (Kozak et autres, 1988)

La compulsion de vérification de Mike est assez extrême, mais on estime qu'entre 2 % et 3 % de la population souffrira d'un TOC au cours de sa vie (Hamilton et Swedo, 2001 ; Giedd et autres, 2000 ; Ladouceur et autres, 1999). De plus, la majorité des gens qui développent un TOC présentent également des symptômes de dépression (Rasmussen et Eisen, 1990).

La recherche indique que des maladies du système immunitaire et des infections à streptocoques au stade précoce ainsi que des modifications cérébrales résultant d'une infection pourraient prédisposer au TOC (Hamilton et Swedo, 2001 ; Giedd et autres, 2000). Plusieurs études de jumeaux et de familles suggèrent aussi l'existence d'un facteur génétique (Nestadt et autres, 2000 ; Rasmussen et Eisen, 1990). Par ailleurs, les modèles familiaux axés sur la performance et un style parental culpabilisant prédisposent au TOC. Les personnes qui en souffrent se distinguent par une personnalité perfectionniste à outrance et des schémas centrés sur un sentiment de responsabilité excessif (Ladouceur et autres, 1999). Ainsi, elles sont souvent hantées par la peur qu'une négligence de leur part fasse du tort aux autres : « Si j'avais oublié de fermer la cafetière, et que le feu prenait, et que des voisins étaient blessés ou tués par ma faute ? » Dans nos sociétés, le fait que la peur des microbes, des maladies et des accidents, par exemple, soit alimentée à grand renfort de publicité par des industries qui en tirent d'immenses profits favoriserait également l'émergence de ce type de troubles.

Compulsion
Besoin irrépressible et persistant de se livrer à répétition à certains actes ou rituels dictés par une obsession.

RETENEZ-LE   Les troubles anxieux

1. Revoyez vos réponses au petit test de la rubrique « Essayez-le : Distinguer les principaux troubles anxieux » (p. 353). Au besoin, rectifiez-les.

2. _____ est une peur intense de se trouver dans un lieu où il serait impossible de fuir immédiatement ou de trouver de l'aide en cas de crise d'anxiété ou d'attaque de panique.

3. Les _____ sont des pensées, des images ou des impulsions involontaires et persistantes qui envahissent la conscience et causent un grand désarroi.

Réponses : 1. (a) Trouble obsessionnel-compulsif (TOC) (b) Trouble panique (c) Phobie sociale (d) Phobie spécifique (e) Trouble anxieux généralisé. 2. L'agoraphobie. 3. obsessions.

10.4 LES TROUBLES DES CONDUITES ALIMENTAIRES

Troubles des conduites alimentaires (ou **troubles alimentaires**)
Troubles mentaux caractérisés par des préoccupations intenses pour l'alimentation, le poids et l'image corporelle, par des perturbations graves des comportements alimentaires ; incluent notamment l'anorexie mentale et la boulimie.

Les **troubles des conduites alimentaires** (ou **troubles alimentaires**) se caractérisent par des préoccupations intenses pour l'alimentation, le poids et l'image corporelle, ainsi que par des perturbations graves des comportements alimentaires. Les deux principaux troubles des conduites alimentaires, l'*anorexie mentale* et la *boulimie*, touchent principalement les filles et les femmes ; de 5 % à 15 % seulement des personnes qui en souffrent sont des garçons ou des hommes. On estime qu'environ 3 % des femmes souffriront d'anorexie mentale ou de boulimie au cours de leur vie (Zhu et autres, 2002).

Les troubles des conduites alimentaires apparaissent généralement entre 14 et 25 ans, mais peuvent survenir à divers âges, et on les diagnostique de plus en plus souvent chez des enfants de 10 à 13 ans. Une étude menée dans des écoles secondaires ontariennes indique que 27 % des filles de 12 à 18 ans présentaient de très graves problèmes de comportement liés à la nourriture et au poids (Jones et autres, 2001). Les experts constatent que les troubles des conduites alimentaires sont de plus en plus fréquents (APA Work Group on Eating Disorders, 2000) ; et ils sont devenus la troisième maladie chronique la plus fréquente chez les adolescentes (Association pédiatrique canadienne, 2001). Cette augmentation est d'autant plus grave que les troubles alimentaires, en particulier l'anorexie mentale, sont les plus mortels des troubles mentaux : on estime que de 10 % à 20 % des personnes qui en souffrent finissent par mourir de leurs complications (Cavanaugh et autres, 1999).

Contrairement à un préjugé répandu, les personnes qui souffrent de troubles alimentaires ne choisissent pas d'en souffrir, et ne le font pas pour attirer l'attention. L'ingestion volontaire de portions plus petites ou plus grandes que d'habitude est extrêmement courante. Cependant, quand on parle de troubles des conduites alimentaires, il ne s'agit plus de comportements volontaires, mais de modes d'alimentation malsains qui sont devenus indépendants de la volonté. Les causes précises de ces troubles sont très difficiles à cerner, mais la recherche indique qu'ils résultent de facteurs à la fois biologiques, psychologiques et socioculturels (Steiger et autres, 2008 ; Steiger, 2007 ; Steiger et Bruce, 2007). Des études ont mis en lumière le rôle des facteurs génétiques dans les troubles alimentaires (par exemple, Steiger et Séguin, 1999). Ces études ne prouvent pas que le trouble alimentaire se transmet automatiquement du parent à l'enfant, mais elles montrent qu'il peut y avoir transmission de traits de personnalité ou d'une vulnérabilité à d'autres troubles mentaux (anomalies des neurotransmetteurs régulant l'appétit et l'humeur, par exemple) qui augmentent le risque de troubles alimentaires. La recherche indique également qu'une préoccupation excessive pour l'apparence physique et le fait de sentir une pression sociale en faveur de la minceur sont des facteurs de risque de troubles alimentaires (Whisenhunt et autres, 2000). On peut difficilement ignorer l'obsession de nos sociétés pour la minceur, un véritable culte activement soutenu par une industrie aux moyens colossaux. Nous sommes inondés de propagande sur les régimes miracles, les diètes, les aliments hypocaloriques, et autres moyens « infaillibles » d'avoir ce corps ultramince, voire ultramaigre, qui est devenu le nouvel idéal de beauté. Pourtant, comme nous allons le voir, ces pressions sociales sont davantage associées à la boulimie qu'à l'anorexie, et même là, elles n'expliquent pas tout.

Anorexie mentale
Trouble des conduites alimentaires caractérisé par le refus d'atteindre ou de maintenir le poids normal minimal compte tenu de l'âge et de la taille, une peur intense et irrationnelle de prendre du poids ou de devenir obèse malgré un poids inférieur à la normale, et une perception grossièrement déformée de la forme de son propre corps.

L'anorexie mentale : bien en deçà de la minceur

Quels sont les symptômes de l'anorexie mentale ?

En soi, le terme *anorexie* signifie simplement « perte ou diminution de l'appétit ». Les spécialistes utilisent donc le terme **anorexie mentale** pour désigner un trouble mental caractérisé par le refus d'atteindre ou de maintenir le poids minimal normal compte tenu de l'âge et de la taille, une peur intense et irrationnelle de prendre du poids ou de devenir obèse malgré un poids très inférieur à la normale, et une perception grossièrement déformée de la forme de son propre corps. L'anorexie mentale touche environ 1 % des filles et des femmes de 12 à 40 ans (Johnson et autres, 1996). Typiquement, elle commence à l'adolescence, et la très grande partie des personnes atteintes – de 92 % à 95 % – sont des filles, quoique ces chiffres pourraient sous-estimer la prévalence du trouble chez les garçons (Nelson et autres, 1999 ; Steiger et Séguin, 1999).

Il y a des différences majeures entre les personnes qui suivent des diètes pour perdre du poids, même de façon obsessive, et celles qui souffrent d'anorexie mentale. Les anorexiques peuvent s'imposer des privations alimentaires extrêmes – par exemple, s'interdire de consommer plus de 200 calories par jour (à peu près 10 fois moins que l'apport recommandé) –, se livrer compulsivement à des exercices exténuants et accaparants, se faire vomir, et abuser des laxatifs et des diurétiques pour accélérer la perte de poids. Cependant, si excessif soit-il, l'amaigrissement qui s'ensuit n'est jamais suffisant ou satisfaisant aux anorexiques, qui ont une perception grossièrement déformée de leur corps : quel que soit leur degré de maigreur ou de rachitisme, elles continuent à le percevoir comme trop gros. La recherche suggère que ces perceptions déformées viennent d'une propension plus généralisée aux distorsions de la pensée (Tchanturia et autres, 2001).

L'anorexie mentale est un trouble mental très grave, car elle entraîne des troubles physiques qui mettent la santé et la vie en danger : déshydratation et perturbations électrolytiques, déséquilibre hormonal, aménorrhée (cessation des menstruations), anémie, troubles cardiaques et rénaux, etc. (APA, 2006). Souvent, les anorexiques perdent leurs cheveux ; leur teint prend une teinte orangée et leur corps peut se couvrir d'un duvet appelé « lanugo ». De plus, à la longue, le fait de s'affamer entraîne des modifications de la paroi de l'estomac, ce qui peut rendre très difficile le retour à un fonctionnement normal du système digestif (Ogawa et autres, 2004). Malheureusement, un très grand nombre d'anorexiques – jusqu'à 20 %, estiment certains chercheurs (Cavanaugh et autres, 1999) – finissent par mourir de dénutrition, de complications des lésions aux organes ou par suicide.

Après plusieurs décennies de recherche, les causes précises de l'anorexie mentale n'ont toujours pas été élucidées. On observe chez les anorexiques un taux anormalement élevé d'autres troubles mentaux, comme la dépression majeure, la dépendance à l'alcool

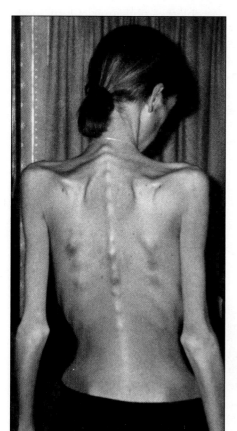

et les troubles anxieux. La plupart des anorexiques ont une véritable fascination pour tout ce qui concerne la nourriture et sa préparation (Faunce, 2002). Cette fascination prend souvent la forme d'obsessions et de compulsions alimentaires, ou de rituels alimentaires compulsifs et accaparants – couper, peser, compter les aliments, les manger de telle ou telle manière, ou même cuisiner de véritables festins… pour les autres. Selon certains chercheurs, le taux élevé de TOC chez les anorexiques indique que, du moins chez certaines de ses victimes, l'anorexie mentale pourrait être une composante d'un ensemble plus vaste de problèmes (Dyl et autres, 2006 ; Milos et autres, 2002).

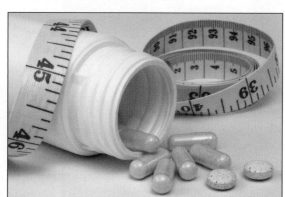

◀ L'anorexie mentale va bien au-delà du simple désir d'être mince. Les anorexiques ont une perception déformée de leur corps et quel que soit leur degré d'amaigrissement ou de rachitisme, elles continuent à le percevoir comme trop gros.

L'anorexie mentale est difficile à traiter, car les anorexiques sont très fermes dans leur refus de manger et nient avoir un problème. L'objectif premier du traitement consiste à les convaincre d'augmenter leur apport alimentaire et de gagner du poids, ce qui peut exiger une hospitalisation. Les traitements qui associent les interventions nutritionnelles et la psychothérapie semblent les plus efficaces. De manière générale, les traitements médicamenteux ont eu des résultats décevants (Zhu et autres, 2002), mais certaines recherches indiquent que les antidépresseurs peuvent contribuer à l'efficacité du traitement (Barbarich et autres, 2004). Quel que soit le traitement, la plupart des anorexiques connaissent des rechutes (Hogan et McReynolds, 2004).

La boulimie, avec ou sans anorexie mentale

Quels sont les symptômes de la boulimie ?

Boulimie
Trouble alimentaire caractérisé par des orgies alimentaires répétées et incontrôlées souvent suivies de purges (vomissements provoqués ou abus de laxatifs et de diurétiques).

Près de 50 % des anorexiques souffrent également de **boulimie**, un trouble qui se caractérise par des épisodes de *frénésie alimentaire* répétés, incontrôlables et souvent suivis de purges, c'est-à-dire de vomissements provoqués ou d'abus de laxatifs et de diurétiques (Perlis, 2006). Si la moitié des anorexiques souffrent de boulimie, ce trouble se retrouve aussi chez des gens qui ne souffrent pas d'anorexie mentale. Un épisode de frénésie alimentaire se caractérise par (1) l'ingestion d'une quantité de nourriture beaucoup plus importante que ce que la majorité des gens mangent dans le même laps de temps et (2) le sentiment d'être incapable d'arrêter de manger ou de limiter la quantité de nourriture ingérée. Ces épisodes de frénésie alimentaire portent généralement sur des aliments riches en hydrates de carbone (gâteaux, tartes, confiseries, etc.). Chez les boulimiques, ils sont souvent suivis de purges – vomissements provoqués, et abus de laxatifs et de diurétiques –, de restrictions alimentaires draconiennes et de séances d'exercices exténuants, le tout visant à éviter une prise de poids. De nombreuses personnes boulimiques qui ne sont ni anorexiques ni obèses arrivent ainsi à maintenir un poids normal et à cacher leur problème. Cependant, ces comportements compensatoires renforcent la probabilité que les épisodes de frénésie alimentaire se reproduisent en donnant l'illusion d'annuler leurs effets et de maîtriser la situation.

Néanmoins, la boulimie entraîne de nombreux problèmes physiques. Outre le fait que l'acide de l'estomac qui entre en contact avec les dents pendant les vomissements gruge leur émail et les fait carier, l'abus de laxatifs et de diurétiques perturbe gravement le délicat équilibre chimique du corps. La boulimie peut entraîner des maux de gorge chroniques, la déshydratation, l'œdème des glandes salivaires, la perte des cheveux, ainsi que des problèmes digestifs, cardiovasculaires et rénaux. La boulimie a une forte composante émotionnelle : les boulimiques savent que leur comportement alimentaire est anormal, mais se sentent incapables de le maîtriser. Leurs épisodes de frénésie alimentaire

▼ La boulimie tend à apparaître à la fin de l'adolescence et touche environ 1 femme sur 25. La moitié des anorexiques souffrent également de boulimie.

et de purge s'accompagnent de sentiments de honte et de culpabilité, ainsi que d'une humeur dépressive, de sautes d'humeur, d'irritabilité, d'impulsivité, de problèmes de concentration et de sommeil, et d'une tendance à l'isolement.

La boulimie tend à apparaître à la fin de l'adolescence et touche environ 1 femme sur 25 (Kendler et autres, 1991). Fait intéressant, un grand nombre de boulimiques proviennent de familles dont les membres font souvent des commentaires négatifs sur l'apparence physique d'autrui (Crowther et autres, 2002).

Comme chez les anorexiques, on observe un taux élevé de TOC chez les boulimiques (Milos et autres, 2002). De plus, un grand nombre de boulimiques – peut-être jusqu'au tiers – se livrent à d'autres types de comportements autodestructeurs, comme l'automutilation (Paul et autres, 2002). On estime que de 10 % à 15 % des boulimiques sont des hommes, et l'homosexualité et la bisexualité semblent augmenter le risque de boulimie chez ces derniers (Carlat et autres, 1997). Plusieurs autres études indiquent que la boulimie a une composante socioculturelle plus importante que l'anorexie mentale. Ainsi, les athlètes du sport et de la danse, qui sont soumis à d'importantes pressions quant à leur apparence physique, y sont particulièrement vulnérables (Costin, 1999). De plus, la boulimie est un trouble en croissance dans les pays industrialisés, ce qui n'est pas le cas de l'anorexie mentale. Ainsi, des chercheurs ont constaté qu'en Turquie, l'occidentalisation et la valorisation dans les médias de l'extrême minceur – une conception de la beauté en rupture avec les valeurs traditionnelles – ont entraîné une augmentation de l'incidence de la boulimie (Elal et autres, 2000).

RETENEZ-LE   **Les troubles des conduites alimentaires**

1. _____ est un trouble des conduites alimentaires caractérisé par le refus d'atteindre ou de maintenir le poids minimal normal compte tenu de l'âge et de la taille, une peur intense et irrationnelle de prendre du poids ou de devenir obèse malgré un poids très inférieur à la normale, et une perception grossièrement déformée de la forme de son propre corps.

2. Près de la moitié des anorexiques souffrent également de (boulimie/frénésie alimentaire), un trouble qui se caractérise par des épisodes de (boulimie/frénésie alimentaire) répétés, incontrôlables et souvent suivis de vomissements provoqués ou d'abus de laxatifs et de diurétiques.

Réponses : 1. L'anorexie mentale.
2. boulimie ; frénésie alimentaire.

10.5 LA SCHIZOPHRÉNIE

La schizophrénie est un trouble mental grave caractérisé par une perte de contact avec la réalité, un affect (état émotionnel) inapproprié, d'importantes perturbations du fonctionnement mental et des comportements sociaux étranges (APA, 2003). Cette pathologie atteint 1 % de la population mondiale de toutes origines ethniques et de toutes classes sociales (Durand et Barlow, 2007). Elle touche autant les hommes que les femmes, mais pas de la même façon : le trouble a tendance à apparaître plus tôt et à causer des symptômes plus graves chez les hommes (Takahashi et autres, 2000). Certaines études indiquent que les gènes associés à la maladie ne sont pas les mêmes chez les deux sexes (Sazci et autres, 2005), ce qui pourrait expliquer ces différences. Les symptômes de la schizophrénie apparaissent habituellement à la fin de l'adolescence ou au début de la vingtaine, au moment où le cerveau achève son processus de maturation. Des anomalies liées à ce processus préparent le terrain à la maladie, croient la plupart des chercheurs (Walker et autres, 2004).

Quels sont les divers types de symptômes de la schizophrénie ?

Schizophrénie
Trouble mental grave et durable, caractérisé par une perte de contact avec la réalité, un état émotionnel inapproprié, de graves perturbations du fonctionnement mental et des comportements sociaux étranges.

► Les schizophrènes qui présentent des symptômes désorganisés peuvent se figer sur place dans une position bizarre et rester ainsi pendant des heures.

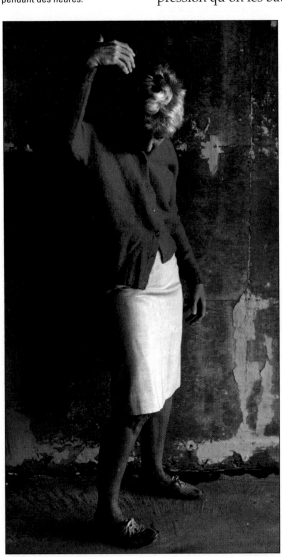

Les symptômes de la schizophrénie

Le cas de John Nash vous a familiarisé avec certains des symptômes de la **schizophrénie**, mais il n'est pas nécessairement représentatif. Si Nash a conservé tout au long de sa maladie de bonnes capacités cognitives et un discours organisé et compréhensible, quoique délirant et coupé de la réalité, ce n'est pas le cas de tous les schizophrènes. D'ailleurs, il serait sans doute plus juste de parler des schizophrénies que de la schizophrénie. En effet, comme nous allons le voir, les divers types de symptômes qui font partie du portrait clinique – et que les chercheurs qualifient de positifs, de négatifs ou de désorganisés – ne touchent pas les schizophrènes uniformément ni avec la même intensité (Franck, 2006).

Les symptômes positifs Les symptômes dits positifs de la schizophrénie coupent les malades de la réalité et modifient radicalement leur vécu. Les hallucinations, ces sensations imaginaires sur lesquelles viendront se greffer des idées délirantes, en sont le principal symptôme (Franck, 2006). Les schizophrènes peuvent voir, entendre, ressentir, goûter ou sentir des choses étranges en l'absence de tout stimulus externe, mais le fait d'entendre des voix qui les accusent, les injurient ou commentent sans arrêt leur comportement est de loin l'hallucination la plus répandue (Gendron et autres, 2008). Moins fréquentes, les hallucinations visuelles, généralement en noir et blanc, prennent souvent la forme d'amis, de parents, de fantômes ou d'icônes religieuses. Les schizophrènes peuvent aussi éprouver des sensations extrêmement douloureuses et terrifiantes, comme avoir l'impression qu'on les bat, qu'on les brûle ou qu'on les viole.

Aux hallucinations s'ajoutent les idées délirantes. Ainsi, les schizophrènes se démarquent souvent par leurs idées de grandeur. Ils peuvent aussi être en proie à un délire de persécution, s'imaginant qu'une organisation ou une personne quelconque les harcèle, les trompe, les espionne, conspire contre eux ou cherche à les blesser, à les tuer ou à leur nuire d'une façon ou d'une autre. La première apparition des symptômes positifs permet de diagnostiquer la schizophrénie (Franck, 2006). Leur présence indique que la personne est en phase aiguë de la maladie ; en l'absence d'un traitement efficace, cette phase peut durer de plusieurs semaines à plusieurs années.

Les symptômes négatifs Les symptômes dits négatifs sont ceux qui se traduisent par la perte de pensées et de comportements caractéristiques d'un fonctionnement normal : le retrait social, l'apathie, la démotivation, la disparition des activités dirigées vers un but, l'appauvrissement du discours, le ralentissement moteur, la détérioration de l'hygiène personnelle, l'incapacité de résoudre des problèmes et la perte ou la déformation de la notion du temps (Davalos et autres, 2002 ; Hatashita-Wong et autres, 2002 ; Skrabalo, 2000). Certains schizophrènes présentent un émoussement de l'affect ; ils parlent d'une voix monotone, avec un visage inexpressif, se déplacent et agissent un peu comme des robots, ne manifestent pratiquement aucune émotion même s'ils disent en ressentir. Souvent annonciateurs d'une phase aiguë de schizophrénie, les symptômes négatifs peuvent parfois s'installer de façon chronique. Les schizophrènes ne présentent pas tous des symptômes négatifs, mais ceux qui en souffrent semblent avoir un pronostic moins favorable (Fenton et McGlashan, 1994). En effet, les symptômes négatifs sont des prédicteurs de retrait social et de repli sur soi ; les malades ont du mal à entretenir des relations avec autrui, et leur fonctionnement est souvent trop perturbé pour qu'ils puissent garder un emploi ou s'occuper d'eux-mêmes.

Les symptômes désorganisés Les symptômes désorganisés dénotent l'incohérence de la pensée ; ils se manifestent par des propos décousus, des comportements sociaux inappropriés et des manifestations émotionnelles discordantes. La pensée ne suit plus un cours logique, elle devient chaotique : il y a relâchement des associations, déraillement de la pensée. Qu'elle parle ou qu'elle écrive, la personne semble passer constamment du coq à l'âne tant les liens qu'elle établit sont ténus. Pour ce qui est des comportements sociaux inappropriés, il peut s'agir d'enfantillages, d'un habillement singulier et d'une apparence débraillée, de conduites anormales comme se masturber en public, se parler seul, vociférer ou pousser des jurons sans raison apparente, faire des gestes étranges, prendre des expressions ou se figer sur place dans une position bizarre (Liddle et autres, 1989). Les manifestations émotionnelles discordantes consistent en des expressions faciales, des gestes et un ton de voix qui ne correspondent pas à l'émotion attendue dans les circonstances. La personne peut se mettre à pleurer en regardant une comédie ou à rire en voyant aux nouvelles les corps ensanglantés des victimes d'une guerre ou d'un accident fatal. Les symptômes désorganisés apparaissent chez certains malades en phase aiguë de la maladie, et peuvent devenir chroniques. Le cas échéant, le pronostic n'est pas bon.

L'étiologie et les facteurs de risque

Que sait-on de l'étiologie de la schizophrénie et des facteurs de risque qui y sont associés ?

Après plus de 100 ans de recherche, l'étiologie de la schizophrénie reste un mystère. Selon une sommité en la matière, Elaine Walker (Walker et autres, 2004), l'hypothèse centrale sur laquelle reposent les recherches des dernières décennies est que, comme la plupart des troubles mentaux, la schizophrénie ne résulte pas d'une seule et unique cause. Au fil de leurs travaux, les chercheurs en sont venus à élaborer un modèle qui repose sur les interactions complexes de facteurs biologiques et de facteurs liés à des événements stressants, une personne qui réunit tous ces facteurs pouvant même ne jamais souffrir de schizophrénie. Voyons comment Walker et ses collègues résument les composantes de ce modèle illustré à la figure 10.1.

Figure 10.1

L'INTERACTION DES FACTEURS DE RISQUE QUI MÈNENT À LA SCHIZOPHRÉNIE

Ce schéma résume la façon dont bon nombre de chercheurs expliquent aujourd'hui l'interaction des facteurs de risque qui mènent à la schizophrénie. La vulnérabilité constitutionnelle est au cœur de ce modèle : à cause de facteurs héréditaires (bagage génétique) et de facteurs environnementaux prénatals et postnatals, certaines personnes naissent avec une plus grande vulnérabilité au stress. Le stress et les processus de maturation neurologique agissent en interaction sur cette vulnérabilité constitutionnelle et produisent les symptômes psychotiques de la schizophrénie.

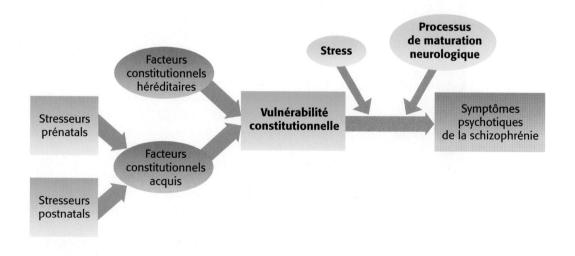

Source : Walker et autres, 2004.

La vulnérabilité constitutionnelle   Le cœur de ce modèle est la vulnérabilité constitutionnelle du sujet, produite par des facteurs de risque congénitaux (présents dès la naissance). Certains de ces facteurs de risque sont héréditaires (génétiques) ; d'autres sont acquis, et résultent de la présence de stresseurs dans l'environnement prénatal et postnatal. Les stresseurs prénatals incluent aussi bien les hormones de stress de la mère et substances qu'elle consomme (alcool, drogues, médicaments) que les nutriments maternels, et les bactéries ou les virus qui traversent la barrière placentaire. Les stresseurs postnatals incluent les traumas de l'accouchement et tout ce qui peut nuire à la santé du nouveau-né pendant l'accouchement ou immédiatement après (Owen et O'Donovan, 2003 ; Cannon et autres, 1998 ; Kendler et Diehl, 1993 ; Gottesman, 1991).

Le stress   Rien ne prouve que les schizophrènes soient des personnes plus stressées que les autres, mais les chercheurs pensent que les facteurs constitutionnels que nous venons de décrire les rendent plus sensibles que d'autres au stress (Walker et autres, 2004). Le fait que la schizophrénie apparaisse habituellement en période de stress accru ne résulterait pas simplement d'une gestion inefficace du stress, mais bien d'une vulnérabilité neurologique aux modifications biochimiques qu'engendre le stress. Pour simplifier, les hormones de stress agiraient comme des interrupteurs dans le cerveau des personnes qui ont une vulnérabilité constitutionnelle à la schizophrénie.

Le processus de maturation neurologique   La recherche révèle des différences structurelles et fonctionnelles dans le cerveau des schizophrènes : niveaux d'activité neuronale plus faibles que la normale dans les lobes frontaux (Glantz et Lewis, 2000 ; Kim et autres, 2000), défectuosités des circuits neuronaux du cortex et des structures limbiques (MacDonald et autres, 2003 ; Benes, 2000 ; McGlashan et Hoffman, 2000), et communication anormale-

---

Figure 10.2

LA DESTRUCTION DE LA MATIÈRE GRISE DANS LE CERVEAU D'ADOLESCENTS SCHIZOPHRÈNES

Cette figure montre les effets dévastateurs de la schizophrénie sur la matière grise du cerveau de ses victimes. Les images de la rangée du haut illustrent la perte moyenne de matière grise dans le cerveau de 15 adolescents de 12 à 15 ans qui venaient de recevoir un diagnostic de schizophrénie ; les images de la rangée du bas montrent la quantité de matière grise qu'ils avaient perdue cinq ans plus tard.

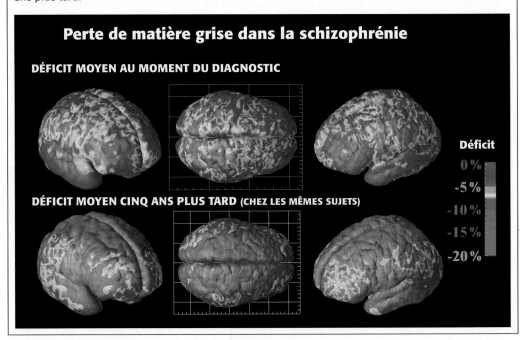

Source : Thompson et autres, 2001.

ment lente entre les deux hémisphères. Comme la schizophrénie se manifeste généralement à la fin de l'adolescence ou au début de la vingtaine – moment où s'achève le processus de maturation neurologique –, le modèle de la figure 10.1 (p. 363) présume l'existence d'anomalies dans ce processus. Une fois la schizophrénie installée, la détérioration neurologique progressive qui caractérise la maladie provoque des changements dans le cerveau : diminution de la matière grise (voir la figure 10.2) et du volume global du cerveau, accompagnée d'une détérioration du cortex et de l'hippocampe.

Toujours selon Walker et ses collègues, les études réalisées sur les cerveaux de schizophrènes décédés montrent que la maladie est associée à des lésions dans les neurones eux-mêmes, la plupart du temps dans les parties du neurone responsables de la neurotransmission (Walker et autres, 2004). Selon certains chercheurs, ces lésions neuronales nuisent à la communication entre les circuits émotionnels et intellectuels du cerveau ; d'autres croient plutôt que les neurones lésés n'arrivent plus à assurer efficacement la coordination des fonctions cérébrales. En ce qui concerne les neurotransmetteurs eux-mêmes, de nombreuses études indiquent que la dopamine joue un rôle important dans la schizophrénie, essentiellement parce que les médicaments qui agissent sur la dopamine sont généralement efficaces dans le traitement des troubles psychotiques (Müller et autres, 2006). Toutefois, il est peu probable que la carence, l'excès ou le dysfonctionnement d'un seul neurotransmetteur explique les symptômes complexes de la schizophrénie ; il serait plus plausible que d'autres neurotransmetteurs, notamment le glutamate et le GABA, y jouent également un rôle (Walker et autres, 2004).

RETENEZ-LE — La schizophrénie

1. Les symptômes de la schizophrénie apparaissent habituellement au moment où le cerveau achève son processus de maturation, soit _____ .

2. Benjamin, qui est schizophrène, se prend pour un prophète à qui Jésus a confié la mission de sauver l'humanité. On appelle (hallucinations/idées délirantes) ces symptômes (positifs/négatifs/désorganisés) de la maladie.

3. Même si elle dit ressentir des émotions, Mélanie, qui est schizophrène, n'en manifeste aucune : sa voix est monotone, son visage inexpressif, et elle bouge et agit un peu comme un robot. Il s'agit là de symptômes (positifs/négatifs/désorganisés) de la maladie.

4. Loïc, qui est schizophrène, tient des propos incohérents, passe du coq à l'âne et pleure en entendant une blague. Il s'agit là de symptômes (positifs/négatifs/désorganisés) de la maladie.

5. Sami entend des voix qui commentent son comportement ou se moquent de lui. Ces (hallucinations/idées délirantes) sont des symptômes (positifs/négatifs/désorganisés) de schizophrénie.

6. Une prédisposition génétique et des stresseurs prénatals et postnatals peuvent conférer à une personne une _____ à la schizophrénie.

Réponses : 1. à la fin de l'adolescence ou au début de la vingtaine. **2.** idées délirantes ; positifs. **3.** négatifs. **4.** désorganisés. **5.** hallucinations ; positifs. **6.** vulnérabilité constitutionnelle.

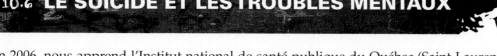

10.6 LE SUICIDE ET LES TROUBLES MENTAUX

En 2006, nous apprend l'Institut national de santé publique du Québec (Saint-Laurent et Gagné, 2008), 1136 personnes sont mortes par suicide au Québec seulement, dont 253 femmes et 883 hommes – les hommes de 35 à 49 ans affichant le taux de suicide le plus élevé. Bien que quatre fois plus d'hommes que de femmes meurent par suicide, deux fois plus de femmes que d'hommes font des tentatives de suicide. Cette disparité s'expliquerait en partie par le fait que les hommes se suicident plus souvent par des moyens plus radicaux – armes à feu, monoxyde de carbone, pendaison, noyade –, les femmes recourant davantage à des moyens comme l'ingestion de substances toxiques. Ce choix plus fréquent de moyens plus létaux par les hommes tiendrait principalement au fait qu'ils y ont plus facilement accès, les connaissent mieux et les acceptent mieux (CRISE, 2008).

Fait encourageant, le taux de suicide enregistré au Québec en 2006 est le plus bas des 25 dernières années et, dans la dernière décennie, c'est chez les hommes que la baisse est la plus manifeste (Saint-Laurent et Gagné, 2008). Ainsi, de 1999 à 2006, le taux de décès par suicide pour 100 000 femmes est descendu de 9,1 à 6,4; durant la même période, ce taux pour 100 000 hommes est passé de 35,9 à 23,4. Le suicide n'est plus la première cause de mortalité chez les 15-19 ans, mais le reste encore, et de loin, chez les 20-34 ans, bien que le taux de suicide ait chuté de 50 % dans ce groupe d'âge. Malgré tout, en 2004 (dernières données disponibles), le Québec était la province canadienne où l'on enregistrait le plus haut taux de décès par suicide. La même année, le Québec se classait au 5e rang des nations de l'OCDE ayant le plus haut taux de mort par suicide, derrière le Japon, la Finlande, la France et la Suisse; le Canada se classait au 13e rang, à égalité avec les États-Unis.

Que nous apprend la recherche sur la relation entre le suicide et les troubles mentaux ?

Comprendre la relation entre le suicide et les troubles mentaux

Qu'est-ce qui pousse tant de gens à commettre cet acte ultime de désespoir qu'est le suicide ? Les chercheurs et les intervenants du Centre de recherche et d'intervention sur le suicide et l'euthanasie, le CRISE (voir l'encadré), résument comme suit l'essentiel des connaissances scientifiques actuelles sur la relation entre le suicide et les troubles mentaux.

Bien qu'une très petite minorité des gens qui souffrent de troubles mentaux meurent par suicide, les troubles mentaux jouent un rôle de premier plan dans les décès par suicide et les tentatives de suicide. D'abord, chez les personnes qui souffrent d'un trouble mental, le risque de suicide est 12 fois plus élevé que chez celles qui n'en présentent pas. Ainsi, on estime qu'environ 90 % des personnes décédées par suicide avaient un trouble mental (Cavanagh et autres, 2003). Des 44 troubles mentaux examinés dans une méta-analyse (Harris et Barraclough, 1997), 39 sont associés à un taux de mortalité significativement plus élevé chez les personnes décédées par suicide. Les plus fréquemment associés au suicide sont les troubles de l'humeur, que l'on retrouve chez plus du tiers des adultes décédés par suicide, les troubles anxieux, le trouble d'abus de substances et la schizophrénie (Cavanagh et autres, 2003). Chez les jeunes, le geste fatal est souvent commis lors d'une intoxication à l'alcool ou aux drogues (Houston et autres, 2001 ; Runeson et autres 1996 ; Marttunen et autres, 1994 ; Brent et autres, 1988). La consommation d'alcool et de drogues agit alors comme un déclencheur : elle augmente le risque de suicide et de tentative de suicide même chez ceux qui n'ont pas reçu un diagnostic de dépendance ou d'abus. De plus, la majorité des personnes qui se suicident souffrent de plus d'un trouble mental (Cavanagh et autres, 2003). Entre 21 % et 81 % des personnes décédées

Le Centre de recherche et d'intervention sur le suicide et l'euthanasie (CRISE)

Situé à l'Université du Québec à Montréal, le Centre de recherche et d'intervention sur le suicide et l'euthanasie (CRISE) est un centre de recherche transdisciplinaire qui regroupe plus de 40 chercheurs, intervenants et étudiants provenant de 4 universités – l'Université du Québec à Montréal, l'Université du Québec à Trois-Rivières, l'Université de Montréal et l'Université McGill – et de 20 milieux de pratique au Québec – hôpitaux, CLSC, organismes communautaires, etc. L'objectif du CRISE est de contribuer à la diminution du suicide dans le monde et de mieux comprendre les enjeux liés à la question de l'euthanasie. Son approche transdisciplinaire repose sur le constat que le

suicide est une problématique complexe, et que sa compréhension et sa prévention doivent s'inspirer d'approches intégrant les perspectives de chercheurs issus de différentes disciplines. Dans son volet « Application des connaissances scientifiques en prévention du suicide », le site Web du CRISE présente les connaissances scientifiques les plus importantes et les plus utiles sur le suicide selon les représentants des divers milieux de pratique au Québec.

Source : Centre de recherche et d'intervention sur le suicide et l'euthanasie (CRISE), <www.crise.ca/>.

par suicide souffraient d'au moins deux troubles mentaux, et chez environ 38 % d'entre elles, il y a présence simultanée d'abus de substances et d'autres troubles mentaux, majoritairement des troubles de l'humeur.

Les chercheurs ont émis diverses hypothèses sur la relation entre le trouble mental et le suicide. À l'heure actuelle, l'hypothèse voulant que le trouble mental soit une cause directe du suicide n'est pas soutenue par les recherches (CRISE, 2008). Bien que les troubles mentaux soient fortement associés au suicide, ils ne suffisent pas à l'expliquer puisque la très grande majorité des personnes qui en souffrent ne se suicident pas. Pour comprendre le suicide, il faut donc prendre en considération les antécédents et les caractéristiques personnelles des personnes suicidaires ainsi que leurs conditions de vie. Les caractéristiques de leur environnement, les valeurs de leur culture et de leur société ainsi que les politiques publiques sont également des facteurs d'influence. L'hypothèse la mieux documentée par la recherche est que le suicide résulte de la complication du trouble mental, autrement dit, que la complication du trouble mental pourrait mener indirectement au suicide en augmentant la vulnérabilité des personnes et leur souffrance.

Selon cette hypothèse, résumée à la figure 10.3, la combinaison d'événements stressants (deuil, maladie, rupture, perte d'emploi, etc.) et de facteurs de vulnérabilité biologiques, psychologiques et socioculturels peut augmenter le risque de suicide ou de comportements suicidaires soit directement, soit indirectement en contribuant au trouble mental (CRISE, 2008). Le trouble mental lui-même peut ajouter au désespoir et à la souffrance des personnes atteintes : (a) par des distorsions dans la perception des événements qui en modifient le sens et exacerbent leurs conséquences ; (b) par la stigmatisation de la maladie mentale et ses effets (perte d'emploi, isolement social, etc.) ; ou (c) par les complications liées à un traitement inapproprié ou insuffisant de la maladie. La complication du trouble mental résultant des distorsions cognitives qui l'accompagnent, de la stigmatisation ou encore de traitements inappropriés ou insuffisants augmente la vulnérabilité des personnes qui en souffrent et peut accroître le risque de suicide.

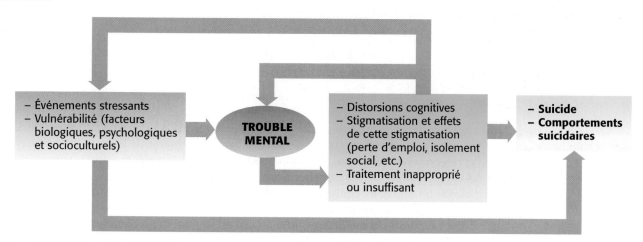

Figure 10.3

L'HYPOTHÈSE DU SUICIDE COMME EFFET INDIRECT DU TROUBLE MENTAL

Des événements stressants et des facteurs de vulnérabilité (biologiques, psychologiques et socioculturels) peuvent augmenter le risque de suicide ou de comportements suicidaires soit directement, soit indirectement en contribuant au trouble mental.

Le trouble mental peut ajouter au désespoir et à la souffrance des personnes atteintes : (a) par des distorsions dans la perception des événements qui en modifient le sens et exacerbent leurs conséquences ; (b) par la stigmatisation de la maladie mentale et ses effets (perte d'emploi, isolement social, etc.) ; ou (c) par les complications liées à un traitement inapproprié ou insuffisant de la maladie.

La complication du trouble mental résultant des distorsions cognitives qui l'accompagnent de la stigmatisation ou encore de traitements inappropriés ou insuffisants augmente la vulnérabilité des personnes qui en souffrent et peut accroître le risque de suicide.

Source : CRISE, 2008.

Ce modèle repose sur de très nombreuses études. Ainsi, la recherche établit de façon de plus en plus précise le lien entre des déterminants génétiques et des prédispositions de la personnalité comme l'agressivité et l'impulsivité, qui peuvent augmenter la vulnérabilité des personnes aux troubles mentaux et le risque de suicide ou de comportements suicidaires (Lindstrom et autres, 2004 ; Nordström et autres, 1994 ; Äsberg, 1986). Par exemple, des études révèlent une plus grande impulsivité chez les personnes qui abusent de l'alcool. Cette prédisposition à l'impulsivité pourrait expliquer en partie la non-collaboration des patients qui ont des troubles mentaux à leur traitement et, en combinaison avec l'abus de substances, augmenter le risque de suicide de ces personnes (Conner et autres, 2004 ; Michaelis et autres, 2004 ; Swann et autres, 2004). On remarque également que des événements stressants, comme une rupture amoureuse, précèdent souvent un geste suicidaire (Mishara et Tousignant, 2004).

▲ Chez les Inuits du Canada, le taux de suicide est quatre fois supérieur à celui qu'on trouve dans l'ensemble du pays.

Du côté des facteurs socioculturels, le principal est la pauvreté : les moins nantis, pour qui il est beaucoup plus difficile de réduire leurs sources de stress et d'obtenir une aide rapide et efficace en cas de problème, se suicident deux fois plus que les plus riches (Mishara et Tousignant, 2004). L'homophobie encore trop présente dans nos sociétés n'est certainement pas étrangère au fait que les jeunes hommes homosexuels se suicident deux fois plus que les jeunes hétérosexuels (Clermont et Lacouture, 2000). Mais c'est dans les collectivités des Premières Nations, où la pauvreté s'ajoute à une multitude d'autres problèmes sociaux et culturels, qu'on retrouve les taux de suicide les plus élevés au monde. Ainsi, chez les Inuits du Canada, le taux de suicide est quatre fois supérieur à celui qu'on trouve dans l'ensemble du pays (Laliberté, 2007 ; Mishara et Tousignant, 2004). Selon de nombreux spécialistes, cet écart consternant résulte des transformations profondes et accélérées imposées à ces collectivités autochtones, qui, à partir de la deuxième moitié du XXᵉ siècle, ont dû passer d'un mode de vie semi-nomade à une sédentarisation forcée et cesser d'assumer leur propre gouvernance.

Les signes précurseurs du suicide : les reconnaître et y réagir

Quels sont les signes qui annoncent une intention de se suicider ?

Environ 90 % des personnes qui se suicident donnent des indices avant de passer à l'acte (Shneidman, 1994). Ils peuvent communiquer leurs intentions verbalement, par des déclarations du genre : « Tu ne me reverras plus », ou par des comportements inhabituels : se débarrasser de leurs biens les plus précieux ; cesser de voir leur famille, leurs proches et les gens qu'ils fréquentaient jusque-là ; prendre des risques inutiles ; afficher des changements de personnalité et une perte d'intérêt pour leurs activités préférées ; se montrer déprimé et agir comme tel. Ces signes d'alarme doivent toujours être pris au sérieux. Si vous pensez être en présence d'une personne suicidaire, la meilleure chose à faire est de l'inciter à chercher une aide professionnelle. Il existe des services d'assistance téléphonique ouverts 24 heures sur 24 dans tout le pays (au Québec, 1-888-APPELLE). Un appel peut sauver une vie.

RETENEZ-LE — Le suicide et les troubles mentaux

1. Vrai ou faux ? Seule une très petite minorité des gens qui souffrent de troubles mentaux meurt par suicide.

2. Vrai ou faux ? Près de 90 % des gens qui meurent par suicide souffrent d'au moins un trouble mental.

3. Laquelle de ces affirmations est fausse ?
   a) Les troubles mentaux sont la cause du suicide.
   b) Les troubles mentaux sont une cause indirecte de suicide.
   c) L'intoxication à l'alcool ou aux drogues agit souvent comme déclencheur du suicide.
   d) Environ 90 % des personnes qui se suicident donnent des indices verbaux ou comportementaux avant de passer à l'acte.

Réponses : 1. Vrai. 2. Vrai. 3. a.

10.7 LES PSYCHOTHÉRAPIES

Comme on l'a vu, la plupart des troubles mentaux sont causés à la fois par des facteurs biologiques, psychologiques et socioculturels, et souvent déclenchés par des événements stressants. Idéalement, leur traitement devrait donc tenir compte de toutes ces dimensions. Parfois, notamment dans le cas de certains troubles anxieux, la *psychothérapie*, qui agit sur les aspects psychologiques et socioculturels du problème, s'avère efficace et suffisante. Si les composantes biologiques du trouble sont importantes, comme c'est le cas par exemple dans la dépression majeure, le trouble bipolaire ou la schizophrénie, un traitement pharmacologique peut s'avérer nécessaire, idéalement en combinaison avec une psychothérapie.

La **psychothérapie** est une méthode thérapeutique qui fait uniquement appel à des moyens psychologiques pour traiter les troubles mentaux. Il peut s'agir d'une thérapie individuelle, d'une thérapie de couple, d'une thérapie familiale ou d'une thérapie de groupe. Ces diverses formes de thérapies s'inscrivent dans les grands courants théoriques que nous avons explorés dans cet ouvrage. Les postulats qui sous-tendent l'approche clinique des psychologues ainsi que leurs méthodes psychothérapeutiques diffèrent selon la ou les perspectives théoriques qu'ils privilégient. Cette section traite de trois grands types de psychothérapies :

- les thérapies psychanalytiques/psychodynamiques ;
- les thérapies existentielles/humanistes ;
- les thérapies cognitivo-comportementales.

Psychothérapie
Méthode thérapeutique qui fait appel à des moyens psychologiques pour traiter les troubles mentaux.

Les thérapies psychanalytiques/psychodynamiques

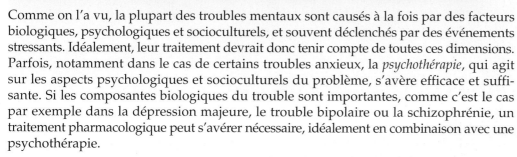

Quelles sont les principales caractéristiques des thérapies psychanalytiques/psychodynamiques ?

Fortement influencées par la psychanalyse, les **thérapies psychanalytiques/psychodynamiques** établissent un lien entre les difficultés actuelles du patient et des conflits psychiques inconscients qui prennent racine dans son enfance. Le thérapeute se livre avec le client à un travail de retour sur le passé afin de ramener progressivement à la conscience ces conflits refoulés et de l'aider à s'en dégager. On qualifie de *psychodynamiques* les approches inspirées par la psychanalyse traditionnelle et recourant aux mêmes techniques thérapeutiques, mais qui s'en démarquent notamment par leur plus grande interactivité – l'analyste utilisant volontiers la position assise en face à face et intervenant davantage pendant la séance (Epstein et autres, 2001).

Thérapie psychanalytique/psychodynamique
Type de psychothérapies basées sur les principes et les techniques de la psychanalyse, mais qui s'en démarquent notamment par leur plus grande interactivité et, souvent, par leur durée plus brève.

▶ Voici le fameux divan de Freud, dans son bureau de la rue Maresfield, à Londres, où le célèbre médecin autrichien s'est réfugié lorsqu'il a fui Vienne et la persécution nazie en mars 1938. Arrivé à Londres à l'âge de 82 ans, Freud y est mort en septembre 1939.

Les thérapies psychanalytiques/psychodynamiques reposent entre autres sur la technique de l'association libre : la personne en analyse doit révéler toutes les pensées, les émotions ou les images qui lui viennent à l'esprit – si embarrassantes, terribles ou futiles puissent-elles sembler. Peu à peu, l'analyste rassemble ces associations libres, explique leur signification et aide le client à appréhender les pensées et comportements qui le perturbent. Lorsqu'ils s'adonnent à l'association libre, les patients résistent parfois à exprimer certaines pensées douloureuses ou embarrassantes. Cette résistance, qui peut prendre diverses formes (hésitations dans la parole, « oublis » de rendez-vous, retards, etc.), est également révélatrice.

Dans la théorie freudienne, les préoccupations émotionnelles réprimées à l'état d'éveil s'expriment parfois sous forme symbolique dans les rêves. L'interprétation des rêves – « la voie royale menant à l'inconscient », disait Freud – est donc une autre technique utilisée par les analystes. Le comportement peut aussi avoir un caractère symbolique. Ainsi, à un certain moment dans sa psychanalyse, le patient établit avec son analyste un lien affectif intense et en vient à reporter sur lui des émotions vécues dans une autre relation importante, habituellement avec son père ou sa mère. Ce processus de transfert permet au patient de revivre des expériences troublantes de son passé, avec l'analyste comme substitut du parent, et de résoudre ainsi des conflits refoulés. En psychanalyse, le transfert est une des clés du progrès thérapeutique (Renaud, 2007).

Une psychanalyse traditionnelle exige plusieurs séances par semaine et peut durer des années. Au cours du XXe siècle, de nouvelles méthodes psychodynamiques, plus courtes et plus ciblées, ont émergé. De nos jours, de nombreux psychologues pratiquent la thérapie psychodynamique brève, où le thérapeute et le patient décident dès le début des aspects à explorer plutôt que d'attendre leur émergence en cours de traitement. Le thérapeute y assume un rôle plus actif et met davantage l'accent sur le présent que dans une psychanalyse traditionnelle. Une thérapie psychodynamique brève peut n'exiger que 1 ou 2 visites par semaine pendant seulement 12 à 20 semaines.

cesser de se cloîtrer seule chez elle. Ce thérapeute chercherait d'abord à déterminer ce qui renforce ce comportement chez Sophie. En discutant avec elle, il pourrait constater que Sophie s'isole pour éviter l'anxiété qu'elle ressent quand elle noue des relations qui l'exposent au rejet ou à l'abandon. Cette anxiété évitée en restant seule chez elle a l'effet d'un renforcement négatif (retrait d'une conséquence désagréable) et maintient ce comportement. Le thérapeute l'inciterait ensuite à remplacer graduellement ce comportement (s'isoler chez elle) par des comportements de plus en plus contraires à ses habitudes et qui lui procurent une satisfaction. Sachant qu'elle est cinéphile, il pourrait par exemple l'encourager à aller au cinéma, d'abord seule, puis avec une vieille cousine qu'elle aime bien, puis avec une camarade de classe, etc. Le thérapeute considérera qu'il y a succès thérapeutique lorsque la conséquence des nouveaux comportements sociaux de Sophie (la satisfaction, le plaisir) deviendra un renforcement plus puissant que la conséquence de ses anciens comportements asociaux (l'évitement de l'anxiété).

Les techniques d'affirmation de soi fonctionnent selon le même principe : chaque effort d'affirmation de soi du client est récompensé par une baisse de sa frustration (renforcement négatif) et une amélioration de ses relations sociales (renforcement positif).

Encore très courante en milieu institutionnel, la technique de l'économie de jetons consiste à récompenser les comportements désirés par des jetons échangeables contre des biens ou des privilèges (friandises, congés de fin de semaine, sorties ou activités spéciales, etc.). Sans guérir la schizophrénie, l'autisme ou le retard mental, cette technique simple est utilisée avec succès depuis des décennies dans les institutions psychiatriques pour inciter des schizophrènes chroniques à mieux prendre soin d'eux-mêmes et à améliorer leurs comportements sociaux, des autistes à ne pas se livrer à des comportements d'automutilation et des personnes qui souffrent de retard mental à acquérir certaines habiletés. Des interventions semblables ont aussi incité des patients à s'abstenir de consommer des substances psychotropes (Petry et autres, 2004). On l'utilise également pour motiver des anorexiques à augmenter leur apport calorique et à prendre du poids.

Toutes les techniques que nous venons de décrire appliquaient les principes du conditionnement opérant. Les techniques fondées sur le conditionnement classique, quant à elles, sont particulièrement utiles pour aider les gens à se débarrasser de leurs peurs, de leurs phobies et d'autres comportements indésirables comme la toxicomanie. Essentiellement, elles consistent à exposer la personne de diverses manières aux choses ou aux situations qui lui font peur ou qui déclenchent les comportements indésirables. Les principales techniques fondées sur le conditionnement classique sont la désensibilisation systématique, l'exposition avec prévention de la réponse et la thérapie par aversion.

Le psychiatre Joseph Wolpe (1973, 1958), un des pionniers des techniques thérapeutiques de conditionnement classique, a conçu la technique de la désensibilisation systématique. Wolpe se disait que, s'il pouvait convaincre une personne de se détendre et de rester détendue pendant qu'elle pensait à l'objet de sa peur ou de sa phobie, elle arriverait à la surmonter. Dans la méthode de Wolpe, on enseigne d'abord aux clients une technique de détente musculaire profonde. Puis, on les expose à des situations de plus en plus anxiogènes, en imagination ou dans la réalité, jusqu'à ce qu'ils arrivent à rester détendus même en présence de ce qu'ils craignent le plus. Cette approche thérapeutique est efficace dans le traitement de toutes les phobies – de la peur des animaux à la claustrophobie, en passant par la phobie sociale et autres peurs situationnelles (Boisvert et autres, 1999 ; Kalish, 1981 ; Rachman et Wilson, 1980).

Particulièrement utile dans le traitement du trouble obsessionnel-compulsif (Rhéaume et autres, 2000 ; Baer, 1996 ; Foa, 1995), la technique de l'exposition avec prévention de la réponse repose sur deux conditions : (1) l'exposition aux objets ou situations que le client évite parce qu'ils déclenchent ses obsessions, ses rituels compulsifs ; (2) la prévention de la réponse, le client devant s'empêcher de plus en plus longtemps de céder à ses compulsions. Le thérapeute doit d'abord cerner ce qui déclenche le rituel compulsif du client. Disons qu'il s'agit de Brigitte, une cliente obsédée par la peur des microbes qui se précipite au lavabo pour se laver et se désinfecter longuement les mains dès qu'elle pense avoir touché quelque chose de « contaminé » : poignée de porte, pièce de monnaie, fruit non lavé, poubelle, autre être humain, animal, etc. Brigitte doit donc accepter (1) de toucher à des choses qui lui sembleront de plus en plus « contaminées », répulsives et anxiogènes et (2) d'attendre ensuite le temps convenu avant de se livrer à son rituel de lavage de mains. Petit à petit, elle apprend ainsi à tolérer les innombrables « contaminants » de la vie quotidienne.

▶ Connaissez-vous Adrien Monk ? En plus de ses multiples phobies – des hauteurs, des foules, du lait, etc. –, le détective de la télésérie *Monk* incarné par Tony Shalhoub souffre de TOC. Encore plus obsédé par les microbes que par l'ordre, il ne va nulle part sans ses lingettes désinfectantes et fuit tous les animaux comme la peste. On le voit ici en pleine thérapie d'exposition… forcée.

La thérapie par aversion vise à débarrasser le client d'un comportement nuisible ou indésirable en l'associant à répétition à un stimulus douloureux ou désagréable ou répulsif – décharges électriques, émétiques (vomitifs) et autres stimulus pénibles – jusqu'à ce qu'il perde son attrait. Par exemple, dès qu'ils consomment de l'alcool, les alcooliques à qui on a administré de l'Antabuse ont des haut-le-cœur et vomissent jusqu'à ce qu'ils n'aient plus rien dans l'estomac (Grossman et Ruiz, 2004). Cependant, dans la plupart des cas, la thérapie par aversion n'est efficace que si elle est assez intense pour rendre la personne physiquement malade. On ne l'utilise donc qu'en dernier recours, dans des cas extrêmes où le comportement visé met en danger la santé ou la vie d'une personne, que ce soit le client lui-même (dans un cas de toxicomanie, par exemple) ou d'éventuelles victimes (dans un cas de pédophilie, par exemple).

Thérapie cognitive
Type de psychothérapies basées sur l'idée que les comportements anormaux peuvent résulter de pensées, de croyances et d'idées irrationnelles, et qui visent à les modifier.

Les techniques cognitives Découlant de la perspective cognitiviste, les **thérapies cognitives** se basent sur l'idée qu'un comportement inadapté peut résulter de perceptions, de pensées, de croyances et d'idées irrationnelles ; elles visent à les remplacer par de plus rationnelles. Autrement dit, le thérapeute tente de modifier les schémas du client, sa façon d'interpréter la réalité. Les deux chefs de file de ce champ clinique sont Albert Ellis, qui a conçu la thérapie rationnelle-émotive, et Aaron T. Beck, qui a élaboré la thérapie cognitive.

▶ Au 110e Congrès de l'American Psychological Association à Chicago en 2002, les deux pionniers des thérapies cognitivistes, Albert Ellis (à droite), qui a conçu la thérapie rationnelle-émotive, et Aaron T. Beck (à gauche), le père de la théorie cognitive, ont discuté des ressemblances et des différences de leur approche thérapeutique.

Le psychologue clinicien Albert Ellis disait avoir conçu sa thérapie rationnelle-émotive dans les années 1950 pour résoudre le problème d'anxiété handicapant dont il souffrait lui-même (Ellis, 2004). Cette approche thérapeutique repose sur le modèle ABC illustré à la figure 10.4 (p. 376). Dans ce modèle, A correspond à l'événement déclencheur du point de vue du client ; B, aux croyances (*Beliefs*) du client à propos de cet événement ; et C, à la conséquence émotionnelle. Pour Ellis, contrairement à ce que croit le sujet, ce n'est pas l'événement lui-même (A) qui détermine la conséquence émotionnelle (C), mais les attentes et les croyances irrationnelles du client à propos de cet événement (B). La thérapie rationnelle-émotive est donc conçue pour remettre en cause les croyances irrationnelles que le client entretient sur lui-même, sur les autres et sur la vie, et les remplacer par des croyances plus rationnelles. Prenons un exemple.

Éric est bouleversé : il a invité Sophie à l'accompagner à un spectacle, et elle a refusé sans explication. Ce refus l'a humilié, blessé et mis en colère, dit-il à son thérapeute ; depuis, il est anxieux et déprimé. Selon l'approche de Ellis, le thérapeute aidera d'abord Éric à distinguer le refus de Sophie de ses propres réactions émotionnelles à ce refus. L'objectif est de faire voir à Éric que ce n'est pas le refus de Sophie en soi qui a causé sa souffrance émotionnelle, mais plutôt sa propre réaction à ce refus. Le thérapeute amène Éric à comprendre que, s'il ne peut pas changer la décision de Sophie, il peut par contre changer ses propres réactions émotionnelles à ce refus. Pour cela, il doit prendre conscience de ses croyances irrationnelles au sujet de cet événement et les remplacer par des pensées plus rationnelles.

Pour Ellis (2002), toutes les croyances irrationnelles peuvent se ramener à l'une ou l'autre de ces trois idées irrationnelles sur soi, sur les autres et sur la vie :

Il faut que je réussisse. Je *dois* réussir.

Il faut que les autres me traitent bien. Les autres *doivent* bien me traiter.

Il faut que le monde soit agréable et la vie facile. Le monde *doit* être agréable, et la vie *doit* être facile.

Comme la réalité contredit sans cesse ces idées irrationnelles, la personne qui les entretient a sans cesse l'impression que « rien ne va comme *il faut* ». Elle éprouve donc un désarroi et une souffrance émotionnelle beaucoup plus grande que si ses croyances étaient rationnelles. En explorant avec Éric pourquoi il se sent blessé, en colère, anxieux et déprimé, le thérapeute l'amène à cerner les croyances irrationnelles qu'il entretient sur cet événement, et qui peuvent se résumer ainsi :

Il fallait que je réussisse à amener Sophie à ce spectacle. J'ai raté mon coup. Je rate tout. Je suis un raté.

Sophie *devait* accepter mon invitation ou du moins m'expliquer son refus. Sa façon de me rejeter est blessante, humiliante et intolérable.

Ce monde est trop cruel. La vie est trop dure. C'est insupportable.

Selon le modèle de Ellis, à mesure que le client comprend que ses croyances irrationnelles le font souffrir et les remplace par des pensées plus rationnelles et moins déprimantes, ses réactions émotionnelles deviennent plus adéquates et plus favorables à un comportement constructif. Ainsi, avec l'aide de son thérapeute, Éric pourrait arriver à envisager le refus de Sophie beaucoup plus sereinement.

J'aurais vraiment aimé aller à ce spectacle avec Sophie. Son refus me déçoit et me contrarie, mais c'est la vie. Qui pourrais-je inviter d'autre ?

D'abord formé à la psychanalyse, le psychiatre Aaron T. Beck a conçu sa thérapie cognitive au début des années 1960 après avoir constaté chez ses patients dépressifs qu'une bonne partie de leur souffrance tenait à un flot de « pensées automatiques » négatives qui régissaient leur vie. Ces pensées automatiques semblaient leur venir spontanément à l'esprit, souvent si fugitivement qu'ils en avaient à peine conscience et qu'elles n'étaient jamais remises en cause.

Beck (1991) soutient que les gens déprimés ont « une vision négative des expériences présentes, passées et futures » ; ils ne remarquent que les choses négatives et désagréables, et sautent immédiatement à des conclusions bouleversantes sur eux-mêmes, sur le monde

L'A B C DE LA THÉRAPIE RATIONNELLE-ÉMOTIVE D'ALBERT ELLIS

La thérapie comportementale rationnelle-émotive enseigne aux clients que ce n'est pas l'événement (A) qui cause les conséquences émotionnelles bouleversantes (C), mais plutôt leurs croyances (B) à propos de cet événement.

Point de vue d'Éric : Le refus de Sophie l'a blessé. A est la cause de C.

A (événement déclencheur)

Éric a invité Sophie à un spectacle, mais elle a refusé l'invitation sans explication.

Éric pense qu'il souffre à cause du refus de Sophie.

A a causé C

C (conséquence émotionnelle)

Éric est bouleversé. Il se sent rejeté humilié et blessé. Il est en colère, anxieux et déprimé.

Point de vue de Ellis : Les croyances d'Éric sur cet événement sont la cause de sa souffrance. B est la cause de C.

A (événement déclencheur)

Éric a invité Sophie à un spectacle, mais elle a refusé l'invitation sans explication.

B (croyances à propos de l'événement)

a causé

C (conséquence émotionnelle)

CROYANCES IRRATIONNELLES
« Ce refus est un échec catastrophique. »
« Ce refus est un geste blessant et humiliant. »
« Ce refus me rend la vie insupportable. »

SOUFFRANCE ÉMOTIONNELLE
Éric est bouleversé. Il se sent rejeté humilié et blessé. Il est en colère, anxieux et déprimé.

B (croyances à propos de l'événement)

a causé

C (conséquence émotionnelle)

CROYANCES RATIONNELLES
« C'est vraiment dommage, mais c'est la vie. Je vais inviter quelqu'un d'autre. »

RÉACTION ÉMOTIONNELLE
Éric est un peu déçu et contrarié, mais a tout de même hâte d'aller à son spectacle.

et sur l'avenir. Ainsi, quand Sophie a appris que l'emploi qu'elle rêvait d'obtenir serait attribué à une autre, elle a immédiatement oublié qu'elle venait de décrocher son diplôme et qu'elle avait reçu d'autres offres d'emploi. Sa perception négative d'elle-même et sa vision pessimiste du monde et de l'avenir se sont automatiquement activées : « Je suis trop nulle », « Personne ne voudra de moi », « Je suis comme ma mère », « Maman avait raison : le bonheur et l'amour, c'est pour les autres, pas pour nous », etc.

La thérapie cognitive conçue par Beck vise à aider les clients à stopper leurs pensées négatives à mesure qu'elles leur viennent à l'esprit, à les confronter à la réalité, et à les remplacer par des pensées plus objectives. Ils ont des « devoirs » à faire à la maison, comme être attentifs à leurs pensées automatiques et aux émotions qu'elles suscitent. Selon cette approche, après avoir cerné les pensées automatiques d'une cliente comme Sophie, le thérapeute établit un plan et l'amène à puiser dans sa propre expérience pour les ébranler une à une. Quelles preuves a-t-elle de sa « nullité » ? N'a-t-elle pas réussi à décrocher son diplôme malgré des conditions très difficiles ? Pourquoi pense-t-elle que « personne » ne voudra d'elle ? N'a-t-elle pas reçu plusieurs autres offres d'emploi ? N'est-ce pas elle qui les décline, comme elle décline les invitations des gens qui s'intéressent à elle ? D'où lui vient l'idée que le bonheur et l'amour ne sont pas pour elle ? Pourquoi n'en serait-elle pas digne ? Objectivement, est-elle vraiment comme sa mère ? Le thérapeute amène ainsi Sophie à comprendre d'où lui viennent ses pensées négatives sur elle-même, sur le monde et sur l'avenir, et à les rectifier. Peu à peu, Sophie acquiert ainsi une meilleure estime de soi, apprend à restructurer sa pensée.

Bien qu'il soit considéré comme le père de la thérapie cognitive, Beck, comme un grand nombre de cliniciens, se définit aujourd'hui comme thérapeute cognitivo-comportemental, qui cherche à « agir à la fois sur le comportement et sur la modification des systèmes de croyances conscients et inconscients » (Cottraux, 2004, p. 29). Conformément à cette approche, le thérapeute pourrait aussi recourir à la technique béhavioriste de modification du comportement décrite plus haut pour aider Sophie à maîtriser l'anxiété qui la pousse à s'isoler des autres.

RETENEZ-LE — Les psychothérapies

1. Les thérapies _____ visent à modifier les croyances irrationnelles et les comportements inadaptés du client. Les thérapies _____ visent à favoriser son épanouissement et à lui permettre d'entrer réellement en contact avec lui-même et avec autrui. Les thérapies _____ visent à le libérer des conflits psychiques inconscients qui sont à la source de ses difficultés actuelles.

   a) psychanalytiques/psychodynamiques

   b) existentielles/humanistes

   c) cognitivo-comportementales

2. Les thérapies existentielles/humanistes sont basées sur la (thérapie centrée sur le client/gestalt-thérapie), une approche psychocorporelle qui incite le client à prendre pleinement conscience de ses sensations physiques, de ses réactions émotionnelles et de ses pensées au moment présent, et sur la (thérapie centrée sur le client/gestalt-thérapie), une approche où le thérapeute s'efforce d'instaurer un climat de chaleur, de confiance et d'acceptation de l'autre en témoignant au client une considération inconditionnelle et de l'empathie.

3. Associez chacune des techniques comportementales suivantes à la description appropriée : modification du comportement, désensibilisation systématique, thérapie par aversion.

   a) Amener le client à pratiquer la relaxation musculaire pendant qu'on l'expose graduellement à ce dont il a peur.

   b) Associer un stimulus douloureux au comportement indésirable jusqu'à ce qu'il perde tout attrait.

   c) Obtenir l'extinction des comportements indésirables en éliminant les renforcements qui les maintiennent, et augmenter la fréquence des comportements souhaités en les renforçant.

4. Qui suis-je ? Beck, Ellis, Freud, Perls, Rogers, Skinner, Watson.

   a) Ma psychothérapie recourt aux techniques de l'association libre, de l'interprétation des rêves et du transfert.

   b) Mes travaux sur le conditionnement classique des humains ont inspiré des techniques comme la thérapie par aversion, l'économie de jetons et la désensibilisation systématique de Wolpe.

   c) On me doit les techniques de modification du comportement basées sur le conditionnement opérant.

   d) Ma psychothérapie est centrée sur le client et s'appuie sur la considération inconditionnelle, l'empathie et des techniques d'écoute active.

   e) Ma psychothérapie est une approche psychocorporelle centrée sur la relation thérapeutique dans le moment présent.

   f) J'ai mis au point la thérapie rationnelle-émotive.

   g) Je suis le père de la théorie cognitive.

Réponses : 1. cognitivo-comportementales ; existentielles/humanistes ; psychanalytiques/psychodynamiques. **2.** gestalt-thérapie ; thérapie centrée sur le client. **3.** (a) désensibilisation systématique (b) thérapie par aversion (c) modification du comportement. **4.** (a) Freud (b) Watson (c) Skinner (d) Rogers (e) Perls (f) Ellis (g) Beck.

10.8 LA PHARMACOTHÉRAPIE

La pharmacothérapie est un traitement biologique. Dans le cas des troubles mentaux, elle consiste en l'administration de **médicaments psychotropes** qui, comme on l'a vu au chapitre 4, modifient l'équilibre biochimique du cerveau en agissant sur l'activité des neurotransmetteurs. L'arrivée des premiers médicaments psychotropes en 1952 a révolutionné le monde des soins psychiatriques. D'abord conçus pour traiter les symptômes de dépression et de schizophrénie, ils ont permis à un grand nombre de personnes autrefois internées de réintégrer la société. On leur doit le vaste mouvement de désinstitutionnalisation qui a eu lieu à partir des années 1960. Les chiffres en disent long sur l'ampleur du phénomène : en 1960, au Québec, 20 000 personnes vivaient en institut psychiatrique ; en 2000, leur nombre était de 3 500.

Depuis l'avènement des premiers médicaments psychotropes, les études pharmacologiques ne cessent de proliférer, et de nouveaux produits arrivent constamment sur le marché pour répondre aux divers maux de l'âme de la population. Dans les pays postindustriels, les ventes ne cessent de croître. Les plus grands consommateurs de psychotropes sont les Français (Chambon et autres, 2007), mais nous ne sommes pas en reste. Entre 1998 et 2005, au Québec, le nombre d'ordonnances de psychotropes a doublé, passant

Médicaments psychotropes
Type de médicaments qui modifient l'équilibre biochimique du cerveau en agissant sur l'activité des neurotransmetteurs.

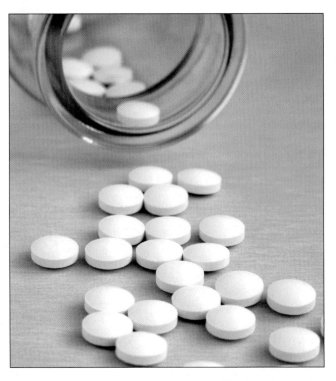

▲ Le recours sans cesse croissant aux médicaments psychotropes est un véritable phénomène de société.

de 6 millions à 12,8 millions, et l'on observe le même phénomène dans l'ensemble du Canada (Dubé, 2007). On estime qu'entre 10 % et 20 % de la population consomme un ou plusieurs médicaments psychotropes sur une base régulière (O'Connor et autres, 2003).

Le recours sans cesse croissant aux médicaments pour des troubles mentaux apparaît comme un véritable phénomène de société. Il est possible que la popularité grandissante des médicaments psychotropes tienne en partie à leur efficacité de plus en plus grande. Cependant, elle s'explique probablement au moins en partie par des facteurs économiques et socioculturels : les profits financiers faramineux qu'en retirent les compagnies pharmaceutiques ; les coûts économiques considérables des arrêts de travail liés à des problèmes psychologiques ; le manque de ressources en santé mentale, qui limite l'accès de la population à la psychothérapie et force le recours aux médicaments comme solution de rechange ; le fait que les consommateurs y voient une solution plus facile et moins exigeante sur le plan personnel ; ou encore une intolérance de plus en plus grande face aux souffrances normales de l'existence (Bert, 2006 ; Collin et autres, 2006).

Cela dit, dans le cas de troubles mentaux graves et invalidants, certains médicaments psychotropes peuvent améliorer rapidement la qualité de vie des personnes atteintes. On peut regrouper les médicaments psychotropes en quatre grandes classes : les *anxiolytiques*, les *antidépresseurs*, les *régulateurs de l'humeur* et les *antipsychotiques* ou *neuroleptiques*.

Qu'est-ce qu'un anxiolytique, un antidépresseur, un régulateur de l'humeur et un psychotrope ?

Anxiolytique
Psychotrope de la famille des benzodiazépines qui agit comme tranquillisant du système nerveux ; surtout prescrit pour soulager l'anxiété.

Les principaux médicaments psychotropes

Les anxiolytiques Les anxiolytiques sont des tranquillisants du système nerveux qui appartiennent à la famille des benzodiazépines, les plus connus étant le Valium, l'Ativan et le Xanax, plus récent que les deux premiers et très puissant. Surtout prescrits pour soulager l'anxiété, ils augmentent les effets anxiolytiques, sédatifs et relaxants du GABA (acide gamma-aminobutyrique), un acide aminé qui est le principal neurotransmetteur inhibiteur. Comme le GABA est largement distribué dans le cerveau et la moelle épinière (Miles, 1999), l'effet des benzodiazépines se fait sentir très rapidement (Chambon et autres, 2007 ; Durand et Barlow, 2007) – une trentaine de minutes après la prise du médicament –, à la différence des autres médicaments psychotropes, dont l'effet peut se faire attendre des jours ou même des semaines. Les benzodiazépines sont de loin les psychotropes les plus prescrits pour usage thérapeutique – 80 % de la consommation totale –, et un tiers de leurs consommateurs en font un usage chronique (O'Connor et autres, 2003 ; Medina et autres, 1993).

Des recherches ont montré que les benzodiazépines sont efficaces dans le traitement du trouble panique (Davidson, 1997 ; Noyes et autres, 1996) et du trouble anxieux généralisé (Lydiard et autres, 1996). Le Xanax semble particulièrement efficace pour soulager l'anxiété et la dépression (Famighetti, 1997). Lorsqu'on l'utilise pour traiter le trouble panique (Noyes et autres, 1996), le Xanax agit plus rapidement que les antidépresseurs et semble entraîner moins d'effets secondaires (Ballenger et autres, 1993 ; Jonas et Cohon, 1993). Par contre, le risque de rechute est élevé lorsque le patient cesse son traitement (Rickels et autres, 1993). Le Xanax a d'autres inconvénients : une fois débarrassés des crises de panique, beaucoup de patients éprouvent des symptômes de sevrage plus ou moins importants, notamment une anxiété grave (Otto et autres, 1993).

L'un des problèmes majeurs associés à l'utilisation de benzodiazépines, et en particulier du Xanax, est que la tolérance s'installe rapidement. Comme les usagers réagissent de moins en moins à la prise fréquente et répétée d'une dose donnée de médicaments, ils doivent l'augmenter pour obtenir les mêmes effets. Les premiers signes de dépendance peuvent apparaître après trois mois de consommation, ce qui fait qu'il est de plus en plus difficile pour la personne de se passer de ces médicaments (Chambon et autres, 2007 ; O'Connor et autres, 2003). Dans la plupart des cas, si l'état de la personne n'est pas trop aggravé par son trouble, une psychothérapie cognitivo-comportementale apparaît comme une excellente solution de rechange à la consommation d'anxiolytiques ; à tout le moins, elle devrait y être associée.

Les antidépresseurs   Les antidépresseurs sont surtout prescrits pour rehausser l'humeur chez les gens gravement déprimés (Elkin et autres, 1995) ; ils ont aussi démontré leur utilité dans le traitement de certains troubles anxieux. Ils doivent être pris sur une base quotidienne ; le traitement dure généralement de six mois à un an, le temps que prennent les principaux symptômes de la dépression pour s'estomper. Les effets des antidépresseurs se font habituellement sentir après deux ou trois semaines. La recherche indique que de 65 % à 75 % des patients traités aux antidépresseurs constatent une amélioration marquée de leur état ; de ce nombre, 40 % à 50 % se disent pratiquement guéris (Frazer, 1997). Ces résultats doivent cependant être nuancés, car la plupart des études sur les antidépresseurs portent sur des sujets gravement déprimés, qui sont les plus susceptibles d'obtenir une amélioration marquée de leur état. Elles ne s'appliquent donc pas nécessairement aux personnes qui ne souffrent pas de dépression majeure (Zimmerman et autres, 2002).

> **Antidépresseur**
> Médicament psychotrope prescrit pour améliorer l'humeur chez les gens gravement déprimés.

Les antidépresseurs de première génération comme l'Elavil et le Tofranil sont des *tricycliques* (Nutt, 2000). Les tricycliques agissent contre la dépression en bloquant la recapture de la noradrénaline et de la sérotonine dans les terminaisons axonales, améliorant ainsi l'action de ces neurotransmetteurs dans les synapses. Malheureusement, les tricycliques ont souvent des effets secondaires très désagréables : sueurs, étourdissements, nervosité, fatigue, bouche sèche, pertes de mémoire et gain de poids (Frazer, 1997). La prise de poids progressive – plus de 8,5 kg en moyenne – est la principale raison pour laquelle les gens abandonnent les tricycliques, malgré le soulagement des symptômes psychologiques pénibles.

Les antidépresseurs de deuxième génération, les *inhibiteurs sélectifs de la recapture de la sérotonine* (ISRS) bloquent la recapture de la sérotonine, augmentant ainsi sa disponibilité dans les synapses (Durand et Barlow, 2007 ; Nutt, 2000 ; Vetulani et Nalepa, 2000). Apparus au début des années 1990, les ISRS les plus connus sont le Prozac, le Paxil et le Zoloft. En général, les ISRS produisent moins d'effets secondaires que les tricycliques, et leurs conséquences sont moins sérieuses en cas de surdose ((Nelson, 1997 ; Thase et Kupfer, 1996). De plus, les usagers ne développent ni tolérance ni dépendance à ces médicaments. Les ISRS peuvent toutefois causer une dysfonction sexuelle, mais ce symptôme disparaît une fois le traitement médicamenteux terminé. Enfin, certaines recherches semblent indiquer que les ISRS, surtout la fluoxétine (Prozac), peuvent augmenter le risque de suicide chez certains individus (Ham, 2003 ; Warshaw et Keller, 1996).

Les *inhibiteurs de la monoamine-oxydase* (IMAO) sont une autre gamme d'antidépresseurs. En bloquant l'action d'une enzyme qui décompose la noradrénaline et la sérotonine dans les synapses, les IMAO augmentent la disponibilité de ces deux neurotransmetteurs. Ces médicaments sont habituellement prescrits aux patients déprimés qui ne répondent pas aux autres antidépresseurs (Thase et autres, 1992). Les IMAO produisent toutefois les mêmes effets secondaires que les tricycliques, et les gens qui en prennent doivent éviter certains aliments pour ne pas risquer de subir un accident vasculaire cérébral.

À la fin des années 1990 sont apparus de nouveaux antidépresseurs dits *atypiques* parce que leurs mécanismes d'action sont différents. Les plus connus sont l'Effexor, le Zyban et le Remeron. L'Effexor, par exemple, inhibe à la fois la recapture de la sérotonine et de la noradrénaline. Des personnes qui réagissaient peu aux ISRS voient leur état s'améliorer davantage avec ces médicaments. Ils sont de plus en plus prescrits, mais étant donné leur relative nouveauté sur le marché, les études sur leur efficacité et leurs effets secondaires sont encore relativement rares.

Les régulateurs de l'humeur Le régulateur de l'humeur le plus connu est le sel de lithium, un sel naturel dont on a découvert les propriétés régulatrices de l'humeur dans les années 1950. Il est efficace dans la prévention des épisodes maniaques tout comme des épisodes dépressifs (Durand et Barlow, 2007). Environ 50 % des patients atteints du trouble bipolaire le considèrent comme miraculeux (Thase et Kupfer, 1996). Le sel de lithium commence à calmer l'état maniaque en 5 à 10 jours, un effet remarquable puisque l'épisode maniaque non traité dure de trois à quatre mois. Par la suite, une dose d'entretien appropriée atténue les épisodes maniaques et dépressifs. Des études menées sur une période de trois décennies attestent l'efficacité inégalée du lithium dans le traitement du trouble bipolaire (Paulus, 2007 ; Ross et autres, 2000). Ainsi, la fréquence du suicide est beaucoup moindre chez les personnes souffrant du trouble bipolaire qui prennent du lithium que chez celles qui suivent un autre traitement (Paulus, 2007). Cependant, le lithium est un métal toxique, et la teneur en lithium de l'organisme doit être vérifiée tous les deux à six mois pour prévenir l'intoxication chronique et des lésions cérébrales permanentes (Schou, 1997).

Des études indiquent que des *anticonvulsivants* comme le Depakote (divalproex) traitent les épisodes maniaques du trouble bipolaire aussi efficacement que le lithium avec moins d'effets secondaires (Kowatch et autres, 2000) ; cependant, ils sont moins efficaces pour prévenir les épisodes suicidaires. De plus, beaucoup de patients bipolaires, surtout ceux dont les épisodes maniaques s'accompagnent de symptômes psychotiques, auraient avantage à prendre des antipsychotiques en association (Sachs et autres, 2002 ; Bowden et autres, 2000). De plus en plus d'études indiquent que le traitement prolongé aux antipsychotiques pourrait prévenir les récurrences d'épisodes maniaques (Vieta, 2003).

La plupart des personnes qui souffrent du trouble bipolaire aujourd'hui retrouvent une stabilité émotionnelle grâce aux nouveaux traitements (Perlis, 2006), et nombre d'entre elles arrivent à bien gérer leurs symptômes et à vivre une vie normale. En outre, la psychothérapie peut les aider à résoudre les problèmes et le stress associés au fait de vivre avec une maladie mentale éventuellement invalidante (Hollon et autres, 2002).

Les antipsychotiques Les antipsychotiques, aussi appelés neuroleptiques, sont des tranquillisants majeurs prescrits pour contrôler les symptômes psychotiques (hallucinations, idées délirantes, désorganisations de la pensée, du langage et du comportement, etc.) de la schizophrénie et d'autres troubles (Andreasen et autres, 1995). Ces antipsychotiques traditionnels inhibent l'activité de la dopamine. Près de la moitié des gens traités répondent bien aux médicaments comme le Compazine, le Serentil et le Zyprexa (Bobes et autres, 2003 ; Kane, 1996). Cependant, outre leurs autres effets secondaires, leur usage prolongé entraîne un risque élevé de *dyskinésie tardive*, un trouble moteur qui se manifeste par des contractions musculaires du visage et de la langue, et des mouvements involontaires parfois brusques des mains et du tronc (Glazer et autres, 1993).

Plusieurs nouveaux antipsychotiques *atypiques* comme la Clozaril et le Risperdal peuvent traiter non seulement les symptômes positifs et désorganisés de la schizophrénie, mais aussi ses symptômes négatifs, ce qui accroît considérablement la qualité de vie des patients (Lauriello et autres, 2005 ; Worrel et autres, 2000). Environ 10 % des patients prenant ce type de médicaments obtiennent des résultats si spectaculaires qu'ils ont l'impression de renaître. Ils entraînent moins d'effets secondaires que les antipsychotiques ordinaires, et présentent un risque moindre de dyskinésie tardive (Casey, 1996). Ils semblent aussi plus efficaces que les antipsychotiques traditionnels pour prévenir le suicide (Meltzer et autres, 2003). Par contre, sans une surveillance étroite des taux d'enzymes hépatiques et de certaines autres substances, ils peuvent causer une anomalie du sang fatale chez 1 % à 2 % des patients (Erdogan et autres, 2004). De plus, leur coût est extrêmement élevé.

Régulateur de l'humeur
Médicament psychotrope surtout prescrit pour atténuer les fluctuations graves de l'humeur et calmer les épisodes maniaques du trouble bipolaire.

Antipsychotique (ou neuroleptique)
Médicament psychotrope (tranquillisant majeur) prescrit pour contrôler les symptômes psychotiques de la schizophrénie et d'autres troubles psychotiques.

S'il est difficile de contrôler la schizophrénie sans recourir à l'administration de médicaments antipsychotiques, la psychothérapie peut toutefois aider la personne qui en souffre à accepter sa situation, à prendre sa médication et à acquérir certaines habiletés sociales qui l'aident à mieux s'intégrer à la société (Franck, 2006). Le tableau 10.5 décrit les principaux médicaments psychotropes.

Tableau 10.5

LES PRINCIPAUX MÉDICAMENTS PSYCHOTROPES

Classe	Nom commercial (exemples)	Mode d'action	Indications possibles
Anxiolytiques Benzodiazépines	Ativan, Valium, Xanax	**Augmentent le potentiel d'action du GABA.** Maintiennent les récepteurs de GABA actifs dans la synapse	Anxiété, insomnie
Antidépresseurs		**Augmentent le potentiel d'action de la sérotonine et de la noradrénaline.**	Humeur dépressive, troubles anxieux
Tricycliques	Elavil, Tofranil, Norpramine	Bloquent la recapture de la sérotonine et de la noradrénaline.	
ISRS	Paxil, Prozac, Zoloft, Celexa, Luvox, Serzone	Inhibent la recapture de la sérotonine dans les synapses.	
IMAO	Nardil, Parnate	Inhibent la monoamine-oxydase chargée de la dégradation de la sérotonine et de la noradrénaline.	
Antidépresseurs atypiques	Effexor, Zyban, Remeron, Ixel	Inhibent de façon atypique la recapture de la sérotonine et de la noradrénaline, ou d'autres neurotransmetteurs.	
Régulateurs de l'humeur Sel de lithium	Eskalith, Lithobid	Agiraient sur des mécanismes cellulaires perturbés.	Trouble bipolaire
Anticonvulsivants	Depakote, Depacon		
Antipsychotiques Neuroleptiques		**Réduisent le potentiel d'action de la dopamine.**	
Antipsychotiques traditionnels	Compazine, Fluanxol, Serentil	Bloquent les récepteurs de la dopamine.	Symptômes positifs et désorganisés de la schizophrénie
Antipsychotiques atypiques	Clozaril, Risperdal, Zyprexa	Inhibent la transmission de dopamine et augmentent la transmission de sérotonine.	Symptômes négatifs de la schizophrénie

Les limites de la pharmacothérapie

Quelles sont les limites de la pharmacothérapie dans le traitement des troubles mentaux ?

En plus de leurs effets secondaires indésirables ou dangereux, les anxiolytiques, les antidépresseurs, les régulateurs de l'humeur et les antipsychotiques ne guérissent pas les troubles mentaux. Par conséquent, les patients font souvent une rechute s'ils cessent leur traitement dès la disparition des symptômes (Hollan et autres, 2006). De plus, des études indiquent que la vague de désinstitutionnalisation entraînée par l'avènement des antipsychotiques et d'autres psychotropes a donné lieu à une augmentation du phénomène de l'itinérance chez les personnes atteintes de troubles mentaux graves comme la schizophrénie (Carson et autres, 2000). Malheureusement, après avoir eu leur congé de l'hôpital parce qu'ils réagissaient bien aux antipsychotiques, beaucoup de patients schizophrènes ne reçoivent pas un suivi adéquat. Certains cessent donc de prendre leurs médicaments, rechutent et n'arrivent plus à s'occuper d'eux-mêmes. Finalement, si les médicaments atténuent des symptômes très invalidants et soulagent beaucoup de personnes aux prises avec d'importants troubles mentaux, ils ne remplaceront jamais la compassion et le soutien psychologique dont ces personnes devraient bénéficier. Lorsqu'elle est nécessaire, la pharmacothérapie devrait être accompagnée d'une psychothérapie adaptée aux besoins de la personne.

RETENEZ-LE — La pharmacothérapie

1. Les médicaments _____ modifient l'équilibre biochimique du cerveau en agissant sur l'activité des neurotransmetteurs.

2. Les _____ , aussi appelés _____ , sont des tranquillisants majeurs prescrits pour contrôler les symptômes de la schizophrénie et d'autres troubles.

3. Les _____ sont des tranquillisants de la famille des benzodiazépines. Ce sont de loin les psychotropes les plus prescrits – environ 80 % de la consommation totale.

4. Les _____ sont surtout prescrits pour rehausser l'humeur chez les gens gravement déprimés.

5. Le _____ le plus connu est le sel de lithium, un sel naturel utilisé dans le traitement du trouble _____ .

Réponses : 1. psychotropes. **2.** antipsychotiques ; neuroleptiques. **3.** anxiolytiques. **4.** antidépresseurs. **5.** régulateur de l'humeur ; bipolaire.

APPLIQUEZ-LE

Remettre les choses en perspective : le camembert d'Aaron T. Beck

Vous arrive-t-il de perdre tout sens des proportions et d'oublier l'essentiel ? En 2006, au 114e Congrès de l'American Psychological Association à La Nouvelle-Orléans, Aaron Beck a expliqué au psychologue Frank Farley une intéressante stratégie thérapeutique pour aider ses patients à remettre les choses en perspective. Le psychologue Michael Fenichel rapporte la scène sur son site Web *Michael Fenichel's Current Topics in Psychology*. (Précisons tout de suite que le camembert dont il est question ici n'est pas un fromage, mais est un graphique circulaire à secteurs.)

[...] Beck présenta un autre exemple clinique, celui d'un patient souffrant de trouble bipolaire qui présentait un risque suicidaire très élevé. Beck venait de passer en revue les raisons qu'il avait de se suicider ou de ne pas le faire, et il lui semblait clair que cet homme avait plusieurs raisons de vivre. Il dessina un camembert et lui demanda : « Quel part de vous veut mourir ? » L'homme commença par répondre : « La plus grande partie. » Beck lui demanda d'attribuer à chaque membre de sa famille et à chacun de ses amis une part correspondant à leur valeur à ses yeux. Et une fois attribuée à chacun sa part, il ne restait plus qu'un maigre 10 % du camembert, la valeur du suicide.

[...] Beck parla d'un de ses patients qui était déprimé parce qu'il « s'attendait à recevoir le prix Nobel » et ne l'avait pas eu, ce qui le ravageait. Comme il l'avait déjà fait avec un autre patient, Beck dessina un camembert et

lui demanda d'évaluer l'importance que le prix Nobel avait pour lui par rapport à 100 % de sa vie (le camembert en entier). Sa réponse : 100 %.

– Mais que faites-vous du reste de votre vie ?
– Oui... peut-être pourrais-je allouer 10 % à ça.
– Et votre femme ?
– D'accord, un autre 10 %.

Le prix Nobel occupait maintenant 80 % de sa vie. Et ses amis, combien valaient-ils ?

– 10 %.
– Et vos enfants ?
– Oh ! Alors là, ce sont des enfants formidables, même si je n'en ai pas profité beaucoup.

Le sujet venait de changer, et Beck sentit là quelque chose d'important.

– Et comment a été votre propre enfance ?

À ce moment précis, le patient au bord des larmes, la gorge serrée, raconta comment lui-même s'était senti négligé au point de se dire que, quoi qu'il fasse, il serait un meilleur parent pour ses propres enfants. « Alors, quelle importance donnez-vous à vos enfants dans votre vie ? » Après avoir estimé la valeur de ses enfants, en plus de celle de sa femme et de ses amis, l'importance du prix Nobel avait été replacée dans une vue d'ensemble de sa vie, et il lui alloua 10 % du camembert. Il n'a toujours pas eu le prix Nobel, mais il est plus heureux.

_____

Extrait de Fenichel, 2006. Traduction libre.

RÉFLEXION CRITIQUE

1. Comment réagiriez-vous si une personne très proche recevait le diagnostic suivant ?

   a) dépression majeure

   b) trouble bipolaire

   c) TOC

   d) anorexie mentale

   e) schizophrénie

2. À partir de ce que vous avez appris dans ce chapitre, préparez une argumentation solide pour défendre chacune de ces deux positions :

   a) La psychothérapie est généralement préférable à la pharmacothérapie pour le traitement des troubles psychologiques.

   b) La pharmacothérapie est généralement préférable à la psychothérapie pour le traitement des troubles psychologiques.

3. Une de vos amies a décidé de consulter un ou une psychologue. À sa connaissance, à celle de son médecin et à la vôtre, elle ne souffre d'aucun trouble mental, mais elle pense qu'elle sera moins émotive et mieux dans sa peau après avoir fait une psychothérapie brève. Qu'en pensez-vous ?

RÉSEAU DE CONCEPTS

LES TROUBLES MENTAUX ET LEUR TRAITEMENT

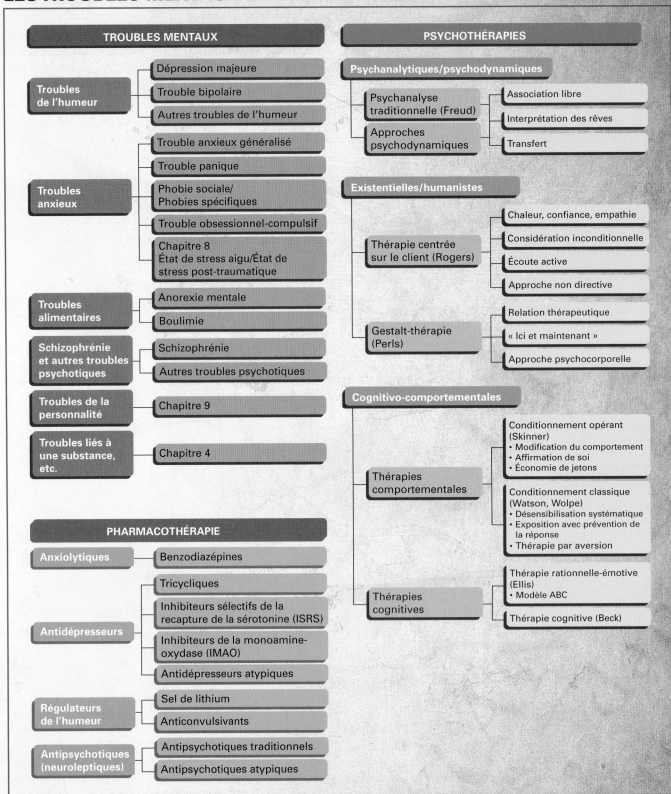

TROUBLES MENTAUX

Troubles de l'humeur
- Dépression majeure
- Trouble bipolaire
- Autres troubles de l'humeur

Troubles anxieux
- Trouble anxieux généralisé
- Trouble panique
- Phobie sociale/Phobies spécifiques
- Trouble obsessionnel-compulsif
- Chapitre 8 État de stress aigu/État de stress post-traumatique

Troubles alimentaires
- Anorexie mentale
- Boulimie

Schizophrénie et autres troubles psychotiques
- Schizophrénie
- Autres troubles psychotiques

Troubles de la personnalité
- Chapitre 9

Troubles liés à une substance, etc.
- Chapitre 4

PHARMACOTHÉRAPIE

Anxiolytiques
- Benzodiazépines

Antidépresseurs
- Tricycliques
- Inhibiteurs sélectifs de la recapture de la sérotonine (ISRS)
- Inhibiteurs de la monoamine-oxydase (IMAO)
- Antidépresseurs atypiques

Régulateurs de l'humeur
- Sel de lithium
- Anticonvulsivants

Antipsychotiques (neuroleptiques)
- Antipsychotiques traditionnels
- Antipsychotiques atypiques

PSYCHOTHÉRAPIES

Psychanalytiques/psychodynamiques
- Psychanalyse traditionnelle (Freud)
- Approches psychodynamiques
  - Association libre
  - Interprétation des rêves
  - Transfert

Existentielles/humanistes
- Thérapie centrée sur le client (Rogers)
  - Chaleur, confiance, empathie
  - Considération inconditionnelle
  - Écoute active
  - Approche non directive
- Gestalt-thérapie (Perls)
  - Relation thérapeutique
  - « Ici et maintenant »
  - Approche psychocorporelle

Cognitivo-comportementales
- Thérapies comportementales
  - Conditionnement opérant (Skinner)
    - Modification du comportement
    - Affirmation de soi
    - Économie de jetons
  - Conditionnement classique (Watson, Wolpe)
    - Désensibilisation systématique
    - Exposition avec prévention de la réponse
    - Thérapie par aversion
- Thérapies cognitives
  - Thérapie rationnelle-émotive (Ellis)
    - Modèle ABC
  - Thérapie cognitive (Beck)

Les chiffres entre crochets indiquent le chapitre où le terme est défini.
Tous les mots clés sont en gras dans l'index.

Accommodation   Modification de la courbure du cristallin de l'œil en fonction de la distance de l'objet observé ; permet la mise au point de l'image sur la rétine. [3] ∎ Dans la théorie de Piaget, processus mental par lequel des schèmes sont créés ou modifiés pour intégrer de nouveaux objets ou de nouvelles situations, expériences ou informations. [7]

Acétylcholine (ACh)   Neurotransmetteur qui joue un rôle dans l'apprentissage de nouvelles informations, provoque la contraction des fibres des muscles squelettiques et empêche le cœur de battre trop rapidement. [2]

Activation   Degré d'activité de l'organisme mesuré sur un continuum allant du sommeil au stress, en passant par divers degrés d'éveil, de vigilance et d'alerte ; s'évalue par des indicateurs physiologiques comme la fréquence cardiaque, le rythme respiratoire, la tension musculaire, la conductance cutanée et les autres réactions végétatives (digestion, élimination, etc.) [5]

Adaptation   Ensemble des efforts déployés par un organisme pour répondre aux exigences de son environnement. [8]

Adaptation sensorielle   Processus d'insensibilisation progressive à un stimulus sensoriel constant. [3]

Addiction   Toute forme de dépendance au caractère irrépressible, répétitif et nuisible. [4]

Adrénaline   Hormone qui agit aussi comme neurotransmetteur ; complète la noradrénaline en modifiant le métabolisme du glucose et en entraînant la libération du glucose stocké dans les muscles lors d'un effort physique important. [2]

Agoraphobie   Peur intense de se trouver dans un lieu où il serait impossible de fuir immédiatement ou de trouver de l'aide en cas de crise d'anxiété ou d'attaque de panique. [10]

Aire de Broca   Zone corticale du lobe frontal, généralement située dans l'hémisphère gauche, qui intervient dans la production du langage parlé. [2]

Aire de Wernicke   Zone corticale du lobe temporal, généralement située dans l'hémisphère gauche ; qui intervient dans la compréhension de la parole et la formulation d'un langage parlé et écrit cohérent. [2]

Aires associatives   Aires du cerveau qui relient diverses informations et interviennent dans les processus mentaux complexes comme la perception, la mémoire, l'apprentissage, le langage et la pensée. [2]

Algorithme   Procédure systématique et ordonnée qui, appliquée correctement, mène toujours à la solution d'un certain type de problème. [7]

Amnésie antérograde   Amnésie caractérisée par l'incapacité de former de nouveaux souvenirs. [6]

Amnésie infantile   Perte normale du souvenir des trois ou quatre premières années de vie. [6]

Amnésie rétrograde   Amnésie totale ou partielle touchant des événements précédant une perte de conscience. [6]

Amorçage   Phénomène par lequel le contact préalable, conscient ou non, avec un stimulus (comme un mot ou une image) augmente la vitesse ou la précision avec laquelle ce stimulus sera nommé, ainsi que la probabilité qu'il le soit. [6]

Amplitude   Ampleur (énergie) d'une onde sonore ; détermine la puissance du son et se mesure en décibels. [3]

Amygdale   Structure limbique qui joue un rôle majeur dans les émotions, notamment en réaction à des stimulus aversifs. [2]

Analyse fin-moyens (ou **détermination d'objectifs partiels**)   Heuristique qui consiste à comparer la condition ou la situation de départ au but à atteindre (fin), puis à déterminer et à suivre la série d'étapes (moyens) qui réduisent l'écart entre les deux. [7]

Anorexie mentale   Trouble des conduites alimentaires caractérisé par le refus d'atteindre ou de maintenir le poids normal minimal compte tenu de l'âge et de la taille, une peur intense et irrationnelle de prendre du poids ou de devenir obèse malgré un poids inférieur à la normale, et une perception grossièrement déformée de la forme de son propre corps. [10]

Antidépresseur   Médicament psychotrope prescrit pour améliorer l'humeur chez les gens gravement déprimés. [10]

Antipsychotique (ou **neuroleptique**)   Médicament psychotrope (tranquillisant majeur) prescrit pour contrôler les symptômes psychotiques de la schizophrénie et d'autres troubles psychotiques. [10]

Anxiété   Peur de ce qui pourrait arriver, souvent accompagnée de manifestations physiques. [10]

Anxiolytique   Psychotrope de la famille des benzodiazépines qui agit comme tranquillisant du système nerveux ; surtout prescrit pour soulager l'anxiété. [10]

Aphasie   Perte ou réduction de la capacité de produire le langage ou de le comprendre causée par une lésion cérébrale. [2]

Apnée du sommeil   Trouble du sommeil caractérisé par l'interruption de la respiration pendant plus de dix secondes, plusieurs fois par nuit, ce qui oblige la personne à se réveiller chaque fois brièvement pour respirer. [4]

Apprentissage   Toute modification relativement permanente du comportement, du savoir, de la compétence ou de l'attitude qui résulte de l'expérience. [5]

Apprentissage latent Type d'apprentissage qui se produit sans renforcement apparent et qui ne se manifeste que si le sujet est motivé à l'utiliser. [5]

Apprentissage par essais et erreurs Type d'apprentissage qui survient lorsqu'une réponse est associée à la résolution d'un problème après plusieurs réponses erronées. [5]

Apprentissage par évitement Type d'apprentissage où le sujet apprend à modifier son comportement afin d'éviter un stimulus désagréable anticipé. [5]

Apprentissage par *insight* Type d'apprentissage cognitif qui repose sur l'*insight*. [5]

Apprentissage social cognitif (ou **apprentissage par observation**) Type d'apprentissage qui survient lorsque le sujet observe le comportement d'autrui et ses conséquences, et décide ensuite de le reproduire ou non. [5]

Approche biopsychosociale Approche de la santé et de la maladie selon laquelle la plupart des troubles physiques et mentaux résultent de l'interaction de facteurs biologiques, psychologiques et socioculturels. [10]

Approximations successives Dans le façonnement, comportements qui se rapprochent de plus en plus du comportement désiré. [5]

Aptitude mentale primaire Dans le modèle de l'intelligence de Thurstone, une des sept aptitudes mentales qui, seules ou combinées, interviennent dans toutes les activités intellectuelles. [7]

Archétype Dans la théorie de Jung, figures symboliques primitives qui reflètent le contenu de l'inconscient collectif et s'expriment dans les mythes, les religions, l'art, les légendes et le folklore, ainsi que dans l'imaginaire, les rêves et les symptômes psychiques. [9]

Assignation aléatoire Dans la méthode expérimentale, mode de sélection des sujets où ceux-ci sont assignés au hasard à un groupe expérimental ou à un groupe témoin, de sorte que la probabilité d'être assigné à tel ou tel groupe est la même pour chaque sujet ; vise à éliminer le biais de sélection. [1]

Assimilation Dans la théorie de Piaget, processus mental par lequel les nouvelles situations sont incorporées aux schèmes déjà existants. [7]

Attaque de panique Épisode soudain, violent et incontrôlable de forte anxiété, de peur ou de terreur. [10]

Attention sélective Mécanisme de filtrage des stimulus qui permet de se concentrer sur les plus importants. [3]

Audition Perception des stimulus sonores par l'action conjuguée de l'oreille et du cerveau. [3]

Aversion alimentaire Dégoût ou évitement d'un aliment qui a été associé à de la nausée ou de l'indisposition. [5]

Axone Extension filiforme du neurone qui transmet des signaux aux dendrites ou au corps cellulaire d'autres neurones, ou encore aux cellules réceptrices des muscles, glandes et autres organes du corps. [2]

Bâtonnets Récepteurs photosensibles de la rétine, extrêmement sensibles, responsables de la vision sous un éclairage très faible. [3]

Béhaviorisme École de pensée fondée par John B. Watson selon lequel la psychologie doit n'avoir pour objet d'étude que le comportement observable et mesurable ; insiste sur le rôle déterminant de l'environnement sur le comportement. [1]

Besoin de réussite Besoin d'accomplir quelque chose de difficile, d'exceller. [5]

Biais de l'expérimentateur Dans la méthode expérimentale, phénomène qui se produit lorsque les attentes du chercheur influent sur le comportement des participants et sur l'interprétation des résultats de l'expérience. [1]

Biais de sélection Dans la méthode expérimentale, phénomène qui se produit lorsque le mode d'assignation des sujets à un groupe expérimental ou à un groupe témoin entraîne des différences systématiques entre les groupes dès le début de l'expérience. [1]

Boîte de Skinner Boîte insonorisée munie d'un distributeur de nourriture que les animaux peuvent actionner ; inventée par B. F. Skinner pour réaliser des expériences de conditionnement opérant. [5]

Boulimie Trouble alimentaire caractérisé par des orgies alimentaires répétées et incontrôlées souvent suivies de purges (vomissements provoqués ou de prise de laxatifs et de diurétiques). [10]

Bourgeon gustatif Structure située sur une papille gustative et contenant de 60 à 100 récepteurs du goût. [3]

Bouton synaptique Extrémité de la terminaison axonale d'un neurone. [2]

Bulbe olfactif Organe cérébral de la taille d'une allumette surplombant la cavité nasale, où s'enregistrent les sensations transmises par les récepteurs (neurones) olfactifs. [3]

Bulbe rachidien Structure du tronc cérébral qui régule un grand nombre de fonctions vitales (fréquence cardiaque et respiratoire, tension artérielle, déglutition, etc.). [2]

Ça Dans la théorie freudienne, système de la personnalité entièrement inconscient qui englobe les instincts de vie et de mort, et fonctionne selon le principe de plaisir ; siège de la libido. [9]

Canaux semi-circulaires Trois canaux tubulaires remplis de liquide situés dans l'oreille interne, qui renseignent sur les mouvements de rotation de la tête. [3]

Carte cognitive Représentation mentale d'une configuration spatiale comme un labyrinthe. [5]

Catégorisation Regroupement mental d'éléments similaires. [7]

Cauchemar Rêve effrayant ou terrifiant survenant durant le sommeil paradoxal. [4]

Cellules ciliées Récepteurs sensoriels de l'audition situés dans la cochlée. [3]

Cellules gliales Cellules qui maintiennent la cohésion des neurones en éliminant les déchets, en formant la couche de myéline des axones et en exécutant d'autres tâches de fabrication, de nutrition et de nettoyage. [2]

Cervelet Structure cérébrale située à la base du cerveau ; joue un rôle important dans l'exécution de mouvements souples et coordonnés ainsi que dans la régulation du tonus musculaire et de la posture. [2]

Chromosomes Éléments microscopiques du noyau cellulaire contenant les gènes. [2]

Chronobiologie Étude des rythmes biologiques et des phénomènes cycliques chez les êtres vivants. [4]

Chronotype Caractéristique individuelle de l'horloge biologique. [4]

Cochlée Organe de l'oreille interne en colimaçon rempli de liquide, qui contient les cellules ciliées. [3]

Coefficient de corrélation Valeur numérique qui indique la force et la direction de la relation entre deux variables ; va de 1,00 (corrélation négative parfaite) à 1,00 (corrélation positive parfaite) en passant par 0 (aucune corrélation). [1]

Cognition Ensemble des opérations mentales par lesquelles s'acquiert la connaissance. [1]

Cognitivisme En psychologie, école de pensée qui affirme que le sujet est actif dans son environnement, et qui privilégie l'étude des processus mentaux et de leur influence sur le comportement. [1]

Complexe d'Œdipe Conflit psychique qui a lieu au stade phallique ; l'enfant est sexuellement attiré par le parent du sexe opposé et éprouve de l'hostilité envers le parent du même sexe. [9]

Comportement Action ou réaction observable chez les humains ou les animaux. [1]

Compulsion Besoin irrépressible et persistant de se livrer à répétition à certains actes ou rituels dictés par une obsession. [10]

Concept Catégorie mentale qui représente l'idée que le sujet se fait d'un ensemble d'éléments ayant des caractéristiques communes. [7]

Concept de soi Perception subjective que l'individu a de lui-même, ensemble organisé des caractéristiques qu'il croit être les siennes. [9]

Concept formel Concept clairement encadré par une définition formelle, un ensemble de règles ou une classification. [7]

Concept naturel Concept acquis au fil des de la vie quotidienne. [7]

Conditionnement classique (ou **conditionnement répondant** ou **conditionnement pavlovien**) Forme d'apprentissage par association où un stimulus jumelé à un autre à répétition finit par provoquer la même réponse que le stimulus initial. [5]

Conditionnement d'ordre supérieur (ou **conditionnement de second ordre**) Type de conditionnement classique dans lequel un stimulus neutre jumelé à plusieurs reprises à un stimulus conditionnel acquiert par association le pouvoir de susciter la même réponse conditionnelle et devient à son tour un stimulus conditionnel. [5]

Conditionnement opérant Type d'apprentissage associatif où la fréquence d'un comportement volontaire est déterminée par sa conséquence. [5]

Cônes Récepteurs photosensibles de la rétine responsables de la vision des couleurs et des détails sous une lumière adéquate ; ne fonctionnent pas sous une lumière trop faible. [3]

Conflit approche-approche Conflit intérieur qui résulte du fait d'avoir à choisir entre deux choses désirables. [8]

Conflit approche-évitement Conflit intérieur qui résulte du fait que choisir une chose désirable entraîne inévitablement une autre chose indésirable. [8]

Conflit évitement-évitement Conflit intérieur qui résulte du fait d'avoir à choisir entre deux choses indésirables. [8]

Congruence Harmonie ou adéquation entre le concept de soi et le soi idéal ou l'expérience de vie. [9]

Conscient Dans la théorie freudienne, siège des pensées, sentiments, perceptions ou souvenirs dont une personne est consciente à tout moment. [9]

Considération conditionnelle Pour Rogers, considération accordée à une personne si cette dernière satisfait à certaines conditions. [9]

Considération inconditionnelle Pour Rogers, considération accordée à une personne sans attentes ni conditions particulières. [9]

Consolidation Processus physiologique qui permet à l'information encodée d'être conservée dans la mémoire. [6]

Constance perceptive Phénomène perceptif grâce auquel nous percevons les gens et les choses comme conservant des propriétés stables (grandeur, forme, luminosité, teinte) malgré des changements de distance, d'angle de vision ou de lumière. [3]

Convergence Indice binoculaire de profondeur basé sur l'interprétation que fait le cerveau du travail des muscles oculaires lorsqu'ils convergent pour regarder un objet : plus la convergence est grande, plus l'objet est proche. [3]

Coping Ensemble des efforts de l'individu pour maîtriser ou tolérer par l'action ou la pensée des situations perçues comme menaçantes ou trop exigeantes pour ses ressources. [8]

Coping **centré sur l'émotion** Réaction indirecte qui vise à réduire l'impact émotionnel d'un stresseur en modifiant consciemment ou inconsciemment la perception qu'on en a ou l'évaluation qu'on en fait. [8]

Coping **centré sur le problème** Réaction directe visant à réduire, modifier ou éliminer un stresseur. [8]

Coping **proactif** Fait de prendre des mesures à l'avance pour éviter des situations stressantes ou en atténuer l'impact. [8]

Cornée Membrane transparente qui couvre l'iris et diffracte les rayons lumineux vers l'intérieur de l'oeil à travers la pupille. [3]

Corps calleux Bande épaisse de fibres nerveuses qui relie les deux hémisphères cérébraux ; assure le transfert d'information de l'un à l'autre et coordonne leur activité. [2]

Corps cellulaire Partie du neurone qui contient le noyau, assure les fonctions métaboliques du neurone et peut recevoir des influx neveux provenant d'autres neurones. [2]

Corrélation Relation entre deux phénomènes qui varient simultanément. [1]

Cortex auditif primaire Zone des lobes temporaux où s'enregistre l'information auditive provenant des deux oreilles. [2]

Cortex cérébral Fine couche de substance grise en circonvolutions qui recouvre la surface des hémisphères cérébraux ; joue un rôle clé dans les processus mentaux supérieurs de la mémoire, de la pensée, du langage et du contrôle des émotions, traite des informations visuelles, auditives et somatiques, et coordonne les mouvements volontaires. [2]

Cortex moteur Bande de tissu cérébral, située dans le lobe frontal de chaque hémisphère, qui commande les mouvements volontaires. [2]

Cortex orbitofrontal Partie du cortex frontal située complètement à l'avant, juste derrière les orbites des yeux, anatomiquement reliée aux aires associatives somatosensorielles, aux structures limbiques et à d'autres zones du cortex frontal qui régissent la prise de décision. [4]

Cortex préfrontal Partie antérieure des lobes frontaux correspondant aux aires associatives responsables du langage, du raisonnement, de la planification à long terme ainsi que de la maîtrise des pulsions et de la régulation des émotions. [2]

Cortex somesthésique primaire Bande de tissu cérébral située à l'avant des lobes pariétaux où s'enregistrent les informations relatives aux stimulus captés directement par la peau et les tissus corporels internes (toucher, pression, température, douleur, etc.). [2]

Cortex visuel primaire Aire cérébrale située à l'arrière des lobes occipitaux où s'enregistre l'information visuelle. [2]

Courbe de Gauss (ou **courbe en cloche** ou **courbe normale**) Représentation graphique de données qui prend la forme d'une cloche. [7]

Cristallin Structure transparente de l'œil qui focalise les images sur la rétine en modifiant sa courbure. [3]

Cycle de sommeil Période de sommeil d'environ 90 minutes incluant un ou plusieurs stades de sommeil lent suivis d'une période de sommeil paradoxal. [4]

Daltonisme Inaptitude à distinguer une ou plusieurs couleurs, parfois toutes ; résulte d'une anomalie des cônes. [3]

Décibel (dB) Unité de mesure de la puissance du son égale à un dixième de bel. [3]

Déficience intellectuelle Intelligence en deçà de la normale, ce qui se traduit par un QI de moins de 70 et par de graves difficultés de fonctionnement dans la vie quotidienne. [7]

Démarche à rebours Heuristique qui consiste à déterminer les étapes nécessaires à l'atteinte d'un but en partant du but et en cheminant à rebours vers la situation de départ. [7]

Dendrite Prolongement arborescent du corps cellulaire d'un neurone ; reçoit des signaux d'autres neurones. [2]

Dépendance physique État qui résulte de l'usage répété ou continuel d'une substance, et où le sujet acquiert une tolérance à cette substance et éprouve des symptômes de sevrage lorsqu'il cesse de l'utiliser. [4]

Dépendance psychologique Désir ou besoin impérieux des effets agréables que procure une substance. [4]

Déplacement Phénomène qui se produit quand la mémoire à court terme est remplie à pleine capacité, et que chaque nouvel élément d'information prend la place d'un autre, qui est alors oublié. [6]

Dépresseur (ou **sédatif**) Types de psychotropes qui réduisent l'activité du système nerveux central, ralentissent les fonctions physiologiques et diminuent la sensibilité aux stimulus extérieurs. [4]

Dépression majeure Trouble de l'humeur caractérisé par des sentiments accablants de tristesse et de désespoir, la perte de la capacité d'éprouver du plaisir et des perturbations psychomotrices ; souvent accompagné d'une perte d'énergie physique, de modifications du sommeil, de l'appétit et du poids, ainsi que de difficultés à se concentrer et à penser clairement. [10]

Déterminisme réciproque Selon Bandura, relation d'influence mutuelle entre le comportement, les facteurs cognitifs et personnels, et l'environnement. [9]

Discrimination Dans le conditionnement classique, capacité apprise de faire la distinction entre le stimulus conditionnel initial et des stimulus similaires pour ne donner la réponse conditionnelle qu'en présence du premier. [5] ■ Dans le conditionnement opérant, capacité apprise de faire la distinction entre le stimulus pour lequel la réponse a été renforcée et des stimulus similaires pour ne donner la réponse conditionnée qu'en présence du premier. [5]

Disparité binoculaire (ou **disparité rétinienne**) Indice de profondeur binoculaire basé sur la différence entre les images rétiniennes captées par chacun des deux yeux ; plus l'objet est proche, plus la disparité binoculaire est importante, plus la profondeur perçue est grande. [3]

Dopamine Neurotransmetteur qui joue un rôle dans l'apprentissage, l'attention, le mouvement et la capacité d'éprouver du plaisir. [2]

DSM-IV-TR (***Manuel diagnostique et statistique des troubles mentaux*, texte révisé, 4e édition**) Manuel publié par l'American Psychiatric Association qui décrit les critères de classification et de diagnostic des troubles mentaux. [10]

Échantillon Portion d'une population à l'étude que les chercheurs sélectionnent et étudient pour tirer des conclusions sur l'ensemble de cette population. [1]

Échantillon représentatif Échantillon constitué de membres de chaque sous-groupe important que l'on trouve dans la population à l'étude, et dans des proportions similaires. [1]

Échec de consolidation Interruption du processus mnésique de consolidation habituellement consécutive à une perte de conscience. [6]

Échec de récupération Incapacité de récupérer une information stockée dans la mémoire à long terme. [6]

Échelle du stress de Holmes-Rahe (ou **Social Readjustment Rating Scale, SRRS**) Instrument de mesure du stress conçu par Holmes et Rahe et qui classe 43 événements de la vie du plus stressant au moins stressant en attribuant à chacun un nombre de points donné. [8]

Effet *cocktail party* Capacité de sélectionner un stimulus parmi plusieurs autres de même type disponibles au même moment. [3]

Effet de cadrage Manière de présenter l'information de manière à faire entrevoir la possibilité d'un gain ou d'une perte. [7]

Effet de contexte Tendance à se souvenir plus facilement d'une information dans un contexte identique ou similaire à celui de son encodage. [6]

Effet de position sérielle Phénomène mnésique qui fait que, lorsqu'on mémorise des éléments d'une série, le taux de rappel est meilleur pour les éléments du début et de la fin de la série que pour ceux du milieu. [6]

Effet placebo Phénomène qui se produit lorsque la réaction d'un sujet à un traitement (ou à la variable dépendante d'une expérience) résulte des attentes de ce sujet sur l'effet du traitement plutôt que du traitement lui-même. [1]

Électroencéphalogramme (EEG) Enregistrement de l'activité électrique du cerveau réalisé par un électroencéphalographe. [2]

Émotion État affectif soudain et passager caractérisé par une activation physiologique, une expression corporelle et une activité mentale. [8]

Émotion de base Selon le modèle de Ekman, une des six familles d'états émotionnels universelles qui résultent de l'évolution de l'espèce humaine : joie, tristesse, peur, colère, surprise et dégoût. [8]

Empathie Capacité de se mettre intuitivement à la place d'autrui, de sentir ses émotions. [7]

Encéphale Ensemble constitué par les centres nerveux contenus dans la boîte crânienne ; inclut le cerveau proprement dit, le cervelet et le tronc cérébral. [2]

Encodage Processus de transformation de l'information sous une forme qui pourra être stockée dans la mémoire. [6]

Endorphine Type de substances chimiques qui agissent aussi comme neurotransmetteurs ; soulagent la douleur et la tension causées par un effort physique vigoureux, et produisent des sensations de bien-être et de plaisir. [2]

Enquête Méthode de recherche descriptive qui consiste à recueillir des informations sur les attitudes, croyances, expériences ou comportements d'un groupe ou d'un échantillon de gens par la technique de l'entrevue ou du questionnaire (ou les deux). [1]

Épisode maniaque Dans le trouble bipolaire, épisode caractérisé par une euphorie extrême, une très haute opinion de soi, une hyperactivité et un optimisme débridé ; s'accompagne souvent d'idées de grandeur et de réactions hostiles ou autodestructrices. [10]

Épithélium olfactif Membrane couverte de mucus qui tapisse le fond de la cavité nasale ; contient les terminaisons des millions de neurones olfactifs. [3]

Épuisement professionnel Épuisement, sensation d'être vidé émotionnellement et pessimisme qui résulte d'un stress chronique associé au travail. [8]

Équilibration Dans la théorie de Piaget, processus mental qui incite l'enfant à harmoniser ses schèmes avec la réalité pour que sa compréhension du monde reste cohérente. [7]

Estime de soi Jugement que le sujet porte sur sa valeur ou ses mérites. [9]

Étalonnage Établissement de normes à partir desquelles seront interprétés les résultats des personnes qui passeront un test. [7]

État de conscience État global d'un organisme qui détermine l'interaction entre le soi et les stimulus internes et externes. [4]

État de stress aigu (ou **syndrome de stress aigu**) Ensemble de symptômes déclenchés par l'exposition à un événement traumatisant et qui disparaissent dans le mois qui suit. [8]

État de stress post-traumatique (ou **syndrome de stress post-traumatique**) État de stress aigu qui persiste pendant plus d'un mois. [8]

Étiologie Ensemble des causes d'un trouble ou d'une maladie ; étude systématique de ces causes. [10]

Étude à double insu Procédure expérimentale où ni les sujets ni les chercheurs ne savent qui fait partie d'un groupe expérimental ou d'un groupe témoin jusqu'à la fin de la collecte et de l'enregistrement des données ; vise à éliminer le biais de l'expérimentateur. [1]

Étude de cas Méthode de recherche descriptive qui consiste à étudier en profondeur le cas d'un sujet ou d'un petit nombre de sujets, souvent sur une longue période ; repose sur des observations, des entrevues et parfois des tests psychologiques. [1]

Évaluation primaire Dans la théorie du stress de Lazarus, évaluation cognitive d'un événement potentiellement stressant pour en déterminer l'effet positif, négatif ou neutre. [8]

Évaluation secondaire Dans la théorie du stress de Lazarus, évaluation cognitive des ressources disponibles pour affronter un stresseur. [8]

Extéroception Ensemble des modalités sensorielles qui captent et transmettent au cerveau des stimulus provenant de l'environnement externe ; englobe la vue, l'ouïe, l'odorat, le goût et le toucher cutané. [3]

Extinction Affaiblissement progressif et disparition éventuelle d'une réponse apprise. [5]

Extraversion Pour Jung, tendance à se tourner vers le monde extérieur, à s'adapter et à être sociable. [9]

Façonnement Technique de conditionnement opérant qui consiste à renforcer des approximations successives du comportement désiré, guidant ainsi graduellement les réponses vers le but. [5]

Fente synaptique Espace microscopique rempli de liquide qui sépare le bouton synaptique d'un neurone émetteur du neurone récepteur ; lieu de la transmission de l'influx nerveux. [2]

Fidélité Qualité d'un test dont les résultats, lors d'essais indépendants et dans des conditions identiques, demeurent stables. [7]

Fixation Dans la théorie freudienne, interruption du développement de la libido, qui reste investie dans les objets, images ou types de gratification typiques d'un stade prégénital ; résulte d'une gratification excessive ou insuffisante à ce stade. [9] ■ Tendance à appliquer à répétition des stratégies ou des méthodes familières sans examiner avec soin les données particulières de ce dernier. [7]

Fonctionnalisme École de pensée qui s'est développée en réaction au structuralisme ; tentait de comprendre comment les humains et les animaux utilisent les processus mentaux pour s'adapter à leur environnement. [1]

Formation réticulée (ou **système d'activation réticulaire**) Structure du tronc cérébral qui joue un rôle crucial dans l'éveil et l'attention et qui filtre les messages sensoriels. [2]

Fovéa Petite protubérance au centre de la rétine qui assure la vision la plus nette en raison de sa forte concentration en cônes. [3]

Fréquence Nombre de cycles complets (vibrations) d'une onde sonore par seconde ; détermine la hauteur du son (tonie) ; se mesure en hertz (Hz). [3]

GABA (acide gammaaminobutyrique)   Sel aminé qui est le principal neurotransmetteur inhibiteur dans le cerveau ; joue un rôle crucial dans le contrôle de l'anxiété et la relaxation. [2]

Généralisation   Dans le conditionnement classique, tendance à donner la réponse conditionnelle en présence de stimulus similaires au stimulus conditionnel initial. [5] ■ Dans le conditionnement opérant, tendance à produire la réponse en présence d'un stimulus similaire au stimulus qui a servi au conditionnement. [5]

Génotype   Ensemble des gènes d'un individu, exprimés ou non. [2]

Gestaltisme (ou théorie de la gestalt)   Théorie cognitive selon laquelle les individus perçoivent les choses et les motifs comme des touts, des formes complètes, et que ces touts perçus sont supérieurs à la somme de leurs parties. [1]

Gestalt-thérapie   Psychothérapie conçue par Perls et axée sur la relation thérapeutique ; vise à amener le client à prendre pleinement conscience de ce qu'il vit physiquement, émotionnellement et mentalement au moment présent, et à en assumer la responsabilité. [10]

Glutamate (acide glutamique)   Sel aminé qui est le principal neurotransmetteur activateur dans le cerveau (libéré par près de 40 % des neurones) ; joue un rôle actif dans les parties du cerveau qui interviennent dans l'apprentissage, la mémoire, la pensée et les émotions. [2]

Goût   Sens qui capte les saveurs par l'action conjuguée de la bouche, de la langue, de la gorge et du nez et du cerveau. [3]

Groupe expérimental   Dans la méthode expérimentale, groupe de sujets qui est exposé à une variable indépendante. [1]

Groupe témoin   Dans la méthode expérimentale, groupe de sujets similaire au groupe expérimental et exposé au même environnement expérimental, mais qui ne reçoit pas le traitement ; utilisé dans un but de comparaison. [1]

Gustation   Perception des saveurs par l'action conjuguée des organes du goût et du cerveau. [3]

Habituation   Processus par lequel le cerveau cesse de sélectionner une information sensorielle non pertinente. [3]

Hallucination   Sensation imaginaire. [4, 10]

Hémisphères cérébraux   Moitiés droite et gauche du cerveau, reliées par le corps calleux. [2]

Hérédité multifactorielle   Mode de transmission héréditaire dans lequel un trait dépend à la fois des gènes et de facteurs environnementaux. [2]

Héritabilité   Probabilité estimée que les différences individuelles pour un trait ou une caractéristique s'expliquent par la seule transmission génétique. [7]

Heuristique   Discipline qui a pour objet la découverte des faits. [1] ■ Stratégie cognitive empirique qui réduit le temps et l'effort nécessaire à la prise de décision et à la résolution de problème ; raccourci mental commode et relativement efficace, mais dont le résultat n'est pas garanti. [7]

Hippocampe   Structure du système limbique qui joue un rôle majeur dans la formation des souvenirs à long terme. [2]

Homéostasie   Maintien d'un état physiologique stable. [2]

Hormones   Substances chimiques sécrétées et libérées dans le sang par les glandes endocrines ; influent sur les tissus, organes ou parties du corps dotés de leur récepteur spécifique. [2]

Humanisme   En psychologie, école de pensée qui affirme l'unicité des êtres humains et leur libre arbitre, et mise sur leur potentiel pour assurer leur croissance et leur santé psychologique. [1]

Hypnose   Procédure par laquelle une personne, l'hypnotiseur, utilise le pouvoir de la suggestion pour modifier les pensées, les sentiments, les sensations, les perceptions ou le comportement d'une autre personne, le sujet. [4]

Hypophyse   Glande endocrine située dans le cerveau qui produit l'hormone de croissance ainsi que diverses hormones qui commandent les autres glandes endocrines ; souvent appelée glande maîtresse. [2]

Hypothalamus   Structure cérébrale qui contrôle toutes les glandes par l'intermédiaire de l'hypophyse ; régule la faim, la soif, la température corporelle, l'appétit sexuel ; joue un rôle dans la composante physiologique des émotions. [2]

Hypothèse de recherche   Prédiction sur la relation entre deux ou plusieurs variables. [1]

Idée délirante   Croyance infondée jugée invraisemblable ou absurde par la plupart des autres membres d'une société ou d'une culture. [10]

Idées de grandeur   Conviction d'être une personne très puissante, importante ou célèbre, dotée de compétences, de connaissances ou de pouvoirs exceptionnels. [10]

Illusion   Perception faussée ou déformée d'une sensation réelle. [3]

Image mentale   Représentation mentale qui évoque les qualités sensorielles d'objets absents du champ perceptif. [7]

Image résiduelle complémentaire   Sensation visuelle qui persiste après le retrait d'un stimulus. [3]

Imagerie   Ensemble des processus mis en oeuvre mis pour élaborer et utiliser des images mentales. [7]

Imagerie par résonance magnétique (IRM)   Technique d'imagerie médicale qui produit des images de haute résolution des structures du cerveau ou d'autres parties du corps. [2]

Impuissance apprise   Résignation passive aux situations désagréables ou douloureuses ; réponse apprise résultant de l'exposition répétée à des situations désagréables ou douloureuses impossibles à fuir ou à éviter. [5]

Incitatif   Stimulus extérieur qui motive le comportement. [5]

Incongruence   Conflit ou écart entre le concept de soi et le soi idéal ou l'expérience de vie. [9]

Inconscient collectif   Dans la théorie de Jung, couche de l'inconscient la plus inaccessible qui contient les expériences communes accumulées par l'humanité au fil de son évolution, et des tendances innées à réagir de telle ou telle manière à des situations humaines universelles. [9]

Inconscient   Dans la théorie freudienne, siège des pulsions et des désirs qui ne sont jamais parvenus à la conscience ou qui ont été refoulés. [9]

Inconscient personnel Dans la théorie de Jung, couche de l'inconscient qui contient autant les expériences, pensées et perceptions enfouies mais accessibles à la conscience que les pulsions et les désirs réprimés ou refoulés. [9]

Indice de récupération Tout stimulus ou élément d'information qui permet de récupérer une information dans la mémoire à long terme. [6]

Indices binoculaires de profondeur Ensemble d'indices qui permettent d'évaluer la distance des objets et qui exigent le travail conjoint des deux yeux. [3]

Indices monoculaires de profondeur Ensemble d'indices qu'utilise le système perceptif pour parvenir à évaluer la distance des objets à partir des informations sensorielles provenant d'un seul oeil. [3]

Insight Découverte soudaine d'une solution rendue apparente par une réorganisation mentale des éléments du problème. [5]

Insomnie Trouble du sommeil caractérisé par la difficulté à s'endormir ou à rester endormi, les réveils trop précoces ou le sommeil léger, agité ou de piètre qualité. [4]

Instinct Tendance comportementale commune à tous les membres d'une espèce, et dont on présume qu'elle résulte de leur programme génétique. [5]

Intelligence Capacité d'un individu à comprendre des idées complexes, à s'adapter à son environnement de manière efficace, à apprendre de ses expériences, à pratiquer diverses formes de raisonnement et à surmonter des obstacles à l'aide de sa pensée. [7]

Intelligence émotionnelle Aptitude à percevoir correctement les facteurs émotionnels et à les prendre en considération dans la vie quotidienne. [7]

Intelligence générale (ou **facteur *g***) Dans le modèle de l'intelligence de Spearman, aptitude intellectuelle générale qui sous-tend à divers degrés toutes les activités mentales. [7]

Interférence Cause d'oubli où les informations, ou associations ou réponses conditionnées stockées dans la mémoire soit avant ou soit après un souvenir diminuent la capacité de se rappeler ce souvenir. [6]

Intéroception Ensemble des modalités sensorielles qui captent et transmettent au cerveau des stimulus provenant de l'intérieur du corps. [3]

Introversion Pour Jung, tendance à se tourner vers le monde intérieur, à être pensif et en retrait. [9]

Intuition Connaissance immédiate de la vérité fondée sur une conviction intime, parfois viscérale. [7]

IRM fonctionnelle (IRMf) IRM qui peut fournir des images à la fois de la structure du cerveau et de son activité. [2]

Langage Moyen de communiquer des pensées en utilisant un système de symboles socialement partagés et organisés selon un ensemble de règles, une grammaire. [7]

Latéralisation hémisphérique Spécialisation de chacun des hémisphères cérébraux pour certaines fonctions particulières. [2]

Libido Dans la théorie freudienne, énergie psychique qui se dégage des pulsions sexuelles et nourrit toute la personnalité ; dans la théorie jungienne, toute énergie psychique. [9]

Lieu de contrôle Selon Rotter, facteur cognitif (attentes, croyances) qui détermine des différences de comportement selon que l'individu tend à attribuer la cause de ce qui lui arrive soit à lui-même et à ses actes (lieu de contrôle interne), soit au destin, au hasard, à la chance ou à autrui (lieu de contrôle externe). [9]

Lobes frontaux Lobes situés à l'avant du cerveau ; contiennent le cortex moteur, l'aire de Broca (lobe gauche) et les aires associatives frontales (ou cortex préfrontal). [2]

Lobes occipitaux Lobes cérébraux qui contiennent l'aire visuelle primaire et les aires associatives impliquées dans l'interprétation de l'information visuelle. [2]

Lobes pariétaux Lobes cérébraux situés derrière les lobes frontaux qui contiennent le cortex somesthésique primaire et d'autres aires responsables de la conscience du corps et de l'orientation spatiale. [2]

Lobes temporaux Lobes cérébraux situés audessus des oreilles ; contiennent le cortex auditif primaire, l'aire de Wernicke et les aires associatives temporales. [2]

Loi de l'effet Loi de l'apprentissage formulée par Thorndike selon laquelle le comportement est régi par les effets qu'il procure. [5]

Loi de Weber Loi selon laquelle *la plus petite différence perceptible* par nos sens dépend non pas de la valeur intrinsèque de la variation de stimulus, mais de sa valeur en proportion du stimulus initial. [3]

Loi de Yerkes-Dodson Principe selon lequel une tâche s'accomplit d'autant plus efficacement que le niveau d'activation convient à son degré de difficulté, les tâches simples et routinières exigeant un niveau d'activation relativement élevé, les tâches modérément difficiles, un niveau d'activation moyen, et les tâches difficiles ou complexes, un niveau d'activation plus bas. [5]

Lumière visible (ou **spectre visible**) Étroite bande du spectre électromagnétique visible pour l'oeil humain. [3]

Luminosité (ou **brillance**) Propriété de la couleur essentiellement déterminée par l'intensité de l'énergie lumineuse réfléchie par une surface. [3]

Mécanisme de défense Dans la théorie freudienne, moyen inconscient utilisé pour soulager l'anxiété générée par les conflits du ça et du surmoi, et maintenir l'estime de soi. [9]

Médicaments psychotropes Type de médicaments qui modifient l'équilibre biochimique du cerveau en agissant sur l'activité des neurotransmetteurs. [10]

Méditation Ensemble de techniques exigeant de fixer son attention sur un objet, un mot, sa respiration ou un mouvement du corps pour bloquer toutes les distractions et atteindre un état de conscience modifié. [4]

Mélatonine Hormone sécrétée par le corps pinéal et qui intervient dans la régulation des cycles biologiques ; souvent qualifiée d'hormone du sommeil. [4]

Mémoire à court terme (MCT) Système de la mémoire qui retient environ sept éléments (entre cinq et neuf) pendant moins de 30 secondes ; composante de la mémoire de travail. [6]

Mémoire à long terme (MLT) Système de mémoire doté d'une capacité apparemment illimitée qui conserve des souvenirs plus ou moins permanents. [6]

Mémoire de travail Système de la mémoire utilisé pour comprendre l'information et la retenir, pour résoudre un problème ou pour communiquer avec quelqu'un ; inclut la mémoire à court terme. [6]

Mémoire déclarative (ou **mémoire explicite**) Sous-système de la mémoire à long terme qui entrepose tout ce dont nous nous souvenons intentionnellement et consciemment – faits, informations, événements, images – et qui peut être déclaré ou énoncé en mots ; comprend la mémoire épisodique et la mémoire sémantique. [6]

Mémoire eidétique Faculté de retenir l'image d'un stimulus visuel plusieurs minutes après sa disparition. [6]

Mémoire épisodique Type de mémoire déclarative qui enregistre les choses telles qu'elles ont été vécues subjectivement. [6]

Mémoire procédurale (ou **mémoire implicite**) Sous-système de la mémoire à long terme qui entrepose les souvenirs liés aux habiletés motrices, aux habitudes et aux réponses simples apprises par conditionnement classique. [6]

Mémoire Processus mental qui repose sur l'encodage de l'information, sa consolidation et son stockage, puis sa récupération. [6]

Mémoire sémantique Type de mémoire déclarative qui entrepose des connaissances générales et des informations factuelles. [6]

Mémoire sensorielle Système de la mémoire qui retient très brièvement l'information provenant des sens ; sa durée est d'une fraction de seconde à deux secondes environ. [6]

Méthode corrélationnelle Méthode de recherche utilisée pour établir le degré de relation (corrélation) entre deux variables. [1]

Méthode descriptive Méthode de recherche qui vise à décrire les phénomènes aussi complètement, précisément et objectivement que possible ; inclut l'observation (en milieu naturel ou en laboratoire), l'étude de cas, l'enquête et la méthode corrélationnelle. [1]

Méthode expérimentale (ou **expérimentation**) Méthode de recherche où, dans des conditions rigoureusement contrôlées, on manipule une ou plusieurs variables indépendantes pour en déterminer l'effet sur la ou les variables dépendantes ; seule méthode qui permet d'établir l'existence d'une relation de cause à effet. [1]

Méthode scientifique Ensemble des protocoles que suivent les chercheurs pour cerner un problème de recherche, formuler une hypothèse de recherche vérifiable, concevoir une étude pour la vérifier, recueillir et analyser les données, en tirer des conclusions et publier leurs résultats de recherche. [1]

Microélectrode Électrode microscopique utilisée notamment pour surveiller ou stimuler l'activité électrique d'un neurone. [2]

Microsommeil Assoupissement de quelques secondes qui survient surtout en cas de privation de sommeil. [4]

Microstresseur Dans la théorie du stress de Lazarus, petite frustration de la vie quotidienne qui engendre du stress. [8]

Modèle Animal ou personne que le sujet observe ou imite. [5]

Modèle de la personnalité à cinq facteurs Théorie des traits qui tente de décrire et d'expliquer la personnalité en fonction de cinq grandes dimensions composées chacune d'une constellation de traits (ouverture d'esprit, caractère consciencieux, extroversion, amabilité et névrosisme). [9]

Modification du comportement Combinaison du renforcement et de la punition pour changer les comportements indésirables et favoriser l'apprentissage des comportements désirés. [5]

Moelle épinière Extension du cerveau qui part du tronc cérébral et s'étend tout le long de la colonne vertébrale ; transmet l'influx nerveux de l'encéphale au système nerveux périphérique et du système nerveux périphérique à l'encéphale. [2]

Moi Dans la théorie freudienne, système de la personnalité logique, rationnel et essentiellement conscient, qui fonctionne selon le principe de réalité. [9]

Morphème Plus petite unité porteuse de sens qu'il soit possible d'isoler dans un énoncé donné. [7]

Motif Besoin ou désir qui aiguillonne et oriente le comportement vers un but. [5]

Motif de stimulation Motif qui pousse l'organisme à augmenter la stimulation lorsque son niveau d'activation est trop bas. [5]

Motifs sociaux Motifs acquis par l'expérience et l'interaction avec autrui (le besoin d'affiliation et le besoin de réussite, par exemple). [5]

Motivation Ensemble des processus qui enclenchent, dirigent et maintiennent le comportement. [5]

Motivation extrinsèque Volonté de se comporter d'une certaine façon pour obtenir une récompense ou éviter une conséquence indésirable. [5]

Motivation intrinsèque Volonté de se comporter d'une certaine façon parce que cela est agréable ou satisfaisant en soi. [5]

Myéline Substance blanchâtre composée de lipides et de protéines qui gaine souvent les axones de certains neurones. [2]

Narcolepsie Trouble grave du sommeil caractérisé par une somnolence diurne excessive et des attaques subites et irrésistibles de sommeil paradoxal. [4]

Nerf optique Nerf qui transporte le signal visuel de la rétine au cerveau. [3]

Neurogenèse Naissance de nouveaux neurones. [6]

Neurone Cellule spécialisée qui reçoit, transmet et intègre des informations sous forme d'influx nerveux ; composée d'un corps cellulaire, de dendrites et d'un axone. [2]

Neurosciences Champ d'étude interdisciplinaire qui regroupe l'ensemble des connaissances sur la structure et le fonctionnement du système nerveux. [1]

Neurotransmetteur Substance libérée par le bouton synaptique d'un neurone, qui assure la transmission chimique de l'influx nerveux. [2]

Noradrénaline Neurotransmetteur qui influe sur les habitudes alimentaires (stimule la consommation d'hydrates de carbone) et joue un rôle majeur dans l'éveil, l'attention et la vigilance. [2]

Normalisation   Traitement des résultats d'un étalonnage pour qu'ils se conforment à une distribution dite « normale ». [7]

Norme   En psychométrie, standard basé sur le résultat moyen d'un très grand nombre de sujets à un test psychologique, et qui sert de base de comparaison pour évaluer les résultats individuels de sujets similaires qui passeront ce test par la suite. [7]

Noyaux suprachiasmatiques (NSC)   Paire de structures de la grosseur d'une tête d'épingle situées dans l'hypothalamus ; règlent les rythmes circadiens. [4]

Nuit subjective   Période à l'intérieur d'un cycle de 24 heures où la température corporelle d'une personne est au plus bas et où son horloge biologique lui dit d'aller dormir. [4]

Observation en laboratoire   Méthode de recherche descriptive qui consiste à étudier le comportement dans un laboratoire, où les chercheurs peuvent mieux contrôler les conditions de l'observation et disposent d'un équipement plus précis pour mesurer les réponses. [1]

Observation en milieu naturel   Méthode de recherche descriptive qui consiste à observer et à enregistrer un comportement dans ses conditions naturelles sans tenter d'influer sur lui. [1]

Obsession   Pensée, image ou impulsion récurrente et persistante qui envahit la conscience et cause de la détresse. [10]

Odorat   Sens qui capte les stimulus odorants et les transmet au cerveau. [3]

Olfaction   Perception des odeurs par l'action conjuguée du nez et du cerveau. [3]

Onde alpha   Onde cérébrale de 8 à 12 cycles par seconde associée à la détente profonde. [2]

Onde bêta   Onde cérébrale de 13 cycles par seconde ou plus associée à l'activité physique ou mentale. [2]

Onde delta   Onde cérébrale la plus lente, d'une fréquence de 1 à 3 cycles par seconde et associée au sommeil profond. [2]

Oreille externe   Partie visible de l'oreille, formée du pavillon et du conduit auditif. [3]

Oreille interne   Partie la plus profonde de l'oreille ; contient la cochlée, l'appareil vestibulaire et les canaux semicirculaires. [3]

Oreille moyenne   Partie intermédiaire de l'oreille contenant les osselets qui relient le tympan à la fenêtre ovale et amplifient les vibrations qui se dirigent vers l'oreille interne. [3]

Ouïe   Sens qui capte les stimulus sonores et les transmet au cerveau. [3]

Parasomnie   Trouble caractérisé par l'apparition durant le sommeil de comportements et d'états physiologiques caractéristiques de l'état d'éveil ; le somnambulisme, la somniloquie, les terreurs nocturnes et les cauchemars sont des parasomnies. [4]

Pensée critique   Processus qui consiste à évaluer des affirmations, des propositions et des conclusions pour déterminer si elles découlent logiquement des preuves dont on dispose. [1]

Pensée divergente   Capacité de produire de nombreuses idées, réponses ou solutions à un problème pour lequel il n'existe aucune solution préalable. [7]

Pensée   Processus cognitif qui consiste à se représenter les objets et leurs propriétés en leur absence, à manipuler ces représentations mentales et à les utiliser. [7]

Perception de la profondeur   Capacité de voir en trois dimensions et d'évaluer la distance. [3]

Perception   Processus par lequel le cerveau sélectionne, organise et interprète l'information sensorielle. [3]

Perception subliminale   Capacité de percevoir et de réagir à des stimulus sensoriels trop faibles pour franchir le seuil absolu de la conscience. [3]

Personnalité   Ensemble des façons de penser, de sentir et de se comporter qui distinguent un individu d'un autre, et qui font son individualité, sa singularité. [9]

Perspective   Point de vue théorique large, défini par le plus petit commun dénominateur d'un ensemble de théories. [1]

Perspective béhavioriste (ou **perspective comportementale**)   En psychologie, perspective qui met l'accent sur les forces de l'environnement qui façonnent le comportement. [1]

Perspective biologique   En psychologie, perspective qui met l'accent sur les structures et processus du cerveau et du système nerveux, l'équilibre des neurotransmetteurs et des hormones, et la génétique. [1]

Perspective cognitiviste   En psychologie, perspective qui met l'accent sur les processus mentaux. [1]

Perspective humaniste   En psychologie, perspective qui met l'accent sur les expériences subjectives et la motivation intrinsèque de l'être humain à réaliser son plein potentiel. [1]

Perspective psychanalytique/psychodynamique   En psychologie, perspective qui met l'accent sur l'inconscient et les expériences de la petite enfance. [1]

Perspective socioculturelle   En psychologie, perspective qui met l'accent sur les variables sociales et culturelles. [1]

Phénotype   Ensemble des caractères physiques observables d'un individu. [2]

Phéromone   Type de substances sécrétées par les humains et les animaux qui signalent et déclenchent certains schémas de comportement chez les membres de la même espèce. [3]

Phobie   Peur excessive, irrationnelle et persistante d'un objet, d'un être vivant ou d'une situation qui ne présente aucun danger en soi. [5, 10]

Phobie sociale   Peur irrationnelle et évitement de toute situation sociale présentant un risque de se mettre dans l'embarras ou de s'humilier devant autrui. [10]

Phobie spécifique   Peur marquée d'une situation, d'un être vivant ou d'une chose en particulier ; terme générique s'appliquant à toutes les phobies autres que l'agoraphobie et la phobie sociale. [10]

Phonème   Plus petite unité de son dépourvues de sens d'un langage parlé. [7]

Placebo   Substance inerte administrée afin de contrôler l'effet placebo. [1]

Plasticité cérébrale Capacité du cerveau à se remodeler en fonction de l'expérience ; souplesse adaptative. [1, 2]

Plus faible différence perceptible Plus faible variation de sensation détectable une fois sur deux. [3]

Population Ensemble du groupe qui intéresse des chercheurs et auquel ils veulent généraliser leurs résultats ; groupe à partir duquel ils sélectionnent un échantillon. [1]

Potentialisation à long terme (PLT) Amélioration de l'efficacité de la transmission synaptique qui dure des heures, voire plus longtemps encore. [6]

Potentiel d'action Inversion soudaine du potentiel de repos de la membrane d'un neurone qui a été suffisamment activé ; permet à l'influx nerveux de voyager tout le long de l'axone. [2]

Potentiel de repos Légère charge négative de la membrane axonale d'un neurone au repos. [2]

Pragmatique Caractéristiques du langage parlé qui aident à déceler la signification sociale des paroles (prosodie, expressions faciales et corporelles). [7]

Préconscient Dans la théorie freudienne, siège des souvenirs, sentiments, expériences et perceptions dont le sujet n'est pas conscient à tout moment, mais qu'il peut facilement ramener à la conscience. [9]

Prémisse Chacune des deux propositions placées au début d'un syllogisme et dont on tire la conclusion. [7]

Prise de décision Processus qui consiste à choisir entre plusieurs possibilités en fonction des objectifs fixés et des informations dont on peut disposer. [7]

Processus cognitif Processus mental qui nous permet de penser, de savoir, de résoudre des problèmes, de mémoriser et de former des représentations mentales. [5]

Processus mental Processus lié aux fonctions mentales (perception, pensée, mémoire, apprentissage, émotions, etc.). [1]

Prototype Exemple englobant les caractéristiques les plus communes et les plus typiques d'un concept. [7]

Protubérance annulaire (ou **pont**) Structure du tronc cérébral de forme pontée ; se connecte aux deux moitiés du cervelet. [2]

Psychanalyse Terme utilisé par Freud pour désigner sa méthode thérapeutique et sa théorie de la personnalité, selon laquelle les pensées, les sentiments et les comportements humains sont essentiellement gouvernés par des forces inconscientes. [1]

Psychologie différentielle Branche de la psychologie qui étudie des différences psychologiques entre des individus ou des groupes placés dans la même situation. [7]

Psychologie Étude scientifique des comportements et des processus mentaux. [1]

Psychométrie Évaluation scientifique des capacités psychologiques d'un individu à l'aide de tests et autres instruments de mesure. [7]

Psychoneuroimmunologie Étude multidisciplinaire des effets des facteurs psychologiques et neurologiques sur le système immunitaire. [8]

Psychose Perte de contact avec la réalité se traduisant par des idées délirantes ou des hallucinations. [10]

Psychothérapie Méthode thérapeutique qui fait appel à des moyens psycholgiques pour traiter les troubles mentaux. [10]

Psychotrope Toute substance qui modifie l'état de conscience, l'humeur, la perception ou la pensée en agissant sur la biochimie du système nerveux central, et plus précisément sur l'activité des neurotransmetteurs. [4]

Pulsion État interne d'activation ou de tension engendrée par un besoin sous-jacent que l'organisme est motivé à satisfaire. [5]

Punition Tout événement ou intervention qui diminue la probabilité qu'un comportement donné se répète. [5]

Punition négative Punition dans laquelle un comportement est suivi du retrait d'un stimulus agréable. [5]

Punition positive Punition dans laquelle un comportement est suivi de l'ajout d'un stimulus désagréable. [5]

Quotient intellectuel (QI) Indice d'intelligence calculé à l'origine en divisant l'âge mental par l'âge chronologique (Stern) puis en multipliant par 100 (Terman), et de nos jours en fonction de l'écart entre le résultat d'un sujet et le résultat moyen des sujets de son âge, s'il s'agit d'un enfant, et sinon, des autres adultes. [7]

Raisonnement Série d'opérations mentales qui permet de tirer une conclusion, une inférence, d'un ensemble de données. [7]

Raisonnement déductif (ou **raisonnement par déduction**) Forme de raisonnement qui va du général au particulier, qui part de principes généraux pour en tirer des conclusions. [7]

Raisonnement formel Suite d'opérations mentales qui permet de tirer des conclusions fondées d'un ensemble de données par l'enchaînement logique des idées, des propositions. [7]

Raisonnement inductif (ou **raisonnement par induction**) Forme de raisonnement qui part de faits ou de cas particuliers pour en tirer un principe général. [7]

Rappel Tâche mnésique qui consiste à retrouver des informations en fouillant dans sa mémoire. [6]

Réapprentissage Mesure de la mémoire où la rétention est exprimée en pourcentage du temps économisé lors du réapprentissage d'une information par rapport au temps requis pour l'apprentissage initial. [6]

Recapture Processus par lequel le neurotransmetteur est ramené intact et prêt à servir de la fente synaptique au bouton synaptique, ce qui met fin à son effet activateur ou inhibiteur sur le neurone récepteur. [2]

Récepteur sensoriel Cellule spécialisée qui détecte et capte les stimulus sensoriels et les convertit en influx nerveux (transduction). [3]

Recherche appliquée Recherche réalisée en vue de résoudre des problèmes pratiques. [1]

Recherche fondamentale Recherche menée en vue de faire évoluer les connaissances plutôt que pour une application pratique. [1]

Reconnaissance Tâche de rappel dans laquelle on doit identifier un stimulus préalablement présenté.

Récupération Processus d'extraction de l'information stockée dans la mémoire. [6]

Récupération spontanée Dans le conditionnement classique, réapparition d'une réponse éteinte, sous forme amoindrie, en présence du stimulus conditionnel initial. [5] ■ Dans le conditionnement opérant, réapparition, sous une forme amoindrie, d'une réponse éteinte. [5]

Réflexe Réponse involontaire, automatique et innée à un stimulus qui a activé certains récepteurs sensoriels. [5]

Refoulement Dans la théorie de Freud, processus de mise à l'écart des pulsions qui se voient refuser l'accès à la conscience. [6]

Règle d'expression émotionnelle Règle culturelle qui régit la manière, le moment et le lieu adéquats pour exprimer une émotion. [8]

Regroupement Stratégie mnésique qui consiste à regrouper ou à classer des éléments distincts en blocs plus gros, mais moins nombreux et donc plus faciles à retenir. [6]

Régulateur de l'humeur Médicament psychotrope surtout prescrit pour atténuer les fluctuations graves de l'humeur et calmer les épisodes maniaques du trouble bipolaire. [10]

Remontant Dans la théorie du stress de Lazarus, expérience positive de la vie qui peut neutraliser les effets stressants des tracas quotidiens. [8]

Renforçateur (ou **agent de renforcement**) Tout ce qui suit un comportement et qui augmente la probabilité qu'il se répète. [5]

Renforçateur primaire Renforçateur qui comble un besoin physique vital et ne dépend pas de l'apprentissage (par exemple, eau, nourriture, sommeil, arrêt de la douleur). [5]

Renforçateur secondaire Stimulus neutre qui devient un renforçateur appris par associations répétées à d'autres renforçateurs. [5]

Renforcement Processus de conditionnement qui augmente la probabilité qu'un comportement donné se répète. [5]

Renforcement continu Dans le conditionnement opérant, type de renforcement où chaque réponse correcte ou désirée est suivie d'un renforçateur ; procédure la plus efficace pour conditionner une nouvelle réponse. [5]

Renforcement intermittent Dans le conditionnement opérant, type de renforcement où la réponse correcte ou désirée est tantôt suivie d'un renforçateur, tantôt non ; procédure la plus efficace pour maintenir une réponse apprise. [5]

Renforcement négatif Renforcement au cours duquel le comportement est suivi du retrait d'un stimulus désagréable. [5]

Renforcement positif Renforcement au cours duquel le comportement est suivi de l'ajout d'un stimulus agréable. [5]

Répétition de maintien Stratégie mnésique qui consiste à répéter délibérément une information pour la maintenir dans la mémoire à court terme ; peut faciliter le transfert dans la mémoire à long terme. [6]

Répétition d'intégration Stratégie mnésique qui consiste à relier une nouvelle information à un ou plusieurs éléments déjà bien ancrés dans la mémoire. [6]

Réponse conditionnelle (RC) Réponse apprise déclenchée par un stimulus conditionnel qui a été associé au stimulus inconditionnel après y avoir été jumelé à plusieurs reprises. [5]

Réponse inconditionnelle (RI) Réponse réflexe (non apprise) déclenchée par le stimulus inconditionnel. [5]

Représentations mentales Représentations internes qui reflètent une partie de l'univers dans l'esprit du sujet. [7]

Reproduction d'une étude Dans la méthode scientifique, répétition d'une étude scientifique avec d'autres sujets et, de préférence, d'autres chercheurs pour vérifier ses résultats. [1]

Résolution de problème Processus qui englobe les pensées et les actions requises pour atteindre un but ou trouver une solution qui n'est pas immédiatement accessible. [7]

Rétine Membrane du fond de l'oeil qui contient les cônes et les bâtonnets, et sur laquelle l'image rétinienne est projetée. [3]

Rêve lucide Rêve au cours duquel le rêveur est conscient de rêver et peut arriver à influer sur le contenu de son rêve pendant qu'il se déroule. [4]

Rigidité fonctionnelle Incapacité d'utiliser des objets d'une nouvelle manière pour résoudre un problème à cause d'une focalisation sur leur fonction « normale ». [7]

Rythme circadien Rythme de variation d'une constante ou d'une fonction physiologique sur une période d'environ 24 heures. [4]

Saturation (ou **pureté**) Propriété de la couleur essentiellement déterminée par la concentration d'ondes lumineuses de même longueur réfléchies par une surface. [3]

Scanographie (ou **tomographie axiale assistée par ordinateur**) Technique d'imagerie médicale assistée par ordinateur qui utilise un tube à rayons X rotatif pour produire des images de coupe transversale de la structure du cerveau ou d'autres parties du corps. [2]

Schéma Réseau intégré de connaissances, de croyances et d'attentes. [6]

Schème Dans la théorie de Piaget, plan d'action construit à partir de l'expérience et utilisé dans des circonstances similaires. [7]

Schizophrénie Trouble mental grave et durable, caractérisé par une perte de contact avec la réalité, un état émotionnel inapproprié, de graves perturbations du fonctionnement mental et des comportements sociaux étranges. [10]

Sélection perceptive Processus par lequel certaines informations sensorielles sont retenues et d'autres ignorées ou rejetées. [3]

Sémantique Signification qui découle de l'arrangement des mots et des phrases. [7]

Sens kinesthésique Sens proprioceptif qui, grâce à des récepteurs situés dans les articulations, les ligaments et les muscles, informe le cerveau sur la position relative des diverses parties du corps les unes par rapport aux autres, ainsi que sur leurs mouvements. [3]

Sens proprioceptifs Sens qui captent et transmettent au cerveau les stimulus corporels relatifs à la position et au mouvement des diverses parties du corps, ainsi qu'à son équilibre et à son orientation dans l'espace ; incluent le *sens kinesthésique* et le *sens vestibulaire*. [3]

Sens vestibulaire Sens proprioceptif qui renseigne sur nos mouvements et notre orientation spatiale grâce aux récepteurs sensoriels sis dans les canaux semi-circulaires et les organes otolithiques, qui détectent les changements dans le mouvement et l'orientation de la tête. [3]

Sensation Processus par lequel les sens captent des stimulus sensoriels (visuels, auditifs, etc. [3]) et les transmettent au cerveau. [3]

Sentiment d'efficacité personnelle Selon Bandura, perception que la personne a de sa capacité d'accomplir efficacement ce qu'elle entreprend. [9]

Sentiment État affectif complexe et durable correspondant à la représentation qu'on se fait d'une personne, d'une chose ou d'une situation à laquelle une ou plusieurs émotions ont été associées. [8]

Sérotonine Neurotransmetteur qui joue un rôle important dans la régulation de l'humeur, du sommeil, de l'impulsivité, de l'agressivité et de l'appétit. [2]

Seuil absolu Plus faible stimulation sensorielle détectable une fois sur deux. [3]

Seuil de discrimination spatiale Distance minimale qui doit séparer deux points de notre corps pour que la stimulation simultanée de chacun soit perçue isolément. [3]

Seuil différentiel Plus faible variation d'intensité d'un stimulus sensoriel qui produit la plus petite différence perceptible. [3]

Soi idéal Image de soi à laquelle l'individu aspire, ce qu'il rêve d'être. [9]

Somesthésie Sensibilité générale du corps ; ensemble des sens qui captent des stimulus par le corps pour les transmettre au cerveau ; inclut le toucher, la proprioception et l'intéroception. [3]

Sommeil lent (ou **sommeil à ondes lentes**) Sommeil caractérisé par un ralentissement de l'activité cérébrale, des fréquences cardiaque et respiratoire basses et régulières, une pression artérielle plus faible et des mouvements physiques rares. [4]

Sommeil lent léger Sommeil lent des stades 1 et 2. [4]

Sommeil lent profond Sommeil lent des stades 3 et 4. [4]

Sommeil paradoxal (ou **sommeil MOR**) Sommeil caractérisé par des mouvements oculaires rapides (MOR), une activité cérébrale intense, une paralysie des muscles longs, des fréquencess cardiaque et respiratoire rapidse et irrégulières. [4]

Somnambulisme Fait de marcher et d'agir durant son sommeil ; parasomnie qui se produit durant un éveil partiel au stade 4 du sommeil profond. [4]

Somniloquie Fait de parler pendant son sommeil. [4]

Soutien social Aide concrète ou émotionnelle qu'apportent les proches, l'entourage et la collectivité surtout en cas de besoin. [8]

Souvenir flash Souvenir très vif des circonstances entourant l'annonce d'un événement hautement surprenant, choquant ou émotionnel. [6]

Stades du développement psychosexuel Dans la théorie freudienne, stades d'évolution de la libido, chacun centré sur une zone érogène associée à l'apparition d'un conflit (stade oral, stade anal, stade phallique et stade génital). [9]

Standardisation Fixation précise des conditions d'administration et de notation d'un test. [7]

Stimulant Type de psychotrope qui accélère l'activité du système nerveux central, supprime l'appétit et accroît l'éveil, la vigilance et l'énergie. [4]

Stimulus conditionnel (SC) Stimulus neutre qui, après avoir été jumelé à plusieurs reprises à un stimulus inconditionnel, y devient associé et déclenche la même réponse. [5]

Stimulus discriminatif Stimulus qui signale si une réponse ou un comportement donné sera vraisemblablement suivi d'une récompense ou d'une punition. [5]

Stimulus inconditionnel (SI) Stimulus qui déclenche une réponse réflexe sans apprentissage préalable. [5]

Stimulus neutre (SN) Stimulus qui ne déclenche pas la réponse étudiée. [5]

Stockage Processus par lequel l'information est consolidée et emmagasinée dans la mémoire. [6]

Stress Pour Selye, réaction non spécifique de l'organisme à tout nouvel événement (stimulus ou situation) qui exige une adaptation. [8] ■ Pour Lazarus, interaction entre le sujet et une situation qui, après évaluation, lui semble à la fois importante pour son bien-être et trop exigeante par rapport aux ressources dont il dispose. [8]

Structuralisme Première école de pensée officielle en psychologie ; se proposait d'étudier la structure de l'expérience mentale consciente en la ramenant à ses éléments constitutifs et en explorant ces derniers par l'introspection. [1]

Structures limbiques Ensemble de structures cérébrales ; incluent notamment le thalamus, l'hypothalamus, l'amygdale et l'hippocampe. [2]

Surmoi Dans la théorie freudienne, système moral de la personnalité constitué par la conscience morale et l'idéal du moi, et qui fonctionne selon un principe de perfection. [9]

Surrénale Chacune des deux glandes endocrines situées au-dessus des reins produisant des hormones qui préparent le corps à réagir aux situations d'urgence ou de stress, ainsi que des corticoïdes et de petites quantités d'hormones sexuelles. [2]

Syllogisme Opération par laquelle on déduit de deux prémisses – une prémisse majeure (le principe général) et une prémisse mineure – une conclusion qui sera valide pour autant que les prémisses soient exactes et répondent aux règles de la logique. [7]

Symptômes de sevrage Symptômes physiques et psychologiques qui commencent à se manifester lorsque l'organisme est privé d'une substance à laquelle il a acquis une tolérance, et qui disparaissent quand il reçoit de nouveau sa dose ; souvent à l'opposé des effets produits par la substance. [4]

Synapse Connexion entre un neurone émetteur et un neurone récepteur. [2]

Syndrome de dépression saisonnière État dépressif associé à la diminution des heures d'ensoleillement l'automne et l'hiver ; disparaît lorsque les journées rallongent. [4]

Syndrome général d'adaptation (SGA) Séquence prévisible des réactions d'un organisme soumis à un stresseur important qui perdure. [8]

Syndrome savant Syndrome caractérisé par une combinaison de handicaps mentaux lourds et de dons hors du commun dans un domaine particulier. [7]

Syntaxe Règles grammaticales selon lesquelles les mots sont combinés pour produire un nombre infini de phrases qui ont du sens. [7]

Système endocrinien Système constitué de glandes situées dans diverses parties du corps, qui produisent et libèrent dans la circulation sanguine des hormones. [2]

Système nerveux central (SNC) Partie du système nerveux qui englobe l'ensemble du tissu nerveux formant l'encéphale et la moelle épinière ; composé de matière grise et de matière blanche. [2]

Système nerveux parasympathique Division du système nerveux végétatif associée à la détente et à la conservation de l'énergie ; ramène les réactions physiologiques à la normale après une urgence. [2]

Système nerveux périphérique (SNP) Réseau de nerfs qui relie le système nerveux central au reste du corps ; inclut le système nerveux végétatif et le système nerveux somatique. [2]

Système nerveux somatique Division du système nerveux périphérique constituée des nerfs sensoriels, qui transmettent l'information sensorielle au système nerveux central, et des nerfs moteurs, qui transmettent les messages du système nerveux central aux muscles squelettiques. [2]

Système nerveux sympathique Division du système nerveux végétatif qui mobilise les ressources physiologiques en cas de stress, d'urgence ou d'effort soutenu, afin de préparer le corps à agir. [2]

Système nerveux végétatif (ou **système neurovégétatif**) Division du système nerveux périphérique qui régule l'environnement interne et régit les fonctions physiologiques végétatives ; comprend le système nerveux sympathique et le système nerveux parasympathique. [2]

Teinte Propriété de la couleur essentiellement déterminée par la longueur de l'onde lumineuse dominante réfléchie par une surface et qui engendre la sensation visuelle appelée rouge, bleu, vert, etc. [3]

Terminaison axonale Ramification de l'axone d'un neurone finissant par un bouton synaptique. [2]

Terreur nocturne Perturbation au stade 4 du sommeil lent où une personne se réveille partiellement en criant, dans un état confus et paniqué, et le coeur battant la chamade. [4]

Thalamus Structure cérébrale sous-corticale qui sert de poste de relais pour l'information qui entre et sort des centres supérieurs du cerveau. [2]

Théorie Principe général ou ensemble de principes proposés pour expliquer comment des faits distincts sont reliés entre eux. [1]

Théorie de Cannon-Bard Théorie selon laquelle un stimulus émotionnel est capté par les sens et relayé simultanément au cortex cérébral (ce qui produit l'expérience mentale consciente de cette émotion), et au système nerveux végétatif par l'hypothalamus (ce qui produit l'activation physiologique). Ces réactions simultanées sont indépendantes, et aucune ne cause l'autre. [8]

Théorie de James-Lange Théorie de William James et Carl Lange selon laquelle un stimulus émotionnel déclenche des réactions corporelles distinctives dont la prise de conscience produit l'expérience subjective de l'émotion. [8]

Théorie de l'activation Théorie selon laquelle tout organisme est motivé à maintenir un niveau optimal d'activation. [5]

Théorie de la détection du signal Théorie selon laquelle la détection d'un stimulus sensoriel proche du seuil exige à la fois qu'on le dissocie du « bruit de fond » et qu'on prenne une décision sur sa présence ou son absence. [3]

Théorie de la réduction des pulsions Théorie de la motivation selon laquelle un besoin engendre une pulsion que l'organisme est motivé à réduire. [5]

Théorie de l'évaluation (ou **théorie de l'*appraisal***) Théorie de Magda Arnold selon laquelle aucun stimulus ne peut déclencher une émotion sans avoir d'abord été évalué par celui qui le perçoit. [8]

Théorie de l'orientation du but Théorie selon laquelle la motivation à réussir varie selon que le but en est un de maîtrise ou de performance et selon qu'il vise l'approche ou l'évitement ; distingue quatre orientations : maîtrise-approche, maîtrise-évitement, performance-approche et performance-évitement. [5]

Théorie des processus antagonistes Théorie selon laquelle certaines cellules du système visuel sont activées par une couleur et inhibées par la couleur antagoniste ; s'applique aux paires rouge-vert, jaune-bleu, blanc-noir. [3]

Théorie du déclin naturel Théorie de l'oubli selon laquelle les souvenirs inutilisés s'estompent avec le temps et finissent par disparaître. [6]

Théorie du portillon (ou **théorie du contrôle d'entrée**) Théorie selon laquelle les signaux de douleur transmis par les fibres nerveuses lentes peuvent être bloqués au portillon spinal si ceux des fibres rapides parviennent à la moelle épinière en premier, ou si le cerveau lui-même inhibe la transmission des messages de douleur. [3]

Théorie du traitement de l'information Théorie cognitive qui tente d'expliquer les processus mentaux en prenant l'ordinateur comme modèle de la pensée humaine. [1]

Théorie triarchique de l'intelligence Théorie de Sternberg qui postule l'existence de trois type d'intelligence : l'intelligence componentielle (analytique), l'intelligence « expérientielle » (créatrice) et l'intelligence contextuelle (pratique). [7]

Théorie trichromatique Théorie de la vision chromatique selon laquelle la rétine contient trois types de cônes, chacun particulièrement sensible soit au rouge, soit au vert, soit au bleu, et que les variations de l'activité de ces récepteurs peuvent produire toutes les couleurs. [3]

Thérapie centrée sur le client   Type de psychothérapie humaniste non directive conçue par Carl Rogers et où le thérapeute s'efforce de créer un climat de chaleur, de confiance et d'acceptation de l'autre en lui témoignant une considération inconditionnelle et de l'empathie et en pratiquant une écoute active. [10]

Thérapie cognitive   Type de psychothérapies basées sur l'idée que les comportements anormaux peuvent résulter de pensées, de croyances et d'idées irrationnelles, et qui visent à les modifier. [10]

Thérapie cognitivo-comportementale (TCC)   Type de psychothérapies qui visent à modifier à la fois les schémas irrationnels ou dysfonctionnels d'une personne et les comportements qui nuisent à son bon fonctionnement ; est issue des thérapies comportementales (béhavioristes) et des thérapies cognitives. [10]

Thérapie comportementale (ou **béhavioriste**)   Type de psychothérapies basées sur l'idée que les comportements inadaptés ou inappropriés sont appris ; applique les principes du conditionnement classique (John Watson) et du conditionnement opérant (B. F. Skinner) pour les éliminer et les remplacer par des comportements plus adaptés. [10]

Thérapie existentielle/humaniste   Type de psychothérapies qui visent à favoriser l'épanouissement de la personne et à lui permettre d'entrer réellement en contact avec elle-même et avec autrui ; inclut notamment la thérapie centrée sur le client de Carl Rogers et la gestalt-thérapie de Perls. [10]

Thérapie psychanalytique/psychodynamique   Type de psychothérapies basées sur les principes et les techniques de la psychanalyse, mais qui s'en démarquent notamment par leur plus grande interactivité et, souvent, par leur durée plus brève. [10]

Timbre   Propriété du son qui permet de distinguer un son d'autres sons de même hauteur et de même puissance. [3]

Tolérance   Réaction de l'organisme qui s'adapte progressivement à l'action d'une substance toxique en y réagissant de moins en moins, la dose devant être de plus en plus forte pour procurer les mêmes effets. [4]

Tomographie par émission de positons (TEP)   Technique de neuro-imagerie qui révèle l'activité dans diverses parties du cerveau à partir des schémas de débit sanguin, d'utilisation d'oxygène et de consommation de glucose. [2]

Toucher   Sens qui capte certaines propriétés physiques (température, forme, pression, texture, etc.) par contact direct avec la peau, et les transmet au cerveau. [3]

Trait de personnalité   Caractéristique personnelle relativement stable en toutes circonstances qui permet de décrire ou d'expliquer la personnalité. [9]

Transduction   Processus par lequel les récepteurs sensoriels convertissent une stimulation sensorielle (lumière, son, odeur, etc.) en influx nerveux. [3]

Tronc cérébral   Structure qui raccorde le cerveau à la moelle épinière ; comprend la protubérance annulaire, la formation réticulée et le bulbe rachidien. [2]

Trouble anxieux généralisé (TAG)   Trouble mental caractérisé par une anxiété excessive qui persiste pendant six mois ou plus. [10]

Trouble bipolaire   Trouble de l'humeur caractérisé par une alternance d'épisodes maniaques et d'épisodes dépressifs entrecoupés de périodes relativement normales ; autrefois appelé psychose maniacodépressive ou trouble maniaco-dépressif. [10]

Trouble de la personnalité   Manière inadaptée, rigide et durable de se comporter et d'établir des liens, qui commence généralement pendant l'adolescence. [9]

Trouble mental   Processus psychologique ou mode comportemental anormal qui entraîne une détresse émotionnelle et perturbe substantiellement le fonctionnement de la personne qui en souffre. [10]

Trouble obsessionnel-compulsif (TOC)   Trouble anxieux caractérisé par des obsessions envahissantes et des rituels incontrôlables. [10]

Trouble panique   Trouble anxieux caractérisé par des attaques de panique imprévisibles et récurrentes. [10]

Troubles anxieux   Catégorie de troubles mentaux caractérisés par une anxiété intense, fréquente ou durable. [10]

Troubles de l'humeur   Catégorie de troubles mentaux caractérisés par des perturbations extrêmes des émotions et de l'humeur ; inclut notamment la dépression majeure et le trouble bipolaire. [10]

Troubles des conduites alimentaires (ou **troubles alimentaires**)   Troubles mentaux caractérisés par des préoccupations intenses pour l'alimentation, le poids et l'image corporelle, par des perturbations graves des comportements alimentaires ; incluent notamment l'anorexie mentale et la boulimie. [10]

Validité   Capacité d'un test à bien mesurer ce qu'il est censé mesurer. [7]

Variable   Tout phénomène ou facteur d'intérêt qui peut être mesuré, contrôlé ou manipulé. [1]

Variable confondante   Facteur ou condition (autre que la variable indépendante) qui n'est pas équivalente d'un groupe de sujets à l'autre et qui pourrait fausser les résultats d'une expérience. [1]

Variable dépendante   Variable mesurée à la fin d'une expérience scientifique, et que les manipulations de la variable indépendante sont censées avoir fait varier (à la hausse ou à la baisse). [1]

Variable indépendante   Dans une expérience scientifique, variable que le chercheur manipule délibérément pour vérifier si cela entraîne ou non une variation d'une autre variable. [1]

Vision   Perception des stimulus visuels par l'action conjuguée de l'oeil et du cerveau. [3]

Vue   Sens qui capte les stimulus lumineux et les transmet au cerveau. [3]

Abbot, N. C., Stead, L. F., White, A. R., Barnes, J., et Ernst, E. (2000). «Hypnotherapy for smoking cessation», *Cochrane Database of Systematic Reviews*, vol. 2, CD001008.

Abramov, I., et Gordon, J. (1994). «Color appearance: On seeing red-or yellow, or green, or blue», *Annual Review of Psychology*, vol. 45, p. 451-485.

Ader, D. N., et Johnson, S. B. (1994). «Sample description, reporting, and analysis of sex in psychological research: A look at APA and APA division journals in 1990», *American Psychologist*, vol. 49, p. 216-218.

Adesman, A. (1996). «Fragile X syndrome», dans A. Capute et P. Accardo (dir.), *Developmental Disabilities in Infancy and Childhood*, 2ᵉ édition. Baltimore: Brookes, vol. 2, p. 255-269.

Adlaf, E. M., Begin, P., et Sawka, E. (dir.) (2005). *Enquête sur les toxicomanies au Canada (ETC): Une enquête nationale sur la consommation d'alcool et d'autres drogues par les Canadiens: La prévalence de l'usage et les méfaits: Rapport détaillé*. Ottawa: Centre canadien de lutte contre l'alcoolisme et les toxicomanies.

Adler, A. (1927). *Understanding Human Nature*. New York: Greenberg.

Adler, A. (1956). Dans H. L. Ansbacher et R. R. Ansbacher (dir.), *The Individual Psychology of Alfred Adler: A Systematic Presentation in Selections from his Writings*. New York: Harper and Row.

Aiken, L. R. (1997). *Psychological Testing and Assessment*, 9ᵉ édition. Boston: Allyn and Bacon.

Akehurst, L., Bull, R., Vrij, A., et Kohnken, G. (2004). «The effects of training professional groups and lay persons to use criterion-based content analysis to detect deception», *Applied Cognitive Psychology*, vol. 18, p. 877-891.

Al'Absi, M., Hugdahl, K., et Lovallo, W. R. (2002). «Adrenocortical responses and cognitive performance», *Psychophysiology*, vol. 39, p. 95-99.

Albrecht, K. (1979). *Stress and the Manager: Making it Work for You*. Englewood Cliffs, NJ: Prentice-Hall.

Allport, G. W., et Odbert, J. S. (1936). «Trait names: A psycholexical study», *Psychological Monographs*, vol. 47, nᵒ 1 (nᵒ complet 211), p. 1-171.

Altermatt, E., et Pomerantz, E. (2003). «The development of competence-related and motivational beliefs: An investigation of similarity and influence among friends», *Journal of Educational Psychology*, vol. 95, p. 111-123.

Amabile, T. M. (1983). *The Social Psychology of Creativity*. New York: Springer-Verlag.

Anderson, C. A., et Bushman, B. (2001). «Effects of violent video games on aggressive behavior, aggressive cognition, aggressive affect, physiological arousal, and prosocial behavior: A meta-analytic review of the scientific literature», *Psychological Science*, vol. 12, p. 353-359.

Anderson, C. A., et Dill, K. E. (2000). «Video games and aggressive thoughts, feelings, and behavior in the laboratory and in life», *Journal of Personality and Social Psychology*, vol. 78, p. 772-790.

Andreasen, N. C., Arndt, S., Alliger, R., Miller, D., et Flaum, M. (1995). «Symptoms of schizophrenia: Methods, meanings, and mechanisms», *Archives of General Psychiatry*, vol. 52, p. 341-351.

Andreasen, N. C., et Black, D. W. (1991). *Introductory Textbook of Psychiatry*. Washington, DC: American Psychiatric Press.

Angenendt, A. (2003). «Safety and Security From the Air Traffic Control Service's Point of View», *Human Factors and Aerospace Safety*, vol. 3, nᵒ 3, p. 207-209.

APA (American Psychiatric Association) (2003). *DSM-IV-TR, Manuel diagnostique et statistique des troubles mentaux*, 4ᵉ édition. Paris: Masson, texte révisé.

APA (American Psychiatric Association) (2006). *Practice Guidelines for Treatment of Patients with Eating Disorders*, 3ᵉ édition. En ligne: http://psych.org/psych_pract/treatg/pg/Eating Disorders3ePG_04-28-06.pdf, consulté le 12 octobre 2006.

APA (American Psychiatric Association) Work Group on Eating Disorders (2000). «Practice guideline for the treatment of patients with eating disorders (revision)», *American Journal of Psychiatry*, vol. 157, suppl. 1, p. 1-39.

Arehart-Treichel, J. (2002). «Researchers explore link between animal cruelty, personality disorders», *Psychiatric News*, vol. 37, p. 22.

Arkin, A. M. (1981). *Sleep Talking: Psychology and Psychophysiology*. Mahwah, NJ: Lawrence Erlbaum Associates.

Armstrong, M., et Shikani, A. (1996). «Nasal septal necrosis mimicking Wegener's granulomatosis in a cocaine abuser», *Ear Nose Throat Journal*, vol. 75, p. 623-626.

Arnold, M. B. (1945). «Physiological differentiation of emotional states», *Psychological Review*, vol. 52, p. 35-48.

Arnold, M. B. (1950). «An excitatory theory of emotion», dans M. L. Reymert (dir.), *Feelings and Emotions: The Mooseheart Symposium*. New York: McGraw-Hill, p. 11-33.

Arnold, M. B. (1960a). *Emotion and Personality: vol. 1: Psychological Aspects*. New York: Columbia University Press.

Arnold, M. B. (1960b). *Emotion and Personality: vol. 2: Neurological and Physiological Aspects*. New York: Columbia University Press.

Arnold, M. B. (1970). «Perennial problems in the field of emotion», dans M. B. Arnold (dir.), *Feelings and Emotions*. New York: Academic Press, p. 169-186.

Arnold, M. B. (1984). *Memory and the Brain*. Hillsdale, NJ: Lawrence Erlbaum Associates.

Arnold, M. B., et Gasson, J. A. (1954). «Feelings and emotions as dynamic factors in personality integration», dans M. B. Arnold et J. A. Gasson (dir.), *The Human Person: An Approach to an Integral Theory of Personality*. New York: Ronald Press, p. 294-313.

Arriaga, P., Esteyes, F., Carneiro, P., et Monteiro, M. (2006). «Violent computer games and their effects on state hostility and physiological arousal», *Aggressive Behavior*, vol. 32, p. 146-158.

Artman, L., Cahan, S., et Avni-Babad, D. (2006). « Age, schooling, and conditional reasoning », *Cognitive Development*, vol. 21, p. 131-145.

Äsberg, M. (1986). « Biochemical aspects of suicide », *Clinical Neuropharmacology*, vol. 9, n° 4, p. 374-376.

Aspinwall, L. G., et Taylor, S. E. (1997). « A stitch in time : Self-regulation and proactive coping », *Psychological Bulletin*, vol. 121, p. 417-436.

Assefi, S., et Garry, M. (2003). « Absolute memory distortions : Alcohol placebos influence the misinformation effect », *Psychological Science*, vol. 14, p. 77-80.

Association des psychiatres canadiens (2006). « Guide de pratique clinique : Traitement des troubles anxieux », suppl. 2, juillet. En ligne : http://publications.cpa-apc.org/browse/documents/213, consulté le 7 mars.

Association médicale canadienne (2008). « La stigmatisation rattachée aux maladies mentales : un "embarras national" », communiqué. En ligne : http://www.cma.ca/index.cfm/ci_id/86921/la_id/2.htm.

Association pédiatrique canadienne (mis à jour janvier 2001). Adolescent Medicine Committee. « Eating disorders in adolescents : Principles of diagnosis and treatment », *Pædiatrics and Child Health*, vol. 3, n° 3, 1998, p. 189-192.

Atkinson, R. C., et Shiffrin, R. M. (1968). « Human memory : A proposed system and its controlled processes », dans K. W. Spence et J. T. Spence (dir.), *The psychology of Learning and Motivation*. New York : Academic Press, vol. 2, p. 89-195.

Auriol, Bernard (1979). *Introduction aux méthodes de relaxation*. Paris : Privat.

Azar, B. (2000). « A web of research », *Monitor on Psychology*, vol. 31. En ligne : http://www.apa.org/monitor/apr00/research.html, consulté le 14 mars 2003.

Azrin, N. H., et Holz, W. C. (1966). « Punishment », dans W. K. Honig (dir.), *Operant Behavior : Areas of Research and Application*. New York : Appleton-Century-Crofts.

Bach, M., et Hoffman, M. B. (2000). « Visual motion detection in man is governed by non-retinal mechanisms », *Vision Research*, vol. 40, p. 2379-2385.

Baddeley, A. (1998). *Human Memory : Theory and Practice*. Boston, MA : Allyn and Bacon.

Baer, J. (1996). « The effects of task-specific divergent-thinking training », *Journal of Creative Behavior*, vol. 30, p. 183-187.

Bagby, R. M., Rogers, R., et Buis, T. (1994). « Detecting malingered and defensive responding on the MMPI-2 in a forensic inpatient sample », *Journal of Personality Assessment*, vol. 62, p. 191-203.

Bahrick, H. P., Bahrick, P. O., et Wittlinger, R. P. (1975). « Fifty years of memory for names and faces : A cross-sectional approach », *Journal of Experimental Psychology : General*, vol. 104, p. 54-75.

Bahrick, H. P., Hall, L. K., et Berger, S. A. (1996). « Accuracy and distortion in memory for high school grades », *Psychological Science*, vol. 7, p. 265-271.

Baillargeon, R., et DeVos, J. (1991). « Object permanence in young infants : Further evidence », *Child Development*, vol. 62, p. 1227-1246.

Ball, S. G., Baer, L., et Otto, M. W. (1996). « Symptom subtypes of obsessive-compulsive disorder in behavioral treatment studies : A quantitative review », *Behaviour Research and Therapy*, vol. 34, p. 47-51.

Ballenger, J. C., Pecknold, J., Rickels, K., et Sellers, E. M. (1993). « Medication discontinuation in panic disorder », *Journal of Clinical Psychiatry*, vol. 54, suppl. 10, p. 15-21.

Baltimore, D. (2000). « Our genome unveiled », *Nature*, vol. 409, p. 814-816.

Bandura, A. (1969). *Principles of Behavior Modification*. New York : Holt, Rinehart and Winston.

Bandura, A. (1977a). *Social Learning Theory*. Englewood Cliffs, NJ : Prentice Hall.

Bandura, A. (1986). *Social Functions of Thought and Action : A Social-Cognitive Theory*. Englewood Cliffs, NJ : Prentice-Hall.

Bandura, A. (1997). « Self-efficacy », *Harvard Mental Health Letter*, vol. 13, n° 9, p. 4-6.

Bandura, A. (1997b). *Self-Efficacy : The Exercise of Control*. New York : Freeman.

Bandura, A., Ross, D., et Ross, S. A. (1963). « Imitation of film-mediated aggressive models », *Journal of Abnormal and Social Psychology*, vol. 66, p. 3-11.

Bandura, A., Ross, D., et Ross, S. A. (1961). « Transmission of aggression through imitation of aggressive models », *Journal of Abnormal and Social Psychology*, vol. 63, p. 575-582.

Barbarich, N., McConaha, C., Gaskill, J., La Via, M., Frank, G., Achenbach, S., Plotnicov, K., et Kaye, W. (2004). « An open trial of olanzapine in anorexia nervosa ». *Journal of Clinical Psychiatry*, vol. 65, p. 1480-1482.

Bargmann, C. (1996). « From the nose to the brain », *Nature*, vol. 384, p. 512-513.

Barrick, M., Mount, M., et Judge, T. (2001). « Personality and performance at the beginning of the new millennium : What do we know and where do we go next ? », *International Journal of Selection and Assessment*, vol. 9, p. 9-30.

Bartlett, A. (2002). « Current perspectives on the goals of psychoanalysis », *Journal of the American Psychoanalytic Association*, vol. 50, p. 629-638.

Basic Behavioral Science Task Force of the National Advisory Mental Health Council. (1996). « Basic behavioral science research for mental health : Perception, attention, learning, and memory », *American Psychologist*, vol. 51, p. 133-142.

Bates, M., Labouvie, D., et Voelbel, G. (2002). « Individual differences in latent neuropsychological abilities at addictions treatment entry », *Psychology of Addictive Behaviors*, vol. 16, p. 35-46.

Beatty, J. (1995). *Principles of Behavioral Neuroscience*. Dubuque, IA : Brown and Benchmark.

Bechara, A., Damasio, H., et Damasio, A. R. (2000). « Emotion, decision making and the orbitofrontal cortex », *Cerebral Cortex*, vol. 10, p. 295-307.

Beck, Aaron T. (1976). *Cognitive Therapy and the Emotional Disorders*. New York : New American Library.

Beck, Aaron T. (1991). « Cognitive therapy : A 30-year retrospective », *American Psychologist*, vol. 46, p. 368-375.

Beck, Aaron T., Freeman, Arthur, Davis, Denise D., et autres (2004). *Cognitive Therapy of Personality Disorders*, 2e édition. New York : The Guilford Press, 412 p.

Bee, H., et Boyd, D. (2007). *Les âges de la vie*. Saint-Laurent : Éditions du Renouveau pédagogique, adapté par F. Gosselin.

Békésy, G. von. (1957). « The ear », *Scientific American*, vol. 197, p. 66-78.

Bellugi U., Poizner H., et Klima E. S. (1989). « Language, modality and the brain », *Trends in Neurosciences*, vol. 12, n° 10, p. 380-388.

Belzung, C. (2007). *Biologie des émotions*. Bruxelles : De Boeck.

Benes, F. M. (2000). « Emerging principles of altered neural circuitry in schizophrenia », *Brain Research Reviews*, vol. 31, p. 251-269.

Bennett, M. R. (2000). « The concept of long-term potentiation of transmission at synapses », *Progress in Neurobiology*, vol. 60, p. 109-137.

Bennett, W. I. (1990). « Boom and doom », *Harvard Health Letter*, vol. 16, novembre, p. 1-4.

Ben-Zur, H., Duvdevany, I., et Lury, L. (2005). « Associations of social support and hardiness with mental health among mothers of adult children with intellectual disability », *Journal of Intellectual Disability Research*, vol. 49, p. 54-62.

Bernat, E., Shevrin, H., et Snodgrass, M. (2001). « Subliminal visual oddball stimuli evoke P300 component », *Clinical Neurophysiology*, vol. 112, p. 159-171.

Bernowitz N. L. (1992). « Cigarette smoking and nicotine addiction », *Medical Clinics of North America*, vol. 76, p. 415.

Berridge, K. C., et Winkielman, P. (2003). « What is an unconscious emotion ? (The case for unconscious "liking") », *Cognition and Emotion*, vol. 17, p. 181-211.

Bert, Claudie (2006). « La maladie mentale : un effet de mode ? », *Les grands dossiers de sciences humaines*, vol. 3, juin-août, p. 80-84.

Bilkey, D., et Clearwater, J. (2005). « The dynamic nature of spatial encoding in the hippocampus », *Behavioral Neuroscience*, vol. 119, p. 1533-1545.

Billiard, M., Pasquire-Magnetto, V., Heckman, M., Carlander, B., Besset, A., Zachariev, Z., Eliaou, J. F., et Malafosse, A. (1994). « Family studies in narcolepsy », *Sleep*, vol. 17, p. S54-S59.

Binet, A. (1903). *L'étude expérimentale de l'intelligence*, Paris : Schleicher et frères.

Binet, A. (1909). *Les idées modernes sur les enfants*. Paris : Ernest Flammarion.

Birren J. E., et Schaie K. W. (2006). *Handbook of the Psychology of Aging*, 5e édition. New York : Academic.

Bishop, R. (2005). « Cognitive psychology : Hidden assumptions », dans B. Slife, J. Reber et F. Richardson (dir.), *Critical Thinking About Psychology : Hidden Assumptions and Plausible Alternatives*. Washington, DC : American Psychological Association.

Bisiach, E. (1996). « Unilateral neglect and the structure of space representation », *Current Directions in Psychological Science*, vol. 5, p. 62-65.

Bjorklund, D. F., Cassel, W. S., Bjorklund, B. R., Brown, R. D., Park, C. L. Ernst, K., et Owen, F. A. (2000). « Social demand characteristics in children's and adults' memory and suggestibility : The effect of different interviewers on free recall and recognition », *Applied Cognitive Psychology*, vol. 14, p. 421-433.

Blackburn, Ivy Marie, et Cottraux, Jean (2004). *Thérapie cognitive de la dépression*, 2e édition. Paris : Masson, 176 p.

Blagrove, M., et Hartnell, S. (2000). « Lucid dreaming : Associations with internal locus of control, need for cognition and creativity », *Personality and Individual Differences*, vol. 28, p. 41-47.

Bliss, T. V., et Lomo, T. (2000). « Plasticity in a monosynaptic cortical pathway », *Journal of Physiology*, vol. 207, p. 61.

Bloomer, C. M. (1976). *Principles of Visual Perception*. New York : Van Nostrand Reinhold.

Blumer, D. (2002). « The illness of Vincent van Gogh », *American Journal of Psychiatry*, vol. 159, p. 519-526.

Bobes, J., Gibert, J., Ciudad, A., Alvarez, E., Cañas, F., Carrasco, J., Gascón, J., Gómez, J., et Gutiérrez, M. (2003). « Safety and effectiveness of olanzapine versus conventional antipsychotics in the acute treatment of first-episode schizophrenic inpatients », *Progress in Neuro-Psychopharmacology and Biological Psychiatry*, vol. 27, p. 473-481.

Bogen, J. E., et Vogel, P. J. (1963). « Treatment of generalized seizures by cerebral commissurotomy », *Surgical Forum*, vol. 14, p. 431.

Bohannon, J. N., III. (1988). « Flashbulb memories for the Space Shuttle disaster : A tale of two theories », *Cognition*, vol. 29, p. 179-196.

Boisvert, Jean-Marie, Bertrand, Line, et Morier, Sophie (1999). « La phobie sociale », dans Robert Ladouceur, André Marchand et Jean-Marie Boisvert (dir.), *Les troubles anxieux : Approche cognitive et comportementale*, Montréal : Gaëtan Morin, p. 121-148.

Boisvert, Jean-Marie, Leblond, George, et Leblond, Pascal (1999). « La phobie spécifique », dans Robert Ladouceur, André Marchand et Jean-Marie Boisvert (dir.), *Les troubles anxieux : Approche cognitive et comportementale*. Montréal : Gaëtan Morin, p. 7-29.

Boivin, D. (2000). « Quand l'horloge biologique tourne mal… », *Interface*, vol. 21, n° 2, p. 38-41.

Boivin, D. B., Czeisler, C. A., Dijk, J.-J., Duffy, J. F., Folkard, S., Minors, D. S., Totterdell, P., et Waterhouse, J. M. (1997). « Complex interaction of the sleep-wake cycle and circadian phase modulates mood in healthy subjects », *Archives of General Psychiatry*, vol. 54, p. 145-152.

Boivin, D. B., et James, F. O. (2005). « Light treatment and circadian adaptation to shift work », *Industrial Health*, vol. 43, n° 1, janvier, p. 34-48.

Bollini, A., Walker, E., Hamann, S., et Kestler, L. (2004). « The influence of perceived control and locus of control on the cortisol and subjective responses to stress », *Biological Psychology*, vol. 67, p. 245-260.

Bonnel, A., Mottron, L., Peretz, I., Tudel, M., Gallun, E., et Bonnel, A. (2003). « Enhanced pitch sensitivity in individuals with autism : A signal detection analysis », *Journal of Cognitive Neuroscience*, vol. 15, p. 226-235.

Bonson, K., Grant, S., Contoreggi, C., Links, J., Metcalfe, J., Weyl, H., Kurian, V., Ernst, M., et London, E. (2002). « Neural systems and cue-induced cocaine craving », *Neuropsychopharmacology*, vol. 26, p. 376-386.

Borbely, A. A. (1982). « Circadian and sleep-dependant processes in sleep regulation », dans J. Aschoff, S. Daan et G. A. Gross (dir.), *Vertebrate Circadian Rythmes*. Berlin : Springer/Verlag, p. 237-242.

Borbely, A. A. (1984). « Sleep regulation : Outline of a model and its implications for depression », dans A. A. Borbely et J. L. Valatx (dir.), *Sleep Mechanisms*. Berlin : Springer-Verlag.

Borbely, A. A., Achermann, P., Trachsel, L., et Tobler, I. (1989). « Sleep initiation and initial sleep intensity : Interactions of homeostatic and circadian mechanisms », *Journal of Biological Rhythms*, vol. 4, p. 149-160.

Bornner, L. (2003). « Le creaveu hmauin lit le mot cmome un tuot », *Le Monde*, 1er octobre.

Bortfeld, H., Smith, S. M., Tassinary, L.G. (2006). « Memory and the brain : A retrospective », *Cognition and Emotion*, vol. 20, n° 7, p. 952-975.

Bouchard, C. (1997). « Human variation in body mass : Evidence for a role of the genes », *Nutrition Reviews*, vol. 55, p. S21-S30.

Bouchard, T. J., Jr. (1994). « Genes, environment, and personality », *Science*, vol. 264, p. 1700-1701.

Bouchard, T. J., Jr. (1997). « Whenever the twain shall meet », *The Sciences*, vol. 37, septembre-octobre, p. 52-57.

Bouhuys, A., Flentge, F., Oldehinkel, A., et van den Berg, M. (2004). « Potential psychosocial mechanisms linking depression to immune function in elderly subjects », *Psychiatry Research*, vol. 127, p. 237-245.

Bourassa, M., et Vaugeois, P. (2001). « Effects of marijuana use on divergent thinking », *Creativity Research Journal*, vol. 13, p. 411-416.

Bouton, M. E. (1993). « Context, time, and memory retrieval in the interference paradigms of Pavlovian learning », *Psychological Bulletin*, vol. 114, p. 80-89.

Bouton, M. E., et Ricker, S. T. (1994). « Renewal of extinguished responding in a second context », *Animal Learning and Behavior*, vol. 22, p. 317-324.

Bovbjerg, D. H., Redd., W. H., Jacobsen, P. B., Manne, S. L., Taylor, K. L., Surbone, A., Crown, J. P., Norton, L., Gilewski, T. A., Hudis, C. F., Reichman, B. S., Kaufman, R. J., Currie, V. E., et Hakes, T. B. (1992). « An experimental analysis of classically conditioned nausea during cancer chemotherapy », *Psychosomatic Medicine*, vol. 54, p. 623-637.

Bowden, C., Lecrubier, Y., Bauer, M., Goodwin, G., Greil, W., Sachs, G., et von Knorring, L. (2000). « Maintenance therapies for classic and other forms of bipolar disorder », *Journal of Affective Disorders*, vol. 59, n° 1, p. S57-S67.

Bower, G. H., Thompson-Schill, S., et Tulving E. (1994). « Reducing retroactive interference : An interference analysis », *Journal of Experimental Psychology : Learning, Memory, and Cognition*, vol. 20, p. 51-66.

Bowers, K. S. (1992). « Imagination and dissociative control in hypnotic responding », *International Journal of Clinical and Experimental Hypnosis*, vol. 40, p. 253-275.

BPSCORE (British Psychological Society Centre for Outcome Research and Effectiveness) (2001). « Treatment choice in psychological therapies and counselling : Evidence based clinical practice guidelines ».

Brady, S., et Matthews, K. (2006). « Effects of media violence on health-related outcomes among young men », *Archives of Pediatric Adolescent Medicine*, vol. 160, p. 341-347.

Bramblett, D. A. (1997). Communication personnelle, octobre.

Bratlid, T., et Wahlund, B. (2003). « Alterations in serum melatonin and sleep in individuals in a sub-artic region from winter to spring », *International Journal of Circumpolar Health*, vol. 62, n° 3, p. 242-253.

Braun, A., Balkin, T., Wesensten, N., Gwadry, F., Carson, R., Varga, M., Baldwin, P., Belenky, G., et Herscovitch, P. (1998). « Dissociated pattern of activity in visual cortices and their projections during human rapid eye movement sleep », *Science*, vol. 279, p. 91-95.

Brawman-Mintzer, O., et Lydiard, R. B. (1996). « Generalized anxiety disorder : Issues in epidemiology », *Journal of Clinical Psychiatry*, vol. 57, n° 7, suppl., p. 3-8.

Brawman-Mintzer, O., et Lydiard, R. B. (1997). « Biological basis of generalized anxiety disorder », *Journal of Clinical Psychiatry*, vol. 58, n° 3, suppl., p. 16-25.

Brent, D. A., Perper, J. A., Goldstein, C. E., Kolko, D. J., Allan, M. J., Allman, C. J., et Zelenak, J. P. (1988). « Risk factors for adolescent suicide : A comparison of adolescent suicide victims with suicidal inpatients », *Archives of General Psychiatry*, vol. 45, p. 581-588.

Brieger, P., Ehrt, U., et Marneros, A. (2003). « Frequency of comorbid personality disorders in bipolar and unipolar affective disorders », *Comprehensive Psychiatry*, vol. 44, p. 28-34.

Brigham, Carl (1923). *A Study in American Intelligence*. Princeton : Princeton University Press, p. 210.

Broca, P. P. (1861). « Perte de la parole, ramollissement chronique et destruction partielle du lobe antérieur gauche du cerveau », *Bulletin de la Société Anthropologique*, vol. 2, p. 235-238. En ligne : http://psychclassics.yorku.ca/Broca/perte.htm, consulté le 19 février 2009.

Brodeur, J. (2004). « Avant 3 ans, fermez la télévision ! », *Petit Monde. com*, réseau Canoë. En ligne : http://www.petitmonde. com/Doc/Article/Avant_3_ans_fermez_la_television, consulté le 3 mars 2009.

Brody, A., Saxena, S., Fairbanks, L., Alborzian, S., Demaree, H., Maidment, K., et Baxter, L. (2000). « Personality changes in adult subjects with major depressive disorder or obsessive-compulsive disorder treated with paroxetine », *Journal of Clinical Psychiatry*, vol. 61, p. 349-355.

Broman-Fulks, J. J., Berman, M. E., Rabian, B., et Webster, M. J. (2004). « Effects of aerobic exercise on anxiety sensitivity », *Behaviour Research and Therapy*, vol. 42, p. 125-136

Brooks-Gunn, J. (2003). « Do you believe in magic ? What we can expect from early childhood intervention programs », *Social Policy Report*, vol. 17, p. 3-14.

Brou, P., Sciascia, T. R., Linden, L., et Lettvin, J. Y. (1986). « The colors of things », *Scientific American*, vol. 255, p. 84-91.

Broughton, R. J., et Shimizu, T. (1995). « Sleep-related violence : Amedical and forensic challenge », *Sleep*, vol. 18, p. 727-730.

Brown, A. (2004). « The déjà vu illusion », *Current Directions in Psychological Science*, vol. 13, p. 256-259.

Brown, J. (1958). « Some tests of the decay theory of immediate memory », *Quarterly Journal of Experimental Psychology*, vol. 10, p. 12-21.

Brown, R., et McNeil, D. (1966). « The "tip of the tongue" phenomenon », *Journal of Verbal Learning and Verbal Behavior*, vol. 5, p. 325-337.

Bruch, M., Fallon, M., et Heimberg, R. (2003). « Social phobia and difficulties in occupational adjustment », *Journal of Counseling Psychology*, vol. 50, p. 109-117.

Brummett, B., Babyak, M., Williams, R., Barefoot, J., Costa, P., et Siegler, I. (2006). « NEO personality domains and gender predict levels and trends in body mass index over 14 years during midlife », *Journal of Research in Personality*, vol. 40, p. 222-236.

Brunila, T., Lincoln, N., Lindell, A., Tenovuo, O., et Haemelaeinen, H. (2002). « Experiences of combined visual training and arm activation in the rehabilitation of unilateral visual neglect : A clinical study », *Neuropsychological Rehabilitation*, vol. 12, p. 27-40.

Bryden, M. P., et MacRae, L. (1988). « Dichotic laterality effects obtained with emotional words », *Neuropsychiatry, Neuropsychology, and Behavioral Neurology*, vol. 1, n° 3, p. 171-176.

Brydon, L., Magid, K., et Steptoe, A. (2006). « Platelets, coronary heart disease, and stress », *Brain, Behavior, and Immunity*, vol. 20, p. 113-119.

Buck, L. B. (1996). « Information coding in the vertebrate olfactory system », *Annual Review of Neuroscience*, vol. 19, p. 517-544.

Buhusi, C., et Meck, W. (2002). « Differential effects of methamphetamine and haloperidol on the control of an internal clock », *Behavioral Neuroscience*, vol. 116, p. 291-297.

Burchinal, M., Campbell, F., Bryant, D., Wasik, B., et Ramey, C. (1997). « Early intervention and mediating processes in cognitive performance of children of low-income African American families », *Child Development*, vol. 68, p. 935-954.

Bushman, B., et Cantor, J. (2003). « Media ratings for violence and sex : Implications for policymakers and parents », *American Psychologist*, vol. 58, p. 130-141.

Bushman, B., et Huesmann, R. (2006). « Short-term and longterm effects of violent media on aggression in children and adults », *Archives of Pediatric Adolescent Medicine*, vol. 160, p. 348-352.

Butcher, J. N. (1992). « International developments with the MMPI-2 », *MMPI-2 News and Profiles*, vol. 3, octobre, p. 4.

Butcher, J. N., et Graham, J. R. (1989). *Topics in MMPI-2 Interpretation*. Minneapolis : Department of Psychology, University of Minnesota.

Butcher, J. N., et Rouse, S. V. (1996). « Personality : Individual differences and clinical assessment », *Annual Review of Psychology*, vol. 47, p. 89-111.

Butcher, J. N., Graham, J. R., et Ben-Porath, Y. S. (1995). « Methodological problems and issues in MMPI, MMPI-2, and MMPIAresearch », *Psychological Assessment*, vol. 7, p. 320-329.

Butcher, J. N., Dahlstrom, W. G., Graham, J. R., Tellegen, A., et Kaemmer, B. (1989). *Manual for the restandardized Minnesota Multiphasic Personality Inventory : MMPI-2. An Administrative and Interpretative Guide*. Minneapolis : University of Minnesota Press.

Cahill, L., Babinsky, R., Markowitsch, H. J., et McGaugh, J. L. (1995). « The amygdala and emotional memory », *Nature*, vol. 377, p. 295-296.

Cahn, B., et Polich, J. (2006). « Meditation states and traits : EEG, ERP, and neuroimaging studies », *Psychological Bulletin*, vol. 132, p. 180-211.

Callahan, J. (1997). « Hypnosis : Trick or treatment ? You'd be amazed at what modern doctors are tackling with an 18th century gimmick », *Health*, vol. 11, mai-juin, p. 52–54.

Camp, D. S., Raymond, G. A., et Church, R. M. (1967). « Temporal relationship between response and punishment », *Journal of Experimental Psychology*, vol. 74, p. 114-123.

Campbell, F., et Ramey, C. (1994). « Effects of early intervention on intellectual and academic achievement : A follow-up study of children from low-income families », *Child Development*, vol. 65, p. 684-698.

Campbell, F., Pungello, E., Miller-Johnson, S., Burchinal, M., et Ramey, C. (2001). « The development of cognitive and academic abilities : Growth curves from an early childhood educational experiment », *Developmental Psychology*, vol. 37, p. 231-242.

Campbell, F., Ramey, D., Pungello, E., Spurling, J., et Miller-Johnson, S. (2002). « Early childhood education : Young adult outcomes from the Abecedarian Project », *Applied Developmental Science*, vol. 6, p. 42-57.

Campbell, S. S. (1985). « Spontaneous termination of ad libitum sleep episodes with special reference to REM sleep », *Electroencephalography and Clinical Neurophysiology*, vol. 60, p. 237-242.

Camras, L., Meng, Z., Ujiie, T., Dharamsi, S., Miyake, K., Oster, H., Wang, L., Cruz, J., Murdoch, A., et Campos, J. (2002). « Observing emotion in infants : Facial expression, body behavior, and rater judgments of responses to an expectancy-violating event », *Emotion*, vol. 2, p. 179-193.

Cannon, T. D., Kaprio, J, Lönnqvist, J., Huttunen, M., et Koskenvuo, M. (1998). « The genetic epidemiology of schizophrenia in a Finnish twin cohort : Apopulation-based modeling study », *Archives of General Psychiatry*, vol. 55, p. 67-74.

Cannon, W. B. (1915). *Bodily Changes in Pain, Hunger, Fear and Rage : An Account of Recent Researches into the Function of Emotional Excitement*. New York : Appleton.

Cannon, W. B. (1927). « The James-Lange theory of emotions : A critical examination as an alternative theory », *American Journal of Psychology*, vol. 39, p. 106-112.

Cannon, W. B. (1931). « Again the James-Lange and the thalamic theories of emotions », *Psychological Review*, vol. 38, p. 281-295.

Cannon, W. B. (1932). *The Wisdom of the Body*. New York : Norton.

Capel, B. (2000). « The battle of the sexes », *Mechanisms of Development*, vol. 92, p. 89-103.

Cardoso, S. H., de Mello, L. C., et Sabatini, R. M. E. (2000). « How nerve cells work ». En ligne : http://www.epub.org.br/cm/n09/fundamentos/transmissao/voo_i.htm.

Carlat, D. J., Camargo, C. A., Jr., et Herzog, D. B. (1997). « Eating disorders in males : A report on 135 patients », *American Journal of Psychiatry*, vol. 154, p. 1127-1132.

Carlson, Linda E., Speca, Michael, Patel, Kamala D., et Faris, Peter (2007). « One year pre-post intervention follow-up of psychological, immune, endocrine and blood pressure outcomes of mindfulness-based stress reduction (MBSR) in breast and prostate cancer outpatients », *Brain, Behavior, and Immunity*, vol. 21, nº 8, novembre, p. 1038-1049.

Carlson, N. R. (1998). *Foundations of Physiological Psychology*, 4e édition. Boston : Allyn and Bacon.

Carlsson, I., Wendt, P. E., et Risberg, J. (2000). « On the neurobiology of creativity. Differences in frontal activity between high and low creative subjects », *Neuropsychologia*, vol. 38, p. 873-885.

Carnagey, N., et Anderson, C. (2005). « The effects of reward and punishment in violent video games on aggressive affect, cognition, and behavior », *Psychological Science*, vol. 16, p. 882-889.

Carrier, J. (2000). « Vieillir et moins bien dormir », *Interface*, vol. 21, nº 2, p. 45-47.

Carskadon, M. A., et Dement, W. C. (1989). « Normal human sleep : An overview », dans M. H. Kryger, T. Roth et W. C. Dement (dir.), *Principles and Practice of Sleep Medicine*. Philadelphie : W. B. Saunders, p. 3-13.

Carskadon, M. A., et Rechtschaffen, A. (1989). « Monitoring and staging human sleep », dans M. H. Kryger, T. Roth et W. C. Dement (dir.), *Principles and Practice of Sleep Medicine*. Philadelphie : W. B. Saunders, p. 665-683.

Carson, R., Butcher, J., et Mineka, S. (2000). *Abnormal psychology and modern life*, 11e édition. Boston : Allyn and Bacon.

Case, R. (dir.) (1992). *The Mind's Staircase : Exploring the Conceptual Underpinnings of Children's Thought and Knowledge*. Hillsdale, NJ : Erlbaum.

Casey, D. E. (1996). « Side effect profiles of new antipsychotic agents », *Journal of Clinical Psychiatry*, vol. 57, nº 11, suppl., p. 40-45.

Caspi, A. (2000). « The child is father of the man : Personality continuities from childhood to adulthood », *Journal of Personality and Social Psychology*, vol. 78, p. 158-172.

Cattell, J. McK. (1890). « Mental tests and measurements », *Mind*, vol. 15, p. 373-381. En ligne : http://psychclassics.yorku.ca/Cattell/mental.htm.

Cattell, R. B. (1950). *Personality : A Systematic, Theoretical, and Factual Study*. New York : McGraw-Hill.

Cattell, R. B., Eber, H. W., et Tatsuoka, M. M. (1977). *Handbook for the 16 Personality Factor Questionnaire*. Champaign, IL : Institute of Personality and Ability Testing.

Cavanagh, J. T., Carson, A. J., Sharpe, M., et Lawrie, S. M. (2003). « Psychological autopsy studies of suicide : A systematic review », *Psychological Medicine*, vol. 33, nº 3, p. 395-405.

Cavanaugh, Carolyn (1999). « What we know about eating disorders : facts and statistics », dans Raymond Lemberg et Leigh Cohn (dir.), *Eating Disorders : A reference sourcebook*. Phoenix, AZ : Oryx Press.

Challis, B. H., et Brodbeck, D. R. (1992). « Levels of processing affects priming in word fragment completion », *Journal of Experimental Psychology : Learning, Memory, and Cognition*, vol. 18, p. 595-607.

Chambon, Ph., Perrier, J.-J., Tourbe, C., Haentjens, E., et Revoy N. (2007). « Dépendance. Pourquoi nous ne sommes pas tous égaux », *Science et vie*, vol. 1076, mai, p. 66-89.

Chamorro-Premuzic, T., et Furnham, A. (2003). « Personality predicts academic performance : Evidence from two longitudinal university samples », *Journal of Research in Personality*, vol. 37, p. 319-338.

Charest, R. M. (2006). Chronique livrée à l'émission radiophonique *C'est bien meilleur le matin*, Radio-Canada, Montréal, 18 janvier.

Chase, M. H., et Morales, F. R. (1990). « The atonia and myoclonia of active (REM) sleep », *Annual Review of Psychology*, vol. 41, p. 557-584.

Chen-Sea, M.-J. (2000). « Validating the Draw-A-Man Test as a personal neglect test », *American Journal of Occupational Therapy*, vol. 54, p. 391-397.

Chi, S., Park, C., Lim, S., Park, E., Lee, Y., Lee, K., Kim, E., et Kim, H. (2005). « EEG and personality dimensions : A consideration based on the rain oscillatory systems », *Personality and Individual Differences*, vol. 39, p. 669-681.

Chilosi, A., Cipriani, P., Bertuccelli, B., Pfanner, L., et Cioni, G. (2001). « Early cognitive and communication development in children with focal brain lesions », *Journal of Child Neurology*, vol. 16, p. 309-316.

Cho, K. (2001). « Chronic "jet lag" produces temporal lobe atrophy and spatial cognitive deficits », *Nature Neuroscience*, vol. 4, p. 567-568.

Cho, K., Ennaceur, A., Cole, J., et Kook Suh, C. (2000). « Chronic jet lab produces cognitive deficits », *Journal of Neuroscience*, vol. 20, p. RC66.

Chomsky, N. (1957). *Syntactic Structures*. The Hague : Mouton.

Christakis, D., Zimmerman, F., DiGiuseppe, D., et McCarty, C. (2004). « Early television exposure and subsequent attentional problems in children », *Pediatrics*, vol. 113, p. 708-713.

Church, M., Elliot, A., et Gable, S. (2001). « Perceptions of classroom enviornment, achievement goals, and achievement outcomes », *Journal of Educational Psychology*, vol. 93, p. 43-54.

Church, R. M. (1963). « The varied effects of punishment on behavior », *Psychological Review*, vol. 70, p. 369-402.

Church, R. M. (1989). « Theories of timing behavior », dans S. P. Klein et R. Mower (dir.), *Contemporary Learning Theories : Instrumental Conditioning Theory and the Impact of Biological Constraints on Learning*. Hillsdale, NJ : Erlbaum.

Cianciolo, A. T., et Sternberg, R. J. (2004). *Intelligence : A Brief History*. Malden, MA : Blackwell Publishing.

Cipolli, C., et Poli, D. (1992). « Story structure in verbal reports of mental sleep experience after awakening in REM sleep », *Sleep*, vol. 15, p. 133-142.

Clark, D. M., et Teasdale, J. D. (1982). « Diurnal variation in clinical depression and accessibility of memories of positive and negative experiences », *Journal of Abnormal Psychology*, vol. 91, p. 87-95.

Clark, L., Watson, D., et Reynolds, S. (1995). « Ciagnosis and classification of psychopathology : Challenges to the current system and future directions », *Annual Review of Psychology*, vol. 46, p. 121-153.

Claude, Bernard (1865/1966). *Introduction à l'étude de la médecine expérimentale*. Paris : Éditions Garnier-Flammarion.

Clayton, K. N. (1964). « T-maze choice learning as a joint function of the reward magnitudes for the alternatives », *Journal of Comparative and Physiological Psychology*, vol. 58, p. 333-338.

Clermont, Michel, et Lacouture, Yves (2000). « Orientation sexuelle et santé », dans *Enquête sociale et de santé 1998*. Québec : Institut de la statistique du Québec, p. 219-230.

Clifford, E. (2000). « Neural plasticity : Merzenich, Taub, and Greenough », *Harvard Brain*, vol. 6, n° spécial, p. 16-20.

Cohen, S. (1996). « Psychological stress, immunity, and upper respiratory infections », *Current Directions in Psychological Science*, vol. 5, p. 86-89.

Collin, Johanne, Otero, Marcelo, et Monnais, Laurence (2006). *Le médicament au cœur de la socialité contemporaine : Regards croisés sur un objet complexe*. Québec : Presses de l'Université du Québec, 284 p.

Conner, K. R., et Duberstein, P. R. (2004). « Predisposing and precipitating factors for suicide among alcoholics : empirical review and conceptual integration », *Alcohol Clinical Experimental Research*, vol. 28, suppl. 5, p. 6S-17S.

Conrad, R. (1964). « Acoustic confusions in immediate memory », *British Journal of Psychology*, vol. 55, p. 75-84.

Conroy, D., Poczwardowski, A., et Henschen, K. (2001). « Evaluative criteria and consequences associated with failure and success for elite athletes and performing artists », *Journal of Applied Sport Psychology*, vol. 13, p. 300-322.

Conseil canadien de protection des animaux (2009). « Formation des utilisateurs d'animaux d'experimentation modules du tronc commun ». En ligne : http://www.ccac.ca/fr/CCAC_Programs/ETCC/index.html, consulté le 3 mars 2009.

Conway, M. A., Cohen, G., et Stanhope, N. (1991). « On the very long-term retention of knowledge acquired through formal education : Twelve years of cognitive psychology », *Journal of Experimental Psychology : General*, vol. 120, p. 395-409.

Cooper, R. (1994). « Normal sleep », dans R. Cooper (dir.), *Sleep*. New York : Chapman and Hall.

Corballis, M. C. (1989). « Laterality and human evolution », *Psychological Review*, vol. 96, p. 492-509.

Coren, S. (1993). *The Left-Hander Syndrome : The Causes and Consequences of Left-Handedness*. New York : Vintage Books.

Coren, S., et Porac, C. (1977). « Fifty centuries of right handedness : The historical record », *Science*, vol. 198, p. 631-632.

Corenblum, B., et Meissner, C. (2006). « Recognition of faces of ingroup and outgroup children and adults », *Journal of Experimental Child Psychology*, vol. 93, p. 187-206.

Corneau, G. (1989/2003). *Père manquant, fils manqué*. Montréal : Les Éditions de l'Homme.

Costa E., Silva, J. A., Chase, M., Sartorius, N., et Roth, T. (1996). « Special report from the symposium held by the World Health Organization and World Federation of Sleep Research Societies : An overview of insomnia and related disorders—recognition, epidemiology, and rational management », *Sleep*, vol. 19, p. 412-416.

Costa, P. T., Jr., et McCrae, R. R. (1985). *The NEO Personality Inventory Manual*. Odessa, FL : Psychological Assessment Resources.

Costin, Carolyn. (1999). *The Eating Disorder Source Book : A Comprehensive Guide to the Causes, Treatment, and Prevention of Eating Disorders*, 2e édition. Los Angeles : Lowell House.

Cottraux, Jean (2004). *Les thérapies comportementales et cognitives*, 4e édition. Paris : Masson, 393 p.

Cottraux, Jean, et Blackburn, Ivy Marie (2006). *Psychothérapies cognitives des troubles de la personnalité*, 2e édition. Paris : Masson.

Cowan, N. (1988). « Evolving conceptions of memory storage, selective attention, and their mutual constraints within the human information-processing system », *Psychological Bulletin*, vol. 104, p. 163-191.

Coyle, J., et Draper, E. S. (1996). « What is the significance of glutamate for mental health ? », *Harvard Mental Health Letter*, vol. 13, nᵒ 6, p. 8.

Craig, I., et Plomin, R. (2006). « Quantitative trait loci for IQ and other complex traits : Single-nucleotide polymorphism genotyping using pooled DNA and microarrays », *Genes, Brain and Behavior*, vol. 5, p. 32-37.

Craik, F. I. M., et Lockhart, R. S. (1972). « Levels of processing : A framework for memory research », *Journal of Verbal Learning and Verbal Behavior*, vol. 11, p. 671-684.

Craik, F. I. M., et Tulving, E. (1975). « Depth of processing and the retention of words in episodic memory », *Journal of Experimental Psychology : General*, vol. 104, p. 268-294.

Crasilneck, H. B. (1992). « The use of hypnosis in the treatment of impotence », *Psychiatric Medicine*, vol. 10, p. 67-75.

Criglington, A. (1998). « Do professionals get jet lag ? A commentary on jet lag », *Aviation, Space, and Environmental Medicine*, vol. 69, p. 810.

CRISE (Centre de recherche et d'intervention sur le suicide et l'euthanasie) (2008). http://www.crise.ca/.

Crowe, L. C., et George, W. H. (1989). « Alcohol and human sexuality : Review and integration », *Psychological Bulletin*, vol. 105, p. 374-386.

Crowley, B., Hayslip, B., et Hobdy, J. (2003). « Psychological hardiness and adjustment to life events in adulthood », *Journal of Adult Development*, vol. 10, p. 237-248.

Crowther, J., Kichler, J., Shewood, N., et Kuhnert, M. (2002). « The role of familial factors in bulimia nervosa », *Eating Disorders : The Journal of Treatment and Prevention*, vol. 10, p. 141-151.

Csikszentmihalyi, M. (1996). « The creative personality », *Psychology Today*, vol. 29, juillet-août, p. 36-40.

Culbertson, F. M. (1997). « Depression and gender : An international review », *American Psychologist*, vol. 52, p. 25-31.

Cull, W. L. (2000). « Untangling the benefits of multiple study opportunities and repeated testing for cued recall », *Applied Cognitive Psychology*, vol. 14, p. 215-235.

Curci, A., Luminet, O., Finenauer, C., et Gisler, L. (2001). « Flashbulb memories in social groups : A comparative test-retest study of the memory of French president Mitterand's death in a French and a Belgian group », *Memory*, vol. 9, p. 81-101.

Curran, P. J., Stice, E., et Chassin, L. (1997). « The relation between adolescent alcohol use and peer alcohol use : A longitudinal random coefficients model », *Journal of Consulting and Clinical Psychology*, vol. 65, p. 130-140.

Da Silva Borges, F. N., et Fischer, F. M. (2003). « Twelve-hour night shifts of healthcare workers : A risk to the patients ? », *Chronobiology International*, vol. 20, nᵒ 2, p. 351-360.

Dahloef, P., Norlin-Bagge, E., Hedner, J., Ejnell, H., Hetta, J., et Haellstroem, T. (2002). « Improvement in neuropsychological performance following surgical treatment for obstructive sleep apnea syndrome », *Journal of Biological Rhythms*, vol. 17, p. 80-101.

Dakof, G. A. (2000). « Understanding gender differences in adolescent drug abuse : Issues of comorbidity and family functioning », *Journal of Psychoactive Drugs*, vol. 32, p. 25-32.

Dale, N., et Kandel, E. R. (1990). « Facilitatory and inhibitory transmitters modulate spontaneous transmitter release at cultured Aplysia sensorimotor synapses », *Journal of Physiology*, vol. 421, p. 203-222.

Dalgleish, T. (2004). « The emotional brain », *Nature Reviews Neuroscience*, vol. 5, p. 582-585.

Dallard, I., Cathebras, P., et Sauron, C. (2001). « Is cocoa a psychotropic drug ? Psychopathological study of self-labeled "chocolate addicts" », *Encephale*, vol. 27, p. 181-186.

Dallery, J., Silverman, K., Chutuape, M., Bigelow, G., et Sitzer, M. (2001). « Voucher-based reinforcement of opiate plus cocaine abstinence in treatment-resistant methadone patients : Effects of reinforcer magnitude », *Experimental and Clinical Psychopharmacology*, vol. 9, p. 317-325.

Damasio, A. R. (1994). *Descartes' Error : Emotion, Reason, and the Human Brain.* Kirkwood : Putnam Publishing. Traduction française : *L'erreur de Descartes.* Paris : Odile Jacob, 1997.

Damasio, A. R. (1996). « The somatic marker hypothesis and the possible functions of the prefrontal cortex », *Philosophical Transactions of the Royal Society B : Biological Sciences*, vol. 351, nᵒ 1346, 29 octobre, p. 1413-1420.

Damasio, A. R. (1999). *Le sentiment même de soi.* Paris : Odile Jacob.

Damasio, A. R. (2001). Cité par G. Chapelle, « Les émotions, source de la conscience », *Sciences humaines*, nᵒ 119, août-septembre.

Damasio, A. R. (2003). *Spinoza avait raison.* Paris : Odile Jacob.

Damasio, A. R. (2004). « Emotions and feelings : A neurobiological perspective », dans A. S. R. Manstead, N. H. Frijda et A. H. Fischer (dir.), *Feelings and Emotions : The Amsterdam Symposium.* Cambridge : Cambridge University Press, p. 49-57.

Damasio, H., Grabowski, T., Frank, R., Galaburda, A. M., et Damasio, A. R. (1994). « The return of Phineas Gage : Clues about the brain from the skull of a famous patient », *Science*, vol. 264, p. 1102-1105.

Darwin, Charles R. (1859). *On the Origin of Species by Means of Natural Selection, or the Preservation of Favoured Races in the Struggle for Life*, 1ʳᵉ édition. Londres : John Murray. Traduction française : *L'origine des espèces au moyen de la sélection naturelle, ou La lutte pour l'existence dans la nature.* Paris : C. Reinwald, 1873. En ligne : http://visualiseur.bnf.fr/ark:/12148/bpt6k77233m, consulté le 6 février 2009.

Darwin, Charles R. (1871). *The Descent of Man, and Selection in Relation to Sex*, 1ʳᵉ édition. Londres : John Murray, vol. 1. Traduction française : *La descendance de l'homme et la sélection naturelle.* Paris : C. Reinwald, 1873/1891. En ligne : http://visualiseur.bnf.fr/ark:/12148/bpt6k201302b.

Darwin, Charles R. (1872/2002). *The Expression of Emotions in Man and Animals*, 3ᵉ édition (annotée par Paul Ekman). New York : Oxford University Press. Traduction française : *L'expression des émotions chez l'homme et les animaux*, Paris : C. Reinwald, 1890. En ligne : http://visualiseur.bnf.fr/Visualiseur?Destination=Gallica&O=NUMM-77201, consulté le 6 février 2009.

Dash, P. K., Hochner, B., et Kandel, E. R. (1990). « Injection of the cAMP-responsive element into the nucleus of Aplysia sensory neurons blocks long-term facilitation », *Nature*, vol. 345, p. 718-721.

Davalos, D., Kisley, M., et Ross, R. (2002). « Deficits in auditory and visual temporal perception in schizophrenia », *Cognitive Neuropsychiatry*, vol. 7, p. 273-282.

Davidson, J. R. T. (1997). « Use of benzodiazepines in panic disorder », *Journal of Clinical Psychiatry*, vol. 58, nᵒ 2, suppl., p. 26-28.

Davidson, Richard J., Kabat-Zinn, Jon, Schumacher, Jessica, Rosenkranz, Melissa, Muller, Daniel, Santorelli, Saki F., Urbanowski, Ferris, Harrington, Anne, Bonus, Katherine, et Sheridan, John F. (2003). « Alterations in Brain and Immune Function Produced by Mindfulness Meditation », *Psychosomatic Medicine*, vol. 65, p. 564-570. En ligne : www.psychosomaticmedicine.org.

Davis, S., Butcher, S. P., et Morris, R. G. M. (1992). « The NMDA receptor antagonist D-2-amino-5-phosphonopentanoate (D-AP5) impairs spatial learning and LTP in vivo at intracerebral concentrations comparable to those that block LTP in vitro », *Journal of Neuroscience*, vol. 12, p. 21-34.

De Lacoste, Marie-Christine, Horvath, D. S., et Woodward, D. J. (1991). « Possible Sex Differences in the Developing Human Fetal Brain », *Journal of Clinical and Experimental Neuropsychology*, vol. 13, p. 831-846.

De Raad, B., et Kokkonen, M. (2000). « Traits and Emotions : A Review of their Structure and Management », *European Journal of Personality*, vol. 14, n° 5, p. 477-496.

De Waal, Frans (2006). *Le singe en nous*. Paris : Fayard.

De Waal, Frans (2006-2007). Propos recueillis par Romain Pigeaud, « Le singe, un animal moral », *Les grands dossiers de sciences humaines*, n° 9 (L'origine des sociétés), décembre-janvier-février. En ligne : http://www.scienceshumaines.com/articleprint2.php?lg=fr&id_article=21682.

De Waal, Frans, et Thierry, Bernard (2001). « Les antécédents de la morale chez les singes », dans Pascal Picq et Yves Coppens (dir.), *Aux origines de l'humanité : T. II Le propre de l'homme*. Paris : Fayard.

Deary, Ian J., Spinath, F. M., et Bates, T. C. (2006). « Genetics of intelligence », *European Journal of Human Genetics*, vol. 14, p. 690-700. En ligne : http://www.imaginggenetics.org/PDFs/2006_Deary_EurJHumGenet_GeneticsIQ.pdf.

DeBortoli, M., Tifner, S., et Zanin, L. (2001). « The effect of the human androsterone pheromone on mood in men », *Revista intercontinental de psicologia y educacion*, vol. 3, p. 23-28.

Debray, Quentin, et Nollet, Daniel (2001). *Les personnalités pathologiques : Approche cognitive et thérapeutique*, 3e édition. Paris : Masson.

DeCoteau, T., Hope, D., et Anderson, J. (2003). « Anxiety, Stress, and health in Northern Plains Native Americans », *Behavior Therapy*, vol. 34, n° 3, p. 365-381.

Deese, J. (1959). « On the prediction of occurrence of particular verbal intrusions in immediate recall », *Journal of Experimental Psychology*, vol. 58, p. 17-22.

DeLongis, A., Folkman, S., et Lazarus, R. S. (1988). « The impact of daily stress on health and mood : Psychological and social resources as mediators », *Journal of Personality and Social Psychology*, vol. 54, p. 486-495.

Demarthon, F. (2007). « Anatomie du stress », *Journal du CNRS*, n° 212 (Le stress), septembre. En ligne : http://www2.cnrs.fr/presse/journal/3541.htm, consulté le 21 janvier 2009.

Denollet, J. (1997). « Personality, emotional distress and coronary heart disease », *European Journal of Personality*, vol. 11, p. 343-357.

Deovell, L. Y., Bentin, S., et Soroker, N. (2000). « Electrophysiological evidence for an early (pre-attentive) information processing deficit in patients with right hemisphere damage and unilateral neglect », *Brain*, vol. 123, p. 353-365.

Desjardins, Nicole, D'Amours, Geneviève, Poissant, Julie, et Manseau, Sylvianne (2008). *Avis scientifique sur les interventions efficaces en promotion de la santé mentale et en prévention des troubles mentaux*. Institut national de la santé publique du Québec.

DeValois, R. L., et DeValois, K. K. (1975). « Neural coding of color », dans E. C. Carterette et M. P. Friedman (dir.), *Handbook of Perception*. New York : Academic Press, vol. 5.

Dillon, D. G., et Pizzagalli, D. A. (2007). « Inhibition of action, thought, and emotion : A selective neurobiological review », *Applied and Preventive Psychology*, vol. 12, p. 99-114. En ligne : http://www.wjh.harvard.edu/~daplab/pubs/pdf/Dillon_APP07.pdf, consulté le 24 janvier 2009.

Dobb, E. (1989). « The scents around us », *The Sciences*, vol. 29, novembre-décembre, p. 46-53.

Dobie, R. A. (1987). « Noise-induced hearing loss : The family physician's role », *American Family Physician*, décembre, p. 141-148.

Dodson, C. S., et Shimamura, A. P. (2000). « Differential effects of cue dependency on item and source memory », *Journal of Experimental Psychology : Learning, Memory, and Cognition*, vol. 26, n° 4, juillet, p. 1023-1044.

Dohrenwend, B. (2006). « Inventorying stressful life events as risk factors for psychopathology : Toward resolution of the problem of intracategory variability », *Psychological Bulletin*, vol. 132, p. 477-495.

Domhoff, G. W. (2005). « The content of dreams : Methodologic and theoretical implications », dans M. H. Kryger, T. Roth et W. C. Dement (dir.), *Principles and Practices of Sleep Medicine*, 4e édition. Philadelphie : W. B. Saunders, p. 522-534.

Domjan, M, et Purdy, J. E. (1995). « Animal research in psychology : More than meets the eye of the general psychology student », *American Psychologist*, vol. 50, p. 496-503.

Dortier, J. F. (2007). « Trois théories psychologiques de la perception », *Les grands dossiers de sciences humaines*, n° 7 (Psychologie, l'esprit dévoilé), juin-juillet-août.

Dreikurs, R. (1953). *Fundamentals of Adlerian Psychology*. Chicago : Alfred Adler Institute.

Drevets, W. C., Price, J. L., Simpson, J. R., Jr., Todd, R. D., Reich, T., Vannier, M., et Raichle, M. E. (1997). « Subgenual prefrontal cortex abnormalities in mood disorders », *Nature*, vol. 386, p. 824-827.

Drevets, W., Neugebauer, V., Li, W., Bird, G., et Han, J. (2004). « The amygdala and persistent pain », *Neuroscientist*, vol. 10, p. 221-234.

Druckman, D., et Bjork, R. A. (dir.) (1994). *Learning, Remembering, Believing : Enhancing Human Performance*. Washington, DC : National Academy Press.

Drug Enforcement Administration (2003). National Drug Intelligence Center. « National drug threat assessment/2003 », rapport. En ligne : http:// www.usdoj.gov/ndic/pubs3/3300/pharm.htm, consulté le 22 octobre 2003.

Dubé, Catherine (2007). « Médicaments, la vie en rose, bleu, blanc », *Québec Sciences*, vol. 45, n° 6, p. 42-46.

Duchenne de Boulogne, G.-B. (1862). *Mécanisme de la physionomie humaine*. Paris : Jules Renouard Libraire.

Dumont, M. (1999). « Le travailleur de nuit : Donnez-lui l'heure juste », *Le clinicien*, février, p. 124-137.

Dumont, M. (2003). « Rythmes circadiens et cycle éveil-sommeil », dans G. Labrecque et M. Sirois (dir.), *Chronopharmacologie : Rythmes biologiques et administration des médicaments*, Montréal : Presses de l'Université de Montréal, p. 17-35.

Dumont, M., et Beaulieu, C. (2007). « Light exposure in the natural environment : Relevance to mood and sleep disorders », *Sleep Medicine*, vol. 8 , p. 557-565.

Duranceaux N. C. E., Schuckit M. A., Eng M. Y., Robinson S. K., Carr L. G., Wall T. L. (2006). « Associations of variations in alcohol dehydrogenase genes with the level of response to alcohol in Non-Asians », *Alcoholism : Clinical and Experimental Research*, vol. 30, p. 1470-1478.

Durand, V. Mark, et Barlow, David H. (2007). *Psychopathologie. Une perspective multidimensionnelle*, 3ᵉ édition. Bruxelles : De Boeck, 920 p.

Dyl, J., Kittler, J., Phillips, K., et Hunt, J. (2006). « Body dysmorphic disorder and other clinically significant body image concerns in adolescent psychiatric inpatients : Prevalence and clinical characteristics », *Child Psychiatry and Human Development*, vol. 36.

Eastman, C., Gazda, C., Burgess, H., Crowley, S., et Fogg, L. (2005). « Advancing circadian rhythms before eastward flight : A strategy to prevent or reduce jet lag », *Sleep : Journal of Sleep and Sleep Disorders Research*, vol. 28, p. 33-44.

Easton, C. J., Swann, S., et Sinha, R. (2000). « Prevalence of family violence in clients entering substance abuse treatment », *Journal of Substance Abuse Treatment*, vol. 18, p. 23-28.

Ebbinghaus, H. E. (1913). *Memory*. Oxford, England : Teachers College, Columbia University.

Edwards, B., Atkinson, G., Waterhouse, J., Reilly, T., Godfrey, R., et Budgett, R. (2000). « Use of melatonin in recovery from jet-lag following an eastward flight across 10 time-zones », *Ergonomics*, vol. 43, p. 1501-1513.

Egeth, H. E. (1993). « What do we *not* know about eyewitness identification ? », *American Psychologist*, vol. 48, p. 577-580.

Eichenbaum, H. (1997). « Declarative memory : Insights from cognitive neurobiology », *Annual Review of Psychology*, vol. 48, p. 547-572.

Eichenbaum, H., et Fortin, N. (2003). « Episodic memory and the hippocampus : It's about time », *Current Directions in Psychological Science*, vol. 12, p. 53-57.

Eichenbaum, H., et Otto, T. (1993). « LTP and memory : can we enhance the connection ? », *Trends in Neurosciences*, vol. 16, p. 163.

Ekman, P. (1972). « Universals and cultural differences in facial expression of emotion », dans J. Cole (dir.), *Nebraska Symposium on Motivation*. Lincoln : University of Nebraska Press, vol. 19.

Ekman, P. (1993). « Facial expression and emotion », *American Psychologist*, vol. 48, p. 384-392.

Ekman, P. (1999). « Basic emotions », dans T. Dalgleish et M. Power (dir.), *Handbook of Cognition and Emotion*. Chichester, England : John Wiley, p. 45-60.

Ekman, P. (2002). « Introduction », dans *The Expression of Emotions in Man and Animals*, 3ᵉ édition. New York : Oxford University Press. En ligne : http://www.paulekman.com/pdfs/introduction.pdf, consulté le 8 février 2009.

Ekman, P. (2004). « What we become emotional about », dans A. S. R. Manstead, N. H. Frijda et A. H. Fischer (dir.), *Feelings and Emotions : The Amsterdam Symposium*. Cambridge, UK : Cambridge University Press, p. 119-135.

Ekman, P., et Davidson, R. (1994). « Affective science : A research agenda », dans P. Ekman et R. Davidson (dir.), *The Nature of Emotion : Fundamental Questions*. New York : Oxford University Press, p. 411-430.

Ekman, P., et Friesen, W. V. (1975). *Unmasking the Face : A Guide to Recognizing Emotions from Facial Clues*. Englewood Cliffs, NJ : Prentice-Hall.

Ekman, P., et O'Sullivan, M. (1991). « Who can catch a liar ? », *American Psychologist*, vol. 46, p. 913-920.

Ekman, P., Levenson, R. W., et Friesen, W. V. (1983). « Autonomic nervous system activity distinguishes among emotions », *Science*, vol. 221, p. 1208-1210.

Ekman, P., O'Sullivan, M., et Frank, M. (1999). « A few can catch a liar », *Psychological Science*, vol. 10, p. 263-266.

Elal, G., Altug, A., Slade, P., et Tekcan, A. (2000). « Factor structure of the Eating Attitudes Test (EAT) in a Turkish university sample », *Eating and Weight Disorders : Studies on Anorexia, Bulimia, and Obesity*, vol. 5, p. 46-50.

Elkin, I., Gibbons, R. D., Shea, M. T., Sotsky, S. M., Watkins, J. T., Pikonis, P. A., et Hedeker, D. (1995). « Initial severity and differential treatment outcome in the National Institute of Mental Health Treatment of Depression Collaborative Research Program », *Journal of Consulting and Clinical Psychology*, vol. 63, p. 841-847.

Ellis, A. (2002). « Magnificant Journeys : A Conversation on Mind and Psychology with Aaron T. Beck and Albert Ellis », 110ᵉ Congrès de l'American Psychological Association, Chicago, août, p. 22-25, *Dr Michael Fenichel's Current Topics in Psychology*. En ligne : http://www.fenichel.com/Beck-Ellis2002.shtml

Ellis, A. (2004). « Why I (really) became a therapist », *Journal of Rational-Emotive and Cognitive Behavior Therapy*, vol. 22, p. 73-77.

Epstein, J., Stern, E., et Silbersweig, D. (2001). « Neuropsychiatry at the millennium : The potential for mind/brain integration through emerging interdisciplinary research strategies », *Clinical Neuroscience Research*, vol. 1, p. 10-18.

Epstein, R. (1996). « Capturing creativity », *Psychology Today*, vol. 29, juillet-août, p. 41-43, p. 75-78.

Erdogan, A., Kocabasoglu, N., Yalug, I., Ozbay, G., et Senturk, H. (2004). « Management of marked liver enzyme increase during clozapine treatment : A case report and review of the literature », *International Journal of Psychiatry in Medicine*, vol. 34, p. 83-89.

Estes, W. K. (1994). *Classification and Cognition*. New York : Oxford University Press.

Etcoff, N., Ekman, P., Magee, J., et Frank, M. (2000). « Lie detection and language comprehension », *Nature*, vol. 405, p. 139.

Eustache, F., Desgranges, B., Lambert, J., Belleville, S., Platel, H. (2008). « The twenty-first century as a neuropsychology era », *Revue neurologique (Paris)*, mai, vol. 164, suppl. 3, p. S63-72.

Evans, J., Handley, S., et Harper, C. (2001). « Necessity, possibility and belief : A study of syllogistic reasoning », *The Quarterly Journal of Experimental Psychology A : Human Experimental Psychology*, vol. 54A, p. 935-958.

Evans, S., Huxley, P., Gately, C., Webber, M., Mears, A., Pajak, S., Medina, J., Kendall, T., et Katona, C. (2006). « Mental health, burnout and job satisfaction among mental health social workers in England and Wales », *British Journal of Psychiatry*, vol. 188, p. 75-80.

Everson, S. A., Goldberg, D. E., Kaplan, G. A., Cohen, R. D., Pukkala, E., Tuomilehto, J., et Salonen, J. T. (1996). « Hopelessness and risk of mortality and incidence of myocardial infarction and cancer », *Psychosomatic Medicine*, vol. 58, p. 113-121.

Eysenck, H. J. (1990). « Genetic and environmental contributions to individual differences : The three major dimensions of personality », *Journal of Personality*, vol. 58, p. 245-261.

Falloon, I. R. H. (1988). « Expressed emotion : Current status », *Psychological Medicine*, vol. 18, p. 269-274.

Famighetti, R. (dir.) (1997). *The World Almanac and Book of Facts 1998*. Mahwah, NJ : World Almanac Books.

Farah, M. J. (2000). *The Cognitive Neuroscience of Vision*. Malden, MA : Blackwell Press.

Farde, L. (1996). « The advantage of using positron emission tomography in drug research », *Trends in Neurosciences*, vol. 19, p. 211-214.

Faunce, G. (2002). « Eating disorders and attentional bias : A review », *Eating Disorders : The Journal of Treatment and Prevention*, vol. 10, p. 125-139.

Fehr, B., et Russell, J. A. (1984). « Concept of emotion viewed from a prototype perspective », *Journal of Experimental Psychology : General*, vol. 113, p. 464-486

Feng, J., Spence, I., et Pratt, J. (2007). « Video games, gender differences, and spatial cognition », *Psychological Science*, vol. 18, n° 10.

Fenichel, M. (2006). « Aaron T. Beck in Conversation with Frank Farley », 114e Congrès de l'American Psychological Association, Nouvelle-Orléans, *Dr Michael Fenichel's Current Topics in Psychology*. En ligne : http://www.fenichel.com/Beck2006.shtml, consulté le 22 octobre 2008.

Fenn, K., Nusbaum, H., et Margoliash, D. (2003). « Consolidation during sleep of perceptual learning of spoken language », *Nature*, vol. 425, p. 614-616.

Fenton, W. S., et McGlashan, T. H. (1994). « Antecedents, symptom progression, and long-term outcome of the deficit syndrome in schizophrenia », *American Journal of Psychiatry*, vol. 151, p. 351-356.

Fields, D. (2004). « La moitié oubliée du cerveau », *Pour la science*, n° 323, septembre.

Filipas, H., et Ullman, S. (2006). « Child sexual abuse, coping responses, self-blame, posttraumatic stress disorder, and adult sexual revictimization », *Journal of Interpersonal Violence*, vol. 21, p. 652-672.

Finke, R. A. (1985). « Theories relating mental imagery to perception », *Psychological Bulletin*, vol. 98, p. 236-259.

Fischbach, G. D. (1992). « Mind and brain », *Scientific American*, vol. 267, p. 48-56.

Flavell, J. H. (1992). « Cognitive development : Past, present, and future », *Developmental Psychology*, vol. 28, p. 998-1005.

Fleeson, W. (2004). « Moving personality beyond the person-situation debate : The challenge and the opportunity of within-person variability », *Current Directions in Psychological Science*, vol. 13, p. 83-87.

Fletcher, J. M., Page, B., Francis, D. J., Copeland, K., Naus, M. J., Davis, C. M., Morris, R., Krauskopf, D., et Satz, P. (1996). « Cognitive correlates of long-term cannabis use in Costa Rican men », *Archives of General Psychiatry*, vol. 53, p. 1051-1057.

Foa, E. B. (1995). « How do treatments for obsessive-compulsive disorder compare ? », *Harvard Mental Health Letter*, vol. 12, n° 1, p. 8.

Foley, D. J., Monjan, A. A., Brown, S. L., Simonsick, E. M., Wallace, R. B., et Blazer, D. G. (1995). « Sleep complaints among elderly persons : An epidemiologic study of three communities », *Sleep*, vol. 18, p. 425-432.

Folkman, S. (1984). « Personal control and stress and coping processes : A theoretical analysis », *Journal of Personality and Social Psychology*, vol. 46, p. 839-852.

Folkman, S., et Lazarus, R. S. (1980). « An analysis of coping in a middle-aged community sample », *Journal of Health and Social Behavior*, vol. 21, p. 219-239.

Fossati, Philippe, Radtchenko, A., et Boyer, P. (2004). « Neuroplasticity : From MRI to depressive symptoms », *European Neuropsychopharmacologie*, vol. 14, p. 503-510.

Foulkes, D. (1993). « Cognitive dream theory », dans M. A. Carskadon, *Encyclopedia of Sleep and Dreams*. New York : Macmillan.

Foulkes, D. (1996). « Sleep and dreams : Dream research 1953-1993 », *Sleep*, vol. 19, p. 609-624.

Fourkas, A., Ionta, S., et Aglioti, S. (2006). « Influence of imagined posture and imagery modality on corticospinal excitability », *Behavioural Brain Research*, vol. 168, p. 190-196.

Fournier, Louise, Lemoine, Odette, Poulin, Carole, Poirier, Léo-Roch, Chevalier, Serge, et Lavoie, Jean-Pierre (2002). « Enquête sur la santé des Montréalais. Volume 1 : La santé mentale et les besoins de soins des adultes montréalais », Régie régionale de la santé et des services sociaux de Montréal-Centre.

Fox, E., Lester, V., Russo, R., Bowles, R. J., Pichler, A., et Dutton, K. (2000). « Facial expressions of emotion : Are angry faces detected more efficiently ? », *Cognition and Emotion*, vol. 14, p. 61-92.

Francis, P. (2003). « Glutamatergic systems in Alzheimer's disease », *International Journal of Geriatric Psychiatry*, vol. 18, p. S15-S21.

Franck, Nicolas (2006). *La schizophrénie : La reconnaître et la soigner*. Paris : Éditions Odile Jacob, 209 p.

Frantz, K., Hansson, K., Stouffer, D., et Parsons, L. (2002). « 5-HT-sub-6 receptor antagonism potentiates the behavioral and neurochemical effects of amphetamine but not cocaine », *Neuropharmacology*, vol. 42, p. 170-180.

Frazer, A. (1997). « Antidepressants », *Journal of Clinical Psychiatry*, vol. 58, n° 6, suppl., p. 9-25.

Frazer, N., Larkin, K., et Goodie, J. (2002). « Do behavioral responses mediate or moderate the relation between cardiovascular reactivity to stress and parental history of hypertension ? », *Health Psychology*, vol. 21, p. 244-253.

Fredrikson, M., Annas, P., Fischer, H., et Wik, G. (1996). « Gender and age differences in the prevalence of specific fears and phobias », *Behaviour Research and Therapy*, vol. 34, p. 33-39.

Freeman, W. J. (1991). « The physiology of perception », *Scientific American*, vol. 264, p. 78-85.

Freese, A. S. (1977). *The Miracle of Vision*. New York : Harper and Row.

French, C. C., Fowler, M., McCarthy, K., et Peers, D. (1991). « Belief in astrology : A test of the Barnum effect », *Skeptical Inquirer*, vol. 15, p. 166-172.

Freud, Sigmund (1895/1989). « Sur la critique de la névrose d'angoisse », *Œuvres complètes, III*. Paris : Presses Universitaires de France.

Freud, Sigmund (1905/1987). *Trois essais sur la théorie sexuelle*. Paris : Gallimard.

Freud, Sigmund (1911/1999). « Remarques psychanalytiques sur l'autobiographie d'un cas de paranoïa, le président Schreber », dans *Cinq psychanalyses*. Paris : Presses Universitaires de France,.

Freud, Sigmund (1920/1994). *A General Introduction to Psycho-Analysis*, traduit par J. Riviere. New York : Simon and Schuster.

Freud, Sigmund (1929/1934). « Malaise dans la civilisation », *Revue française de psychanalyse*, Paris, t. VII, n° 4, 1934, et t. XXXIV, n° 1, 1970. En ligne : http://classiques.uqac.ca/classiques/freud_sigmund/malaise_civilisation/malaise_civilisation.pdf.

Freud, Sigmund (1933/1965). *New Introductory Lectures on Psychoanalysis*, traduit par J. Strachey. New York : W. W. Norton.

Freudenberger, H., et Richelson, G. (1981). *Burnout*. New York : Bantam Books.

Friedman, M., et Rosenman, R. H. (1974). *Type A behavior and your Heart*. New York : Fawcett.

Friedrich, M. (2005). « Molecular studies probe bipolar disorder », *Journal of the American Medical Association*, vol. 293, p. 535-536.

Frieswijk, N., Buunk, B., Steverink, N., et Slaets, J. (2004). « The effect of social comparison information on the life satisfaction of frail older persons », *Psychology and Aging*, vol. 19, p. 183-190.

Frijda, Nico H. (1986). *The Emotions*. Cambridge : Cambridge University Press.

Froc, D., et Racine, R. (2005). « Interactions between LTP- and LTD-inducing stimulation in the sensorimotor cortex of the awake freely moving rat », *Journal of Neurophysiology*, vol. 93, p. 548-556.

Gabrieli, J. D. E. (1998). « Cognitive neuroscience of human memory », *Annual Review of Psychology*, vol. 49, p. 87-115.

Gackenbach, J., et Bosveld, J. (1989). « Take control of your dreams », *Psychology Today*, octobre, p. 27-32.

Galton, F. (1864-1865). « Hereditary Character and Talent », publié en deux parties dans *MacMillan's Magazine*, vol. 11, novembre 1864 et avril 1865, p. 157-166, 318-327.

Galton, F. (1869). *Hereditary genius : Its Laws and its Consequences*. Londres : *MacMillan and Co.*

Galton, F. (1883). *Inquiries into Human Faculty and its Development*, 1re édition. Londres : *MacMillan and Co.*

Garavan, H., Morgan, R. E., Levitsky, D. A., Hermer-Vasquez, L., et Strupp, B. J. (2000). « Enduring effects of early lead exposure : Evidence for a specific deficit in associative ability », *Neurotoxicology and Teratology*, vol. 22, p. 151-164.

Garbarino, S., Nobili, L., Beelke, M., DeCarli, F., et Ferrillo, F. (2001). « The contributing role of sleepiness in highway accidents », *Sleep : Journal of Research and Sleep Medicine*, vol. 24, no 2, p. 203-206.

Gardner, Howard (1983). *Frames of Mind : The Theory of Multiple Intelligence*. New York : Basic Books.

Gardner, Howard (2000). Propos recueillis par C. Delacampagne, « Howard Gardner : L'intelligence au pluriel », *La Recherche*, no 337, décembre.

Gates, A. I. (1917). « Recitation as a factor in memorizing », *Archives of Psychology*, vol. 40.

Gauguelin, M. (1982). « Zodiac and personality : An empirical study », *The Skeptical Inquirer*, vol. 6, p. 57-65.

Gawin, F. H. (1991). « Cocaine addiction : Psychology and neurophysiology », *Science*, vol. 251, p. 1580-1586.

Gawronski, B., Alshut, E., Grafe, J., Nespethal, J., Ruhmland, A., et Shultz, L. (2002). « Processes of judging known and unknown persons », *Zeitschrift fuer Sozialpwychologie*, vol. 33, p. 25-34.

Gazzaniga, M. S. (1967). « The split brain in man », *Scientific American*, vol. 217, p. 24-29.

Gazzaniga, M. S. (1970). *The Bisected Brain*. New York : Appleton-Century-Crofts.

Gazzaniga, M. S. (1983). « Right hemisphere language following brain bisection : A 20-year perspective », *American Psychologist*, vol. 38, p. 525-537.

Gazzaniga, M. S. (1989). « Organization of the human brain », *Science*, vol. 245, p. 947-952.

Gazzaniga, M. S. (1998). *The Mind's Past*. Berkeley : University of California Press.

Gazzaniga, M. S., et Hutsler, J. J. (1999). « Hemispheric specialization », dans R. A. Wilson et F. C. Keil, *The MIT Encyclopedia of the Cognitive Sciences*. Cambridge, MA : MIT Press, p. 367-370.

Geen, R. G. (1984). « Human motivation : New perspectives on old problems », dans A. M. Rogers et C. J. Scheier (dir.), *The G. Stanley Hall Lecture Series*. Washington, DC : American Psychological Association, vol. 4.

Geiselman, R. E., Schroppel, T., Tubridy, A., Konishi, T., et Rodriguez, V. (2000). « Objectivity bias in eye witness performance », *Applied Cognitive Psychology*, vol. 14, p. 323-332.

Gendron, Catherine, Bussière, Sylvain, et Joyal, Christian C. (2008). « Neuropsychologie et schizophrénie : Une mise à jour des connaissances », *Revue québécoise de psychologie*, vol. 29, no 1.

German, T., et Barrett, H. (2005). « Functional fixedness in a technologically sparse culture », *Psychological Science*, vol. 16, p. 1-5.

Gerrits, M., Petromilli, P., Westenberg, H., Di Chiara, G., et van Ree, J. (2002). « Decrease in basal dopamine levels in the nucleus accumbens shell during daily drug-seeking behavior in rats », *Brain Research*, vol. 924, p. 141-150.

Geschwind, N. (1979). « Specializations of the human brain », *Science*, vol. 241, p. 180-199.

Gevins, A., Leong, H., Smith, M. E., Le, J., et Du, R. (1995). « Mapping cognitive brain function with modern high-resolution electroencephalography », *Trends in Neurosciences*, vol. 18, p. 429-436.

Gibson, J. J. (1979). *The Ecological Approach to Visual Perception*. Boston : Houghton Mifflin Company.

Giedd, J. N., Rapoport, J. L., Garvey, M. A., Perlmutter, S., et Swedo, S. E. (2000). « MRI assessment of children with obsessive-compulsive disorder or tics associated with streptococcal infection », *American Journal of Psychiatry*, vol. 157, p. 2281-2283.

Gilbert, D. (2006). *Stumbling on Happiness*. New York : Alfred A. Knopf.

Ginzburg, K., Solomon, Z., et Bleich, A. (2002). « Repressive coping style, acute stress disorder, and post-traumatic stress disorder after mycardial infarction », *Journal of the American Psychosomatic Society*, vol. 64, p. 748-757.

Giraud, A., Price, C., Graham, J., et Frackowisk, R. (2001). « Functional plasticity of language-related brain areas after cochlear implantation », *Neuropsychopharmacology*, vol. 124, p. 1307-1316.

Glantz, L. A., et Lewis, D. A. (2000). « Decreased dendritic spine density on prefrontal cortical pyramidal neurons in schizophrenia », *Archives of General Psychiatry*, vol. 57, p. 65-73.

Glanzer, M., et Cunitz, A. R. (1966). « Two storage mechanisms in free recall », *Journal of Verbal Learning and Verbal Behavior*, vol. 5, p. 351-360.

Glazer, W. M., Morgenstern, H., et Doucette, J. T. (1993). « Predicting the long-term risk of tardive dyskinesia in outpatients maintained on neuroleptic medications », *Journal of Clinical Psychiatry*, vol. 54, p. 133-139.

Gluck, M. A., et Myers, C. E. (1997). « Psychobiological models of hippocampal function in learning and memory », *Annual Review of Psychology*, vol. 48, p. 481-514.

Gluss, Howard, M., et Smith, Scott E. (2005). *Psychologie des personnages : Comment le cinéma et la télévision utilisent les troubles de la personnalité*. Paris : Éditions Dixit, 239 p.

Godden, D. R., et Baddeley, A. D. (1975). « Context-dependent memory in two natural environments : On land and underwater », *British Journal of Psychology*, vol. 66, p. 325-331.

Goebel, B. L., et Brown, D. R. (1981). « Age differences in motivation related to Maslow's need hierarchy », *Developmental Psychology*, vol. 17, p. 809-815.

Gokcebay, N., Cooper, R., Williams, R. I., Hirshkowitz, M., Moore, C. A. (1994). « Function of sleep », dans R. Cooper (dir.), *Sleep*. London : Chapman and Hall Medica, p. 47-59.

Gold, M. S. (1994). « The epidemiology, attitudes, and pharmacology of LSD use in the 1990s », *Psychiatric Annals*, vol. 24, p. 124-126.

Goldberg, J. (1988). *Anatomy of a Scientific Discovery*. New York : Bantam.

Goldberg, L. (1993). « The structure of phenotypic personality traits », *American Psychologist*, vol. 48, p. 26-34.

Goleman, D. (1995). *Emotional Intelligence*. New York : Bantam.

Goleman, D., Kaufman, P., et Ray, M. (1992). *The Creative Spirit*. New York : Dutton.

Gonsalves, B., Reber, P., Gitelman, D., Parrish, T., Mesulam, M., et Paller, K. (2004). « Neural evidence that vivid imagining can lead to false remembering », *Psychological Science*, vol. 15, p. 655-660.

Goodglass, H. (1993). *Understanding Aphasia*. San Diego, CA : Academic Press.

Gordon, H. (2002). « Early environmental stress and biological vulnerability to drug abuse », *Psychoneuroendocrinology*, vol. 27, p. 115-126.

Gormezano, I. (1984). « The study of associative learning with CS-CR paradigms », dans D. L. Alkon et J. Farley (dir.), *Primary Neural Substrates of Learning and Behavioral Change*. New York : Cambridge University Press, p. 5-24.

Gotlib, Ian H., et Hammen, Constance L. (2002). *Handbook of Depression*. New York : The Guilford Press, 624 p.

Gottesman, I. I. (1991). *Schizophrenia Genesis : The Origins of Madness*. New York : W. H. Freeman.

Gottesmann, C. (2000). « Hypothesis for the neurophysiology of dreaming », *Sleep Research Online*, vol. 3, p. 1-4.

Gould, E. R., Reeves, A. J., Graziano, M. S. A., et Gross, C. (1999). « Neurogenesis in the neocortex of adult primates », *Science*, vol. 286, p. 548.

Goulet, Claude (2003). « Lexique de psychologie », *Pl@nète Psy*. En ligne : http://www.collegeahuntsic.qc.ca/Pagesdept/Sc_Sociales/psy/introsite/lexique/lexique.htm, consulté le 3 mars 2009.

Gow, A., Whiteman, M., Pattie, A., et Deary, I. (2005). « Goldberg's IPIP Big-Five factor markers : Internal consistency and concurrent validation in Scotland », *Personality and Individual Differences*, vol. 39, p. 317-329.

Graham, K. S., Simons, J. S., Pratt, K. H., Patterson, K., et Hodges, J. R. (2000). « Insights from semantic dementia on the relationship between episodic and semantic memory », *Neuropsychologia*, vol. 38, p. 313-324.

Graham, S. (1992). « "Most of the subjects were white and middle class" : Trends in published research on African Americans in selected APA journals, 1970-1989 », *American Psychologist*, vol. 47, p. 629-639.

Granic, I., et Patterson, G. (2006). « Toward a comprehensive model of antisocial development : A dynamic systems approach », *Psychological Review*, vol. 113, p. 101-131.

Grant, D., et Harari, E. (2005). « Psychoanalysis, science and the seductive theory of Karl Popper », *Australian and New Zealand Journal of Psychiatry*, vol. 39, p. 446-452.

Greden, J. F. (1994). « Introduction Part III : New agents for the treatment of depression », *Journal of Clinical Psychiatry*, vol. 55, n° 2, suppl., p. 32-33.

Green, J. P., et Lynn, S. J. (2000). « Hypnosis and suggestion-based approaches to smoking cessation : An examination of the evidence », *International Journal of Clinical Experimental Hypnosis*, vol. 48, p. 195-224.

Greenwald, A. (1992). « New look 3 : Unconscious cognition reclaimed », *American Psychologist*, vol. 47, p. 766-779.

Greenwald, A., Spangenberg, E., Pratkanis, A., et Eskenazi, J. (1991). « Double-blind tests of subliminal self-help audiotapes », *Psychological Science*, vol. 2, p. 119-122.

Greist, J. H. (1995). « The diagnosis of social phobia », *Journal of Clinical Psychiatry*, vol. 56, n° 5, suppl., p. 5-12.

Grigorenko, E., Jarvin, L., et Sternberg, R. (2002). « School-based tests of the triarchic theory of intelligence : Three settings, three samples, three syllabi », *Contemporary Educational Psychology*, vol. 27, p. 167-208.

Grigorenko, E., Meier, E., Lipka, J., Mohatt, G., Yanez, E., et Sternberg, R. (2004). « Academic and practical intelligence : A case study of the Yup'ik in Alaska », *Learning and Individual Differences*, vol. 14, p. 183-207.

Grossman, H. J. (dir.) (1983). *Manual on Terminology and Classification in Mental Retardation*. Washington, DC : American Association on Mental Deficiency.

Grossman, J., et Ruiz, P. (2004). « Shall we make a leap-of-faith to disulfiram (Antabuse) ? », *Addictive Disorders and Their Treatment*, vol. 3, p. 129-132.

Grouios, G., Sakadami, N., Poderi, A., et Alevriadou, A. (1999). « Excess of non-right handedness among individuals with intellectual disability : Experimental evidence and possible explanations », *Journal of Intellectual Disability Research*, vol. 43, p. 306-313.

Grünbaum, A. (2006). « Is Sigmund Freud's psychoanalytic edifice relevant to the 21st century ? », *Psychoanalytic Psychology*, vol. 23, p. 257-284.

Guangyuan, S. (2005). « A follow-up study on the effect of attributional training for achievement motivation », *Psychological Science (China)*, vol. 28, p. 52-55.

Guenole, N., et Chernyshenko, O. (2005). « The suitability of Goldberg's Big Five IPIP personality markers in New Zealand : A dimensionality, bias, and criterion validity evaluation », *New Zealand Journal of Psychology*, vol. 34, p. 86-96.

Guilford, J. P. (1967). *The Nature of Human Intelligence*. New York : McGraw-Hill.

Guilleminault, C. (1993). « Amphetamines and narcolepsy : Use of the Stanford database », *Sleep*, vol. 16, p. 199-201.

Habel, U., Kuehn, E., Salloum, J., Devos, H., et Schneider, F. (2002). « Emotional processing in psychopathic personality », *Aggressive Behavior*, vol. 28, p. 394-400.

Haber, R. N. (1980). « Eidetic images are not just imaginary », *Psychology Today*, novemvre, p. 72-82.

Haberlandt, D. (1997). *Cognitive Psychology*, 2e édition. Boston : Allyn and Bacon.

Halama, P., et Strízenec, M. (2004). « Spiritual, existential or both ? Theoretical considerations on the nature of "higher" intelligences », *Studia Psychologica*, vol. 46, p. 239-253.

Halligan, P. W., et Marshall, J. C. (1994). « Toward a principled explanation of unilateral neglect », *Cognitive Neuropsychology*, vol. 11, p. 167-206.

Ham, P. (2003). « Suicide risk not increased with SSRI and antidepressants », *Journal of Family Practice*, vol. 52, p. 587-589.

Hamilton, C. S., et Swedo, S. E. (2001). « Autoimmune-mediated, childhood onset obsessive-compulsive disorder and tics : A review », *Clinical Neuroscience Research*, vol. 1, p. 61-68.

Hammond, D. C. (1992). « Hypnosis with sexual disorders », *American Journal of Preventive Psychiatry and Neurology*, vol. 3, p. 37-41.

Hampson, S., Goldberg, L., Vogt, T., et Dubanoski, J. (2006). « Forty years on : Teachers' assessments of children's personality traits predict self-reported health behaviors and outcomes at midlife », *Health Psychology*, vol. 25, p. 57-64.

Hancock, P., et Ganey, H. (2003). « From the inverted-u to the extended-u : The evolution of a law of psychology », *Journal of Human Performance in Extreme Environments*, vol. 7, p. 5-14.

Hanoch, Y., et Vitouch, O. (2004). « When less is more : Information, emotional arousal and the ecological reframing of the Yerkes-Dodson law », *Theory and Psychology*, vol. 14, p. 427-452.

Hansenne, Michel (2006). *Psychologie de la personnalité*. Bruxelles : De Boeck, 346 p.

Hare, R. D. (1995). « Psychopaths : New trends in research », *Harvard Mental Health Letter*, vol. 12, n° 3, septembre, p. 4-5.

Harms, P., Roberts, B., et Winter, D. (2006). « Becoming the Harvard Man : Person-environment fit, personality development, and academic success », *Personality and Social Psychology Bulletin*, vol. 32, p. 851-865.

Harris, E. C., et Barraclough, B. (1997). « Suicide as an outcome for mental disorders : A meta-analysis », *British Journal of Psychiatry*, vol. 170, n° 3, p. 205-228.

Harris, R. A., Brodie, M. S., et Dunwiddie, T. V. (1992). « Possible substrates of ethanol reinforcement : GABA and dopamine », *Annals of the New York Academy of Sciences*, vol. 654, p. 61-69.

Harrison, Y. (2004). « The relationship between daytime exposure to light and night-time sleep in 6-12-week-old infants », *Journal of Sleep Research*, vol. 13, n° 3, p. 45-52.

Harrison, Y., et Horne, J. A. (2000). « The impact of sleep deprivation on decision making : A review », *Journal of Experimental Psychology : Applied*, vol. 6, n° 3, p. 236-249.

Harro, J. et Vasar, E. (1991). « Cholecystokinin-induced anxiety : How is it reflected in studies on exploratory behavior », *Neuroscience and Biobehavioural Reviews*, vol. 15, p. 473-477.

Harter, S. (1990). « Processes underlying adolescent self-concept formation », dans R. Montemayor, G. R. Adams et T. P. Gullotta (dir.), *From Childhood to Adolescence : A Transitional Period ?* Newbury Park, CA : Sage, p. 205-239.

Hartmann, E. L. (1973). *The Functions of Sleep*. New Haven : Yale University Press.

Hatashita-Wong, M., Smith, T., Silverstein, S., Hull, J., et Willson, D. (2002). « Cognitive functioning and social problemsolving skills in schizophrenia », *Cognitive Neuropsychiatry*, vol. 7, p. 81-95.

Hattrup, K., O'Connell, M., et Labrador, J. (2005). « Incremental validity of locus of control after controlling for cognitive ability and conscientiousness », *Journal of Business and Psychology*, vol. 19, p. 461-481.

Hauser, M. D. (1993). « Right hemisphere dominance for the production of facial expression in monkeys », *Science*, vol. 261, p. 475-477.

Hawkins, J. D., Catalano, R. F., et Miller, J. Y. (1992). « Risk and protective factors for alcohol and other drug problems in adolescence and early adulthood : Implications for substance abuse prevention », *Psychological Bulletin*, vol. 112, p. 64-105.

He, Y., Colantonio, A., et Marshall, V. (2003). « Later-life career disruption and self-rated health : An analysis of General Social Survey data », *Canadian Journal on Aging*, vol. 22, p. 45-57.

Hebb, D. O. (1949). *The Organization of Behavior*. New York : John Wiley and Sons.

Hébert, S., Béland, R., Dionne-Fournelle, O., Crête, M., et Lupien, S. (2005). « Physiological stress response to videogame playing : The contribution of built-in music », *Life Sciences*, vol. 76, p. 2371-2380.

Hellige, J. B. (1990). « Hemispheric asymmetry », *Annual Review of Psychology*, vol. 41, p. 55-80.

Hellige, J. B. (1993). *Hemispheric Asymmetry : What's Right and What's Left*. Cambridge, MA : Harvard University Press.

Hellige, J. B., Bloch, M. I., Cowin, E. L., Eng, T. L. Eviatar, Z., et Sergent, V. (1994). « Individual variation in hemispheric asymmetry : Multitask study of effects related to handedness and sex », *Journal of Experimental Psychology : General*, vol. 123, p. 235-256.

Hendler, N. H., et Fenton, J. A. (1979). *Coping with Pain*. New York : Clarkson N. Potter.

Hennessey, B. A., et Amabile, T. M. (1988). « The conditions of creativity », dans R. J. Sternberg (dir.), *The Nature of Creativity : Contemporary Psychological Perspectives*. New York : Cambridge University Press.

Henningfield, J. E., et Ator, N. A. (1986). *Barbiturates : Sleeping Potion or Intoxicant ?* New York : Chelsea House.

Henry L. Minton (1998). Introduction dans « The uses of intelligence tests » de Lewis M. Terman, *Classics in the History of Psychology*. Boston : Houghton Mifflin, 1916. En ligne : http://psychclassics.yorku.ca/Terman/intro.htm, consulté le 6 février 2009.

Henson, R., Shallice, T., Gorno-Tempinin, M., et Dolan, R. (2002). « Face repetition effects in implicit and explicit memory as measured by fMRI », *Cerebral Cortex*, vol. 12, p. 178-186.

Hergenhahn, B. R., et Olson, Matthew H. (2007). *Theories of Personality*, 7e édition. New Jersey : Person Prentice Hall.

Hering, E. (1878/1964). *Handbuch der gesamten Augenheilkunde. Grundzüge der Lehre vom Lichtsinn*, Berlin, 1905.

Herkenham, M. (1992). « Cannabinoid receptor localization in brain : Relationship to motor and reward systems », *Annals of the New York Academy of Sciences*, vol. 654, p. 19-32.

Hernandez, S., Camacho-Rosales, J., Nieto, A., et Barroso, J. (1997). « Cerebral asymmetry and reading performance : Effect of language lateralization and hand preference », *Child Neuropsychology*, vol. 3, p. 206-225.

Herness, S. (2000). « Coding in taste receptor cells : The early years of intracellular recordings », *Physiology and Behavior*, vol. 69, p. 17-27.

Herrnstein, R. J., et Murray, C. (1994). *The Bell Curve : Intelligence and Class Structure in American Life*. New York : Free Press.

Hespos, S., et Baillargeon, R. (2006). « Décalage in infants' knowledge about occlusion and containment events : Converging evidence from action tasks », *Cognition*, vol. 99, p. B31-B41.

Hess, E. H. (1961). « Shadows and depth perception », *Scientific American*, vol. 204, p. 138-148.

Hess, E. H. (1965). « Attitude and pupil size », *Scientific American*, vol. 212, p. 46-54.

Heyman, G., Gee, C., et Giles, J. (2003). « Preschool children's reasoning about ability », *Child Development*, vol. 74, p. 516-534.

Hilgard, E. R. (1975). « Hypnosis », *Annual Review of Psychology*, vol. 26, p. 19-44.

Hilgard, E. R. (1986). *Divided Consciousness : Multiple Controls in Human Thought and Action*. New York : Wiley.

Hilgard, E. R. (1992). « Dissociation and theories of hypnosis », dans E. Fromm et M. R. Nash (dir.), *Contemporary Hypnosis Research*. New York : Guilford.

Hillebrand, J. (2000). « New perspectives on the manipulation of opiate urges and the assessment of cognitive effort associated with opiate urges », *Addictive Behaviors*, vol. 25, p. 139-143.

Hilliker, N. A., Muehlback, M. J., Schweitzer, P. K., et Walsh, J. K. (1992). « Sleepiness/alertness on a simulated night shift schedule and mornongness=eveningness tendancy », *Sleep*, vol. 15, p. 430-433.

Hobson, C., et Delunas, L. (2001). « National norms and lifeevent frequencies for the revised Social Readjustment Rating Scale », *International Journal of Stress Management*, vol. 8, p. 299-314.

Hobson, J. A. (1989). *Sleep*. New York : Scientific American Library.

Hobson, J. A., et McCarley, R. W. (1977). « The brain as a dream state generator : An activation-synthesis hypothesis of the dream process », *American Journal of Psychiatry*, vol. 134, p. 1335-1348.

Hodges, J. R., Graham, N., et Patterson, K. (1995). « Charting the progression in semantic dementia : Implications for the organisation of semantic memory », *Memory*, vol. 3, p. 463-495.

Hoenig, K., et Scheef, L. (2005). « Mediotemporal contributions to semantic processing : fMRI evidence from ambiguity processing during semantic context verification », *Hippocampus*, vol. 15, p. 597-609.

Hofstede, G. (1980). *Culture's Consequences : International Differences in Work-Related Values*. Beverly Hills, CA : Sage.

Hofstede, G. (1983). « Dimensions of national cultures in fifty countries and three regions », dans J. Deregowski, S. Dzuirawiec, and R. Annis (dir.), *Explications in Cross-Cultural Psychology*. Lisse : Swets and Zeitlinger.

Hogan, E., et McReynolds, C. (2004). « An overview of anorexia nervosa, bulimia nervosa, and binge eating disorders : Implications for rehabilitation professionals », *Journal of Applied Rehabilitation Counseling*, vol. 35, p. 26-34.

Holahan, C. J., et Moos, R. H. (1994). « Life stressors and mental health : Advances in conceptualizing stress resistance », dans W. R. Avison et I. H. Gotlib (dir.), *Stress and Mental Health : Contemporary Issues and Prospects for the Future*. New York : Plenum Press, p. 213-238.

Hollan, S., Stewart, M., et Strunk, D. (2006). « Enduring effects for cognitive therapy in the treatment of depression and anxiety », *Annual Review of Psychology*, vol. 57, p. 285-316.

Hollon, S., Thase, M., et Markowitz, J. (2002). « Treatment and prevention of depression », *Psychological Science in the Public Interest*, vol. 3, p. 39-77.

Holmes, T. H., et Rahe, R. H. (1967). « The social readjustment rating scale », *Journal of Psychosomatic Research*, vol. 11, p. 213-218.

Holt-Lunstad, J., Uchino, B., Smith, T., Olson-Cerny, C., et Nealey-Moore, J. (2003). « Social relationships and ambulatory blood pressure : Structural and qualitative predictors of cardiovascular function during everyday social interactions », *Health Psychology*, vol. 22, p. 388-397.

Hooten, W., Wolter, T., Ames, S., Hurt, R., Viciers, K., Offord, K., et Hays, J. (2005). « Personality correlates related to tobacco abstinence following treatment », *International Journal of Psychiatry in Medicine*, vol. 35, p. 59-74.

Horne, J. (1992). « Annotation : Sleep and its disorders in children », *Journal of Child Psychology and Psychiatry*, vol. 33, p. 473-487.

Horney, K. (1937). *The Neurotic Personality of our Time*. New York : W. W. Norton.

Horney, K. (1939). *New Ways in Psychoanalysis*. New York : W. W. Norton.

Horney, K. (1945). *Our Inner Conflicts*. New York : W. W. Norton.

Horney, K. (1950). *Neurosis and Human Growth*. New York : W. W. Norton.

Horney, K. (1967). *Feminine Psychology*. New York : W. W. Norton.

Horstmann, G. (2003). « What do facial expressions convey : Feeling states, behavioral intentions, or action requests ? », *Emotion*, vol. 3, p. 150-166.

Horvitz, L. A. (1997). « Aromachologists nose out the secret powers of smell », *Insight on the News*, vol. 13, 10 novembre, p. 36-37.

Houle, M. (2000). « Ecstasy : Drogue du millénaire ? », *Action Tox*, vol. 1, n° 1.

Houston, K., Hawton, K., et Shepperd, R. (2001). « Suicide in young people aged 15-24 : A psychological autopsy study », *Journal of Affective Disorder*, vol. 63, p. 159-170.

Houzel, D. (2004). « The psychoanalysis of infantile autism », *Journal of Child Psychotherapy*, vol. 30, p. 225-237.

Howard, A. D., Feighner, S. D., Cully, D. F., Arena, J. P., Liberator, P. A., Rosenblum, C. L., et autres (1996). « A receptor in pituitary and hypothalamus that functions in growth hormone release », *Science*, vol. 273, p. 974-977.

Howard, M. (2002). « When does semantic similarity help episodic retrieval ? », *Journal of Memory and Language*, vol. 46, p. 85-98.

Hrushesky, W. J. M. (1994). « Timing is everything », *The Sciences*, juillet-août, p. 32-37.

Huesman, L., Moise-Titus, J., Podolski, C., et Eron, L. (2003). « Longitudinal relations between children's exposure to television violence and their aggressive and violent behavior in young adulthood », *Developmental Psychology*, vol. 39, p. 201-221

Hull, C. L. (1943). *Principles of Behavior : An Introduction to Behavior Theory*. New York : Appleton-Century-Crofts.

Hurvich, L. M., et Jameson, D. (1957). « An opponent process theory of color vision », *Psychological Review*, vol. 64, p. 384-404.

Huttenlocher, P. (1994). « Synaptogenesis, synapse elimination, and neural plasticity in human cerebral cortex », dans C. Nelson (dir.), *The Minnesota Symposia on Child Psychology*. Hillsdale, NJ : Erlbaum, vol. 27, p. 35-54.

Inoue, S., et Matsuzawa T. (2007). « Working memory of numerals in chimpanzees », *Current Biology*, vol. 17, n° 23.

Insel, T. R. (1990). « Phenomenology of obsessive compulsive disorder », *Journal of Clinical Psychiatry*, vol. 51, n° 2, suppl., p. 4-8.

INSERM (Institut national de la santé et de la recherche médicale) (2004). « Psychothérapies : trois approches évaluées ». En ligne : http://ist.inserm.fr/basisrapports/psycho.html.

Institut de la statistique du Québec (2002). *Étude longitudinale du développement des enfants du Québec (ÉLDEQ 1998-2002) de la naissance à 29 mois - Le sommeil : évolution et facteurs associés*, vol. 2, n° 4. En ligne : http://www.stat.gouv.qc.ca/publications /sante/pdf/BebeV2No4.pdf, consulté le 10 novembre 2008.

Instituts de recherche en santé du Canada, Conseil de recherches en sciences naturelles et en génie du Canada, Conseil de recherches en sciences humaines du Canada (1998, avec les modifications de 2000, 2002 et 2005). « Énoncé de politique des trois Conseils : Éthique de la recherche avec des êtres humains ». En ligne : http://www.pre.ethics.gc.ca/francais/pdf/TCPS octobre 2005_F.pdf, consulté le 31 août 2008.

Isaksson, K., Johansson, G., Bellaagh, K., et Sjöberg, A. (2004). «Work values among the unemployed: Changes over time and some gender differences», *Scandinavian Journal of Psychology*, vol. 45, p. 207-214.

Ishii, K., Reyes, J., et Kitayama, S. (2003). «Spontaneous attention to word content versus emotional tone: Differences among three cultures», *Psychological Science*, vol. 14, p. 39-46.

Izard, C. E. (1971). *The Face of Emotion*. East Norwalk, CT: Appleton-Century-Crofts.

Izard, C. E. (1993). «Four systems for emotion activation: Cognitive and noncognitive processes», *Psychological Review*, vol. 100, p. 68-90.

Jacobs, G. H. (1993). «The distribution and nature of colour vision among the mammals», *Biological Review*, vol. 68, p. 413-471.

Jacquard, A. (1978). *Éloge de la différence: la génétique et les hommes*. Paris: Le Seuil.

James W. (1884). «What is an emotion?», *Mind*, vol. 9, p. 188-205. En ligne: http://psychclassics.yorku.ca/James/emotion.htm, consulté le 7 février 2009.

James, W. (1890). *The Principles of Psychology*. New York: Henry Holt and Company, 2 vol. En ligne: http://psychclassics.yorku.ca/James/Principles/index.htm, consulté le 7 février 2009.

Janisse, M. P., et Peavler, W. S. (1974). «Pupillary research today: Emotion in the eye», *Psychology Today*, février, p. 60-63.

Jelalian. E., Alday, S., Spirito, A., Rasile, D., et Nobile, C. (2000). «Adolescent motor vehicle crashes: The relationship between behavioral factors and self-reported injury», *Journal of Adolescent Health*, vol. 27, p. 84-93.

Jelicic, M., et Bonke, B. (2001). «Memory impairments following chronic stress? A critical review», *European Journal of Psychiatry*, vol. 15, p. 225-232.

Jing, L. (2004). «Neural correlates of insight», *Acta Psychologica Sinica*, vol. 36, p. 219-234.

Johnson, A., Vernon, P., Harris, J., et Jang, K. (2004). «A behavior genetic investigation of the relationship between leadership and personality», *Twin Research*, vol. 7, p. 27-32.

Johnson, J., Simmons, C., Trawalter, S., Ferguson, T., et Reed, W. (2003). «Variation in black anti-white bias and target distancing cues: Factors that influence perceptions of "ambiguously racist" behavior», *Personality and Social Psychology Bulletin*, vol. 29, p. 609-622.

Johnson, L. A. (1996). «Eye witness: New ATM technology identifies a customer by the iris», *St. Louis Post-Dispatch*, 5 juin, p. C5.

Johnson, M. P., Duffy, J. F., Dijk, D.-J., Ronda, J. M., Dyal, C. M., et Czeisler, C. A. (1992). «Short-term memory, alertness and performance: A reappraisal of their relationship to body temperature», *Journal of Sleep Research*, vol. 1, p. 24-29.

Johnson, S. C. (2000). «The recognition of mentalistic agents in infancy», *Trends in Cognitive Sciences*, vol. 4, p. 22-28.

Johnson, W. G., Tsoh, J. Y., et Varnado, P. J. (1996). «Eating disorders: Efficacy of psychopharmacological and psychological interventions», *Clinical Psychological Review*, vol. 16, p. 457-478.

Johnson-Laird, P. (2001). «Mental models and deduction», *Trends in Cognitive Sciences*, vol. 5, p. 434-442.

Johnston, L. E., O'Malley, P. M., et Bachman, J. G. (1997). *National Survey Results on Drug Use from the Monitoring the Future Study, 1975-1996/97: Vol. 1. Secondary School Students*. The University of Michigan Institute for Social Research; National Institute on Drug Abuse, Rockville; USDHHS, Public Health Service, National Institutes of Health.

Jonas, J. M., et Cohon, M. S. (1993). «A comparison of the safety and efficacy of alprazolam versus other agents in the treatment of anxiety, panic, and depression: A review of the literature», *Journal of Clinical Psychiatry*, vol. 54, n° 10, suppl., p. 25-45.

Jones, H. E., Herning, R. I., Cadet, J. L., et Griffiths, R. R. (2000). «Caffeine withdrawal increases cerebral blood flow velocity and alters quantitative electroencephalography (EEG) activity», *Psychopharmacology*, vol. 147, p. 371-377.

Jones, M. C. (1924). «A laboratory study of fear: The case of Peter», *Pedagogical Seminary*, vol. 31, p. 308-315

Joyce, P., Mulder, R., Luty, S., McKenzie, J., Sullivan, P., et Cloninger, R. (2003). «Borderline personality disorder in major depression: Symptomatology, temperament, character, differential drug response, and 6-month outcome», *Comprehensive Psychiatry*, vol. 44, p. 35-43.

Judd, L. L., Akiskal, H. S., Zeller, P. J., Paulus, M., Leon, A. C., Maser, J. D., Endicott, J., Coryell, W., Kunovac, J. L., Mueller, T. I., Rice, J. P., et Keller, M. B. (2000). «Psychosocial disability during the long-term course of unipolar major depressive disorder», *Archives of General Psychiatry*, vol. 57, p. 375-380.

Juengling, F., Schmahl, C., Heblinger, B., Ebert, D., Bremner, J., Gostomzyk, J., Bohus, M., et Lieb, K. (2003). «Positron emission tomography in female patients with borderline personality disorder», *Journal of Psychiatric Research*, vol. 37, p. 109-115.

Julien, R. M. (1995). *A Primer of Drug Action*, 7e édition. New York: W. H. Freeman.

Jung, C. G. (1933). *Modern Man in Search of a Soul*. New York: Harcourt Brace Jovanovich.

Jung, C. G. (1961). *Memories, Dreams, Reflections*, traduit par R. Winston et C. Winston. New York: Random House.

Kagan, Jerome (1998). «A Parent's Influence Is Peerless, Harvard Education Letter», novembre-décembre. En ligne: http://www.edletter.org/past/issues/1998-nd/parents.shtml, consulté le 3 mars 2009.

Kahneman, D., et Tversky, A. (1984). «Choices, values, and frames», *American Psychologist*, vol. 39, p. 341-350.

Kalb, C. (1997). «Our embattled ears: Hearing loss once seemed a normal part of aging, but experts now agree that much of it is preventable: How to protect yourself», *Newsweek*, vol. 130, 25 août, p. 75-76.

Kalidindi, S., et McGuffin, P. (2003). «The genetics of affective disorders: Present and future», dans R. Plomin, J. Defries, I. Craig et P. McGuffin (dir.), *Behavioral Genetics in the Postgenomic Era*. Washington, DC: American Psychological Association, p. 481-502.

Kalish, H. I. (1981). *From Behavioral Science to Behavior Modification*. New York: McGraw-Hill.

Kanaya, Y., Nakamura, C., and Miyake, D. (1989). «Cross-cultural study of expressive behavior of mothers in response to their five-month-old infants' different emotion expression», *Research and Clinical Center for Child Development Annual Report*, vol. 11, p. 25-31.

Kandel, E. R., Castellucci, V. F., Goelet, P., et Schacher, S. (1987). «1987 cell-biological interrelationships between short-term and long-term memory», *Research Publications–Association for Research in Nervous and Mental Disease*, vol. 65, p. 111-132.

Kane, J. M. (1996). «Treatment-resistant schizophrenic patients», *Journal of Clinical Psychiatry*, vol. 57, n° 9, suppl., p. 35-40.

Kanner, A. D., Coyne, J. C., Schaefer, C., et Lazarus, R. S. (1981). «Comparison of two modes of stress measurement: Daily hassles and uplifts versus major life events», *Journal of Behavioral Medicine*, vol. 4, p. 1-39.

Kappas, Arvid (2006). « Appraisals are direct, immediate, intuitive, and unwitting and some are reflective », *Cognition and Emotion*, vol. 20, n° 7, novembre, p. 952-975.

Karacan, I. (1988). « Parasomnias », dans R. L. Williams, I. Karacan et C. A. Moore (dir.), *Sleep Disorders: Diagnosis and Treatment*. New York: John Wiley, p. 131-144.

Katz, E., Robles-Sotelo, E., Correia, C., Silverman, K., Stitzer, M., et Bigelow, G. (2002). « The brief abstinence test: Effects of continued incentive availability on cocaine abstinence », *Experimental and Clinical Psychophramacology*, vol. 10, p. 10-17.

Katzenberg, D., Young, T., Finn, L., Lin, L., King, D. P., Takahashi, J. S., et Mignot, E. (1998). « A clock polymorphism associated with human diurnal preference », *Sleep*, vol. 21, p. 569-576.

Keefauver, S. P., et Guilleminault, C. (1994). « Sleep terrors and sleepwalking », dans M. Kryger, T. Roth et W. C. Dement (dir.), *Principles and Practice of Sleep Medicine*. New York: Saunders, p. 567-573.

Keller, H., Schlomerich, A., et Eibl-Eibesfeldt, I. (1988). « Communication patterns in adult-infant interactions in western and non-western cultures », *Journal of Cross-Cultural Psychology*, vol. 19, p. 427-445.

Kelly, S. F., et Kelly, R. J. (1985). *Hypnosis: Understanding How it Can Work for You*. Reading, MA: Addison-Wesley.

Kelner, K. L. (1997). « Seeing the synapse », *Science*, vol. 276, p. 547.

Kendler, K. S., et Diehl, S. R. (1993). « The genetics of schizophrenia: A current genetic-epidemiologic perspective », *Schizophrenia Bulletin*, vol. 19, p. 261-285.

Kendler, K. S., Neale, M. C., Kessler, R. C., Heath, A. C., et Eaves, L. J. (1992). « The genetic epidemiology of phobias in women », *Archives of General Psychiatry*, vol. 49, p. 273-281.

Kendler, K. S., MacLean, C., Neale, M., Kessler, R., Heath, A., et Eaves, L. (1991). « The genetic epidemiology of bulimia nervosa », *American Journal of Psychiatry*, vol. 148, p. 1627-1637.

Kessler, R. C., Stein, M. B., et Berglund, P. (1998). « Social phobia subtypes in the National Comorbidity Survey », *American Journal of Psychiatry*, vol. 155, p. 613-619.

Kilpatrick, D., Ruggiero, K., Acierno, R., Saunders, B., Resnick, H., et Best, C. (2003). « Violence and risk of PTSD, major depression, substance abuse/dependence, and comorbidity: Results from the National Survey of Adolescents », *Journal of Consulting and Clinical Psychology*, vol. 71, p. 692-700.

Kim, J. J., Mohamed, S., Andreasen, N. C., O'Leary, D. S., Watkins, L., Ponto, L. L. B., et Hichwa, R. D. (2000). « Regional neural dysfunctions in chronic schizophrenia studied with positron emission tomography », *American Journal of Psychiatry*, vol. 157, p. 542-548.

Kim, S.-G., Ashe, J., Hendrich, K., Ellermann, J. M., Merkle, H., Ugurbil, K., et Georgopoulos, A. P. (1993). « Functional magnetic resonance imaging of motor cortex: Hemispheric asymmetry and handedness », *Science*, vol. 261, p. 615-617.

Kingsbury, S. J. (1993). « Brief hypnotic treatment of repetitive nightmares », *American Journal of Clinical Hypnosis*, vol. 35, p. 161-169.

Kinnunen, T., Zamansky, H. S., et Block, M. L. (1994). « Is the hypnotized subject lying? », *Journal of Abnormal Psychology*, vol. 103, p. 184-191.

Kinomura, S., Larsson, J., Gulyás, B., et Roland, P. E. (1996). « Activation by attention of the human reticular formation and thalamic intralaminar nuclei », *Science*, vol. 271, p. 512-515.

Kirchner, T., et Sayette, M. (2003). « Effects of alcohol on controlled and automatic memory processes », *Experimental and Clinical Psychopharmacology*, vol. 11, p. 167-175.

Kirkcaldy, B., Shephard, R., et Furnham, A. (2002). « The influence of Type A behavior and locus of control upon job satisfaction and occupational health », *Personality and Individual Differences*, vol. 33, p. 1361-1371.

Kirsch, I., et Lynn, S. J. (1995). « The altered state of hypnosis: Changes in the theoretical landscape », *American Psychologist*, vol. 50, p. 846-858.

Kitayama, S., et Markus, H. R. (2000). « The pursuit of happiness and the realization of sympathy: Cultural patterns of self, social relations, and well-being », dans E. Diener et E. M. Suh (dir.), *Subjective Well-Being Across Cultures*. Cambridge, MA: MIT Press.

Klinnert, M. D., Campos, J. J., Sorce, J. F., Emde, R. N., et Suejda, M. (1983). « Emotions as behavior regulators: Social referencing in infancy », dans R. Plutchik et H. Kellerman (dir.), *Emotions in Early Development*. New York: Academic Press, vol. 2 (The emotions), p. 57-86.

Knight, R. T. (1996). « Contribution of human hippocampal region to novelty detection », *Nature*, vol. 383, p. 256-259.

Kobasa, S. C. (1979). « Stressful life events, personality, and health: An inquiry into hardiness », *Journal of Personality and Social Psychology*, vol. 37, p. 1-11.

Kobasa, S. C., Maddi, S. R., et Kahn, S. (1982). « Hardiness and health: A prospective study », *Journal of Personality and Social Psychology*, vol. 42, p. 168-177.

Köhler, W. (1925). *The Mentality of Apes*, traduit par E. Winter. New York: Harcourt Brace Jovanovich.

Kolb, B., Gibb, R., et Robinson, T. (2003). « Brain plasticity and behaviour », *American Psychological Society*, vol. 12, n° 1, p. 1-4.

Kon, M. A., et Plaskota, L. (2000). « Information complexity of neural networks », *Neural Networks*, vol. 13, p. 365-375.

Konishi, M. (1993). « Listening with two ears », *Scientific American*, vol. 268, p. 66-73.

Kosslyn, S. M. (1988). « Aspects of a cognitive neuroscience of mental imagery », *Science*, vol. 240, p. 1621-1626.

Kowatch, R., Suppes, T., Carmody, T., Bucci, J., Hume, J., Kromelis, M., Emslie, G., Weinberg, W., et Rush, A. (2000). « Effect size of lithium, divalproex sodium, and carbamazepine in children and adolescents with bipolar disorder », *Journal of the American Academy of Child and Adolescent Psychiatry*, vol. 39, p. 713-720.

Kozak, M. J., Foa, E. B., et McCarthy, P. R. (1988). « Obsessive-compulsive disorder », dans C. G. Last et M. Herson (dir.), *Handbook of Anxiety Disorders*. New York: Pergamon Press, p. 87-108.

Kranzler, H. R. (1996). « Evaluation and treatment of anxiety symptoms and disorders in alcoholics », *Journal of Clinical Psychiatry*, vol. 57, n° 6, suppl.

Krcmar, M., et Cooke, M. (2001). « Children's moral reasoning and their perceptions of television violence », *Journal of Communication*, vol. 51, p. 300-316.

Kripke, D., Youngstedt, S., Elliott, J., Tuunainen, A., Rex, K., Hauger, R., et Marler, M. (2005). « Circadian phase in adults of contrasting ages », *Chronobiology International*, vol. 22, p. 695-709.

Kroll, N. E. A., Ogawa, K. H., et Nieters, J. E. (1988). « Eyewitness memory and the importance of sequential information », *Bulletin of the Psychonomic Society*, vol. 26, p. 395-398.

Krueger, J. M., et Takahashi, J. S. (1997). « Thermoregulation and sleep: Closely linked but separable », *Annals of the New York Academy of Sciences*, vol. 813, p. 281-286.

Kubzansky, L., Cole, S., Kawachi, I., Vokonas, P., et Sparrow, D. (2006). « Shared and unique contributions of anger, anxiety, and depression to coronary heart disease: A prospective study in the normative aging study », *Annals of Behavioral Medicine*, vol. 31, p. 21-29.

Kucharska-Pietura, K., et Klimkowski, M. (2002). « Perception of facial affect in chronic schizophrenia and right brain damage », *Acta Neurobiologiae Experimentalis*, vol. 62, p. 33-43.

Kunz, D., et Herrmann, W. M. (2000). « Sleep-wake cycle, sleep-related disturbances, and sleep disorders: Achronobiological approach », *Comparative Psychology*, vol. 41, nº 2, suppl. 1, p. 104-105.

La Berge, S. P. (1981). « Lucid dreaming: Directing the action as it happens », *Psychology Today*, janvier, p. 48-57.

Laborit, H. (1980). *L'inhibition de l'action, biologie comportementale et physio-pathologie*. Paris/Montréal: Masson/Presses universitaires de Montréal.

Laborit, H., et Rouleau, F. (1982). *L'alchimie de la découverte*. Paris: Grasset.

Ladouceur, Robert, Rhéaume, Josée, et Freeston, Mark (1999). « Le trouble obsessif-compulsif », dans Robert Ladouceur, André Marchand et Jean-Marie Boisvert (dir.), *Les troubles anxieux: Approche cognitive et comportementale*. Montréal: Gaëtan Morin, p. 95-119.

Lai, J., Evens, P., Ng, S., Chong, A., Siu, O., Chan, C., Ho, S., Ho, R., Chan, P., et Chan, C. (2005). « Optimism, positive affectivity, and salivary cortisol », *British Journal of Health Psychology*, vol. 10, p. 467-484.

Laliberté, Arlene (2007). « Un modèle écologique pour mieux comprendre le suicide chez les Autochtones: Une étude exploratoire », thèse de doctorat. Montréal: Université du Québec à Montréal, 220 p.

Lalonde, R., et Botez, M. I. (1990). « The cerebellum and learning processes in animals », *Brain Research Reviews*, vol. 15, p. 325-332.

Lam, L., et Kirby, S. (2002). « Is emotional intelligence an advantage? An exploration of the impact of emotional and general intelligence on individual performance », *Journal of Social Psychology*, vol. 142, p. 133-143.

Lamberg, L. (1996). « Narcolepsy researchers barking up the right tree », *Journal of the American Medical Association*, vol. 276, p. 265-266.

Lambert, M. (2003). « Suicide risk assessment and management: Focus on personality disorders », *Current Opinion in Psychiatry*, vol. 16, p. 71-76.

Lambert, Philippe (2006). « La plasticité cérébrale », *Les grands dossiers des sciences humaines*, nº 167 (La pensée éclatée), janvier.

Landry, D. W. (1997). « Immunotherapy for cocaine addiction », *Scientific American*, vol. 276, février, p. 42-45.

Lang, A. R., Goeckner, D. J., Adesso, V. J., et Marlatt, G. A. (1975). « Effects of alcohol on aggression in male social drinkers », *Journal of Abnormal Psychology*, vol. 84, p. 508-518.

Lang, A., Craske, M., Brown, M., et Ghaneian, A. (2001). « Fear-related state dependent memory », *Cognition and Emotion*, vol. 15, p. 695-703.

Lange, C. G., et James, W. (1922). *The Emotions*, traduit par I. A. Haupt. Baltimore: Williams and Wilkins.

Lange, R. A., Cigarroa, R. G., Yancy, C. W., Jr., Willard, J. E., Popma, J. J., Sills, M. N., McBride, W., Kim, A. S., et Hillis, L. D. (1989). « Cocaine-induced coronary-artery vasoconstriction », *New England Journal of Medicine*, vol. 321, p. 1557-1562.

Langer, E. J., et Rodin, J. (1976). « The effects of choice and enhanced personal responsibility for the aged: A field experiment in an institutional setting », *Journal of Personality and Social Psychology*, vol. 34, p. 191-198.

Laporte, R., Dagault, G., Frenoy, R. (2008). « Accueil du professeur Maryse Lassonde par Axel Kahn », *Di@logue de Descartes*, nº 1, mai, Médiathèque de l'Université Paris Descartes. En ligne: http://dialogues.univ-paris5.fr/spip.php?rubrique4.

Laporte, R., Dagault, G., Frenoy, R. (2008). « Interview du professeur Maryse Lassonde », *Di@logue de Descartes*, nº 1, mai, Médiathèque de l'Université Paris Descartes. En ligne: http://dialogues.univ-paris5.fr/spip.php?rubrique4.

Lashley, K. S. (1929). *Brain Mechanisms and Intelligence: A Quantitative Study of Injuries to the Brain*. Chicago: Chicago University Press.

Lauber, J. K., et Kayten, P. J. (1988). « Keynote address: Sleepiness, circadian dysrhythmia, and fatigue in transportation system accidents », *Sleep*, vol. 11, p. 503-512.

Laughlin, P., Hatch, E., Silver, J., et Boh, L. (2006). « Groups perform better than the best individuals on letters-to-numbers problems: Effects of group size », *Journal of Personality and Society Psychology*, vol. 90, p. 644-651.

Lauriello, J., McEvoy, J., Rodriguez, S., Bossie, C., et Lasser, R. (2005). « Long-acting risperidone vs. placebo in the treatment of hospital inpatients with schizophrenia », *Schizophrenia Research*, vol. 72, p. 249-258.

Lavie, P., Herer, P., Peled, R., Berger, I., Yoffe, N., Zomer, J., et Rubin, A.-H. (1995). « Mortality in sleep apnea patients: A multivariate analysis of risk factors », *Sleep*, vol. 18, p. 149-157.

Lazarus, R. S. (1984). « On the primacy of cognition », *American Psychologist*, vol. 39, p. 124-129.

Lazarus, R. S. (1991). *Emotion and Adaptation*. New York: Oxford University Press/Plenum.

Lazarus, R. S. (1991b). « Cognition and motivation in emotion », *American Psychologist*, vol. 46, p. 352-367.

Lazarus, R. S. (1991c). « Progress on a cognitive-motivational relational theory of emotion », *American Psychologist*, vol. 46, p. 819-834.

Lazarus, R. S. (2001). « Relational meaning and discrete emotions », dans K. R. Scherer, A. Schorr et T. Johnstone (dir.), *Appraisal Processes in Emotion*. New York: Oxford University Press, p. 37-67.

Lazarus, R. S., et DeLongis, A. (1983). « Psychological stress and coping in aging », *American Psychologist*, vol. 38, p. 245-253.

Lazarus, R. S., et Folkman, S. (1984). *Stress, Appraisal, and Coping*. New York: Springer.

Lazarus, R. S., et Launier, R. (1978). « Stress-related transactions between person and environment », dans L. A. Pervin et M. Lewis (dir.), *Perspectives in Interactional Psychology*. New York: Plenum, p. 287-327.

Leach, A., Talwar, V., Lee, K., Bala, N., et Lindsay, R. (2004). « "Intuitive" lie detection of children's deception by law enforcement officials and university students », *Law and Human Behavior*, vol. 28, p. 661-685.

Le cerveau McGill (2009). « Le cerveau à tous les niveaux ». En ligne: http://lecerveau.mcgill.ca, consulté le 9 mars 2009.

Lecomte, Conrad, et Richard, Annette (1999). « La psychothérapie humaniste-existentielle d'hier à demain: Épilogue », *Revue québécoise de psychologie*, vol. 20, nº 2, p. 189-205.

LeDoux, J. E. (1994). « Emotion, memory, and the brain », *Scientific American*, vol. 270, p. 50-57.

LeDoux, J. E. (1995). « Emotion: Clues from the brain », *Annual Review of Psychology*, vol. 46, p. 209-235.

LeDoux, J. E. (1996). *The Emotional Brain: The Mysterious Underpinnings of Emotional Life*. New York: Simon and Schuster.

LeDoux, J. E. (2000). « Emotion circuits in the brain », *Annual Review of Neuroscience*, vol. 23, p. 155-184.

LeDoux, J. E. (2003). « The self: Clues from the brain », dans J. E. LeDoux, J. Debiec et H. Moss (dir.), *Annals of the New York Academy of Sciences. The Self: From Soul to Brain*, vol. 1001, septembre.

Lee, I., et Kesner, R. (2002). « Differential contribution of NMDA receptors in hippocampal subregions to spatial working memory », *Nature Neuroscience*, vol. 5, p. 162-168.

Lee, J., Kelly, K., et Edwards, J. (2006). « A closer look at the relationships among trait procrastination, neuroticism, and conscientiousness », *Personality and Individual Differences*, vol. 40, p. 27-37.

Leichtman, M. D., et Ceci, S. J. (1995). « The effects of stereotypes and suggestions on preschoolers' reports », *Developmental Psychology*, vol. 31, p. 568-578.

Leonardo, E., et Hen, R. (2006). « Genetics of affective and anxiety disorders », *Annual Review of Psychology*. Palo Alto, CA: Annual Reviews, vol. 57, p. 117-138.

Leppäluoto, J. (2003). « Association of melatonin secretion with seasonal luminosity in human subjects », *International Journal of Circumpolar Health*, vol. 62, nº 3, p. 223-227.

Lerman, D. C., et Iwata, B. A. (1996). « Developing a technology for the use of operant extinction in clinical settings: An examination of basic and applied research », *Journal of Applied Behavior Analysis*, vol. 29, p. 345-382.

Les associés d'EIM (2004). *Les dirigeants face au changement, baromètre 2004*. Paris: Les Éditions du Huitième Jour.

Leshowitz, B., Eignor DiCerbo, K., et Okun, M. (2002). « Effects of instruction in methodological reasoning on information evaluation », *Teaching of Psychology*, vol. 29, p. 5-10.

Levine, S., et Ursin, H. (1980). *Coping and Health*, New York: Plenum Press.

Levy, J. (1985). « Right brain, left brain: Fact and fiction », *Psychology Today*, mai, p. 38-44.

Lewig, K. A. et Dollard, M. F. (2003). « Emotional dissonance, emotional exhaustion and job satisfaction in call centre workers », *European Journal of Work and Organizational Psychology*, vol. 12, nº 4, p. 366-392.

Lewinsohn, P. M., et Rosenbaum, M. (1987). « Recall of parental behavior by acute depressives, remitted depressives, and nondepressives », *Journal of Personality and Social Psychology*, vol. 52, p. 611-619.

Lewis, M. (1995). « Self-conscious emotions », *American Scientist*, vol. 83, janvier-février, p. 68-78.

Liddle, P. F. (1987). « The symptoms of chronic schizophrenia: A re-examination of the positive-negative dichotomy », *British Journal of Psychiatry*, vol. 151, p. 145-151

Lieberman, M. D., Eisenberger, N. I., Crockett, M. J., Tom, S. M., Pfeifer, J. H., et Way, B. M. (2007). « Putting feelings into words affect labeling disrupts amygdala activity in response to affective stimuli », *Psychological Science*, vol. 18, nº 5. En ligne: http://www.scn.ucla.edu/pdf/AL(2007).pdf, consulté le 19 février 2009.

Lievens, F., Harris, M., Van Keer, E., et Bisqueret, C. (2003). « Predicting cross-cultural training performance: The validity of personality, cognitive ability, and dimensions measured by an assessment center and a behavioral description interview », *Journal of Applied Psychology*, vol. 88, p. 476-489.

Lindstrom, M. B., Ryding, E., Bosson, P., Ahnlide, J. A., Rosen, I., et Traskman-Bendz, L. (2004). « Impulsivity related to brain serotonin transproter binding capacity in suicide attempters », *European Neuropsychophamacology*, vol. 14, nº 4, p. 295-300.

Liossi, C. (2006). « Hypnosis in cancer care », *Contemporary Hypnosis*, vol. 23, p. 47-57.

Lissek, S., et Powers, A. S. (2003). « Sensation seeking and startle modulation by physically threatening images », *Biological Psychology*, vol. 63, p. 179-197.

Lock, C. (2004). « Deception detection: Psychologists try to learn how to spot a liar », *Science News*, vol. 166, p. 72.

Loehlin, J. C. (1992). *The Limits of Family Influence: Genes, Experience, and Behavior*. New York: Guilford.

Loehlin, J. C., Lindzey, G., et Spuhler, J. N. (1975). *Race Differences in Intelligence*. San Francisco: Freeman.

Loftus, E. F. (1993). « Psychologists in the eyewitness world », *American Psychologist*, vol. 48, p. 550-552.

Loftus, E. F. (1997). « Creating false memories », *Scientific American*, vol. 277, p. 71-75.

Loftus, E. F. (2003). « Our changeable memories: Legal and practical implications », *Nature Reviews: Neuroscience*, vol. 4, p. 231-234.

Loftus, E. F. (2004). « Memories of things unseen », *Current Directions in Psychological Science*, vol. 13, p. 145-147.

Loftus, E. F. (2005). « Planting misinformation in the human mind: A 30-year investigation of the malleability of memory », *Learning and Memory*, vol. 12, p. 361-366.

Loftus, E. F. (2006). « Recovered memories », *Annual Review of Clinical Psychology*, vol. 2, p. 469-498.

Loftus, E. F., et Bernstein, D. (2005). « Rich false memories: The royal road to success », dans A. Healy (dir.), *Experimental Cognitive Psychology and its Applications*. Washington, DC: American Psychological Association, p. 101-113.

Loftus, E. F., et Hoffman, H. G. (1989). « Misinformation and memory: The creation of new memories », *Journal of Experimental Psychology: General*, vol. 118, p. 100-104.

Loftus, E. F., et Loftus, G. R. (1980). « On the permanence of stored information in the human brain », *American Psychologist*, vol. 35, p. 409-420.

London, E. D., Ernst, M., Grant, S., Bonson, K., et Weinstein, A. (2000). « Orbitofrontal cortex and human drug abuse: Functional imaging », *Cerebral Cortex*, vol. 10, p. 334-342.

Long, D., et Baynes, K. (2002). « Discourse representation in the two cerebral hemispheres », *Journal of Cognitive Neuroscience*, vol. 14, p. 228-242.

Lotze, M., Montoya, R., Erb, M., Hulsmann, E., Flor, H., Klose, U., Birbaumer, N., et Grodd, W. (1999). « Activation of cortical and cerebellar motor areas during executed and imagined hand movements: An fMRI study », *Journal of Cognitive Neuroscience*, vol. 11, p. 491-501.

Lubart, T. (2003). « In search of creative intelligence », dans R. Sternberg, J. Lautrey et T. Lubart (dir.), *Models of Intelligence: International Perspective*. Washington, DC: American Psychological Association, p. 279-292.

Lubman, D. I., Peters, L. A., Mogg, K., Bradley, B. P., et Deakin, J. F. (2000). « Attentional bias for drug cues in opiate dependence », *Psychological Medicine*, vol. 30, p. 169-175.

Lucio, E., Reyes-Lagunes, I., et Scott, R. L. (1994). « MMPI-2 for Mexico: Translation and adaptation », *Journal of Personality Assessment*, vol. 63, p. 105-116.

Lustig, C., et Hasher, L. (2002). « Working memory span : The effect of prior learning », *American Journal of Psychology*, vol. 115, p. 89-101.

Lustig, C., Konkel, A., et Jacoby, L. (2004). « Which route to recovery ? Controlled retrieval and accessibility bias in retroactive interference », *Psychological Science*, vol. 15, p. 729-735.

Lutz, A., Brefczynski-Lewis, J., Johnstone, T., et Davidson, R. J. (2008). « Regulation of the neural circuitry of emotion by compassion meditation : Effects of meditative expertise », *PLoS ONE 10*, vol. 3, n° 3. En ligne : http://psyphz.psych.wisc.edu/web/pubs/2008/LutzRegulationPLoSONE.pdf.

Lydiard, R. B., Brawman-Mintzer, O., et Ballenger, J. C. (1996). « Recent developments in the psychopharmacology of anxiety disorders », *Journal of Consulting and Clinical Psychology*, vol. 64, p. 660-668.

Lynch, S., et Yarnell, P. R. (1973). « Retrograde amnesia : Delayed forgetting after concussion », *American Journal of Psychology*, vol. 86, p. 643-645.

Lynn, R. (2006). *Race Differences in Intelligence : An Evolutionary Analysis*. Atlanta, GA : Washington Summit Books.

Lynn, S. J., et Nash, M. R. (1994). « Truth in memory : Ramifications for psychotherapy and hypnotherapy », *American Journal of Clinical Hypnosis*, vol. 36, p. 194-208.

Lynn, S. J., Kirsch, I., Barabasz, A., Cardena, E., et Patterson, D. (2000). « Hypnosis as an empirically supported clinical intervention : The state of the evidence and a look to the future », *International Journal of Clinical Experimental Hypnosis*, vol. 48, p. 239-259.

Lyvers, M. (2000). « "Loss of control" in alcoholism and drug addiction : A neuroscientific interpretation », *Experimental and Clinical Psychopharmacology*, vol. 8, p. 225-245.

MacDonald, A., Pogue-Geile, M., Johnson, M., et Carter, C. (2003). « A specific deficit in context processing in the unaffected siblings of patients with schizophrenia », *Archives of General Psychiatry*, vol. 60, p. 57-65.

Macey, P., Henderson, L., Macey, K., Alger, J., Frysinger, R., Woo, M., Harper, R., Yan-Go, F., et Harper, R. (2002). « Brain morphology associated with obstructive sleep apnea », *American Journal of Respiratory and Critical Care Medicine*, vol. 166, p. 1382-1387.

Maguire, E., Wpiers, H., Good, C., Hartley, T., Frackowiak, R., et Burgess, N. (2003). « Navigation expertise and the human hippocampus : A structural brain imaging analysis », *Hippocampus*, vol. 13, p. 208-217.

Maguire, E. A., Gadian, D. G., Johnsrude, I. S., Good, C. D., Ashburner, J., Frackowiak, R. S. J., et Frith, C. D. (2000). « Navigation-related structural change in the hippocampi of taxi drivers », *Proceedings of the National Academy of Science*, vol. 97, p. 4398-4403.

Maiden, R., Peterson, S., Caya, M., et Hayslip, B. (2003). « Personality changes in the old-old : A longitudinal study », *Journal of Adult Development*, vol. 10, p. 31-39.

Malik, A., et D'Souza, D. (2006). « Gone to pot : The association between cannabis and psychosis », *Psychiatric Times*, vol. 23. En ligne : http://www.psychiatrictimes.com/article/showArticle.jhtml?articleId=185303874, consulté le 15 mai 2006.

Malkoff, S. B., Muldoon, M. F., Zeigler, Z. R., et Manuck, S. B. (1993). « Blood platelet responsivity to acute mental stress », *Psychosomatic Medicine*, vol. 55, p. 477-482.

Mancini, J., Lethel, V., Hugonenq, C., et Chabrol, B. (2001). « Brain injuries in early foetal life : Consequences for brain development », *Developmental Medicine and Child Neurology*, vol. 43, p. 52-60.

Manly, T., Lewis, G., Robertson, I., Watson, P., et Datta, A. (2002). « Coffee in the cornflakes : Time-of-day as a modulator of executive response control », *Neuropsychologia*, vol. 40, p. 1-6.

Maratsos, M., et Matheny, L. (1994). « Language specificity and elasticity : Brain and clinical syndrome studies », *Annual Review of Psychology*, vol. 45, p. 487-516.

Marchand, André, et Boivin, Isabelle (1999). « Le trouble panique », dans Robert Ladouceur, André Marchand et Jean-Marie Boisvert (dir.), *Les troubles anxieux : Approche cognitive et comportementale*. Montréal : Gaëtan Morin, p. 59-93.

Marchand, André, et Letarte, Andrée (2004). *La peur d'avoir peur. Guide de traitement du trouble panique avec agoraphobie*, 3e édition. Montréal : Stanké, 215 p.

Mareschal, D. (2000). « Object knowledge in infancy : Current controversies and approaches », *Trends in Cognitive Sciences*, vol. 4, p. 408-416.

Marks, G. A., Shatfery, J. P., Oksenberg, A., Speciale, S. G., et Roffwarg, H. P. (1995). « A functional role for REM sleep in brain maturation », *Behavioral Brain Research*, vol. 69, p. 1-11.

Marlatt, G. A., et Rohsenow, D. J. (1981). « The think-drink effect », *Psychology Today*, décembre, p. 60-69, 93.

Marsh, A., Elfenbein, H., et Ambady, N. (2003). « Nonverbal "accents" : Cultural differences in facial expressions of emotion », *Psychological Science*, vol. 14, p. 373-376.

Martinez, J. L., Jr., et Derrick, B. E. (1996). « Long-term potentiation and learning », *Annual Review of Psychology*, vol. 47, p. 173-203.

Marttunen, M. J., Aro, H. M., et Henriksson, M. M. (1994). « Psychosocial stressors more common in adolescent suicides with alcohol abuse compared with depressive adolescent suicides », *Journal of American Academy of Child and Adolescent Psychiatry*, vol. 33, p. 490-497.

Masland, R. H. (1996). « Unscrambling color vision », *Science*, vol. 271, p. 616-617.

Maslow, A. H. (1943). « A theory of human motivation », *Psychological Review*, vol. 50, p. 370-396. En ligne : http://psychclassics.yorku.ca/Maslow/motivation.htm, consulté le 25 juin 2008.

Mathew, R. J., et Wilson, W. H. (1991). « Substance abuse and cerebral blood flow », *American Journal of Psychiatry*, vol. 148, p. 292-305.

Matsuda, L., Lolait, S. J., Brownstein, M. J., Young, A. C., et Bonner, T. I. (1990). « Structure of a cannabinoid receptor and functional expression of the cloned CDNA », *Nature*, vol. 346, p. 561-564.

Matsumoto, D., Yoo, S., Hirayama, S., et Petrova, G. (2005). « Development and validation of a measure of display rule knowledge : The Display Rule Assessment Inventory », *Emotion*, vol. 5, p. 23-40.

Matsunami, H., Montmayeur, J.-P., et Buck, L. B. (2000). « A family of candidate taste receptors in human and mouse », *Nature*, vol. 404, p. 601-604.

Mazur, J. E. (1993). « Predicting the strength of a conditioned reinforcer : Effects of delay and uncertainty », *Current Directions in Psychological Sciences*, vol. 2, n° 3, p. 70-74.

McClelland, D. C. (1958). « Methods of measuring human motivation », dans J. W. Atkinson (dir.), *Motives in Fantasy, Action and Society : A Method of Assessment and Study*. Princeton, NJ : Van Nostrand.

McClelland, D. C. (1961). *The Achieving Society*. Princeton, NJ : Van Nostrand.

McClelland, D. C. (1985). *Human Motivation*. New York : Cambridge University Press.

McClelland, D. C., Atkinson, J. W., Clark, R. W., et Lowell, E. L. (1953). *The Achievement Motive*. New York : Appleton-Century-Crofts.

McClelland, J. L., McNaughton, B. L., et O'Reilly, R. C. (1995). « Why there are complementary learning systems in the hippocampus and neocortex : Insights from the successes and failures of connectionist models of learning and memory », *Psychological Bulletin*, vol. 102, p. 419-457.

McCrae, Robert R. (2002). « NEO-PI-R data from 36 cultures : Further intercultural comparisons », dans R. R. McCrae et J. Allik (dir.), *The Five-Factor Model Across Cultures*. New York : Kluwer Academic/Plenum Publishers, p. 105-126.

McCrae, Robert R. (2004). « Human nature and culture : A trait perspective », *Journal of Research in Personality*, vol. 38, p. 3-14.

McCrae, Robert R., et Costa, Paul T., Jr. (1990). *Personality in Adulthood*. New York : Guilford.

McGlashan, T. H., et Hoffman, R. E. (2000). « Schizophrenia as a disorder of developmentally reduced synaptic connectivity », *Archives of General Psychiatry*, vol. 57, p. 637-648.

McGue, M., Bouchard, T. J., Jr., Iacono, W. G., et Lykken, D. T. (1993). « Behavioral genetics of cognitive ability : A life-span perspective », dans R. Plomin et G. E. McClearn (dir.), *Nature, Nurture and Psychology*. Washington, DC : American Psychological Association, p. 59-76.

McKelvie, S. J. (1984). « Relationship between set and functional fixedness : A replication », *Perceptual and Motor Skills*, vol. 58, p. 996-998.

McNally, R. J. (2007). « Do certain readings of Freud constitute "pathological science" ? A comment on Boag (2006) », *Review of General Psychology*, vol. 11, n° 4, p. 359-360.

McNally, R. J., Lasko, N., Clancy, S., Macklin, M., Pitman, R., et Orr, S. (2004). « Psychophysiological responding during script-driven imagery in people reporting abduction by space aliens », *Psychological Science*, vol. 15, p. 493-497.

Medina, J. H., Paladini, A. C., et Izquierdo, I. (1993). « Naturally occurring benzodiazepines and benzodiazepine-like molecules in brain », *Behavioural Brain Research*, vol. 58, p. 1-8.

Medzerian, G. (1991). *Crack : Treating Cocaine Addiction*. Blue Ridge Summit, PA : Tab Books.

Mehran, Firouzeh (2006). *Traitement du trouble de la personnalité borderline*. Paris : Masson, 264 p.

Meltzer, H., Alphs, L., Green, A., Altamura, A., Anand, R., Bertoldi, A., Bourgeois, M., Chouinard, G., Islam, Z., Kane, J., Krishnan, R., Lindenmayer, J., et Potkin, S. (2003). « Clozapine treatment for suicidality in schizophrenia : International suicide prevention trial », *Archives of General Psychiatry*, vol. 60, p. 82-91.

Melzack, R. (1999a). « Pain and stress : A new perspective », dans R. J. Gatchel, D. C. Turk et autres (dir.), *Psychosocial Factors in Pain : Critical Perspectives*. New York : Guilford Press, p. 89-116.

Melzack, R. (1999b). « From the gate to the neuromatrix », *Pain*, suppl. 6, août, p. 121-126.

Melzack, R., et Wall, P. D. (1965). « Pain mechanisms : A new theory », *Science*, vol. 150, p. 171-179.

Melzack, R., et Wall, P. D. (1983). *The Challenge of Pain*. New York : Basic Books.

Michaelis, B. H., Goldberg, J. F., Davis, G. V., Singer, T. M., Garnon, J. L., et Wenze, S. J. (2004). « Dimensions of imulsivity and aggression associated with suicide attempts among bipolar patients : a preliminary study », *Suicide and Life Threatening Behavior*, vol. 34, n° 2, p. 172-176.

Middlebrooks, J. C., et Green, D. M. (1991). « Sound localization by human listeners », *Annual Review of Psychology*, vol. 42, p. 135-159.

Miles, J., et Hempel, S. (2004). « The Eysenck Personality Scales : The Eysenck Personality Questionnaire-Revised (EPQ-R) and the Eysenck Personality Profiler (EPP) », dans M. Hilsenroth et D. Segal (dir.), *Comprehensive Handbook of Psychological Assessment, Personality Assessment*. New York : John Wiley and Sons, vol. 2, p. 99-107.

Miles, R. (1999). « A homeostatic switch », *Nature*, vol. 397, p. 215-216.

Miller, B. L., Cummings, J., Mishkin, F., Boone, K., Prince, F., Ponton, M., et Cotman, C. (1998). « Emergence of artistic talent in frontotemporal dementia », *Neurology*, vol. 51, n° 4, octobre.

Miller, G. A. (1956). « The magical number seven, plus or minus two : Some limits on our capacity for processing information », *Psychological Review*, vol. 63, p. 81-97.

Miller, G. E., Cohen, S., et Ritchey, A. (2002). « Chronic psychological stress and the regulation of pro-inflammatory cytokines : A glucocorticoid-resistance model », *Health Psychology*, vol. 21, p. 531-541.

Miller, I. J., et Reedy, F. E., Jr. (1990). « Variations in human taste bud density and taste intensity perception », *Physiological Behavior*, vol. 47, p. 1213-1219.

Miller, J., Lynam, D., Zimmerman, R., Logan, T., Leukefeld, C., et Clayton, R. (2004). « The utility of the Five Factor Model in understanding risky sexual behavior », *Personality and Individual Differences*, vol. 36, p. 1611-1626.

Miller, L. (1988). « The emotional brain », *Psychology Today*, février, p. 34-42.

Miller, L. (2005). « What the savant syndrome can tell us about the nature and nurture of talent », *Journal for the Education of the Gifted*, vol. 28, p. 361-373.

Miller, N. S., et Gold, M. S. (1994). « LSD and Ecstasy : Pharmacology, phenomenology, and treatment », *Psychiatric Annals*, vol. 24, p. 131-133.

Millman, R. (2005). « Excessive sleepiness in adolescents and young adults : Causes, consequences, and treatment strategies », *Pediatrics*, vol. 115, p. 1774-1786.

Milner, B. (1957). « Loss of recent memory after bilateral hippocampal lesions », *Journal of Neurology, Neurosurgery and Psychiatry*, vol. 20, p. 11-21. En ligne : http://www.scribd.com/doc/8642455/Loss-of-recent-memory-after-bilateral-hippocampal-lesions, consulté le 7 mars 2009.

Milner, B. (1966). « Amnesia following operation on the temporal lobes », dans C. W. M. Whitty et O. L. Zangwill (dir.), *Amnesia*. London : Butterworth, p. 109-133.

Milner, B. (1970). « Memory and the medial temporal regions of the brain », dans K. H. Pribram et D. E. Broadbent (dir.), *Biology of Memory*. New York : Academic Press.

Milner, B. (1972). « Disorders of learning and memory after temporal lobe lesions in man », *Clinical Neurosurgery*, vol. 19, p. 421-446.

Milner, B., et Penfield W. (1955). « The effect of hippocampal lesions on recent memory », *Transactions of the American Neurological Association*, vol. 80, p. 42-48.

Milner, B., Corkin, S., et Teuber, H. L. (1968). « Further analysis of the hippocampal amnesic syndrome : 14-year follow-up study of H.M. », *Neuropsychologia*, vol. 6, p. 215-234.

Milner, B., Squire, L. R., et Kandel, E. R. (1998). « Cognitive Neuroscience and the Study of Memory », *Neuron*, vol. 20, p. 445-468.

Milos, G., Spindler, A., Ruggiero, G., Klaghofer, R., et Schnyder, U. (2002). « Comorbidity of obsessive-compulsive disorders and duration of eating disorders », *International Journal of Eating Disorders*, vol. 31, p. 284-289.

Ministère de la Justice du Canada, Groupe de travail du comité FPT des chefs des poursuites pénales (2005). « Rapport sur la prévention des erreurs judiciaires », p. 21. En ligne : http://www.justice.gc.ca/fra/min-dept/pub/pej-pmj/pej-pmj.pdf.

Ministère de la Santé et des Services sociaux du Québec (2003). « Programme national de santé publique 2003-2012 », Direction générale de la santé publique du ministère de la Santé et des Services sociaux. En ligne : http://publications.msss.gouv.qc.ca/acrobat/f/documentation/2002/02-216-01.pdf, consulté le 3 mars 2009.

Mischel, W. (1968). *Personality Assessment*. New York : Wiley.

Mischel, W. (1973). « Toward a cognitive social learning reconceptualization of personality », *Psychological Review*, vol. 80, p. 252-283.

Mischel, W. (1977). « The interaction of person and situation », dans D. Magnusson et N. S. Endler (dir.), *Personality at the Crossroads : Current Issues in Interactional Psychology*. Hillsdale, NJ : Lawrence Erlbaum.

Mishara, Brian, L. (2003). « Des pratiques novatrices pour la prévention du suicide au Québec : Un défi de société », *Santé mentale au Québec*, vol. 28, n° 1, p. 111-115.

Mishara, Brian, L., et Tousignant, Michel (2004). *Comprendre le suicide*. Montréal : Presses de l'Université de Montréal, 180 p.

Mistlberger, R. E., et Rusak, B. (1989). « Mechanisms and models of the circadian timekeeping system », dans M. H. Kryger, T. Roth et W. C. Dement (dir.), *Principles and Practice of Sleep Medicine*. Philadelphie : W. B. Saunders, p. 141-152.

Mitler, M. M., Aldrich, M. S., Koob, G. F., et Zarcone, V. P. (1994). « Narcolepsy and its treatment with stimulants », *Sleep*, vol. 17, p. 352-371.

Mohan, J. (2006). « Cardiac psychology », *Journal of the Indian Academy of Applied Psychology*, vol. 32, p. 214-220.

Moldofsky, H., Gilbert, R., Lue, F. A., et MacLean, A. W. (1995). « Sleep-related violence », *Sleep*, vol. 18, p. 731-739.

Molnar, M., Potkin, S., Bunney, W., et Jones, E. (2003). « MRNA expression patterns and distribution of white matter neurons in dorsolateral prefrontal cortex of depressed patients differ from those in schizophrenia patients », *Biological Psychiatry*, vol. 53, p. 39-47.

Mongrain, V., Paquet J., et Dumont M. (2006). « Contribution of the photoperiod at birth to the association between season of birth and diurnal preference », *Neuroscience Letters*, vol. 406, n° 11, p. 3-6.

Montgomery, G. H., DuHamel, K. N., et Redd, W. H. (2000). « A meta-analysis of hypnotically induced analgesia : How effective is hypnosis ? », *International Journal of Clinical Experimental Hypnosis*, vol. 48, p. 138-153.

Montgomery, G. H., Weltz, C., Seltz, M., et Bovbjerg, D. (2002). « Brief presurgery hypnosis reduces distress and pain in excisional breast biopsy patients », *International Journal of Clinical and Experimental Hypnosis*, vol. 50, p. 17-32.

Montoya, A. G., Sorrentino, R., Lukas, S. E., et Price, B. H. (2002). « Long-term neuropsychiatric consequences of "ecstasy" (MDMA) : A review », *Harvard Review Psychiatry*, vol. 10, n° 4, p. 212-220.

Moran, M. G., et Stoudemire, A. (1992). « Sleep disorders in the medically ill patient », *Journal of Clinical Psychiatry*, vol. 53, n° 6, suppl., p. 29-36.

Morgan, C. (1996). « Odors as cues for the recall of words unrelated to odor », *Perceptual and Motor Skills*, vol. 83, p. 1227-1234.

Morgan, R. E., Levitsky, D. A., et Strupp, B. J. (2000). « Effects of chronic lead exposure on learning and reaction time in a visual discrimination task », *Neurotoxicology and Teratology*, vol. 22, p. 337-345.

Morin, C. M., et Wooten, V. (1996). « Psychological and pharmacological approaches to treating insomnia : Critical issues assessing their separate and combined effects », *Clinical Psychology Review*, vol. 16, p. 521-542.

Morofushi, M., Shinohara, K., et Kimura, F. (2001). « Menstrual and circadian variations in time perceptions in healthy women and women with premenstrual syndrome », *Neuroscience Research*, vol. 41, p. 339-344.

Morofushi, M., Shinohara, K., Funabashi, T., et Kimura, F. (2000). « Positive relationship between menstrual synchrony and ability to smell 5alpha-androst-16-en-3alpha-ol », *Chemical Senses*, vol. 25, p. 407-411.

Morris, J. S., Frith, C. D., Perrett, D. I., Rowland, D., Young, A. W., Calder, A. J., et Dolan, R. J. (1996). « A differential neural response in the human amygdala to fearful and happy facial expressions », *Nature*, vol. 383, p. 812-815.

Morrison, P., Allardyce, J., et McKane, J. (2002). « Fear knot : Neurobiological disruption of long-term memory », *British Journal of Psychiatry*, vol. 180, p. 195-197.

Morrow, B. A., Roth, R. H., et Elsworth, J. D. (2000). « TMT, a predator odor, elevates mesoprefrontal dopamine metabolic activity and disrupts short-term working memory in the rat », *Brain Research Bulletin*, vol. 52, p. 519-523.

Moser, G., et Robin, M. (2006). « Environmental annoyances : An urban-specific threat to quality of life ? », *European Review of Applied Psychology*, vol. 56, p. 35-41.

Müller, M., Regenbogen, B., Sachse, J., Eich, F., Härtter, S., et Hiemke, C. (2006). « Gender aspects in the clinical treatment of schizophrenic inpatients with amisulpride : A therapeutic drug monitoring study », *Pharmacopsychiatry*, vol. 39, p. 41-46.

Mullington, J., et Broughton, R. (1993). « Scheduled naps in the management of daytime sleepiness in narcolepsy-cataplexy », *Sleep*, vol. 16, p. 444-456.

Munro, M. (1996). « All we really need is sleep », *The Toronto Star*, 4 avril, p. 26.

Munzar, P., Li, H., Nicholson, K., Wiley, J., et Balster, R. (2002). « Enhancement of the discriminative stimulus effects of phencyclidine by the tetracycline antibiotics doxycycline and minocycline in rats », *Psychopharmacology*, vol. 160, p. 331-336.

Murray, D. W. (1995). « Toward a science of desire », *The Sciences*, vol. 35, juillet-août, p. 244-249.

Murray, H. (1938). *Explorations in Personality*. New York : Oxford University Press.

Murray, J., Liotti, M., Ingmundson, P., Mayburg, H., Pu, Y., Zamarripa, F., Liu, Y., Woldorff, M., Gao, J., et Fox, P. (2006). « Children's brain activations while viewing televised violence revealed by fMRI », *Media Psychology*, vol. 8, p. 24-37.

Nader, K. (2003). « Re-recording human memories », *Nature*, vol. 425, p. 571-572.

Nadon, R., Hoyt, I. P., Register, P. A., et Kilstrom, J. F. (1991). « Absorption and hypnotizability : Context effects reexamined », *Journal of Personality and Social Psychology*, vol. 60, p. 144-153.

NAMI (National Alliance for Mental Illness) (2003). « Panic disorder ». En ligne: http://www.nami.org/Template.cfm?Section=By_Illness&Template=/TaggedPage/TaggedPageDisplay.cfm&TPLID=54&ContentID=23050, consulté le 19 juillet 2006.

Nasar, Sylvia (1999). *Un cerveau d'exception: De la schizophrénie au prix Nobel, la vie singulière de John Forbes Nash*. Paris: Éditions Calmann-Lévy.

Nash, M. (1987). « What, if anything, is regressed about hypnotic age regression? A review of the empirical literature », *Psychological Bulletin*, vol. 102, p. 42-52.

Nash, M. (1991). « Hypnosis as a special case of psychological regression », dans S. J. Lynn et J. W. Rhue (dir.), *Theories of Hypnosis: Current Models and Perspectives*. New York: Guilford, p. 171-194.

Nash, M., et Baker, E. (1984). « Trance encounters: Susceptibility to hypnosis », *Psychology Today*, vol. 18, février, p. 72-73.

Nathans, J., Davenport, C. M., Maumenee, I. H., Lewis, R. A., Heitmancik, J. F., Litt, M., Lovrien, E., Weleber, R., Bachynski, B., Zwas, F., Klingaman, R., et Fishman, G. (1989). « Molecular genetics of human blue cone monochromacy », *Science*, vol. 245, p. 831-838.

NCES (National Center for Educational Statistics) (2003). « Highlights from the Trends in International Mathematics and Science Study ». Washington, DC: NCES. En ligne: http://nces.ed.gov/pubsearch/pubsinfo.asp?pubid=2005005, consulté le 5 juin 2006.

NCIPC (National Center for Injury Prevention and Control) (2002). « Injury fact book 2001-2002 ». En ligne: http://www.cdc.gov/ncipc/fact_book/ 12_Child_ Maltreatment.htm, consulté le 20 janvier 2003.

Neisser, U., Boodoo, G., Bouchard, T., Boykin, A., Brody, N., Ceci, S., Halpern, D., Loehlin, J., Perloff, R., Sternberg, R., et Urbina, S. (1996). « Intelligence: Knowns and unknowns », *American Psychologist*, vol. 51, p. 77-101.

Neisser, U., et Harsch, N. (1992). « Phantom flashbulbs: False recollections of hearing the news about *Challenger* », dans E. Winograd et U. Neisser (dir.), *Affect and Accuracy in Recall: Studies of "Flashbulb" Memories*. New York: Cambridge University Press, p. 9-31.

Neitz, J., Neitz, M., et Kainz, M. (1996). « Visual pigment gene structure and the severity of color vision defects », *Science*, vol. 274, p. 801-804.

Nelson, J. C. (1997). « Safety and tolerability of the new antidepressants », *Journal of Clinical Psychiatry*, vol. 58, nº 6, suppl., p. 26-31.

Nelson, T. (1996). « Consciousness and metacognition », *American Psychologist*, vol. 51, p. 102-116.

Nelson, W. L., Hughes, H. M., Katz, B., et Searight, H. R. (1999). « Anorexic eating attitudes and behaviors of male and female college students », *Adolescence*, vol. 34, p. 621-633.

Nestadt, G., Samuels, J., Riddle, M., Bienvenu, J., Liang, K., LaBuda, M., Walkup, J., Grados, M., et Hoehn-Saric, R. (2000). « A family study of obsessive-compulsive disorder », *Archives of General Psychiatry*, vol. 57, p. 358-363.

Nestor, P., Graham, K., Bozeat, S., Simons, J., et Hodges, J. (2002). « Memory consolidation and the hippocampus: Further evidence from studies of autobiographical memory in semantic dementia and frontal variant frontotemporal dementia », *Neuropsychologia*, vol. 40, p. 633-654.

Neville, H., Bavelier, D., Corina, D., Rauschecker, J., Karni, A., Lalwani, A., Braun, A., Clark, V., Jezzard, P., et Turner, R. (1998). « Cerebral organization for language in deaf and hearing subjects: Biological constraints and effects of experience », *Proceedings of the National Academy of Sciences*, vol. 95, p. 922-929.

Newberg, A., Alavi, A., Baime, M., Pourdehnad, M., Santanna, J., et d'Aquili, E. (2001). « The measurement of regional cerebral blood flow during the complex cognitive task of meditation: A preliminary SPECT study », *Psychiatry Research: Neuroimaging*, vol. 106, p. 113-122.

Newcomb, M. D. (1997). « Psychosocial predictors and consequences of drug use: A developmental perspective within a prospective study », *Journal of Addictive Diseases*, vol. 95, p. 922-929.

Newcomb, M. D., et Felix-Ortiz, M. (1992). « Multiple protective and risk factors for drug use and abuse: Cross-sectional and prospective findings », *Journal of Personality and Social Psychology*, vol. 63, p. 280-296.

Nguyen, P. V., Abel, T., et Kandel, E. R. (1994). « Requirement of a critical period of transcription for induction of a late phase of LTP », *Science*, vol. 265, p. 1104-1107.

Nielsen, T. A., Zadra, A., Simard, V., Saucier, S., Kuiken, D., Smith, C. (2003). « Typical dreams of Canadian university students », *Dreaming*, vol. 13, p. 211-235.

NIMH (National Institute of Mental Health) (1999). « Does this sound like you? ». En ligne: http://www.nimh.nih.gov/soundlikeyou.htm.

NIMH (National Institute of Mental Health) (2001). « The Numbers Count: Mental Disorders in America », rapport nº 01-4584. Washington, DC: NIMH.

Nishiike, S., Nakagawa, S., Tonoike, M., Takeda, N., et Kubo, T. (2001). « Information processing of visually-induced apparent self motion in the cortex of humans- analysis with magnetoencephalography », *Acta Oto-Laryngologica*, vol. 545, suppl., p. 113-115.

Nishimura, H., Hashikawa, K., Doi, K., Iwaki, T., Watanabe, Y., Kusuoka, H., Nishimura, T., et Kubo, T. (1999). « Sign language "heard" in the auditory cortex », *Nature*, vol. 397, p. 116.

Norcross, J., Karpiak, C., et Lister, K. (2005). « What's an integrationist? A study of self-identified integrative and (occasionally) eclectic psychologists », *Journal of Clinical Psychology*, vol. 61, p. 1587-1594.

Nordström, P., Samuelsson, M., et Äsberg, M. (1994). « CSF 5-HIAA predicts suicide risk after attempted suicide », *Suicide and Life Threatening Beahavior*, vol. 24, p. 1-9.

Norman, W. (1963). « Toward an adequate taxonomy of personality attributes: Replicated factor structure in peer nomination personality ratings », *Journal of Abnormal and Social Psychology*, vol. 66, p. 574-583.

Norris, F. H., et Kaniasty, K. (1996). « Received and perceived social support in times of stress: A test of the social support deterioration deterrence model », *Journal of Personality and Social Psychology*, vol. 71, p. 498-511.

Noyes, R., Jr., Burrows, G. D., Reich, J. H., Judd, F. K., Garvey, M. J., Norman, T. R., Cook, B. L., et Marriott, P. (1996). « Diazepam versus alprazolam for the treatment of panic disorder », *Journal of Clinical Psychiatry*, vol. 57, p. 344-355.

Nutt, D. (2000). « Treatment of depression and concomitant anxiety », *European Neuropsychopharmacology*, vol. 10, suppl. 4, p. S433-S437.

Nyberg, L., Eriksson, J., Larsson, A., et Marklund, P. (2006). « Learning by doing versus learning by thinking: An fMRI study of motor and mental training », *Neuropsychologia*, vol. 44, p. 711-717.

O'Brien, C. P. (1996). « Recent developments in the pharmacotherapy of substance abuse », *Journal of Consulting and Clinical Psychology*, vol. 64, p. 677-686.

O'Connor, Kieron P., Bélanger, Lynda, et Lecomte, Yves (2003). « Benzodiazépines : santé mentale et santé sociale », *Santé mentale au Québec*, vol. 28, n° 2, p. 15-21.

Ogawa, A., Mizuta, I., Fukunaga, T., Takeuchi, N., Honaga, E., Sugita, Y., Mikami, A., Inoue, Y., et Takeda, M. (2004). « Electrogastrography abnormality in eating disorders », *Psychiatry and Clinical Neurosciences*, vol. 58, p. 300-310.

Ohman, A., et Mineka, S. (2003). « The malicious serpent : Snakes as a prototypical stimulus for an evolved module of fear », *Current Directions in Psychological Science*, vol. 12, p. 5-8.

Olds, J. (1969). « The central nervous system and the reinforcement of behaviour », *American Psychology*, vol. 24, p. 114-132.

Olds, J., et Milner, P. M. (1954). « Positive reinforcement produced by electrical stimulation of septal area and other regions of rat brain », *Journal of Comparative and Physiological Psychology*, vol. 47, p. 419-427.

Olson, M., Krantz, D., Kelsey, S., Pepine, C., Sopko, G., Handberg, E., Rogers, W., Gierach, G., McClure, C., et Merz, C. (2005). « Hostility scores are associated with increased risk of cardiovascular events in women undergoing coronary angiography : A report from the NHLBIsponsored WISE study », *Psychosomatic Medicine*, vol. 67, p. 546-552.

OMS (Organisation mondiale de la santé) (2006). « Projection of mortality and burden of disease 2006 ». En ligne : www.who.int/healthinfo/statistics/bod_dalybywhoregion.xls, consulté le 26 octobre 2007.

Ordre des orthophonistes et audiologistes du Québec (1995). « Agir pour réduire les répercussions du bruit sur la santé et sur la qualité de vie de la population : adopter une approche de développement durable au regard du loisir motorisé », mémoire présenté à la ministre déléguée aux transports, Mme Julie Boulet, dans le cadre de la consultation publique sur les véhicules hors route. En ligne : http://www.ooaq.qc.ca/MEMOIREmotoneigesOOAQversion%20FINALE%201.6.pdf, consulté le 3 mars 2009.

Ordre des psychologues du Québec (2007). « Rapport annuel 2006-2007 de l'Ordre des psychologues du Québec », mars. En ligne : http://www.ordrepsy.qc.ca/pdf/Rapport_annuel_OPQ_2007_2008.pdf, consulté le 31 août 2008.

Ordre des psychologues du Québec (2009). « Code de déontologie des psychologues ». En ligne : http://www.ordrepsy.qc.ca/fr/protection/code_deontologie.html, consulté le 3 mars 2009.

Ordre des psychologues du Québec (2009). « Ordre des psychologues du Québec : Exigences et procédures d'admission 2008-2009 ». En ligne : http://www.ordrepsy.qc.ca/pdf/0Exigences_et_procedures_admission.pdf, consulté le 3 mars 2009.

Orne, M. (1983). « Hypnosis "useful in medicine, dangerous in court" », *U.S. News and World Report*, 12 décembre, p. 67-68.

Ortega-Alvaro, A., Gilbert-Rahola, J., et Micó, J. (2006). « Influence of chronic treatment with olanzapine, clozapine, and scopolamine on performance of a learned 8-arm radial maze task in rats », *Progress in Neuro-Psychopharmacology and Biological Psychiatry*, vol. 30, p. 104-111.

Oster, H., et Ekman, P. (1978). « Facial behavior in child development », *Minnesota Symposium on Child Psychology*, vol. 11, p. 231-276.

Otto, M. W., Pollack, M. H., Sachs, G. S., Reiter, S. R., Meltzer-Brody, S., et Rosenbaum, J. F. (1993). « Discontinuation of benzodiazepine treatment : Efficacy of cognitivebehavioral therapy for patients with panic disorder », *American Journal of Psychiatry*, vol. 150, p. 1485-1490.

Overmeier, J. B., et Seligman, M. E. P. (1967). « Effects of inescapable shock upon subsequent escape and avoidance responding », *Journal of Comparative and Physiological Psychology*, vol. 63, p. 28-33.

Owen, M., et O'Donovan, M. (2003). « Schizophrenia and genetics », dans R. Plomin, J. Defries, I. Craig et P. McGuffin (dir.), *Behavioral Genetics in the Postgenomic Era*. Washington, DC : American Psychological Association, p. 463-480.

Paivio, S. C., et Greenberg, L. S. (1995). « Resolving "unfinished business" : Efficacy of experiential therapy using emptychair dialogue », *Journal of Consulting and Clinical Psychology*, vol. 63, p. 419-425.

Paraherakis, A., Charney, D., et Gill, K. (2001). « Neuropsychological functioning in substance-dependent patients », *Substance Use and Misuse*, vol. 36, p. 257-271.

Parke, R. D. (1977). « Some effects of punishment on children's behavior–revisited », dans E. M. Hetherington, E. M. Ross et R. D. Parke (dir.), *Contemporary Readings in Child Psychology*. New York : McGraw-Hill.

Parrott, A., Buchanan, C. T., Scholey, A. B., Heffernan, T., Ling, J., et Rodgers, J. (2002). « Ecstasy/MDMA attributed problems reported by novice, moderate and heavy recreational users », *Human Psychopharmacology*, vol. 17, p. 309-312.

Partinen, M. (1994). « Epidemiology of sleep disorders », dans M. Kryger, T. Roth, et W. C. Dement (dir.), *Principles and Practice of Sleep Medicine*. Philadelphie : W. B. Saunders, p. 437-453.

Partinen, M., Hublin, C., Kaprio, J. Koskenvuo, M., et Guilleminault, C. (1994). « Twin studies in narcolepsy », *Sleep*, vol. 17, p. S13-S16.

Parvizi, J., et Damasio, A. R. (2001). « Consciousness and the brainstem », *Cognition*, vol. 79, n° 2, p. 135-160.

Pascual-Leone, A., Dhuna, A., Altafullah, I., et Anderson, D. C. (1990). « Cocaine-induced seizures », *Neurology*, vol. 40, p. 404-407.

Patten, Scott, et Juby, Heather (2008). « Profil de la dépression clinique au Canada », Réseau des centres de données de recherche : Série de synthèses de recherche n° 1, février.

Patterson, D. R., et Ptacek, J. T. (1997). « Baseline pain as a moderator of hypnotic analgesia for burn injury treatment », *Journal of Consulting and Clinical Psychology*, vol. 65, p. 60-67.

Paul, T., Schroeter, K., Dahme, B., et Nutzinger, D. (2002). « Self-injurious behavior in women with eating disorders », *American Journal of Psychiatry*, vol. 159, p. 408-411.

Paulus, Jochen (2007). « L'étrange pouvoir du lithium », *Cerveau et Psycho*, vol. 19, p. 44-47.

Paunonen, S. V., Keinonen, M., Trzebinski, J., Forsterling, F., Grishenko-Roze, N., Kouznetsova, L., et Chan, D. W. (1996). « The structure of personality in six cultures », *Journal of Cross-Cultural Psychology*, vol. 27, p. 339-353.

Pedersen, S., et Denollet, J. (2003). « Type D personality, cardiac events, and impaired quality of life : A review », *European Journal of Cardiovascular Prevention and Rehabilitation*, vol. 10, p. 241-248.

Pelissolo, Antoine (2005). « La sociophobie : la timidité extrême », *Cerveau et Psycho*, vol. 10, p. 34-37.

Penfield, W. (1969). « Consciousness, memory, and man's conditioned reflexes », dans K. Pribram (dir.), *On the Biology of Learning*. New York : Harcourt Brace Jovanovich, p. 129-168.

Pennebaker, J., et Seagal, J. (1999). « Forming a story : The health benefits of narrative », *Journal of Clinical Psychology*, vol. 55, p. 1243-1254.

Perlis, Roy H. (2006). « Predictors of recurrence in bipolar disorder : Primary outcomes from the Systematic Treatment Enhancement Program for Bipolar Disorder (STEP-BD) », *American Journal of Psychiatry*, vol. 163, p. 210-224.

Pert, C. B., Snowman, A. M., et Snyder, S. H. (1974). « Localization of opiate receptor binding in presynaptic membranes of rat brain », *Brain Research*, vol. 70, p. 184-188.

Pervin, Lawrence A., et John, Oliver P. (2005). *Personnalité : Théorie et recherche*. Saint-Laurent : Éditions du Renouveau pédagogique.

Peterson, L. R., et Peterson, M. J. (1959). « Short-term retention of individual verbal items », *Journal of Experimental Psychology*, vol. 58, p. 193-198.

Petitto, L. A., et Marentette, P. R. (1991). « Babbling in the manual mode : Evidence for the ontogeny of language », *Science*, vol. 251, p. 1493-1496.

Petrill, S. (2003). « The development of intelligence : Behavioral genetic approaches », dans R. Sternberg, J. Lautrey et T. Lubart (dir.), *Models of intelligence : International perspective*. Washington, DC : American Psychological Association, p. 81-90.

Petry, N., Tedford, J., Austin, M., Nich, C., Carroll, K., et Rounsaville, B. (2004). « Prize reinforcement contingency management for treating cocaine users : How low can we go, and with whom ? », *Addiction*, vol. 99, p. 349-360.

Piaget, J. (1963a). *The Child's Conception of the World*. Patterson, NJ : Littlefield, Adams.

Piaget, J. (1963b). *Psychology of Intelligence*. Patterson, NJ : Littlefield, Adams.

Piaget, J. (1964). *Judgment and Reasoning in the Child*. Patterson, NJ : Littlefield, Adams.

Piaget, J., et Inhelder, B. (1969). *The Psychology of the Child*. New York : Basic Books.

Pich, E. M., Pagliusi, S. R., Tessari, M., Talabot-Ayer, D., Van Huijsduijnen, R. H., et Chiamulera, C. (1997). « Common neural substrates for the addictive properties of nicotine and cocaine », *Science*, vol. 275, p. 83-86.

Pieringer, W., Fazekas, C., et Pieringer, C. (2005). « Schizophrenia : An existential disease », *Fortschritte der Neurologie, Psychiatrie*, vol. 73, p. S25-S31.

Pihl, R. O., Lau, M. L., et Assaad, J.-M. (1997). « Aggressive disposition, alcohol, and aggression », *Aggressive Behavior*, vol. 23, p. 11-18.

Piko, B. (2006). « Adolescent smoking and drinking : The role of communal mastery and other social influences », *Addictive Behaviors*, vol. 31, p. 102-114.

Pilcher, J. J., Lambert, B. J., et Huffcutt, A. I. (2000). « Differential effects of permanent and rotating shifts on self-report sleep length : A meta-analytic review », *Sleep*, vol. 23, p. 155-163.

Pillemer, D. B. (1990). « Clarifying the flashbulb memory concept : Comment on McCloskey, Wible, and Cohen (1988) », *Journal of Experimental Psychology : General*, vol. 119, p. 92-96.

Pillow, D. R., Zautra, A. J., et Sandler, I. (1996). « Major life events and minor stressors : Identifying mediational links in the stress process », *Journal of Personality and Social Psychology*, vol. 70, p. 381-394.

Pinquart, M., et Sörensen, S. (2004). « Associations of caregiver stressors and uplifts with subjective well-being and depressed mood : A meta-analytic comparison », *Aging and Mental Health*, vol. 8, p. 438-449.

Plomin, R. (1999). « Genetics and general cognitive ability », *Nature*, vol. 402, p. C25-C29.

Plomin, R., DeFries, J. C., et Fulker, D. W. (1988). *Nature and Nurture During Infancy and Early Childhood*. New York : Cambridge University Press.

Plomin, R., DeFries, J. C., McClearn, G. E., et Rutter, M. (1997). *Behavioral Genetics*, 3e édition. New York : Freeman.

Plomin, R., et Dale, P. S. (2000). « Genetics and early language development : A UK study of twins », dans D. V. M. Bishop et L. B. Leonard (dir.), *Speech and Language Impairment in Children : Causes, Characteristics, Intervention and Outcome*. Oxford : Oxford University Press.

Plummer, D. L., et Slane S. (1996). « Patterns of coping in racially stressful situations », *Journal of Black Psychology*, vol. 22, p. 302-315.

Pontieri, F. C., Tanda, G., Orzi, F., et Di Chiara, G. (1996). « Effects of nicotine on the nucleus accumbens and similarity to those of addictive drugs », *Nature*, vol. 382, p. 255-257.

Porrino, L. J., et Lyons, D. (2000). « Orbital and medial prefrontal cortex and psychostimulant abuse : Studies in animal models », *Cerebral Cortex*, vol. 10, p. 326-333.

Posner, M. I. (1996). « Attention and psychopathology », *Harvard Mental Health Letter*, vol. 13, no 3, septembre, p. 5-6.

Postman, L., et Phillips, L. W. (1965). « Short term temporal changes in free recall », *Quarterly Journal of Experimental Psychology*, vol. 17, p. 132-138.

Potts, N. L. S., Davidson, J. R. T., et Krishman, K. R. R. (1993). « The role of nuclear magnetic resonance imaging in psychiatric research », *Journal of Clinical Psychiatry*, vol. 54, no 12, suppl., p. 13-18.

Poulin, Carole, Lemoine, Odette, Poirier, Léo-Roch, et Fournier, Louise (2004). « Les troubles anxieux constituent-ils un problème de santé publique ? », *Santé Mentale au Québec*, vol. 29, no 1, p. 61-72.

Poynton, T., Carlson, M., Hopper, J., et Carey, J. (2006). « Evaluation of an innovative approach to improving middle school students' academic achievement », *Professional School Counseling*, vol. 9, p. 190-196.

Prinz, P. N., Vitiello, M. V., Raskind, M. A., et Thorpy, M. J. (1990). « Geriatrics : Sleep disorders and aging », *New England Journal of Medicine*, vol. 323, p. 520-526.

Provencher, Martin D., et Guay, Stéphane (2007). « Dossier : Les données probantes sur l'efficacité des traitements psychothérapeutiques : Peut-on vraiment s'y fier ? » *Psychologie Québec*, janvier.

Provine, R. R. (1996). « Laughter », *American Scientist*, vol. 84, janvier-février, p. 38-45.

Pryke, S., Lindsay, R. C. L., et Pozzulo, J. D. (2000). « Sorting mug shots : Methodological issues », *Applied Cognitive Psychology*, vol. 14, p. 81-96.

Purves, Dale, Brannon, Elizabeth M., Cabeza, Roberto, Huettel, Scott A., LaBar, Kevin S., Platt, Michael L., et Woldorff, Marty (2008). *Principles of Cognitive Neuroscience*. Sunderland, MA : Sinauer Associates.

Rabinowitz, P. (2000). « Noise-induced hearing loss », *American Family Physician*, vol. 61, p. 1053.

Rachman, S. J., et Wilson, G. T. (1980). *The Effects of Psychological Therapy*, 2e édition. New York : Pergamon.

Ragozzino, M., Detrick, S., et Kesner, R. (2002). « The effects of prelimbic and infralimbic lesions on working memory for visual objects in rats », *Neurobiology of Learning and Memory*, vol. 77, p. 29-43.

Rahe, R. J., Meyer, M., Smith, M., Kjaer, G., et Holmes, T. H. (1964). « Social stress and illness onset », *Journal of Psychosomatic Research*, vol. 8, p. 35-44.

Rainville, P., et Price, D. D. (2004). « The neurophenomenology of hypnosis and hypnotic analgesia », dans D. D. Price et M. C. Bushnell (dir.), « Psychological methods of pain control: Basic science and clinical perspectives » (chapitre 11), *Progress in Pain Research and Management*. Seattle, WA IASP Press, vol. 29, p. 235-267.

Rainville, P., Hofbauer, R. K., Duncan, G. H., Bushnell, M. C., et Price, D. D. (2002). « Hypnosis modulates the activity in brain structures involved in consciousness », *Journal of Cognitive Neuroscience*, vol. 14, p. 887-901.

Ramey, C. (1993). « A rejoinder to Spitz's critique of the Abecedarian experiment », *Intelligence*, vol. 17, p. 25-30.

Ramey, C., et Campbell, F. (1987). « The Carolina Abecedarian project. An educational experiment concerning human malleability », dans J. J. Gallagher et C. T. Ramey (dir.), *The Malleability of Children*. Baltimore: Brookes, p. 127-140.

Ramey, C., et Ramey, S. (2004). « Early learning and school readiness: Can early intervention make a difference? », *Merrill-Palmer Quarterly*, vol. 50, p. 471-491.

Ramsay, D. S., et Woods, S. C. (1997). « Biological consequences of drug administration: Implications for acute and chronic tolerance », *Psychological Review*, vol. 104, p. 170-193.

Rantanen, J., Pulkkinen, L., et Kinnunen, U. (2005). « The Big Five personality dimensions, work-family conflict, and psychological distress: A longitudinal view », *Journal of Individual Differences*, vol. 26, p. 155-166.

Rasmussen, S. A., et Eisen, J. L. (1990). « Epidemiology of obsessive compulsive disorder », *Journal of Clinical Psychiatry*, vol. 51, n° 2, suppl., p. 10-13.

Ray, S., et Bates, M. (2006). « Acute alcohol effects on repetition priming and word recognition memory with equivalent memory cues », *Brain and Cognition*, vol. 60, p. 118-127.

Raz, A., Deouell, L. Y., et Bentin, S. (2001). « Is pre-attentive processing compromised by prolonged wakefulness? Effects of total sleep deprivation on the mismatch negativity », *Psychophysiology*, vol. 38, n° 5, p. 787-795.

Raz, N., Lindenberger, U., Rodrigue, K., Kennedy, K., Head, D., Williamson, A., Dahle, C., Gerstorf, D., et Acker, J. (2006). « Regional brain changes in aging healthy adults: General trends, individual differences and modifiers », *Cerebral Cortex*, vol. 15, p. 1679-1689.

Razoumnikova, O. M. (2000). « Functional organization of different brain areas during convergent and divergent thinking: An EEG investigation », *Cognitive Brain Research*, vol. 10, p. 11-18.

Reinhardt, J., Boerner, K., Horowitz, A., et Lloyd, S. (2006). « Good to have but not to use: Differential impact of perceived and received support on well-being », *Journal of Social and Personal Relationships*, vol. 23, p. 117-129.

Reisenzein, R. (2006). « Arnold's theory of emotion in historical perspective », *Cognition and Emotion*, vol. 20, n° 7, p. 920-975.

Reite, M., Buysse, D., Reynolds, C., et Mendelson, W. (1995). « The use of polysomnography in the evaluation of insomnia », *Sleep*, vol. 18, p. 58-70.

Renaud, André (2007). « La psychothérapie focalisée sur la transfert », *Santé Mentale au Québec*, vol. 32, n° 1, p. 7-16.

Reneman, L., Booij, J., Schmand, B., van den Brink, W., et Gunning, B. (2000). « Memory disturbances in "Ecstacy" users are correlated with an altered brain serotonin neurotransmission », *Psychopharmacology*, vol. 148, p. 322-324.

Rescorla, R. A. (1967). « Pavlovian conditioning and its proper control procedures », *Psychological Review*, vol. 74, p. 71-80.

Rescorla, R. A. (1968). « Probability of shock in the presence and absence of CS in fear conditioning », *Journal of Comparative and Physiological Psychology*, vol. 66, p. 1-5.

Rescorla, R. A. (1988). *The Mind*. Toronto: Bantam.

Rescorla, R. A., et Wagner, A. R. (1972). « A theory of Pavlovian conditioning: Variations in the effectiveness of reinforcement and nonreinforecement », dans A. Black et W. F. Prokasy (dir.), *Classical Conditioning: II. Current Research and Theory*. New York: Appleton.

Restak, R. (1993). « Brain by design », *The Sciences*, septembre-octobre, p. 27-33.

Revensuo, A. (2000). « The reinterpretation of dreams: An evolutionary hypothesis of the function of dreaming », *Behavioral and Brain Science*, vol. 23.

Reyna, V. (2004). « How people make decisions that involve risk: A dual-processes approach », *Current Directions in Psychological Science*, vol. 13, p. 60-66.

Reyna, V. F., et Lloyd, F. J. (2006). « Physician decision making and cardiac risk: Effects of knowledge, risk perception, risk tolerance, and fuzzy processing », *Journal of Experimental Psychology: Applied*, vol. 12, p. 179-195.

Reyna, V. F., Adam, M. B., Poirier, K., LeCroy, C. W., et Brainerd, C. J. (2005). « Risky decision-making in childhood and adolescence: A fuzzy-trace theory approach », dans J. Jacobs et P. Klacynski (dir.), *The Development of Judgment and Decision-making in Children and Adolescents*. Mahwah, NJ: Erlbaum, p. 77-106.

Rhéaume, J., et Ladouceur, R. (2000). « Cognitive and behavioural treatments of checking behaviours: An examination of individual cognitive change », *Clinical Psychology and Psychotherapy*, vol. 7, p. 118-127.

Richter, W., Somorjai, R., Summers, R., Jarmasz, M., Ravi, S., Menon, J. S., et autres (2000). « Motor area activity during mental rotation studies by time-resolved single-trial fMRI », *Journal of Cognitive Neuroscience*, vol. 12, p. 310-320.

Rickels, K., Schweizer, E., Weiss, S., et Zavodnick, S. (1993). « Maintenance drug treatment for panic disorder II: Shortand long-term outcome after drug taper », *Archives of General Psychiatry*, vol. 50, p. 61-68.

Riedel, G. (1996). « Function of metabotropic glutamate receptors in learning and memory », *Trends in Neurosciences*, vol. 19, p. 219-224.

Rifkin, J., Howard, T. (1979). *Les apprentis sorciers: Demain, la biologie…* Paris: Ramsay.

Rivers, S., Reyna, V., et Mills, B. (2008). « Risk taking under the influence: A fuzzy-trace theory of emotion in adolescence », *Developmental Review*, vol. 28, p. 107-144. En ligne: http://www.human.cornell.edu/che/HD/reyna/upload/Rivers_Reyna_Mills_In-press-Developmental-Review.pdf.

Roberts, B. W., et DelVecchio, W. F. (2000). « The rank-order consistency of personality traits from childhood to old age: A quantitative review of longitudinal studies », *Psychological Bulletin*, vol. 126, p. 3-25.

Roberts, B. W., Chernyshenko, O., Stark, S., et Goldberg, L. (2005). « The structure of conscientiousness: An empirical investigation based on seven major personality questionnaires », *Personnel Psychology*, vol. 58, p. 103-139.

Roberts, J., et Bell, M. (2000). « Sex differences on a mental rotation task: Variations in electroencephalogram hemispheric activation between children and college students », *Developmental Neuropsychology*, vol. 17, p. 199-223.

Robertson, I. H., et Murre, J. M. J. (1999). « Rehabilitation of brain damage: Brain plasticity and principles of guided recovery », *Psychological Bulletin*, vol. 125, p. 544-575.

Robins, R. W., Gosling, S. D., et Craik, K. H. (1999). « An empirical analysis of trends in psychology », *American Psychologists*, vol. 54, p. 117-128.

Robinson, D., Phillips, P. Budygin, E., Trafton, B., Garris, P., et Wightman, R. (2001). « Sub-second changes in accumbal dopamine during sexual behavior in male rats », *Neuroreport : For Rapid Communication of Neuroscience Research*, vol. 12, p. 2549-2552.

Robinson, M., et Tamir, M. (2005). « Neuroticism as mental noise : A relation between neuroticism and reaction time standard deviations », *Journal of Personality and Social Psychology*, vol. 89, p. 107-114.

Rock, I., et Palmer, S. (1990). « The legacy of Gestalt psychology », *Scientific American*, vol. 263, p. 84-90.

Rodin, J., et Salovey, P. (1989). « Health psychology », *Annual Review of Psychology*, vol. 40, p. 533-579.

Rodríguez, C., et Church, A. (2003). « The structure and personality correlates of affect in Mexico : Evidence of crosscultural comparability using the Spanish language », *Journal of Cross-Cultural Psychology*, vol. 34, p. 211-223.

Roediger, H. L., III, et McDermott, K. B. (1995). « Creating false memories : Remembering words not presented in lists », *Journal of Experimental Psychology : Learning, Memory, and Cognition*, vol. 21, p. 803-814.

Roehrich, L., et Kinder, B. N. (1991). « Alcohol expectancies and male sexuality : Review and implications for sex therapy », *Journal of Sex and Marital Therapy*, vol. 17, p. 45-54.

Roesch, S., et Weiner, B. (2001). « A meta-analytic review of coping with illness : Do causal attributions matter ? », *Journal of Psychosomatic Research*, vol. 50, p. 205-219.

Rogge, R., Bradbury, T., Hahlweg, K., Engl, J., et Thurmaier, F. (2006). « Predicting marital distress and dissolution : Refining the two-factor hypothesis », *Journal of Family Psychology*, vol. 20, p. 156-159.

Roorda, A., et Williams, D. R. (1999). « The arrangement of the three cone classes in the living human eye », *Nature*, vol. 397, p. 520-521.

Rosch, E. H. (1973). « Natural categories », *Cognitive Psychology*, vol. 4, p. 328-350.

Rosch, E. H. (1978). « Principles of categorization », dans E. H. Rosch et B. Lloyd (dir.), *Cognition and Categorization*. Hillsdale, NJ : Erlbaum.

Roseman, I. J., et Smith, C. A. (2001). « Appraisal theory : Overview, assumptions, varieties, controversies », dans K. R. Scherer, A. Schorr et T. Johnstone (dir.), *Appraisal Processes in Emotion : Theory, Methods, Research*. New York : Oxford University Press, p. 3-19.

Rosenfeld, J. P. (1995). « Alternative views of Bashore and Rapp's (1993) alternatives to traditional polygraphy : A critique », *Psychological Bulletin*, vol. 117, p. 159-166.

Rosengren, A., Hawken, S., Ounpuu, S., Sliwa, K., Zubaid, M., Almahmeed, W. A., Blackett, K. N., Sitthi-amorn, C., Sato, H., et Yusuf, S. (2004). « Association of psychosocial risk factors with risk of acute myocardial infarction in 11119 cases and 13648 controls from 52 countries (The Interheart Study) : case-control study », *Lancet*, vol. 364, n° 9438, p. 953-962.

Rosenhan, D. L. (1973). « On being sane in insane places », *Science*, vol. 179, p. 250-258.

Rosenzweig, M. R. (1961). « Auditory localization », *Scientific American*, vol. 205, p. 132-142.

Ross, J., Baldessarini, R. J., et Tondo, L. (2000). « Does lithium treatment still work ? Evidence of stable responses over three decades », *Archives of General Psychiatry*, vol. 57, p. 187-190.

Roth, T. (1996). « Social and economic consequences of sleep disorders », *Sleep*, vol. 19, p. S46-S47.

Rotter, J. B. (1966). « Generalized expectancies for internal versus external control of reinforcement », *Psychological Monographs*, vol. 80, n° 1 (n° complet 609).

Rotter, J. B. (1971). « External control and internal control », *Psychology Today*, juin, p. 37-42, 58-59.

Rotter, J. B. (1990). « Internal versus external control of reinforcement : A case history of a variable », *American Psychologist*, vol. 45, p. 489-493.

Rouch, I., Wild, P., Ansiau, D., et Marquie, J. (2005). « Shiftwork experience, age and cognitive performance », *Ergonomics*, vol. 48, p. 1282-1293.

Rowe, D. C. (1987). « Resolving the person-situation debate : Invitation to an interdisciplinary dialogue », *American Psychologist*, vol. 42, p. 218-227.

Rozell, E., Pettijohn, C., et Parker, R. (2002). « An empirical evaluation of emotional intelligence : The impact on management development », *Journal of Management Development*, vol. 21, p. 272-289.

Rugg, M. D., et Wilding, E. L. (2000). « Retrieval processing and episodic memory », *Trends in Cognitive Neurosciences*, vol. 4, p. 108-115.

Runeson, B. S., Beskow, J., et Waern, M. (1996). « The suicidal process in suicides among young people », *Acta Psychiatrica Scandinavica*, vol. 93, p. 35-42.

Rushton, J., et Jensen, A. (2003). « African-White IQ differences from Zimbabwe on the Wechsler Intelligence Scale for Children-Revised are mainly on the *g* factor », *Personality and Individual Differences*, vol. 34, p. 177-183.

Rushton, J., et Jensen, A. (2005). « Thirty years of research on race differences in cognitive ability », *Psychology, Public Policy, and Law*, vol. 11, p. 235-294.

Russell, James A. (2003). « Core Affect and the Construction of Emotions », *Psychological Review*, vol. 110, p. 145-172.

Russell, T., Rowe, W., et Smouse, A. (1991). « Subliminal selfhelp tapes and academic achievement : An evaluation », *Journal of Counseling and Development*, vol. 69, p. 359-362.

Ryan, R., Kim, Y., et Kaplan, U. (2003). « Differentiating autonomy from individualism and independence : A self-determination theory perspective on internalization of cultural orientations and well-being », *Journal of Personality and Social Psychology*, vol. 84, p. 97-110.

Sachs, G., Grossman, F., Ghaemi, S., Okamoto, A., et Bosden, C. (2002). « Combination of a mood stabilizer with risperidone or haloperidol for treatment of acute mania : A double-blind, placebo-controlled comparison of efficacy and safety », *American Journal of Psychiatry*, vol. 159, p. 1146-1154.

Sackeim, H. A., Gur, R. C., et Saucy, M. (1978). « Emotions are expressed more intensely on the left side of the face », *Science*, vol. 202, p. 434-436.

Sacks, O. (1995). *An Anthropologist on Mars*. New York : Macmillan.

Sacks, O. (1996). *Un anthropologue sur Mars*. Paris : Le Seuil, coll. « Points Essais ».

Sadeh, A., Gruber, R., et Raviv, A. (2003). « The effect of sleep restriction and extension on school-age children : What a difference an hour makes », *Child Development*, vol. 74, p. 444-455.

Sahoo, F., Sahoo, K., et Harichandan, S. (2005). « Big Five factors of personality and human happiness », *Social Science International*, vol. 21, p. 20-28.

Saint-Laurent, D., et Gagné, M. (2008). *Surveillance de la mortalité par suicide au Québec : Ampleur et évolution du problème de 1981 à 2006*. Québec : Institut national de santé publique du Québec, 20 p.

Salo, J., Niemelae, A., Joukamaa, M., et Koivukangas, J. (2002). « Effect of brain tumour laterality on patients' perceived quaity of life », *Journal of Neurology, Neurosurgery, and Psychiatry*, vol. 72, p. 373-377.

Salovey, P., et Pizarro, D. (2003). « The value of emotional intelligence », dans R. Sternberg, J. Lautrey et T. Lubart (dir.), *Models of Intelligence : International Perspective*. Washington, DC : American Psychological Association, p. 263-278.

Santé Canada (2002). « Rapport sur les maladies mentales au Canada », Ottawa, octobre.

Saper, C., Scammell, T., et Lu, J. (2005). « Hypothalamic regulation of sleep and circadian rhythms », *Nature*, vol. 437, p. 1257-1263.

Sastry, R. C., Lee, D., et Har-El, G. (1997). « Palatal perforation from cocaine abuse », *Otolaryngology and Head and Neck Surgery*, vol. 116 : p. 565-6.

Sateia, M. J., Doghramji, K., Hauri, P. J., et Morin, C. M. (2000). « Evaluation of chronic insomnia : An American academy of sleep medicine review », *Sleep*, vol. 23, p. 243-308.

Sazci, A., Ergul, E., Kucukali, I., Kara, I., et Kaya, G. (2005). « Association of the C677T and A1298C polymorphisms of methylenetetrahydrofolate reductase gene with schizophrenia : Association is significant in men but not in women », *Progress in Neuro-Psychopharmacology and Biological Psychiatry*, vol. 29, p. 1113-1123.

Scarr, S., et Weinberg, R. (1976). « IQ test performance of black children adopted by white families », *American Psychologist*, vol. 31, p. 726-739.

Schaie, K. W. (1993). « Ageist language in psychological research », *American Psychologist*, vol. 48, p. 49-51.

Schellenberg, E. (2004). « Music lessons enhance IQ », *Psychological Science*, vol. 15, p. 511-514.

Schenck, C. H., et Mahowald, M. W. (1995). « Apolysomnographically documented case of adult somnambulism with long-distance automobile driving and frequent nocturnal violence : Parasomnia with continuing danger as a noninsane automatism ? », *Sleep*, vol. 18, p. 765-772.

Schenck, C. H., et Mahowald, M. W. (2000). « Parasomnias. Managing bizarre sleep-related behavior disorders », *Postgraduate Medicine*, vol. 107, p. 145-156.

Scherer, K. R. (1997). « Profiles of emotion-antecedent appraisal : testing theoretical predictions across cultures », *Cognition and Emotion*, vol. 11, p. 113-150.

Scherer, K. R. (2004). « Feelings integrate the central representation of appraisal-driven response organization in emotion », dans A. S. R. Manstead, N. H. Frijda et A. H. Fischer (dir.), *Feelings and Emotions : The Amsterdam Symposium*. Cambridge, UK : Cambridge University Press, p. 136-157.

Scherer, K. R., et Wallbott, H. G. (1994). « Evidence for universality and cultural variation of differential emotion response patterning », *Journal of Personality and Social Psychology*, vol. 66, p. 310-328.

Schiff, M., et Lewontin, R. (1986). *Education and Class : The Irrelevance of IQ Genetic Studies*. Oxford : Clarendon.

Schiller, F. (1993). *Paul Broca : Explorer of the Brain*. Oxford : Oxford University Press.

Schmitz, J. M., Schneider, N. G., et Jarvik, M. E. (1997). « Nicotine » (chapitre 25), dans J. H. Lowinson, P. Ruiz, R. B. Millman et J. G. Langrod (dir.), *Substance Abuse : A Comprehensive Textbook*, 3e édition. Baltimore : Williams and Wilkins, p. 276-294.

Schneider, E., Lang, A., Shin, M., et Bradley, S. (2004). « Death with a story : How story impacts emotional, motivational, and physiological responses to first-person shooter video games », *Human Communication Research*, vol. 30, p. 361-375.

Scholz, U., Dona, B., Sud, S., et Schwarzer, R. (2002). « Is general self-efficacy a universal construct ? Psychometric findings from 25 countries », *European Journal of Psychological Assessment*, vol. 18, p. 242-251.

Schou, M. (1997). « Forty years of lithium treatment », *Archives of General Psychiatry*, vol. 54, p. 9-13.

Schuckit, M., Edenberg, H., Kalmijn, J., Flury, L., Smith, T., Reich, T., Beirut, L., Goate, A., et Foroud, T. (2001). « A genomewide search for gens that relate to a low level of response to alcohol », *Alcoholism : Clinical and Experimental Research*, vol. 25, p. 323-329.

Schultz, W. (2006). « Behavioral theories and the neurophysiology of reward », dans S. Fiske, A. Kazdin et D. Schacter (dir.), *Annual Review of Psychology*. Palo Alto, CA : Annual Reviews, vol. 57, p. 87-116.

Schwartz, S., et Maquet, P. (2002). « Sleep imaging and the neuropsychological assessment of dreams », *Trends in Cognitive Sciences*, vol. 6, p. 23-30.

Scott, S. K., Young, A. W., Calder, A. J., Hellawell, D. J., Aggleton, J. P., et Johnson, M. (1997). « Impaired auditory recognition of fear and anger following bilateral amygdala lesions », *Nature*, vol. 385, p. 254-257.

Scully, J., Tosi, H., et Banning, K. (2000). « Life event checklists : Revisiting the Social Readjustment Rating Scale after 30 years », *Educational and Psychological Measurement*, vol. 60, p. 864-876.

Sedikides, C., Gaertner, L., et Toguchi, Y. (2003). « Pancultural self-enhancement », *Journal of Personality and Social Psychology*, vol. 84, p. 60-79.

Seeman, T., Dubin, L., et Seeman, M. (2003). « Religiosity / spirituality and health », *American Psychologist*, vol. 58, p. 53-63.

Segal, Z., Williams, M., et Teasdale, J. (2001). *Mindfulnessbased Cognitive Therapy for Depression*. New York : Guilford Press.

Seger, C. A., Desmond, J. E., Glover, G. H., et Gabrieli, J. D. E. (2000). « Functional magnetic resonance imaging evidence for right-hemisphere involvement in processing unusual semantic relationships », *Neuropsychology*, vol. 14, p. 361-369.

Seligman, M. E. P. (1970). « On the generality of the laws of learning », *Psychological Review*, vol. 77, p. 406-418.

Seligman, M. E. P. (1972). « Phobias and preparedness », dans M. E. P. Seligman et J. L. Hager (dir.), *Biological Boundaries of Learning*. Englewood Cliffs, NJ : Prentice Hall.

Seligman, M. E. P. (1975). *Helplessness : On Depression, Development and Death*. San Francisco : Freeman.

Seligman, M. E. P. (1990). *Learned Optimism : How to Change your Mind and your Life*. New York : Simon and Schuster.

Seligman, M. E. P. (1991). *Learned Optimism*. New York : Knopf.

Seligman, M., et Csikszentmihalyi, M. (2000). « Positive psychology : An introduction », *American Psychologist*, vol. 55, p. 5-14.

Seligman, M., Steen, T., Park, N., et Peterson, C. (2005). « Positive psychology progress : Empirical validation of interventions », *American Psychologist*, vol. 60, p. 410-421.

Selye, H. (1956). *The Stress of Life*. New York : McGraw-Hill.

Selye, H. (1978). Cité par L. Cherry, « On the real benefits of eustress » (entrevue avec Hans Selye), *Psychology Today*, vol. 11, no 10, mars, p. 60-61, 63, 69-70.

Serpell, R. (2003). Cité par E. Benson, « Intelligence across cultures », *Monitor on Psychology*, vol. 34, nº 2, février.

Servant, Dominique (2001). *Attaques de panique et agoraphobie : Diagnostic et prise en charge.* Paris : Masson, 193 p.

Shaffer, M., Harrison, D., Gregersen, H., Black, J., et Ferzandi, L. (2006). « You can take it with you : Individual differences and expatriate effectiveness », *Journal of Applied Psychology*, vol. 91, p. 109-125.

Shaw, J. S., III. (1996). « Increases in eyewitness confidence resulting from postevent questioning », *Journal of Experimental Psychology : Applied*, vol. 2, p. 126-146.

Shaw, V. N., Hser, Y.-I., Anglin, M. D., et Boyle, K. (1999). « Sequences of powder cocaine and crack use among arrestees in Los Angeles County », *American Journal of Drug and Alcohol Abuse*, vol. 25, p. 47-66.

Sher, L. (2004). « Type D personality, cortisol and cardiac disease », *Australian and New Zealand Journal of Psychiatry*, vol. 38, p. 652-653.

Sherbourne, C. D., Wells, K. B., et Judd, L. L. (1996). « Functioning and well-being of patients with panic disorder », *American Journal of Psychiatry*, vol. 153, p. 213-218.

Sherry, J. L., Lucas, K., Greenburg, B., et Lachlan, K. (2005). « Video game uses and gratifications as predictors of use and game preference », dans Peter Vorderer et Jennings Bryant (dir.), *Playing Computer Games : Motives, Responses, and Consequences.* Mahwah, NJ : Lawrence Erlbaum Associates.

Sheth, R. (2005). « Memory consolidation during sleep : A form of brain restitution », *Behavioral and Brain Sciences*, vol. 28.

Shields, S. A., et Kappas, A. (2006). « Magda B. Arnold's contributions to emotions research », *Cognition and Emotion*, vol. 20, p. 898-901.

Shiffrin, R. (1999). « Thirty years of memory », dans C. Izawa (dir.), *On Human Memory : Evolution, Progress, and Reflections on the 30th Anniversary of the Atkinson-Shiffrin Model.* Hillsdale, NJ : Lawrence Erlbaum Associates, p. 17-33.

Shiner, R. (2000). « Linking childhood personality with adaptation : Evidence for continuity and change across time into late adolescence », *Journal of Personality and Social Psychology*, vol. 78, p. 310-325.

Shneidman, E. S. (1994). « Clues to suicide, reconsidered », *Suicide and Life-Threatening Behavior*, vol. 24, p. 395-397.

Sidman, M., Stoddard, L. T., et Mohr, J. P. (1968). « Some additional quantitative observations of immediate memory in a patient with bilateral hippocampal lesions », *Neuropsychologia*, vol. 6, p. 245-254.

Siegrist, J. (1996). « Adverse health effects of high effort low-reward conditions », *Journal of Occupational Health Psychology*, vol. 1, nº 1, p. 27-41.

Siegrist, J., Peter, R., Junde, A., Cremer, P., Siedel, D. (1990). « Low status control, high effort at work and ischemic heart disease : Prospective evidence from blue-collar men », *Social Science of Medicine*, vol. 31, p. 1127-1134.

Silva, C. E., et Kirsch, I. (1992). « Interpretive sets, expectancy, fantasy proneness, and dissociation as predictors of hypnotic response », *Journal of Personality and Social Psychology*, vol. 63, p. 847-856.

Simon, T., et Binet, A. (1904). « Méthodes nouvelles pour le diagnostic du niveau intellectuel des anormaux », *L'Année psychologique*, vol. 11, nº 11.

Simons, J., et Carey, K. (2002). « Risk and vulnerability for marijuana use problems », *Psychology of Addictive Behaviors*, vol. 16, p. 72-75.

Skrabalo, A. (2000). « Negative symptoms in schizophrenia(s) : The conceptual basis », *Harvard Brain*, vol. 7, p. 7-10.

Slade, J. D. (1989). « The tobacco epidemic : Lessons from history », *Journal of Psychoactive Drugs*, vol. 21, p. 281-91.

Smith, N., Young, A., et Lee, C. (2004). « Optimism, healthrelated hardiness and well-being among older Australian women », *Journal of Health Psychology*, vol. 9, p. 741-752.

Smith, S. M., Glenberg, A., et Bjork, R. A. (1978). « Environmental context and human memory », *Memory and Cognition*, vol. 6, p. 342-353.

Smith, T., et Ruiz, J. (2002). « Psychosocial influences on the development and course of coronary heart disease : Current status and implications for research and practice », *Journal of Consulting and Clinical Psychology*, vol. 70, p. 548-568.

Snowden, J. S., Griffiths, H. L., et Neary, D. (1996). « Semanticepisodic memory interactions in semantic dementia : Implications for retrograde memory function », *Cognitive Neuropsychology*, vol. 13, p. 1101-1137.

Snyder, A. W., et Mitchell, D. J. (1999). « Is integer arithmetic fundamental to mental processing ? The mind's secret arithmetic ? », *Proceedings of the Royal Society of London. B : Biological Sciences*, vol. 266, p. 587-592.

Snyder, A. W., Bahramali, H., Hawker, T., et Mitchell, D. (2006). « Savant-like numerosity skills revealed in normal people by magnetic pulses », *Perception*, vol. 35, p. 837-845.

Sobin, C., et Sackeim, H. A. (1997). « Psychomotor symptoms of depression », *American Journal of Psychiatry*, vol. 154, p. 4-17.

Söderfeldt, B., Rönnberg, J., et Risberg, J. (1994). « Regional cerebral blood flow in sign language users », *Brain and Language*, vol. 46, p. 59-68.

Sokolov, E. N. (2000). « Perception and the conditioning reflex : Vector encoding », *International Journal of Psychophysiology*, vol. 35, p. 197-217.

Solano, L., Donati, V., Pecci, F., Perischetti, S., et Colaci, A. (2003). « Postoperative course after papilloma resection : Effects of written disclosure of the experience in subjects with different alexithymia levels », *Psychosomatic Medicine*, vol. 65, p. 477-484.

Solms, M. (2000). « Dreaming and REM sleep are controlled by different brain mechanisms », *Behavioral and Brain Sciences*, vol. 23, nº 6.

Sophocle (2000). *Œdipe-roi*, suivi de *Prolongements, Étude du mythe d'Œdipe à travers les âges*, par Guy Belzane. Paris : Gallimard, coll. « La Bibliothèque Gallimard ».

Spanos, N. P. (1986). « Hypnotic behavior : A social-psychological interpretation of amnesia, analgesia, and "trance logic" », *Behavioral and Brain Sciences*, vol. 9, p. 499-502.

Spanos, N. P. (1991). « A sociocognitive approach to hypnosis », dans S. J. Lynn et J. R. Ruhe (dir.), *Hypnosis Theories : Current Models and Perspectives.* New York : Guilford Press, p. 324-361.

Spanos, N. P. (1994). « Multiple identity enactments and multiple personality disorder : A sociocognitive perspective », *Psychological Bulletin*, vol. 116, p. 143-165.

Spanos, N. P., Perlini, A., Patrick, L., Bell, S., et Gwynn, M. (1990). « The role of compliance and hypnotic and nonhypnotic analgesia », *Journal of Research in Personality*, vol. 24, p. 433-453.

Spataro, L. E., Sloane, E. M., Milligan, E. D., Wieseler-Frank, J., Schoeniger, D., Jekich, B. M., et autres (2004). « Spinal gap junctions : potential involvement in pain facilitation », *The Journal of Pain*, vol. 5, p. 392-405.

Spearman, C. (1904). « "General intelligence", objectively determined and measured », *American Journal of Psychology*, vol. 15, p. 201-293. En ligne : http://psychclassics.yorku.ca/Spearman/index.htm.

Sperling, H. (1960). « The information available in brief visual presentations », *Psychological Monographs : General and Applied*, vol. 74, n° complet 498, p. 1-29.

Sperry, R. W. (1964). « The great cerebral commissure », *Scientific American*, vol. 210, p. 42-52.

Sperry, R. W. (1966). « Brain bisection and consciousness », dans J. Eccles (dir.), *Brain and Conscious Experience*. New York : Springer-Verlag.

Sperry, R. W. (1968). « Hemisphere deconnection and unity in conscious experience », *American Psychologist*, vol. 23, p. 723-733.

Spitzer, M. W., et Semple, M. N. (1991). « Interaural phase coding in auditory midbrain : Influence of dynamic stimulus features », *Science*, vol. 254, p. 721-724.

Sporer, S. L., Penrod, S., Read, D., et Cutler, B. (1995). « Choosing, confidence, and accuracy : A meta-analysis of the confidence-accuracy relation in eyewitness identification studies », *Psychological Bulletin*, vol. 118, p. 315-327.

Spreen, O., Risser, A., et Edgell, D. (1995). *Developmental Neuropsychology*. New York : Oxford University Press.

Springer, S. P., et Deutsch, G. (1985). *Left Brain, Right Brain*, édition révisée. New York : W. H. Freeman.

Squire, L. R., et Alvarez, P. (1995). « Retrograde amnesia and memory consolidation : a neurobiological perspective », *Current Opinion in Neurobiology*, vol. 5, p. 169-177.

Squire, L. R., Knowlton, B., et Musen, G. (1993). « The structure and organization of memory », *Annual Review of Psychology*, vol. 44, p. 453-495.

Stack, D. M., et Arnold, S. L. (1998). « Changes in mothers' touch and hand gestures influences infant behavior during face-to-face interchanges », *Infant Behavior and Development*, vol. 21, n° 3, p. 451-468.

Stack, D. M., et LePage, D. E. (1996). « Infants' sensitivity to manipulations of maternal touch during face-to-face interactions », *Social Development*, vol. 5, n° 1, p. 41-55.

Statistique Canada (2008a). « Enquête de surveillance de l'usage du tabac au Canada (ESUTC) 2008 ». En ligne : http://www.hc-sc.gc.ca/hl-vs/tobac-tabac/research-recherche/stat/ctums-esutc_2008-fra.php, consulté le 3 mars 2009.

Statistique Canada (2008b). « L'équilibre travail-vie personnelle des travailleurs de quarts », document préparé par C. Williams, *Perspective 5*, n° 75-001-X au catalogue, août. En ligne : http://www.statcan.ca/francais/freepub/75-001-XIF/2008108/pdf/10677-fr.pdf.

Steele, J., et Mays, S. (1995). « Handedness and directional asymmetry in the long bones of the human upper limb », *International Journal of Osteoarchaeology*, vol. 5, p. 39-49.

Steiger, H. (2007). « Eating disorder paradigms for the new millennium : Do "attachment" and "culture" appear on brain and genome scans ? », *Canadian Journal of Psychiatry*, vol. 52, n° 4, p. 209-211.

Steiger, H., et Bruce, K. R. (2007). « Phenotypes, endophenotypes, and genotypes in bulimia spectrum eating disorders », *Canadian Journal of Psychiatry*, vol. 52, n° 4, p. 220-227.

Steiger, H., et Séguin, J. R. (1999). « Eating disorders : Anorexia nervosa and bulimia nervosa », dans T. Million, P. H. Blaneyu et R. David (dir.), *Oxford Textbook of Psychopathology*. New York : Oxford University Press, p. 365-88.

Steiger, H., Richardson, J., Joober, R., Israel, M., Bruce, K. R., Ng Ying Kin, N. M., Howard, H., Anestin, A., Dandurand, C., et Gauvin, L. (2008). « Dissocial behavior, the 5HTTLPR polymorphism, and maltreatment in women with bulimic syndromes », *American Journal of Medical Genetics Part B (Neuropsychiatric Genetics)*, vol. 147, n° 1, p. 128-130.

Stein, M. B., et Kean, Y. M. (2000). « Disability and quality of life in social phobia : Epidemiologic findings », *American Journal of Psychiatry*, vol. 157, p. 1606-1613.

Stein, M. B., Walker, J. R., et Forde, D. R. (1996). « Public-speaking fears in a community sample : Prevalence, impact on functioning, and diagnostic classification », *Archives of General Psychiatry*, vol. 53, p. 169-174.

Steiner, J. E. (1973). « The gustofacial response : observation on normal and anencephalic newborn infants », *Symposium on Oral Sensation and Perception*, vol. 4, p. 254-278.

Stephan, K. M., Fink, G. R., Passingham, R. E., Silbersweig, D., Ceballos-Baumann, A. O., Frith, C. D., et Frackowiak, R. S. J. (1995). « Functional anatomy of the mental representation of upper extremity movements in healthy subjects », *Journal of Neurophysiology*, vol. 73, p. 373-386.

Steriade, M. (1996). « Arousal : Revisiting the reticular activating system », *Science*, vol. 272, p. 225-226.

Stern, L. D. (1981). « A review of theories of human amnesia », *Memory and Cognition*, vol. 9, p. 247-262.

Stern, W. (1912). *The Psychological Methods of Intelligence Testing*, traduit par G. Whipple. Baltimore : Warwick and York.

Stern, W. (1914). *The Psychological Methods of Testing Intelligence*. Baltimore : Warwick and York.

Sternberg, R. J. (1985). *Beyond IQ : A Triarchic Theory of Human Intelligence*. New York : Cambridge University Press.

Sternberg, R. J. (1986). *Intelligence Applied : Understanding and Increasing your Intellectual Skills*. San Diego : Harcourt Brace Jovanovich.

Sternberg, R. J. (2000). « The holey grail of general intelligence », *Science*, vol. 289, p. 399-401.

Sternberg, R. J. (2003a). « Our research program validating the triarchic theory of successful intelligence : Reply to Gottfredson », *Intelligence*, vol. 31, p. 399-413.

Sternberg, R. J. (2003b). « Issues in the theory and measurement of successful intelligence : A reply to Brody », *Intelligence*, vol. 31, p. 331-337.

Sternberg, R. J., Wagner, R. K., Williams, W. M., et Horvath, J. A. (1995). « Testing common sense », *American Psychologist*, vol. 50, p. 912-927.

Sternberg, R., Castejon, J., Prieto, M., Hautamacki, J., et Grigorenko, E. (2001). « Confirmatory factor analysis of the Sternberg Triarchic Abilities Test in three international samples : An empirical test of the triarchic theory of intelligence », *European Journal of Psychological Assessment*, vol. 17, p. 1-16.

Stevenson, H. W. (1992). « Learning from Asian schools », *Scientific American*, vol. 267, p. 70-76.

Stevenson, H. W., Lee, S. Y., et Stigler, J. W. (1986). « Mathematics achievement of Chinese, Japanese, and American children », *Science*, vol. 231, p. 693-699.

Stewart, G., Fulmer, I., et Barrick, M. (2005). « An exploration of member roles as a multilevel linking mechanism for individual traits and team outcomes », *Personnel Psychology*, vol. 58, p. 343-365.

Stoskopf, Alan (1999). « An untold story of resistance : african-american educators and IQ testing in the 1920's and '30's », *Rethinking School Online*, vol. 14, n° 1. En ligne : http://www.rethinkingschools.org/archive/14_01/iq141.shtml.

Strohmetz, D., Rind, B., Fisher, R., et Lynn, M. (2002). « A meta-analytic review of the predictors of restaurant tipping », *Journal of Applied Social Psychology*, vol. 32, p. 300-309.

Strome, M., et Vernick, D. (1989). « Hearing loss and hearing aids », *Harvard Medical School Health Letter*, vol. 14, avril, p. 5-8.

Stuss, D. T., Gow, C. A., et Hetherington, C. R. (1992). « "No longer Gage" : Frontal lobe dysfunction and emotional changes », *Journal of Consulting and Clinical Psychology*, vol. 60, p. 349-359.

Sullivan, A. D., Hedberg, K., et Fleming, D. W. (2000). « Legalized physician-assisted suicide in Oregon–The second year », *New England Journal of Medicine*, vol. 342, p. 598-604.

Sullivan, E., Fama, R., Rosenbloom, M., et Pfefferbaum, A. (2002). « A profile of neuropsychological deficits in alcoholic women », *Neuropsychology*, vol. 16, p. 74-83.

Sussman, S., et Dent, C. W. (2000). « One-year prospective prediction of drug use from stress-related variables », *Substance Use and Misuse*, vol. 35, p. 717-735.

Swann, A. C., Dougherty, D. M., Pazzaglia, P. J., Pham, M., et Moeller, F. G. (2004). « Impulsivity : A link between bipolar disorder and substance abuse », *Bipolar Disorder*, vol. 6, n° 3, p. 204-212.

Swanson, L. W. (1995). « Mapping the human brain : Past, present, and future », *Trends in Neurosciences*, vol. 18, p. 471-474.

Sweatt, J. D., et Kandel, E. R. (1989). « Persistent and transcriptionally-dependent increase in protein phosphorylation in long-term facilitation of Aplysia sensory neurons », *Nature*, vol. 339, p. 51-54.

Sweller, J., et Levine, M. (1982). « Effects of goal specificity on means-end analysis and learning », *Journal of Experimental Psychology : Learning, Memory, and Cognition*, vol. 8, p. 463-474.

Swets, J. A. (1992). « The science of choosing the right decision threshold in high-stakes diagnostics », *American Psychologist*, vol. 47, p. 522-532.

Swets, J. A. (1998). « Separating discrimination and decision in detection, recognition, and matters of life and death », dans D. Scarborough, S. Sternberg et autres (dir.), *Methods, Models and Conceptual Issues : An Invitation to Cognition Sciences*. Cambridge, MA : MIT Press, vol. 4, p. 635-702.

Takahashi, S., Matsuura, M., Tanabe, E., Yara, K., Nonaka, K., Fukura, Y., Kikuchi, M., et Kojima, T. (2000). « Age at onset of schizophrenia : Gender differences and influence of temporal socioeconomic change », *Psychiatry and Clinical Neurosciences*, vol. 54, p. 153-156.

Tamminga, C. A., et Conley, R. R. (1997). « The application of neuroimaging techniques to drug development », *Journal of Clinical Psychiatry*, vol. 58, n° 10, suppl., p. 3-6.

Tanda, G., Pontieri, F. E., et Di Chiara, G. (1997). « Cannabinoid and heroin activation of mesolimbic dopamine transmission by a common m1 opioid receptor mechanism », *Science*, vol. 276, p. 2048-2050.

Tanner, J. M. (1990). *Fetus into Man*, 2e édition. Cambridge MA : Harvard University Press.

Tassin, J. P. (2001). « À quel moment survient le rêve au cours d'une nuit de sommeil ? Le rêve naît du réveil », *Journal de la psychanalyse de l'enfant : Le Rêve*. Paris : Bayard Editions, vol. 28, p. 82-94.

Taub, G., Hayes, B., Cunningham, W., et Sivo, S. (2001). « Relative roles of cognitive ability and practical intelligence in the prediction of success », *Psychological Reports*, vol. 88, p. 931-942.

Tay, C., Ang, S., et Dyne, L. (2006). « Personality, biographical characteristics, and job interview success : A longitudinal study of the mediating effects of interviewing self-efficacy and the moderating effects of internal locus of causality », *Journal of Applied Psychology*, vol. 91, p. 446-454.

Tchanturia, K., Serpell, L., Troop, N., et Treasure, J. (2001). « Perceptual illusions in eating disorders : Rigid and fluctuating styles », *Journal of Behavior Therapy and Experimental Psychiatry*, vol. 32, p. 107-115.

Tellegen, A., Lykken, D. T., Bouchard, T. J., Jr., Wilcox, K. J., Segal, N. L., et Rich, S. (1988). « Personality similarity in twins reared apart and together », *Journal of Personality and Social Psychology*, vol. 54, p. 1031-1039.

Teng, E., Stefanacci, L., Squire, L. R., et Zola, S. M. (2000). « Contrasting effects on discrimination learning after hippocampal lesions and conjoint hippocampal-caudate lesions in monkeys », *Journal of Neuroscience*, vol. 20, p. 3853-3863.

Terlecki, M., et Newcombe, N. (2005). « How important is the digital divide ? The relation of computer and videogame usage to gender differences in mental rotation ability », *Sex Roles*, vol. 53, p. 433-441.

Terman, G. W., Shavit, Y., Lewis, J. W., Cannon, J. T., et Liebeskind, J. C. (1984). « Intrinsic mechanisms of pain inhibition : Activation by stress », *Science*, vol. 226, p. 1270-1277.

Terman, Lewis M. (1916). « The uses of intelligence tests ». *The Measurement of Intelligence*. Boston : Houghton Mifflin, chapitre 1.

Terman, Lewis M., et Merril, Maud (1937). *Measuring Intelligence*. Boston : Houghton Mifflin.

Termine, N. T., et Izard, C. E. (1988). « Infants' responses to their mother's expressions of joy and sadness », *Developmental Psychology*, vol. 24, p. 223-229.

Terracciano, A., McCrae, R. R., Brant, L. J., Costa, P. T., Jr. (2005). « Hierarchical linear modeling analyses of NEO-PI-R scales in the Baltimore Longitudinal Study of Aging », *Psychology and Aging*, vol. 20, p. 493-506.

Than, K., Borell, L., et Gustavsson, A. (2000). « The discovery of disability : A phenomenological study of unilateral neglect », *American Journal of Occupational Therapy*, vol. 54, p. 398-406.

Thase, M. E., et Kupfer, D. J. (1996). « Recent developments in the pharmacotherapy of mood disorders », *Journal of Consulting and Clinical Psychology*, vol. 64, p. 646-659.

Thase, M. E., Frank, E., Mallinger, A. G., Hammer, T., et Kupfer, D. J. (1992). « Treatment of imipramine-resistant recurrent depression, III : Efficacy of monoamine oxidise inhibitors », *Journal of Clinical Psychiatry*, vol. 53, n° 1, suppl., p. 5-11.

Thirthalli, J., et Benegal, V. (2006). « Psychosis among substance users », *Current Opinion in Psychiatry*, vol. 19, p. 239-245.

Thompson, P., Vidal, C., Giedd, J., Gochman, P., Blumenthal, J., Nicolson, R., Toga, A., et Rapoport, J. (2001). « Mapping adolescent brain change reveals dynamic wave of accelerated gray matter loss in very early-onset schizophrenia », *Proceedings of the National Academy of Sciences*, vol. 98, p. 11650-11655.

Thorndike, E. L. (1911/1970). *Animal Intelligence : Experimental Studies*. New York : Macmillan.

Thurstone, L. L. (1947). *Multiple Factor Analysis*. Chicago : The University of Chicago Press

Thurstone, L. L. (1948). « Presidential address », American Psychological Association, *The American Psychologist*, vol. 3, p. 402-408. Traduction française : *Bulletin de l'Institut national d'étude du travail et d'orientation professionnelle*, vol. 4, p. 101-174.

Todorov, A., et Bargh, J. (2002). « Automatic sources of aggression », *Aggression and Violent Behavior*, vol. 7, p. 53-68.

Tolman, E. C. (1932). *Purposive Behavior in Animals and Men*. New York : Appleton-Century-Crofts.

Tolman, E. C., et Honzik, C. H. (1930). « Introduction and removal of reward, and maze performance in rats », *University of California Publications in Psychology*, vol. 4, p. 257-275.

Torrey, E. (1992). *Freudian Fraud : The Malignant Effect of Freud's Theory on American Thought and Culture*. New York : Harper Collins.

Tourangeau, R., Smith, T. W., et Rasinski, K. A. (1997). « Motivation to report sensitive behaviors on surveys : Evidence from a bogus pipeline experiment », *Journal of Applied Social Psychology*, vol. 27, p. 209-222.

Trevisol-Bittencourt, P., et Troiano, A. (2000). « Interictal personality syndrome in non-dominant temporal lobe epilepsy », *Arquivos de Neuro-Psiquitría*, vol. 58, p. 548-555.

Triandis, H. C. (1994). *Culture and Social Behavior*. New York : McGraw-Hill.

Trull, T., Stepp, S., et Durrett, C. (2003). « Research on borderline personality disorder : An update », *Current Opinion in Psychiatry*, vol. 16, p. 77-82.

Tulving, E. (1974). « Cue-dependent forgetting », *American Scientist*, vol. 62, p. 74-82.

Tulving, E. (1989). « Remembering and knowing the past », *American Scientist*, vol. 77, p. 361-367.

Tulving, E. (1995). « Organization of memory : Quo vadis ? », dans M. S. Gazzaniga (dir.), *The Cognitive Neurosciences*. Cambridge, MA : MIT Press.

Tulving, E. (2002). « Episodic memory : From mind to brain », *Annual Review of Psychology*, vol. 53, p. 1-5.

Tulving, E., et Thompson, D. M. (1973). « Encoding specificity and retrieval processes in episodic memory », *Psychological Review*, vol. 80, p. 352-373.

Turkheimer, E. (1989). « What can we learn from IQ differences between separated siblings ? » (résumé), *Behavior Genetics*, vol. 19, p. 778. Présenté à l'assemblée annuelle de la Behavior Genetics Association, Charlottesville, juin.

Turkheimer, E. (2008). Cité par Eléna Sender, « Le congrès des trente cerveaux », *Sciences et Avenir*, n° 741, novembre.

Turkheimer, E., Haley A., Waldron, M., D'Onofrio, B., et Gottesman, I. (2003). « Socioeconomic status modifies heritability of IQ in young children », *Psychological Science*, vol. 14, n° 6, novembre. En ligne : http://people.virginia.edu/~ent3c/papers2/Articles%20for%20Online%20CV/(38)%20Turkheimer%20et%20al%20(2003).pdf.

Tversky, A. (1972). « Elimination by aspects : A theory of choice », *Psychological Review*, vol. 79, p. 281-299.

U.S. Department of Health and Human Services (2001). « Ecstasy : Teens speak out », fiche d'informations. En ligne : http://www.health.org/govpubs/prevalert/v4/8.aspx, consulté le 22 octobre 2003.

Uchino, B. N., Cacioppo, J. T., et Kiecolt-Glaser, J. K. (1996). « The relationship between social support and physiological processes : A review with emphasis on underlying mechanisms and implications for health », *Psychological Bulletin*, vol. 119, p. 488-531.

Ueki, Y., Mima, T., Kotb, M., Sawada, H., Saiki, H., Ikeda, A., Begum, T., Reza, F., Nagamine, T., et Fukuyama, H. (2006). « Altered plasticity of the human motor cortex in Parkinson's Disease », *Annals of Neurology*, vol. 59, p. 60-71.

UMTRI (University of Michigan Transportation Research Institute) (2003). « Ready for the road : Software helps teens drive safely », *UMTRI Research Review*, vol. 34, p. 1-2.

Underwood, B. J. (1957). « Interference and forgetting », *Psychological Review*, vol. 64, p. 49-60.

Utsey, S., Chae, M., Brown, C., et Kelly, D. (2002). « Effect of ethnic group membership on ethnic identity, race-related stress and quality of life », *Cultural Diversity and Ethnic Minority Psychology*, vol. 8, p. 367-378.

Van Cauter, E. (2000). « Slow-wave sleep and release of growth hormone », *Journal of the American Medical Association*, vol. 284, p. 2717-2718.

Van den Hout, M., et Merckelbach, H. (1991). « Classical conditioning : Still going strong », *Behavioural Psychotherapy*, vol. 19, p. 59-79.

Van der Zee, K., Thijs, M., et Schakel, L. (2002). « The relationship of emotional intelligence with academic intelligence and the Big Five », *European Journal of Personality*, vol. 16, p. 103-125.

Van Ijzendoorn, M. H., Juffer, F., Poelhuis, C. W. (2005). « Adoption and cognitive development : a meta-analytic comparison of adopted and nonadopted children's IQ and school performance », *Psychological Bulletin*, vol. 131, p. 301-316.

Van Lancker, D. (1987). « Old familiar voices », *Psychology Today*, novembre, p. 12-13.

Van Lancker, D. R., Cummings, J. L., Kreiman, J., et Dobkin, B. H. (1988). « Phonagnosia : A dissociation between familiar and unfamiliar voices », *Cortex*, vol. 24, p. 195-209.

Vargha-Khadem, F., Gadian, D., Watkins, D., Connelly, A., Van Paesschen, W., et Mishkin, M. (1997). « Differential effects of early hippocampal pathology on episodic and semantic memory », *Science*, vol. 277, p. 376-380.

Vetulani, J., et Nalepa, I. (2000). « Antidepressants : Past, present and future », *European Journal of Pharmacology*, vol. 405, p. 351-363.

Vieta, E. (2003). « Atypical antipsychotics in the treatment of mood disorders », *Current Opinion in Psychiatry*, vol. 16, p. 23-27.

Villani, S. (2001). « Impact of media on children and adolescents : A 10-year review of the research », *Journal of the American Academy of Child and Adolescent Psychiatry*, vol. 40, p. 392-401.

Villegas, A., Sharps, M., Satterthwaite, B., et Chisholm, S. (2005). « Eyewitness memory for vehicles », *Forenisic Examiner*, vol. 14, p. 24-28.

Volkow, N. D., et Fowler, J. S. (2000). « Addiction, a disease of compulsion and drive : Involvement of the orbitofrontal cortex », *Cerebral Cortex*, vol. 10, p. 318-325.

Volkow, N. D., et Tancredi, L. R. (1991). « Biological correlates of mental activity studied with PET », *American Journal of Psychiatry*, vol. 148, p. 439-443.

Vurpillot, E. (1999). « Image mentale », *Grand dictionnaire de la psychologie*. Paris : Larousse.

Wacker, J., Chavanon, M., et Stemmler, G. (2006). « Investigating the dopaminergic basis of extraversion in humans : A multilevel approach », *Journal of Personality and Social Psychology*, vol. 91, p. 171-187.

Wahba, M. A., et Bridwell, L. G. (1976). « Maslow reconsidered : A review of research on the need hierarchy theory », *Organization Behavior and Human Performance*, vol. 15, p. 212-240.

Wald, G. (1964). « The receptors of human color vision », *Science*, vol. 145, p. 1007-1017.

Wald, G., Brown, P. K., et Smith, P. H. (1954). « Iodopsin », *Journal of General Physiology*, vol. 38, p. 623-681.

Walker, Elaine, Lisa Kestler, Annie Bollini, and Karen M. Hochman (2004). « Schizophrenia : Etiology and course », *Annual Review of Psychology*, vol. 55, p. 401-430.

Walker, M., Brakefield, T., Hobson, J., et Stickgold, R. (2003). « Dissociable stages of human memory consolidation and reconsolidation », *Nature*, vol. 425, p. 616-620.

Walker, M., et Stickgold, R. (2006). « Sleep, memory, and plasticity », dans S. Fiske, A. Kazdin et D. Schacter (dir.), *Annual Review of Psychology*, vol. 57, p. 139-166.

Wall, P. D., Melzack, R. (dir.) (1994). *Textbook of Pain*. New York : Churchill Livingstone, p. 1-12, 1321-1336.

Wallach, H. (1985). « Perceiving a stable environment », *Scientific American*, vol. 252, p. 118-124.

Walsh, D., Gentile, D., VanOverbeke, M., et Chasco, E. (2002). « MediaWise video game report card », National Institute on Media and the Family.

Wang, P., et Li, J. (2003). « An experimental study on the belief bias effect in syllogistic reasoning », *Psychological Science (China)*, vol. 26, p. 1020-1024.

Wang, X., et Perry, A. (2006). « Metabolic and physiologic responses to video game play in 7- to 10-year-old boys », *Archives of Pediatric Adolescent Medicine*, vol. 160, p. 411-415.

Warren, R. M. (1999). *Auditory Perception : A New Analysis and Synthesis*. New York, NY : Cambridge University Press.

Warshaw, M. G., et Keller, M. B. (1996). « The relationship between fluoxetine use and suicidal behavior in 654 subjects with anxiety disorders », *Journal of Clinical Psychiatry*, vol. 57, p. 158-166.

Watson, D. (2002). « Predicting psychiatric symptomatology with the Defense Style Questionnaire-40 », *International Journal of Stress Management*, vol. 9, p. 275-287.

Watson, John B. (1913). « Psychology as the behaviorist views it », *Psychological Review*, vol. 20, p. 158-177.

Watson, John B., et Rayner, R. (1920). « Conditioned emotional reactions », *Journal of Experimental Psychology*, vol. 3, p. 1-14.

Waxman, S., et Geschwind, N. (1975). « The interictal behavior syndrome of temporal lobe epilepsy », *Archives of General Psychiatry*, vol. 32, p. 1580-1586.

Webb, W. B. (1975). *Sleep : The Gentle Tyrant*. Englewood Cliffs, NJ : Prentice-Hall.

Webb, W. B. (1995). « The cost of sleep-related accidents : A reanalysis », *Sleep*, vol. 18, p. 276-280.

Weber, R., Ritterfeld, U., et Mathiak, K. (2006). « Does playing violent video games induce aggression ? Empirical evidence of a functional magnetic resonance imaging study », *Media Psychology*, vol. 8, p. 39-60.

Wechsler, D. (1939). *The Measurement of Adult Intelligence*. Baltimore : Williams and Wilkins.

Weeks, D. L., et Anderson, L. P. (2000). « The interaction of observational learning with overt practice : Effects on motor skill learning », *Acta Psychologia*, vol. 104, p. 259-271.

Wertheimer, Max (1912). « Experimental studies of the perception of movement », *Zeitschrift fur Psychologie*, vol. 61, p. 161-265.

Wertheimer, Max (1958). « Principles of perceptual organization », dans D. C. Beardslee et Michael Wertheimer (dir.), *Readings in Perception*. New York : Van Nostrand, p p. 115-135.

Wesensten, N. J., Belenky, G., Kautz, M. A., Thorne, D. R., Reichardt, R. M., et Balkin, T. J. (2002). « Maintaining alertness and performance during sleep deprivation : Modafinil versus caffeine », *Psychopharmacology*, vol. 159, n° 3, p. 238-247.

Wetter, M. W., Baer, R. A., Berry, T. R., Robison, L. H., et Sumpter, J. (1993). « MMPI-2 profiles of motivated fakers given specific symptom information : A comparison to matched patients », *Psychological Assessment*, vol. 5, p. 317-323.

Whalen, P. J., Rauch, S. L., Etcoff, N. L., McInerney, S. C., Lee, M. B., et Jenike, M. A. (1998). « Masked presentations of emotional facial expressions modulate amygdala activity without explicit knowledge », *Journal of Neuroscience*, vol. 18, p. 411-418.

Wheeler, M. A., Stuss, D. T., et Tulving, E. (1997). « Toward a theory of episodic memory : The frontal lobes and autonoetic consciousness », *Psychological Bulletin*, vol. 121, n° 3, p. 331-354.

Wheeler, M., et McMillan, C. (2001). « Focal retrograde amnesia and the episodic-semantic distinction », *Cognitive, Affective and Behavioral Neuroscience*, vol. 1, p. 22-36.

Whisenhunt, B. L., Williamson, D. A., Netemeyer, R. G., et Womble, L. G. (2000). « Reliability and validity of the Psychosocial Risk Factors Questionnaire (PRFQ) », *Eating and Weight Disorders : Studies on Anorexia, Bulimia, and Obesity*, vol. 5, p. 1-6.

White, D. P. (1989). « Central sleep apnea », dans M. H. Kryger, T. Roth et W. C. Dement (dir.), *Principles and Practice of Sleep Medicine*. Philadelphie : W. B. Saunders, p. 513-524.

Widom, C. S. (1989). « Does violence beget violence ? A critical examination of the literature », *Psychological Bulletin*, vol. 106, p. 3-28.

Willoughby, T., Wood, E., McDermott, C., et McLaren, J. (2000). « Enhancing learning through strategy instruction and group interaction : Is active generation of elaborations critical ? », *Applied Cognitive Psychology*, vol. 14, p. 19-30.

Wills, T. A., et Cleary, S. D. (1996). « How are social support effects mediated ? A test with parental support and adolescent substance use », *Journal of Personality and Social Psychology*, vol. 71, p. 937-952.

Wills, T. A., McNamara, G., Vaccaro, D., et Hirky, A. E. (1996). « Escalated substance use : A longitudinal grouping analysis from early to middle adolescence », *Journal of Abnormal Psychology*, vol. 105, p. 166-180.

Wilson, M. A., et McNaughton, B. L. (1993). « Dynamics of the hippocampal ensemble code for space », *Science*, vol. 261, p. 1055-1058.

Winokur, G., et Tsuang, M. T. (1996). *The Natural History of Mania, Depression, and Schizophrenia*. Washington, DC : American Psychiatric Press.

Witelson, S. F. (1985). « The brain connection : The corpus callosum is larger in left-handers », *Science*, vol. 229, p. 665-668.

Witt, L., Burke, L., Barrick, M., et Mount, M. (2002). « The interactive effects of conscientiousness and agreeableness on job performance », *Journal of Applied Psychology*, vol. 87, p. 164-169.

Wolford, G., Miller, M. B., et Gazzaniga, M. (2000). « The left hemisphere's role in hypothesis formation », *Journal of Neuroscience*, vol. 20, p. 1-4.

Wolfson, J., et Carskadon, M. A. (1998). « Sleep schedules and daytime functioning in adolescents », *Child Development*, vol. 69, n° 4, p. 875-887.

Wolpe, J. (1958). *Psychotherapy by Reciprocal Inhibition*. Stanford, CA : Stanford University Press.

Wolpe, J. (1973). *The Practice of Behavior Therapy*, 2e édition. New York : Pergamon.

Wolsko, P. M., Eisenberg, D. M., Davis, R. B., Phillips, R. S. (2004). « Use of mind-body medical therapies », *Journal of General Internal Medicine*, vol. 19, n° 1, janvier, p. 43-50.

Wolters, C. (2003). « Understanding procrastination from a self-regulated learning perspective », *Journal of Educational Psychology*, vol. 95, p. 179-187.

Wolters, C. (2004). « Advancing achievement goal theory using goal structures and goal orientations to predict students' motivation, cognition, and achievement », *Journal of Educational Psychology*, vol. 96, p. 136-250.

Wood, E., Presley, M., et Winne, P. (1990). « Elaborative interrogation effects on children's learning of factual content », *Journal of Educational Psychology*, vol. 82, p. 741-748.

Wood, W., et Conway, M. (2006). « Subjective impact, meaning making, and current and recalled emotions for self-defining memories », *Journal of Personality*, vol. 75, p. 811-846.

Woody, E. Z., et Bowers, K. S. (1994). « A frontal assault on dissociated control », dans S. J. Lynn et J. W. Rhue (dir.), *Dissociation: Clinical, Theoretical and Research Perspectives*. New York: Guilford, p. 52-79.

Woolley, J., et Boerger, E. (2002). « Development of beliefs about the origins and controllability of dreams », *Development Psychology*, vol. 38, p. 24-41.

Worrel, J. A., Marken, P. A., Beckman, S. E., et Ruehter, V. L. (2000). « Atypical antipsychotic agents: A critical review », *American Journal of Health System Pharmacology*, vol. 57, p. 238-255.

Wright, J. C., et Mischel, W. (1987). « A conditional approach to dispositional constructs: The local predictability of social behavior », *Journal of Personality and Social Psychology*, vol. 53, p. 1159-1177.

Yackinous, C., et Guinard, J. (2002). « Relation between PROP (6-n-propylthiouracil) taster status, taste anatomy and dietary intake measures for young men and women », *Appetite*, vol. 38, p. 201-209.

Yang, C. M., et Spielman, A. J. (2001). « The effect of a delayed weekend sleep pattern on sleep and morning functioning », *Psychology and Health*, vol. 16, nº 6, p. 715-725.

Yapko, M. D. (1994). « Suggestibility and repressed memories of abuse: A survey of psychotherapists' beliefs », *American Journal of Clinical Hypnosis*, vol. 36, p. 163-171.

Yerkes, Robert M., et Dodson John D. (1908). « The relation of strength of stimulus to rapidity of habit formation », *Journal of Comparative Neurological Psychology*, vol. 18, p. 459-482.

Yerkes, Robert M., et Morgulis, Sergius (1909). « The method of Pawlow in animal psychology », *Psychological Bulletin*, vol. 6, p. 257-273.

Young, Jeffrey, E., Klosko, Janet S., et Weishaar, Marjorie E. (2005). *La thérapie des schémas: Approche cognitive des troubles de la personnalité*. Bruxelles: De Boeck.

Zajonc, R. B. (1980). « Feeling and thinking: Preferences need no inferences », *American Psychologist*, vol. 39, p. 151-75.

Zajonc, R. B. (1984). « On primacy of affect », dans K. R. Scherer et P. Ekman (dir.), *Approaches to Emotion*. Hillsdale, NJ: Lawrence Erlbaum Associates, p. 259-270.

Zald, D. H., et Kim, S. W. (1996). « Anatomy and function of the orbitofrontal cortex II: Function and relevance to obsessive compulsive disorder », *Journal of Neuropsychiatry and Clinical Neurosciences*, vol. 8, p. 249-261.

Zatorre, R., Belin, P., et Penhune, V. (2002). « Structure and function of the auditory cortex: Music and speech », *Trends in Cognitive Sciences*, vol. 6, p. 37-46.

Zeier, H., Brauchli, P., et Joller-Jemelka, H. I. (1996). « Effects of work demands on immunoglobulin A and cortisol in air traffic controllers », *Biological Psychology*, vol. 42, p. 413-423.

Zhang, D., Li, Z., Chen, X., Wang, Z., Zhang, X., Meng, X., He, S., et Hu, X. (2003). « Functional comparison of primacy, middle and recency retrieval in human auditory short-term memory: An event-related fMRI study », *Cognitive Brain Research*, vol. 16, p. 91-98.

Zhang, L. (2002). « Thinking styles and the Big Five personality traits », *Educational Psychology*, vol. 22, p. 17-31.

Zhu A. J., et Walsh, B. T. (2002). « Pharmacologic treatment of eating disorders », *Canadian Journal of Psychiatry*, vol. 47, p. 3227-34.

Zimmerman, M., Posternak, K., et Chelminski, I. (2002). « Symptom severity and exclusion from antidepressant efficacy trials », *Journal of Clinical Psychopharmacology*, vol. 22, p. 610-614.

Zisapel, N. (2001). « Circadian rhythm sleep disorders: Pathophysiology and potential approaches to management », *CNS Drugs*, vol. 15, p. 311-328.

Zola, S. M., Squire, L. R., Teng, E., Stefanacci, L., Buffalo, E. A., et Clark, R. E. (2000). « Impaired recognition memory in monkeys after damage limited to the hippocampal region », *Journal of Neuroscience*, vol. 20, p. 451-463.

SOURCE DES PHOTOGRAPHIES ET DES FIGURES

CHAPITRE 1

1 : Larry William/Corbis. 2 : «Karen Labbé, concurrente à l'émission *Le Banquier*» Photo fournie par TVA Productions II. 4 : Xavi Arnau/iStockphoto. 7 : Owen Franken/Corbis. 8 : Natalia Belotelova/iStockphoto. 10 : Jeff Greenberg/PhotoEdit. 11 : Thibault Camus/CPimages.ca. 12 : Howard Huang/Getty Images/The Image Bank. 13 : Britta Kasholm-Tengve/iStockphoto 16 : Dmitriy Shironosov/Shutterstock. 20 : Chris Schmidt/ iStockphoto. 21 : Steve Winter/Black Star. 22 : Collection Rand B. Evans/Max Planck Institute. 23 : Bettmann/Corbis. 24 : Hulton-Deutsch Collection/Corbis. 25 (g) : Bettmann/Corbis. 25 (d) : CSU Archives/Everett Collection/CPimages.ca. 25 (b) : Archives de History of American Psychology – The University of Akron. 26 : Ann Kaplan/Corbis. 27 : Université de Montréal. 28 : Sergiy Zavgorodny/ Shutterstock. 32 : Hulton-Deutsch Collection/ Corbis.

CHAPITRE 2

39 : Photothèque ERPI. 40 : Everett Collection/CPimages.ca. 45 : Biophoto Associates/Photo Researchers, Inc./Publiphoto. 47 (h) : McGill University Archives. 47 (b) : Alexander Tsiaras/ Photo Researchers, Inc./Publiphoto. 48 (g) : Owen Franken/Corbis. 48 (d) : Dr Michael Phelps et Dr John Mazziotta. 51 (g) : iStockphoto. 51 (d) : Visuals Unlimited/Corbis. 52 : Matt Abbe/iStockphoto. 57 : Reproduit avec la permission de Damasio H, Grabowski T, Frank R, Galaburda AM, Damasio AR : The return of Phineas Gage : Clues about the brain from a famous patient. *Science, 264*, 1102-1105, © 1994. 58 (h) : David Young-Wolff/Photo Edit. 58 (b) : John Scott/iStockphoto. 64 : Armando Franca/AP/CPimages.ca. 65 : BioPhoto/Photo Researchers, Inc./Publiphoto. 68 : Bart Coenders/iStockphoto. 69 : Ana Abejon/iStockphoto. 70 : Ronnie Kaufman/Corbis. 72 : Université de Montréal. 76 : Photothèque ERPI.

CHAPITRE 3

81 : Gabe Palmer/The Stock Market. 82 : Library of Congress. 83 : Hal Bergman/iStockphoto. 85 : Manuel Velasco/iStockphoto. 87 : Peter Arnold/J & L Weber/Carolina Biological Supply Company/Phototake. 88 (g, d) : Shutterstock. 93 (g) : Robert Harbison. 93 (d) : Robert Harbison. 96 (h) : Martin Rogers/Stock Boston. 96 (b) : Infusla-64/CPimages.ca. 97 : Michele Lugaresi/iStockphoto. 98 : iStockphoto. 101 : Christine Balderas/iStockphoto. 102 : Heiko Bennewitz/iStockphoto. 101 : Gracieuseté de Geotyme Enterprises. 112 a : Kent Meireis/The Image Works. 112 b : iStockphoto. 112 c : Dusan Ponist/iStockphoto. 112 d : Benoit Rousseau/iStockphoto. 112 e : Christian Sawicki/iStockphoto. 112 f : Randi Anglin/Syracuse Newspaper/The Image Works. 112 g : David Muench/Corbis. 113 : Bob Krist/Corbis. 114 : Boring, E. G. A New Ambiguous Figure. *Amer. J. Psychology* 42, 444, 1930.

CHAPITRE 4

119 : ThinkStock LLC/Index Stock. 121 : Images.com/Corbis. 122 : Steve Geer/iStockphoto. 125 : Serghei Starus/Shutterstock. 124 : Photothèque ERPI. 123 : Peeter Viisimaa/iStockphoto. 126 : Phototake/CPimages.ca. 128 : Monkey Business Images/ Shutterstock. 133 : Cat London/iStockphoto. 134 : Losevsky Pavel/Shutterstock. 131 : Karin Lau/Shutterstock. 136 (h) : SPI www.tac.tv. 136 (b) : David Cannings-Bushell/iStockphoto. 137 : Louis Psihoyos/Science Faction Images. 143 : Emilio Morenatti/AP Photo/CPimages.ca. 144 : Davorin Pavlica/ iStockphoto. 145 : NBC-TV/The Kobal Collection. 146 : Bulent Ince/iStockphoto. 148 : Michelangelo Gratton/Shutterstock. 150 : BSIP, Chagnon/SPL/Publiphoto.

CHAPITRE 5

155 : Ariel Skelley/Corbis. 156 : Rupert Kirby/iStockphoto. 158 (b) : Bettmann/Corbis. 160 : Anja Hild/iStockphoto. 162 : Ben Harris. 164 : Owen Franken/Corbis. 167 : Joe McNally Photography. 170 : Josef Philipp/iStockphoto. 172 (g) : Yuan Zhang/ iStockphoto. 172 (d) : Ken Seet/Corbis. 176 : P. Dionne/Dominique Gestion Artistique. 177 : Wolfgang Kölher/American Philosophical Society. 178 : iStockphoto. 179 : Dr. Albert Bandura, Stanford University. 182 : Sandra O'Claire/iStockphoto. 185 (h) : Wolfgang Amri/iStockphoto. 185 (b) : Ekaterina Monakhova/ iStockphoto. 186 (h) : Michael Svoboda/iStockphoto. 187 : Ryan Remiorz/CPimages.com.

CHAPITRE 6

191 : «Street» © Franco Magnani. 192 (d) : Susan Schwartzenberg ©Eploratorium, www.exploratorium.edu. 192 (g) : «Childhood Porch» © Franco Magnani. 192 : Franco Magnani. 195 : Philippe Barraud/iStockphoto. 195 (fig. 6.2) : Reproduit de «Short-Term Retention of Individual Verbal Items», de L.R. Peterson & M.J. Peterson, *Journal of Experimental Psychology*, Vol. 58, 1959. 196 : Roy Morsch/Corbis. 199 : Tim Kiusalaas/iStockphoto. 199 : Jason Lugo/ iStockphoto. 201 : Heide Benser/zefa/Corbis. 204 : iStockphoto. 205 : Jim Collins/AP Photo /CPimages.ca. 207 : James Shaffer/ PhotoEdit. 208 : Bettmann/Corbis. 211 : Will & Deni McIntyre/ Corbis. 214 : McGill University Archives, Chris F. Payne, PR000387. Reproduit dans *The McGill News*, Vol.51, No. 3, mai 1970, p. 3. 215 : Jacques Grenier. 218 : Rich Legg/iStockphoto.

CHAPITRE 7

223 : Photothèque ERPI. 224 : Eric Roxfelt/AP Photo. 226 : Bettmann/ Corbis. 228 : Bettmann/Corbis. 232 : Photo fournie par le service des archives de l'UQAM © 1987 André Larose. 233 : Kim

Gunkel/iStockphoto. 234: Artem Efimov/iStockphoto. 236 (h): Rex Features/CPimages.ca. 236 (b): Michael Schade/ iStockphoto. 237: United Artists/Everett Collection/CPimages.ca. 239 (g): Jorge Delgado/iStockphoto. 239 (c): Ovidiu Iordachi/Shutterstock. 239 (d): Kevin Frayer/CPimages.ca. 240: Tetsuro Matsuzawa. 241: Michel & Christine Denis-Huot/Photo Researchers, Inc./Publiphoto. 242: Brad Killer/iStockphoto. 244: Christoph Riddle/iStockphoto. 245 (g): Photothèque ERPI. 245 (d): Jan Will/iStockphoto. 247 (h): Interfoto Pressebildagentur/Alamy. 247 (b): Photothèque ERPI. 249: Bill Anderson/Photo Researchers, Inc./Publiphoto. 251 (g): Doug Goodman/Photo Researchers/ Publiphoto. 251 (d): Doug Goodman/Photo Researchers/ Publiphoto. 255: iStockphoto. 257: Ismat Dehkanov. 258: iStockphoto. 261: Topham Picture Point/The Image Works. 262: Kirk McCoy/Material World. 263: Adapté de Carlsson *et al.* (2000).

267: YuliaPodlesnova/Shutterstock. 268: Michael Stravato/AP Photo/CPimages.ca. 272 (g, d) et 274 (h): Reproduit avec l'autorisation de John van Wyhe (dir.), The Complete Work of Charles Darwin Online http://darwin-online.org.uk. 274 (b): Loren Lewis/Shutterstock. 275 (g, d): Duchenne de Boulogne, 1862. 276: Reproduit avec la permission de The Human Interaction Laboratory/©Paul Eckman. 277: Caro/Alamy. 281 (h): Bettmann/Corbis. 281 (b): Galen Rowell/Mountain Light/ Alamy. 283: Galen Rowell/Mountain Light/Alamy. 287: Bettmann/Corbis. 289: Sophie Bassouls/Sygma/Corbis. 294: Iroha/Shutterstock. 295: Dusan Zidar/Shutterstock. 297 (h): Jonathan Hayward/CPimages.ca. 297 (b): Laurence Gough/ Shutterstock. 301: Ron Watts/Corbis. 302: Monkey Business Images/Shutterstock. 304: Don Bayley/iStockphoto. 305: Radu Razvan/Shutterstock.

311: John Berry/Syracuse Newspapers/ The Image Works. 312: Massimo Listri/Corbis. 314: Hulton-Deutsch Collection/ Corbis. 316: Yasmine Mazani/ERPI. 320: Bettmann/Corbis. 323: Claude Dagenais/iStockphoto. 327: Rob Marmion/Shutterstock. 328: Mario Landry/CPimages.ca. 333: Michel Pinault/ CPimages.ca. 334: Warner Bros./Courtesy Everett Collection/ CPimages.ca. 338: Ulf Andersen/Gamma/Eyedea/Ponopresse.

343: Aldo Murillo/iStockphoto. 344 (g): Universal/Everett/ CPimages.ca. 344 (d): Najlah Feanny/Corbis Saba. 346 (g): Raymond Truelove/iStockphoto. 346 (d): Alain Couillaud/ iStockphoto. 350: Stefanie Timmermann/iStockphoto. 352: AKG-Images. 355: Laura Neal/iStockphoto. 356 (g): Everett Collection/ CPimages.ca. 356 (d): Andrew Cooper © Miramax/Everett/ CPimages.ca. 359 (g): Jamie Jones/Rex Features/CPimages.ca. 359 (d): Cecilia Lim H M/Shutterstock. 360 (g): Bubbles Photolibrary/Alamy. 360 (d): Cristina Pedrazzini/SPL/ Publiphoto. 362: Grunnitus Studio/Photo Researchers/ Publiphoto. 364: Dr.Paul Thompson, Laboratory of Neuro Imaging de UCLA. 368: Jean-Pierre Danvoye/Publiphoto. 370: Peter Aprahamian/ Corbis. 371: Roger Ressmeyer/Corbis. 374 (h): USA Networks/ Everett/CPimages.ca. 374 (b): Michael Fenichel. 378: Malgorzata Korpas/iStockphoto.